眼科検査ガイド

監修 ▶ 根木　昭［神戸大学名誉教授］
編集 ▶ 飯田知弘［東京女子医科大学教授］
　　　近藤峰生［三重大学教授］
　　　中村　誠［神戸大学教授］
　　　山田昌和［杏林大学教授］

文光堂

■執筆者一覧 (執筆順)

米田　剛	川崎医療福祉大学リハビリテーション学部	国松志保	西葛西・井上眼科病院
岡　真由美	川崎医療福祉大学リハビリテーション学部	朝岡　亮	聖隷浜松病院眼科
南雲　幹	井上眼科病院	山下高明	鹿児島大学眼科
保沢こずえ	自治医科大学眼科	馬場昭典	東京慈恵会医科大学眼科
小川佳子	東京医療センター感覚器センター眼科	敷島敬悟	東京慈恵会医科大学眼科
鳥居秀成	慶應義塾大学眼科	柏井　聡	愛知淑徳大学健康医療科学部
新井千賀子	杏林大学眼科	栗本拓治	神戸大学眼科
小田浩一	東京女子大学現代教養学部	若倉雅登	井上眼科病院
中山百合	砧ゆり眼科医院	後関利明	国際医療福祉大学熱海病院眼科
川守田拓志	北里大学医療衛生学部	有田玲子	伊藤医院
半田知也	北里大学医療衛生学部	横井則彦	京都府立医科大学眼科
輪島良太郎	金沢大学眼科	今野公士	八王子友愛眼科
杉山能子	金沢大学眼科	佐々木次壽	佐々木眼科
根岸貴志	順天堂大学眼科	繰納　勉	恵寿金沢病院眼科
執行明希子	第二大阪警察病院眼科	堀　裕一	東邦大学医療センター大森病院眼科
高　静花	大阪大学眼科	岡島行伸	東邦大学医療センター大森病院眼科
中川真紀	帝京大学眼科	山田昌和	杏林大学眼科
松本富美子	近畿大学眼科	羽藤　晋	慶應義塾大学眼科
長谷部佳世子	川崎医科大学総合医療センター眼科	小林　顕	金沢大学眼科
鈴木由美	杏林大学眼科	明田直彦	慶應義塾大学眼科
長尾祥奈	川崎医科大学総合医療センター眼科	山口剛史	東京歯科大学市川総合病院眼科
長谷部　聡	川崎医科大学眼科学2教室	張　佑子	京都市立病院眼科
松澤亜紀子	川崎市立多摩病院眼科	稗田　牧	京都府立医科大学眼科
糸井素啓	京都府立医科大学眼科	吉富寿々	広島大学眼科
和田友紀	神戸大学医学部附属病院眼科	近間泰一郎	広島大学眼科
中西裕子	神戸大学眼科	戸田良太郎	広島大学眼科
柳沼重晴	柳沼眼科医院	神谷和孝	北里大学医療衛生学部
中馬秀樹	宮崎大学眼科	浅川　賢	北里大学医療衛生学部
木村亜紀子	兵庫医科大学眼科	石川　均	北里大学医療衛生学部
長井隆行	神戸大学眼科	五十嵐章史	山王病院アイセンター
鈴木康夫	手稲渓仁会病院眼窩・神経眼科センター	野口三太朗	ツカザキ病院眼科
臼井千惠	帝京大学医療技術学部	金森章泰	かなもり眼科クリニック
森本　壮	大阪大学眼科	中元兼二	日本医科大学眼科
矢ヶ﨑悌司	眼科やがさき医院	白鳥　宙	日本医科大学眼科
安田俊介	安田眼科	藤原雅史	神戸アイセンター病院
中村かおる	東京女子医科大学眼科	新明康弘	北海道大学眼科
村木早苗	むらき眼科	木内良明	広島大学眼科
杢野久美子	刈谷豊田総合病院眼科	芝　大介	慶應義塾大学眼科
田邊詔子	元中京眼科視覚研究所	坂本麻里	神戸大学眼科
安間哲史	安間眼科	沖本聡志	広島赤十字・原爆病院眼科
田中芳樹	中京眼科視覚研究所	森　和彦	京都府立医科大学眼科
市川一夫	中京眼科視覚研究所	楠原仙太郎	神戸大学眼科
若山曉美	近畿大学眼科	酒井　寛	浦添さかい眼科
中野　匡	東京慈恵会医科大学眼科	森實祐基	岡山大学眼科
平澤一法	北里大学眼科	池田恒彦	大阪回生病院眼科
庄司信行	北里大学眼科	井上　真	杏林大学眼科
野本裕貴	近畿大学眼科	野田　徹	国立病院機構東京医療センター眼科
松本長太	近畿大学眼科	秋葉正博	株式会社トプコン技術本部
馬場隆之	千葉大学眼科	長谷川泰司	東京女子医科大学眼科
山崎芳夫	山崎眼科医院	後藤禎久	大塚眼科医院
前田史篤	新潟医療福祉大学医療技術学部	齋藤昌晃	弘前大学眼科
宇田川さち子	金沢大学附属病院眼科	本田　茂	大阪市立大学眼科
大久保真司	おおくぼ眼科クリニック	角田和繁	東京医療センター感覚器センター
井上　新	井上眼科クリニック	古泉英貴	琉球大学眼科

辻川明孝	京都大学眼科	新井田孝裕	国際医療福祉大学保健医療学部
大島裕司	福岡歯科大学眼科	松原 央	三重大学眼科
丸子一朗	東京女子医科大学眼科	古田 実	東京女子医科大学八千代医療センター眼科
後藤克聡	川崎医科大学眼科学1教室	高比良雅之	金沢大学眼科
三木淳司	川崎医科大学眼科学1教室	橋本雅人	中村記念病院眼科
坪井孝太郎	愛知医科大学眼科	増田洋一郎	東京慈恵会医科大学眼科
石羽澤明弘	北見赤十字病院眼科	西川 遼	北播磨総合医療センター放射線治療科
野崎実穂	名古屋市立大学眼科	佐々木良平	神戸大学放射線腫瘍学
福山 尚	兵庫医科大学眼科	杉田 直	株式会社ビジョンケア研究開発部
五味 文	兵庫医科大学眼科	福田 憲	高知大学眼科
沼 尚吾	京都大学眼科	内尾英一	福岡大学眼科
赤木忠道	新潟大学眼科	井上智之	いのうえ眼科
佐藤信之介	大阪大学医学部附属病院眼科	小幡博人	埼玉医科大学総合医療センター眼科
坂口裕和	岐阜大学眼科	秦野 寛	ルミネはたの眼科
新田耕治	福井県済生会病院眼科	井上幸次	鳥取大学眼科
大石明生	長崎大学眼科	伊藤 栄	獨協医科大学眼科
上田香織	神戸大学眼科	妹尾 正	獨協医科大学眼科
森 隆史	福島県立医科大学眼科	高瀬 博	東京医科歯科大学眼科
杉本昌彦	三重大学眼科	蕪城俊克	自治医科大学附属さいたま医療センター眼科
髙橋寛二	関西医科大学眼科	石原麻美	横浜市立大学眼科
森 隆三郎	日本大学眼科	内 翔平	山口大学眼科
石龍鉄樹	福島県立医科大学眼科	柳井亮二	山口大学眼科
尾花 明	聖隷浜松病院眼科	丸山和一	大阪大学視覚情報制御学寄附講座
大音壮太郎	京都大学眼科	加瀬 諭	北海道大学眼科
高橋成奈	東北大学眼科	水内一臣	大塚眼科病院
中澤 徹	東北大学眼科	南場研一	北海道大学眼科
長岡泰司	日本大学眼科	高村悦子	東京女子医科大学眼科
近藤峰生	三重大学眼科	毛塚剛司	毛塚眼科医院
町田繁樹	獨協医科大学埼玉医療センター眼科	林 孝彰	東京慈恵会医科大学葛飾医療センター眼科
島田佳明	藤田医科大学岡崎医療センター眼科	長屋祥子	長屋眼科
上野真治	名古屋大学眼科	柏木賢治	山梨大学眼科
松本惣一	松本眼科	江口 洋	近畿大学眼科
吉田正樹	東京慈恵会医科大学附属柏病院眼科		

序文

　この度，"眼科検査ガイド"第3版を刊行することになりました．"眼科検査ガイド"は初版以来，眼科検査の辞書として眼科専門医から専攻医，視能訓練士，学生の皆様に広く活用されてきました．特に検査方法・機器の原理，検査のコツと注意点，データの読み方の要点をカラー写真やイラストを多用することで，理解しやすい実践書としての地位を固めてきました．

　第2版が刊行されてから5年余りが経ち，この間，画像検査をはじめ機能検査，免疫学的検査などにおいて新しい検査法が開発されました．従来の検査機器もバージョンアップされ日々進化しています．現代の眼科診療の多くがこれらの検査機器に依存しています．自分の目で診る時代から機械で診る時代になり診療形態も変化しました．Withコロナの時代を迎え，オンライン診療やAI診療は非接触性検査機器を介して今後一層広がるものと思います．しかし，機器の目は必ずしも真実を伝えるものではありません．機械の仕組みを理解し，その限界を知らなければ機械的診断結果に振り回されることになります．

　このような時代において眼科のプロフェッショナリティーを高め日常診療の質を向上させるためには，深い検査知識と再現性の高い検査の実践が必須です．このような観点から，第2版をさらにアップデートして最新の知見を網羅する実践書を企画致しました．

各項目は，概ね以下の構成としました．
 1　検査の目的
　 1）検査対象
　 2）目標と限界
 2　検査法と検査機器
　 1）測定原理・測定範囲
　 2）機器の構造
　 3）感度と特異度
 3　検査手順
　 1）検査の流れ
　 2）機器の使い方
　 3）検査のコツと注意点
 4　検査結果の読み方
　 1）正常結果
　 2）異常所見とその解釈
　 3）アーチファクト

　本書が眼科検査学の標準本として日常診療に大いにお役立ていただけることを願っています．最後になりましたがご多忙のところ，快く玉稿を賜りました執筆者の皆様，文光堂編集部の皆様に心より御礼を申し上げます．
2022年1月

監修　根木　昭
編集　飯田知弘
　　　近藤峰生
　　　中村　誠
　　　山田昌和

眼科検査ガイド 目次

1. 視力検査

1) 視力検査の条件 ―― 米田 剛 ―― 2
2) 遠見視力検査（log MAR を含む）―― 岡 真由美 ―― 6
3) 近見視力検査 ―― 南雲 幹 ―― 11
4) 小児の視力検査・行動観察による視力検査 ―― 保沢こずえ ―― 14
5) 両眼開放視力検査 ―― 小川佳子 ―― 20
6) 省スペース視力表 ―― 小川佳子 ―― 21
7) コントラスト感度 ―― 鳥居秀成 ―― 23
8) グレア検査 ―― 鳥居秀成 ―― 27
9) 読書検査 ―― 新井千賀子・小田浩一 ―― 29
10) 他覚的視力検査（心因性視力障害・詐病検査）―― 中山百合 ―― 34
11) ロービジョン検査 ―― 新井千賀子 ―― 38
12) 身体障害者手帳・障害者年金・指定難病 ―― 新井千賀子 ―― 47

2. 屈折検査

1) 他覚的屈折検査
 ①オートレフラクト（ケラト）メータ ―― 川守田拓志・半田知也 ―― 52
 ②ポータブルオートレフラクト（ケラト）メータ ―― 川守田拓志・半田知也 ―― 57
 ③スポットビジョンスクリーナー ―― 輪島良太郎・杉山能子 ―― 59
 ④検影法 ―― 根岸貴志 ―― 63
 ⑤波面収差解析装置 ―― 執行明希子・高 静花 ―― 68
2) 自覚的屈折検査（矯正視力検査）
 ①レンズ交換法 ―― 小川佳子 ―― 74
 ②雲霧法 ―― 中川真紀 ―― 78
 ③2色テスト（赤緑テスト）―― 中川真紀 ―― 80
 ④クロスシリンダー法 ―― 松本富美子 ―― 82

3. 眼鏡・コンタクトレンズ検査

1) 眼鏡処方
 ①遠用眼鏡，近用眼鏡，遠近両用・累進眼鏡，プリズム眼鏡，遮光眼鏡 ―― 長谷部佳世子 ―― 88

②小児の眼鏡処方 ──────────────── 鈴木由美 ──── 100
　2）眼鏡検査
　　①レンズメータ ──────────────── 長尾祥奈・長谷部 聡 ──── 104
　　②レンズ曲率 ──────────────── 長尾祥奈・長谷部 聡 ──── 106
　　③レンズ厚 ──────────────── 長尾祥奈・長谷部 聡 ──── 107
　　④眼鏡枠の測定 ──────────────── 長尾祥奈・長谷部 聡 ──── 107
　　⑤瞳孔間距離 ──────────────── 長尾祥奈・長谷部 聡 ──── 109
　3）コンタクトレンズ検査
　　①コンタクトレンズの種類と選択 ──────── 松澤亜紀子 ──── 110
　　②フィッティング ──────────────── 松澤亜紀子 ──── 114
　　③レンズ検査 ──────────────── 松澤亜紀子 ──── 118
　　④特殊コンタクトレンズ（円錐角膜用, オルソケラトロジー, カラーコンタクトレンズ）── 糸井素啓 ──── 121

4．調節・輻湊検査

　1）調節検査
　　①自覚的調節検査 ──────────────── 和田友紀 ──── 125
　　②他覚的調節検査 ──────────────── 和田友紀 ──── 129
　2）輻湊検査 ──────────────── 和田友紀 ──── 133

5．眼位・眼球突出・眼球運動検査

　1）眼位検査
　　①眼位定性検査（遮閉試験） ──────────── 中西裕子 ──── 140
　　②眼位定量検査 ──────────────── 中西裕子 ──── 144
　　③単眼性眼位検査 ──────────────── 中西裕子 ──── 153
　　④固視検査 ──────────────── 中西裕子 ──── 155
　2）眼球突出検査 ──────────────── 柳沼重晴 ──── 157
　3）眼球運動検査
　　①9方向むき眼位 ──────────────── 中馬秀樹 ──── 159
　　②Hess 赤緑試験 ──────────────── 木村亜紀子 ──── 163
　　③ひっぱり試験・牽引試験 ──────────── 長井隆行 ──── 167
　　④注視野検査 ──────────────── 和田友紀 ──── 170

4）頭位の検査 ———————————————————— 木村亜紀子 ——— 172
  5）眼球震盪の検査 ———————————————— 鈴木康夫 ——— 174
  6）ビデオ眼球運動記録法 ————————————— 木村亜紀子 ——— 180
  7）他覚的視機能検査 —————————————— 半田知也 ——— 182

6．両眼視機能検査

  1）大型弱視鏡 ————————————————————— 臼井千恵 ——— 184
  2）立体視検査 ————————————————————— 森本　壮 ——— 195
  3）網膜対応検査 ———————————————————— 矢ヶ﨑悌司 ——— 199
  4）不等像視検査 ———————————————————— 矢ヶ﨑悌司 ——— 206

7．光覚検査

  光覚検査 ————————————————————————— 安田俊介 ——— 210

8．色覚検査

  1）仮性同色表 ————————————————————— 中村かおる ——— 212
  2）パネル D-15 テスト ———————————————— 村木早苗 ——— 220
  3）ランタンテスト ———————————————— 杢野久美子・田邉詔子 ——— 223
  4）100 hue テスト ———————————————————— 安間哲史 ——— 225
  5）アノマロスコープ —————————————— 田中芳樹・市川一夫 ——— 230

9．視野検査

  1）Goldmann 視野計（動的視野検査）———————— 若山曉美 ——— 238
  2）自動視野計（静的視野検査）
    ① Humphrey 視野計 ——————————————— 中野　匡 ——— 243
    ② Octopus 視野計（Pulsar 視野）—————— 平澤一法・庄司信行 ——— 253
    ③ アイモ ———————————————————————— 野本裕貴 ——— 262
  3）Amsler Charts ————————————————————— 松本長太 ——— 268
  4）M-CHARTS ————————————————————— 松本長太 ——— 270

5) 眼底直視下視野計 ────────────── 馬場隆之 ── 272
6) 色視野計測（blue on yellow 視野測定）───── 山崎芳夫 ── 276
7) 瞳孔視野計 ────────────── 前田史篤 ── 279
8) その他の視野計
　① FDT スクリーナー ────────── 宇田川さち子・大久保真司 ── 283
　② FDT マトリックス ────────── 宇田川さち子・大久保真司 ── 285
　③ noise-field campimetry (snow field campimetry) ── 井上　新 ── 287
9) 緑内障の視野検査
　① スクリーニング ────────── 国松志保 ── 290
　② 精密検査 ────────────── 朝岡　亮 ── 294
　③ 経過観察 ────────────── 山下高明 ── 301
10) 神経眼科疾患の視野検査
　① Goldmann 視野計 ────────── 馬場昭典・敷島敬悟 ── 308
　② 自動視野計 ────────────── 柏井　聡 ── 315
　③ 中心視野と対座法 ────────── 中馬秀樹 ── 324
　④ 中心フリッカー値 ────────── 栗本拓治 ── 326

10. 眼瞼検査

1) 眼瞼痙攣の検査（瞬目検査）────── 若倉雅登 ── 330
2) 挙筋機能検査 ────────────── 木村亜紀子 ── 332
3) アイスパックテスト, テンシロンテスト（神経・筋負荷テスト）── 後関利明 ── 334
4) ネオシネジン点眼負荷検査（Müller 筋試験）── 中馬秀樹 ── 336

11. 涙液・涙道検査

1) マイボグラフィー検査 ────────── 有田玲子 ── 337
2) 涙液量検査 ────────────── 横井則彦 ── 339
3) BUT 検査 ────────────── 横井則彦 ── 342
4) 涙管通水試験と涙管ブジー法 ────── 今野公士 ── 346
5) 涙道造影検査 ────────────── 佐々木次壽・繰納　勉 ── 349
6) 涙道内視鏡検査 ────────────── 佐々木次壽 ── 352

12. 角膜・結膜・水晶体検査

- 1) 細隙灯顕微鏡検査 ──── 堀 裕一 ──── 358
- 2) 角結膜染色法 ──── 岡島行伸・堀 裕一 ──── 364
- 3) 前眼部写真の撮影法 ──── 山田昌和 ──── 368
- 4) スペキュラーマイクロスコピー ──── 羽藤 晋 ──── 370
- 5) 共焦点顕微鏡検査 ──── 小林 顕 ──── 374
- 6) ケラトメーター ──── 明田直彦・山口剛史 ──── 377
- 7) 角膜形状解析
  - ①プラチド円板 ──── 明田直彦・山口剛史 ──── 380
  - ②フォトケラトスコープ ──── 明田直彦・山口剛史 ──── 381
  - ③角膜トポグラフィ（Pentacam, Orbscan 含む） ──── 明田直彦・山口剛史 ──── 384
- 8) 前眼部 OCT（前眼部 3 次元画像解析） ──── 張 佑子・稗田 牧 ──── 390
- 9) 角膜知覚測定 ──── 吉富寿々・近間泰一郎 ──── 399
- 10) 角膜厚測定の活用 ──── 戸田良太郎・近間泰一郎 ──── 400
- 11) 角膜ヒステリシス測定 ──── 神谷和孝 ──── 402

13. 瞳孔検査

- 1) 瞳孔径計測 ──── 浅川 賢・石川 均 ──── 404
- 2) 瞳孔反応検査 ──── 浅川 賢・石川 均 ──── 407
- 3) 点眼試験（瞳孔薬物負荷テスト） ──── 浅川 賢・石川 均 ──── 411
- 4) 赤外線瞳孔計 ──── 浅川 賢・石川 均 ──── 414

14. 眼内レンズ度数計測

- 1) 眼内レンズ度数決定の理論 ──── 神谷和孝 ──── 421
- 2) 超音波 A モード眼軸長計測 ──── 神谷和孝 ──── 425
- 3) 光学式眼軸長計測 ──── 神谷和孝 ──── 427
- 4) 乱視用眼内レンズの度数，軸の決定 ──── 五十嵐章史 ──── 431
- 5) 多焦点眼内レンズの度数決定 ──── 野口三太朗 ──── 435
- 6) レーシック眼の眼内レンズ度数決定 ──── 五十嵐章史 ──── 440

15. 眼圧検査

1) 眼圧測定法 ……………………………………………… 金森章泰 …… 442
2) 眼圧日内変動 …………………………………………… 中元兼二・白鳥 宙 …… 447
3) 誘発試験 ………………………………………………… 藤原雅史 …… 450
4) トリガーフィッシュ …………………………………… 新明康弘 …… 452
5) コルビス ………………………………………………… 木内良明 …… 455

16. 前房・隅角検査

1) 細隙灯顕微鏡検査
   ① 前眼部所見 ………………………………………… 芝 大介 …… 460
   ② van Herick 法 ……………………………………… 坂本麻里 …… 463
2) トノグラフィー ………………………………………… 沖本聡志・木内良明 …… 465
3) 隅角鏡・圧迫隅角鏡 …………………………………… 森 和彦 …… 467
4) 前眼部蛍光造影検査 …………………………………… 楠原仙太郎 …… 473
5) 超音波生体顕微鏡・UBM・前眼部 OCT ……………… 酒井 寛 …… 475
6) レーザーフレアメータ ………………………………… 楠原仙太郎 …… 479

17. 眼底検査

1) 直像鏡（固視検査も含めて） ………………………… 森實祐基 …… 482
2) 単眼倒像鏡 ……………………………………………… 森實祐基 …… 483
3) 双眼倒像鏡（強膜圧迫法） …………………………… 池田恒彦 …… 485
4) 網膜硝子体の細隙灯顕微鏡検査 ……………………… 井上 真・野田 徹 …… 490

18. 光干渉断層計

1) 前眼部 OCT（p390, p475 の項目参照）
2) 後眼部 OCT（眼底 3 次元画像解析）
   ① 原理と種類 ………………………………………… 秋葉正博 …… 500
   ② 正常所見とアーチファクト ……………………… 長谷川泰司 …… 507
   ③ 撮影の基本 ………………………………………… 後藤禎久 …… 511

- ④硝子体と硝子体牽引 ―― 齋藤昌晃 ―― 516
- ⑤網膜肥厚 ―― 本田　茂 ―― 521
- ⑥網膜菲薄 ―― 角田和繁 ―― 527
- ⑦網膜内嚢胞・網膜分離 ―― 古泉英貴 ―― 532
- ⑧網膜剝離 ―― 辻川明孝 ―― 537
- ⑨網膜色素上皮隆起 ―― 大島裕司 ―― 543
- ⑩脈絡膜 ―― 丸子一朗 ―― 547
- ⑪緑内障 ―― 大久保真司・宇田川さち子 ―― 554
- ⑫視路疾患 ―― 後藤克聡・三木淳司 ―― 566

3) OCTアンギオグラフィ（OCTA，光干渉断層血管撮影）
- ①原理と撮影の基本 ―― 坪井孝太郎 ―― 570
- ②正常所見とアーチファクト ―― 石羽澤明弘 ―― 573
- ③網膜病変 ―― 野崎実穂 ―― 578
- ④脈絡膜病変 ―― 福山　尚・五味　文 ―― 584
- ⑤視神経乳頭 ―― 沼　尚吾・赤木忠道 ―― 587

19. 眼底写真

1) 眼底撮影
- ①眼底撮影 ―― 佐藤信之介・坂口裕和 ―― 594
- ②無赤色眼底撮影 ―― 新田耕治 ―― 597
- ③広角眼底撮影 ―― 大石明生 ―― 599
- ④合成写真 ―― 齋藤昌晃 ―― 605
- ⑤立体眼底撮影 ―― 新田耕治 ―― 607
- ⑥RetCamによる眼底撮影 ―― 上田香織 ―― 609
- ⑦手持ち眼底カメラによる眼底撮影 ―― 森　隆史 ―― 611
- ⑧スマートフォンによる眼底撮影 ―― 杉本昌彦 ―― 613

2) フルオレセイン蛍光眼底造影 ―― 髙橋寛二 ―― 615
3) インドシアニングリーン蛍光眼底造影 ―― 森　隆三郎 ―― 623
4) 眼底自発蛍光撮影 ―― 石龍鉄樹 ―― 631
5) 黄斑色素測定 ―― 尾花　明 ―― 637
6) 走査レーザー検眼鏡（補償光学を含む） ―― 大音壮太郎 ―― 641

20. 眼循環検査

1) レーザースペックルフローグラフィ ———— 高橋成奈・中澤 徹 ———— 646
2) レーザードップラー眼底血流計 ———— 長岡泰司 ———— 650

21. 電気生理検査

1) 網膜硝子体疾患の電気生理学的検査
　① ERG（網膜電図） ———— 近藤峰生 ———— 653
　② 局所 ERG ———— 町田繁樹 ———— 658
　③ 多局所 ERG ———— 島田佳明 ———— 662
　④ EOG（眼電位図） ———— 上野真治 ———— 667
2) 神経眼科疾患の電気生理学的検査
　① VEP（視覚誘発電位） ———— 松本惣一 ———— 669
　② 眼球電位図（EOG），電気眼振図（ENG） ———— 吉田正樹 ———— 671
　③ EMG ———— 新井田孝裕 ———— 674

22. 超音波・放射線・磁気共鳴画像検査

1) 超音波検査（網膜硝子体） ———— 松原 央 ———— 678
2) 単純 X 線写真 ———— 古田 実 ———— 683
3) X 線 CT ———— 古田 実 ———— 686
4) MRI（眼窩） ———— 高比良雅之 ———— 690
5) MRI（頭蓋内），MRA ———— 橋本雅人 ———— 693
6) functional MRI，拡散テンソル画像 ———— 増田洋一郎 ———— 699
7) PET，ガリウムシンチグラフィ，SPECT ———— 西川 遼・佐々木良平 ———— 701

23. 検体検査

1) 感染性疾患に対する PCR 検査，抗原検査，抗体検査 ———— 杉田 直 ———— 707
2) 角結膜の PCR 検査，免疫学的検査
　① クラミジア・トラコマチス検査 ———— 福田 憲 ———— 709
　② アデノウイルス，AHC ウイルス検査 ———— 内尾英一 ———— 711

③単純ヘルペスウイルス，水痘・帯状疱疹ウイルス検査 ── 井上智之 ── 714
　3）角結膜の塗抹検査
　　　①角結膜スメア ── 小幡博人 ── 719
　　　②細菌検査 ── 秦野　寛 ── 722
　　　③アカントアメーバ検査 ── 井上智之 ── 726
　　　④真菌検査 ── 井上幸次 ── 729
　4）角結膜の培養検査（細菌・真菌・アメーバ） ── 伊藤　栄・妹尾　正 ── 731
　5）前房水の検体検査 ── 高瀬　博 ── 736
　6）硝子体の検体検査 ── 蕪城俊克 ── 737
　7）病理検査 ── 小幡博人 ── 739

24. 各種補助検査

　1）ぶどう膜炎の補助検査
　　　①一般血液検査 ── 石原麻美 ── 746
　　　②血清学的検査 ── 石原麻美 ── 750
　　　③免疫学的検査 ── 内　翔平・柳井亮二 ── 757
　　　④皮内反応 ── 丸山和一 ── 760
　　　⑤腰椎穿刺 ── 丸山和一 ── 762
　　　⑥結膜・皮膚生検 ── 加瀬　諭 ── 765
　　　⑦網膜・脈絡膜生検 ── 古田　実 ── 768
　　　⑧全身的検査 ── 水内一臣・南場研一 ── 771
　2）アレルギー検査 ── 高村悦子 ── 775
　3）疾患特異的抗体検査一覧 ── 毛塚剛司 ── 778

25. 遺伝子検査

　　　遺伝子検査 ── 林　孝彰 ── 779

26. 在宅医療，オンライン診療に有用な検査機器，AIによる検査

　1）在宅医療 ── 長屋祥子 ── 785
　2）オンライン診療に有用な検査機器，AIによる検査 ── 柏木賢治 ── 786

27. 感染症対策・消毒法

感染症対策・消毒法 ——————————— 江口　洋 ——————— 789

索　　引 ————————————————————————— 793

著者，編集者，監修者ならびに弊社は，本書に掲載する医薬品情報等の内容が，最新かつ正確な情報であるよう最善の努力を払い編集をしております．また，掲載の医薬品情報等は本書出版時点の情報等に基づいております．読者の方には，実際の診療や薬剤の使用にあたり，常に最新の添付文書等を確認され，細心の注意を払われることをお願い申し上げます．

1. 視力検査

1 視力検査

1) 視力検査の条件

I 視力表の種類

視力を測定する機器が多く存在する中で，日本工業規格（Japanese Industrial Standards：JIS）は，標準視力検査装置，准標準視力検査装置，特殊視力検査装置の3種類に区分している[1]．標準視力検査装置は，遠距離用で8方向のLandolt環を視標とし，検査の正確性に重点を置く装置である．准標準視力検査装置は，遠距離用でLandolt環とそれ以外（ひらがな文字など）の視標を一部用いて，実用性に重点を置く装置である．特殊視力検査装置とは，上述した2つの検査装置を含まない装置であり，両眼開放視力検査装置などがあげられる．定義上，Landolt環の視標であっても，字ひとつ視力検査装置や近距離用の視力検査装置も特殊視力検査装置とされる．

1 視力表の視標

視力表の視標は，1909年の国際眼科学会や1981年の国際標準化機構（International Organization for Standardization：ISO）において，Landolt環が標準視標に定められた．Landolt環は，わが国で最もポピュラーな視力の視標である[2,3]．それを裏付けるように，わが国における臨床視力表に関する大規模なアンケート調査では，840施設の回答施設のうち標準視力検査装置は480施設，准標準視力検査装置は508施設と約半数以上の施設でLandolt環の視標が含まれた視力表が使用されている[4]．

Landolt環の規格は実にシンプルであり，視角である円の切れ目と線のサイズが外径の1/5と定められている．例えば，5mの距離で小数視力が0.1（視角は1/小数視力＝10分）のLandolt環では，切れ目と線のサイズは約1.5cmになる．そして，外径は1.5cmの5倍の約7.5cmとなる（**図1**）．

Landolt環のサイズの精度は，ISO（2009年）とJIS（2002年）ともに小数視力2.0の視標で±10%以内，それ以外の視標は±5%以内の許容範囲が

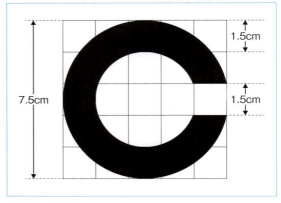

[図1] Landolt環
5mで小数視力0.1の視標の場合，切れ目と線の寸法は1.5cm，外径は7.5cmである．

定められている．実際，5mの距離で小数視力0.1の視角を厳密に計算した切れ目の幅は1.45cmであり，1.5cmの切れ目のサイズでは許容範囲内になる．

視力の閾値（尺度）は，最小分離閾，最小視認閾，最小可読閾，副尺視力に分類することができる．Landolt環は，その中で最小分離閾を測定する視標である．最小分離閾とは，2点または2線を識別できる閾値のことであり，Teller Acuity Cards™などの縞視標も同様の閾値を測定している（**図2**）．最小視認閾は，1点または1線を認める閾値であり，視力表では森実式ドットカードが広く用いられている（**図3**）．最小可読閾は，文字が判読できる閾値のことで，ひらがな視標やSnellen視標などがある．Snellen視標は，「E」「F」「P」「T」などアルファベットを用いた視標で，日本では馴染みが薄いが欧米では広く用いられている．

2 視力表の輝度

視力表の輝度は，視力の結果に影響を与える条件の一つである．そのため，視力表の輝度はできるだけ条件を統一して視力検査を行うことが望ましい．

視力表の輝度が増加すると視力は上昇し，160～320cd/m²の明るさで視力はプラトーになる．これは，視細胞の錐体と杆体の密度分布と感度が関係している．錐体は網膜の中心部に多く分

布しており，細かな形態の知覚に寄与している．明所視では，この錐体の感度が上昇するため，視力表の輝度が明るいと視力は良い．しかし，$0.003\,cd/m^2$以下の暗所視では錐体の感度は低下し，杆体の感度が上昇する．杆体は，中心部にも存在するが錐体に比べると密度が低く，形態知覚の機能は高くない．そのため，明所時に比べると視力は低くなる．

JISによると視力表の輝度は $80\sim320\,cd/m^2$ とし，なかでも $200\,cd/m^2$ を推奨している．視力表の輝度の測定は，視力表の中心部および上下左右の5か所の視標周辺の白地の輝度を平均して求める．また，視力表の輝度に関連して，視標のコントラストも視力の測定では条件を満たす必要がある．視標のコントラストは74％以上が望ましく，これは背景と視標の輝度差が高いことを示している．コントラスト C（％）は，背景の白地（Bw）と視標の黒地（Bb）の輝度（cd/m^2）を測定し以下の計算式で算出する．

$$C = \frac{Bw - Bb}{Bw + Bb} \times 100$$

コントラストは25％以下になると最高視力が低下する傾向にある（**図4**）．

3 視標の配列

遠見視力表における縦の配列は，JISにおいて対数表示で等差級数的配列，視角で等比数的配列とし，ISOでは，ある視標の視角を次に小さい視標の視角で除した商は，ISOによる基本数列の標準数 R10（$10\sqrt{10}=1.259$）とある．

わが国における視力表は小数視力表が一般的に用いられている．一見，0.1〜1.0（0.15も含まれる）までは連続的に数値が表記されているが，視角に換算すると等間隔ではないことがわかる（**表1**）．したがって，小数視力から1段階や2段階の視力の向上や低下などの評価はできない．視力を評価する場合は，視角へ換算（視角＝1/小数視力）する必要がある．また，小数視力で求めた結果を統計処理をする場合は，小数視力をlogMAR（logarithm of Minimum Angle of Resolution）値へ変換したのち連続変量として扱い行う[5]．

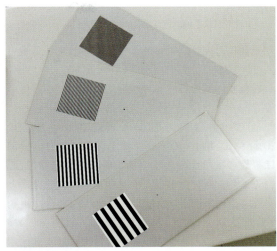

[図2] Teller Acuity Cards™
縞視標を用いる．検者は視標の中央にあいた穴から覗いて，患者の目線を観察する．

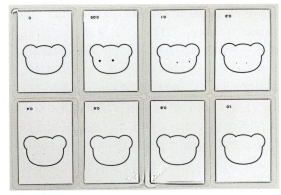

[図3] 森実式ドットカード
最小視認閾を測定する．くまの目の有無を問い，その位置を答えてもらう．

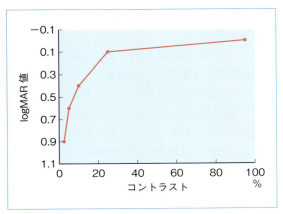

[図4] コントラストの変化に伴う視力の値
コントラストが25％以下になると視力は急激に低下する．

$$\mathrm{logMAR} = \log\left(\frac{1}{\text{小数視力}}\right)$$

　分数視力表は，主に欧米で使用されている視力表で，日本では馴染みが薄い．小数視力とは配列が異なり，ある程度等比数列的な配列になっている．分数視力の数値は，20/200（小数視力0.1）や20/20（小数視力1.0）と表記され，分子は20 feet（6.096 m）の検査距離を示しており，分母は視標の番号を表している．分母の視標番号は，視角1分を見分けることができる人の検査距離と定義されている．つまり，20/200の場合，視角1分を見分けることができる人は，200 feetの検査距離にその大きさの視標を設置すれば判別することができるということである．したがって，20/20の視標は視角1分である．

　近年，糖尿病網膜症早期治療研究グループ（Early Treatment Diabetic Retinopathy Study Research Group：ETDRS）が開発したETDRSチャートが注目されている．ETDRSの特徴は，横配列は常に5つの視標があり，その間隔は同列の視標の大きさをあけて配列されている．そのため，下段に行くに従い，左右の間隔が狭くなった表記がなされている．また，縦配列は0.1 log unitの間隔で表記されている．ETDRSチャートのメリットは，視力が対数で表記されていることである．そのため小数視力と異なり，段階的に視力を評価することができ，統計処理が容易である．

II 視力検査室の条件

1 室内照度

　照度（illuminance）とは，物体（視標や背景）の表面を照らす明るさの物理量で，室内の蛍光灯やLEDの照明が視力表に当たる明るさのことである．視力検査室の照度は，50 lx以上とし，かつ視標輝度を上回らないこととされている．したがって，室内で自然光が入る検査室では室内照度が変動するため，自然光の侵入を防ぐことが望ましい．

2 検査距離

　検査距離の定義は，JISによると被検者の入射瞳から視標までの距離とされる．遠見の視力測定では最短で4 mとし，5 mの検査距離を推奨している．実際に，臨床視力表に関する他施設アンケート調査においても，75.5%の施設が5 mの視力表を使用している．しかし，一般の臨床において，遠見の視力は必ずしもこの検査距離の条件で測定されていない．例えば，0.1以下の視力を測定する場合は，5 mで小数視力0.1の視標を，5 mから50 cmずつ被検者の方へ移動して，視力を測定する方法が一般的である．小数視力が0.02であった場合，検査距離は1 mで必ずしもJISが推奨する遠見の検査距離の条件にあてはまらないことになる．0.02の視標を5 mで提示した場合，切れ目のサイズが約7 cmで外径が約35 cmの視標を用いることになる．

　近年，眼科施設の省スペース化に伴い，スペースセイビングチャート（NIDEK社）など，実際の検査距離は0.9 mであるが光学的に検査距離を5 mとする視力表もある（図5）．

　近見の視力表は，一般に検査距離を30 cmで使用する．近見の視力表で測定する際は，検査距離を保持しながら測定するため，検者は検査距離に誤差が生じないよう注意する必要がある．

[表1] 視角と視力の関係

小数視力	分数視力	logMAR	視角（分）
0.1	20/200	+1.0	10.0
0.15	20/130	+0.8	6.7
0.2	20/100	+0.7	5.0
0.3	20/70	+0.5	3.3
0.4	20/50	+0.4	2.5
0.5	20/40	+0.3	2.0
0.6	20/33	+0.2	1.7
0.7	20/29	+0.2	1.4
0.8	20/25	+0.1	1.3
0.9	20/22	0.0	1.1
1	20/20	0.0	1.0
1.2	20/17	−0.1	0.8
1.5	20/13	−0.2	0.7
2	20/10	−0.3	0.5

小数視力の値を基準に換算している．

Ⅲ 特殊な条件での視力検査

1 中心外の視力検査

黄斑変性や視神経症，錐体ジストロフィなど中心部付近に病変がある場合は，字ひとつ視標を用いて，中心外へ視標を動かしながら提示して視力を測定する．この時，患者にはできるだけ真正面で眼を動かさないように注意しながら測定する．また，顔や眼を動かした方が見やすいといわれる患者もおり，この場合は非測定眼をガーゼなどで完全に遮閉してから測定する．患者にとって最も見えやすい位置があるので，検者は視標をどの位置に提示したかを必ず記載する．基本的に，視力は中心窩である中心視力を指すが，中心外視力を求めることで，ある程度黄斑部の病巣の大きさと位置を把握できるメリットがある．

2 読み分け困難

小児や機能弱視では，読み分け困難（crowding phenomenon）を示す場合がある．読み分け困難とは，字ひとつ視標による視力が字づまり視標による視力よりも良好である現象を意味する．これは，機能弱視において大脳における視覚活動が未熟なために生じる現象であるといわれている[6,7]．そのため，機能弱視の患者では，字づまり視標と字ひとつ視標で視力を測定して視覚の発達の程度を評価する必要がある．

3 深視力（三杆法）

深視力は，日常視における遠近感の測定を目的としており，大型車自動車，第2種運転免許の取得・更新では測定が義務付けられている（道路交通法施行規則）．深視力の測定には三杆法が用いられ，その原理は水平に並ぶ三柱（中心杆と両側固定杆）の2点間の距離のずれを判定する[8]（図6a, b）．

三杆法の測定は，三柱の中心から検査距離2.5mに被検者を座らせ，中心杆を前方から後方に向けて，一定の速度（25mm/sec）で動かし，両側の固定杆と同じ位置に来たら合図をするように求める．また，後方から前方にも中心杆を動かし同様に測定する．各3回測定し，両側の固定杆と中心杆のずれを記録する．2点間の距離の誤差

[図5] スペースセイビングチャート（NIDEK社）
検査距離は0.9mであるが，視標距離は光学上5mになっている．

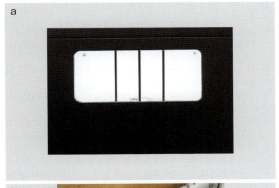

[図6] 三杆法
a 測定中の様子を示す．
b 中心杆と両側固定杆を示す．検査時は中心杆の柱のみが前後に動く．

が±2cm 以内であれば正常で，誤差が±2cm 以上であれば異常と評価する．

Ⅳ　測定上の留意点

　視力を測定するにあたって最も重要な留意点は，常に患者を観察しながら測定を行うことである．

　患者は，視力の視標が小さくなり見えにくさを感じると，眼を細めて焦点深度を深くして視標にピントを合わせようとしたり，前かがみになる動作をとる．また，片眼遮閉で眼振を生じる潜伏眼振の患者に対しても，観察することで発見につながる．さらに，マスクの着用時には検眼枠のレンズが曇ることがあるため，検者が患者の状態や動作に注意することで常に一定の条件のもとで測定ができる．

文献
1) 日本工業規格：視力検査装置．JIS T 7309：1-15, 2002
2) 所　敬：屈折異常とその矯正，第4版，金原出版，東京，29-52, 2004
3) International Organization for Standarization：Ophthalmic optics-visual acuity testing-standard optotype and its presentation. ISO 8596：1-5, 2009
4) 川守田拓志ほか：臨床視力表に関する多施設アンケート調査．視覚の科学 34：42-53, 2013
5) 大鹿哲郎：視能訓練士のための実際統計学．日視能訓練士協誌 29：11-18, 2001
6) 深井小久子：crowding phenomenon．眼科診療プラクティス 35．弱視診療の実際，丸尾敏夫ほか編，文光堂，東京，64-67, 1998
7) 松本富美子ほか：ランドルト環 Crowded Card による読み分け困難の検討─正常成人と正常小児─．日視能訓練士協誌 27：241-245, 1999
8) 原田政美：眼科臨床検査法．深径覚検査法，国友　昇ほか編，医歯薬出版，東京，122-125, 1958

　　　　　　　　　　　　　　　　　　（米田　剛）

2）遠見視力検査（log MAR を含む）

Ⅰ　検査の目的

　視力は，物体の存在や形態をみとめる能力をいう．視力にかかわる情報処理の経路は，眼球光学系，網膜，視神経，外側膝状体，視放線，後頭葉第一次視覚野に至るまでである．これらの情報は側頭葉へと伝達され，物体の概念に関する情報と照合されて意味情報の処理に活用される．

　視力は通常，最小分離閾で表される．2点または2線を識別するためには，視覚刺激（視標）が少なくとも2つの錐体細胞へ投影されなければならない（図1）．最小分離閾は，基本的に網膜の錐体細胞の大きさと密度に依存する．したがって，視力検査の目的は，これらの経路における異常の検出とその程度を評価することである．視力は，疾患による視能障害の程度や治療効果の判定において重要な指標となる．

1　検査対象

　視力検査の対象は，乳幼児から高齢者までのすべての年齢である．ただし，Landolt 環の字ひとつ視標による遠見での自覚的視力検査が可能な年齢は3歳以上であり，3歳1～3か月での成功率は76.1％[1]，3歳6か月では95％と報告されている．3歳未満では，近見視力検査や他覚的視力検査を行う．

2　目標と限界

　視力検査の目標は，被検者のもつ最大限の視力を求めることである．本検査は自覚的検査であるため，被検者の年齢，視知覚，注意力など認知機能の影響を受ける．実施にあたっては，被検者に応じた視標の選択を行い，オリエンテーションとして応答方法の確認を行うことが重要である．必要に応じて測定練習を行う．

Ⅱ　検査法と検査機器

1　測定原理

　視力の尺度は，用いる視標によって異なる．標

準視標であるLandolt環では，最小分離閾（2点または2線を判別する閾値）が測定される．文字視標（ひらがな，数字，ローマ字，絵など）では，最小可読閾（文字を判読できる閾値）が測定される．したがって，両者は視力の意義が異なることから，厳密な比較ができないことに留意しなければならない．

小数視力の表示は，最小視角（minimum angle of resolusion：MAR）（分）の逆数でなされる．最小視角1分のとき，小数視力は1.0となる．最小視角とは，かろうじて判別できる2点または2線が眼に対してなす角度である．Landolt環視標を用いた場合の視角 θ（分）は，検査距離 a（cm）とLandolt環の切れ目の幅 b（cm）から求められ，$\tan \theta/60 = b/a$ の関係が成り立つ（図2）．

小数視力の判定基準は，提示する視標数に対して過半数を判読できる最小サイズの視標とする．これは，閾値が知覚確率曲線での正答確率50％に対応する刺激強度とみなすことに基づく．日本工業規格（Japanese Industrial Standards：JIS）では，視標提示の好ましい個数は5個以上で，最低の正答個数が提示個数の約60％と記されている[2]．

小数視力に対してlogMAR（logarithm of MAR）値での表示がある．logMAR値は，MARの対数値であり，値が等間隔であるという利点がある．

その他の視力の種類として，矯正視力に対して裸眼視力，字づまり視力に対して字ひとつ視力，中心視力に対して周辺視力がある．矯正視力とは，レンズ（検眼レンズ，眼鏡，コンタクトレンズなど）を装用した状態での視力である．眼科的に視力とは，屈折異常を矯正した状態での矯正視力を示す．矯正視力は眼疾患などによる障害の程度，進行と緩解の判断などに重要である．裸眼視力はレンズを装用していない状態での視力である．その意義は，眼鏡を装用していない時の日常での見え方の把握，屈折矯正の必要性，屈折度数の妥当性の確認などである[3]．

字づまり視力は視標が多数配列された字づまり視力表（図3）を用いた視力を表し，字ひとつ視力は視標が1つだけ配列された字ひとつ視力表

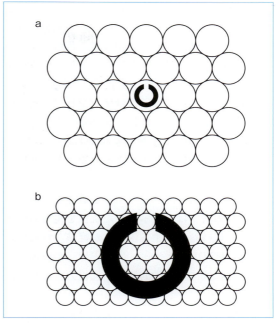

[図1] 視標サイズと錐体細胞の大きさ
a 視標が1つの錐体細胞に投影されている時，形は識別されない．
b 視標が複数の錐体細胞に投影されている時，形は識別される．

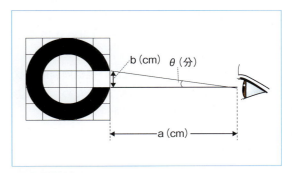

[図2] 視角の求め方
検査距離を a（cm），Landolt環の切れ目の幅を b（cm）とすると，次の式が成り立つ．
$\tan \theta/60 = b/a$ または $\theta/60 = \mathrm{ATAN}\, b/a$

（図4, 5）を用いた視力を表す．小児および弱視患者では，字づまり視力の方が字ひとつ視力よりも低下する読み分け困難をきたすことを念頭におく必要がある．

2 機器の構造

表1に主要な遠見視力検査表の一覧を示す．視標の配列ごとに，字づまり視力表（小数配列視力表），字ひとつ視力表，ETDRS（Early Treatment Diabetic Retinopathy Study）チャート（logMAR配列視力表）を示す．視力検査表および視標の選択は，年齢，認知機能の状態，視力や視野の程度，検査目的などによって判断する．視標の種類は，Landolt環，文字，絵などがある．

選択の方針として，通常は字づまり視力表を用い，Landolt環を提示する．日常視の状態を把握したい場合には，文字視標を用いることがある．字ひとつ視力表は，小児および弱視患者，低視力者を対象に用いる．小児および弱視患者では，視覚の未熟性による読み分け困難を避けるためである．低視力者では，提示された視標を視野内に捉えたり，保持したりする困難さが軽減される場合がある．ETDRSチャート（**図6**）は，治療前後の視力変化に関する科学的研究や低視力者を対象に使用する．

1）字づまり視力表（小数配列視力表）（図3）

視標の種類は，Landolt環とひらがな文字などがある．

視力値の表示は，0.1〜1.0まで0.1段階ずつに加えて1.2，1.5，2.0が一般的である．0.1と0.2の視角の差は大きいため，低視力用に0.15を含む場合が多い．

視標配列は，低視力用の大きい視標の間隔が狭く，小さい視標の間隔が広い．このため，低視力者で読み分け困難をきたす可能性がある．

視力表の照明は，視標が印刷されたプラスチック板を背面から照らす構造が一般的で，光源として白色LED，ハロゲン電球，白熱電球などがある．近年では，解像度が高い液晶ディスプレイによる視標提示機器も汎用されている．視標操作は，リモートコントローラで行う．

2）字ひとつ視力表

視力値の表示は字づまり視力表と同様であるが，それに加えて0.1未満の視標が設けられている．

Landolt環単独視標（図4）は，厚紙または樹脂製のカード式視力表である．視力0.1以下は0.05，0.07の視標がある．システムチャートSC-1600（図5）は，大型の液晶ディスプレイによる視標提示機器である．視標の種類は，Landolt環，ひらがな文字，絵などがある．視力0.1以下（0.04，

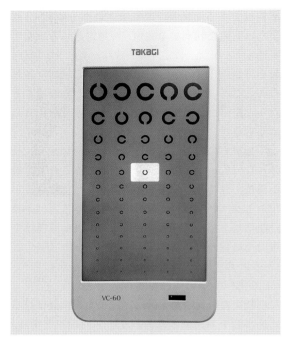

［図3］視力検査装置VC-60（TAKAGI社）（字づまり視力表）

0.05，0.06，0.08）の視標が比較的豊富であり，低視力者に有用である．なお，システムチャートは，字づまりでの表示や低コントラストの視標，ETDRSフォームなど多機能が備えられている．

3）ETDRSチャート（図6）

視標の種類は，Landolt環，ローマ字，数字の3種類で構成される．ローマ字と数字は，Sloan文字が採用されている．

視力値の表示はlogMAR配列であり，logMAR値+1.0〜-0.3まで0.1段階ずつある．視標サイズは，上段の視標サイズの0.1 logUNIT＝0.8倍ずつ小さくなる（下段の視標サイズの0.1 logUNIT＝1.259倍ずつ大きくなる）．視標間隔は，視標サイズに応じて等倍の等比配列となっており，低視力者での読み分け困難が回避されている．

視力表の照明は，視標が印刷されたプラスチック板を背面から白色LEDで照らす構造である．

視標はそれぞれ，R表（屈折検査用），1表（右眼用），2表（左眼用）の3枚が用意されており，プラスチック板の前にスライドさせて使用する．

2) 遠見視力検査（log MARを含む）

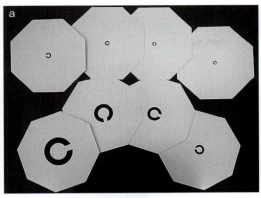

[図4] Landolt環単独視標（はんだや）
a 視標の一部を示す．
b 視標は，基本的に被検者の眼の高さに提示する．

[図5] 液晶視力表　システムチャート（字ひとつ視力表）（NIDEK社）

[表1] 遠見視力検査表の一覧

	字づまり視力表	字ひとつ視力表		ETDRSチャート
検査表	視力検査装置VC-60	Landolt環単独視標	液晶視力表システムチャートSC-1600	ETDRS視力表
メーカー	TAKAGI	はんだや	NIDEK	Precision Vision
視標	Landolt環	Landolt環	Landolt環，文字，絵	Landolt環，ローマ字，数字
視標配列	小数配列	小数配列	小数配列	logMAR配列
視標間隔	等差配列	等差配列	等差配列	等比配列

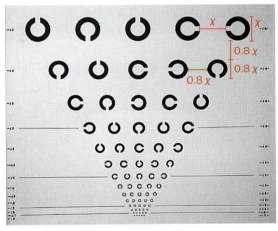

[図6] ETDRSチャート（Precision Vision社）
Landolt環視標（R表）を示す．他にローマ字，数字視標がある．文字サイズは上段をχとした時，下段が0.8χ（0.8倍）となる．文字間隔は同じ段の文字サイズχと同一であり，下段との間隔は0.8χである．

III 検査手順

1 検査の流れ

1) 字づまり視力表（小数配列視力表）

　検査距離を5mに設定する．視力表の位置は，1.0視標が眼の高さにあることが望ましい．測定は，一眼を遮閉して視標を提示する．視標の提示時間は3秒とする．視力は，かろうじて視標（Landolt環の切れ目）を判別できる最小サイズの視標を求める．

　判定基準は，提示した列の視標数の過半数の判読とする．例えば，視標が1列に5個配列されている視力表において，0.7視標の3つが正答で，0.8視標の2個が正答，3個が誤答のとき，視力は0.7となる．視力0.8視標が部分的に判別できたという微細な変化をとらえたい場合，0.8p（partial）と表記することがある．

2) 字ひとつ視力表

　Landolt環単独視標は，検査距離を5mに設定する．測定眼を決定し，他眼を遮閉する．視標は，被検者の眼の高さに保持し，Landolt環の切れ目を上下左右の4方向にランダムに提示する．正答であった場合には，視標サイズを小さくしていく．判定基準は，同一視標を4〜5方向提示したうちの3方向正答する最小サイズを求める．

　視力が0.1未満の場合，字ひとつ0.1視標を50cmずつ眼前に近づけていき，3方向（過半数）が判読できる距離を求める．視力の算出は，視標

から眼前までの距離がXmのとき，0.1×X/5で換算される．例えば，視標までの距離が2mのときの視力は，0.1×2/5＝0.04となる．

視力が0.01未満の場合，指数弁（counting fingers：CF），手動弁（hand motion：HM），光覚弁（light perception：LP）の順に測定を進める．指数弁は，眼前に検者の指を提示して指の数を答えさせ，正答する眼前からの最も遠い距離を求める．指数弁がない場合，手動弁を測定する．眼前で検者の手のひらを上下，左右に動かして，その動きがわかるかどうか，動きの方向はどちらかを答えさせ，正答する眼前からの最も遠い距離を求める．手動弁がわからない場合，光覚弁を測定する．ペンライトなどで上下鼻耳側より瞳孔に光を入射させ，光がわかれば光覚弁ありと判定する．明室で光覚がなければ，暗室で測定する．

システムチャートSC-1600では，リモートコントローラにより視標をランダムに提示することが可能である．Landolt環での測定ができない小児（2〜3歳）は，内蔵されている絵視標による最小可読閾の測定が可能な場合がある．

3）ETDRSチャート

検査距離を4mに設定する．自覚的屈折検査ではR表を使用し，各眼の屈折検査を行う．次に屈折矯正レンズを装用し，最高の矯正視力を測定する．視標は，右眼測定時には1表（右眼用），左眼測定時には2表（左眼用）を提示する．視標の提示は，最上段から開始して右へ順に読み進めてもらう．4m距離で検査が困難な場合には，1m距離で実施する．この時の矯正レンズは，視標距離が4mから1mへ移動したことによって生じる調節力1.00D−0.25D＝＋0.75Dを付加する必要がある．検査表および視標提示の方法は4mでの測定時と同様である．

チャートでは，各段の値の差が0.1logMARである．各段に5つの視標があるため，1つの視標は0.02logMARに相当する（表2）．判定方法の例をあげると，4m距離でlogMAR値＋0.4の視標が5つすべて正答し，logMAR値＋0.3の視標が3つ正答した場合，logMAR値は＋0.4−0.02×3＝＋0.34となる．1m距離では，4m距離の

[表2] ETDRSチャートでの各視標ごとの正答数とlog MAR値

log MAR 視標	検査距離4mで正答した視標数				
	1	2	3	4	5
+1.0	+1.08	+1.06	+1.04	+1.02	+1.0
+0.9	+0.98	+0.96	+0.94	+0.92	+0.9
+0.8	+0.88	+0.86	+0.84	+0.82	+0.8
+0.7	+0.78	+0.76	+0.74	+0.72	+0.7
+0.6	+0.68	+0.66	+0.64	+0.62	+0.6
+0.5	+0.58	+0.56	+0.54	+0.52	+0.5
+0.4	+0.48	+0.46	+0.44	+0.42	+0.4
+0.3	+0.38	+0.36	+0.34	+0.32	+0.3
+0.2	+0.28	+0.26	+0.24	+0.22	+0.2
+0.1	+0.18	+0.16	+0.14	+0.12	+0.1
0.0	+0.08	+0.06	+0.04	+0.02	0.0
−0.1	−0.18	−0.16	−0.14	−0.12	−0.1
−0.2	−0.28	−0.26	−0.24	−0.22	−0.2
−0.3	−0.38	−0.36	−0.34	−0.32	−0.3

場合と同様に求めたlogMAR値に0.6を加える．これは，logMAR値＋1.0（小数視力0.1）の視角は4m距離では10分であるが，1m距離では視角40分，logMAR値＋1.6となるためである．ただし，詳細な検査条件，測定方法や判定は，治験内容によって異なる．

2 機器の使い方

被検者内，被検者間での視力を比較するためには，検査室や視力表の条件を整えることが重要である（視力検査の条件の項を参照）．

3 検査のコツと注意点

視力は屈折異常の影響をおおいに受ける．眼疾患などによる障害の有無とその程度を正しく評価するためには，屈折矯正を正しく行ったうえで測定する．

また，視標提示の方法に留意する．Landolt環の字づまり視標および字ひとつ視標を提示する際には，同一サイズの環の切れ目の方向を上下，左右混ぜることで乱視の未矯正を避けて，適切な矯正視力を求めることができる．Landolt環単独字視標の方向を変更させる際には，検者の背後で回転させた後に提示するなど，被検者に方向を悟られないよう工夫をする．

中心暗点や周辺視野の残存など視野障害を有する場合には，周辺視力を求める．検者が字ひとつ視標を移動させて測定する方法と，被検者が視線を動かして視標を探索する方法がある．これらの

場合，測定しない眼の遮閉をガーゼなどで確実に行い，遮閉眼から視標をのぞくことができないよう工夫する．低視力者だけでなく，小児や弱視患者では，検査中の頭位を常に観察する必要がある．

IV 検査結果の読み方

1 正常結果

臨床的には，最小視角1分を判別できる小数視力1.0以上，logMAR値0以下を正常値とする．実際には，中心窩の錐体細胞の大きさから視角を換算すると，小数視力1.2～1.5が正常値である[4]．

2 異常値とその解釈

異常値は，屈折矯正下での小数視力1.0未満である．この場合，視路（眼球光学系，網膜，視神経，外側膝状体，視放線，第一次視覚野）に何らかの器質的異常または機能的異常があると考えられる．

3 アーチファクト

視力に影響を与える因子として，室内照度，視力表の輝度，視標のコントラストなどがあげられる．室内照明，視力表の光源，視標面の汚損の有無など定期的な点検を行う．また瞳孔径によって視力は変動する．瞳孔径が大きい場合，球面収差が大きくなる，焦点深度が浅くなるなど視力低下の原因となる．散瞳時の視力検査では，直径3mmのピンホール板を装用するとよい．瞳孔径が小さい場合でも，回折のため視力が低下する．

文献
1) 神田孝子ほか：ランドルト環および絵視標による3歳児の視力検査．日公衛誌 40：893-900，1993
2) 日本工業規格：視力検査装置．JIS T 7309：1-15，2002
3) 川守田拓志ほか：臨床視力表に関する多施設アンケート調査．視覚の科学 34：42-53，2013
4) 魚里 博：視力の考え方．Ophthalmology Update 18：3-12，2003

（岡 真由美）

3) 近見視力検査

I 検査の目的

近見視力検査は，調節力を働かせるように促して近見での判読し得る視力値（最小可読閾・最小分離閾）を測定することを目的とする．また眼精疲労，VDT症候群，調節機能障害などがある場合に，自覚的なスクリーニングの調節検査として，近見視力を測定し，調節力を知る目的で使用することができる．

1 検査対象

検査の対象は「近見が見えにくいと訴える場合」「近見作業後に眼精疲労がある場合」「老視の判定」「近用眼鏡処方度数の決定」および「所持している近用眼鏡度数が適しているかどうかの判定」また「小児期の弱視治療においての弱視訓練の効果を評価」などである．

2 目標と限界

一般には近見視力は遠見視力から推測でき，遠見視力と同等な近見矯正視力が得られることが多い．ただし調節障害や屈折異常がある場合には視力が変動し，遠見視力と近見視力とが異なることがある．検査室などの測定条件は通常の遠見視力に準ずるが，室内の照明や日光，影などによるコントラスト低下の影響を受けやすく，留意が必要である．

また一般に使用されている近見視力表の視標は紙に印刷されたものが多いが，書籍用の印刷では0.5以下の視標の印字精度には限界があるといわれている．

II 検査表

近見視力表はLandolt環視標（小数視力，logMAR），ひらがな視標，カタカナ視標などがあり，字づまり視力表と字ひとつ視力表がある．小児や低視力者には主に字ひとつ視力表を使用する（「小児の視力検査・行動観察による視力検査」の項14頁を参照）（図1）．さまざまな近見視力表

が市販されているが，近見時の精密な視力値を測定するのか，近用眼鏡処方検査で用いるのかなど，検査表の使い分けは目的によって変える．眼鏡処方検査のためであれば，ひらがな視標などの文字の視標を用いるのも良いだろう．

わが国の多くの近見視力表は通常30cmの距離で測定するよう作製されているが，30cm以外の距離に合わせた視力表も作製されている（図2）．航空・船舶関連に関する資格での近見視力測定は30cm用の視力表を用いる．近年，白内障術後に多焦点眼内レンズを挿入する患者も増えてきているが，加入度数によっては40cmで近見視力を測定する．その場合，40cm用の近見視力表を用いて測定する．ちなみに欧米では16インチ（約40cm）で近見距離としている．

前述したように，現在，市販されている近見視力表の視標は紙に印刷されたものが多い．紙に印字された視力表は0.5以下の視標の印字の精度が低い．経年劣化による紙面の変色によるコントラストの低下やボールペン等のインク汚れなど，使用頻度が高い場合には1〜2年での買い替えを勧める（図3）．精密写真製版の視力表は小さな視標が，より精度の高い印字となっている．この検査表は視標面の反射を抑えることにより照明の映り込みも少なく，Landolt環の視標以外の白い表面はインクなどの汚れもアルコール綿で拭き取ることが可能である（図4）．

Ⅲ 検査手順・留意点

1 測定前に

近見視力値との妥当性を比較するため，遠見での視力および屈折値の結果を必ず把握し，近見視力測定時の矯正に必要な屈折度数の目安をつける．

次に眼と検査表の距離を正確に30cmとし測定することが重要である．特に老視や調節障害があると少しの距離の違いで視力値が変動するため，メジャーを用い正確に距離を定めてから測定する．検査距離を30cmに固定しやすいよう紐がついている検査表もある（図5）．

測定する際に視力表を被検者に持ってもらうこ

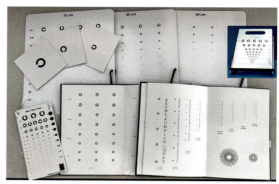

［図1］さまざまな近見視力表
小数視力，logMAR，ひらがな視標，字ひとつ視標

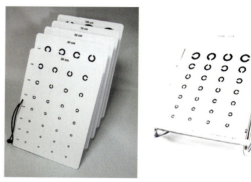

［図2］左視力表は30cm以外に40cm，50cm，70cm，1m用がある（テイエムアイ製）．右視力表はVDT作業などの視力検査用50cm用（はんだや製）

とが多いが，書見台を用いると正しい距離や位置に固定しやすい（図6）．被検者に検査表を持ってもらう場合には，被検者の指がLandolt環部分に触れないように気を付ける．

2 検査の手順

1）片眼を遮閉する．

2）0.1の視標を示し，視認できるかを問う．視認できれば順に小さな視標へと進み，誤答したところで同列の視標を答えてもらい，5つの視標のうち3つ以上を正答した最小の視標をその視力とする．

3）徐々にプラス側の球面レンズを付加し，近見最高視力を得る最も少ない付加度数を測定する．最も少ない付加度数とは，被検者が最大の調節努力をした状態で30cmを明視するのに不足を補う度数である．

3) 近見視力検査

【症例1】
44歳の男性．主訴：最近，新聞が読みにくくなった．

遠見視力
RV＝0.9（1.0×S＋1.25D C－0.75D Ax180°）
LV＝0.7（1.0×S＋1.50D C－0.5D Ax180°）

近見視力測定
NRV（0.7×S＋1.25D C－0.75D Ax180°）遠見矯正レンズで30cmでの近見視力測定
　　（0.9×S＋1.75D C－0.75D Ax180°）徐々にプラス側に球面レンズを付加していく
　＊（1.0×S＋2.25D C－0.75D Ax180°）
　　（1.0×S＋2.75D C－0.75D Ax180°）

NLV（0.6×S＋1.50D C－0.5D Ax180°）遠見矯正レンズで30cmでの近見視力測定
　　（0.8×S＋2.00D C－0.5D Ax180°）徐々にプラス側に球面レンズを付加していく
　＊（1.0×S＋2.50D C－0.5D Ax180°）
　　（1.0×S＋3.00D C－0.5D Ax180°）

症例1〈近見視力〉
NRV（1.0×S＋2.25D C－0.75D Ax180°）
NLV（1.0×S＋2.50D C－0.75D Ax180°）
最高視力を得る最小の付加度数を近見視力値とする．

3 測定の留意点

検査表の角度は被検者の視線と直交するように保持して，部屋の照明や日光が紙面に反射しないよう，かつ影にならないように注意する．被検者の眼の位置が紙面の中央になるように検査表を置き，距離が一定になるように保持する．近見視力を測定する場合には老視や調節障害がある被検者でも，努力して調節力を働かせるように促して測定する．

30cmの距離で視標がわからない場合は検査距離を近づけて測定する．その場合には視標が読めた距離も記載する（例えば，0.1の近見用視標が15cmの距離で見えた場合には0.1/15cmと記載する）．この場合の視力は30cmでの近見視力ではなく，近くでものを読む時にどの程度の大きさの文字が読めるかどうかを，目安としての視力とする．

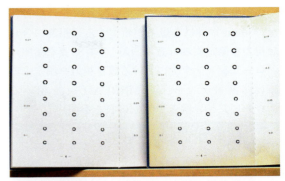
[図3] 右視力表は左と同じ視力表だが経年劣化のため紙面の変色や汚れが目立つ．

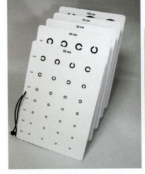 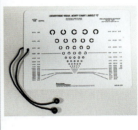
[図4] 精密写真製版の近見視力表（テイエムアイ製）

[図5] 距離を固定しやすいように紐がついている視力表

[図6] 左のように書見台を用いると距離や位置を固定しやすい．右のような近見視力表用の掛台もある（はんだや製）．

また眼鏡処方のための近見視力検査の場合には，30cm以外にも患者が希望する近距離に合わせ視力を測定する（「近用眼鏡」の項88頁を参照）．

ロービジョンケアにおける読書視力を測定する際は，読書チャートのMNREAD-Jを用いる（「ロービジョン検査」の項38頁を参照）．

IV 結果の読み方と解釈

正常であれば遠見矯正視力と同様な近見矯正視力の結果を得られることが多い．近見矯正視力が遠見矯正視力値に比べかなり低い場合には，調節機能障害，器質的疾患を疑う．60歳以上の高齢者になると加齢による縮瞳も加わり網膜照度の低下も影響するため，遠見視力より近見視力が低下するという報告もある．

老視以外に調節障害をきたす代表的なものとして，スマートフォンやタブレットなどデジタルデバイスによる近業の増加，交通事故後のむち打ち症，動眼神経麻痺，Adie症候群，眼球打撲，全身衰弱などが挙げられる．また小児の心因性視力障害など心因性の要因で近見障害などを訴える場合もある．

文献
1) 橋本禎子：近見視力検査．眼科検査ガイド，第1版，眼科診療プラクティス編集委員編，文光堂，東京，104-108，2005
2) 井出　武：総説 老視の定義と診断基準 2010．あたらしい眼科 28：985-988，2011
3) 内海　隆：近見視力検査．眼科診療クオリファイ1．屈折異常と眼鏡矯正，中山書店，東京，54-58，2010
4) 松本富美子ほか：近見視力検査．理解を深めよう 視力検査 屈折検査，金原出版，東京，68-69，2009
5) 稗田朋子ほか：日常臨床における視力検査．あたらしい眼科 61：1443-1450，2009
6) Jackson ATほか：ロービジョンの評価 視力（近見/読書）．ロービジョンマニュアル，小田浩一総監訳，オービーエス，東京，143-151，2010
7) 大辻順子ほか：近距離視力の検討―若年者の場合―．眼臨 98：468-470，2004
8) 信組明子ほか：近距離視力の検討―高齢者の場合―．臨眼 98：240-242，2004
9) 野原尚美ほか：デジタルデバイスの視距離と文字サイズ．あたらしい眼科 36：845-850，2019

（南雲　幹）

4）小児の視力検査・行動観察による視力検査

I 検査の目的

小児の視覚で最も特徴的なことは，発達段階にあることで，検査においては理解力に個人差があり，集中力，協力性が結果に大きく影響する．できるだけ短時間で正確な視力値を把握し，疾患の評価に役立てる．

1 検査対象

視覚の評価が必要な，成人と同様の検査方法が不可能な小児を対象とする．生後から固視，眼球運動，融像，立体視などの発達と，近方から遠方への視力の発達と関係しながら，行動や認知が発達する．視力測定が難しい時期では，固視，共鳴動作，追視，hand regard，hand eye coordination，人物判別，遠方の物体を指さす，などの視反応を評価することも参考になる[1]．

2 目標と限界

視力値および左右差を把握することが目標である．片眼遮閉して測定したいが，遮閉ができなければ，両眼で行う．Landolt環で可能かどうかは3歳前後が目安となるが，Landolt環の切れ目を理解できない場合に絵視標を用いる．絵視標は2歳ごろから可能となる．近方から発達する視力の確認や，集中力の問題で近い距離であれば測定可能な場合や弱視訓練の評価時は近見視力検査も行う．近見視力検査としては，近見用のLandolt環単一視標，難しければうさぎの目を指さし，目の大きさにより視力を判定する森実式ドットカード®を用いる（図1）．自覚的な応答が難しい場合は，縞視標を選択する．さらに，後頭部につけた電極でフラッシュやパターンの眼への刺激に対する電位の大きさを測定するvisual evoked potential（VEP），縦縞模様の視標を水平方向に動かし，視運動性眼振が起こることを利用し，縞の幅から視力を推定するoptokinetic nystagmus（OKN），視反応を評価するなどが選択肢となる．

検査の種類により，大掛かりな装置や年齢によ

4) 小児の視力検査・行動観察による視力検査

る制限，検者の主観が入りやすいという欠点もある．視力測定が困難な乳幼児や，視力検査の結果が所見と一致しない幼児にも適応となるが，Landolt 環の視力と同じ扱いはできない（**表1**）．自覚的な応答が可能になるまでは，視行動の観察と他覚的な結果を重視する．応答が可能であったとしても，信頼性の問題もあるため，他覚的屈折検査の結果を併せて検討する．成人と同様の細かいレンズ交換は難しいため，症例に合わせて行う．集中力がきれるため，発達に応じた方法を用いて，興味を引きながら素早く検査を行わないと，過小評価される可能性がある．過去に報告されている各種検査法による視力発達を**図2**に示す[1]．以下，主な方法について述べる．

II 検査法と検査機器

1 測定原理・測定範囲

Landolt 環単一視標は，大きさ，コントラスト，背景輝度を規定した標準視力表の視標を1つずつにしたもので，最小分離域を測定する．5mで0.1～1.2まで，距離を変えて換算することも可能である．

絵視標（はんだや）は，4種類の生物の絵を判別する最小可読域を測定する．5mの使用で，0.1, 0.2, 0.3, 0.4, 0.5, 0.6, 0.8, 1.0, 1.2, 1.5, 2.0 となる．

Teller acuity cards®：TAC (Precision Vision) は，縞などの模様を好んで注視する乳幼児の特性を利用している縞視力である．縞の幅を変え，固視，追視するかで評価する．0.32～38.0 cycles/cm の視標があり，38cmで20/2700～20/23, 55cmで20/1900～20/16, 84cmで20/1300～20/11が測定範囲となる．

2 機器の構造

Landolt 環単一視標は，視標の中心に Landolt 環が1つずつあり周囲は余白になっている．内部照明や液晶タイプの装置，プラスチックまたは紙製がある．

絵視標は紙製の単一視標で，生物の絵が中心に描いてある．並列のものより手持ちの単一視標が望ましい．

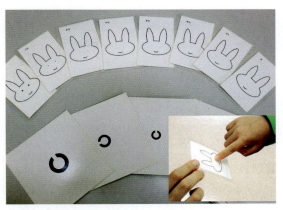

[図1] 近見視力検査用視標
上：森実式ドットカード®，下：Landolt 環単一視標，右下：森実式ドットカード使用方法

TAC は25.5×55.5cmの灰色のカードの一部に12×12cmの範囲で白黒の縞が描かれ，中央に4mmの観察孔がある．ブランク1枚を含む周波数の異なる16枚で構成される．8枚のハーフセットもある．

3 感度と特異度

Landolt 環単一視標は，並列視標で生じる読み分け困難による偽陰性が起こりにくい．さまざまな方向に，順番は自由に呈示でき，記憶されてしまうこともない．反面，単調になりがちなので，レンズ交換もして長時間に及ぶとなると飽きて感度が低下する可能性がある．

絵視標は大まかな部分で判断が可能なので，Landolt 環の評価より良いことがある．1段階の視標の枚数が少ないため偽陰性を，逆に選択肢が少ないため偽陽性を招く可能性がある．

TAC の文献によると，Landolt 環と TAC での視力の左右差の検出率の感度・特異度の比較では，それぞれ高値であり，TAC は視力の左右差の検出に有用であったが，斜視弱視の発見では低値であったというものもある．ただし，他の方法が不可能であるなら，診断の一助として有用と考えられる[2-5]．限界に近づくと興味を示さなくなり，視線が曖昧になり，判断が難しくなる．検者の主観が入りやすいことも結果に影響する可能性がある．

1. 視力検査

[表1] 各種検査

	Landolt環	絵視標	縞視標		VEP	OKN	視行動による
対象年齢	3歳以上	2〜4歳	2か月〜2歳		制限なし	制限なし	2か月〜1歳
装置	視標	視標	PL：要，暗室	TAC：視標	要，個室	視標	不要
視力との相関	あり	ある程度	ある程度	ある程度	ある程度	ある程度	参考程度

III 検査手順

1 検査の流れ

　Landolt環の切れ目を指で指せる，手でLandolt環の形を真似して向けられるなど，どのような方法で示せるか確認した後，検査を始める．手で示せない場合は，Landolt環を模した「ハンドル」を持たせ，運転ごっこのような遊び感覚で，同じ方向に回して向ける方法で行う．検者も同じものを持ち真似する練習をしてから，視標で試すようにするとスムーズにできる（図3）．

　絵視標は，4種類の生物の名前が言えるかどうか確認する．正確でなくても，被検者に応じた呼び方で良い．それも言えない場合や恥ずかしがり発言しない場合は，4種類が印刷してある紙を手元に置き，同じものを指させる「絵合わせ」で行う（図4）．

　両方法とも視標は大きいものから呈示し，見えたら小さくする．5mで行えば並列視標で行うのと同じ距離となるが，注意が散漫になる場合は距離を変えて近くで行い，結果を換算する．過半数正解で視力値とする．

　TACは明室で，抱っこでもベビーカーでも，リラックスできる楽な姿勢で検査する．検査距離は，6か月までは38cm，3歳まで55cm，3歳以上84cmが推奨されている．視線の高さに合わせて視線と垂直になるように呈示する．観察孔かカードの上から視線を観察する．遠くて興味を示さないために検査ができないよりは，近くでも見てくれたほうが良いので，症例に応じて臨機応変に行うが，必ず検査距離を記載する．カードの長辺は55cmで，頻用の検査距離と同じである．あらかじめ距離を測定しておく．

2 機器の使い方

　Landolt環は同じ方向を続けて呈示したり，順

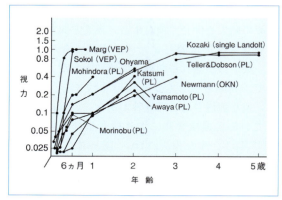

[図2] 各種測定方法による乳幼児の視力発達
（関谷善文：眼科検査ガイド，第1版，p111）

[図3] Landolt環ハンドル練習

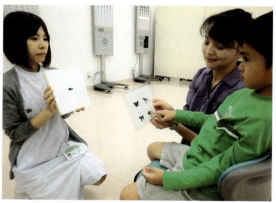

[図4] 絵合わせ

番が決まってしまわないようにする．手持ちであれば，視線の高さに一致させて出す．検者自身も姿勢を低くし，声をかけながら注意をひく．口答できるようになってからも，左右を間違えて言うこともあるので，指さしで行う（図5）．

　絵視標は基本的には大きなものから呈示するが，0.1，0.2は1つずつしかなく，繰り返し検査するうちに，いつも同じ視標から出すことを覚えられてしまわないように，順番を前後して出すと良い．絵合わせのときに，保護者が呈示された視標を「おさかなはどれかな？」などと言葉に出さないように説明する．絵視標，あるいは絵合わせで行ったことを記載する．

　TACは，6か月未満，あるいは機能障害のある小児では0.64cycles/cm，6〜18か月1.3cycles/cm，18か月以上2.4cycles/cmをスタートカードとする，とある．筆者の施設では，月齢平均値，または前回値を参考に呈示しはじめ，見えなかったら粗い縞を出し，見えたら細い縞に変えていく．カードのどちら側に縞があるか見ずにカードを呈示すると同時に，すばやく観察孔から視線を観察する．または視標を少し動かし追視するかうかみる．次に180°回転し再度呈示し，視線を観察する．視標側の縞のある方向を確認し，見たと思われる方向と2回とも一致していれば，見えたと判定する．カードの上からでも視線を観察することが可能であるが，視標より検者を見てしまっていないか注意する．視標が上下に並ぶように縦に保持すると，側方視に制限のある場合や，水平眼振で判断がつきにくい場合も使用可能である．年齢が進めば，縞の方向を指でさして答えさせることも可能である（図6）．

3 検査のコツと注意点

　難しい方法を無理強いせずにできそうな方法を確認して，一応次の段階をチャレンジしてみて，無理のない可能な方法で測定するのが望ましい．練習すればできそうなら飽きない程度に練習して選択する．練習の視標は大きなサイズでも良いが，視標が徐々に小さくなること，また，見えないときは見えないと答えて良いことも説明してから行う．手持ちの視標を呈示しながら呼びかける

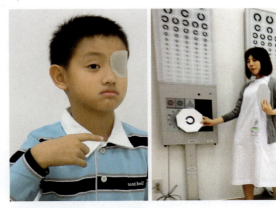

[図5] Landolt環単一視標での検査
指さしで回答．非検査眼は絆創膏式遮閉具で遮閉．

[図6] TAC 指さし

ことで，注意を喚起しやすく，飽きやすい小児にとっては有効である．ただし，声や音を出す方向を考慮し，TACならカードの後方中央から出すようにする．

　小児特有のこととして，中枢の未発達により側方抑制が効かないため，混み合ったものの中から1つを見分けることが難しい，読み分け困難現象が起こることがある．8歳くらいまで，単一視標のほうが並列視標の視力値より良くなる．弱視であれば，さらに結果に影響を及ぼすため，注意が必要である．筆者の施設では，10歳まで，弱視であればさらに結果に影響を及ぼすため，小学生のうちは単一視標で測定している．

　がんばって見ようとするために，検眼枠の隙間から非検査眼を使って見てしまうこともあるの

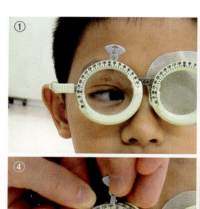  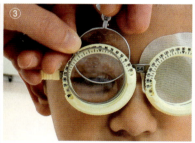 

[図7] 凸レンズのレンズ交換（例：＋2.00D を ＋1.50D に交換する場合）
① ：＋2.00D のレンズにて測定．
② ：上から＋1.50D を重ねる．
③ ：＋2.00D を抜く．
④ ：＋2.00D を上に重ねる．
⑤ ：＋1.50D を枠に入れる．＋2.00D を外す．

で，非検査眼には絆創膏式遮閉具を隙間のないように，かつ瞬目を抑制しないように貼って遮閉を行う（図5）．嫌がる場合は，ガーゼを用い保護者の手で隠してもらうか，検眼枠を使用する．それも嫌がるなら，両眼開放で測定する．嫌悪に左右差があるなら弱視を疑う．

調節力が強いことも特徴であり，正しい屈折異常の検出には，調節麻痺薬の点眼下での検査が望ましい．そのうえで，さらに調節が残余していることを考え，雲霧法を用いてレンズを交換していく．凸レンズの場合，交換時にはレンズを重ねて行う（図7）．乱視度は，他覚的検査の値より少なめに装用し調整する．角膜曲率半径も参考にする．自覚的な応答に信頼性のある年齢になれば，乱視表やクロスシリンダーを用いることも可能であるが，答えを迷うようなら，自覚に頼らず検者がレンズを交換する[6]．

必要なら家族に協力してもらったり，途中で休憩をしたり，遊びの要素を取り入れたりしながら行う．反面，継続して経過観察する場合も多いため，しつこくして検査に対する嫌悪感を抱かせないように，検査終了のタイミングを判断する．

Ⅳ 検査結果の読み方

1 正常結果

弱視がない場合，3歳の終わりには1.0が得られる．発達の個人差，検査への協力性などに影響されることも多い．筆者の施設では1.2を正常視力としている．絵視標を用いる2～3歳くらいでは，0.4～0.6程度が正常である．

グラフはTACⅡの検査用紙にある各研究の結果から示している年齢別の結果を改変したものである（図8）．TACでの結果から作成したものなので，わずかに高い部分もあるが，正常範囲の参考値となる．Snellen視力への換算が可能であり，視標裏面にも検査距離に応じた換算値が記載してある（表2）．ただし，Snellen視力と縞視力は必ずしも同等ではないことを念頭に置かなければならない．

2 異常所見とその解釈

小児の場合，発達の段階で正常値に達していないのか，弱視になっているのか，判断が難しい場合もある．正常下限を年齢×0.2と考え，それ以下の場合，弱視の存在を疑う．TACでは正常児では1オクターブ以下の左右差が許容範囲で，弱視の発見では精度が劣る，という報告もある[2,3]．

飽きてしまった，機嫌が悪かったなど，検査時の様子を結果とともに記録しておき，結果に影響を与えると考えるかどうかの参考にする．少し休んで再度検査するか，それも無理ならば，近いうちに再来してもらう．場合によっては，次回は逆の順序で検査するように，測定の順も明記しておく．理解力と協力性が問題ないと考えられるにもかかわらず，低い視力しか得られないときには，検査への理解力の要素を取り除くため，より難易度の低い検査方法を選択する．

3 アーチファクト

検査室の様子や不慣れなことに対する過度の緊張，周囲への興味による注意散漫などが，結果に影響を及ぼすことがある．検査の順によっては，飽きてしまうこともある．逆に，いきなり見えるほうを隠されて不安になったり，不機嫌になったりすることもあるので，測定順について留意する．わかりやすく説明を行うと良い．

絵視標は白黒なので，興味を示さず飽きる可能性が大きい．絵合わせ用として作成した印刷物と逆方向を向いている視標では，逆だから答えない場合もある．紙製の視標なので，劣化によりコントラストが低下する．

TACは周囲の環境に影響されやすいため，個室を使用する．見る方向に物を置かないように配慮する．カードの灰色に近い専用のつい立てで周囲を遮る方法もある．縞模様に興味を示さなくなったり，中央の観察孔を覗こうとする場合は，検査の限界である．途中で飽きたり，不機嫌になったり，遮閉を嫌がって泣いたりすることもよくある年齢が対象であるため，実際に見えないのか判断に困ることもある．一度だけではなく何度か検査することにより，信頼性を上げることが望ましい．

文献

1) 関谷善文：小児の視力検査．眼科検査ガイド，第1版，眼科診療プラクティス編集委員編，文光堂，東京，109-113，2004
2) 矢ヶ﨑悌力：縞視力測定—PL検査，Teller Acuity Cards を中心に—．あたらしい眼科 11：1807-1814，1994
3) 粟屋 忍ほか：乳幼児の視力測定における Preferential Looking 法の検討—とくに正常曲線，左右差，検査成功率

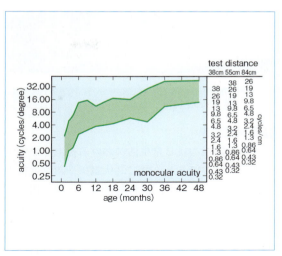

[図8] TACⅡの年齢別標準値グラフ
正常者の99％信頼区間を示す．
（TACⅡ取扱説明書より引用改変）

[表2] 空間周波数と Snellen 視力値の換算

cycles/cm	Snellen equivalents	cycles/deg	Snellen equivalents	cycles/deg
	test distance 38 cm		test distance 55 cm	
38.0	20/23	27	20/16	38
26.0	20/33	18	20/24	26
19.0	20/45	13	20/32	19
13.0	20/66	9.1	20/47	13
9.8	20/89	6.8	20/63	9.6
6.5	20/130	4.5	20/94	6.4
4.8	20/180	3.3	20/130	4.7
3.2	20/270	2.2	20/190	3.1
2.4	20/360	1.7	20/260	2.4
1.6	20/540	1.1	20/380	1.6
1.3	20/670	0.9	20/470	1.3
0.86	20/1000	0.6	20/710	0.84
0.64	20/1400	0.44	20/960	0.63
0.43	20/2000	0.30	20/1400	0.42
0.32	20/2700	0.22	20/1900	0.31

（TACⅡ取扱説明書より引用改変）

等について．眼紀 34：1160-1165，1993
4) Mayer DL, et al：Monocular acuity norms for the Teller Acuity Cards between ages one month and four years. Invest Ophthalmol Vis Sci 36：671-685，1995
5) Salomao S, et al：Large sample population age norms for visual acuities obtained with Vistech-Teller Acuity Cards. Invest Ophthalmol Vis Sci 36：657-670，1995
6) 山本裕子：斜視・弱視の診断検査法，第2版，医学書院，東京，39-45，1986

（保沢こずえ）

1 視力検査

5) 両眼開放視力検査

I 検査の目的

1 検査対象

両眼開放視力は日常生活における視力を評価するうえで重要であり，特に潜伏眼振や斜位近視の症例で有用性が高い．潜伏眼振は，一眼の遮閉により眼振が惹起される．そのため，片眼を遮閉して測定する一般的な視力検査より，両眼開放下で測定する視力のほうが良好である．また，斜位近視では，間欠性外斜視または外斜位があり，眼位を正位に保とうと輻湊性調節が働く．それにより近視化が生じ，両眼開放下での視力が低下するため，診断の手がかりとなる．

2 目標と限界

一般に両眼視力は，縮瞳や中枢の関与により片眼視力に比べ10％程度良好とされているが，実際に両眼の加重効果を測るのは困難である．屈折検査，視力検査とも，片眼視に比べ調節の介入が少ない両眼開放下で測定できる機器が販売されているが，広く普及しているとはいい難い．

II 検査法と検査機器

1 検査機器

現在，両眼開放下での屈折検査が可能な機器として，グランド精工（株）のWR-5100K，WAM-5500が主なものである（図1）．どちらもハーフミラーを使用し，視標の距離を変化させることで遠見，近見いずれの距離でも自然視に近い状態で測定することができる．WAM-5500はさらに瞳孔径の測定により調節力の測定が可能である．他にフォトレフラクションを応用したハンディタイプの機器として（株）キーラー・アンド・ワイナーのプラスオプティックスA12，Welch AllynのSpot™ Vision Screenerなどがある．ハンディタイプは，据え置き型では測定が困難な乳幼児や，座位をとれない被検者のベッドサイドでの検査に優れ，測定時間も迅速であるが，測定できる

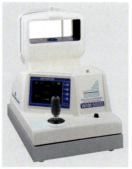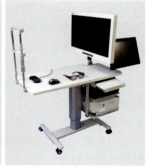

[図1] 両眼開放屈折検査装置 (WAM-5500：グランド精工（株）)

[図2] 両眼開放視力が測定できる装置 (3Dビジュアルファンクショナルトレイナー ORTe：ジャパンフォーカス（株）)

屈折値に制限がある．

両眼開放下で視力検査が可能な機器として，ジャパンフォーカス（株）の3DビジュアルファンクショナルトレイナーORTe（図2）やトプコン（株）のパネルチャートPC-50などがある．円偏光フィルターにより効果的に両眼分離し，両眼視の状態で片眼視力を測定することができる．同様の原理で，液晶パネルを用いた視力測定装置も販売されている．

2 両眼開放視力検査法

遮閉板の代わりに凸レンズを使用し，遮閉眼はぼやけているが両眼で同一視界を見ている状態で視力を測定する．実際には自覚的屈折値より6～8D強い凸レンズを遮閉板の代わりに用い[2]，通常の視力検査を行う．潜伏眼振で20Dのような極端に強い凸レンズを使用し明視を妨げると，遮閉板を使用しているのと同様に眼振が出現するので，注意が必要である．斜位近視が疑われる場合は，まず片眼ずつ自覚的屈折検査を行い，得られた屈折度数を各眼に装用する．両眼開放下で両眼同時にレンズを付加し，最良視力の得られる度数を求める．この際，円柱レンズは変えずに球面レンズのみ調整する．

文献
1) 所　敬：両眼開放視力．眼科診療プラクティス57．視力の正しい測り方，丸尾敏夫編，文光堂，東京，64，2000
2) von Noorden GK, et al：Binocular Vision and Ocular Motility, 6 ed, Mosby, St Louis, 526, 2002

（小川佳子）

> 1 視力検査

6）省スペース視力表

Ⅰ 検査の目的

わが国では通常遠見視力の測定距離は5mとされているが，スペースの確保が困難な場合に短い設置距離で測定距離5mに相当する視力の測定を目的として省スペース視力表が用いられる．

Ⅱ 検査法と検査機器

1 測定原理および機器の構造と特徴

現在，スペースを削減し短い設置距離で視力検査が可能な機器として，ニデック(株)のSSC-370（図1）が代表的である．ハーフミラーを介して凹面鏡で反射し，測定距離5mの視力表と光学上同等の視標が呈示される（図2）．このため機器と被検者の距離を約1mに短縮し，狭いスペースで視力検査を行うことが可能である．視標が被検者にしか見えないためプライバシーが守られるという利点もある．視標の種類はLandolt環，ひらがな，絵がある．0.1未満の視標もあるが数が少なく，低視力者のきめ細やかな測定は難しい．なかにはETDRS視力表を搭載しているものや，夜間を想定し輝度を下げた視標を呈示できる機種もあり（図3），多機能である．他に5m未満の距離で検査可能な視力表として，タカギセイコー(株)のVC-60（図4）やトプコン(株)のMC-5（図5）などがある．また，健診や免許センターではトーメー(株)のCA-1000（図6）などの覗き込み式の自動視力計や深視力の測定が可能な機種が用いられている．

Ⅲ 検査手順

1 検査の流れと機器の使い方

SSC-370では測定前にリモコンを用い，被検者の眼の高さに視標の高さを調整する必要がある．座る位置や眼の高さが視標窓の中心とずれていると視標が見えないことがあり，測定前に確認することが重要である．測定方法は通常の視力検

[図1] SSC-370

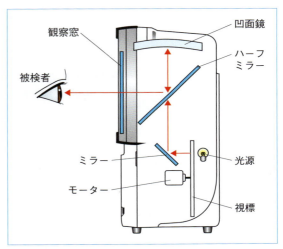

[図2] 測定の原理（SSC-370）
（南雲　幹：眼科検査ガイド，第2版，p23）

[図3] 通常測定表示（左）と夜間測定モード（右）

査に準ずる．

2 検査のコツと注意点

座る位置が機器の正面でないと視標の一部が見えないことがあり，同じ姿勢を保って検査を行うことが大切である．また，中心視野が欠損している被検者には視標を探しにくく，視標を捉えられ

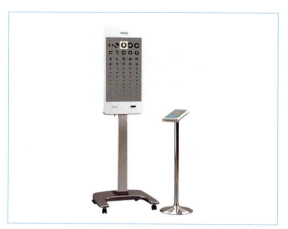

［図4］VC-60

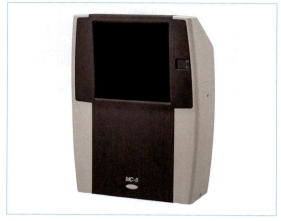

［図5］MC-5

［図6］CA-1000

Ⅳ 検査結果の読み方

　結果の表示や読み方は通常の視力検査と同様に記載し解釈する．測定距離が短くなるため調節の介入が懸念されるが，視力，自覚的屈折値ともに5m視力表と差がなく，調節の介入も0.1D以下で最小限に抑えられているという報告もある．覗き込み式の視力表は器械近視を惹起する可能性を考慮する必要がある．また，ニデック（株）のSSC-370では，黒い背景の中に視標が呈示されるため羞明が軽減され見やすく感じる人，逆に視標周辺の明るさが際立ち羞明が増強され見えにくいと感じる人など，羞明を有する際の見え方は多様で視力の評価には慎重を期する．

〔小川佳子〕

1 視力検査

7) コントラスト感度

I 検査の目的

　日常診療において矯正視力が1.0以上と良好であっても,「すっきり見えない」「何となく見えにくい」という症例を経験することがある. 白背景に黒字のきわめて明瞭な視標を用いた通常の視力検査（コントラスト100％）では, 視機能の一部を評価しているにすぎず, 日常生活においては濃淡がはっきりしない不明瞭なものを見る機会も存在し, 特に雨天時や夕暮れ時は対象の輪郭や濃淡が不鮮明となることがある. また白内障が軽度で矯正視力は同じであっても, 全く不自由を感じていない症例から見づらさを感じている症例までさまざまであり, 矯正視力だけを視標とすると, 手術適応の判断に迷うこともあると思われる. そのような際に有用なのがコントラスト感度検査である.

　コントラスト感度検査を行うことで, 通常の視力検査だけでは捉えられない, 微細な視機能低下を定量化することができる. コントラスト感度検査は, 空間周波数特性modulation transfer function（MTF）という画像光学分野の概念を視覚系に応用したもの[1]である. 空間周波数とは, 縞の細かさや粗さを表す視標であり, 単位長さ, あるいは単位視角あたりに正弦波状の明暗縞が何組あるかで表現する. そのため空間周波数の単位はcycle/mmあるいはcycle/degree（cpdと略記する）を用いる. 空間周波数が高いということは縞が細かいということであり, 空間周波数が低いということは縞が太いということを意味する[2]. 空間周波数で表されるような縞を識別できる最小コントラストをコントラスト閾値, コントラスト閾値の逆数をコントラスト感度という.

II 検査対象と, 検査者が注意すべき事項

　検査対象は, 矯正視力だけでは説明しづらいような見え方に不満を感じている症例である. すなわち, 軽度白内障症例[3], 軽度の角膜混濁を有する症例[4], 屈折矯正手術を受けた症例[5]などの微細な視機能を評価・定量化することに適している.

　検査者が注意すべき点として, 本検査は自覚的検査のため集中力も重要となる点である. 疲労などから集中力がないような場合には, 声を掛けながら検査を行うことも重要である.「もう見えません」とあきらめやすい人に対しては,「何となくのお答えで良いので, いかがでしょうか」という声掛けを適宜検査中に行うことも効果的である.

III 検査法と検査機器

　現在, コントラスト感度測定機器はいくつか販売されており, 代表的なものを表1に記す. 印刷した視標を用いるもの（パネル型）と, モニターに視標を提示するもの（ボックス型）に大別される. パネル型はボックス型に比し測定法が簡便であること, 結果の解釈も比較的容易であることが長所としてあげられるが, 印刷面の劣化や検査室の照度など測定環境の影響を受けやすいことが短所である. ボックス型は測定場所の確保が容易であること, また外部の影響が少なく測定時の照度を一定に保つことが可能であることが長所としてあげられるが, 音声案内のみで次々と検査が進められていくため, 検査者の声掛けがなく, 理解力の乏しい被検者では正確な結果が得られにくい可能性がある.

　コントラスト感度の評価法の違いにより①縞視標コントラスト感度, ②文字コントラスト感度, ③低コントラスト視力の3種類に大別できる（表2）. 空間周波数特性と各種コントラスト感度検査の関係を図1に示す.

◼1 縞視標コントラスト感度

　空間周波数もコントラストも変化する検査で, 視機能全般を評価する際に用いる.

　この検査では, それぞれの空間周波数におけるコントラスト感度を測定していく. 図2はCSV-1000HGTi（Vector Vision社）の縞視標コントラストチャートである. チャートの縞模様は3, 6, 12, 18cpdと下段にいくほど細かくなり, 空間周

1. 視力検査

[表1] 代表的なコントラスト感度測定機器とその特徴

	名称	測定距離	グレア光源	背景輝度		視標	コントラスト	メーカー
ボックス型	CGT-2000	30cm, 60cm, 1m, 5m	周辺輝度3段階切り替え可	明所, 薄暮, 暗所		同心二重円	14段階	タカギセイコー
	CAT-CP2	5m	周辺	昼間視 薄暮視	200cd/m² 10cd/m²	Landolt環	3段階	NEITZ
	Functional Vision Analyzer：旧ビジョンテスター6500	6m	周辺	昼間視 薄暮視	85cd/m² 3cd/m²	Landolt環 文字 数字	5段階	Stereo Optical
パネル型	CSV-1000HGTi (CSV-1000HGTiはグレア光を搭載している装置でCSV-1000はグレア光を搭載していない装置)	2.1～2.7m	周辺	昼間視	85cd/m²	縞 Landolt環 文字	8段階	Vector Vision
	ESV-3000	1m, 3m	周辺輝度調節可	昼間視 夜間視	85cd/m² 3cd/m²	Landolt環 タンブリングE 数字 シンボル	12段階	Vector Vision

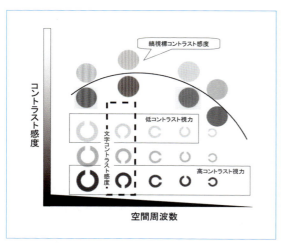

[図1] 空間周波数特性と各種コントラスト感度検査の関係
縞視標コントラスト感度検査は空間周波数もコントラストも変化する検査，文字コントラスト感度検査は文字（視標）の大きさは一定で，コントラストが変化する検査，低コントラスト視力検査は一定のコントラストで，視標の大きさが変化する検査である．
（二宮さゆり：眼科検査ガイド，第1版，p117）

[表2] 主なコントラスト感度測定機器と判定表

縞視標コントラスト感度	CGT-2000 (タカギセイコー) CAT-CP2 (NEITZ) CSV-1000 (Vector Vision) CSV-1000HGTi (Vector Vision) Functional Vision Analyzer (旧ビジョンテスター6500) (Stereo Optical)
文字コントラスト感度	ESV-3000 (Vector Vision) CSV-1000LV (Vector Vision)
低コントラスト視力	10% ETDRSチャート

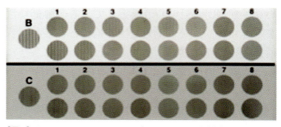

[図2] CSV-1000HGTiチャート（Vector Vision社）（縞視標コントラスト感度検査）
チャートの縞模様は下段にいくほど空間周波数が増し，各サンプルの右側には上下2段に並んだ視標が8つ配置されており，上下どちらかが縞視標，もう一方が単色視標となっている．右にいくほどコントラストが低くなり，被検者がそれぞれの空間周波数について上下どちらに縞模様があるか答えることで，コントラスト感度を求める．

波数が増す（図2）．この検査では，空間周波数とコントラスト感度で規定される範囲を幅広く調べることが可能であり，最も汎用されている標準的なチャートである．

2 文字コントラスト感度

文字（視標）の大きさは一定で，コントラストが変化する検査である．そのため弱視症例など低視力者のコントラスト感度の評価にも適している．

検査の例としては，3文字ずつの同じコントラストの文字，何組かで構成されたチャート（Evans Letter Contrast Test：ELCT）を用いて測定する方法がある．図3はESV-3000（Vector Vision社）のELCTチャートである．

3 低コントラスト視力

コントラストは一定で，視標の大きさが変化する検査である．

ETDRS (Early Treatment of Diabetic Retinopathy Study) チャートと同様の配置のlogMAR表を使用して測定する．通常の視力検査のコントラストは100%であるが，低コントラスト視力検査のコントラストは10%に固定されているため，一定の低コントラストにおける判読可能な空間周波数を調べることができる．各列に同じ大きさのLandolt環が5つずつ配置されており，下方にいくにつれ視標が小さくなる（図4）．

各種コントラスト感度検査のなかでも，屈折矯正手術後の症例では低コントラスト視力が最も感度が高いという報告もある[6]．また，数値的な処理が簡便であるため臨床研究の際に多く用いられる．

IV 検査手順

1 被検者の準備

自然瞳孔の状態で完全矯正眼鏡を装用させる．空間周波数が高い領域のコントラスト感度は矯正視力の影響を受けやすいので，眼鏡による屈折矯正は厳密に行う必要がある．

2 測定機器の準備

装置に内部照明があるものは，照明が正常に点灯しているか確かめる．またパネル型のチャートやボックス型の接眼部位の汚れはコントラストを変化させてしまうので，汚れを確かめてから検査を開始する．

3 測定の実際

各検査における測定距離を確かめて検査を開始する．また被検者の集中力が必要なので，ほかの検査を多く行った後にコントラスト感度検査をするのは避けた方がよい．

V 検査結果の読み方と解釈

縞視標コントラスト感度検査では，各空間周波数において認識できる最小コントラスト（コントラスト閾値）を求めプロットし，折れ線グラフとして結び，コントラスト感度曲線を作成する．正常範囲は記録用紙にグレーゾーンとして示されて

[図3] ESV-3000 ELCT チャート（Vector Vision 社）（文字コントラスト感度検査）
大きさが一定の文字が3文字ずつ異なるコントラストで表示されている．このチャートでは，コントラストは12段階に設定され3文字ごとにコントラストが低くなり，被検者が正答できた文字数を記録する．

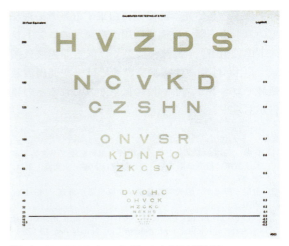

[図4] 10% ETDRS チャート（低コントラスト視力表）
通常の ETDRS チャート（コントラスト100%）と同様の配置のlogMAR表のコントラストを10%にしたもので，一定の低コントラストにおいての判読可能な空間周波数を検査する．1つの視標に対して0.02 logMAR 単位を割り当て，正答できた視標の合計数から視力を算出する．

いる．① 曲線が正常範囲の中にない，② 両眼の結果を比較した場合，ある空間周波数でのコントラスト感度に2段階以上の差があるとき，③ 両眼の結果を比較した場合，隣接する2つ以上の空間周波数でコントラスト感度に1段階以上の差があるとき，これらの場合異常と判断するとされている．

自験例の縞視標コントラスト感度検査結果

（Functional Vision Analyzer：旧ビジョンテスター 6500，Stereo Optical 社）を示す（**図5**：上段が薄暮視，下段が昼間視，青線が右眼，赤線が左眼であり，いずれもグレア光は負荷していない）．

67歳男性で，右眼は回折型多焦点眼内レンズ挿入眼，左眼は軽度白内障眼で，矯正視力は両眼とも1.2と良好であるが，左眼がやや見えにくいという自覚症状があったため，コントラスト感度検査を行った．右眼と比較し左眼のコントラスト感度の低下を認め，上記異常判定基準③に該当し，本検査により微細な視機能変化を捉えることができた．

基本的に低空間周波数でのコントラスト感度低下は神経的要因に由来し，高空間周波数での感度低下は主として光学的要因に由来すると考えられている．白内障では高空間周波数領域のコントラスト感度低下[3]，視神経疾患では低空間周波数領域[7]，中心性漿液性網脈絡膜症では全空間周波数領域でコントラスト感度の低下がみられるとの報告がある[8]．

文献
1) 佐藤　茂ほか：コントラスト感度．眼科診療プラクティス 71．診療に役立つ眼光学，前田直之ほか編，文光堂，東京，92-95，2001
2) 魚里　博ほか：眼光学の基礎，金原出版，東京，145-196，1990
3) Packer M, et al：Contrast sensitivity and measuring cataract outcomes. Ophthalmol Clin North Am 19：521-533, 2006
4) Maeda N, et al：Prediction of letter contrast sensitivity using videokeratographic indices. Am J Ophthalmol 129：759-763, 2000
5) Hoffman RS, et al：Contrast sensitivity and laser in situ leratomileusis. Int Ophthalmol Clin 43：93-100, 2003
6) Verdon W, et al：Visual performance after photorefractive keratectomy. A prospective study. Arch Ophthalmol 114：1465-1472, 1996
7) Suttorp-Schulten S, et al：Contrast sensitivity function in Graves' ophthalmopathy and dysthyroid optic neuropathy. Br J Ophthalmol 77：709-712, 1993
8) Maaranen T, et al：Contrast sensitivity in patients recovered from central serous chorioretinopathy. Int Ophthalmol 23：31-35, 1999

（鳥居秀成）

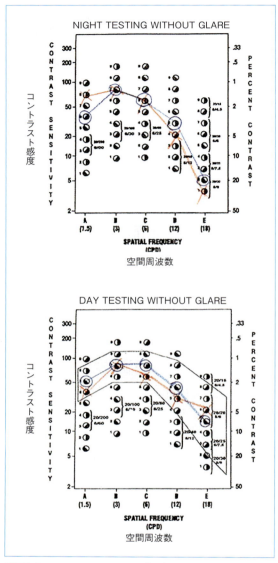

[図5] Functional Vision Analyzer（旧ビジョンテスター 6500，Stereo Optical 社）でのコントラスト感度検査結果
67歳男性で，右眼は回折型多焦点眼内レンズ（ZMB00 [AMO]）挿入眼，左眼は軽度白内障眼（矯正視力は両眼とも1.2）である．上段が薄暮視，下段が昼間視での検査結果を示しており，青線が右眼，赤線が左眼である．いずれもグレア負荷はしていない．上段下段とも隣接する2つの空間周波数でコントラスト感度が右眼と比較して左眼で1段階の低下を認め，矯正視力が良好でも何となく左眼が見えにくいという自覚症状があり，本検査により微細な視機能変化を捉えることができた症例である．

1 視力検査

8) グレア検査

I 検査の目的

　眼内に入った光の散乱によりコントラスト感度が低下してしまう現象や，それによって生じる視機能低下のことをグレア，またはグレア障害という[1]．角膜・中間透光体に存在する混濁により発生するグレアを自覚的に評価することが目的となる．

II 検査対象と，検査者が注意すべき事項

　通常の視力検査では良好な矯正視力を有するが，見え方に不満を感じている症例が良い対象である．例えば角膜や水晶体に軽度の混濁を認める症例，または夜間に羞明を訴える症例が適した検査対象となる．
　グレア検査の方法として，グレア光を負荷した状態としない状態でのコントラスト感度を測定し，比較することで評価する．矯正視力が比較的良好な症例でも，白内障や角膜混濁に伴うグレアによる視機能低下を認めた場合，手術など治療介入の適応を判断する根拠のひとつとなる．また，手術前後にグレア検査を行うことで，自覚的な視機能変化として手術の効果を評価することもできる[2]．
　ただし，グレア検査はあくまで自覚的視機能検査のひとつであり，検査に対する被検者の理解や疲労，検査者の習熟が結果を左右する可能性がある．また，標準の検査方法や基準値が定まっていないことに留意する必要がある．

III 検査法と検査機器

　代表的なコントラスト・グレア検査機器を，「コントラスト感度」の表1（24頁）に記す．
　実際の検査においては，内部照明の暗い装置を覗き込む（ボックス型），あるいは検査室の照明を点灯または消灯した状態で視標を提示し（パネル型），そのうえでグレア光を負荷して視標を判読してもらう．負荷するグレア光も，視標にきわ

[図1] CSV-1000HGTi チャート
周辺グレア光を負荷した状態のCSV-1000HGTiのチャートを示す．このグレア光は，45m先に対向車のヘッドライトがある状態を模して作られている．ちなみにCSV-1000HGTiはグレア光を搭載している装置で，CSV-1000はグレア光を搭載していない装置である．

めて近い場所にある光源による中心グレアと，視標からずれた場所にある光源による周辺グレアとがある．図1はCSV-1000HGTiの周辺グレア光を負荷した状態である．
　検査は，測定環境を夜間視，グレア光負荷夜間視，昼間視，グレア光負荷昼間視の順に設定して行う．

IV 検査手順

　完全矯正眼鏡を装用して検査を行うが，ボックス型グレア検査装置の場合，器械近視や夜間近視を考慮して，$-0.5 \sim -1.0$ D程度のレンズを追加することもある[3]．
　夜間視の検査では，自然散瞳に近い状態にするため十分に暗順応をさせておく．症例によっては点眼薬により散瞳して検査を行う場合もあるが，その際暗所瞳孔径も測定可能なら記載する．
　また，検査前には被検者にかけてもらった眼鏡や，検査機器の接眼部位に汚れがないことを確認する．グレア光源からの光がレンズの汚れで散乱してしまい，検査結果に大きく影響することがある．
　各々の測定環境を設定し，通常の視力検査，あるいはコントラスト感度測定と同様に視標を提示

1. 視力検査

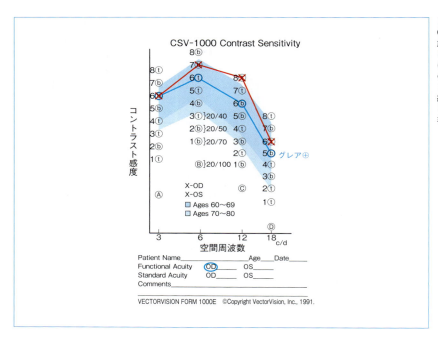

[図2] CSV-1000HGTiの結果
CSV-1000HGTiで測定した正常者（30歳女性）のコントラスト感度の結果である．縦軸にコントラスト感度を，横軸に空間周波数をとり，正常範囲が青色のエリアで示されている．グレア負荷した結果を青線，していない結果を赤線で示しているが，いずれも青色のエリア内もしくは上にあるため，正常と判断できる．

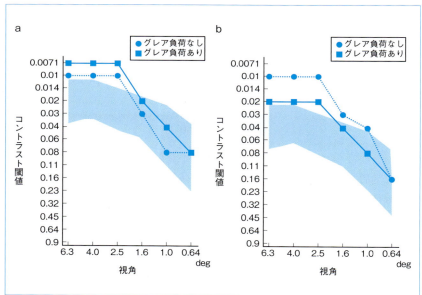

[図3] CGT-2000の結果（aが正常者，bが白内障術後患者）
a 正常者（30歳女性）のコントラスト感度（コントラスト閾値の逆数，そのためコントラスト閾値の数字が小さいほどコントラスト感度が高い）の結果を示す．縦軸にコントラスト閾値を，横軸に視角をとり，グレア負荷した結果を■，していない結果を●で示している．それぞれの結果が正常値を示す帯より下にないか，またグレア負荷したものとしていないもので，結果が著しく変化しないかを確認する．なお通常，グレア負荷した方がしていないものと比較して結果が低く出るが，前眼部・中間透光体に混濁がない正常者の場合にはこのようにグレア負荷をした方が良い結果になることがある．
b 62歳女性の単焦点眼内レンズ挿入術後のコントラスト感度の結果を示す．グレア負荷した結果を■，していない結果を●で示しており，両方とも正常範囲を示す帯より下にないため，この結果は正常と判断することができる．

し，被検者の返答を記録する．

V 検査結果の読み方と解釈

　グレア検査結果は，グレア光負荷のない状態の視力・コントラスト感度の結果と，グレア光負荷した場合の結果とを比較することで解釈できる．

　図2はCSV-1000HGTi，図3aはCGT-2000で測定した正常者（30歳女性）の結果を，図3bは単焦点眼内レンズ挿入術後（62歳女性）の結果をそれぞれ示している．図2では縦軸にコントラ

スト感度（上にいくほど低コントラストとなる）を，横軸に空間周波数（右にいくほど高くなる）をとり，年代別の正常値が青色のエリアで示されている．図3a, bでは縦軸にコントラスト閾値（上にいくほど低コントラストとなる）を，横軸に視角（右にいくほど視標は小さくなる）をとっている．検査者はそれぞれの空間周波数や視角におけるコントラスト感度，閾値を点として記録し，それらを線で結んだものが結果となる．それぞれの結果が正常値を示す範囲より下にないか，またグレア光負荷したものとしていないものとで，結果が著しく変化していないかを確認する．図3a, bも同様であり，グレア光負荷したもの（■）としていないもの（●）とで比較する．図3aでは，グレア光負荷したものの方がしていないものと比較し，コントラスト感度結果が良かったが，これは縮瞳による影響を受けたと考えることができる．この症例のように被検者の前眼部・中間透光体に混濁がない場合，グレア光によって縮瞳し，ピンホール効果が発生することで散乱光が軽減され，グレア光負荷した場合のコントラスト感度や視力が良くなることもある．

現時点では，グレア検査の基準値はなく，正常値は上記のように，各装置のマニュアルなどに記載されているデータを参照することになる．日常の診療では，グレア光負荷した場合としなかった場合とで，視力やコントラスト感度が大きく変化しなければ正常と判断される．そのため，グレア光負荷の有無により結果が著しく変化する場合，グレア検査で異常ありと判断する．また数値結果だけでなく，検査に対する被検者の感想も確認し，グレア障害を強く自覚する場合も異常ありと判断して差し支えない．

文献
1) 藤原隆明：グレアテスト．眼科 32：971-983, 1990
2) Javed U, et al：Cataract extraction and patient vision-related quality of life：a cohort study. Eye 29：921-925, 2015
3) 平岡孝浩：コントラスト感度・コントラスト視力・実用視力．臨眼 65(11)：24-31, 2011

（鳥居秀成）

9) 読書検査

I 検査の目的

1 検査対象

適切な眼鏡の装用にもかかわらず日常の読書に困難がある患者を主な対象とする．読書に関与するさまざまな要因のうち視機能低下が測定値に反映されるため主に視機能低下による読書困難を訴えるロービジョンの患者が主な対象となる．また，視機能改善による治療効果の評価に使用される場合もある[1~3]．ここでいう，読書は趣味の読書だけでなく，新聞を読む，食品の賞味期限を確認する，手紙を読むなど文字を読むさまざまな行為を指す．

2 目標と限界

現在，市販されている読書速度が測定できる日本語の読書検査チャートはMNREAD-J（漢字仮名混じり文），MNREAD-JK（ひらがな単語）（図1）である．各個人の読書を臨界文字サイズ critical print size (CPS)と最大読書速度 maximum reading speed (MRS)，読書視力 reading acuity (RA)の3つのパラメータで評価する（図2）．測定できる文字サイズは視距離を短縮しても限界があり，非常に大きな文字サイズの読書速度は測定できない．また，漢字が読めなくてもひらがな単語のMNREAD-JKで測定できるが，ひらがなを十分に読むことができない場合（乳幼児や認知的な問題があるなど）には測定はできない．

II 検査法と検査機器

1 測定原理

人間の読書速度は基本的に非常に幅広い文字サイズに対してほぼ均等の読書速度で読むことができるが，ある文字サイズ以下になると急激に低下する（図2）．この急激に速度が低下する直前の文字サイズを臨界文字サイズ（CPS），CPS以上で発揮される一定の読書速度を最大読書速度（MRS）という．読書視力（RA）は近見視力によ

1．視力検査

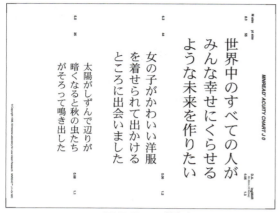

a　MNREAD-J 縦書き

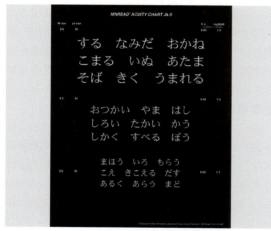

b　MNREAD-JK 横書き　白黒反転

[図1]　MNREAD-J, JK
漢字仮名混じり文のMNREAD-J, ひらがな単語のMNREAD-JKがある．それぞれに縦書き，横書き，白黒反転のものがある．

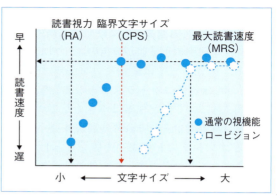

[図2]　文字サイズと読書速度の関係
文字サイズを変えながら読書速度を測定すると図のようなグラフが得られる．ある文字サイズまでは均等の速度で読み（最大読書速度，maximum reading speed：MRS），ある文字サイズになると急激に読書速度が低下する．急激に読書速度が低下する直前の文字サイズが，MRSが出る最小の文字サイズの臨界文字サイズ（critical reading speed：CPS）である．グラフ左のカットオフは何とか読める最小の文字サイズである読書視力（reading acuity：RA）で近見視力に近似する．基本的にはロービジョンになるとグラフは右に平行移動しCPSとRAが大きくなりMRSは変化しない．

く近似する．CPS, MRS, RAとも各個人に特有のサイズであり，視機能が低下するとCPS, RAに変化が起きる．この原理を利用して各個人の文字サイズと読みやすさの関係を調べる[4]．

2 機器の構造

MNREAD-J, MNREAD-JKとも測定できる文字サイズは30cmの視距離で1.3logMARから－0.5logMARまでで0.1logステップである．各サイズの文章の構成はMNREAD-Jは内容や漢字頻度，文法的特性について一定の基準で作られた1行10文字3行30文字の文章，MNREAD-JKはひらがなの2文字単語4, 3文字単語4, 4文字単語1で構成され1行8文字3行の24文字

である．チャートには文字サイズ（ポイント）と小数視力，新聞の文字サイズ（0.4logMAR）を1としたときのMサイズが書かれている．小数視力とlogMARの換算は正常視力の日本人被検者の測定から対応関係を求めて用いている．白黒反転したチャートと縦書き，横書きがある．印刷版の他にiPadで刺激の呈示と読み時間を計測しグラフ作成までを自動化したアプリが発売されている．

3 感度と特異度

CPSの測定精度は0.1logMARである．MRSは，CPS以上でいくつの文字サイズの文章が測定できたかによって精度が変わるが，推定精度（測定誤差）について標準偏差のデータが得られる．

III 検査手順

1 検査に必要なもの

MNREAD-J, JK．書見台，巻き尺，ストップウォッチ，記録用紙，計算機

明るさは80cd/m^{2}が必要であるが，通常の視力検査室の明るさであれば十分である．片眼ずつ測定する場合には遮閉する．

2 検査の流れ

（1）調節力に対応した加入をし30cmの測定距離で付属している0番のチャートの1.3logMARから1.1logMARの文章が適度な速度で十分に読めることを確認する（0番は紙に印刷されているので厚紙などに貼っておくとよい）．この時，漢字の読み間違えが多かったり，速度が遅く十分に読めない場合には測定距離を短くし，最低でも最大の文字サイズから3サイズ小さいサイズまで安定した速度で読めるように調整する．チャートの1.0logMARは小数視力0.1に相当するため視力が0.1以下の場合には測定距離を30cmよりも短くする必要がある（この場合にも測定距離に対応した加入をする）．調整し決定した測定距離は測定終了まで変更せず同一の測定距離で行う．

（2）0番チャートで練習を行い方法を十分に理解させる．教示のポイントは，左右に頭部を動かしてもよいが，頭部を前後せず視距離は一定に保つ，読む速度は流暢に読める範囲でできるだけ速く読む，読みにくい文字は読み飛ばしたり推測して読んでもかまわないので一文字も読めなくなる大きさまで読む，速度を測るので読んでいる途中で検査者に話しかけない，などである．

（3）十分な練習の後，大きいサイズから順に始める．文頭に角を合わせた紙などで覆い（**図3**），読み始めを時間的にも空間的にも正確にする．記録は，読み時間を100分の1秒単位で測定，読み飛ばし読み誤りを記録用紙に記録する．1文字も読めないサイズまで測定する．

（4）データの処理は，付属のマニュアルに従って読書速度を算出してグラフにプロットする．視距離を変えた場合には補正を行う．アプリ版はCPS, MRS, RAの計算，グラフ作成まで自動化されている．

3 検査のコツ

文字が小さくなると見える文字があってもあきらめてしまう場合がある．1文字も読めなくなるまで読むように患者を励まして測定する．チャートの文章は一度読んでしまうと同日には再検査できない．練習で十分に方法を理解させ失敗をしないようにする．また，繰り返し使用する場合には

[図3] MNREAD-Jの測定
右：iPad版（Apple Inc.）画面をタップすることで文章を提示し速度を測定する．測定ごとにエラー数を入力すると終了時に計算結果とグラフが表示される．左：ボードタイプ（はんだや），測定する文章の読み始めの場所に紙の角を置いて遮閉し合図と同時に紙をずらし次の文章を隠して測定する．ボードタイプには横書きと縦書きがある．iPad版は横書きで他の言語も表示可能．

最低でも2週間以上あけて実施する．CPSは，自動解析プログラムでも計算されるが，実際にグラフを見て読書速度が急激に低下する直前の文字サイズを確認する．

IV 検査結果の読み方と解釈

1 正常値

検査データはグラフを作成して確認する．読書検査は基本的に個人内の変化を調べるものなので正常値の基準がなくCPS, MRA, RAは各個人の視機能によって異なる．RAはその個人の近見視力と近似する．CPSは視覚正常の場合には0.1logMAR程度になり，視力が低下するとCPSは大きくなる．MRSは正常視力であっても個人差が大きく個人によって異なるため，どの程度のMRSが妥当かという基準値はない．新聞の文字サイズはチャートの0.4logMARであり，視覚正常の場合にはMRSで十分に新聞などが読める．視機能が低下してCPSが0.4logMARよりも大きくなると新聞を読むためにはロービジョンエイドが必要になる．視覚補助具を使用した時に，個人のMRSで読めているかどうか確認する場合にはその個人のMRSの95%信頼区間に入っているかどうかで判定する．視機能の影響による測定結果のパターンとして以下のものが挙げられる．

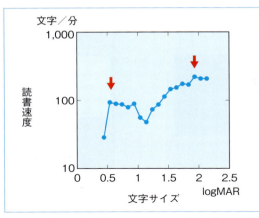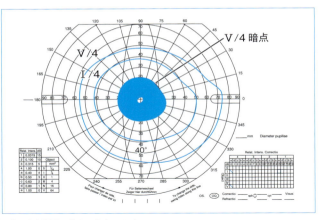

[図4] 輪状暗点で読書速度のピークが2つある例：網膜症，視力(0.8)，中心視野で小さい文字サイズ（0.5 logMAR）100文字/分で読めているが，0.9 logMAR で速度が低下し文字サイズが大きくなるに従って速度が速くなり，2.0 logMAR 付近で MRS（最大読書速度）が出ている．

1) ロービジョンなど視機能の低下が読書に影響している場合

RA，CPS がグラフの右側に移動し大きい文字サイズになる（図2）．CPS を患者が十分に文字が読める網膜サイズと考え CPS/読みたい文字サイズを計算することでどのくらいの拡大が必要かを検討できる（ロービジョン検査を参照）．MRS は基本的に変化しないが，視野狭窄などの視野障害の場合には文字が大きいと視野内に入る文字数が減少し読書速度が低下する．この場合，MRS が非常に遅い場合には効率を考慮して他の感覚器（触覚，聴覚）による情報収集方法との併用などの検討が必要になる[5]．

2) 中心暗点がある場合

グラフが右上がりになる場合があり，拡大すればするほど読みやすくなり高倍率の拡大が必要になる．CPS はグラフから検討する[6]．

3) 輪状暗点・求心性視野狭窄がある場合（図4）

輪状暗点ではグラフのピークが2つある場合がある．小さい文字サイズのピークは中心，大きい文字サイズのピークは暗点の外側で見ている可能性がある．どちらのパフォーマンスが良いかなど相談をしながら拡大率を決める必要がある．また，求心性視野狭窄の場合にはグラフの右側も速度が低下し山型になる場合がある．この場合には速度のピークを CPS と考える[5]．

4) グレアがあると白黒反転チャートで CPS が小さくなる場合がある

CPS 付近の読速度は変化が激しく推定が難しいため 0.3 logMAR（2倍）の差がない場合には有意に効果的とはいい切れない．効果がある場合には，遮光レンズや拡大読書器などの白黒反転機能の活用などが考えられる[7]．

2 異常値

読書速度は正常値からの低下や逸脱を検出するものではないため基本的に異常値はない．しかし，上記のような視機能の影響を受けて CPS が得られないなどの場合以外に，測定方法に誤りがあり MRS, CPS, RA が正確に得られない場合がある．測定方法の誤りのなかには，測定距離の統制がとれていない（文字サイズごとに測定距離を変えてしまう），近見屈折矯正が不十分であるなどがある．以下に代表的な例を示す（図5）．

1) グラフが右肩上がりで平らな部分ができない場合（MRS が算出できない場合）

中心暗点がない場合にこのようなグラフが得られた場合は，十分に読める大きさの文字サイズから測定していない可能性があり，測定距離を20 cm，15 cm，10 cm と変更し（加入度数も変える）測定してみる．

2) グラフの左側の速度が低下せずどのサイズも同じ速度の場合（CPSが得られない場合）

　読みにくさを感じて，全部読まない，あるいは，見える文字も読んでいない状態で終了している可能性がある．検査方法を十分に理解してもらい，見える文字はできるだけ読んでもらうようにする．また，脳梗塞後などの高次の読みの問題がある場合など，速度が遅くかつ平坦なグラフになる場合がある．

V　検査データの応用

　繰り返し使用できるため処方した視覚補助具が適切であるかMRSの信頼区間に入っているかどうかで判定できる．信頼区間に入らない場合，視覚補助具や環境が適切ではないと考えられる．また，片眼ずつ測定しどちらの眼を活用したらよいかという検討や拡大教科書の文字サイズの指定，タブレット端末，拡大読書器など電子機器の表示文字サイズなどの算出が可能である．

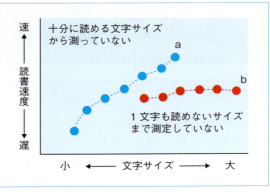

[図5] 測定方法の誤りによるグラフの例
a 十分に読める大きさの文字サイズから測定していないとグラフが右上がりになり平坦になる最大読書速度が得られずCPSが得られない．
b 途中であきらめ1文字も読めない文字サイズまで測定しないとグラフは平坦な部分だけになりCPS，RAが得られなくなる．

文献
1) 阿曽沼早苗ほか：中心窩移動術と読書能力．日視会誌 29：171-176, 2001
2) 水谷みどりほか：MNREAD-JKにおける読書評価を活用した視覚的環境の整備—拡大教材文字サイズの選択と視距離の調節に重点をおいた事例研究—. 日本ロービジョン学会誌 9：113-117, 2009
3) Ahn SJ, et al：Psychophysics of reading：XIII. Predictors of magnifier-aided reading speed in low vision. Vision Res 35：1931-1938, 1995
4) 小田浩一：読書視力．専門医のための眼科診療クオリファイ 26．ロービジョンケアの実際，山本修一編，中山書店，東京：29-33, 2015
5) 中村仁美ほか：輪状暗点が拡大した症例における読書能力の変化．臨眼 55：607-610, 2001
6) 藤田京子ほか：加齢黄斑変性滲出型瘢痕期の読書成績．日眼会誌 109：83-87, 2005
7) Rubin GS, et al：Psychophysics of reading：VI. The role of contrast in low vision. Vision Res 29：79-91, 1989

　　　　　　　　　　　　　　（新井千賀子・小田浩一）

1 視力検査

10）他覚的視力検査
（心因性視力障害・詐病検査）

I　検査の目的

　心因性視力障害は，器質疾患がないにもかかわらず裸眼および矯正視力が低下し，らせん状視野や視野狭窄などの視野異常や色覚異常を呈することもある症候[1]である．小児に多くみられるが，成人では外傷後に発症することがある．患児の感情背景にある単純な眼鏡願望に起因している場合もあるが，最近は学校や家庭の問題，多数の習い事や塾通いおよび低年齢化している受験などの精神的ストレスの影響によるものが目立ってきている．

　近年，児童相談所へ通告される虐待件数や学校でのいじめ件数は増加し，また，COVID-19感染予防対策としてオンライン授業が急激に増えた結果，連日のデジタル端末の長時間視聴によって見え方に不安を感じる子どもが増えている．視力検査時に自覚する程度の軽いこともあるが，自宅でも見えづらいと訴えて学業や生活に支障をきたすほどの重たい場合もある．本人にとっては本当に「見えない」のであって，自覚的に検査時に偽りを返答していないのが特徴である．

　一方で，詐病は，偽った病状を医療関係者に伝えようとするもので，成人の診療で多くみられ，保険金の不正請求や視覚障害手帳の不正取得など社会的な利益享受を目的に，病気や怪我による視機能低下を装い診断書作成を要求したり，必要以上に入院を長期化させたりすることがある．他覚的視力検査では，患者の心理的投影をなるべく除外して実際の見え方を測定することを目的として行う．

II　検査法

　広く用いられている方法がレンズ打消し法である．球面の凸レンズと凹レンズを組み合わせて入れると，打ち消し合って光学的には中和している「度なしレンズ」になるが，被検者にとってはレンズの重みを感じているので裸眼視力の測定と気がつかないで返答する．

　事前に屈折検査を行い屈折異常の程度を確認している場合はレンズ打消し法で測定を進めるが，未確認の場合は下記のように雲霧法を先に行ってからレンズ打消し法へ移行するとよい．

　その他の方法として，正常な両眼視機能を保持していると想定される場合に立体視を確認するという方法があり，心因性視力障害の子どもでは，視力検査が低視力だったとしても立体視検査で良好な結果が得られる場合が97％という報告がある[2]．Titmus Stereo Tests など就学前後の子どもは楽しみながら身構えずに返答できるからと考えられており，同じような理由で森実式ドットカードでは良好な返答をしてくれる場合もある．

　小学校高学年以降の心因性視力障害や詐病疑いでは，読書評価チャートのMNREAD-Jなどを用いて読み速度評価を行う．Landolt環の字ひとつ視標のサイズと検査距離を変えて返答の整合性を確認するなどの方法（表1）がある．Landolt環では測定できない小数視力0.01未満の視力を評価する場合に，本人に視距離を自覚させずに定量化する方法としてBerkeley Rudimentary Vision Testを用いる方法[3]などがある．

III　検査手順

　最初にオートレフの屈折値を得てから，当院ではレフが強い遠視度数でない限りはまず裸眼視力から測定している．理由として，子どもの集中力が長く続かないことが多いため先に測定しているのだが，このときにオートレフの屈折値に相違して大きな視標でも目を細め「見えない」とすぐ返答したりする場合は心因性視力障害の可能性を念頭に置いて測定する（表2）．次に，+2.0D～+3.0D程度のプラスレンズを「少し見えづらくなるよ」と声かけして入れる．遠視でない限り凸レンズなのでぼやけを自覚するが，子どもは調節が強くかかっている場合が多く，気持ちを落ち着かせる効果も期待できる．レンズ交換時に裸眼にしないように注意しながら0.5D刻みに凸レンズを下げていく．段々とクリアになっていくので本人

[表1] Landlt 環と視距離，視力の換算表

視標サイズ	距離	視力	logMAR換算値
1	50	0.1	1.00
1	100	0.2	0.70
1	150	0.3	0.52
1	200	0.4	0.40
1	250	0.5	0.30
1	300	0.6	0.22
1	350	0.7	0.15
1	400	0.8	0.10
1	450	0.9	0.05
1	500	1	0.00
0.9	50	0.09	1.05
0.9	100	0.18	0.74
0.9	150	0.27	0.57
0.9	200	0.36	0.44
0.9	250	0.45	0.35
0.9	300	0.54	0.27
0.9	350	0.63	0.20
0.9	400	0.72	0.14
0.9	450	0.81	0.09
0.9	500	0.9	0.05
0.8	50	0.08	1.10
0.8	100	0.16	0.80
0.8	150	0.24	0.62
0.8	200	0.32	0.49
0.8	250	0.4	0.40
0.8	300	0.48	0.32
0.8	350	0.56	0.25
0.8	400	0.64	0.19
0.8	450	0.72	0.14
0.8	500	0.8	0.10
0.7	50	0.07	1.15
0.7	100	0.14	0.85
0.7	150	0.21	0.68
0.7	200	0.28	0.55
0.7	250	0.35	0.46
0.7	300	0.42	0.38
0.7	350	0.49	0.31
0.7	400	0.56	0.25
0.7	450	0.63	0.20
0.7	500	0.7	0.15
0.6	50	0.06	1.22
0.6	100	0.12	0.92
0.6	150	0.18	0.74
0.6	200	0.24	0.62
0.6	250	0.3	0.52
0.6	300	0.36	0.44
0.6	350	0.42	0.38
0.6	400	0.48	0.32
0.6	450	0.54	0.27
0.6	500	0.6	0.22
0.5	50	0.05	1.30
0.5	100	0.1	1.00
0.5	150	0.15	0.82
0.5	200	0.2	0.70
0.5	250	0.25	0.60
0.5	300	0.3	0.52
0.5	350	0.35	0.46
0.5	400	0.4	0.40
0.5	450	0.45	0.35
0.5	500	0.5	0.30
0.4	50	0.04	1.40
0.4	100	0.08	1.10
0.4	150	0.12	0.92
0.4	200	0.16	0.80
0.4	250	0.2	0.70
0.4	300	0.24	0.62
0.4	350	0.28	0.55
0.4	400	0.32	0.49
0.4	450	0.36	0.44
0.4	500	0.4	0.40
0.3	50	0.03	1.52
0.3	100	0.06	1.22
0.3	150	0.09	1.05
0.3	200	0.12	0.92
0.3	250	0.15	0.82
0.3	300	0.18	0.74
0.3	350	0.21	0.68
0.3	400	0.24	0.62
0.3	450	0.27	0.57
0.3	500	0.3	0.52
0.2	50	0.02	1.70
0.2	100	0.04	1.40
0.2	150	0.06	1.22
0.2	200	0.08	1.10
0.2	250	0.1	1.00
0.2	300	0.12	0.92
0.2	350	0.14	0.85
0.2	400	0.16	0.80
0.2	450	0.18	0.74
0.2	500	0.2	0.70
0.1	50	0.01	2.00
0.1	100	0.02	1.70
0.1	150	0.03	1.52
0.1	200	0.04	1.40
0.1	250	0.05	1.30
0.1	300	0.06	1.22
0.1	350	0.07	1.15
0.1	400	0.08	1.10
0.1	450	0.09	1.05
0.1	500	0.1	1.00

は返答しやすくなるはずであるが，本人が「見えづらい」と返答したら，＋0.5Dや－0.75Dを入れて本人が見やすいと感じるレンズを見つけるようにする．視力が出るところまで度数を確認していくが，レフ値の±0Dを目安とするか，または返答が不安定になったあたりでレンズ打消し法を追加していく．プラスレンズをいったん＋0.5D

[表2] 心因性視力障害児の応答ポイント

・応答に時間がかかる
・目を細めて見えにくそうにする
・視標をよく見ず「見えない」とすぐに返答する
・左右反対に指す回数が多い
・両眼とも視力がピタリと同じ段階で止まる
・矯正レンズを1枚替えるたびに視力が1段階ずつ上がる傾向がある
・早く検査を終えたい素振りをみせる

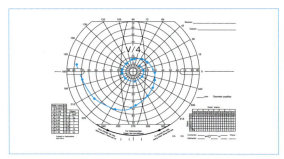

[図1] らせん状視野

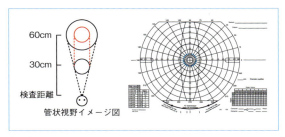

[図2] 管状視野とそのイメージ図
求心性視野狭窄半径10°（直径20°）の場合，通常では検査距離30cmで見える範囲は直径約10cm，検査距離60cmでは直径約20cm（黒い円）になる．しかし管状視野の患者では，視標の輝度や大きさ，検査距離を変えても（例えば検査距離を60cmに離しても），見える範囲は同じ直径約10cmの視野（赤い円）を呈することがある．

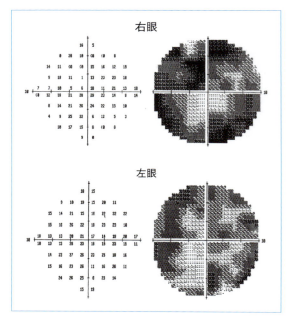

[図3] 30歳女性．視覚障害手帳の申請希望で来院．視力は両眼それぞれ（0.3）で，他院で施行したGoldmann視野検査は正常だが，10-2静的視野検査で水玉状沈下を認めた．その他，網膜電図や頭部画像検索など精査を行った上で心因性視力障害と診断に至った．

[表3] 心因性視力障害児の問診および行動観察のポイント

下記の問診をしながら返答する様子を観察する．
・いつ，どんなときに見えづらいと最初に気がついたの？
・おうちでご飯を食べているときは見えづらい？ 好きなテレビを観ているときはどう？
・好きな本やゲーム，スマホでは困らないの？
・各曜日の放課後や休日はどんなことをしているの？（多忙すぎる毎日を過ごしていないか確認する）

行動観察のポイント
・待合室で何をしているか？ テレビや絵本を眺めているか？
・すたすたぶつからずに歩いて入ってくるか？
・話すときに目線が合うか？
・「急に見えなくなった」と話す患児の表情に深刻さや困った様子はあるか？

程度強めて「見えにくい」と返答を確認したら，次に相殺するための同度のマイナスレンズを入れる．子どもの様子をみて「このレンズで見えやすくなると思うよ」などの声かけをすると効果的である．それでも視力が出にくければ，プラノレンズ（±0D）でレンズを準備して「見やすくなると思うよ！」と声かけし，さらに追加してその反応をみる．

成人の場合も同様に，レンズ打消し法や暗示をかけながら測定を行う．繊細で敏感な患者タイプが多いので，返答を強要したり，誤答を誘導するような対応したりすると，心を閉ざして返答しなくなることもあるので検者は留意して検査を進めるようにする．

IV 心因性視野障害とその検査法

福島らの209例の心因性視覚障害の報告[4]では，視力異常と視野異常の合併が半数以上を占めており，視力異常のみは3割未満であった．視野異常は両眼にみられたのは88％で，片眼は12％であった．視野異常の種類はらせん状視野（図1）が42％と多く，求心性視野狭窄35％，管状視野（図2）が2％で，水平半盲など多彩な視野変化が報告[5]されている．静的視野検査では，非特異的に沈下が多発する水玉状視野なども認められる（図3）．

［図4］待合室でテレビやスマートフォンを眺めている子ども．視距離や見ている様子を観察する．
（※イメージ画像につきモデルと疾患は無関係）

動的視野検査を開始する前に，患者に圧迫感を与えないように話をしながら「光が見えたらボタンを押すだけですよ」と不安なくできるように努める．片眼性であれば患眼から，両眼性であれば低視力眼から始める．視標は視認できる最小の視標から（できればⅠ/1から）Ⅴ/4の視標へと通常の逆の順序で測定する．視標を変えるたびに「見えやすくなっていますよ」と声かけをする．planeレンズを置いておくなどの配慮も適切に行う．

Ⅴ　慎重な行動の観察と問診

眼底所見，網膜電位図（ERG）や頭蓋内器質疾患の鑑別を十分行った上で心因性視力障害や詐病の診断を行うのは言うまでもないが，心因性視力障害の場合は本人の様子と自覚返答との解離が顕著な場合が多い．待合室の様子をまずは見て観察してから，声かけして検査室や診察室に招き入れて歩く様子を観察することをお勧めする（**表3**）．0.1以下の視力結果なのに待合室で3m以上先のテレビを楽しそうに眺めていたり（**図4**），視野検査では重度の求心性視野狭窄なのに，初めて来た病院で物にも人にもぶつからずスムーズに歩いたり座ったりする行動観察は重要である．本人の好きな本やスマートフォン，ゲームなどの文字の大きさを確認して検査結果との整合性を検討することも必要である．子どもの心因性視力障害では急な視力低下の割に本人に深刻感がなく，いつからどのように見えなくなったのか？　というこちらの問いに答えられない場合が多い．詐病の場合も同様で，待合室での様子やスマートフォンを操作する様子や会計での支払いの動き，院外に出てから歩く様子などの観察は必要である．

文献
1) Lim SA, et al：Functional visual loss in adults and children. Ophthalmology 112：1821-1828, 2005
2) 及川恵美ほか：心因性視力障害と立体視検査．日視会誌 38：185-190, 2009
3) 三輪まり枝ほか：Berkeley Rudimentary Vision Testを用いた低視力の定量化の検討．臨眼 74：685-691, 2020
4) 福島孝弘ほか：鹿児島大学附属病院（過去23年間）における心因性視覚障害．臨眼 96：140-144, 2002
5) 高橋寛子ほか：外傷後に片眼性水平半盲様視野障害をきたした心因性視力障害の1症例．日視会誌 34：151-156, 2005

（中山百合）

11）ロービジョン検査

I　検査の目的

　ロービジョンの検査の目的は，保有視機能（患者が活用可能な視機能）を評価しその活用度を見積もることである．ロービジョンケアは保有視機能と実現したい作業（読み書き，移動，趣味など）に必要な視機能との差をできるだけ最小にすることが基本的な目的であり，光学的補助具の処方のほか，日常生活行動，移動・歩行，IT機器の利用など視機能低下に関連したさまざまな困難に対応する．どの困難の対応にも"患者が活用できる視機能がどれくらいあるか"という保有視機能を評価し，実現したい作業に必要な視機能との不足分を明確にしてケア内容が決定される（**図1**）．この保有視機能の評価は一般の眼科検査と共通する項目がほとんどである．一般検査が治療介入の改善や疾患の進行の検討を目的として行われるのに対して，保有視機能の検査と解釈には"患者が持っている視機能をどう最大限に活用するか"という視点が必要である．さらに，ケアを実施するためには**表1**に示すような要素の評価を行いそれらを総合してケアを実施する．このような視点を持つためには視機能と行動の関係を理解して視機能低下が患者の日常生活や行動にどのような影響をもたらすかを把握する必要がある．

II　検査法と検査機器

　ロービジョンケアにおける視機能の検査は一般外来で行われている検査データを活用できるが，保有視機能の活用という観点から検査と解釈においていくつかの留意点がある．さらに，複数の検査データを総合して患者の見え方の困難を予測することが求められる．近年，画像検査が発展してきており，それらのデータを参考にした視機能の把握も注目される．それぞれの検査についての項目は別項で述べられるので，ここでは，基本的な眼科一般検査をロービジョンケアの視点でどのよ

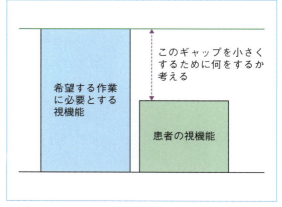

[図1] ロービジョンケア検査の目的
ロービジョンケアの1つの目的は保有視機能を活用して希望する作業に必要とされる視機能と患者が持っている視機能のギャップをできるだけ小さくすることである．そのため視機能の検査，評価では患者が活用できる視機能がどのくらいあるか，を十分に検討する必要がある．

[表1] ロービジョンケアに必要な評価

- 視機能の評価（視機能の実態）
- 視機能の活用度の評価（どの程度活用できるか？）
- 視機能低下が日常に与えている影響の評価
- 持っている視覚補助具の実態と活用度の評価
- 視覚活用を実現する環境の評価，社会資源の利用度

ロービジョンケアには複数の評価が必要になるが，眼科検査は視機能の実態を把握するだけでなく，活用度の評価にも深くかかわる．

うに扱うかを述べる．

1　遠見視力検査と屈折矯正

　遠見の屈折矯正は，光学的補助具の倍率決定と関係する．屈折異常の矯正の状態で光学的補助具の倍率が変わるため，完全矯正値も確認する．特に，未矯正の遠視は拡大不足になることに注意する．視力検査は通常の手続きと同様に行う．視野障害がある場合には暗点の位置に配慮した測定を行う．求心性視野狭窄で遠方の視標を見つけにくい場合には，単一視標を一定の位置において視線を保持しやすくして呈示する．この場合，視認できる固視目標（はっきり見える単一視力視表でもよい）を固定して固視を維持しやすくする工夫も有効である．中心視野障害があり視標を見つけにくい場合には暗点のある方向に視線を誘導すると視標が見つけやすい．

　遠見の視認性の向上はロービジョンでも移動や

障害物の確認などの環境の認知に関連する．一般に視力表で2段階の向上があると眼鏡の効果が得られるとされているが，視力値が変わらなくても視認性の向上の自覚がある場合には眼鏡処方を検討する．

　屈折値はオートレフラクトメータのデータが十分に得られない場合がある．その場合にはレンズ交換法による自覚的検査，オーバースキアによる確認など多面的に行う必要がある．レンズ交換法ではロービジョンの場合，像のボケに対する感度が低いため，0.5Dステップの自覚検査がむずかしい場合があり，1.0D，1.5Dなどのステップで行う．無水晶体眼，シリコーンオイル眼などの強度の屈折異常が予測できる場合には，5D以上のレンズを使用して確認することも有効である．強度の乱視は自覚的な効果が得られる場合にはできるだけ眼鏡処方をして取り除くほうが望ましい．また，異なる屈折値で同じ視力値が得られた場合には遠視側に決定することが原則だが，患者の主観的な見やすさも参考にして決定する．遠見の屈折値が判断しにくい場合には近見加入度数の結果によっても判断するなどの工夫が必要である．

2 近見視力検査と屈折矯正

　近見の屈折矯正は近見作業（料理，食事，手芸，読み書きなど）の対応に必要になるため調節力を考慮した屈折矯正により近見の視認性の向上が得られるかどうかを確認することが大切である．高齢者や白内障術後の人工水晶体眼でなくても疾患によっては調節力が低下し近用眼鏡が必要な場合がある．一般的な30cmに焦点距離を合わせた近用眼鏡の装用で文字が読めなくても，食卓上の食器など近見作業時の視認性が改善する場合には近用眼鏡の処方を検討する．拡大読書器やタブレット端末などで拡大文字を見る場合でも，作業距離と調節力に合わせた近用眼鏡を装用すると視認性が改善し疲労の軽減につながる．

　近見屈折矯正は遠見屈折矯正値からの加入が原則になる．遠見での屈折値が十分に決められない場合には近見でのレンズ交換法も有効である．求心性視野狭窄が重度であると近見視標をみつけることが困難になり，遠見視力と同等の視力まで測定できないことがある．その場合には，近見視標に患者の指を添えて位置を検出しやすくするなどの工夫が必要である．中心視野障害の場合には，偏心視領域 prefered retinal locus（PRL）が固定しているかなどPRLの活用度も観察する．また，調節機能に問題がある場合や瞳孔の状態などから加入度数が計算通りにならない場合もあることを考慮する．

3 視野検査

　ロービジョンケアで主要なニーズである読み書きについては中心視野が関与し，移動や日常生活行動（家事や買い物，食事行動）などは周辺視野が関与する[1]．視野のどの領域がどのような役割を担っているかについて留意しながら検査を行いデータを分析する．

1）中心視野

　読み書きや表情の確認などの近見作業に関連する．視力値から推察できる以上に読書パフォーマンスが低下している場合（加齢黄斑変性など）や近方視の困難の訴えが強い場合には，静的視野計のデータだけでなくアムスラーチャートなどで中心部の変視や比較暗点などを確認する．中心暗点がある場合の中心外の固視点であるPRLについては，照度や視対象となる物体のサイズなどによって使用する網膜の位置が違うという報告があり，視力検査結果が安定しない理由の1つであると考えられている[2〜4]．偏心視訓練の有効性については議論があるが，視線を暗点の方向に移動するだけでも視認性が改善する場合がある．視線移動をして偏心視を活用する工夫への指導は中心視野を詳細に検査できるマイクロペリメトリーやアムスラーチャートのデータが参考になる．

2）周辺視野

　周辺視野は日常生活の粗大な行動（室内外の移動，洗濯物を干すなどの家事動作，障害物の発見など）に関連する．周辺視野まで測定できるGoldmann視野計が有効である．Goldmann視野計がない場合には平板視野計，対座法などで周辺視野の広がりや欠損を必ず確認する．左右眼の視野検査データを参考に，両眼で1点を固視した場合に上下左右どの領域に暗点があり，どの領域が

活用できるかを患者と共有することが大切である．視野は距離によって広がるため，求心性視野狭窄と中心暗点では視距離によって把握できる範囲が異なることに留意する．感度の低下も段差の発見など行動の困難に関連するため，暗点だけでなく感度低下も把握すると視認性の低下領域がわかり困難度が把握しやすくなる．

4 読書検査，文字チャートによる評価

ロービジョンの患者の最も多いニーズである読みに対応するための基本的な評価である．文字サイズと読書速度の関係から読みやすい文字サイズを求め拡大鏡の倍率や拡大読書器，電子機器，拡大教科書などの文字サイズを決定することができる（詳しくは読書検査を参照）．

文字を拡大する光学的補助具の処方に必要な拡大率は，患者が楽に読み書きができる網膜像のサイズに拡大が得られる値を求める．網膜像の大きさは見たい物との距離に影響される．遠くの大きいものと近くの小さいものが，同じ網膜像のサイズであることもある．したがって，拡大を考えるときには測定距離とその距離に調節力が必要になり，調節力が不足する場合には加入をして評価する．患者が必要とする拡大率は視距離，屈折矯正，視野，視力などさまざまな要因が関係する．読書評価は流暢に読むことができる文字の網膜像のサイズが得られ，患者の読書困難に最も近い結果を得ることができる．また，中心暗点がある場合など視野の要因が関係する場合には視力から予測できる以上の読書困難がある場合があり，読書評価が有効である[4]．読書評価が実施できない場合には，どの文字サイズであれば患者が十分な速度で読むことができるかを確認し，網膜像をその文字サイズに拡大する光学的補助具を検討する[5]（拡大率の算出については別項を参照）．

5 コントラスト感度，羞明

コントラスト感度の低下は，"全体が白っぽく霧やお風呂の湯気の中にいるような見え方"などの表現に代表され，しばしば"まぶしい"とも表現される．コントラスト感度は眼科のルーチン検査で実施されることが少ないため検査機器がない場合が多い．検査機器があれば測定しておくことが望ましい（具体的な検査機器については別項を参照）．検査機器がない場合には低コントラストの物体の視認性（白いお茶碗の中のご飯粒の判別，洋服の同系色の模様など）について患者に質問して見えにくさを確認するだけでもコントラストを考慮した日常生活用具の活用や環境の工夫など（白黒反転のまな板，黒い茶碗などコントラストを考慮した食器の選択，段差の境界のコントラストの強調など）の検討に役立つ．

羞明の定量的検査は十分に確立されていない．そのため，主に患者の訴えによって判断されている．"まぶしい"という訴えの中には，光の散乱に起因する場合と網膜の感度低下やコントラスト感度の低下によるものなど患者のさまざまな見え方が含まれており，"まぶしい"という表現が羞明なのかどうか十分に確認する．"まぶしい"状況が起きる場面や環境（屋外の晴天時のみか，室内でもまぶしいのかなど）の聞き取りや視野欠損の状態，疾患の特性などを考慮して羞明の対策を検討する．その上で，遮光眼鏡などの光吸収フィルターが有効であれば処方を検討する．明るすぎても暗すぎても見えにくくなるような明るさへの対応レンジが狭くなっている場合には，暗所での使用の制限など使用場面を明確にして遮光眼鏡を決定する．遮光眼鏡は低波長の光を吸収することで羞明を軽減でき，さまざまな分光透過率のものが発売されている．今のところ，どのような羞明にどの分光透過率の遮光眼鏡が適切かという公式はなく患者の自覚的変化による選定が行われている．遮光眼鏡によっては対象のコントラストが変化し，コントラストが上昇する場合と低下する場合があり処方する場合に留意が必要である[6]（図2）．

先天疾患による小児のロービジョンでは羞明の自覚的訴えがない場合が多い．これは，生後から常に羞明のある状態で生活し，羞明がない状態の経験がなく"まぶしい"という感覚を持ちにくいためであると考えられる．羞明が明らかにあると判断できる疾患（無虹彩，脈絡膜コロボーマなど）の場合には，遮光眼鏡を装用し羞明を軽減した状態を経験させて，明らかに羞明が起きるような場面での行動や視認性が改善するかどうか確認

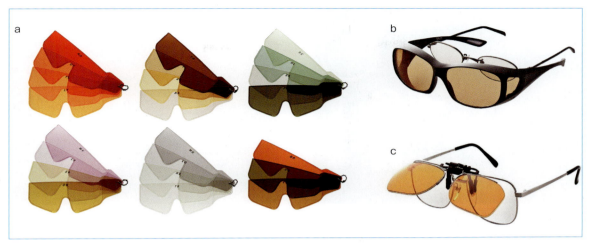

[図2] 遮光眼鏡
a 遮光眼鏡は，短波長をカットし光の散乱を抑え羞明を軽減するものである．分光透過率曲線がメーカーから明示されているものは補装具として申請が可能である．
b オーバーグラス型
c クリップオン型
（写真 東海光学（株）より提供）

して羞明の有無や遮光眼鏡の効果を判断する[7]．

6 小児のロービジョン検査

　小児のロービジョンケアは，視機能低下が発達や学習に与える影響を最小限にし，持っている能力を最大限に発揮して発達や学習ができるようにすることが目的である．視機能の評価は発達や学習の手段（学習メディア）の選択に大きく関与する．したがって，小児の場合の視機能の評価は発達への影響度を判断する目的で行われる．また，視機能の発達への影響や変化を継続的に確認する必要があり小学校就学までは定期的な評価が望ましい．さらに，就学までには主要な学習メディアの選択に関して，視機能を活用する方法（普通文字を拡大する，写真や絵カードなど）と触覚を活用する方法（点字や触覚カードなど）のどちらが有効であるかを視機能の観点から確認し，保護者と教育機関が学習メディアを決定する資料を提供する．

　検査方法は既存の眼科検査（視力，屈折異常，固視，眼球運動，視野検査など）を発達段階に応じた方法で実施する．小児は調節力が十分にあるため光学的補助具の使用よりも接近視（視対象に接近して文字を読むなど）が推奨される場合が多いが，調節力がない無水晶体眼などの場合には近見の屈折矯正も実施し眼鏡処方を検討する．自覚的応答が難しい乳幼児期や他に障害がある場合（重複障害）には行動観察による定性的評価を行う．例えば，動作模倣ができる距離や物体へ手を伸ばしてくる（リーチング）距離とその際の眼と手の協応の有無，移動時の障害物の回避や衝突などの日常行動や遊びの観察を行うことで，視機能の活用程度が予測できる．さらに，保護者からの聞き取りを行い，定性的データ，定量的データと併せて総合的な評価を行う．学齢期では教科書など学習教材の読み書き，黒板を見る遠方視など学校生活に必要な活動が実施できているか，学校での学習に改善が必要かを具体的に確認することが必要である．書字は書いている文字サイズと作業距離から十分な視認性が得られているかを臨界文字サイズを参考に確認する（臨界文字サイズは読書検査を参照）．知的発達障害，肢体不自由，脳性麻痺，聴覚障害などの重複障害がある場合にはそれぞれの障害への配慮を行って検査を実施する．重複障害がある場合には，視機能低下が原因で困難が生じているのか他の要因が関係しているのかを判断することが重要である．他科の医師，

[図3] 手持ち拡大鏡
口径が広い低倍率のものから50Dまでさまざまな倍率がある．小さい携帯型，照明がついたものなど用途に合わせて選択ができる．保持の仕方と屈折矯正の関係には表3のような問題があり，保持方法について十分に検討して選択する．

[図4] 置き型拡大鏡
拡大鏡を保持することに困難がある，両手を使いたいなどの場合に活用できる．置き型拡大鏡の高さは，拡大鏡の焦点距離よりも短く設計されている．そのため，拡大鏡でつくられる像は虚像になり（患者から見て拡大鏡の向こう側にある）調節力が低下している場合には，眼からその虚像までの距離に応じた加入が必要になる．置き型拡大鏡を持ち上げて鮮明な像が得られる場合には近見加入は不十分であり，持ち上げても見え方が悪くなる場合には加入が強すぎることになり，その置き型拡大鏡の虚像を見るための適切な加入がされていないことになる．虚像の位置は拡大鏡によって異なるため，拡大鏡に合わせた加入をすることになるが，そのために近用眼鏡を作製することは現実的な方法ではない．両手を使いたい場合，手持ち拡大鏡の保持がむずかしい場合などには有効であるが，調節力が低下している場合は期待した拡大が得られているか注意が必要である[9, 10]．

理学療法士，言語聴覚士，特別支援教育の専門家と連携して判断する．この際，聴覚障害との合併は学習やコミュニケーション能力などの発達に重篤な影響を及ぼす．対応には専門的な技術が必要であり，早期に盲ろう（視覚と聴覚の二重障害）の専門家と連携して対応することが重要である[8]．

7 ロービジョンエイドの選定

1）ロービジョンエイド

ロービジョンエイドには，光学的補助具（眼鏡型拡大鏡，ハイパワープラスレンズ，弱視眼鏡，拡大鏡，単眼鏡など）と非光学的補助具（拡大読書器やタブレット端末など電子的拡大機器，タイポスコープ，拡大図書など）に大別できる（図3〜7）．患者の使用目的やニーズと各補助具の特徴に合わせて選択する．非光学的補助具や患者の日常生活を支援するさまざまな機器，道具については成書が多く出版されている．それらの併用によって保有視機能の活用がされる．ここでは，眼科領域に密接な光学的補助具の選定に関して基本となる拡大率の算出を中心に解説する．

2）拡大率の表示

網膜に投影される網膜像のサイズは，視距離によって変化する．任意の網膜像を1としたときの「何倍」という表現は，視距離が考慮されていない．拡大については，その拡大に必要になる光学

[図5] 眼鏡型拡大鏡・ハイパワープラス眼鏡（図はハイパワープラス眼鏡）
通常の近用眼鏡よりも強い加入をすることで，接近視を可能にして拡大する方法である．広く視野がとりたい，両手を使用したい場合，拡大鏡の保持がしにくいなどの場合に有効である．加入度数が強くなると焦点距離が短くなるため，患者の必要とするEVPが低屈折（おおむね6D以内）の場合に検討する．十分な装用テストを行い患者の許容範囲の接近視かどうかを確認する．両眼で見る場合には輻湊に応じた基底内方のプリズムを検討するが，多くの患者は単眼視をしているのでプリズムを入れることはあまりない．他眼からの影響があり単眼視がむずかしい場合には遮閉を検討する．また，紙面に照明が当たるように調整すると視認性が大幅に向上する場合がある．

11) ロービジョン検査

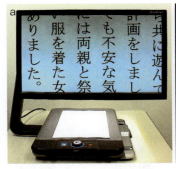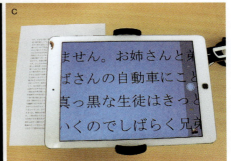

[図6] 電子的拡大機器
a 据置型拡大読書器，b ポータブル拡大読書器，c タブレット端末
拡大読書器，タブレット端末，スマートフォンなど画面に拡大される電子的拡大は，高倍率が広い視野で実現できるため，高屈折のEVPを患者が必要とする場合に最適である．大量の読書や書類を読む作業などをする場合には効率が良い．画面に表示する文字サイズは，視距離によって調整が必要である．任意の視距離で十分に読めるサイズがわかったら，そこから拡大読書器の使用距離に合わせて画面上の文字サイズを決定する．また，使用時の視距離に応じた加入をした近用眼鏡が必要である．

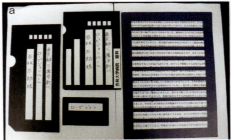

[図7] 非光学的補助具
読み書きに関する拡大を補助する光学的補助具のほかに，多くの患者の読み書きや日常生活を支援する補助具がある．読み書きの支援として，書字の際にはみ出さなくなる，羞明を軽減する効果がある．
a 罫プレート（タイポスコープ，サインガイド）．書字をしやすくする以外に，紙面からの反射を減少させ羞明を軽減することもできる．
b 書見台．拡大鏡の使用時の姿勢を取りやすくする．

的補助具のdiopterで表現するほうが視距離に依存せずに網膜像のサイズを表すことができる．したがって，近年は拡大率をdiopterで表現する方法が多く採用されている．拡大をdiopterで表現するための前提が以下の等価視距離（EVD）と等価屈折力（EVP）である[9, 10]．

3) 等価視距離 equivalent viewing distance (EVD)

任意の等価屈折力の光学系は，その屈折力の焦点距離から視対象を見ていることと等しい．

（例）20Dの拡大鏡はその焦点距離の1m/0.2m＝0.05m＝5cmから対象物を見ていることと等しい．

（例）焦点距離30cmに合わせた近用眼鏡では読めなかった新聞が20cmに接近したら読めた場合は1m/0.2m＝5Dなので，5Dの拡大鏡があれば新聞が読める（このとき近用眼鏡は不要）．

4) 等価屈折力 equivalent viewing power (EVP)

眼球光学系と拡大鏡のすべての合計の屈折力をもった1枚のレンズと考える．EVDを検討すれば患者が必要とする網膜像に拡大する拡大率（D）が算出できる．EVPは拡大鏡と他の拡大に分割することができ，眼鏡などの他の光学系や拡大読書器などの非光学系の拡大に振り分けて考えることができる．EVDとの関係は，

EVP＝1m/EVD（m）＝100cm/EVD（cm）

である．

患者が必要とする正確なEVPを実現するには，以下の3点の条件が必要になる．

（1）眼の屈折異常が補正され正視であること（あるいは，未矯正の屈折異常を拡大鏡の度数を増減することで補正されていること）．

（2）対象物が患者が必要とするEVPの焦点距

1. 視力検査

[表2] 拡大に必要なレンズのdiopterの計算方法：等価屈折力（EVP）と等価視距離（EVD）

> 拡大に必要なレンズのパワー（D：diopter）の算出方法として等価屈折力 equivalent viewing power（EVP）と等価視距離 equivalent viewing distance（EVD）を使用する方法を紹介する．
> EVPとEVDは以下の前提から考えられている．
> EVP：使っている光学系を全体が屈折力Feの薄い1枚のレンズと直接等価である．
> EVD：Feの等価屈折力の光学系は1/Feの距離から対象物を見ているのに等しい．
> これらの考え方を利用した拡大に必要なEVPの求め方は以下の通りである．
> EVP (D) = X (m) × (TPS/RPS) ─ (1)
> EVD (m) = 1/EVP (D) = (RPS/TPS)/X (m) (2)
> 視距離：Xm，必要な文字サイズ：required print size (RPS)*，読みたい文字サイズ：target print size (TPS)*
> *：プリントサイズは point，Mサイズ，mmなどが使用できる．例えば，読書評価で得られた臨界文字サイズ critical print size (CPS) を必要な文字サイズ required print size (RPS) とし，読みたい文字サイズ target print size (TPS) がわかれば，式(1)によって拡大率のDが得られ，式(2)から，調節力があればどの距離まで接近すればTPSの文字が読めるかがわかる．

離＝EVDにあること（拡大鏡を眼前において対象物に焦点が合うまで接近させて確認できる）．

（3）眼前に拡大鏡を保持すること．

（例）完全矯正または正視で新聞（9ポイント）を流暢に読むためにEVD＝20Dの拡大が必要な場合（例えば視距離30cmで54ポイントの文字が流暢に読めるなど），20Dの拡大鏡を紙面から焦点距離の5cm（1m/20D＝0.05m）に保持する．

（例）EVDを計算して20Dの拡大を得たい時に未矯正の遠視が5Dある場合には
EVP＝20D＝拡大鏡－未矯正の屈折異常＝拡大鏡－（＋5D：未矯正の遠視分）より，拡大鏡は25Dになる．

5）具体的な拡大率決定方法と処方

上記の基本を踏まえた拡大率の算出手順を**表2**に示す．

臨床での手順はまず患者が必要とするEVD（cm）を求め，その屈折値であるEVP（D）を算出する．必要とするEVPから未矯正の屈折異常を増減（近視なら減じ，遠視なら加える）して最終的な拡大鏡のdiopterを求める．

（1）文字チャートを任意の視距離（測定距離）から読み，楽に読める読みやすい文字サイズを決定する（このとき調節力に見合った加入を行う）．

（2）読みたい文字を読むにはその視距離から，どのくらい近づければよいかを計算してEVD（cm）を求める．

（4）拡大鏡，眼鏡，未矯正の屈折値のすべてでEVP（D）を満たせばよいので，未矯正分の遠視・近視の屈折値をEVP（D）に加える（近視なら減じ，遠視なら加える）．

（例）近見矯正の標準的な距離30cmで（近見加入をして）27ポイントの文字が流暢に読めた場合，9ポイントの文字を30cmの視距離で読むためには，27ポイント/9ポイント＝3より3倍に拡大する必要がある．視距離30cmにある物体の網膜像を3倍にするためには，30cm/3＝10cmに接近する必要があり，視距離はその逆数9/27で3分の1になる．したがって，EVD＝30cm×9/27＝10cmとなり，EVPは10cmに焦点距離があるレンズを考えればよく，EVP＝100cm/10cm＝10Dになる．EVPの考え方から，トータルで10Dの拡大を得ればよいので，＋2.0D遠視の未矯正がある場合には10＋2＝12D，－2.0Dの近視の未矯正がある場合には，10－2.0＝8Dである．また，拡大読書器で読みたい文字の2倍のサイズ（18ポイント）を表示した場合は，18ポイントの文字が読めればよいので
EVD＝30cm×18/27＝20cmすなわち20cmに焦点距離があるレンズは5Dとなり5Dの近用眼鏡あるいは拡大鏡が必要になる．

同様に，25cm，40cmの視距離で測定したときには，それぞれ定数が4，2.5となる．

8 手持ち拡大鏡の保持時方法とEVP（表3）

手持ち拡大鏡（以下拡大鏡）をどうやって保持するか？は患者が必要とする拡大（EVP）の再現に大きく影響する．どのような使用法であれば最適な拡大が得られるか，保持方法によっては拡大率が低下することを患者に説明する必要がある．調節力が十分にある場合には保持方法による影響

[表3] 拡大鏡の保持方法と屈折矯正の状態による拡大率（EVP）

		正視・完全矯正眼鏡装用	未矯正の屈折異常あり	近用眼鏡との併用
拡大鏡を眼前に置く		計算通りの拡大は得られる 対象を拡大鏡の焦点距離に置く	計算通りの拡大は得られる 拡大鏡で屈折異常を補正（遠視なら増やし、近視なら減じる）し、その焦点距離に対象を置く	併用可能 併用する場合には近用眼鏡の屈折力を拡大鏡から減じる
拡大鏡を眼から離す		計算通りの拡大は得られる 対象を拡大鏡の焦点距離に置く どの距離から見ても計算通りの拡大が得られる．ただし、離せば離すほど見える範囲は狭くなる	計算通りの拡大は得られない できるだけEVPに近い拡大を得たければ、眼と拡大鏡は少なくとも拡大鏡の焦点距離以内で離す	併用不可 *併用したい場合には拡大鏡を眼鏡の直前に置く方法をとる

*調節力が0あるいは低下していることを前提．

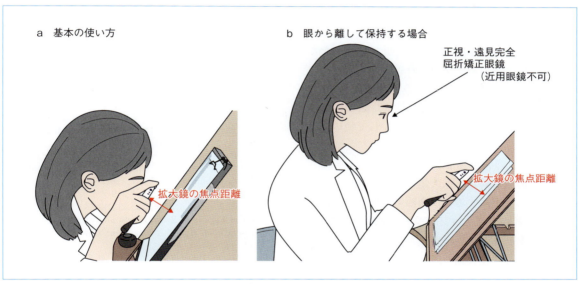

[図8] 拡大鏡の保持方法　屈折矯正との関係は表3を参照．
a 拡大鏡を眼に近づけて使用（基本の使い方）
拡大鏡の焦点距離に紙面を置く．
b 拡大鏡を眼から離して保持する場合
拡大鏡の焦点距離に紙面を置く．正視・遠見完全屈折矯正（近用眼鏡不可）．
患者が十分に文字を読むために必要なEVPを実現するには上記の方法をとる必要がある．

は最小になるが、多くの場合、EVPを得るのはむずかしい．以下は調節力がないあるいは不十分である場合を基本に記述する．なお、置き型拡大鏡は、高さが焦点距離よりも短く設計されているため、常に、虚像を見ることになるので、以下の内容には当てはまらない．

1) 必要とするEVPを得るためには拡大鏡は眼前に置く（図8a）

計算通りの患者が必要とするEVPを得るためには以下の条件が必要であり、拡大鏡の基本的な保持方法は眼前に置き対象を拡大鏡の焦点距離に置くことになる．拡大鏡の保持の仕方と屈折矯正の状態でEVPは低下するため（表3）．患者に、眼前に保持した最良な拡大を経験させた上で拡大鏡の保持方法を決めることを推奨する．

(1) 眼前に拡大鏡を保持すること．
(2) 眼の屈折異常が補正され正視であること（あるいは、未矯正の屈折異常を拡大鏡の度数を

増減することで補正されていること).

(3) 対象物が患者が必要とするEVPの焦点距離＝EVDにあること．この場合，正視あるいは遠用矯正眼鏡を装用している場合にはどの距離から見てもEVDが実現できる（次の(1)を参照).

2) 拡大鏡を眼から離して使用する場合の注意（図8b）

多くの患者は眼鏡と拡大鏡を接近させる保持スタイルを好まず，拡大鏡と眼の距離を離したくなる．その場合，屈折異常の矯正状態によってEVPが得られる場合と得られない場合がある．

(1) 正視あるいは屈折異常を眼鏡で補正されている場合

拡大鏡の焦点距離に対象物を保持すれば，どの距離から見ても患者のEVPが実現できる．ただし，拡大鏡と眼の距離が離れれば離れるほど拡大して見える範囲が狭くなり読みにくくなるため，口径の小さい（高屈折力）拡大鏡は，眼との距離が遠くなるほど見える文字数が減少して使いにくくなる．

(2) 未矯正の屈折異常がある場合

未矯正の屈折異常を拡大鏡に加えて補正しても眼から離して使用すると，調節力がない場合には正確に患者が必要とするEVPは実現できない．調節力があれば，患者は適正な拡大を得ようと対象物と拡大鏡，拡大鏡と眼の距離を変化させて調節するが，必要とするEVPに調節するのはむずかしい．また，拡大鏡の焦点距離以上に眼を離すと拡大効果は低下するため，眼と拡大鏡を離して使う場合にはできるだけ拡大鏡の焦点距離以下に離す．いずれにしても患者が必要とする正確なEVPは得られないことは念頭に置く必要がある．この問題は未矯正の屈折異常が強いほど，あるいは，屈折力の大きい拡大鏡で顕著である．また，快適に読めない場合には遠用矯正眼鏡を装用するか，拡大鏡を眼前に置く方法，あるいは拡大読書器など非光学的な拡大方法と併用することを勧める．

(3) 近用眼鏡との併用は要注意

近用眼鏡と拡大鏡を併用して拡大鏡を離して使用する場合も患者が必要とするEVPは得られない．眼鏡と拡大鏡の距離によっては，ほとんど近用眼鏡の効果と同程度しか得られない場合がある．どうしても近用眼鏡と併用したい場合には，できる限り拡大鏡を眼鏡（可能であれば眼鏡に直接つける程度）に近づけることを推奨する．

(4) 眼と拡大鏡を離して使用する方法は高屈折力の拡大鏡には不向きである．

文献
1) 川嶋英嗣ほか：視覚機能の低下した成人歩行者の抱える問題と支援．国際交通安全学会誌 28：14-24, 2003
2) 松本容子ほか：両眼黄斑部に萎縮病変を有する患者の読書時に観察される固視点と網膜感度．日眼会誌 108：302-306, 2004
3) Lei H, et al：Using two preferred retinal loci for different lighting conditions in patients with central scotomas. Invest Ophthalmol Vis Sci 38：1812-1818, 1997
4) 藤田京子：中心視野障害とクオリティオブライフ―加齢黄斑変性を中心に―．日視会誌 33：43-48, 2004
5) Lovie-Kitchin J：Reading with low vision：the impact of research on clinical management. Clin Exp Optom 94：121-132, 2011
6) 田中恵津子ほか：光吸収フィルタ（遮光眼鏡）によるコントラスト変化．視覚リハ研究 1：86-93, 2011
7) 新井千賀子ほか：自覚的応答が困難な重複障害児の遮光眼鏡の選定．日視会誌 28：263-266, 2000
8) 中澤惠江：盲ろう児のコミュニケーション方法．国立特殊教総研紀 28：43-55, 2001
9) Jackson AJ：拡大．ロービジョン・マニュアル，小田浩一総監訳，オー・ビー・エス，東京，181-196, 2010
10) Bailey IL, et al：Low vision magnifiers―their optical parameters and methods for prescribing. Optom Vis Sci 71：689-698, 1994

（新井千賀子）

1 視力検査

12) 身体障害者手帳・障害者年金・指定難病

Ⅰ 検査の目的と対象

視覚障害がある患者をさまざまな側面から支援し，QOL の改善や維持にも有効な福祉制度である．サービスは居住地で異なるため，詳しい内容や必要な書類などは各自治体・管轄機関に確認が必要である．院内の医療ソーシャルワーカー，地域包括支援センターとの連携が有効である．

Ⅱ 身体障害者手帳

障害者総合支援法に基づくサービス（眼鏡遮光や眼鏡などの補装具や拡大読書器・音声機器等の日常生活用具の給付，歩行訓練・日常生活訓練・同行援護サービスなど）を利用する際に必要となる．視力障害は 6〜1 級，視野障害は 5〜2 級で数字が小さいほど重度になる（表 1, 2）．障害が合併する場合にはそれぞれの指数を合計した等級になる（表 3）．

1 検査方法

1）視力障害

矯正視力（強度屈折の場合などは適切な矯正）で評価する．
注意点
1）複視があり両眼を同時に使用できない場合には，非優位眼の視力を 0 として扱う（例：眼筋麻痺などで複視があり片眼を遮閉しないと日常生活が送れないような場合）．
2）小数点第 2 位以下は切り捨てる（0.15→0.1）．指数弁は 0.01 とする．

[表1] 視覚障害等級表

級別	視覚障害
1級	良いほうの眼の視力（万国式試視力表によって測ったものをいい，屈折異常のある者については，矯正視力について測ったものをいう．以下同じ）が 0.01 以下のもの
2級	1. 良いほうの眼の視力が 0.02 以上 0.03 以下のもの 2. 良いほうの眼の視力が 0.04 かつ他方の眼の視力が手動弁以下のもの 3. 周辺視野角度（I/4 視標による）の総和が左右眼それぞれ 80°以下かつ両眼中心視野角度（I/2 視標による）が 28°以下のもの 4. 両眼開放視認点数が 70 点以下かつ両眼中心視野視認点数が 20 点以下のもの
3級	1. 良いほうの眼の視力が 0.04 以上 0.07 以下のもの（2級の2を除く） 2. 良いほうの眼の視力が 0.08 かつ他方の眼の視力が手動弁以下のもの 3. 周辺視野角度（I/4 視標による）の総和が左右眼それぞれ 80°以下かつ両眼中心視野角度（I/2 視標による）が 56°以下のもの 4. 両眼開放視認点数が 70 点以下かつ両眼中心視野視認点数が 40 点以下のもの
4級	1. 良いほうの眼の視力が 0.08 以上 0.1 以下のもの（3級の2を除く） 2. 周辺視野角度（I/4 視標による）の総和が左右眼それぞれ 80°以下のもの 3. 両眼開放視認点数が 70 点以下のもの
5級	1. 良いほうの眼の視力が 0.2 かつ他方の眼の視力が 0.02 以下のもの 2. 両眼による視野の 1/2 以上が欠けているもの 3. 両眼中心視野角度（I/2 視標による）が 56°以下のもの 4. 両眼開放視認点数が 70 点を超えかつ 100 点以下のもの 5. 両眼中心視野視認点数が 40 点以下のもの
6級	良いほうの眼の視力が 0.3 以上 0.6 以下かつ他方の眼の視力が 0.02 以下のもの

[表2] 視野障害：Goldmann 型視野計と自動視野計における等級

	Goldmann 型視野計		自動視野計	
	I/4 視標	I/2 視標	両眼開放 Esterman テスト視認点数	10-2 プログラム両眼中心視野視認点数
2級	周辺視野角度の総和が左右眼それぞれ 80°以下	両側中心視野角度 28°以下	70 点以下	20 点以下
3級		両側中心視野角度 56°以下	70 点以下	40 点以下
4級			70 点以下	
5級	両眼による視野が 1/2 以上欠損		100 点以下	
		両側中心視野角度 56°以下		40 点以下

2）視野障害

視野障害はGoldmann型視野計または自動視野計で評価し，それぞれの基準で残存する視野の広さを計算する方法となった．中心視野と周辺視野は同一の視野検査方法で実施する．視野の状態によっては検査方法で等級に差が出るという報告がある[1]．できるだけ患者に不利にならないように検査方法を選択することが望ましい．

2 Goldmann型視野検査

評価方法

周辺視野はI/4の8方向の角度の総和である周辺視野角度を求め（I/4より深い暗点は除外する）左右眼それぞれの条件を確認する．中心視野はI/2のイソプターの8方向の角度の総和（I/2より深い暗点は除外する）を求め以下の計算式で両眼中心視野角度を以下の計算式で算出する．I/4とI/2のイソプターを明確にわかるように提出用のコピーに記載する．

1）計算式

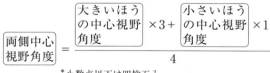

*小数点以下は四捨五入

注意点

1）中心10度内にI/4の感度がない（I/4以上の深い暗点がある）の場合には周辺に1/4のイソプターがあっても周辺視野角度，中心視野角度は0と計算できる

2）I/4のイソプターが中心と周辺と連続しない場合には中心を囲むイソプターで評価する．

3）視野5級の両眼による視野の評価は両眼の結果を重ねI/4のイソプターで両眼の視野の面積が視野の生理的限界*の面積で1/2以上欠損している場合である．面積は厳密に計算しなくてよい．

3 自動視野検査

自動視野検査では，周辺視野は両眼開放Estermanプログラムで両眼開放視認点数（seen，

[表3］重複する障害の指数と合計指数

級	指数	合計指数	等級
1	18	18以上	1
2	11	11～17	2
3	7	7～10	3
4	4	4～6	4
5	2	2～3	5
6	1	1	6

各障害の等級の指数を足し合計指数を求めた値が障害が重複する場合の等級になる．

ミエタなどの記載がある点数，Esterman機能スコアではない）を得る．

中心視野は10-2プログラムで評価し26 dB以上（オクトパスは最高視標輝度4000 abs.で22 dB，1000 abs.では16 dB以上となる）の視認できた測定点を数え以下の計算式に従って中心視野視認点数を得る．

計算式

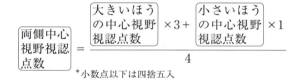

*小数点以下は四捨五入

注意点

1）両眼開放Estermanでは，本邦の障害者手帳申請時は屈折矯正をしない状態で実施する．顎台の位置を調整し固視視標が両眼の瞳孔間の中心にくるようにする．

2）視野5級の両眼による視野の評価は両眼開放Estermanで視認点数が100点以下で1/2以上欠損とする．

III 障害年金

国民年金・厚生年金に加入している場合には障害年金が受給できる．申請は，初めて医師の診療を受けたときから，1年6か月経過したとき（その間に治った場合は治ったときに）障害の状態にあるか，または65歳に達するまでの間に障害の状態となったときに可能である．認定には視力障害と視野障害があり認定基準は障害者手帳の基準とは異なる．障害者手帳を取得していなくても申

---

*視野の生理的限界は，左右眼それぞれ上・内上・内・内下が60°，下70°，外下80°，外95°，外上75°である．

請できるが障害者手帳の等級が3〜1級程度が申請の目安になる．20歳前に診断されている場合には20歳時に申請が可能である．初診時の年齢や年金加入状況など個別の事情によって手続きに必要な書類や認定結果が異なるため専門の相談機関や自治体・社会福祉協議会・患者会などが実施する相談会の利用も役立つ．詳しくは，日本年金機構のホームページに掲載されている．

Ⅳ 指定難病

難病法による医療費助成の対象となるのは，「指定難病」と診断され「重症度分類等」において病状の程度が一定程度以上の場合になる．市町村によっては，この申請により難病手当が支給される場合がある．障害者総合福祉法における難病については別に定められている．難病センターのホームページに情報が掲載されている．

文献
1) 金本菜都美ほか：新視覚障害認定基準におけるゴールドマン型視野計と自動視野計による等級の比較．日視会誌 49：81-89，2020
2) 新訂第五版 身体障害認定基準及び認定要領：解釈と運用．中央法規，東京，2019
3) 山本修一ほか監：新しいロービジョンケア．メジカルビュー社，東京，2018

（新井千賀子）

2. 屈折検査

2 屈折検査

1) 他覚的屈折検査
① オートレフラクト（ケラト）メータ

I 検査の目的

1 検査対象
　眼科臨床で通常使用されている据え置き型のオートレフラクトメータは座位が可能で顎台への顔の固定が可能な患者が対象となる．

2 目標と限界
　オートレフラクトメータは被検眼の球面，円柱度数と軸を明室下で容易に精度よく測定できる他覚的屈折検査装置である．オートレフラクトメータは調節を介入していない状態の眼屈折測定が目標であり，各社各様の雲霧機構が採用されているが，雲霧が不十分な場合は測定値の信頼性に影響する場合がある．オートレフラクトメータの測定限界として，中間透光体混濁，角膜不正乱視，測定範囲を超える屈折異常，小瞳孔，固視不良（眼振など）など被検眼の原因により測定値が不安定または測定不能になる場合がある．

II 検査法と検査機器

1 オートレフの測定原理
1) 画像解析式
　眼屈折力測定の基本原理は，被検眼眼底に光軸外から測定用視標（パターン）を投影し，眼底に生じる像の高さを検出することで眼屈折力を測定している（**図1**）．眼屈折力に応じて，眼底に形成される像の大きさが異なる．近視の場合は大きな円形，遠視の場合は小さな円形，また乱視の場合は楕円形となる．そしてこの眼底像はCCD（charge-coupled device）で検出され，コンピュータによる画像解析で屈折データ（球面，円柱，軸）を求める．

2) 合致式
　合致式はScheinerの原理が応用される．この原理は数個の穴（通常2つ）を持つScheiner板が測定光学系の瞳付近に置かれ，その穴を通過し形成された光の位置関係から眼屈折度を求めるもの

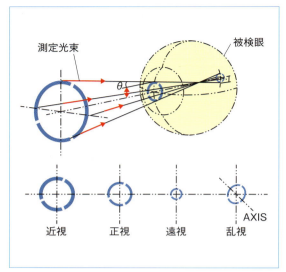

[図1] 画像解析式の測定原理（シギヤ精機社 WAM-5500）
眼屈折力測定の基本原理は，被検眼眼底に光軸外から測定用視標（パターン）を投影し，眼底に生じる像の高さを検出することで眼屈折力を測定している．

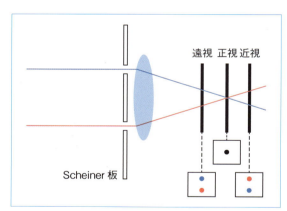

[図2] Scheinerの原理

である．もし正視眼であれば，Scheiner板を通過した光は1つになるが，屈折異常のある場合には2つになる（**図2**）．この2つの光の位置関係はピンぼけ（デフォーカス）の量に依存する．オートレフでは眼底へ正円のリング光を投影し，眼底から測定光が反射される．その反射された光を測定用CCDカメラを前後に移動させて撮影する（**図3**）．さらにカメラの位置と撮影されたリングの大きさ，楕円の状態から球面度数，円柱度数，軸角度を計算し表示する．リング像の大きさ

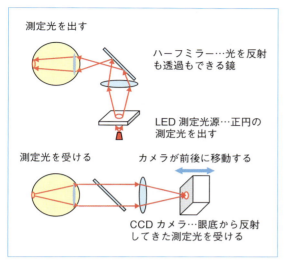

[図3] 合致式測定原理（トーメーコーポレーション社 RT-7000）

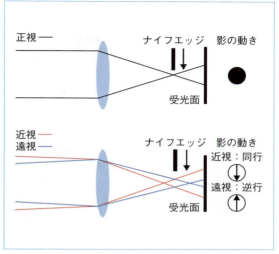

[図4] 検影式測定原理

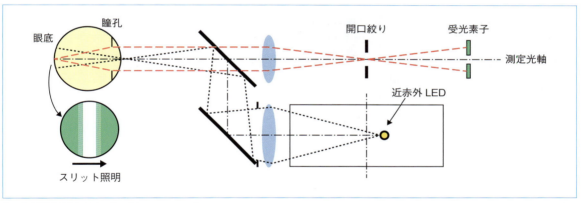

[図5] 検影式測定原理（ニデック社 OPD-Scan Ⅲ）

は，遠視であれば小さく映り，近視であれば大きく映る．また乱視であれば楕円になり，長/短径の長さと経線角度から乱視度数および軸を計算する．

3）検影式

検影式はスキアスコピーで用いられる方式であり，ナイフエッジを用いて Foucault の方法とも呼ばれる．ナイフエッジを入れた時の受光面における光影の動きから眼屈折度を求める（図4）．OPD-Scan（ニデック社）では，瞳孔を通して眼内に入射させる光を振り，眼底からの反射光の動きをカメラで捉え屈折異常を計算する（図5）．時々刻々と眼底に投影する照明位置を変えていく

（図6）．眼外に出てくるこれらの反射光を受光素子でとらえるが，このとき屈折異常によって時間差が生じる．この時間差から屈折異常を計算する．また眼の各経線方向の眼屈折力を求めていくことで乱視を計測できる．

4）結像式

結像式は視標光源を眼底に投影し，結像レンズを前後させる．そしてその位置と眼底に投影された視標のコントラスト強度分布を求め，コントラストが最大となる位置から眼屈折度を求める．

5）ケラトメータの測定原理

光を角膜に投影し，その反射像である Purkinje-Sanson 第一像から解析する（図7）．この反

2. 屈折検査

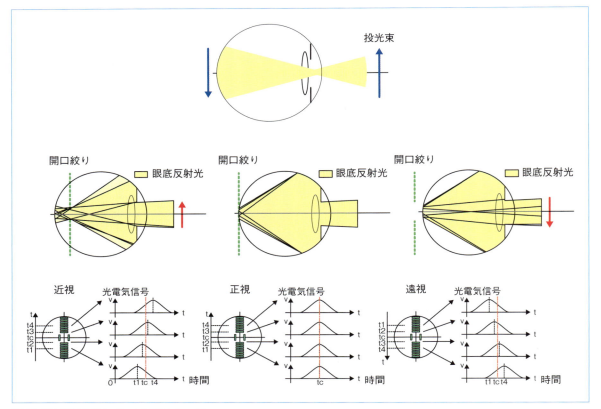

[図6] 検影式測定原理（ニデック社 OPD-Scan Ⅲ）

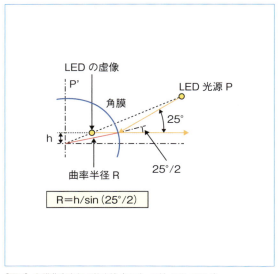

[図7] 角膜曲率半径の算出法（ニデック社 ARK-530A）
光源Pより角膜に投影された光は，P'という虚像をつくる．この虚像の高さ（h）は角膜の曲率半径に比例して変化する．したがって，この虚像の高さhを測定することにより，角膜曲率半径Rを求めることができる．

[図8] ケラト測定原理と測定画面（ニデック社 ARK-530A）

射光は虚像であり，角膜曲率半径に比例して位置（高さ）が変化する．この位置から角膜曲率半径を求める．角膜中央2～3mmの直交する2方向についてマイヤー像の直径の大小から算出する（図8）．

2 機器の構造

現行機種の比較について**表1**に示す．測定光は羞明や瞳孔・調節変化が起こらないよう近赤外光が使用されている．大半の機種で調節介入が少なくなるよう自動雲霧機能が搭載されている．

解析径の位置や領域は各社さまざまな工夫がなされ，精度・再現性や計測速度，ユーザビリティが向上している．ARK-1s（ニデック社）は2つのリングを用い，大きな瞳孔径では周辺部を含めた屈折値を計測したり，SLD（Super Luminescent Diode）光源と高感度CCDカメラを利用することで白内障眼など混濁のある患者やIOL挿入眼でも計測しやすくなったりしている．またWAM-5500（シギヤ精機社）では器械近視が起こりにくい両眼開放下での計測，Speedy-i K-model（ライト製作所）による調節微動の計測，トポグラフィの機能を有するRT-7000（トーメーコーポレーション社），波面収差の計測が可能なKR-1W（トプコン社）やOPD-ScanⅢ（ニデック社），ZEISS i.Scription（カールツァイス社）顎台と頭位固定が不要で手持ち計測が可能なレチノマックスK-プラス3（ライト製作所），ARK-30 Type R（ニデック社）など付加価値を有するオートレフも登場している．

Ⅲ 検査手順

1 検査の流れ

装置の電源を入れ，被検者の顎を顎台に乗せ，被検眼の高さがアイレベルマークに一致するように顎台を調整する．測定モニタ上に被検眼が写るようにジョイスティックを左右上下に操作し（上下移動はジョイスティックの上端にあるリングを操作），被検眼が画面に映ったらジョイスティックを前後に動かし，ピントを合わせる．被検者には大きく眼を開け，機器内の固視目標をぼんやり見るように指示する．測定モニタに映った被検眼の瞳孔中心と測定中心を合わせるように微調整しながらジョイスティックを保持する．ジョイスティックの頂点にある測定ボタンを押すと測定値が計測，測定モニタ上に表示される．他眼も同様に測定して，プリントスイッチを押すと，各眼の球面度数，円柱レンズ度数，軸，角膜曲率半径，角膜屈折力が印字される．通常，測定は各眼3～5回行う．

2 検査機器の使い方とコツ

1）調節の緩解

内部視標固視型の機種では，片眼で装置内部を覗きこむため，器械近視など調節の介入を完全に除去することは困難である．調節力の大きい若年者（特に小児）や遠視，眼位異常，調節緊張が疑われる場合には調節麻痺下での測定が必要である．

2）測定時のセンタリングとピント合わせ

器械の測定中心を被検眼の瞳孔中心と正確に合わせることが必要である．中心がずれると測定値の信頼性が低下し，円柱度数は強めになり，球面度数は弱めになる傾向がある．測定中，検査者は常にセンタリングを確認し，必要に応じて微調整する必要がある．

3）眼瞼や睫毛に対する対応

眼瞼や睫毛が測定光束内にかからないようにする．そのため眼を大きく開けても眼瞼や睫毛が測定光束内にかかる場合には眼瞼の挙上が必要である．その際，眼球を圧迫し歪まさないように注意する．

Ⅳ 検査結果の読み方と解釈

1 正常値と異常値

左右眼で複数回の測定を行い，各回の測定値に大きな変動がなく，乱視軸も安定している場合には正常に測定されているとみなしてよい．器械の測定中心を被検眼の瞳孔中心に合わせて測定したにもかかわらず，各回の測定値が大きく変動する場合は，オートレフラクトメータの測定限界，調節の関与，眼瞼や睫毛によるアーチファクトなどの影響により測定値の信頼性が低下している可能性がある．

（川守田拓志・半田知也）

2. 屈折検査

[表1] オートレフラクトメータの機種の比較

会社名 機種名	ニデック ARK-1s	トプコン KR-1	ライト製作所 アコモレフケラト	シギヤ精機製作所 GR-3500KA
測定原理	画像解析式	画像解析式	検影式	画像解析式
測定範囲 　球面度数 　円柱度数 　軸	 −30〜+25D 0〜±12D 1〜180°	 −25〜+22D 0〜±10D 1〜180°	 −20〜+23D 0〜±12D 1〜180°	 −22〜+30D（VD=0） 0〜±10D 1〜180°
角膜曲率半径 角膜乱視量	5.0〜13.0mm 0〜±12D	5.0〜10.0mm 0〜±10D	5.0〜11.0mm 0〜±12D	5.0〜10.0mm 0〜±10D
測定エリア	角膜上φ3.3mm （角膜曲率半径7.7mm時）	角膜上φ2.3/φ3.1mm （角膜曲率半径7.7mm時）	中心部角膜上φ3.2mm （角膜曲率半径8mm時） 周辺部角膜上φ6.8mm （角膜曲率半径8mm時）	角膜上φ2.8mm （角膜曲率半径8.0mm時）
最小瞳孔径 調節除去法 固視標 角膜頂点間距離	2.0mm 自動雲霧（視標の乱視補正含む） 固視標内蔵（風景） 0/10.5/12.0/13.75/ 15.0/16.5mm	2.0mm 自動雲霧 固視標内蔵（風景） 0/12.5/13.5mm	2.3mm 自動雲霧 固視標内蔵（風景） 0/10/12/13.5/16mm	2.2mm 自動雲霧 固視標内蔵（風景） 0/10/12/13.5/15mm
モニタ 瞬目対策 測定値の信頼度表示 測定メモリー回数	6.5インチカラーLCD エラー表示再測定 有 初期値3回（3〜10回で設定可能）	8.5インチカラー液晶LCD エラー表示再測定 有 左右各10回	内蔵6.5インチカラーLCD エラー表示再測定 有 左右各50回	内蔵5.7インチLCD エラー表示再測定 無 左右各10回
瞳孔間距離測定	有	有	有	有
節電機能開始時間 大きさW×L×H 重量	0/5/10/15分 260×495×457mm 20kg	0/1/5/10/20/30/60分 286×445×466mm 19kg	0/1/3/5分 254×474.5×478mm 14kg	3/5/10分 260×465×453mm 20kg

会社名 機種名	レクザム ACCUREF-K-900	トーメーコーポレーション MR-6000	サンコンタクトレンズ PR-8000	カールツァイスメディテック Visuref 100	キヤノン RK-F2
測定原理	画像解析式	結像式，画像解析式	結像式	画像解析式	結像式
測定範囲 　球面度数 　円柱度数 　軸	 −30〜+22D（VD=12） 0〜±10D 1〜180°	 −30〜+25D 0〜±12.5D 1〜180°	 −20〜+20D 0〜±10D 1〜180°	 −25〜+25D 0〜±10D 1〜180°	 −30〜+22D（VD=12mm） 0〜±10D（VD=12mm） 1〜180°
角膜曲率半径 角膜乱視量	5.0〜10.0mm 0〜±10D	5.0〜13.0mm 0〜±12D	5.0〜10.0mm 0〜−10.0D		
測定エリア	角膜上φ2.8mm （角膜曲率半径8.0mm時）	角膜上φ3.0mm （角膜曲率半径8.0mm時）	角膜上φ1.6〜9.3mm （角膜曲率半径8.0mm時）		
最小瞳孔径 調節除去法 固視標 角膜頂点間距離	2.2mm 自動雲霧 固視標内蔵（風景） 0/10/12/13.5/15mm	2.2mm 自動雲霧 固視標内蔵（風景） 0/12/13.5/14/15.5/16mm	2.3mm 自動雲霧 固視標内蔵（風景） 0/10/12/13.5/15	2.0mm 自動雲霧 固視標内蔵（風景） 0/10/12/13.5/15mm	2.0mm 自動雲霧 固視標内蔵（風景） 0/12/13.5
モニタ 瞬目対策 測定値の信頼度表示 測定メモリー回数	内蔵7.5インチLCD エラー表示再測定 有 左右各10回	内蔵6.4型カラーLCD エラー表示再測定 有 左右各20回	内蔵10.4インチ液晶 エラー表示再測定 有 左右各20回	内蔵6.4インチLCD エラー表示再測定 無 左右各10回	内蔵5.7インチLCD エラー表示再測定 有 左右各10回
瞳孔間距離測定	有	有	有	有	有
節電機能開始時間 大きさW×L×H 重量	3/5/10分 260×442×445mm 16kg	5/10分 305×493×502mm 20kg	0〜60分（可変） 300×496×502mm 20kg	3/5/10分 275×525×450mm 18kg	5/10/15分 260×490×470mm 15kg

2 屈折検査

1）他覚的屈折検査
② ポータブルオートレフラクト（ケラト）メータ

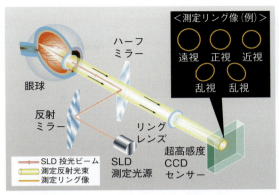

[図1] ポータブルオートレフラクトメータ HandyRef-K（ニデック社）

I 検査の目的

1 検査対象

ポータブルオートレフラクト（ケラト）メータは場所や体位を選ばずに測定が可能であるため，乳幼児，身体障害者や寝たきりなど座位が不能あるいは顎台への顔の固定が困難な被検者，手術中の被検者での測定が可能となる．

2 目標と限界

目標は，屈折計測値の精度と再現性を保つことである．再現性は，据え置き型のオートレフラクトメータとほぼ同等で，両者の値はよく一致する．ポータブルオートレフラクトメータは，据え置き型に比べて斜めに計測してしまったりワーキングディスタンスがずれたりしやすいが，注意深く使用すればその誤差は臨床的に許容範囲となる．また，座位や仰臥位であっても計測の再現性は保たれる．その他限界は，前項のオートレフラクトメータを参照されたい．

II 検査法と検査機器

1 測定原理

オートレフラクトメータの測定原理には，画像解析式，合致式，検影式，結像式があり，メーカーおよび機種によって異なる．測定原理の概要は前項を参照されたい．

1）レチノマックスKプラス3

ポータブルタイプのオートレフラクトメータは，小児や座位や仰臥位で使用されるケースも多く，機器が若干傾いた状態でも比較的高い精度と再現性，軽量化，計測速度が求められる．レチノマックスKプラス3（ライト製作所）は，これらの要求を満たす検影式のポータブルのオートレフラクトメータである．眼底からの反射光が結像光学系を通り，受光素子に達する．内部のナイフエッジが動き，正視眼では一瞬で暗くなるが，近視眼では同行，遠視眼では逆行する影が生じる（スキアで開散光であれば，同行と逆行の関係は方向性が逆になる）．屈折異常の程度が強いと，光束の集光位置はナイフエッジの位置から離れていくため光の時間差が生じる．この時間差から屈折異常を計測していく．

2）HandyRef-K

HandyRef-K（ニデック社）は画像解析式である．測定原理は，眼底上の一点から発した光束が眼（瞳孔径内）を射出して眼前のどこに測定光が集光するかを画像化して検出し，リング像の大きさで屈折誤差に換算する（図1）．

ポータブル式は，上述した点に加えて測定スピードの向上と正確さが求められる．本機器は新しくシンクロ測定という技術を搭載している．従来の形式では，検者はアライメントを合わせて一定時間に撮影，という流れで計測していたが，シンクロ測定はアライメント開始から同時にレフ測定を開始し，アライメントがあった瞬間のデータが表示される．つまり，計測したい瞬間のデータを得ることができる．

3）その他

その他のポータブルオートレフラクトメータには SureSight Vision Screener（Welch Allyn社），Vision Screener plusoptiX S09（Plusoptix社）などがある．

2. 屈折検査

[表1] ポータブルオートレフラクトメータの機種の比較

会社名 機種名	ライト製作所 レチノマックス3	ライト製作所 レチノマックスKプラス3	ニデック HandyRef	シギヤ精機 FR-5000
測定原理	検影式	検影式	画像解析式	画像解析式
測定範囲 　球面度数 　円柱度数 　軸	−18〜+23D 0〜±12D 1〜180°	−18〜+23D 0〜±12D 1〜180°	−20〜+20D 0〜±12D 1〜180°	−20〜+20D 0〜±10D 1〜180°
角膜曲率半径 角膜乱視量		5.0〜11.0mm 0〜±12D	5.0〜13.0mm 0〜±12D, 1〜180°	
測定エリア		中心部角膜上φ3.2mm （角膜曲率半径8mm時） 周辺部角膜上φ6.8mm （角膜曲率半径8mm時）	角膜上φ3.3mm （角膜曲率半径7.7mm時）	
最小瞳孔径 調節除去法	2.3mm 自動雲霧	2.3mm 自動雲霧	2.0mm 自動雲霧	2.9mm 遠方視標提示, 調節弛緩用レンズ
固視標	固視標内蔵（チューリップ, ベアー, ツリー）	固視標内蔵（チューリップ, ベアー, ツリー）	固視標内蔵（風景/花）	外部視標
角膜頂点間距離	0/10/12/13.5/16mm	0/10/12/13.5/16mm	0/10.5/12.0/13.75/15.0/16.5mm	0/10/12/13.5/15/16.5mm
モニタ 瞬目対策 測定値の信頼度表示 測定メモリー回数	0.6インチビューファインダー エラー表示再測定 有 左右各50回	0.6インチビューファインダー エラー表示再測定 有 左右各50回	3.5インチカラーLCD エラー表示再測定 無 初期値3回（3〜10回で設定可能）	5.0インチCRT エラー表示再測定 無 左右各10回
瞳孔間距離測定	無	無	無	無
節電機能開始時間 大きさW×L×H 重量	3分 170×263×102mm 969g	3分 170×263×102mm 999g	0/5/10/15分 206×181×224mm 998g	3/5/10分 306×250×248mm 650g（プローブ部）

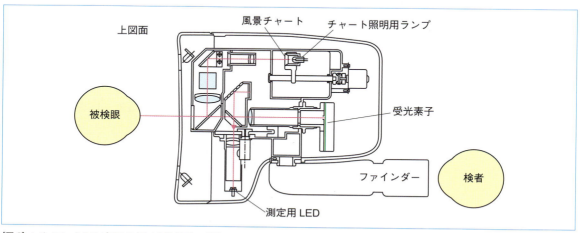

[図2] レチノマックスKプラス3（ライト製作所）の構造

2 機器の構造

ポータブルオートレフラクトメータの機種の比較について表1に示す．また機器構造の代表として，レチノマックスKプラス3の構造を示す（図2）．

III 検査手順

1 検査の流れと使い方のコツ

　レチノマックスKプラス3を用いて概説する．装置の電源を入れ，測定モードの選択後，スタートスイッチを押す．検者はビューファインダーを覗き，起点を中央に合わせる．アライメントがあった後，本体グリップの上方にある測定ボタンを押すと測定値が計測される．他眼も同様に測定して，プリントスイッチを押すと，各眼の球面度数，円柱レンズ度数，軸，角膜曲率半径，角膜屈折力が印字される．通常，測定は各眼5回行う．検者がビューファインダーを覗く前に，機器の外側にある目標ラインを参照して被検者の測定眼と装置の位置を合わせると，測定位置を保持しやすく，被検者への接触を防止できる．

IV 検査結果の読み方と解釈

1 正常値と異常値

　基本的にオートレフラクトメータと同様である．前項のオートレフラクトメータを参照されたい．

（川守田拓志・半田知也）

1) 他覚的屈折検査
③ スポットビジョンスクリーナー

I 検査の目的

1 検査対象

　生後6か月から成人まで．

2 目標と限界

　スポットビジョンスクリーナー（SVS：図1）は屈折，眼位，瞳孔径，瞳孔間距離を数秒で測定する．また，得られた結果を自動判定し弱視をスクリーニングする．SVSは不顕性の斜視や中間透光体の混濁は検出できない．測定には3.0〜9.0mmの瞳孔径が必要で，測定できる屈折範囲は球面度数で−7.5〜＋7.5D，円柱度数で−3.0〜＋3.0Dである．

II 検査法と検査機器

1 測定原理・測定範囲

　遠赤外線を用いた「フォトレフラクション法」を採用しており，照明光源を記録用カメラと同軸に配置し，被検眼の網膜で反射して戻ってくるボケ像の大きさと形状から屈折を求める「On-axis法」と，記録用カメラの光軸からずらして取り付けられた照明光源からの光を用い，眼底からの反射光の瞳孔面内の分布から屈折を求める「Off-axis法」の両方の良さを取り入れた測定原理になっている．眼位や瞳孔間距離は角膜反射のずれや距離を計算して測定している．機器で測定した結果は，米国小児眼科斜視学会のデータ[1]に基づいて（一部例外あり），Welch Allyn社が作成した基準（表1）と照らし合わされ，正常範囲から逸脱すれば異常と自動判定される．測定可能範囲と精度は表2の通りである．

2 機器の構造

　約1.2kgの重さで，持ち運びができる．検査結果はワイヤレスでプリンタに送信して印刷できる．

3 感度と特異度

　米国の報告[2]では444人の小児（平均年齢，72

2. 屈折検査

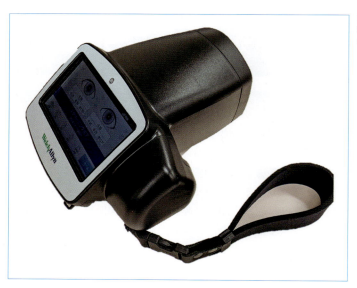

［図1］SVS 本体
約1.2kgのコンパクトな機体で背面に大きなディスプレイがついている．

［表1］SVS 正常基準値

年齢			0.5〜1歳	1〜3歳	3〜6歳	6〜20歳	20〜100歳
近視	SE−（*下記参照）(D)		2	2	1.25	1	1.5
遠視	SE＋（*下記参照）(D)		3.5	3	2.5	2.5	1.5
乱視	DC（通常は−表記）(D)		2.25	2	1.75	1.5	1.5
不同視	SEの左右差 (D)		1.5	1	1	1	1
瞳孔不同	瞳孔径の左右差 (mm)		1	1	1	1	1
上下斜視	眼位（°）	上下の眼位ずれ	8	8	8	8	8
内斜視		鼻側への眼位ずれ	5	5	5	5	5
外斜視		耳側への眼位ずれ	8	8	8	8	8
左右の眼位ずれ		上下，左右の眼位ずれ（総合的）	8	8	8	8	8

D：diopter，SE：等価球面度数（＋は遠視，−は近視），DS：球面度数（＋は遠視，−は近視），DC：円柱度数（乱視，通常は−表記）

［表2］SVS 測定可能範囲と精度

	範囲	精度
球面度数 (D)	−7.50〜＋7.50 D（0.25 D 刻み）	・−3.50〜＋3.50 D　±0.50 D ・−7.50〜＜−3.50 D　±1.00 D ・＞＋3.50〜＋7.50 D　±1.00 D
円柱度数 (D)	−3.00〜＋3.00 D（0.25 D 刻み）	・−1.50〜＋1.50 D　±0.50 D ・−3.0〜＜−1.50 D　±1.00 D ・＞＋1.50〜3.00 D　±1.00 D
乱視軸（°）	1°〜180°（1°刻み）	・±10°（円柱度数＞0.50 Dにつき）
瞳孔径 (mm)	0.5〜19歳：4.0〜9.0 mm（0.1 mm 刻み） 20〜100歳：3.0〜9.0 mm（0.1 mm 刻み）	・±0.4 mm
瞳孔間距離 (mm)	35〜80 mm（0.1 mm 刻み）	・±1.5 mm

D：diopter
球面度数は測定範囲を超えると，＜−7.5Dもしくは＞＋7.5Dと表記されるが，円柱度数は測定範囲を超えても−3.5Dのように信頼性は落ちるが実測値が表記される．

1) 他覚的屈折検査

[図2] SVS撮影風景
a 母親に抱えてもらい検査を受ける被検者．測定の際は，適切な距離になるまで背面ディスプレイに「近すぎます」「遠すぎます」とアラートが出る．また瞳孔が小さすぎる場合は瞳孔を大きくするために部屋の明るさを調節する必要があるというメッセージが表示される．
b 被検者からみた撮影中のSVS．視標はキラキラ点滅しており，測定時には鳥のさえずり音も聞こえ固視を誘導しやすい．

[図3] SVSの正常所見結果
SE：等価球面度数（＋は遠視，－は近視）
DS：球面度数（＋は遠視，－は近視）
DC：円柱度数（乱視，通常は－表記）
Axis：乱視軸

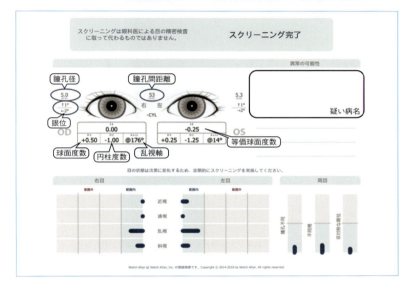

か月）における弱視の検出率の感度は87.7％，特異度は75.9％であった．

Ⅲ 検査手順

1 検査の流れ・機器の使い方

検査は部屋の照度を落とし，背面ディスプレイの適応年齢を選択し，開始を押して1m離れた位置から被検者に機器を向ける（図2）．背面ディスプレイに両眼が映り，測定距離や部屋の明るさに関するアラートが表示されるので，指示に従って検査を進める．測定は自動で始まり，問題なく検査が完了すると数秒後に結果が表示される．

2 検査のコツと注意点

検査開始時には瞳孔に髪がかからないように気をつける．また，瞳孔径が小さくて測定できない場合には，被検者の瞳孔に光が入らないように手でひさしを作るなどの工夫をする．乳幼児は保護者が抱えて検査することもできるが，顔や機器が傾斜していても自動で測定が行われ検査値が表示されてしまい，不正確な検査結果となってしまう．SVSは1回の測定につき1回の結果しか得ることができないため，オートレフラクトメータのように平均値を得ることができない．異常判定が出れば，測定条件が良好であるかを確認して複数回測定すると良い．

Ⅳ 検査結果の読み方

1 正常所見

瞳孔間距離，瞳孔径，眼位，球面度数，円柱度数，乱視軸が測定され，測定値は前述の正常基準（表1）から逸脱していなければ黒字で表記される（図3）．

2 異常所見とその解釈

異常値がある場合検査値は赤字で，また，「目

2. 屈折検査

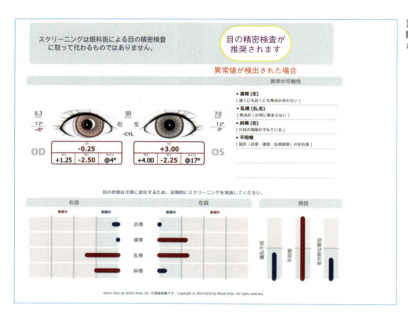

[図4] SVSの異常判定所見
異常値が検出された場合「目の精密検査が推奨されます」と表記される．

[表3] 日本弱視斜視学会および日本小児眼科学会が推奨する基準値（検討中）

年齢	不同視（D）	乱視（D）	近視（等価球面値）（D）	遠視（等価球面値）（D）
0.5～1歳未満	5	スケールオーバー	スケールオーバー	スケールオーバー
1～3歳未満	1.5	3	5	3
3～6歳	1.5	2	2	2.5

赤字は検討中の項目．手動で機器の異常判定項目が変更可能で，変更後は自動で判定される．
D：diopter

の精密検査が推奨されます」と表示される（**図4**）．

1) 弱視のスクリーニングとして運用する場合

日本弱視斜視学会および日本小児眼科学会は運用マニュアルを作成して，スクリーニングが完了しない場合（先天白内障や網膜剝離などの器質的疾患が潜んでいる可能性がある），斜視が検出された場合，屈折異常が検出された場合，眼科医療機関の受診を推奨している[3]．現行の基準値では偽陽性が多いため**表3**が推奨されている．現段階ではこの基準値は暫定値で今後変化していく可能性がある．また，遠視と近視は等価球面度数で異常判定をしているので，遠視が過小評価される，そのため異常なしと自動判定された場合でも球面度数に注意する．

2) 手持ちオートレフラクトメータの代用として運用する場合

両眼開放下で検査距離があるため，調節の介入は少ないとされている．しかし，特に小児で正確な屈折値を得るためには調節麻痺下での屈折検査は必須である．成人では正常基準値（表1）が狭いので，異常の判定はスクリーニング結果ではなく検査値を見ることが大切である．

3 アーチファクト

撮影方法が悪いと乱視や眼位ずれが強く計測されたり，屈折値が変動するおそれがある．また，斜視眼は屈折値が正確ではないおそれがあるため，片眼を遮閉して片方ずつ固視させて検査を行ったほうが良い．

文献
1) Donahue SP, et al：Guidelines for automated preschool vision screening：a 10-year, evidence-based update. J AAPOS 17：4-8, 2013
2) Mae Millicent W Peterseim, et al：The effectiveness of the Spot Vision Screener in detecting amblyopia risk factors. J AAPOS 18：539-542, 2014
3) 日本弱視斜視学会・日本小児学会：小児科医向けSpot Vision Screener運用マニュアル Ver.1. http://www.japo-web.jp/_pdf/svs.pdf（2021年5月24日閲覧）

（輪島良太郎・杉山能子）

2 屈折検査

1）他覚的屈折検査

④ 検影法

I 検査の目的

検影法はスキアスコープなどを用いる他覚的屈折検査法である．オートレフラクトメータが普及する以前は検影法で屈折を求めていた．Skia とはラテン語で"影"のことであり，瞳孔内の反射影の動きをみる．両眼開放下で調節をコントロールしながら検査を施行できる．体位に依存しないため，乳児にも検査が容易であるが，正確な検査のためには習熟を要する．

1 検査対象

乳幼児や精神発達遅滞患者：顎台に顔を固定できない，手持ちオートレフラクトメータを嫌がる場合，また内眼疾患のスクリーニングにも有用．

調節・輻湊のコントロール障害：調節痙攣，高 AC/A 比，斜位近視など，オートレフラクトメータでは近接性輻湊の影響が強い場合．

眼鏡・コンタクトレンズ度数の微調整：オーバーレチノスコピーによる評価（後述）．

不正乱視や強度円錐角膜：オートレフラクトメータによる屈折評価が困難な場合．

2 目標と限界

他覚的検査であるが，検者の主観的評価に依存するため，再現性の精度と習熟度の差による結果の不安定性が問題となる．通常は 0.5〜1D 程度の誤差が生じるものと評価せざるを得ないが，習熟度が高い場合には，0.25D 単位の誤差になるため，再現性の向上を目標とする．

II 検査の記載法

検影法の結果記載は power cross 法で行う．power cross 法とプラスシリンダー法・マイナスシリンダー法への変換および軸の転換をまず理解する．

power cross 法で記載するのはレンズの形状そのものである（図1〜4）．

トーリックレンズの場合は各レンズを power

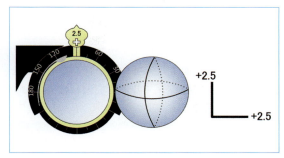

［図1］プラス球面レンズ
全方向とも＋2.5D の屈折値であるが，水平軸と垂直軸に代表値を記載する．

［図2］マイナス球面レンズ
全方向とも−1.5D の屈折値であるが，水平軸と垂直軸に代表値を記載する．

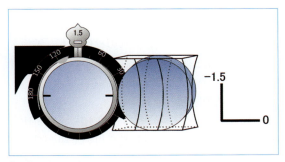

［図3］円柱レンズ
円柱レンズの軸は度数が入っていないため，軸方向が 0D となる．

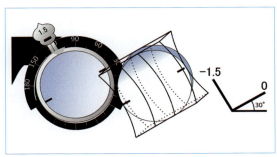

［図4］円柱レンズ（斜乱視）
図3の記載を軸の角度だけ傾ける．

2. 屈折検査

cross法で書き換え，それぞれを足し合わせる（図5, 6）．

プラスシリンダー法とマイナスシリンダー法の軸の転換は，球面レンズ度数と円柱レンズ度数を足し合わせ，円柱レンズの正負を入れ替え，軸を90°加える（図7, 8）．

III 検査機器

1 検影器の種類

検影器には，ストリーク・スキアスコープ（ストリーク・レチノスコープ）と，スポット・スキアスコープ（スポット・レチノスコープ）がある（図9）．かつては鏡面検影器と固定光源も用いられていた．本項では現在市販されているストリーク・スキアスコープを中心に解説する．

スポット・スキアスコープは開散光を投射するだけであるが，ストリーク・スキアスコープでは，線状の投射光を開散光から収束光まで連続的に変化させ，360°回転させることができるため，乱視軸および乱視度数を決定するのに役立つ．投射光は通常開散光を用いるが，後述する反射光の変化がわかりにくい場合には，短収束光を用いる．また，収束を被検者の眼に合わせると，乱視軸が検出できやすい．いずれの検影器も，被検者に投射した光と影の動きを検者側の観察孔から評価する．

2 検影法の原理

検影法の原理を図に示す（図10）．ストリーク・スキアスコープで開散光を用いた場合で説明する．

中和：光源が網膜面で焦点を結ぶとき，反射が瞳孔領全体に広がる．

同行：網膜面より後面で焦点を結ぶとき，光源を動かすと網膜からの反射は同行する．

逆行：網膜面より前面で焦点を結ぶとき，一度クロスしているため網膜からの反射が逆行する．

中和するためには網膜面に焦点を合わせる必要があり，同行している場合には，プラス側のレンズが必要となり，逆行している場合にはマイナス側のレンズが必要となる（図11）．

被検者の屈折が正視の場合，無限遠点光源から

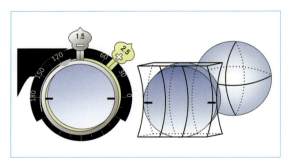

[図5] トーリックレンズ
トーリックレンズは球面レンズと円柱レンズとの組み合わせである．

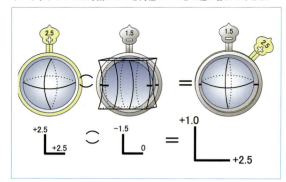

[図6] トーリックレンズ
球面レンズと円柱レンズの度数を足し合わせて power cross 法の記載となる．

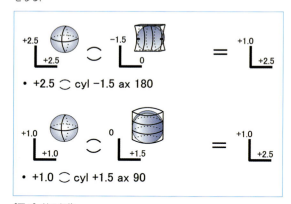

• +2.5 ○ cyl −1.5 ax 180

• +1.0 ○ cyl +1.5 ax 90

[図7] 軸の転換
同じ度数をプラスシリンダーとマイナスシリンダーで書き換えることができる．

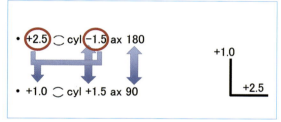

[図8] 軸の転換
球面レンズ度数と円柱レンズ度数を足し合わせ，円柱レンズの正負を入れ替え，軸を90°加えると軸の転換ができる．

[図9] 各種検影器
a Heine Beta 200 レチノスコープ・ストリーク
b Neitz RX シリーズ ストリーク
c Inami ストリーク・レチノスコープ
d Heine Beta200 直像鏡 スポット
e Inami ORT-Y スポット

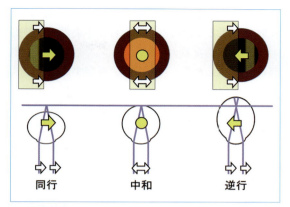

[図10] 検影法の原理
白矢印：投影光の動き，黄矢印：反射光と影の動き

の平行光線が網膜上に結像する（**図12a**）．つまり5m検査距離で開散光による検影法を行った場合には検査距離による屈折度数補正は不要である．しかし，同じ正視の被検者に50cmで検影法を行った場合には（**図12b**），焦点は網膜面の後方にずれ，同行となる．中和が得られるのは検査距離（m）の逆数である+2Dのレンズを眼前12mmに設置して検影法を行った場合である（**図12d**）．これは検査距離をさらに縮めて33.3cmにした場合には（**図12c**），検査距離の補正には3Dを引いた値をpower cross法で記載することになる（**図12e**）．

Ⅳ 検査手順

1 遠視または遠視性直乱視の場合

実際の検影法に用いたレンズと屈折値の記載については，**図13**および**図14**に解説した．直乱視では縦方向のレンズがマイナス側になる．まず，水平方向に検影器を振って度数をプラス側に変化させ，中和した180°の度数を記載し，その後垂直方向に検影器を振って度数を−側に変化させ，逆行するかどうか確認する．同度数で中和すれば乱視成分はなく，逆行すれば直乱視となるため，マイナス側に度数を変化させ，中和する90°の度数を記載する（**図15**）．

2 斜乱視の場合

投射した線状光と反射光が一直線にならない場合，主経線の軸が異なる．スリーブを回して一致

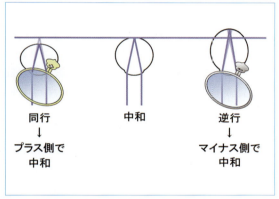

[図11] レンズ中和法
同行している場合はプラス側，逆行している場合はマイナス側にレンズを変化させる．

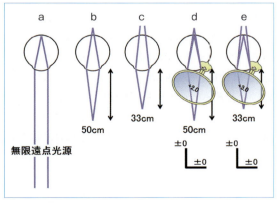

[図12] 検査距離と補正度数
正視眼は無限遠点光源からの平行光線が網膜面に焦点を結ぶが，検査距離50cmでは網膜面に焦点を結ぶために2D，検査距離33cmでは3Dのレンズが必要となる．power cross法では補正レンズを抜いた度数を記載する．

する角度に合わせ，その方向に検影器を振ると，反射光が明るく幅広くなり，特に中央の輝度の高い部分が細くなる（図16）．レンズを合わせて主経線が中和したら，それと90°直交する角度にスリーブを合わせ，検影器を振り，乱視軸の角度を書き加えたpower cross法で記載する（図17）．

3 オーバースキアスコピー

眼鏡またはコンタクトレンズの上から検影器を振ることで，眼鏡が過矯正であるか低矯正であるかが確認できる．無水晶体眼で反射が暗い場合や，円錐角膜でオートレフラクトメータが測定できない場合は，コンタクトレンズを装用した上で検影法を行うとより正確な検査となる．

4 ダイナミックスキアスコピー

静的（スタティック）検影法では被検者の調節を固定して検査を行うが，動的（ダイナミック）検影法では，検査距離を変化させたり，調節を利用したりしながら検査を行う．例えば被検者が近視で調節休止下である場合，反射光が中和する検査距離の逆数が近視度数となる．

中和したところから検査距離を縮めると同行になり，検査距離を離すと逆行となる．これにより中和点の度数をより正確に確認することができる．

Ⅴ 検査における注意点

1. 検査距離を一定にする．慣れるまでには検影器や板つきレンズに糸をつけて常に同じ距離で検査を行うようにするとよい．通常50cmで行い，2.0Dの検査距離補正をするが，検者が小柄で50cmの検査距離が難しい場合は，40cmで2.5Dとする．50cmの検査距離で±0.25Dの誤差は前後約6cmである（図18）．

2. 同行の方が逆行よりも確認しやすい．強度近視では単収束光を用いると同行と逆行が反対になるため判定しやすくなる．

3. レンズは頂点間距離12mmに保持する．

4. 半暗室で検査するが，瞳孔径が大きすぎるとアーチファクトとなる．球面収差により周辺部は中和点が近視寄りになる．

5. 黄斑へ投射光を入射する方法が最も正確で

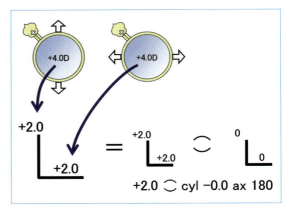

[図13] 検影法に用いたレンズと屈折値
検査距離50cmで＋4.0Dを被検者に与えて横方向・縦方向とも中和した場合，検査距離補正値である2Dを引いてpower cross法に記載する．マイナスシリンダー法に書き換えた場合は上記の通りとなる．

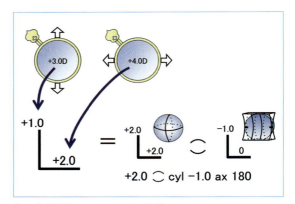

[図14] 検影法に用いたレンズと屈折値
検査距離50cmで＋4.0Dを被検者に与えて横方向が中和し，縦方向は＋3.0Dで中和した場合は，検査距離補正値である2Dを引いてpower cross法に記載する．マイナスシリンダー法に書き換えた場合は上記の通りとなる．

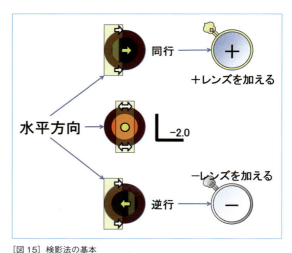

[図15] 検影法の基本
検査距離50cmで検影器を振って裸眼で中和すれば－2.0D．同行すれば＋レンズ，逆行すれば－レンズを加える．

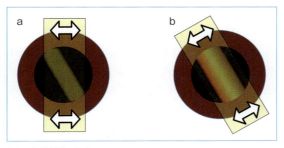

[図16] 乱視軸の決定
a 線状光の軸と反射光の軸が異なる．
b 線状光の軸と反射光の軸が一致する→主経線が30°にあることがわかる．

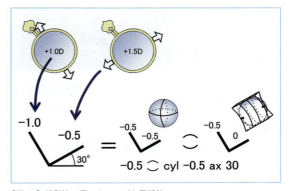

[図17] 検影法に用いたレンズと屈折値
検査距離50cmで+1.5Dを被検者に与えて30°方向が中和し，150°方向は+1.0Dで中和した場合は，検査距離補正値である2Dを引いて30°傾けたpower cross法に記載する．マイナスシリンダー法に書き換えた場合は上記の通りとなる．

あるが，視神経乳頭に入射する方が反射は明るい．ただしわずかに近視側に測定される．

6．中和点から離れるほど，反射光の動きが遅く，暗くなる．動きが確認できにくい場合は，大幅にレンズ度数を変えた場合と比較して，反射光の動きや明るさがどう変化するかを参考にする．

7．中間透光体混濁があると反射光が暗くなる．また網膜芽細胞腫や網膜有髄神経線維など，高輝度の病変がある場合には反射光が明るくなる．このため，内眼疾患のスクリーニングにも用いることができる．

[図18] 同行と中和
a 裸眼での検影法では同行する．
b この患者に+5.0Dの装用すると，90°も180°も同じく中和した．検査距離は33cmで行ったため，屈折は+2.0Dである．

（根岸貴志）

コラム　検影法を習得するには

　検影法は古典的な方法で，検者の主観に左右されるため，客観性に欠けるように思われる．オートレフラクトメータで代用が可能で，習得の意味が薄いように感じられるだろう．しかし，0〜2歳の乳幼児の屈折検査には据え置き型オートレフラクトメータは使えない．手持ち型も圧迫感が強く泣かれることが多い．フォトレフラクターでは強度遠視は測定できない．検影法しか使えない症例は，乳幼児や強度遠視など，条件が厳しく正確な検査が難しい．正確な検査のためには条件が良好な症例で検査経験を積み，普段から習得を目指す必要がある．習得に一番よい症例は，加齢性白内障術後の散瞳した眼内レンズ挿入眼である．調節がなく，徹照が明るく，屈折異常も強くない．術後の高齢患者は研修医の検査にとことんつきあってくれるだろう．欧米ではオートレフラクトメータよりも検影法で屈折を求めることが普通で，眼鏡処方もフォロプターを用いた検影

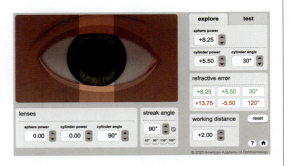

法で処方されることが多い．小児眼科医のDr. ÖrgeおよびDr. Epleyが監修した，検影法を練習できるシミュレーターがAAOのウェブサイトに掲載されており（図），米国のResidentはここで学習をしているようである．実際の患者に行う前に，理論を実践するのに有用である．

　https://www.aao.org/interactive-tool/retinoscopy-simulator

2 屈折検査

1) 他覚的屈折検査
⑤ 波面収差解析装置

I 検査の目的

1 検査対象

　従来の視力検査では球面度数，乱視成分のみの評価となる．そのため，矯正視力は良好にもかかわらず見え方に異常を訴える症例や，不正乱視が疑われる症例はよい対象である．屈折矯正手術や白内障手術の術前検査，各種手術の治療評価，コンタクトレンズ処方時，ドライアイや流涙症などの涙液異常疾患における視機能の動的評価などにも用いられる．

2 目標と限界

　波面収差解析は，従来の視力検査では検出できない高次収差（不正乱視）を測定し，その原因を調べることを目的とする．角膜と眼球の高次収差を比較することで，見えにくさの原因となる高次収差が角膜前面，眼球内部〈角膜後面，水晶体，眼内レンズ（IOL）〉のどちらに起因するかを判断することができる．高次収差の時間変化を確認することで，涙液の異常による見え方の変化も評価可能である．

　矯正視力が不良な症例，高度な角膜混濁や角膜不正乱視，水晶体混濁がある症例では測定困難であり，測定意義は臨床的には少ない．また，ドライアイなどで眼表面の状態が悪い場合，屈折矯正手術や白内障手術の術前検査では術後成績に影響を及ぼす可能性があるため，治療し，状態が改善してから評価するなどの配慮が必要である．

II 検査法と検査機器

1 測定原理・測定範囲

　収差とは，1点から出た光線が透光体による影響を受け，1点に集光せずにぼけを生じる現象である．光を波面として捉え，実際の波面と理想とのずれを解析する波面収差解析装置は一般に波面センサーと呼ばれ，現在臨床現場では種々の機械が用いられている（表1）．計測原理は多く存在し，眼に入射する光を測定する ray trace 式，眼から出射するときに測定する Hartmann-Shack 式，検影法の原理を応用した optical path difference（OPD）式などがある．Hartmann-Shack 式を例に挙げると，波面センサーから眼へ入射した光は黄斑で反射し，眼の光学系の収差の影響を受けた状態で眼から出射する．出射光が測定光学系の内部に設けられたレンズアレイを通過し撮像素子 charge couple device（CCD）へ到達し，収差のない場合に集光する点からのずれを測定することで収差を計算する（図1）．

　眼の収差を表す際は，Zernike 多項式を用いて単純な波に分解するが，次数は高次になるに従い寄与が小さくなるため，臨床的には6次までで表されることが一般的である（図2）．2次までを低次収差といい，近視・遠視・乱視などの眼鏡矯正可能な成分であり，従来の視力検査やオートレフラクトメータなどで測定できる．3次以降を高次収差または不正乱視といい，3次と5次をコマ様収差，4次と6次を球面様収差と呼ぶ．3次以降の収差をあわせて高次収差の総和として表現することが多く，3次以上の全係数の2乗の総和の平方根を計算した平均二乗誤差（root mean square：RMS，単位はμm）として表示される．

　得られた Zernike 係数から波面収差全体を構築し，定性的に収差マップで表現することができ，収差全体の傾向や大きさの把握に有用である．また，波面収差から被検眼の実際の見え方をシミュレーションすることが可能である．

2 機器の構造

　Hartmann-Shack 式を用いた収差計を示す（図1）．

III 検査手順

1 検査の流れ

　瞳孔径が小さい場合は，散瞳後に検査を行う．特に，水晶体や IOL による視機能への影響を調べる際には散瞳が必須である．

2 機器の使い方とコツ

　被検者にしっかり固視をしてもらい，測定中に眼が動かないよう注意する．また，測定直前に瞬

1) 他覚的屈折検査

[表1]

販売会社名		TOPCON	HOYA	NIDEK	AMO
製品名		KR-1W	iTrace	OPD-ScanⅢ	iDesign Refractive Studio
レフラクトメータ	眼球屈折力計測	○	○	○	○
ケラトメータ	角膜曲率計測	○	○	○	○
トポグラフィー	角膜形状解析	○	○	○	○
	角膜高次収差算出	○	○	○	○
波面収差	収差計測方式	Hartmann-Shack	Ray tracing	検影法	Hartmann-Shack
	測定可能瞳孔径	φ2.0〜8.0mm	φ2.5〜8.0mm	φ2.0〜9.5mm	〜φ8.5mm
	眼球全収差	○	○	○	○
	眼球高次収差	○	○	○	○
	ゼルニケベクトルマップ	○	○	—	○
	コンポーネントマップ	○	—	—	—
	見え方のシミュレーション	LandIt環, Snellen	LandIt環, Snellen	LandIt環, Snellen, EDTRS, 画像チャート, シーメンススターチャート	point spread function
連続測定		○	—	—	—
眼内レンズ選択支援ツール		○	○	○	—
エキシマレーザーとの連携		—	—	○	○

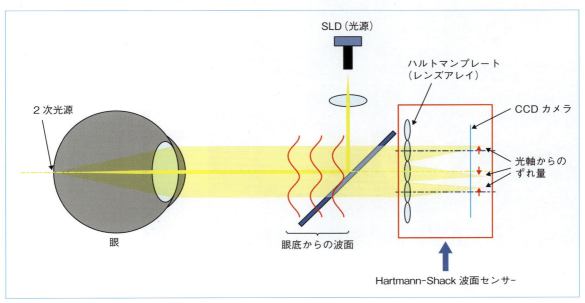

[図1] Hartmann-Shack 波面センサーの原理
(文献2) より引用改変)

2. 屈折検査

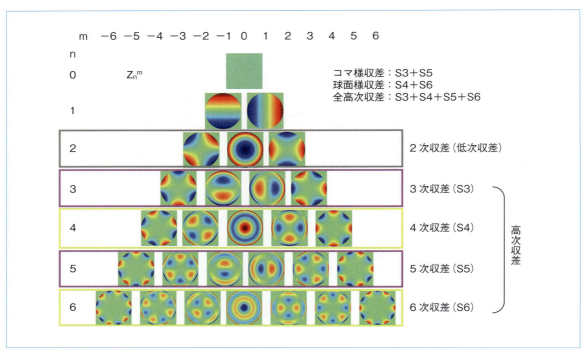

[図2] 収差の表示方法（Zernike 多項式）
（文献2）より引用改変）

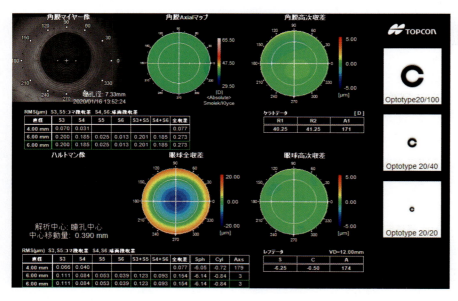

[図3] 近視性乱視の例
眼球全収差マップの中央が青く，波面が遅れていることがわかる．

目させ，涙液層を安定させてから測定する．測定は複数回行い，再現性を確認する．

IV 検査結果の読み方

以下，KR-1W（TOPCON）による測定データを示す．

1 正常結果

近視性乱視を例に説明する（図3）．
プラチドリングによる角膜形状解析も同時に行われ，角膜 Meyer 像と角膜 Axial マップは従来

1) 他覚的屈折検査

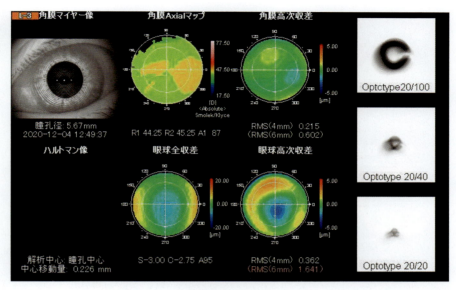

[図4] 白内障の例
網膜像シミュレーションで三重視を認める。本症例では眼球高次収差において三つ葉状の矢状収差のうちの2つが融合したようになっている.

のプラチド型トポグラフィーと同様である.

角膜高次収差マップは角膜前面由来の高次収差を示し，瞳孔径4mm（明所視），6mm（暗所視）での定量的な解析結果をRMS表示で示す.

ハルトマン像では，点像の配列の乱れが著しい場合や輝度コントラストが低い場合，画像処理が正しいかどうか確認が必要である.

眼球全収差マップは裸眼での全屈折状態，すなわち低次収差（球面，円柱面），高次収差のすべてを含む状態を示す．青色は，基準の波面に比べて波面が遅く，赤色は波面が速いことを示す．全体が緑一色であれば正視，中央が青ければ近視，中央が赤ければ遠視であると推定できる.

眼球高次収差マップは眼球全収差から低次収差のみを差し引いて高次収差のみを示し，瞳孔径4mm（明所視），6mm（暗所視）での定量的な解析結果をRMS表示で示す．高次収差が少ない被検眼であればほぼ緑一色となり，矯正視力が良好であると推測できる．角膜高次収差マップと類似したパターンの場合，不正乱視は角膜前面由来と判断でき，異なるパターンの場合には角膜後面や水晶体由来の内部不正乱視の存在を意味する.

網膜像シミュレーションでは完全矯正時の見え方を示す.

2 異常所見とその解釈

1) 白内障

白内障では単眼複視や単眼三重視を訴えることがある．図4のように角膜高次収差と眼球高次収差のパターンが異なり，角膜後面か水晶体に異常があると推測できる．また，眼球高次収差において三つ葉状の矢状収差が確認され，網膜像シミュレーションで三重視を認める．矯正視力は比較的良好な白内障初期の症例において，客観的な見え方の質の評価が可能である.

表1に示すように，波面センサーにはIOL選択支援ツールを備えているものもある．KR-1Wでは「IOLセレクションマッププログラム」により白内障手術前の角膜光学的特性を評価できる（図5）．通常の術前検査では見逃されうる角膜高次収差を定量評価することで，術後に矯正視力があまり改善しない可能性や，将来的に角膜移植が必要になる可能性などを説明することが可能である．K値を確認し，特殊なIOL度数計算の必要性の有無を判断する．角膜球面収差の有無を確認し，非球面・球面IOLの適応を判断する．角膜乱視（正乱視）の有無を確認し，多焦点IOLの適応を判断することができる.

71

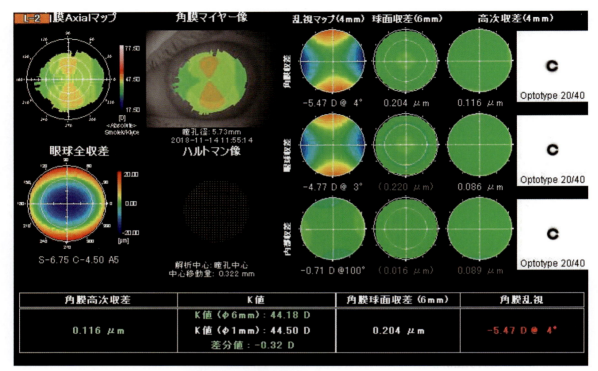

[図5] IOL セレクションマップにて角膜乱視を認めた59歳女性の白内障症例
トーリック IOL の良い適応であった．術前視力 LV＝(0.6×S−6.50D C−4.00D A180)，術後視力 LV＝0.1 (1.0p×S−2.50D)．

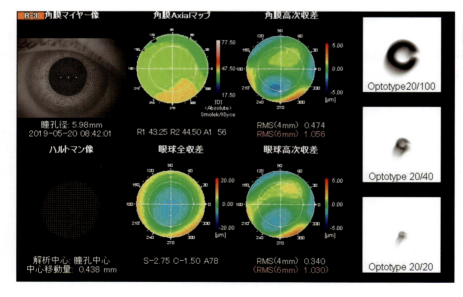

[図6] 円錐角膜疑いの29歳男性の症例
通常の細隙灯顕微鏡検査で異常所見を認めず，角膜形状解析で異常を検出された．

2) 円錐角膜

円錐角膜の軽症例では，通常の細隙灯顕微鏡検査で異常所見を認めず，角膜形状解析で異常を検出される場合がある（図6）．角膜 Axial マップが非対称で，角膜高次収差マップと眼球高次収差マップのパターンが一致しており，角膜前面由来

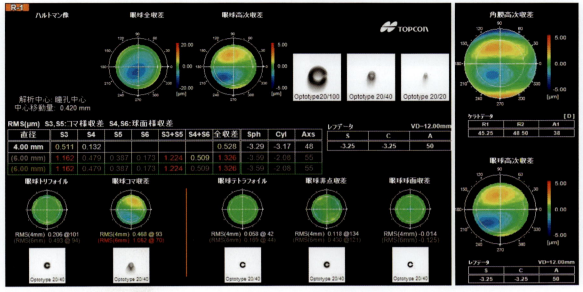

[図7] 円錐角膜のベクトルマップの例
眼球コマ収差の増加を認める．同じ症例のマルチマップ（右の図）では，角膜高次収差と眼球高次収差のパターンが一致していることがわかる．

の上下非対称の高次収差が存在していると判断できる．網膜像シミュレーションでは下に尾を引いた彗星のようなパターンを示している．成分別に解析するベクトルマップ機能を用いるとコマ収差の増加を認める（**図7**）．これらはすべて円錐角膜に特徴的な所見である．

ある程度までの角膜不正乱視はハードコンタクトレンズ（HCL）により矯正できるため，HCLを装用した状態で測定し，装用下での高次収差を確認することも可能である．

3 アーチファクト

白内障のように透光体に混濁がある場合や，Marfan症候群のように水晶体が変異している場合には，ハルトマン像の点像がとれない部分が存在する．その部分に一致して眼球高次収差マップにアーチファクトが発生することがあるため注意する．

文献
1) 前田直之ほか：角膜トポグラファーと波面センサー，メジカルビュー社，東京，2002
2) 高　静花ほか：波面収差解析装置．眼科 49：1289-1296, 2007
3) 高　静花：眼科臨床エキスパートシリーズ『角結膜疾患の治療戦略―薬物治療と手術の最前線』第2章 角結膜疾患の治療方針決定に必要な検査 IX. 高次収差，医学書院，東京，104-115，2016
4) 高　静花：III章 波面収差解析を知る 3：検査目的，前眼部画像診断 A to Z：解読のポイント，メジカルビュー社，東京，257-261，2016

（執行明希子・高　静花）

2 屈折検査

2）自覚的屈折検査（矯正視力検査）
① レンズ交換法

はじめに

視力表を用い，矯正レンズを交換しながら屈折度を測定する方法である．検影法やレフラクトメータなどの他覚的屈折検査に対し，レンズ交換法は自覚的屈折検査であり，同時に矯正視力検査を兼ねている．

I 検査の目的

1 検査対象

視力検査が可能な患者すべてが対象となる．幼児の場合，個人差はあるが3歳半ごろから可能になる．視力障害を自覚しない患者においても初診時には必要不可欠な検査である．

2 目標と限界

矯正レンズで視力が改善される場合には，屈折異常の種類と程度が判定できる．高度の視力障害があり，レンズ矯正によっても視力が改善しない場合，屈折異常の程度が正確に測定できないこともある．また，乳幼児や座位の取れない患者など実施不能の場合は，他覚的検査に頼らなければならない．心因性疾患や詐病などにおいては他の検査も含めた総合的な判断が必要となり，自覚的検査ゆえの限界がある．

II 検査手順

1 検査の流れ（図1）

被検者の瞳孔間距離に見合う検眼枠を装用させ，遮閉板で片眼を遮閉した状態で，最良視力を得るレンズを求める．調節休止状態での屈折度を得るため，原則として最良視力を得られるレンズのうち凸レンズでは最強度，凹レンズでは最弱度のレンズを見出す．検査の効率化のためあらかじめ他覚的屈折検査を行い，得られた屈折度を参考に行うのが標準的である．

1）球面レンズ度数の決定

器械近視の影響を除外するため，まず他覚的屈折値より0.50D程度プラス寄りの度数で視力を測定する．次にさらに0.25Dプラス寄りの度数に入れ替えて視力を測定し，最初のレンズと同等以上の視力が得られる場合，さらに0.25Dプラス寄りのレンズに入れ替え，視力測定を繰り返す．最初のレンズより視力が低下する場合は，0.25Dマイナス寄りのレンズに入れ替え，視力を測定し，視力が向上すれば，さらに0.25Dマイナス寄りのレンズに入れ替え，視力測定を繰り返す．最高視力を得られる最もプラス寄りのレンズを球面度数に決定する．凸レンズでは最強度，凹レンズでは最弱度を選択する（表1, 2）．

2）円柱レンズ度数の決定

球面レンズのみの矯正で最高視力が得られている状態は，最少錯乱円が網膜上にあると想定される（図2①）．乱視表を用いて検査を行う場合，決定した球面度数に，他覚的屈折検査で得られた乱視度の約1/2をプラス寄りにしたレンズに入れ替える（雲霧）．他覚的屈折値がない時には0.50～1.00D程度の雲霧をする．この状態では後焦線が網膜上にある（図2②）．乱視表を見せ，どの線も均一に見えれば乱視はなく（図3①），不鮮明に見える線と鮮明に見える線があれば乱視が存在することになる．乱視の矯正は，乱視表の不鮮明に見える方向を乱視の軸とし，凹円柱レンズの軸を合わせて装用する（図3②～④）．徐々に凹円柱レンズの度を強めていき，乱視表が均一に見える度をもって円柱レンズを決定する．この状態では前焦線が網膜上にある（図2③）．

3）球面レンズの微調整

最後に，球面レンズの微調整を行う．球面レンズを0.25Dプラス寄りのレンズに入れ替え，見やすくなればさらにプラス寄りのレンズに入れ替えていく．0.25Dプラス寄りのレンズで見えにくければマイナス寄りのレンズに入れ替え，見やすくなればさらにマイナス寄りのレンズに入れ替えていく．最高視力の得られる最もプラス寄りのレンズを球面度数に決定する．こうして得られた球面および円柱レンズの度を，自覚的屈折値とする．円柱レンズの度数，軸のより精密な検査法として，クロスシリンダーを用いた方法がある．

2) 自覚的屈折検査（矯正視力検査）

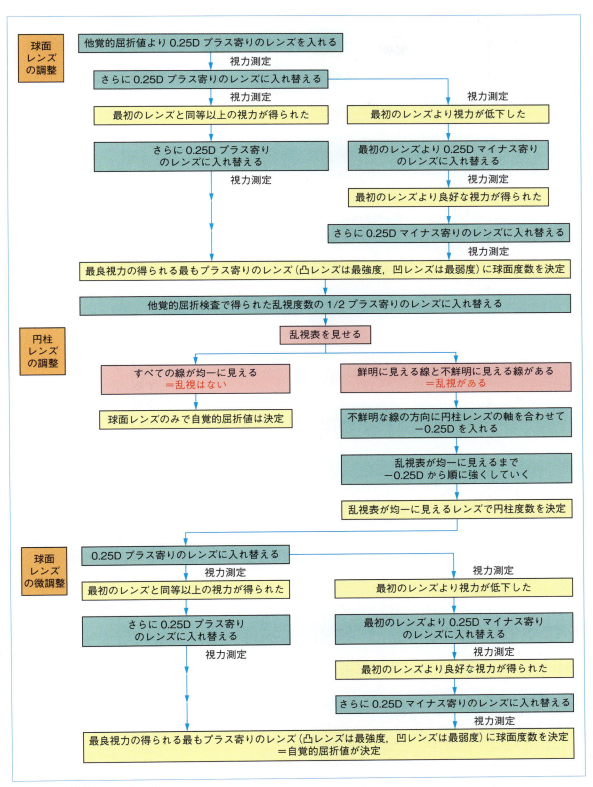

[図1] レンズ交換法のフローチャート

2. 屈折検査

[表1] 球面レンズ度数の決定（凸レンズの場合）

レンズ度数（D）	矯正視力	
−0.25	0.7	
−0.50	1.0	
−0.75	1.2	このレンズを選択
−1.00	1.2	
−1.25	1.0	

[表2] 球面レンズ度数の決定（凹レンズの場合）

レンズ度数（D）	矯正視力	
+1.00	0.8	
+1.25	1.0	
+1.50	1.2	
+1.75	1.2	このレンズを選択
+2.00	1.0	

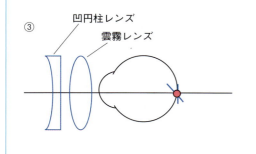

[図2] 円柱レンズ度数の決定

① すべての線が均一に見える → 乱視はない

② たて線が鮮明に見える
→ 直乱視（凹円柱レンズの軸180°）

③ 横線が鮮明に見える
→ 倒乱視（凹円柱レンズの軸90°）

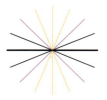

④ 斜め線が鮮明に見える
→ 斜乱視（凹円柱レンズの軸135°）

[図3] 乱視表

2　検査のコツと注意点

1) 頂間距離

眼鏡レンズは眼前 12 mm に装用した時に最も収差がないよう設計されているため，検査時にも頂間距離 12 mm を維持することが重要である．頂間距離が大きくなると，矯正に必要な屈折力は凹レンズでは大きく，凸レンズでは小さくなる．したがって，凹レンズでは過矯正に，逆に凸レンズでは低矯正になり，レンズが強度になるほど頂間距離の影響は大きくなる．2 枚以上のレンズを検眼枠に入れる際には強い度数のレンズの後面と角膜頂点間の距離が 12 mm に保たれるよう，通常，眼に近い側に入れる．

2) 調節の介入

凸レンズを交換する際，入れ替えるレンズを先に重ねて入れた後に前の装用レンズを除去すると，調節の介入を軽減できる．また，他覚的屈折検査で得られた屈折値に +2.0〜3.0 D を加えたレンズを装用させる雲霧法の併用も有効である．

3) 調節麻痺下屈折検査

小児の場合，調節が介入しやすいため，調節麻痺下の屈折検査が重要である．調節麻痺剤として，アトロピン，シクロペントレート，トロピカミドがあるが，調節麻痺作用はアトロピンが最も強く，トロピカミドが最も弱い．調節性内斜視や弱視が疑われる場合はアトロピンを用い，6 歳未満では 0.5%，6 歳以上では 1% を，1 日 2〜3 回 3〜7 日間点眼後，検査を行う．シクロペントレートは 5 分ごとに 2〜3 回点眼し，1 時間後に検査を行う．

III　視力記載法

右眼視力は RV，Vd など，左眼視力は LV，Vs などと表記し，（　）の前に裸眼視力を，（　）内には矯正視力，続けて矯正レンズの記載を行う．矯正レンズは球面レンズ度，円柱レンズ度，円柱レンズの軸の順に記載する．また，字づまり視力表を用いた場合には CV（cortical vision），字ひとつ視力表を用いた場合には AV（angular vision）とコメントを付すことがある．

視力が 0.01 未満の場合，指数弁は CF., n.d.，手動弁は HM, m.m.，光覚は LS., LP, s.l. などと記載する．

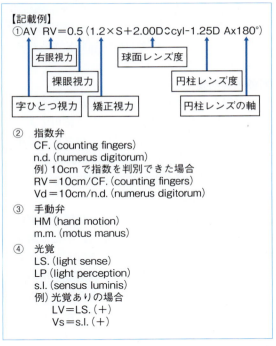

(小川佳子)

2 屈折検査

2）自覚的屈折検査（矯正視力検査）
② 雲霧法

はじめに

雲霧法には，①レンズ交換法（Donders法）を用いた自覚的屈折検査において乱視表を用いて乱視を矯正するときに用いられる雲霧法と，②両眼開放下の自覚的屈折検査で用いられる雲霧法がある．

本項では，②両眼開放下の自覚的屈折検査で用いられる雲霧法について解説する．

I 検査の目的

調節を介入させないで自覚的屈折検査を行うことを目的とする．

1 検査対象

矯正視力1.0以上の視力が得られる者で，凸レンズを付加したレンズを指示通りに装用でき，かつその後の自覚的屈折検査に協力できる小学生から40歳前後が対象となる．遠視眼の低矯正や近視眼の過矯正の検出と予防に有用である．

2 目標と限界

自覚的屈折検査において最も遠視側の屈折値を求めることが目標である．ただし，小児は調節力が強いため，最初の精密屈折検査はシクロペントラート塩酸塩またはアトロピン硫酸塩を用いた調節麻痺下の他覚的屈折検査を行う必要がある．成人例においても必要に応じてトロピカミドあるいはシクロペントラート塩酸塩点眼後の他覚的屈折検査を行うことが望ましい．

II 測定原理

遠視眼の未矯正や低矯正では常に調節が強いられている．また，近業の蓄積により調節の緩解が正常に行われず，調節緊張となることがある．このような症例に対し，雲霧法では凸レンズ（通常は+3D）を付加することで像の焦点を網膜より前方に結像させ，調節の関与によるピント合わせができない状態にする（図1）．調節を緩解させ

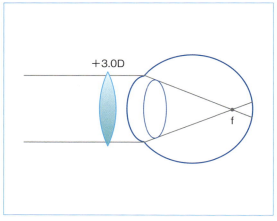

[図1] 雲霧法における像の焦点位置
+3.0Dレンズを装用することで，焦点（f）は網膜の前方に移動し，調節が関与できない状態となる．

た状態で両眼開放のまま片眼の凸レンズの度を落とし，最も遠視側の屈折値を求める．雲霧で調節を緩解させることに加えて，両眼開放で自覚的屈折検査を行うため，不必要な調節の介入を防ぐことができる．

III 検査手順

1 検査の流れ

① 他覚的屈折値をもとに自然視下で通常のレンズ交換法（Donders法）による自覚的屈折検査を行い，屈折値を仮決定する．

② 仮決定した屈折値に+3Dを加えてぼんやりと遠方を見てもらい，両眼を30分程度雲霧する．

③ 雲霧後は②のレンズを装用したまま両眼開放下で，測定眼の雲霧量を0.50Dずつ減じながら視力を測定する．0.5程度の視標が見えるようになったら，減じる雲霧量を0.25Dに変え，1.0の視力が得られる最も遠視側の屈折値を求める．

④ 一方の眼の検査が終わったら，再び+3Dを付加し他眼の検査を同様の手順で行う．

⑤ 眼鏡を処方する場合は，③④で求めた度を両眼開放で装用させ，左右のバランスなどを考慮して微調整を行い，装用可能な度を求める．10〜20分の装用テストで装用感を確認後，処方眼鏡の度を決定する．

2 検査のコツと注意点

1) 雲霧中の注意点

雲霧中は近方視をしないこと，レンズ外から見ることのないように注意する必要があるので，小児の場合は検者が雲霧中の患児の様子を適宜観察する必要がある．また，雲霧中は近視状態になっているので，眼を細めて見ることのないように注意する．

2) レンズ交換のコツ

自覚的屈折検査の際はレンズ交換中にも調節が介入しないようにするため，次に交換する凸レンズと交換前の凸レンズを重ねてから交換前の凸レンズを抜き，凹レンズを交換するときは交換前のレンズを抜いてから交換するレンズを挿入する．

3) 求める視力値

若年者においては調節力が強く，遠見でわずかに調節を負荷した方がよりはっきり見えるため，最高視力を求めようとすると近視の過矯正や遠視の低矯正を導いてしまう可能性がある．一方，雲霧法で求めた自覚的屈折値での両眼開放視力は，調節の緩解に加えて両眼加重が働くため視力が上がることが多い．そこで，雲霧法では片眼視力1.0を目標に雲霧量を減じる．0.50Dずつ減じ続けると，求めたい屈折値より近視側になってしまうことがあるため，0.25Dに切り替えるポイントを逃さないようにする．

IV 検査結果の読み方と解釈

雲霧法の対象となる調節緊張が疑われる症例では，他覚的屈折検査の値が真の屈折値より近視側に測定されることが多いので，雲霧法で得られた屈折値が他覚的屈折値より近視側になることはほとんどない．また，矯正視力1.0を目標に自覚的屈折値を求めるので，実際にはやや遠視の過矯正，近視の低矯正となっていることも考えられるが，先に述べた眼鏡処方時の両眼開放での調整では，患者の症状や調節麻痺下での他覚的屈折値を考慮し，例えば調節性の要素がある内斜視に対しては仮に患者が「ボケる」と訴えてもあえて遠視度を弱めないなど，総合的に判断して眼鏡の度を決定する．

V その他の雲霧法

1 両眼同時雲霧法

両眼開放下の自覚的屈折検査で用いられる雲霧法では，実際には片眼ずつ検査するため，片眼の検査時に反対眼への雲霧効果が減弱し，左右眼の雲霧効果に差が生じる可能性がある．梶田ら[1]は左右眼の雲霧効果を均等にする方法として，両眼視の状態で両眼同時に雲霧量を減じる，両眼同時雲霧法を推奨している．この方法では，+2.0D以上の不同視がなく，両眼視ができることが条件となる．

2 視力不良例への応用

視力不良例に対し雲霧法が必要な場合は，調節麻痺下の他覚的屈折値の測定を基にそれまでの最高視力が出る最も遠視側の自覚的屈折値を求める．

文献
1) 梶田雅義ほか：両眼同時雲霧法の評価．視覚の科学 20：11-14，1999

（中川真紀）

2 屈折検査

2）自覚的屈折検査（矯正視力検査）
③ 2色テスト（赤緑テスト）

I 検査の目的

レンズの屈折率が波長によって異なる「色収差」が眼でも生じることを利用し，自覚的屈折検査の最終段階で球面レンズ度の微調整を行うために用いる．

1 検査の対象

自覚的屈折検査が可能な年齢が対象．ただし，調節力が強く，他覚的屈折検査に調節麻痺薬が必要となる小児には用いない．また，正常眼の色収差をもとに作成されているので，白内障，無水晶体眼，眼内レンズ挿入眼，加齢など，正常眼と色収差の異なる眼には使用できない．

2 目標と限界

正確な完全矯正球面レンズの度を検出することが目標であるが，一般的には眼鏡やコンタクトレンズ処方時に近視の過矯正になっていないことを確認する目的で用いられることが多い．

検査時には自覚的屈折検査と同様に調節が介入することがある．また，矯正視力 20/30（少数視力 0.7）以下の者では信頼性が低下するので注意する[1]．

II 検査法と検査機器

1 測定原理

白色光をプリズムに通すと虹色の帯ができる（分散）ことからもわかるように，白色光はそれぞれ異なる波長からなっている．白色光を凸レンズで集光すると，短い波長ほど屈折率が大きく，光線は大きく屈折する．このため，波長により異なった位置に像を結ぶことになる．これを色収差というが，2色テストに利用しているのは，色収差のうち軸上色収差で，白色光を凸レンズの光軸に平行に入射させると波長によって光軸方向へ焦点がずれる現象である．短波長の緑色光はレンズの近くに，長波長の赤色光はレンズから離れた位置に焦点を結ぶ（図1）．

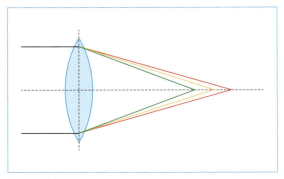

[図1] 軸上色収差
波長により異なった位置に焦点を結ぶ．短波長光はレンズの近くに，長波長光はレンズから離れた位置に焦点を結ぶ．

自然光において黄色光を基準となる光として見たとき，無調節状態の正視眼では黄色光が網膜上に結像し，緑色光は網膜前方，赤色光は網膜後方に結像する．実際に，ヒトの眼では青色光と赤色光間の色収差は約 1.25 D とされ，緑色光と赤色光の眼の屈折度差については 555 nm の黄色光が網膜上に焦点を結んでいるとき，緑色光は網膜前方 0.37 D に，赤色光は網膜後方 0.37 D にそれぞれ焦点を結ぶ[2]．2色テストはこの原理を利用し，赤色と緑色の背景に描かれた黒図形の見え方を比較して，屈折矯正レンズ度数の過不足を調べる．

2 機器の構造

2色テストの視標には紙製のもの，背面照明のもの，投影式のものがある（図2）．JIS などでの明確な規格がない[3]ため，視標や照明などの分光特性によっては精度が期待できないものもある．

3 感度と特異度

視標や照明により光の波長と眼の屈折度差の精度が変わるが，おおむね 0.25 D の精度で測定できる．

III 検査手順

1 検査の流れ

検査距離 5 m で片眼ずつ自覚的屈折検査を行う．屈折矯正したレンズを装用した状態で2色テストを行う（図3）．赤地の黒図形と緑地の黒図形を見せて，どちらの黒図形がはっきり見えるかを尋ねる．同じように見えるときは球面レンズが正しく矯正されている．赤地の黒図形が鮮明に見

2) 自覚的屈折検査（矯正視力検査）

 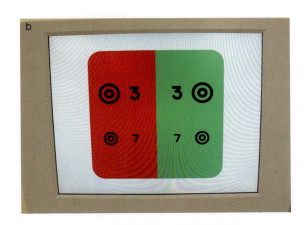

[図2] 2色テストの視標
a 視力表に組み込まれた，背面照明の視標
b 投影式の視標
色相などの明確な規定がないため，視標により色が異なる．

[図3] 2色テスト
眼にも色収差があり，正視では黄色光が網膜上にある．近視では赤色光が網膜上にあるので赤地内の黒図形が鮮明に見えるが，遠視では緑色光が網膜上にあるので緑地内の黒図形が鮮明に見える．

視標の見え方	波長別の焦点位置	球面矯正
		球面レンズの矯正は正しい
		近視状態 凹レンズを追加する
		遠視状態 凸レンズを追加する

えるときは，凹レンズの場合は度を強め，凸レンズの場合は度を弱める．緑地の黒図形が鮮明に見えるときは，凹レンズの場合は度を弱め，凸レンズの場合は度を強める．

2 検査機器の使い方とコツ

地の色でなく，黒図形の見え方に着目してもらうように促す．適矯正であっても調節すれば赤地の黒図形が鮮明に見えてしまうので，そのような場合は緑に注目した後に比較するとよい．

IV 検査結果の読み方と解釈

2色テストは自覚的屈折検査の最終段階で補助的に用いる検査であり，2色テストに依存するような自覚的屈折検査は行われるべきでない．近視の眼鏡やコンタクトレンズの処方においては，過矯正になっていないことを確認し，低矯正であればその程度を把握する．近視の過矯正での処方は避けるが，低矯正であっても自覚的な見え方を重視して処方する．

文献
1) 平井宏明：調節検査［付］2色テスト．視能学，第2版，丸尾敏夫ほか編，文光堂，東京，138，2011
2) 西信元嗣：眼光学の基礎．金原出版，東京，38-39，1990
3) 山下牧子：二色テスト．専門医のための眼科診療クオリファイ 1 屈折異常と眼鏡矯正，大鹿哲郎編，中山書店，東京，26-27，2010

（中川真紀）

2 屈折検査

2）自覚的屈折検査（矯正視力検査）
④ クロスシリンダー法

I 検査の目的

1 検査対象

検査対象は屈折異常，乱視（図1）がある眼全般である．強主経線方向から入った光は前焦線を，弱主経線方向から入った光は後焦線に結像する．前焦線と後焦線の間隔をスタームの間隔といい，前焦線と後焦線の間で円状に結像する位置を最小錯乱円という．

クロスシリンダーによる乱視矯正は，乱視表による乱視矯正に比べ特に軸や度数の微調整を行うことに優れている．また不正乱視（高次収差がある眼）では通常屈折矯正が困難であるが，クロスシリンダーによる方法は強主経線と弱主経線の関係を強調して乱視矯正を行うため，ある程度の屈折矯正ができることが利点である．

2 目標と限界

目標は，乱視の軸と度数を自覚的応答により完全に屈折検査を行うことである．限界は測定の正確さでは不正乱視が強い眼，自覚的応答が困難である被検者，矯正視力が不良である被検者に対する検査で，不正確あるいは検査不可能となる．精度についての限界は，軸では5°，度数では0.25Dまでで，これらの精度は矯正視力に影響を受け，矯正視力が良好であれば精度は高く，矯正視力が不良であれば精度は低くなる．

II 検査法と検査機器

1 測定原理（図2）

測定原理は，クロスシリンダーによって最小錯乱円を大小変化させ，その見え方の良し悪しで乱視矯正を行う．被検者の網膜上に球面度数を矯正して最小錯乱円を置く．プラスとマイナスの軸と度数を持つクロスシリンダーを当て，最小錯乱円の大きさを大（見えにくい）小（見えやすい）変化させることで，乱視軸と度数を調整する方法である．常に網膜上に最小錯乱円を保つことが重要で

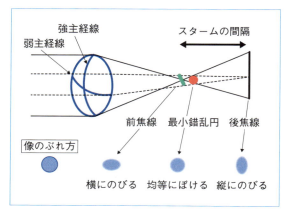

[図1] 乱視眼（例：直乱視）

ある．クロスシリンダーによって最小錯乱円を中心として前焦線と後焦線を前後させ，最小錯乱円の拡大により「見えにくい」と縮小による「見えやすい」を被検者に比較してもらいながら矯正をする．乱視度数の調整には同軸上に最小錯乱円を大小させて調整する．乱視軸はクロスシリンダーの軸が被検者の乱視軸に近いか否かで最小錯乱円が大小変化する．

2 機器の構造

クロスシリンダーは図3のような構造をしており，プラス円柱レンズとマイナス円柱レンズが軸を直交して重なっている．クロスシリンダーは度数別に±0.25D，±0.5D，±1.0Dの3種類がある．検査視標は点群視標を用いる（図4）．視標の大きさは，視力が良好であれば小さな視標のほうが，視力が不良であれば大きな視標のほうが判断しやすく，0.1のLandolt環を用いることも有効である．

3 感度と特異度

乱視がある場合には被検者が正しく判断すれば検出できる．しかし乱視がない被検者が偽陽性の応答をすることはある．それは測定時の問いが「1（表）と2（裏）のどちらがよいか」という単純なことであるので，あまり差がない見え方であっても1（表）とか2（裏）とか答えてしまう場合があるためである．また単純な問い方であり，見え方の2つを比較するだけなので検査対象年齢は低く感度が高い検査である．

2) 自覚的屈折検査（矯正視力検査）

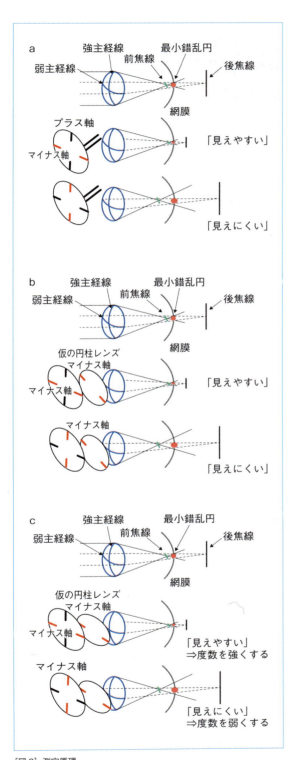

[図2] 測定原理
a 例：直乱視
b 軸の調整，仮の軸に対して
c 度数の調整，仮の乱視に対して

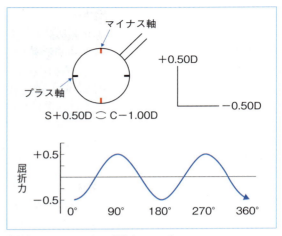

[図3] クロスシリンダーの構造（±0.50D）

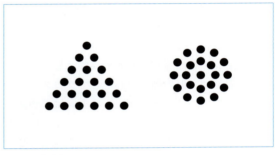

[図4] 点群視標

　一方「1（表）と2（裏）のどちらがよいか」という単純な問い方をするため，被検者が求められている答えが理解できないまま適当に答えることもできる．時に予測とは異なるほうに進むことを経験する．この場合には「1（表）と2（裏）」という問い方を「先（表）と後（裏）」あるいは「3（表）と4（裏）」とし，数字の優位性にはまらない問い方に替えるか，矯正視力を確認しながら検査を進めていくと過ちにならずに測定することができる．

Ⅲ 検査手順

1 検査の流れ

　自覚的屈折検査は3部より構成され，球面度数の検査，次に円柱度数（乱視）の検査，最後に球面度数の微調整である．クロスシリンダーによる乱視検査は2段階目で行い，流れは**図5, 6**に示し，以下のように進める．

2. 屈折検査

1) 乱視の検出（図5）

最小錯乱円を網膜上に位置した球面度数を装用した状態（最高視力が得られた最も凸側レンズを装用）で始める．クロスシリンダーの軸を90°と180°の2方向で被検者に見せどちらがよいか比較させる．次に45°と135°の2方向を見せ比較させる．はっきり見えた軸方向があれば乱視があると判定する．

2) 軸の調整（図5）

仮の軸の決定方法は，90°と180°の2方向で180°がはっきり見え，45°と135°は変わらなければ軸は180°とする．また90°と180°の2方向では180°であるが，45°と135°では135°がはっきり見えたのであれば180°と135°の間の，160°か165°に仮の軸を決定する．仮の度数は通常C−0.50D〜−1.00D程度とする．強度乱視が予測される場合にはもっと度数を強く設定する．この時球面レンズは等価球面値で調整する．

軸の調整は，仮の軸を中心としてクロスシリンダーの表裏（2方向）を見せる．2方向に差がある時にははっきりする方向に10°振る．10°振った軸を中心に再び2方向で見え方を比較する．2方向で差がある時にははっきりする方向に5°戻し，均等な見え方になるまで操作を繰り返して軸の調整は終了する．

3) 度数の調整（図6）

2)で決定した仮の軸にクロスシリンダーのマイナス軸とプラス軸を交互に合わせて見え方を比較する．はっきりする軸のほうに度数を変える．つまりマイナス軸のほうがはっきり見えれば度数を強くし，プラス軸のほうがはっきり見えれば度数を弱める．同じ見え方になるまで操作を繰り返す．度数の調整は，マイナス円柱レンズを用いて矯正するため，円柱度数を強くすると網膜上の最小錯乱円が後方にずれてしまう．常に網膜上に最小錯乱円を置くため球面レンズを等価球面度数に調整しながら行うことが必要である．

4) 球面度数の微調整

乱視矯正が終われば最後に球面レンズの微調整を行う．2つの理由があり，まず最初に行った最高視力を得る最もプラス側球面レンズの設定が，

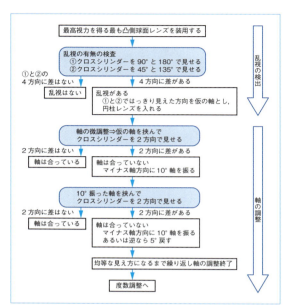

[図5] 検査の流れ（乱視の検出と軸の調整）

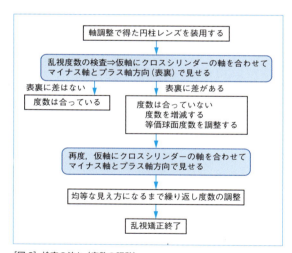

[図6] 検査の流れ（度数の調整）

被検者に乱視があるために不正確な可能性がある．またマイナス円柱レンズの使用によって元々の球面度数が曖昧な可能性があるためである．少しプラス側の球面度数に変え，漸減しながら最高視力を得る最も凸側球面度数を求め調節の介入を防ぐ．

2 検査機器の使い方とコツ

1) クロスシリンダー度数の使い分け

クロスシリンダーは度数別に±0.25D, ±0.5D, ±1.0Dの3種類がある. ±1.0Dのクロスシリンダーは被検者の矯正視力が悪い場合や乱視が強い被検者に適している. 乱視度数や軸の詳細な調整には不適当である. 一方±0.25Dのクロスシリンダーは被検者の矯正視力が良好で, 乱視度数が少ない被検者の検査に適している. 乱視矯正の最終的な微調整を行う時に適している. ±0.5Dのクロスシリンダーはそのどちらにも利用でき, 多くの被検者が対象となる. クロスシリンダーを行う一連の方法の中で±1.0Dから始め, 途中で±0.5Dに変え, 最終的に±0.25Dで行うとより検査精度を上げることができる.

2) 乱視矯正の中での乱視表とクロスシリンダーの使い方（図7）

乱視矯正は乱視表だけやクロスシリンダーだけで行うより, 乱視検査の中で両方用いることが最も信頼性を高くすることができる. 例えば乱視検出能は乱視表が優れているので, 球面度数で図7に示したように乱視の検出を乱視表によって行い, 仮の軸を検出した後は調整力が優れているクロスシリンダーで軸と度数の調整を行う方法である. この方法は乱視眼のどのような場合にも対応ができる方法で, 特に高次収差（不正乱視成分）が多い場合にもクロスシリンダーだけでは軸が定まらない場合があるが, 乱視表によって最も濃い方向を確認しておくことができる利点がある.

3) 使い方のコツ

クロスシリンダーは構造を示したように1枚のレンズを表裏して被検者に見せるので, 表裏は素

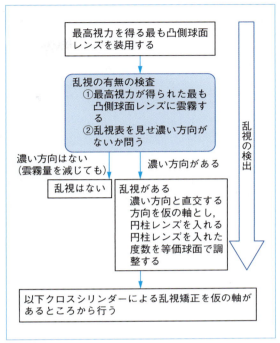

[図7] 乱視表とクロスシリンダーの両方を用いる乱視矯正の流れ
図5の乱視の検出に乱視表を用いる方法.

早く行うことが必要である. また被検者への問い方は一般に「1と2はどちらがはっきり見えますか？」とするが, 自覚的検査の信頼性を上げるための工夫をする.

文献
1) 大牟禮和代：自覚的屈折検査. 理解を深めよう視力検査屈折検査, 松本富美子ほか編, 金原出版, 東京, 47-62, 2009
2) Ronald B et al：Astigmatism. Clinical Visual Optics, Butterworth-Heinemann, Oxford, 78-92, 1998
3) 西信元嗣ほか編：トーリックレンズによる像. 眼光学の基礎, 金原出版, 東京, 39-41, 1990

（松本富美子）

3. 眼鏡・コンタクトレンズ検査
4. 調節・輻湊検査

3 眼鏡・コンタクトレンズ検査

1）眼鏡処方
① 遠用眼鏡，近用眼鏡，遠近両用・累進眼鏡，プリズム眼鏡，遮光眼鏡

I 検査の目的

屈折異常は疾患であり，眼鏡はそれを矯正するツールのひとつで，適切に処方がなされれば，最も手軽で安全である．情報化の著しい現代の生活において，眼からの情報を常に，快適に得ることが求められる．また，超高齢社会を迎え，高齢者の生活の質を維持，あるいは向上させるための眼鏡は，ますますニーズが高まっていると考えられる．眼鏡処方検査の目的は，快適な「視生活」を提供し，国民の眼の健康を守ることである．

1 検査対象

屈折異常があり，「見づらさ」，眼精疲労，肩こり，頭痛を自覚するすべての患者が検査対象である．不適切な眼鏡矯正によって，眼精疲労，肩こり，頭痛を訴える患者も近年増えているといわれている．

2 目標と限界

眼鏡の装用によって，屈折異常，近見障害，眼位ずれに起因する症状が改善され，快適な視生活を送れるようにすることが目標である．そのためには，眼位・調節・輻湊を考えて検査を行い，患者ごとに対応することが大切である．

眼鏡の処方度数は，他覚的な屈折値をもとに矯正した自覚的な応答によって決定されるため，1．自覚的な応答が困難な場合（認知症など），2．全身疾患の影響で，屈折値が安定しない場合には，処方がむずかしいことがある．ただし，視力検査ができないと処方ができないということではない．

また，調節力が減弱してくると，1つの眼鏡ですべての視空間を快適に見ることはむずかしく，それぞれのライフスタイルに合わせて複数の眼鏡を使い分けることが必要な場合もある．

［図1］眼鏡矯正による明視域の変化（調節力1.5Dの場合）

3 眼鏡矯正の原理

眼鏡矯正の原理は，眼鏡レンズによって明視域（遠点から近点までの調節可能範囲）を人為的に移動させ，患者の見たい位置に焦点を合わせることである．明視域は患者のもとにある屈折状態と調節力によって求められる（図1）．

① 調節力1.50Dの場合−2.00Dの近視眼では，未矯正の場合，明視域は29〜50cmで近業には支障はない．遠見矯正を行うと，明視域は無限遠〜67cmとなる．よって，近業の時のみ眼鏡をはずす，あるいは遠近両用眼鏡にするという選択が可能である．この患者に対して近見＋2.00D付加の二重焦点レンズを処方すると，明視域は無限遠〜67cmと29〜50cmとなり，明視できない範囲が存在することになる．

② 調節力1.5Dの場合＋2.00Dの遠視眼では，

未矯正の場合，明視できる範囲はない．遠見矯正を行うと，明視域は無限遠から67cm，よって近見矯正が必要である．この症例に対して近見＋2.00D付加の累進屈折力レンズを処方すると，明視域は無限遠から28.6cmとなる．

Ⅱ　眼鏡処方のために必要な検査

1　検査項目（図2）

1）一般眼科検査

　矯正視力が良好であれば，一般に重篤な眼疾患はないと推察される．しかし緑内障，糖尿病網膜症，網膜色素変性症などの疾患は，初期には矯正視力が良好なことが多く，屈折異常以外の眼疾患がないとは限らない．したがって，眼鏡処方に際しては屈折検査のみではなく一般的な眼科検査は必須であり，視力矯正に影響する眼疾患の有無を確認しておく必要がある．ただし，眼疾患があったとしても，眼鏡によって症状が改善される場合には処方の適応となる．眼鏡処方検査に入る前に図2に示す検査を必要に応じて行う．また，全身状態や全身疾患にも留意が必要である．

2）調節・輻湊・眼位・両眼視機能検査と優位眼の把握

　眼鏡処方において両眼視機能は重要であり，眼位に対しての配慮が必要である．眼位ずれによる複視や眼精疲労に対しては，眼鏡にプリズムレンズを組み込んで処方することによって両眼単一視が可能・容易となり，症状が軽減する場合がある．また，優位眼を把握しておくことも大切である．不同視や乱視のために左右眼のバランスをとる必要がある場合には，優位眼の見え方を優先させるとよいことが多い．

Ⅲ　眼鏡処方検査手順（図2）

1　検査の流れ

1）所持眼鏡の検査

　レンズの種類・度数，心取り点間距離（CD），近用加入度数，プリズム加入度数を調べる．累進屈折力眼鏡であれば，特にアイポイントの位置やフィッティング状態の確認が必要である．

2）問診

　①所持眼鏡の作成時期，使用状況と付随する

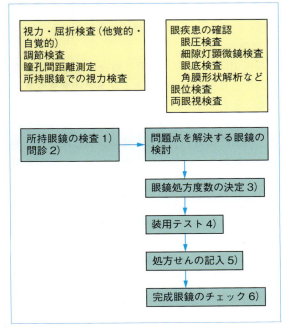

[図2]　眼鏡処方検査手順

症状（不満）を確認する．どんな時に不自由を感じているのかをできるだけ具体的に聴取し，不満がレンズの種類，度数，フィッティングなどのいずれによるものかを推察する（問題点の把握）．これまで屈折異常や調節異常をどのように矯正していたかを知ることも重要である．現状の乱視矯正の程度や近用加入度数とかけ離れた処方には順応しにくい．

　②新規眼鏡装用の目的（どのような場面で使用するのか）と視距離を確認し，レンズの度数や種類の変更によって，①で把握した問題点を解決できるか検討する．それにより，患者のニーズに合ったレンズの種類を選択することができる．遠用単焦点，遠近両用，中近，近々，近用単焦点のどれにするか，あるいは複数を使い分けるかを決定する．

3）眼鏡処方（装用テスト）度数の決定

　各眼それぞれの最高矯正視力が得られる度数が，眼鏡として適しているとは限らない．快適な眼鏡をめざすには，必ず両眼開放下での調整が必要である．また高齢者の場合には今まで装用して

いた眼鏡と大きく度数を変えないほうがよいことが多い．詳細については後述する．

4）装用テスト

最低10〜15分間，必要な場合はさらに十分な時間をとり患者が納得できる見え方の眼鏡を合わせることが大切である．処方しようとしている眼鏡を実際に使用する状態でシミュレーションを行う．例えば職業が美容師の場合，実際に日常仕事を行う距離で，度数の微調整を行い，見え方や装用感を試してもらう．その他，歩行，読書，階段の昇り降りなど，その眼鏡を使用して行うと考えられる動作をしながら装用テストを行う．

5）処方せんの記入

図3は処方せんの一例である．記載する内容は，球面レンズ度数，円柱レンズ度数，および軸方向である．また，必要であればプリズム度数とプリズムの基底方向を記入する．

処方せんに記載する瞳孔間距離（PD）は，実際の瞳孔間の距離ではなく，眼鏡レンズの光学中心を眼鏡枠のどの位置に置くかを指定する数値で，正式には心取り点間距離（CD）という．左右別々に記載するのが原則である．累進屈折力レンズの場合には，インセット量（近方視するときは輻湊が生じてレンズ上の視線の通る位置が内側に移動する）が決まっているため，遠近，中近は遠見の心取り点間距離（CD）を，近々は近見の心取り点間距離（CD）を記載する．

使用目的，レンズの種類，また使用したトライアルレンズの種類と累進帯長など，必要に応じて備考欄に記載する．

6）完成眼鏡のチェック

①装用感，②レンズ度数，心取り点間距離（CD）のチェック，③フィッティングのチェック．必要に応じて視力検査を行う．

Ⅳ　眼鏡処方（装用テスト）度数の決定

1 遠用眼鏡

遠くがよく見える眼鏡で運転に適している．老視が始まっているとこの眼鏡では近くが見にくい．

遠視の未矯正や近視の過矯正は調節と輻湊のバランスがくずれる原因となる．眼位が内斜位と

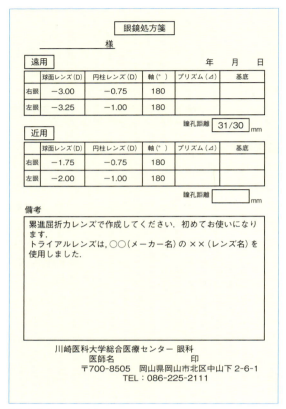

[図3] 処方せんの一例

なっている場合には，軽度の過矯正で無症状であったものが眼精疲労につながることがある．また，融像力で補えない場合には，複視を訴える．

間欠性外斜視，外斜位がある場合，融像性輻湊や調節性輻湊を惹起しやすくするために近視は積極的に矯正したほうがよい．眼鏡を装用するだけで，眼位のコントロールが良好となり眼精疲労が改善することがある．

1）近視・遠視の眼鏡処方

a．近視の過矯正，遠視の低矯正に注意する

われわれは通常両眼開放下で見ているため，この状態で屈折検査を行い眼鏡処方するのが望ましい[1]．片眼遮閉時は，両眼開放時に比べ調節が入るといわれ，装用テストの最終的な度数決定は，両眼開放下で行う必要がある．その方法は，

(1) 簡便法[1]

①片眼ずつ測定した屈折度のレンズを眼鏡試験枠に入れて両眼で視力表を見せる．

② 両眼同時に＋0.25 D のレンズを入れ，視力低下がなければさらに強い凸レンズを両眼に入れる．視力低下が起これば，その前の装用レンズを矯正レンズにする．
(2) 両眼雲霧法[1]
　① 片眼ずつ測定した屈折度に約＋2.00 D～＋3.00 D 程度の凸レンズを加えて両眼を雲霧する（20 分～1 時間）．
　② 片眼ずつ雲霧量を少なくし，最良の視力が得られるプラス寄りの屈折度を求める．
　③ 一方の眼の検査が終わったら，再び＋2.00 D ～＋3.00 D のレンズを付加し他眼の検査に移る．
(3) オーバーレチノスコピー
　片眼ずつ測定した屈折度のレンズを眼鏡試験枠に入れて，検影法を行う．
　50 cm で検影したときに＋2.00 D のレンズで中和したときは，矯正レンズは適切である．
(4) その他
　両眼同時雲霧法[2]，2色テストなどがある．2色テストは，1．調節をすれば赤字に黒図形が明瞭に見えるので，調節についての配慮が必要である[3]，2．正常眼の色収差をもとに作成されているため，正常眼と色収差が異なる眼，例えば無水晶体眼，眼内レンズ挿入眼，高齢者などは使用に注意が必要[4]なことから，最終判断に使用するには困難な場合が多い．
b. 近見視力，両眼の見え方の差の有無を確認する
　老視の始まっていない年齢の遠用眼鏡の処方においても，近見視力をチェックすることは大切である．装用テストの際に両眼開放下で新聞などを手に持ってもらい，いつもの近方視の距離でクリアに見えるかを確認する．左右のバランスをとる[1]には，1．交代遮閉法，2．Humphriss 法，3．プリズム法などがある．片眼ずつの自覚的屈折検査終了後に行う．

2) 乱視の眼鏡処方
　乱視は，遠見視力のみならず，眼精疲労，近見視力や立体視への影響も懸念され，1～2 D 以上ある場合には矯正することが望ましい．
a. 乱視の矯正によって生じる変化を理解する[5]
　眼鏡レンズは角膜から 12 mm 離れた位置に置

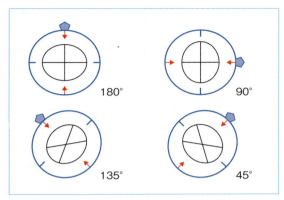

[図4] 円柱レンズによるイメージの歪み（凹レンズの場合）

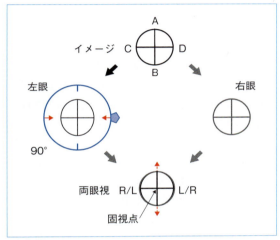

[図5] 右眼±0D 左眼 C－3.00D Ax 90°の場合
固視点を通る垂直線 AB を境として，左側では交差性の視差が，右側では同側性の視差が生ずる．

かれるため，レンズを通して見る像は拡大（凸レンズ）または縮小（凹レンズ）して見える．近視・遠視矯正に用いられる球面レンズでは，拡大または縮小効果のみであるが，乱視矯正に用いられる円柱レンズでは，この作用が軸と直角な経線方向のみにみられるため，例えば凹レンズの軸を垂直に置くと水平方向が縮小され，背が高くなったように感じる（像の歪み）（**図4**）．不同視がない限り，順応が生じるため装用できる場合が多い．
　また軸が 90°で度数に左右差がある場合には，両眼視することにより，手前に飛び出したり，奥に引っ込んで見えたりし，全体として奥行方向に傾斜するように知覚される（スラント感）（**図5**）．

この場合にも，感覚的な順応が生じるため完全矯正に近い値を処方しても，装用可能であるといわれている．最初は違和感があるかもしれないが，約1週間で慣れてくることを説明する．ただし，高齢者の場合は，感覚的な適応力がやや弱いため，工夫が必要な場合がある．

斜乱視の場合は左右で像の拡大する方向が異なるので，融像によって疲労が生じる可能性がある．また視野の歪みや立体感覚の異常などにも配慮が必要である．したがって乱視度数を減らすか，直または倒乱視方向に軸をずらして処方する工夫で，十分な装用テストを行って確認する．

b．装用困難な場合の処方のしかた

対策1：円柱レンズの度数の軽減

優位眼や視力の良いほうに合わせ，他眼の乱視はぬいて（減らして）等価球面置換法で左右のバランスをとる．等価球面置換法は，円柱レンズを装用にたえられるまで弱め，最小錯乱円を網膜上にもってくるように，弱めた円柱レンズ度の1/2にあたる度数を球面レンズ度数に加える．この場合，残余乱視は増加するので眼鏡視力は低下する．

対策2：頂間距離を短く指定

同じ度数であっても，頂間距離が短いほど，経線拡大・縮小効果は小さくなるため，例えば10mmに指定する．

対策3：90°または180°方向への軸シフト[5]

経線拡大・縮小効果は一定であるが，軸シフトとともにベクトル方向が変化するため，垂直線の傾斜は軽減し，スラント感は改善する．ただし，シフト量は最小限（10〜20°）に抑えるべきである．この場合も眼鏡視力は低下する．

さらに，残余乱視の増大を最小限に抑えうるためにはシフト量に応じて円柱レンズ度数を減少させるとよい．

3）不同視の眼鏡処方

不同視とは，左右眼の屈折異常の程度が異なるもので，一般的に屈折度の差が2D以上のものをいう．不同視の多くは軸性で先天性のものであり，成長とともに不同視差が拡大する場合がある．白内障手術や，屈折矯正手術後に起こった不

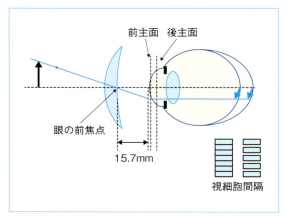

[図6] Knappの法則（文献4）より引用）

同視は屈折性である．

a．不同視の矯正に伴う不等像視の程度は軸性か屈折性かで異なる（Knappの法則）（図6）

不等像視は，左右眼で同一物体を見た場合，両眼で感じる像の大きさ，形などに左右差のある状態をいう．不同視を眼鏡矯正した場合には，左右の網膜に映る像の大きさに差を生じ，その結果不等像視が起こる．

不等像視の程度は不同視が軸性か屈折性かによって異なる．Knappの法則によれば，軸性不同視ではその矯正レンズを眼の前焦点（角膜から15.7mm）に装用させると網膜像の拡大・縮小は起こらないという．したがって，軸性の場合はコンタクトレンズ（CL）による矯正より眼鏡のほうがよいとされる．ただし，①眼鏡処方時の角膜頂点距離は12mmである，②原因を軸性か屈折性か厳密に分けることはむずかしいことから，成人では眼鏡での矯正は困難なことが多い．また，不等像視の起こり方は，視細胞密度や前房深度，中枢の関与など他のパラメーターも影響されるため，Knappの法則がすべての患者にあてはまるわけではない．一方，屈折性の不同視（片眼の無水晶体眼など）では不等像視の限界（4〜7％）を超える場合は，眼鏡による矯正は困難である．

b．不同視の矯正によってプリズム作用が生じる（図7, 8）

左右の眼鏡レンズのプリズム作用が異なるため，側方視で眼精疲労あるいは複視が生じる可能

性がある．特に，下方視の場合には視線が斜め下に向かいレンズ中心のはるか下方から見るので垂直偏位に悩まされる．また，レンズの光学中心と瞳孔位置のずれによるプリズム作用にも留意が必要である．融像幅にもよるが，個々の患者に対して検討する必要がある．

c. 処方のしかた

5％を超す不等像視は両眼融像の障害を起こして眼精疲労の原因となるといわれている．不等像視の検査には，ニューアニセイコニアテスト，ない場合は立体視検査を行い立体視が損なわれていないか調べる．

許容限度には個人差があり，今までのどんな度数の眼鏡を装用していたのかにより，2.00D以上の差でも装用可能な場合があるが，今までの眼鏡度数から大きく変化する見え方は対応しにくい．徐々に完全矯正にしていくことが必要な場合もある．

処方の方法としては，①屈折度の弱い眼の度数に合わせ，他眼にはまずその度数から2D以下の差となるような度数を入れ，両眼開放下にて許容できるところまでレンズ度数を上げていく．②頂点間距離を長く指定（15mm）する．③長い間未矯正の不同視は屈折状態によってモノビジョン法も適応となる．近視では弱いほうを遠見，強いほうを近見とする．

4）プリズム眼鏡の処方[6]

プリズムは，平行でない平面を2つ以上もつ透明体で，光学的に光を屈折させることにより，眼位ずれを補正する．プリズムには眼鏡に組み込むプリズムレンズと眼鏡に貼り付けるフレネル（Fresnel）膜プリズムがある．主に眼精疲労や両眼性複視の軽減・消失を目的に使用される．虚血性および外傷性神経麻痺，開散不全，代償不全の斜位など，プリズムを使用することにより，生活の質の改善が期待される．

プリズムレンズとフレネル膜プリズムは，それぞれに長所と短所がある．プリズムレンズは，メーカーにもよるが単焦点レンズで1/2～5プリズム，累進屈折力レンズでは3プリズムまで組み込みが可能である．以下プリズムレンズについて

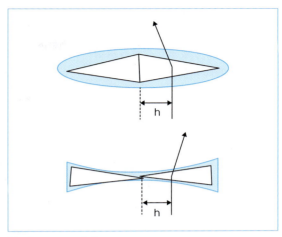

［図7］Prenticeの公式
レンズの光心の偏心とプリズム効果との関係は，
P（プリズム効果Δ）＝h（偏位量cm）×D（レンズの度数D）

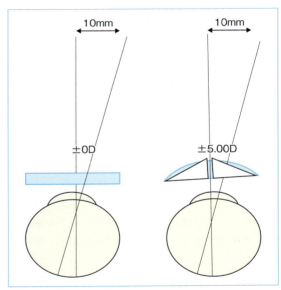

［図8］不同視の矯正によるプリズム作用
右方視した時に右眼だけに5プリズムの基底内方効果が生じる（Prenticeの公式，図7）．よってこの状態で両眼視するためには5プリズムの開散をしなければならず眼精疲労の原因となる．融像できなければ複視を自覚する．左方視した時には輻湊をしなければならない．

説明する．

［手順］必要な検査（図9）

適切な屈折矯正を行い，複視が両眼性か単眼性かを判断する．眼鏡処方検査の時に，初めてわずかな垂直複視に気づくこともある．

組み込める量の限界から，おおよそ6～10Δ以

内の補正で眼精疲労の軽減や複視の消失が可能であれば処方となる．その際，遠近の斜視角や眼鏡装用経験なども考慮し，最も快適に使えるレンズの種類を選択する．

① 複視の場合

正面視およびやや下方視で，両眼単一視ができる最少のプリズム度数を選択する．むき眼位によって偏位が変化する場合は，ていねいに使い方を説明することが大切である．

垂直，水平，回旋複視を伴う場合，融像幅の狭い垂直の矯正から行う．なお，水平の複視が残った場合は，それを消失できる最少のプリズム度数を求め，プリズムを合成する．両眼単一視が可能になれば，回旋偏位は融像幅が広いため，自覚されなくなることが多いが，残存すれば手術適応となる．プリズムを斜めに組み込む場合の度数と基底方向を図10と表1に示す．

② 眼精疲労の場合

まず，屈折異常が適矯正か（近視の過矯正，遠視の低矯正ではないか），次に調節力の低下がみられないかを確認する．屈折・調節の確認をおろそかにしては，プリズムを組み込んでも奏功しない．

次に融像力を考慮してプリズム度数を決定する．融像幅の測定がむずかしい場合には，外斜偏位では眼位ずれのおおよそ半分〜半分弱，内斜および垂直では融像幅が狭いので半分〜半分強のずれを補正するようなプリズム度数をもとに装用テストを行う．

斜位（近見）×2/3 − 融像幅（輻湊側）×1/3 の計算によって必要なプリズム度数を求める方法もある．

※シェアードの基準：快適な両眼単一明視を行うためにはこの輻湊余力が少なくとも斜位値の2倍と等しいかそれ以上必要であるとするもの．

2 近用眼鏡

近くがよく見える眼鏡で，新聞を読むのに適している（この眼鏡では遠くは見えない）．安定した近方視力が必要な場合，例えばPC作業のように，長時間同一距離での作業を持続する場合に適している．

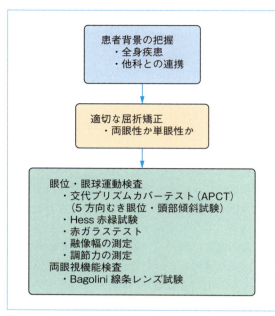

[図9] 必要な検査

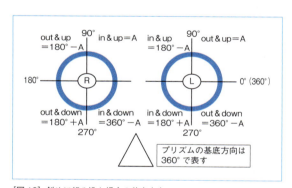

[図10] 斜めに組み込む場合の基底方向

[表1] 斜めに組み込む場合の度数と角度

垂直方向のプリズム度数(Δ) \ 水平方向のプリズム度数(Δ)	1	2	3	4	5
1	1Δ/45°	2Δ/27°	3Δ/18°	4Δ/14°	5Δ/11°
2	2Δ/63°	3Δ/45°	4Δ/34°	4Δ/27°	5Δ/22°
3	3Δ/72°	4Δ/56°	4Δ/45°	5Δ/37°	6Δ/31°
4	4Δ/76°	4Δ/63°	5Δ/53°	6Δ/45°	6Δ/29°
5	5Δ/79°	5Δ/68°	6Δ/59°	6Δ/51°	

角度は図10のAを示す．

1) 加齢だけではない調節力の低下を理解する

加齢とともに調節力は低下し，近点距離が40cm以上になると眼精疲労や近くが見にくいという老視の症状が出現する．40～45歳で症状が始まり，近用眼鏡が必要になる．年齢が同じであれば屈折状態に関係なく調節力はほぼ等しいが，同年齢でも屈折状態によって近点が異なるため（図1），近業困難の発現年齢には差が現れる．

調節力が十分にある症例でも，日常生活に必要な調節力を発揮するために毛様体筋に強いストレスを生じている場合も少なくない．近年スマートフォンなどの携帯端末の普及によってVDT画面を見る距離がさらに近くなり，遠くがよく見える眼では，毛様体筋に大きな負担がかかる．また，精神神経作用薬（抗コリン作用）の服用によって，調節力に障害が起きる場合もある．

2) 輻湊不全にも留意する

眼精疲労を訴える人のなかに，加齢による輻湊不全の患者も多くいるため，度数のチェックだけでなく，眼位検査や輻湊検査を忘れずに行うことが重要である．必要な場合はプリズム眼鏡を処方する（前述）．

調節性輻湊で近見の外斜位を補っていた場合，虚性相対調節が小さい患者では，プラスレンズの付加によって斜位が顕性化し，増加した斜位量を補えず違和感を訴える場合がある．必ず眼位のチェックが必要である．

3) 処方のしかた

残余調節力を有効に使い近業に必要な調節力の不足分を補うことが原則である．例えば，調節力1.5Dの患者が近見30cmを明視するためには+1.5Dのレンズを装用すればよい．ただし，調節力は，最大限に努力したときに明視できる距離の逆数を示すもので，実用的に長時間維持できる値ではない．長時間同じ距離で精密作業をする場合には実用調節力（保持している調節力の1/2）を用いる．例えば，調節力1.5Dの患者が近見30cmを明視するために調節力の半分を動員させるとすれば，$3-1.5/2=2.25D$のレンズを処方することになる．眼精疲労の程度，職業やライフスタイルによって動員させる調節力を加減するとよい．また，高齢者の瞳孔径に対する配慮や眼内レンズ挿入眼の偽調節の影響なども考慮する必要がある．

[手順]

① 遠見屈折矯正度数が，適矯正であることを確認する．近視の過矯正や遠視の低矯正の状態であると近見で強い加入度数が必要になり装用感を悪化させる原因となる．近見視力検査で得られた眼鏡レンズの度数で決めるのではなく，屈折異常の矯正に必要な遠用度数に，患者が必要とする視距離に合わせてプラスレンズを加入する．したがって基本的に近用加入度数は両眼とも同じ値となるが，初期老視の場合は，左右の付加が同じでないこともある．

② 近見視力検査の結果を参考に，患者が希望する視距離に新聞などを持ってもらい，両眼に距離に応じたレンズ度数を加入する．

③ 矯正視力が良好な患者や，初期老視の患者の場合は，片眼ずつ，新聞などを近づけて左右でほぼ同じ距離にピントの合う位置があるかを確認する．

④ 最後に両眼で，同じ動作をしてもらい，最も快適に見える位置が希望の視距離に合っているかを確認する．

⑤ 装用テストを行い，必要であれば微調整を行う．

3 遠近両用・累進眼鏡

1つの眼鏡の中に遠くが見える部分と近くが見える部分が入っており，遠近とも安定した視力および両眼視が必要な場合に適している．

高齢者の視環境を改善・維持する手段としてだけではなく，学童における近視の進行予防を目的として，また最近はPCや携帯端末の普及によってその適応は若年成人まで広がり，多くの局面で有用性が増加している．

1) 遠近両用眼鏡の種類

遠近両用眼鏡のレンズは，2つ以上の異なる屈折力の領域を1枚のレンズに組み込んだ多焦点レンズと，焦点が1点に収束することなくレンズの屈折力が累進的に変化している累進屈折力レンズに分けられる．それぞれ長所と短所があるが，見

a. 多焦点レンズの種類（図11）と累進屈折力レンズとの比較（表2）

多焦点レンズには，二重焦点レンズと三重焦点レンズがある．累進屈折力レンズの収差に適応できない人や広い近用視野が必要とされる場合には有用である．

b. 累進屈折力レンズの構造（図12）と種類（図13）

遠用部，中間累進部，近用部の各領域から構成されている．レンズの側方に非点収差が発生する領域がある．加入度数が大きくなるほど，累進帯長が短くなるほど，ゆれ・歪みは大きくなる．

累進屈折力レンズの種類は，遠近（バランス型，遠中重視，短累進），中近，近々と用途に応じて数種類用意されている．それぞれの特徴を表3に示す．

遠近：遠方から近方まで明視域があるが，中間近用部の視野は狭く，側方の歪みが著しい．1つの眼鏡で遠方から近方まで明視することができ，最も選ばれるレンズである．初期老視段階から徐々に加入度数を上げていくと慣れやすい．

中近：近用部の面積が広く，室内で仕事をする人に適している．遠用度数にすでに加入度数を付加された設定とし，加入度数を抑えることによって，側方の収差を軽減し，中間距離から近方を見やすくしている．また，アイポイントの高さを調節することによって，遠方重視（アイポイントを高めに）あるいは近方重視（アイポイントを低め）に調節することが可能である．ただし，遠用部の面積が狭いので，遠方視では違和感を生じやすい．特に遠用眼鏡は必要がなく，近用眼鏡で顔を上げた時に遠方のぼやけを自覚している場合，遠近では顎を上げないとPC作業に支障が出てきた場合に適応となる．

近々：近用部が広く，デスクワークに適している．近方の視野を確保しつつ，近用眼鏡の限られた明視域を広げ，少し離れた距離まで見えるように設定されている．先に近用度数を決定する．例えば正視の場合，40cmならば+2.50Dとなる．加入度数を遠方に向けてマイナス度数で設定する．加入度数を-1.00Dにすると眼鏡上部は+1.50D

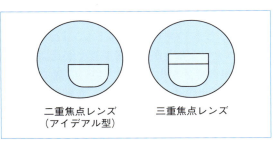

[図11] 多焦点レンズの種類

[表2] 多焦点レンズと累進屈折力レンズの比較

多焦点	累進
ピントが合う距離の物体は鮮明に見える	全体的に鮮明さは劣るが目的とする物体のある一定の範囲を適度な鮮明さで見ることができる
明視視野が単焦点レンズに比べて狭い 収差の残存領域はない	明視視野が二重焦点レンズに比べて狭く，累進帯の側方で見ると歪みが著しい
遠・近の境界線が目立ち見にくによくない	遠・近の境界線がなく見てによい
境界部のプリズム作用による像の跳躍が起こる	像の跳躍は起こらない

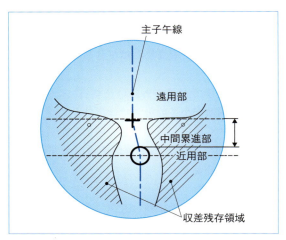

[図12] 累進屈折力レンズの構造

となるため67cmの距離にピントが合い，明視域は40cmから67cmとなる．加入度数を-1.50Dにすると眼鏡レンズの上部は+1.00Dとなり，明視域は1mから40cmとなる．適正な遠用度数を基準に作業距離と調節力を考慮して処方する．実際にテストレンズを用いてシミュレーションしてもらう．正視や遠視の患者で適応となることが多い．

2) 処方上の注意

① 患者が必要とする明視域に合ったレンズを選択し，視線の使い方も考慮する．基本的には近方視時に眼球を下転して見る傾向の人には累進帯の長いものを，眼球はあまり動かさず顎を引いて見る人には短めが勧められる．

② 度数の決め方は遠用，近用の処方のしかたを基本とする．成功のポイントは近用加入度数を可能な限り小さくすることである．近視患者では実用に問題がないなら遠用度数をぎりぎりまで下げるとよい．

③ 初めての累進屈折眼鏡の場合には，まず遠見の見え方，ついで近見の見え方，最後に遠近両用にするとどのような装用感になるか比較してもらう．

④ 慣れるまでは床が少し浮き上がって見えたりまっすぐなものが歪んで見えたりすることがある．最近では設計技術の進歩により，収差に気づかない程度になってきているが，特に初めての処方に関してはこの点を十分説明する必要がある．

⑤ 度数の異なる位置を視線が通過したときに感じるぼけへの感度，あるいはゆれ・歪みに関する感度には個人差がある．装用テストは十分に行い，特に使用する状態でのシミュレーションをして決定する必要がある．

⑥ 快適に使いこなすためには，フィッティングはもちろんのこと，眼鏡フレームの天地幅やアイポイントの位置が重要である．

4 遮光眼鏡

補装具としての遮光眼鏡は，「眼鏡」という種目の中の「遮光用」と位置付けられ，「羞明の軽減を目的として，可視光のうちの一部の透過を抑制するものであって，分光透過率曲線が公表されているもの」と定義されている（「補装具支給事務取扱指針の一部改正について」2010年3月31日厚生労働省）．光が強くて不快に感じたり見えにくい状態になったりする「まぶしさ」を医学的に症状として表現する場合に羞明という（日本ロービジョン学会：ロービジョン関連用語ガイドライン）が，その程度を客観的に評価することは困難で，発生メカニズムも十分には解明されていな

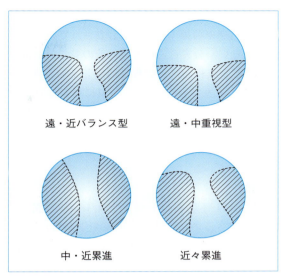

[図13] 累進屈折カレンズの種類

[表3] 累進屈折カレンズの種類の比較

	遠近（バランス型）	中近	近々
累進帯	12～22mm	20～25mm	19～25mm
用途	常用	室内	デスクワーク
明視域	遠方～近方	遠方～近方	近方～中間距離
視野	中間近用部は狭い	中間～近用部が広い	近用部が広い

他に，運転やスポーツのための遠中重視（18～22mm），小さいフレーム専用の単累進（8～12mm）がある．

い．そのため，明確な処方の基準がなく，患者の自覚的応答に基づいて行われているのが現状である．

1) 原理

電磁波のうち，紫外線により近い可視光線領域の短波長側である紫～青色の光は，高エネルギーで，散乱しやすいという特徴により，人間の眼にとって羞明やコントラストの低下を引き起こす原因のひとつと考えられている．従来は，この短波長光の散乱を抑制し，視感度の高い波長の光を選択的に透過させることで羞明を軽減させる効果を持つもののみを遮光眼鏡と呼んでいた．現在は短波長光を選択的に遮断するのではなく，すべての波長域を等しく遮断していても羞明が軽減されれば，遮光用の眼鏡として補装具申請できる．無虹彩症や外傷性散瞳では全体の光の量を減らせばよく，ニュートラルレンズも対象となっている．

補装具としての遮光用の眼鏡は，上述したように分光透過率曲線（図14）が公表されていなければならない．分光透過率とは，そのレンズが電磁波の「どの波長を，どの程度透過しているか」ということを表すもので，「入射束に対する物質を透過する放射束の比」として定義[7]される．レンズの特徴を知る上で，重要な情報となるのが分光透過率曲線である．各レンズメーカーのカタログに示されている．

2）種類

2021年4月現在，トライアルレンズ（図15）が入手できるのは2社で，東海光学からCCPが8色，CCP400が18色，HOYAからRETINEXが21色，ラインナップされている．

装用形態には，眼鏡のレンズに組み込む型，クリップオン式，上下左右からの入射光を減らすオーバーグラス（図16）がある．使用状況や好みに応じて選択する．

3）対象

もともとは，網膜色素変性症の羞明感を減じるために開発されたが，現在ではさまざまな透過率のレンズが開発され，まぶしさを感じるすべての患者が処方の対象となる．特に，網膜色素変性症をはじめとする網膜疾患，加齢黄斑変性，緑内障，視神経疾患，白内障術前後など多くの眼疾患において有効とされている．

視覚障害者（手帳取得者），難病患者は購入に際し，補装具費が支給される（後述）．

4）処方の手順

疾患によって有効なレンズの特異性はわかっていないため，自覚的な装用感で決定する．効果は個人により異なるため，下記の手順で行う．

① 使用環境の把握

羞明を感じる環境（時間や場所など）を聞き，実際の環境下で試用して選ぶ．屋外用か室内用かはもちろん，屋外用であれば主な使用時間，室内用であれば自宅と職場と学校などで明るさが違う場合に注意を要する．

② 屈折矯正

③ レンズカラーの選択

羞明感や色調の変化，はっきり見やすくなる

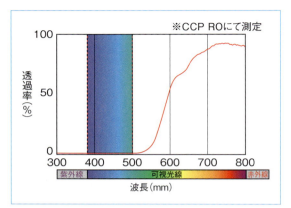

[図14] 分光透過曲線
東海光学 CCP RO の分光透過率曲線を示す．短波長が選択的にカットされており，レンズの色は赤い．
（東海光学ホームページより引用）

か，暗すぎないかなどを確認し，快適に見えるものを選択する．実際に使用する場面で装用してみることが大切である．したがって，診察時に似た環境が作れない場合は貸し出しをしたほうがよい．

自覚的応答としては「まぶしさや白みが軽減する」，「文字や物などが見やすくなる」，「急に暗くなったときに外すと暗くても見える」などがある．自覚的応答が困難な場合（特に幼少児）には，行動観察や，眼の開き具合を観察し，意思表示ができなくても表情や行動の変化などから総合的に判断する[8]．

5）使用上の注意

短波長のみをカットするものでは青系の色識別能力が低下する．また，夜間や薄暗い場所での運転は禁止されているもの，昼間でも適さないものがある（カタログに表示してある）ため注意が必要である．

6）補装具「遮光用の眼鏡」の支給要件

1. 視覚障害により身体障害者手帳を取得していること
2. 羞明をきたしていること
3. 羞明の軽減に，遮光眼鏡の装用より優先される治療法がないこと
4. 補装具費支給事務取扱指針に定める眼科医による選定，処方であること

1) 眼鏡処方

[図15] トライアルセット（東海光学）

※この際，下記項目を参照の上，遮光用眼鏡の装用効果を確認すること（意思表示できない場合，表情，行動の変化等から総合的に判断すること）．
・まぶしさや白んだ感じが軽減する
・文字や物などが見やすくなる
・羞明によって生じる流涙等の不快感が軽減する
・暗転時に遮光眼鏡をはずすと暗順応が早くなる

[図16] オーバーグラス

文献
1) 所　敬：屈折異常とその矯正，第6版，金原出版，東京，76-78，2014
2) 梶田雅義ほか：処方度数決定のための視力の測り方 (2). あたらしい眼科 26：785-786，2009
3) 三宅三平：屈折矯正と視力検査．あたらしい眼科 26：1451-1455，2009
4) 所　敬ほか：すぐに役立つ臨床で学ぶ　眼鏡処方の実際，金原出版，東京，84，2010
5) 長谷部 聡：眼鏡レンズによる乱視矯正とスラント感―より優れた眼鏡視力を提供するために―．あたらしい眼科 24：1145-1150，2007
6) 長谷部佳世子：プリズム療法．眼科 56：791-798，2014
7) 魚里　博ほか：波動光学（物理光学）の基礎．眼光学の基礎，西信元嗣編，金原出版，東京，63-118，1988
8) 新井千賀子：小児と重複障害児・者における遮光眼鏡処方．日ロービジョン会誌 11：24-26，2011

（長谷部佳世子）

3 眼鏡・コンタクトレンズ検査

1）眼鏡処方
② 小児の眼鏡処方

I 検査の目的

正常な視機能の発達には，各眼の「網膜中心窩」に「同時」に「鮮明な像」が結ばれることが必要である．視的環境の影響を受けやすい期間，すなわち感受性期間（critical period，生後2か月から2歳頃までが最も高く，以降低下するが9歳頃まで続く）に弱視 amblyopia が生じるが，感受性の高い早期に発症するもの程重篤である．このため早期発見・早期治療が重要である．自覚的な答えが得にくい小児，発達遅滞児では，診断，治療において，他覚的検査所見が大きな比重を占め，視機能評価は，年齢の応じ適切な検査方法を選ぶ必要がある．これらの小児特異性を理解したうえで，適正な眼鏡を処方する必要がある．

1 検査対象

小児の眼鏡処方の対象は，1）弱視や斜視に対する治療用眼鏡と，2）弱視や斜視を伴わない屈折異常を矯正するための眼鏡（屈折矯正眼鏡）に分けられる．

1）弱視・斜視治療用眼鏡の対象疾患

a．強度屈折異常

強度屈折異常による屈折異常弱視および不同視弱視を予防あるいは治療するために，屈折矯正を要する．強度遠視および遠視性乱視では，乳幼児期に眼鏡処方を要することが多い．一方で，強度近視や近視性乱視は，遠視に比し，近方視にて，網膜に視標が結像するため弱視が生じにくいとされるが，強度遠視と同様に，年令と屈折値に応じて，眼鏡装用を検討すべきである（**表1**）[1]．なかでも網膜有髄神経線維，未熟児網膜症光凝固治療後，Stickler 症候群などの器質疾患に伴う近視性不同視や強度近視は，屈折矯正を行っても，視力予後不良のこともあるが，視機能の発達を最大限に引き出すためにも，屈折異常を検出し，適切に眼鏡を処方する必要がある．

また，精神発達遅滞，染色体異常，脳性麻痺をはじめとする心身に障害をもつ小児には，屈折異常が高頻度に認められるとされる[2]．なかでも，Down 症候群では，遠視が，69.1％，2D 以上の乱視が58.5％を認め，眼鏡は，91.3％に必要であったとの報告がある[3]．したがって，発達遅滞児に対しても，積極的に他覚的屈折検査を施行し，評価し，適切に眼鏡処方すべきである．

b．調節要因のある内斜視

乳幼児期に生じる内斜視の背景に遠視に伴う調節要因が関与するものがある．調節麻痺下屈折検査を行い，完全屈折矯正眼鏡の処方が必須である．

c．無水晶体眼[4]

形態覚遮断弱視を生じる可能性の高い，混濁の強い先天白内障は，水晶体吸引術が行われるが，無水晶体眼による強度遠視の状態に対し，術後早期より眼鏡やコンタクトレンズ（以後 CL）による屈折矯正を必要とする．片眼性の先天白内障の場合は，術後片眼性の無水晶体眼となり，典型的な屈折性不同視による不等像視が生じるので CL による屈折矯正が勧められる．一方で，両眼性先天白内障術後の場合は，眼鏡による屈折矯正が可能である．また，眼内レンズ挿入眼においても，成長に応じた屈折値の変化に応じ，眼鏡処方を必要とすることがある．無水晶体眼，単焦点眼内レンズ挿入眼では，調節力がないため，年齢に応じ近用眼鏡または遠近両用眼鏡を考慮する．

2）弱視や斜視を伴わない屈折異常を矯正するための眼鏡（屈折矯正眼鏡）の対象

斜視および弱視がない小児の場合，屈折異常に対する眼鏡処方は，年齢，裸眼視力，生活状態などにより，処方の対象となるかを検討する．

2 目標と限界

屈折異常による弱視治療は，視覚感受性期間（できれば就学前までに）内に，行うべきである．しかし近年，視覚感受性期間以降に発見された場合，眼鏡装用単独，また近見作業を伴った遮閉療法（アイパッチ）を併用した治療群で，より効果的に視力の向上を認めたとする多施設共同研究結果[5]が報告されている．したがって，視覚感受性期間を過ぎて発見された弱視であっても，治療効

[表1] 乳幼児の眼鏡処方を要する屈折値

		American Academy of Ophthalmology preferred practice pattern (2012)[1]		
		1歳未満	1～2歳	2～3歳
不同視がない場合	近視	−5.0D以上	−4.0D以上	−3.0D以上
	遠視（斜視なし）	＋6.0D以上	＋5.0D以上	＋4.5D以上
	内斜視のある遠視	＋2.5D以上	＋2.0D以上	＋1.5D以上
	乱視	3.0D以上	2.5D以上	2.0D以上
不同視がある場合（ただし，斜視なし）	近視	−4.0D以上差	−3.0D以上差	−3.0D以上差
	遠視	＋2.5D以上	＋2.0D以上	＋1.5D以上
	乱視	2.5D以上差	2.0D以上差	2.0D以上差

[表2] 調節麻痺薬の比較

調節麻痺薬	調節麻痺効果	用法・用量	麻痺および羞明の期間	副作用
硫酸アトロピン（日点アトロピン®1％点眼薬）	完全	3歳＞ 0.25％ 3～6歳＞ 0.5％ 6歳＜ 1％ に薄めて使用 朝・夕1日2回 7日間	2～3週間	（局部副作用） 　結膜充血 （全身的副作用） 　顔面紅潮・発熱・口渇・頻脈 （中毒症状） 　興奮・幻覚・痙攣
シクロペントラート（サイプレジン®1％点眼薬）	不完全（＋0.34Dアトピロンの方が遠視側に出る*）	10分ごとに2～3回 点眼開始1時間後に最大の作用効果を示す	2日	一過性精神神経症状 （幻覚・一過性運動失調） 一過性の結膜充血

＊：Rosenbum AL, et al：Cycloplegic refraction in esotropic children. Cyclopentolate versus atropin. Ophthalmology 88：1031-1034, 1981

果がないとあきらめることなく，適切な眼鏡処方を基本に，弱視治療を行うべきである．

斜視や弱視がない小児，特に学童期の児においては，日常生活や学習に支障がでないような視的環境を整えてあげることを目標に眼鏡を処方する．

Ⅱ 検査法と検査機器

1 検査法

調節が介入しやすい乳幼児では，発達遅滞児も含め，調節麻痺剤点眼下屈折検査が必須である．また，視力検査も，年齢に応じて，適切な視力検査法を選択すべきである．

1）視力検査

小児の視力検査についての詳細は，他項を参照されたい．

2）屈折検査

調節麻痺剤の種類と選択：小児に用いられる調節麻痺剤としては，1％アトロピン硫酸塩点眼液（アトロピン®点眼液）と1％シクロペントラート点眼薬（サイプレジン®点眼液）がある．1％アトロピン硫酸塩点眼液（乳児では0.25％，幼児には0.5％に薄めている，学童以上には1％）が最も調節麻痺効果が高い．持続時間が長く，全身および局所の副作用をきたしやすいが，内斜視の症例には，完全屈折矯正眼鏡処方のために，必須である．内斜視がない場合は，1％シクロペントラート点眼薬を使用する．いずれも，慎重な投与と家族へ副作用について十分な説明が必要である．表2に調節麻痺剤2剤の特徴を示す．

2 小児に用いる屈折検査機器

他覚的屈折検査を要する小児において，検影法は基本である．乳幼児から坐位不能な状態にある高齢者にも施行できる．1歳以上では手持ちオートレフで屈折異常の検出は可能である．3歳以降では，フォトレフラクション法を利用したWellchAllen社の携帯型視機能スクリーニング機器であるスポットビジョンスクリーナー（Spot

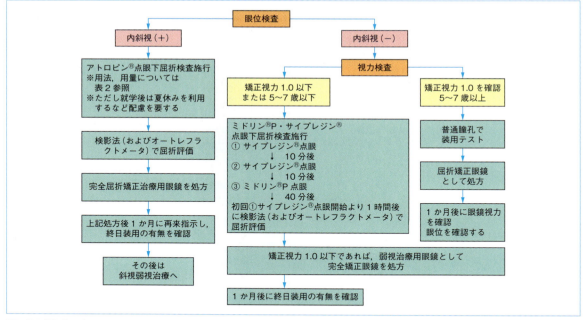

[図1] 眼鏡処方の手順

Vision Screener：SVS）やオートレフラクトメータが利用できる．特にSVSは，3～5歳の弱視スクリーニングに特に有効で，感度が高く（偽陰性が少ない）特異度が低い（偽陽性が多い）装置である（検影法，オートレフラクトメータおよびSVSの詳細については，他項を参照されたい）．

III 眼鏡処方の手順（図1）

弱視・斜視治療目的眼鏡処方（治療用眼鏡）と弱視・斜視を伴わない屈折異常を矯正するための眼鏡処方（屈折矯正用眼鏡）各々の手順を示す．

1 弱視・斜視治療目的の眼鏡処方（治療用眼鏡）の手順

いかなる弱視でも，調節麻痺剤を用いた正確な屈折検査を行い，その値に基づいた眼鏡処方が原則である．眼鏡矯正の対象となる屈折異常は表1が基準になるが，年齢や個々の条件によって異なることに注意したい．内斜視に伴う遠視は，必ずアトロピン®点眼調節麻痺下の他覚的屈折値に基づいて完全矯正を行うこと，不同視弱視においては健眼の遠視度を減らさずに処方すること，つまり，健眼および弱視眼ともに完全屈折矯正することが大切である．乳幼児では＋5～＋6Dを超え

る不同視でも軸性であるので眼鏡による矯正が適している．

また，外斜視を伴う近視の場合，屈折矯正にて明視し，調節性輻湊をさせることで正位に持ち込むことができるように，積極的に近視を矯正する眼鏡を処方すべきであり，一方で，外斜視を伴う遠視の場合，調節性輻湊ができるように近見視力が保てる程度にやや低矯正で処方する．

眼鏡は終日装用させて，視力が向上し，安定するまで4～8週ごとに受診させるべきである．また，治療用眼鏡の処方にあたり，治療による経済的な負担軽減目的に，平成18年4月1日より9歳未満の小児の弱視および斜視治療用眼鏡やCL（以下「治療用メガネ等」）の作成費用が健康保険の適用となった．患者負担割合以外の額が療養費として償還払い扱いで給付される．ただし，アイパッチや弱視のない近視の眼鏡は給付対象外となることに注意したい．詳細は，日本眼科医会ホームページ（HP）を参照されたい[6]．

2 弱視や斜視を伴わない屈折異常を矯正するための眼鏡処方（屈折矯正用眼鏡）の手順

斜視および弱視がない小児において，屈折矯正眼鏡は，患児が日常生活を快適に送るための補助

具であるので，症例ごとに，保護者との相談の上判断する．

ただし，「TVを近づいて見る」「目を細めて見るようになった」などの視力不良の代償動作がみられるようであれば，学業のためにも眼鏡処方を進めるべきである．日本眼科医会のHPより学校保健教材を利用し，患児家族に説明をすると理解を得やすい．また，近視の矯正眼鏡は，完全矯正屈折値または，わずかに度数を落として処方する．遠視の眼鏡は，斜視を伴わない場合は，やや低矯正に処方しても問題はないが，5歳未満で，+3.0D以上遠視のある児に対しては，低矯正眼鏡が，調節性内斜視を惹起する可能性があり，注意喚起されている[7]．また，近視と遠視に，乱視成分を伴う場合は，原則，乱視を完全矯正する．また，乱視の不同視では不等像視に注意する．

3 眼鏡処方の実際

眼鏡は治療器具である．上述のごとく，治療用眼鏡および屈折矯正用眼鏡の処方度数を確定できたら，レンズやフレームについても，保護者に適切なものを選択してもらうために，説明が必要である．年齢，顔幅に合ったフレーム（乳児用眼鏡枠，図2）を選び，レンズは，安全性，重量の点からも，ハードコーティングされたプラスチックレンズが好ましい．

IV 眼鏡処方後の管理と注意点

眼鏡処方後，1〜2か月後に，①処方通りの度数および瞳孔間距離であるか，②年齢相応のフレームが正しいフィッティング（装用状態）で，装用されているか，③瞳孔中心の位置は適切かを確認する．一般的に鼻根部の低い小児は，いわゆる鼻眼鏡（レンズ中心の高さと頂間距離を保てない状態）になりやすい．鼻あてパットの調整や，モダンの形状に配慮が必要である（図3）．またその後の定期検査においても，レンズの傷，汚れやフレームのゆがみや成長に伴いテンプルがきつくなっていないかなど，装用状態を確認し，治療用メガネ等の療養費支給を利用し，適切に眼鏡の再処方を検討すべきである．

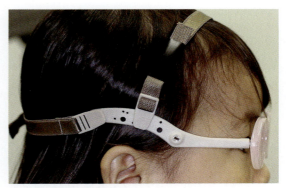

[図2] 乳児用眼鏡枠（眼鏡：アンファンベビー® ㈱オグラ）
仰臥位の状態も多い乳児にも装用可能な眼鏡枠．ヘアーバンド状に頭頂部と後頭部をひも状のテンプルでフレーム部分を支えている．

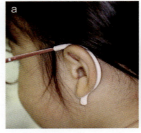 

[図3] 眼鏡枠（テンプル）の形状
a ケーブルタイプのモダン
b モダンにアタッチメントを付けている眼鏡（アタッチメント：品名メガロック®M）
頂間距離を正しく保つために，モダン部分が耳介にフィットするように注意したい．

文献
1) American Academy of Ophthalmology Pediatric Ophthalmology and Preferred Practice Pattern：Amblyopia American Academy of Ophthalmology. San Francisco, 2012
2) 富田 香ほか：ダウン症以外の知的障害児にみられる屈折異常と斜視．臨眼 57：515-519, 2003
3) 富田 香ほか：ダウン症候群の小児304例の眼所見．日眼会誌 17：749-760, 2013
4) 仁科幸子：乳児の眼鏡処方．眼鏡処方の実際，所 敬ほか編，金原出版，東京，2-9, 2010
5) Scheiman MM, et al：Randomized trial of treatment of aged 7 to 17 years. Arch Ophthalmol 123：437-447, 2005
6) https://www.gankaikai.or.jp/members/
7) Li CH, et al：Different correction of hypermetropic amblyopia in children 3 to 7 years of age. Am J Ophthalmol 147：357-363, 2009

（鈴木由美）

3 眼鏡・コンタクトレンズ検査

2) 眼鏡検査

① レンズメータ

I 検査の目的

所持眼鏡やコンタクトレンズが適切な度数であるか，また処方した度数が適切に作製されているか確認する．球面度数・乱視度数・乱視軸・加入度数・プリズム度数・プリズム基底方向を測定する．また，マーキング（軸打ち）を行うことにより光学中心間距離やフレネル膜プリズムを貼る際の水平位置を確認する．

1 検査対象

所持眼鏡，コンタクトレンズ．

2 目標と限界

レンズメータにはマニュアル式（アナログ式）（図1）とデジタル式（図2）がある．マニュアル式には，接眼式と投影式がある．デジタル式はオートレンズメータと一般的に呼ばれている．マニュアル式とは異なり，累進屈折力レンズ測定モードや左右表示自動切り換えなどメーカーによりさまざまな機能がある．測定方法は，メーカー，機種により異なるためそれぞれの製品マニュアルを参照することを推奨する．どちらのタイプでも正確に測定することが目標であるが，オートレンズメータでは，プリズムの測定範囲の限界もある．ここでは主にマニュアル式レンズメータ（接眼式）による眼鏡レンズの測定方法について説明する．

II 操作方法　マニュアル式レンズメータ（接眼式）

度数測定は 23±5℃ の室温で行うことが JIS 規格により定められている．接眼式レンズメータの外観や各部の名称は図1のようになっている．

1 視度調整

レンズを置く前に行う．測定ハンドルを回し，目盛を 0.00D にする．器械の構造により，覗き込むことによる検者の調節の介入や屈折異常が影響し，測定が正しく行われないことがあるため，

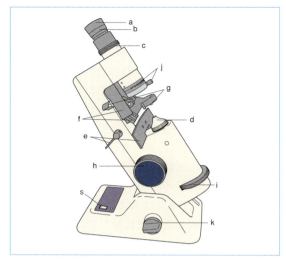

[図1] マニュアル式レンズメータ（接眼式）
a. 接眼目当て，b. 視度環，c. 方向環，d. 眼鏡受け台およびレバー，e. 眼鏡受け台およびレバー，f. 印点およびレバー，g. レンズ押さえおよびセットレバー，h. 測定ハンドル，i. 測定ターゲット回転ハンドル，j. プリズムコンペンセータおよびノブ，k. チルティングクランプハンドル，s. 電源スイッチ
（高橋文男：眼科診療プラクティス 82, p74）

[図2] デジタル式レンズメータの一例と眼鏡のセット方法

視度環は，必ずプラス側からゆっくり回してマイナス側に移動し，最初にピントが合った場所で止める．マイナス側に行き過ぎてしまった場合は検者の調節の介入を防ぐため，再度プラス側に戻し，もう一度最初から行う．測定ターゲットが最も鮮明に見える場所で，目盛が 0.00D を示していれば調整は完了である．目盛がずれている場合は再度最初から調整を行う．それでも合わない場合はメーカーに調整を依頼する必要がある．また，測定ターゲットが中心にきていない場合はプリズムコンペンセータのノブを回して中心に持ってくる．このときにプリズム度数が 0PD となっていることを確認する．

2 レンズの測定

1) 単焦点球面レンズの測定

測定したいレンズ後面の中心付近がレンズ当てに当たるようセットする．接眼部を覗き，眼鏡受け台レバーで上下を，そして左右は眼鏡レンズを動かして調整し，測定ターゲットがスケールの中心となる場所でずれないようしっかりと固定する．

固定をした後，接眼部を覗きながら測定ターゲットが最も鮮明に見える場所まで測定ハンドルを回し，度数を求める．このときも視度調整と同様，プラス側から回し，最も鮮明に見えるプラス側の度数を選択する．測定したいレンズの度数が強い場合，測定ターゲットが見えないことがあるがこの場合は測定レバーを大きくプラス側，またはマイナス側に回してみるとよい．同時に印点レバーを操作し，マーキング（軸打ち）も行う．マーキングされた3つの点の中心がレンズの光学中心である．

2) 円柱レンズの測定

単焦点レンズとの違いは接眼部を覗いたときに見える測定ターゲットのコロナが均一ではなく，ある方向に流れているように見えることである．測定ハンドルをプラス側から回し，一方向に流れるコロナが鮮明に見えるところで止め，屈折力目盛り（D1）を読み取り，測定ターゲット回転ハンドルを回し，クロスラインの短いほうとコロナの流れている方向を一致させる．さらに，測定ハンドルをマイナス側に回し，クロスラインの長いほうが最も鮮明に見えるところで止める．このときの屈折力目盛（D2）を読み取る．乱視軸は，クロスラインの長いほうが示す角度（A）である．これにより，以下の計算式によりレンズ度数を求めることができる．

レンズ度数＝S D1 D＝ C-(D2-D1) D Ax A°

3) 2重焦点レンズの測定

単焦点レンズ，円柱レンズと測定方法は同様である．まず遠用部の中心をレンズ当てに置き，度数を測定し，その後，近用部の度数を測定する．遠用度数と近用度数の球面度数の差が加入度数である．

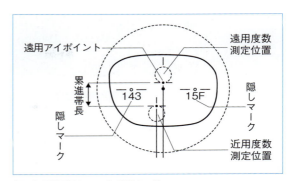

[図3] 累進屈折力レンズの設計の一例

4) 累進屈折力レンズの測定

累進屈折力レンズの設計の一例を図3に示す．遠用度数の測定は，遠用フィッティングポイントより4～6mm上方で行う．近用度数はレンズの隠しマークを読み取るか近用度数測定部位と想定される場所で度数を測定する．隠しマークはレンズ作製時の加入度数を示しているため，測定された度数と違いがないか確認するとよい．

また，累進屈折力レンズにはできるだけ薄く加工するためにプリズムシニング加工が施されていることがある[1]．遠用度数がプラスでは基底下方，マイナスでは基底上方のプリズム加入が一般的であるが，度数の左右差やプリズム処方により増減される．このため測定時に両眼に同度数，同基底方向のプリズムが検出される場合がある．

5) プリズムの測定

測定前に被検者に眼鏡を装用させ，遠見固視目標注視時の瞳孔中心とレンズの前面の交点に印をつける．つけた印がレンズ当ての中心にくるようにレンズを固定する．接眼部を覗いたときに測定ターゲットが中心の場合はプリズムの加入はなく，ずれていた場合にはプリズムが加入されている．測定ターゲットがずれている方向が基底方向である．プリズムコンペンセータを回し，測定ターゲットを中心に移動させる．中心にきたときのプリズム度数目盛がプリズム度数である．

文献
1) 高橋文男：累進屈折力レンズの光学的知識．視覚の科学 29：86-94, 2008

（長尾祥奈・長谷部 聡）

2)眼鏡検査

② レンズ曲率

I 検査の目的

眼鏡レンズ表面の曲率を測定することにより，レンズの屈折力や面屈折力を求める．

1 検査対象
眼鏡レンズ，特に規格が不明であるもの．

2 目標と限界
目標は，レンズの屈折力や面屈折力を求めることであるが，近年の非球面レンズでは，正確な測定は困難である．臨床上レンズ曲率の測定が必要となることはほとんどない．

II 検査法と検査機器

レンズメジャーを用いる（図1）．

1 測定原理
図2の弧ABに対する深さaを計算することにより曲率半径を求める．屈折率はガラスの屈折率を基準とし，1.532が基準となっていることが多い．

III 測定方法

測定をしたいレンズにレンズメジャーの3本の突起を垂直に押し付ける．

メモリはカーブ値で表示されている．外側の赤文字は凹面，内側の黒文字は凸面を示している．カーブ値は面屈折力で表示されており，曲率半径は換算して求める．

（長尾祥奈・長谷部 聡）

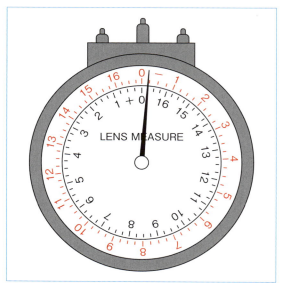

[図1] レンズメジャー

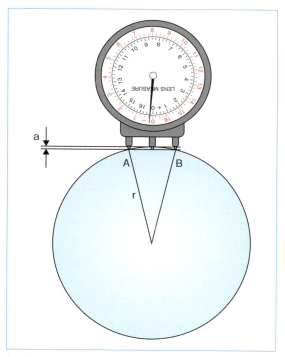

[図2] レンズメジャーの測定原理

3 眼鏡・コンタクトレンズ検査

2）眼鏡検査

③ レンズ厚

I 検査の目的

レンズの中心厚，周辺厚の測定を行う．

1 検査対象
眼鏡レンズ，特に規格が不明であるもの．

2 目標と限界
レンズ厚は，網膜像の縮小拡大（眼鏡倍率）に関係する要因である．しかし，臨床上レンズ厚の測定が必要となることはほとんどない．

II 検査機器

ダイアルゲージを用いる（図1）．

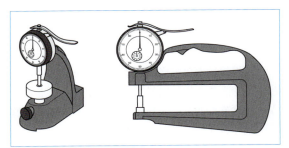

[図1] 卓上型ダイアルゲージ（左）と手持ち式ダイアルゲージ（右）

III 測定方法

卓上型と手持ち型の2種類がある．レンズの測定したい場所をゲージで挟み，メモリを読み取る．レンズ厚は縁厚と中心厚の両方を測定する．

（長尾祥奈・長谷部 聡）

2）眼鏡検査

④ 眼鏡枠の測定

I 検査の目的

屈折異常を正しく矯正するためには，眼鏡レンズが眼に対して以下のように正しい位置に保持されることが必要である．
① レンズ後面と角膜頂点の距離（頂点間距離）が12mmに保たれている．
② 視線が正しくレンズの光学中心を通っている．

眼鏡フレームはこの条件を満たすようにフィッティングされていることを確認する必要がある．

1 検査対象
すべての眼鏡．

2 目標と限界
眼鏡フレーム選択は，眼鏡店および患者の好みで決まるため，治療に適していないフレーム選択となってしまうこともありえる．このため眼鏡処方に際してはフィッティングの重要性などフレームを選択する際のアドバイスを行っておくことが望ましい．

II 眼鏡フレームの素材，部位，名称

眼鏡フレームの素材にはメタル，プラスチック，天然素材などがあるが，主はメタルとプラスチックである．メタルフレームのなかではチタンが軽く，耐久性にも優れている．眼鏡レンズとフレームを含めた重量は，20〜25g程度が多く，30gを超えると半数以上が装用に不快感を訴えると報告されている[1]．

フレームは，顔の前に位置するフロントと外側に位置するテンプル，および部品部に分類することができる（図1）．フロント部はレンズを支えるためのリム，左右のリムをつなぎ合わせるためのブリッジ，テンプルとリムをつなぎ合わせるための智，リムを顔の前面に支えるためのパッドがある．リムが取り囲み，レンズが挿入される空間が玉形である．部品部には，テンプルと智を接続

し，テンプルを折りたたむためのジョイントがある．

日本国内における眼鏡フレームのサイズの表示方法としてボクシングシステムが一般的である（図2）．1990年にボクシングシステムを寸法測定方式の規格とするJIS B7281が規定され，以降フレームの内側に記載されている．記載されている内容は，玉形幅，レンズ間距離，テンプルの長さである．ただし，リムのないテンプルフレームの場合は，玉形サイズは変更可能であるため，玉形幅の記載はない．

Ⅲ 玉形とレンズ間距離

玉形中心はレンズ中心とほぼ一致していることが望ましい．玉形の上下左右の幅は装用時の視界の広さや快適さに影響する．累進屈折力レンズの場合，玉形の高さが不十分では近用部が狭くなってしまう．

Ⅳ 頂点間距離

三田氏万能計測器などメジャーを用いて測定を行う．眼鏡レンズは，レンズ後面と角膜頂点の距離（頂点間距離）が12mmで装用した時に適切なレンズ度数となるように設計されている．一般的に頂点間距離が短いと凹レンズでは効果が強まり，凸レンズでは効果が弱まる．逆に頂点間距離が長いと凹レンズでは効果が弱まり，凸レンズでは効果が強まる．度数が小さい場合には大きな影響はないが，度数が大きくなるほど影響が大きくなる．

Ⅴ テンプルの長さ・前傾角・そり角

テンプルの長さは，丁番のねじの穴からテンプルの端までの長さであり，側頭部を均一に抱え込むような長さが必要である．長すぎても短すぎても快適な装用感は得られない．

[図1] 眼鏡枠の構造と名称
（梶田雅義：眼科検査ガイド，第2版，p111）

[図2] ボクシングシステムの記載例
（梶田雅義：眼科検査ガイド，第2版，p112）

人の視線は水平方向よりやや下方を見ていることが多く，この視線に対しレンズを直角になるように傾けることを前傾角と呼ぶ．一般的には，遠用眼鏡では12°前後，近用眼鏡では20°前後，遠近両用眼鏡では15°前後に調整されているが諸説ある．

そり角とは，視線とレンズの光軸を一致させたときに光軸に直交する左右レンズ面が成す角度を表す．遠用眼鏡では左右の視線は平行であると考えられるため，そり角は180°である．近用眼鏡では瞳孔間距離と視距離により変わるが170～175°に合わせるのが一般的である．

文献
1) 小杉悦代ほか：富山医薬大病院を初診した眼鏡常用者の所持眼鏡での視力と眼鏡重量．眼臨医報 94：20-22, 2000

（長尾祥奈・長谷部 聡）

3 眼鏡・コンタクトレンズ検査

2）眼鏡検査
⑤ 瞳孔間距離

I 検査の目的

1 目的
　自覚的屈折検査時や眼鏡処方時に測定し，また所持眼鏡の光学中心が適切かどうかを確認するために測定する．

2 目標
　光学中心のずれは意図しないプリズム効果が生じ，眼精疲労の原因にもなるため，瞳孔間距離を測定し，所持眼鏡の光学中心が適切かどうかを確認することが重要である．光学中心は水平だけでなく，垂直方向のずれがないかも確認する必要がある．

II 検査方法

　瞳孔間距離を測定する方法は，メジャーで測定する方法と瞳孔間距離計（図1）で測定する方法がある．

1 メジャーで測定する方法

1）遠用
　被検者に遠方の一点を固視させ，検者は頭越しに右眼で被検者の左眼を見ながらメジャーの0メモリを被検者の左眼瞳孔の耳側に当てる．次に検者は左眼で被検者の右眼を見ながら瞳孔の鼻側に当て実測するが，実際には瞳孔は見えにくいため強角膜輪部を用いて代用することが一般的である（図2）．このときに斜視がある場合はカバーテストを行いながら測定を行う必要がある（図3）．この測定法は視力不良により視標が注視できない場合は測定できない．

2）近用
　角膜反射を利用する方法がある．検者は片眼を閉じ，眼前33cmの距離から被検者の鼻根部に向かいペンライトの光を当て角膜反射の距離を測定する．
　これは斜視の有無にかかわらず可能である．

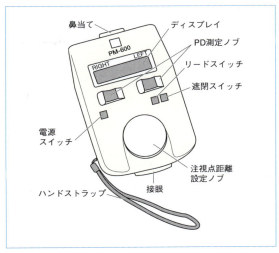

[図1] 瞳孔間距離計
（梶田雅義：眼科検査ガイド，第2版，p114）

[図2] メジャーでの強角膜輪部を用いた測定方法

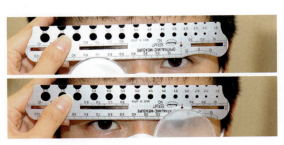

[図3] 斜視がある場合の測定方法

3）遠用PDが測定できない場合
　視力不良のため遠見での瞳孔間距離が測定できない場合や小児で遠見の視標が注視できない場合は，近見での瞳孔間距離から計算により求めることもできる．近見の瞳孔間距離（NPD）から求めたい視距離Xmmでの瞳孔間距離（PD）の換算は，
$XPD = NPD \times (X-L)/(X+Z) \times (300+Z)/(300-L)$
L：頂点間距離（12mm）
Z：角膜頂点から回旋点までの距離（13mm）
で計算できる（図4）．

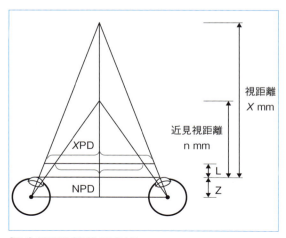

[図4] 近見瞳孔間距離の換算方法
XPD：Xmm での瞳孔間距離
nPD：近見瞳孔間距離（mm）
L：頂間距離（12mm）
Z：角膜頂点から回旋点までの距離（13mm）
（文献1）より改変）

2 瞳孔間距離計で測定する方法

被検者は器械の測定窓から固視目標を覗き，注視する．検者は接眼窓から覗き，角膜反射に指針を合わせる．遠用，近用とも測定が可能である．使い方の詳細は機種により異なるため説明書を参照していただきたい．

文献
1) 仲村永江：近見瞳孔間距離測定．理解を深めよう視力検査 屈折検査，金原出版，東京，46，2009

（長尾祥奈・長谷部 聡）

3) コンタクトレンズ検査
① コンタクトレンズの種類と選択

I コンタクトレンズの種類

コンタクトレンズ（CL）は，素材や装用方法，装用目的などによりさまざまな分類方法がある．

1 素材による分類

CL は素材によってハードコンタクトレンズ（HCL）とソフトコンタクトレンズ（SCL）に大別されるが，その中でもさらに細分化される．HCL は非ガス透過性 HCL である polymethyl methacrylate（PMMA）素材の HCL とガス透過性 HCL である rigid gas permeable contact lens（RGPCL）に，SCL はハイドロゲル CL とシリコーンハイドロゲルレンズ（SHCL）に分類される（表1）．

1) HCL

透明で破損しにくいアクリル樹脂である PMMA 素材の HCL は，酸素を透過しない性質のレンズであるため角膜への負担が大きいことから現在は使用されることがない．一方，HCL の主流である RGPCL は，酸素透過性が高いほど多くの酸素が透過するため角膜への負担は減るものの酸素透過性が高いほどレンズが軟らかくなり，変形や破損，汚れの付着が多くなるなどの問題が生じるため長所と短所，患者の状態に応じてレンズを選択する必要がある．HCL の特徴としては，角膜乱視を含めた不正乱視などの屈折矯正に優れていることや高い酸素透過性能，耐汚染性，眼障害が生じた際に自覚症状が出やすいなどの安全性がある一方，当初の装用感が悪いことや処方に際し若干の経験が必要であるなどのデメリットがある．

2) SCL

SCL には，2-Hydroxyethl methacrylate（HEMA）を主体としたハイドロゲル CL と，HEMA にシリコーンを共重合した SHCL がある．いずれの SCL も HCL に比べてレンズが軟らかいため装用感が良く，角膜全体を覆っているため異物が迷入しにくい，レンズ径が大きくズレにくい

[表1] CLの素材による分類

ハードコンタクトレンズ (HCL)
・polymethyl methacrylate (PMMA)
・ガス透過性ハードコンタクトレンズ (RGPCL)
ソフトコンタクトレンズ (SCL)
・ハイドロゲルレンズ (従来素材のSCL)
・シリコーンハイドロゲルレンズ (SHCL)

[表2] ハイドロゲルCLの材質分類

	低含水 (含水率50%未満)	高含水 (含水率50%以上)
非イオン性	グループⅠ	グループⅡ
イオン性	グループⅢ	グループⅣ

FDA (アメリカ食品医薬品局) による分類

[表3] CLの装用方法による分類

	装用方法	使用サイクル	消毒
ディスポーザブルSCL (DSCL) 　1日使い捨て (DDSCL) 　1週間連続装用 　1か月連続装用	終日装用 連続装用 連続装用	1日 最長1週間 最長1か月	不要 不要 不要
頻回交換型SCL (FRSCL)	終日装用	最長2週間	必要
定期交換型SCL (PRSCL) 　1〜3か月交換	終日装用	最長1〜3か月	必要
従来型CL 　従来型SCL 　従来型HCL	終日装用 終日装用	約1年〜1年半 約1〜4年	必要 不要

などの長所がある．しかし，SCLは高度の乱視や角膜不正乱視の矯正が困難であること，HCLに比べて微生物の付着が多いため重篤な眼合併症を起こしやすいという短所がある．ハイドロゲルCLとSHCLは性質が異なるため二別して考えるのが適切である．

ⅰ) ハイドロゲルCL

ハイドロゲルCLは，アメリカ食品医薬品局 (Food and Drug Administration：FDA) により素材の含水率，イオン性により4つのグループに分類されている (表2)．ハイドロゲルCLは素材に含まれる水を介して角膜に酸素を供給するため，含水率が高くなると酸素透過性が良くなるが，含水率が高いとレンズからの水分の蒸発が多くなるため，含水率が低いほうが装用者の乾燥感は少ないことが多い．また，レンズ汚れの原因の1つである蛋白質はイオン性CLに吸着しやすい．

ⅱ) SHCL

SHCLは，従来素材のHEMAに高い酸素透過性を持つシリコーン素材を共重合させたレンズであり，低い含水率でも高い酸素透過性を得ることができるため乾燥が少なく，充血しにくいなどの特徴を持つ．一方，シリコーンポリマーには親油性があるため，レンズ表面の親水性を保つ工夫が必要となるが，レンズ表面の状態によっては脂質汚れが付着しやすい短所がある．

2 装用方法による分類 (表3)

1) 装用方法による分類

装用方法には，①就寝前までに外す終日装用，②昼間だけでなく就寝時も装用する連続装用，③日中は装用せず就寝時のみ装用する就寝時装用に分けられる．通常は，起床後にレンズを装用し就寝前までに外す終日装用が選択される．連続装用については，日本では最長1か月の連続装用を許可されたCLがあるが，他の装用方法に比べ眼障害が多いため注意が必要である．また，就寝時装用は，特殊な形状のHCLを就寝時に装用することで角膜形状を変えるオルソケラトロジーの場合に選択される．

2) 装用スケジュールによる分類

HCLは1枚のレンズを使い続ける従来型のスケジュールが基本である．SCLは，①1日使い捨てSCL (DDSCL)，②1週間連続装用SCL，③頻回交換SCL (FRSCL)，④定期交換SCL (PRSCL)，⑤1か月連続装用SCL，⑥従来型SCLに分類される．1日使い捨てと連続装用以外のSCLには消毒や蛋白除去などが必要となることがある．一方，HCLはSCLに比べて細菌付着

が少ないため，消毒が義務付けられていないが，蛋白除去やこすり洗いなどの洗浄は必要である．

頻回交換SCLは2週間以内に，定期交換SCLは1～3か月以内に交換が必要である．従来型SCLは使用期限が定められていないものの1年半前後で劣化するため交換が必要である．

II CLの選択

CLを選択する際には，①HCLとSCLのどちらを選択するのか，②SCLであればハイドロゲルCLかSHCLか，その他には装用方法や装用スケジュールについての特徴を把握した上で，③安全性や屈折矯正効果，装用感，アレルギー性結膜炎や角膜内皮細胞などの眼の状態，④経済性や利便性などについて症例ごとに考慮し選択する必要がある．

1 HCLとSCLの選択

HCLとSCLの比較を表4に示す．HCLにはSCLよりも優れた点が多いが，近年は日本を含め世界のSCL処方割合は約90％前後になっている．装用感や簡便性の観点から1日使い捨てや頻回交換，定期交換SCLの普及が進み，HCLや従来型SCLの処方割合は減少している．しかし，これまでにHCLの装用経験がある場合や高度乱視，円錐角膜や角膜外傷後などの角膜不正乱視には，眼光学的にSCLよりもHCLは優れているためHCLを選択するが，軽度の乱視であればSCLやトーリックSCLで対応することも可能である．また，HCL装用に伴う痛みや異物感などの装用感が合わない場合や激しいスポーツを行うことがある場合にはSCLを選択する．

2 ハイドロゲルCLとSHCLの選択

SHCLの最大の特徴は，低含水でありながら高酸素透過性を持つ点である．高酸素透過性であるため角膜への負担が少なく，低含水素材であるためレンズ表面からの水分の蒸発が少ないため，より乾きにくいレンズである（表5）．眼の負担を考えるとSHCLが第一選択となる．特に角膜内皮細胞検査において，内皮細胞密度の減少や細胞の大小不同があるようであればSHCLを積極的に選択する．しかし，SHCLは低含水性であるためレン

[表4] HCLとSCLの比較

	HCL（RGPCL）	SCL
長所	重篤な眼障害が少ない 乱視矯正に優れている 角膜への酸素供給が多い レンズ寿命が長い（2～3年）	装用感が良好 充血が目立ちにくい レンズがずれない・曇らない 激しいスポーツでも装用可能
短所	装用感が悪い（当初のみ） ずれやすい・レンズが曇る 角膜上皮障害・結膜充血 長期装用により眼瞼下垂	強度の乱視矯正ができない 重篤な眼障害がやや多い 慢性の酸素不足を生じやすい 自覚症状が生じにくい

[表5] ハイドロゲルCLとSHCLの比較

	ハイドロゲルCL	SHCL
長所	レンズが軟らかく装用感良好 脂質汚れがつきにくい	酸素透過性が高い 乾燥感が少ない 蛋白質汚れが少ない
短所	酸素透過性が劣る 含水率が高いと乾燥しやすい 蛋白質汚れがやや多い	レンズがやや硬い 脂質汚れがつきやすい

[図1] superior epithelial arcuate lesions (SEALs)
レンズの硬さや汚れなどにより角膜上方に発生する弓状の角膜上皮障害

ズがやや硬く，角膜上方に弓状の角膜上皮障害であるsuperior epithelia arcuate lesions (SEALs)（図1）や上眼瞼結膜にCL関連乳頭結膜炎（CLPC）（図2）が生じる場合があり，その際には，ハイドロゲルCLを選択する必要がある．

3 装用スケジュールの選択

安全性を考慮すると1日使い捨てSCLが最も安全性が高く，連続装用やケアを要する頻回交換型，定期交換型，従来型SCLは眼障害の頻度が高くなる．CL眼障害の発生に関しても1日使い

捨てSCLに比較して頻回交換レンズや従来型SCLによる眼障害が多い[1]．そのため，経済性よりも安全性を重視することが可能な場合，過去に感染症やアレルギー性結膜炎などの眼障害を生じた症例，ドライアイなどレンズが汚れやすい症例ではケアの必要がない1日使い捨てSCLを選択する．ケアを含めた衛生管理がしっかりできる場合には，経済性を重視し頻回交換SCLを選択することも可能である．また，強度近視や強度遠視の場合には，レンズ規格の問題からHCLや従来型SCLを選択する必要がある．

4 乱視に対するCL選択

全乱視が0.75 D以下の場合には球面SCLでも矯正可能であるが，1.00～3.00 Dの全乱視がある場合にはトーリックSCLや球面HCLを選択し，さらに強い乱視がある場合にはトーリックHCLを選択する（**表6**）．球面HCL装用時には，涙液レンズの作用により角膜前面乱視の多くを矯正できるが，これを補正していた角膜後面乱視や水晶体乱視による持ち込み乱視を生じることがある[2]．このような場合には，トーリックHCLや球面SCL，トーリックSCLへの変更が必要となる[3]．

1) 乱視用SCLの適応

先にも述べた通り，1.00～3.00 Dの全乱視がある場合には乱視用SCLの適応となる．また，乱視があり球面SCLでの見え方に不満がない場合でも，ぼやける，二重に見えるなどの乱視症状や不鮮明な網膜像による眼精疲労などが認められる場合には，乱視用SCLの適応である．一方，円錐角膜などの不正乱視や乱視用SCLの円柱軸が不安定な場合，既存の乱視用SCL製品の円柱軸に合わない全乱視軸の場合には，乱視用SCLの適応とならない．

2) 乱視用SCLの種類と選択方法

乱視用SCLも球面SCL同様に，装用スケジュールにより，1日使い捨て，頻回交換，定期交換，従来型に分けられる．また，円柱軸の回転を抑制し安定させるデザインとしては，プリズムバラストタイプとダブルスラブオフタイプと2種類の特性を併せ持つハイブリッドタイプがある（**図3**）．プリズムバラストはレンズの下方が厚

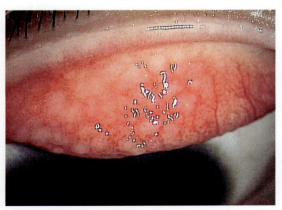

[図2] contact lens induced papillary conjunctivitis（CLPC）
レンズの硬さや汚れなどにより生じる上眼瞼結膜の乳頭結膜炎

[表6] 全乱視の程度とCL選択

全乱視の程度	軽度 (～0.75 D)	中等度 (1.00～2.75 D)	強度 (3.00～5.75 D)	最強度 (6.00 D～)
球面SCL	△	×	×	×
トーリックSCL	○	○	△	×
球面HCL	○	○	○	△
トーリックHCL	×	○	○	○

乱視矯正効果　○：適応　△：比較的適応　×：非適応

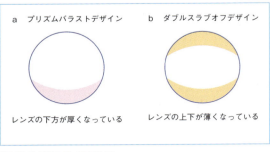

[図3] 乱視用SCLのデザイン

く，おもりの役割をしていること，さらにレンズ上方の薄い部分が上眼瞼と角膜で挟み込まれ，瞬目で下方の厚い部分が押し出され軸が安定する構造となっている．プリズムバラストは軸の安定性が良いが，下方が厚くなっているため下方の異物感が出やすい．ダブルスラブオフは，レンズの上下部分が薄くなっており，薄くなった部分を上下

[表7] 乱視用 SCL と軸安定性

	プリズムバラスト	ダブルスラブオフ
直乱視	○	△
倒乱視	△	○
斜乱視	×	△
瞼裂幅が小さい	○	○
瞼裂の傾きが大きい	○	△
下三白眼	△	×
装用感重視	△	○
片眼のみ乱視用	△	○

軸安定効果　○：安定　△：比較的安定　×：安定が悪い

眼瞼が挟むとともに，左右の厚くなった部分を上下眼瞼が押し出すことで軸を安定させる構造となっている．軸の安定性は眼瞼圧や眼瞼形状に左右されやすいためプリズムバラストに劣るが，下方の厚みがないため異物感は比較的少ない．

乱視用 SCL を選択する際には，装用した際の乱視軸の安定が必要であるため，レンズザインや乱視の種類，眼瞼形状などの影響を考慮し選択する必要がある（**表7**）．

文献
1) 日本眼科医会医療対策担当：コンタクトレンズによる眼障害アンケート集計結果報告（平成30年）．日本の眼科 90：958-964, 2019
2) 植田喜一：トーリックコンタクトレンズの処方．講習会．日コレ誌 44：113-124, 2002
3) 塩谷 浩：トーリックレンズ．眼科診療クオリファイ6．コンタクトレンズ自由自在，中山書店，東京，130-132, 2011

（松澤亜紀子）

3) コンタクトレンズ検査
② フィッティング

I 検査の目的

1 検査対象

フィッティングとは，コンタクトレンズ（CL）が装用者に合っているのかをチェックすることであり，角結膜・眼瞼の状態から装用者のライフスタイルまで，さまざまなことを考慮した上でCLを選択するために必須の検査である．検査対象は，初めてのCL装用希望者だけでなく，眼の状態や性格，生活環境に合ったCL装用やケア方法ができているのかを確認するため，定期的に検査を行う必要がある．

2 目標と限界

フィッティング検査の目標は屈折矯正であるが，快適で安全なCL装用ができることを確認することも大事である．しかし，CL装用者のなかには眼科を受診せずにCL購入を行うものや定期検査を行わずに眼障害を生じることもあり，CL装用に伴う危険性についての説明も重要である．

II 検査法と検査機器

CL処方の際には**表1**に示したスクリーニング検査が必要である．角結膜，涙液，角膜内皮細胞の検査は，CL装用の可否やレンズの種類を決定するために必須である．ケラトメーターにより角膜曲率半径を測定し，角膜乱視の状態を確認するが，円錐角膜を含む角膜不正乱視が疑われる場合には角膜形状解析による詳細な検査が必要となる．細隙灯顕微鏡検査では角結膜の状態だけでなく，マイボーム腺を含めた眼瞼の状態，アレルギー性結膜炎の有無などをチェックする．次にフルオレセイン染色を行い，角結膜上皮障害や涙液メニスカス，涙液層破壊時間（BUT）の観察を行う．

III 検査手順

1 検査の流れ

スクリーニング検査にてCL装用が可能と判断されたら，トライアルレンズを装用させ，涙液が安定したところで細隙灯顕微鏡にてフィッティング検査を行う．フィッティングに問題がなければ追加矯正視力検査からレンズ度数の決定をする．±4.0D以上の追加矯正を行った場合には，角膜頂点間距離補正が必要となるため注意が必要である．最後にレンズの装用スケジュールを含めた装用方法，ケア方法，定期検査について説明を行う．

2 検査機器の使い方とコツ

細隙灯顕微鏡検査では，まず低倍率で正面視の状態を観察する．その際には，スリット幅を広げるかディフューザーを用いて眼瞼の状態，レンズのキズや汚れ，静止位置（センタリング），瞬目に伴うレンズの動きなどを確認する．次にスリット幅を狭くし，レンズ周辺部のデザインを評価する．ハードコンタクトレンズ（HCL）のフィッティング検査では，涙液をフルオレセインで染色して観察し，角膜中央部におけるレンズ下涙液の染まり具合（フルオレセインパターン）で評価を行う．この際に中央部からレンズがずれていると正確な判定ができないため，眼瞼の上から指でレンズを角膜中央部へ押し上げて判定を行う（図1）．

フルオレセイン染色の方法には，フルオレセイン染色紙または液体を用いる方法がある．いずれの方法でも下眼瞼結膜に接触させて染色を行うが，球結膜や角膜を擦ると上皮障害を起こすため注意が必要である．また，フルオレセインの量が多くなってしまうと正確なフィッティングを評価することができない．

IV 検査結果の読み方

1 HCL

1) テストレンズの選択

レンズ径の選択では，角膜曲率半径，角膜径，瞼裂幅，瞳孔径が大きい場合は大きいレンズ径

[表1] コンタクトレンズ処方におけるスクリーニング検査

1. 問診
 1) 来院の理由
 2) コンタクトレンズの装用経験（レンズの種類を含めて）
  ① 終日装用，あるいは連続装用
  ② 1日の平均装用時間
  ③ 1週間の平均装用日数
  ④ コンタクトレンズ洗浄方法の確認（できるだけ詳細に問診）
  ⑤ ソフトコンタクトレンズ消毒方法の確認（できるだけ詳細に問診）
  ⑥ 定期検査のための受診の有無
 3) 想定される装用環境
 4) 眼疾患，全身疾患の既往，特にアレルギー疾患の有無とその内容
 5) 点眼薬使用の有無
 6) 洗眼習慣の有無
2. 他覚的屈折検査，自覚的屈折検査（遠方視力，近方視力）
3. 角膜曲率半径検査
4. 角膜形状検査
5. 角膜内皮細胞検査（スペキュラーマイクロスコープ）
6. 外眼部検査
7. 細隙灯顕微鏡検査
8. 眼圧検査
9. 眼底検査
10. 涙液検査（Schirmer検査，涙液層破壊時間（BUT））
11. 手持ち眼鏡の検査

（文献1）より引用）

を，逆に小さい場合は小さいレンズ径を選択する．瞬目に伴うレンズの動きが少ない場合やセンタリングが悪い場合にはレンズ径を大きくし，レンズが上方固着するようであればレンズ径を小さくするとフィッティングが良くなることがある．

ベースカーブ（BC）の選択では，ケラトメータから得られた角膜曲率半径を参考にして決定する．ケラトメータでは角膜中央の部分のみを測定する機種が多いが，角膜は周辺がフラットな形状となっているため，レンズ周辺部における角膜への圧迫の有無を確認する必要がある．

2) センタリングと瞬目に伴うレンズの動き

センタリングでは，レンズが角膜中央からやや下方で安定し，エッジ部分が球結膜にはみ出さないのが基本である．また，HCLは瞬目によりレンズ下の涙液交換が行われ，角膜への酸素供給を行っているため，瞬目によりレンズが上方に移動し，ゆっくりと下降し角膜中央で安定するのが理想的である．レンズの動きが少なすぎる場合をタイト，レンズの動きが大きすぎる場合をルーズと表現する．

3) フルオレセインパターン

フルオレセインパターンはレンズ中央部，中間

3. 眼鏡・コンタクトレンズ検査

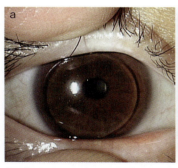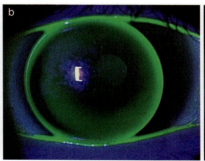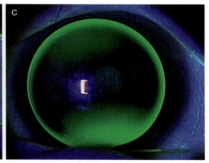

[図1] HCLのフィッティング検査
a HCLを眼瞼上から指で角膜中央に押し上げて観察する．
b, c 静止位置（b）と角膜中央（c）ではフルオレセインパターンが変化する．

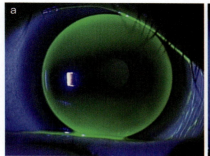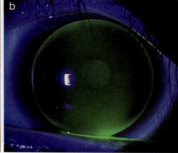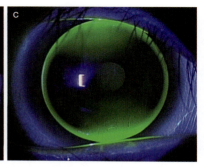

[図2] 角膜中央部におけるレンズ下のフルオレセイン濃度
a アピカルタッチ
角膜中央とレンズ後面が接触するためフルオレセイン濃度が薄い．
b アピカルクリアランス
角膜中央よりレンズ後面のカーブがきついため角膜中央にフルオレセイン染色が貯留．
c アピカルアライメント
角膜中央とレンズ後面のカーブがほぼ一致した状態．

周辺部，最周辺部（ベベル部分）に分けて考える．角膜中央部では，レンズ後面と角膜中央が接触した状態をアピカルタッチ，接触していない状態をアピカルクリアランス，レンズ後面のカーブと角膜中央がほぼ一致した状態をアピカルアライメントと表現する（図2）．不正乱視のない角膜に対しては，アピカルアライメントを目指して処方を行う．次に中間周辺部は，レンズのBCが中間周辺部の角膜曲率とほぼ同じ状態であることが理想であり，パラレルと表現する．BCが角膜曲率より小さい状態をスティープ，大きい状態をフラット（図3）と表現する．最後に最周辺部であるが，この部分のデザインは各レンズによって異なるが，ベベル幅が狭い場合には，涙液交換が悪くなる．逆にベベル幅が広すぎる場合には，レンズの動き

が不安定で静止位置も悪くなり装用感が悪くなる（図4）．一般的に8.8mmのレンズ径を選択した場合ベベル幅は0.6mm程度が最適とされている．

2 SCL

1) テストレンズの選択

テストレンズの選択は，規格が複数あるレンズでは処方マニュアルに従ってテストレンズを選択するが，ディスポーザブルSCLでは規格が1種類しかないレンズが多い．レンズを装用し，装用感，異物感などの自覚症状を考慮し適否を判断するが，規格が1種類しかないレンズが合わなかった場合にはレンズ種類の変更が必要である．

2) センタリングと瞬目に伴うレンズの動き

SCLのセンタリングでは，正面視でレンズが角膜中央に位置し，静止時も瞬目時も角膜全体を

3)コンタクトレンズ検査

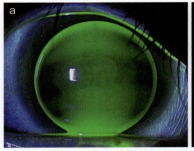 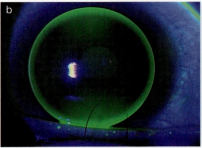 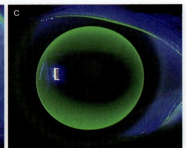

[図3] レンズのベースカーブと角膜中間周辺部の曲率半径との関係
a スティープ
HCL のベースカーブが角膜曲率半径より小さい状態.
b パラレル
HCL のベースカーブと角膜曲率半径がほぼ一致した状態.
c フラット
HCL のベースカーブが角膜曲率半径より大きい状態.

[図4] ベベル幅の比較
a ベベル幅が狭い
ベベル幅が狭いとレンズの動きが悪くなり,涙液交換が減る.
b ベベル幅が広い
ベベル幅が広いとレンズの動きが不安定となり,装用感が悪くなる.

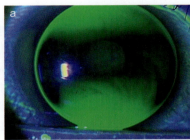 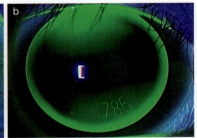

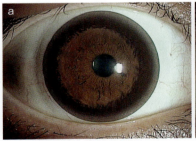 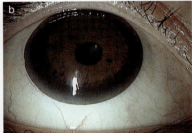 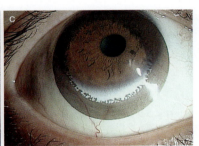

[図5] SCL のフィッティング
a センタリング
正面視でレンズが角膜中央に位置し,レンズが角膜全体を覆っている.
b 良好なフィッティング
上方視させレンズが大きくずり落ちない状態.
c ルーズフィッティング
上方視させレンズが大きくずり落ちる状態.

覆っていることを確認する.また,上下左右に眼を動かしレンズがズレないか観察する.上方視や側方視,瞬目にてレンズが動かない場合はタイトフィット,逆にレンズが大きく動く場合はルーズフィットと表現する(図5).

従来素材で低含水性の厚いレンズでは,瞬目に伴うレンズの動きを 1.0 mm 程度と大きめにしレンズ下の涙液交換を促し,角膜に酸素を供給させ

117

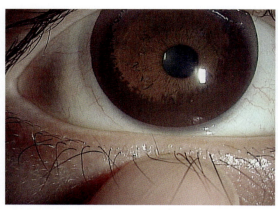

[図6] push up test
下眼瞼越しにレンズを押し上げ，抵抗なく上がり，スムーズに戻ってくるかを観察する．

る必要がある．一方，高含水率で薄いレンズの酸素透過性はやや高いため，瞬目に伴うレンズの動きは0.3〜0.5mmと小さい動きでよい．一方，シリコーンハイドロゲル素材のレンズは酸素透過性が高いため，瞬目に伴うレンズの動きは少なくてよいが，滑りやすい素材のため0.5mm程度の動きが生じる場合がある．

　レンズの動きが小さく，圧迫し固着している場合には，下眼瞼越しに指でレンズを押し上げ，抵抗なく上がりスムーズに戻ってくるかどうかpush up testを行う（図6）．また，下方視させレンズエッジが球結膜や血管を圧迫していないかのチェックを行う．

文献
1) 日本コンタクトレンズ学会コンタクトレンズ診療ガイドライン編集委員会：コンタクトレンズ診療ガイドライン（第2版）．日眼会誌 118：559-591, 2014
2) 植田喜一：コンタクトレンズ装用状態．眼科 47：1463-1473, 2015
3) 糸井素純：HCL処方と私のこだわり②．眼科グラフィック 2：280-283, 2013

（松澤亜紀子）

3) コンタクトレンズ検査
③ レンズ検査

I　検査の目的

1　検査対象
　使用しているコンタクトレンズ（CL）が装用可能かどうか，正しいケアを行っているかを確認するために，レンズのベースカーブ（BC）やレンズ径，度数などの規格，変形や歪み，キズ，汚れを検査する．ハードコンタクトレンズ（HCL）を処方する際に使用しているテストレンズもBCや度数のなどの規格が変化してくることがあるため，定期的にチェックする必要がある．

2　目標と限界
　レンズの状態をチェックすることで，装用者がケア方法を含めた正しいレンズの取り扱いができているのかを推測することができる．そして，レンズの状態を踏まえたケア方法の指導やレンズ種類の変更が必要となる．ソフトコンタクト（SCL）の場合，装用したままでレンズのキズや汚れを観察することが可能であるが，空気中で観察する場合には乾燥による変形が生じるため正確なレンズ規格を測定することは困難である．

II　検査法と検査機器
　レンズの検査では，BC，レンズ径，度数などのレンズ規格，汚れやキズなどレンズの状態，ベベルやレンズエッジなどレンズ周辺部形状のチェックを行う．それぞれの検査機器を表1に示す．

1　レンズ規格
　BCの測定には，ラジアスゲージを用いる（図1）．ラジアスゲージのマウントにレンズをのせると顕微鏡のピントが測定レンズの曲率中心に一致した時にターゲット像が見える．次に顕微鏡を下げて表面にピントが合うまで動いた距離がレンズのBCとなる．また，オフサルモメータに特別な器具を取り付けて測定することも可能である．レンズ度数の測定にはレンズメータを用いる．CLの度数を測定する場合にはCL用のレンズ受

3) コンタクトレンズ検査

[表1] コンタクトレンズの検査機器一覧

ベースカーブ	ラジアスゲージ，オフサルモメータ
レンズ度数	レンズメータ
レンズ径	サイズ計，メジャー，ルーペ
キズ・汚れ	ルーペ，コンタクトスコープ，CLチェッカー，細隙灯顕微鏡
レンズ周辺デザイン	ベベルビュアー，ベベルアナライザー，ルーペ，CLチェッカー

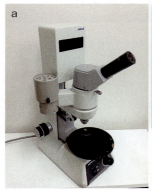  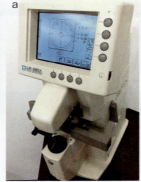 

[図1] ラジアスゲージ
a ラジアスゲージの全体像．
b ラジアスゲージのマウントにHCLをのせている状態．

[図2] レンズメータ
a レンズメータの全体像．
b コンタクトレンズ用のレンズ受けにHCLをのせている状態．

[図3] スケールルーペ
a スケールルーペの全体像．
b スケールルーペを用いてHCLのレンズ径や汚れ，キズを観察．

けを取り付け，レンズ後面を上にして測定する（図2）．レンズ径の測定には目盛り付きのスケールルーペなどを用いる（図3）．

2 キズや汚れ

細隙灯顕微鏡を低倍率にしてスリット幅を広げるか，ディフューザーを用いてレンズのキズや汚れを観察する．汚れがひどい場合には肉眼での観察も可能であるが，スケールルーペやコンタクトスコープなどを用いると拡大されて観察が容易になる．

3 レンズ周辺部形状

レンズ周辺部のデザインは各レンズによって異なるが，レンズの動きや涙液交換に影響を及ぼす

ため重要である．CLチェッカーは，レンズの汚れやキズだけでなく，ベベルやエッジ形状の観察に優れている（図4, 5）．

III 検査結果の読み方と解釈

HCLは，長期使用により変形が生じ度数やBCが変化することや，左右逆装用をすることも多いため定期的にチェックが必要である．一部のHCLには表面にコーティングが施されており，コーティングが剝げるとレンズ表面の水濡れ性が低下し，レンズ上の涙液を弾く所見がみられる（図6）．また，レンズ表面の状態は装用したままでも観察することができるが，レンズ内面の汚れ

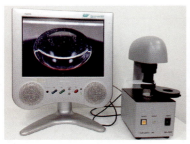

[図4] CLチェッカーの全体像
ベベルの観察だけでなく，レンズの汚れやキズの観察も可能．

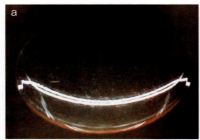

[図5] CLチェッカーによるベベルの観察
同じベースカーブ，同じ直径のレンズでも種類によってベベルデザインが異なる．

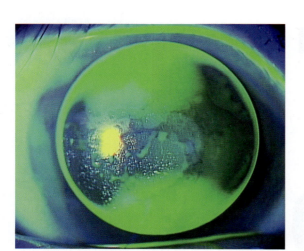

[図6] 表面コーティングの剝げたHCL
レンズ表面のコーティングが剝げてレンズの水濡れ性が低下し，レンズ上涙液が弾かれている．

は装用した状態では観察できないため，特に角膜上皮障害を生じている場合には外した状態のレンズを観察する必要がある．脂質によるレンズの汚れは手指や化粧などから混入している可能性があり，レンズを取り扱う前に石鹸で手洗いを行うように指導が必要である．

文献
1) 小玉裕司：コンタクトレンズフィッティングテクニック，メディカル葵出版，東京，2005
2) 宮本裕子：レンズチェック．眼科診療クオリファイ6.コンタクトレンズ自由自在，大橋裕一編，中山書店，東京，166-169，2011

（松澤亜紀子）

3 眼鏡・コンタクトレンズ検査

3) コンタクトレンズ検査
④ 特殊コンタクトレンズ（円錐角膜用，オルソケラトロジー，カラーコンタクトレンズ）

はじめに

一般に，特殊レンズとは通常のコンタクトレンズとは異なる形状または用途で使用されるレンズを指し，本稿では，円錐角膜用レンズ，オルソケラトロジーレンズ，カラーコンタクトレンズを紹介する．

I 円錐角膜用レンズ

1 レンズの種類

現在，厚生労働省の承認の有無を問わず，乱視用ソフトレンズ・ハードコンタクトレンズ（HCL）・強膜レンズ・ハイブリッドレンズなどさまざまな種類のコンタクトレンズが円錐角膜眼に対して処方されており，"円錐角膜にも対応可能なレンズ"は非常に多い．しかし，厳密な意味での"円錐角膜用=円錐角膜眼を対象に国内で承認を得たレンズ"は1種類（メニコンローズK®：メニコン）のみで，多段階カーブのHCLである．そのため，本項では，円錐角膜眼に対して広く使われている多段カーブレンズについてその特徴と適応例を以下に述べる．

2 レンズの特徴

円錐角膜眼は，「角膜中央が突出し，周辺部に向かって徐々に扁平化する」という特徴的な角膜形状を持つ．多段階カーブHCLのデザインは，円錐角膜眼の角膜形状を模しており，光学部に相当するベースカーブ（BC）が小さく，周辺に行くに従ってBCが大きくなるように設計されている．このレンズ中央部と周辺部のBCの差を実現するために，光学径を比較的小さく設定し，周辺部に複数の異なる球面カーブを持つデザインとなっている（図1）．この周辺部の複数のカーブから，多段カーブレンズと呼ばれている．

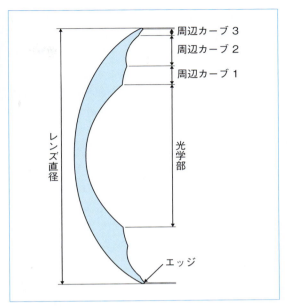

[図1] 多段階カーブレンズのデザイン
光学径が小さく，周辺部に複数の異なる球面カーブを持つ．

3 レンズの適応

多段カーブHCLは，レンズ中央部と周辺部のBCが大きく異なるため，通常の球面HCLが装用困難な症例でも，良好な装用感・安定感が得やすいというメリットを持つ．そのため，角膜中央部と周辺部の曲率半径の差が大きい症例，つまり突出が中等度以上の症例や，周辺部が非常に平坦な症例は，多段カーブレンズの良い適応と考えられる（図2）．また，角膜形状に合わせて処方することで，HCL後面による角膜頂点部の上皮障害や，レンズエッジによる角膜周辺部の上皮障害を軽減することが可能となるため，HCLによる上皮障害で困っている症例は良い適応となる（図3）．一方，光学径がやや小さいため，センタリングが不良になれば，瞳孔領をレンズの光学域が覆えず，球面HCLに比較して矯正視力で劣り，複視・羞明などを生じやすいというデメリットを持ち，見え方についての訴えが強い症例では，多段カーブHCLが効果的ではない場合もある．

II オルソケラトロジー

1 オルソケラトロジーとは

オルソケラトロジー orthokeratology（OK）と

は，特殊な形状の HCL を夜間就寝時に装用し，角膜上皮細胞の厚さと形状を変形させることで，起床後にレンズを外した状態で屈折矯正効果を得る方法である．昼間裸眼で過ごすことができるという利点があるが，矯正可能な屈折度数に限度があり，軽度な近視・乱視までが適応とされている．2009 年にオルソ K®（アルファコーポレション）〈現メニコンオルソ K®（メニコン）〉が日本で初めて承認されて以降，複数の OK レンズが国内で承認されている．また近年，その詳細なメカニズムはわかっていないものの，OK レンズによる眼軸伸長抑制効果[1]が注目を集めており，近視進行予防を目的とした学童期への処方が急増している．

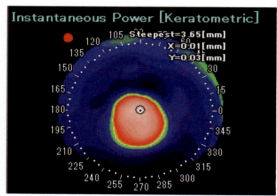

[図 2] 周辺部が平坦な円錐角膜眼の前眼部 OCT 像
角膜周辺部は，屈折力が小さいことを表す寒色系で示されている．

2 レンズの特徴

OK レンズは角膜表面の形状変化を効果的に生むように，レンズ内面カーブが特殊な形状をしている．内面カーブは中央からベースカーブ部，リバースカーブ部，アライメントカーブ部，ペリフェラルカーブ部の 4 領域で構成されており（図 4），レンズによる圧迫とレンズ下に貯留した涙液の表面張力を利用して，角膜上皮層の変形を促している[2]．その結果，レンズ中心部がフラット，中間周辺部がスティープ，周辺部がフラットという特徴的なフィッティング原理を有しており，OK レンズ装用眼は，角膜形状解析にて bull's eye pattern を呈する（図 5）．

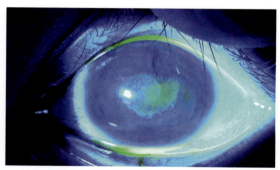

[図 3] HCL による上皮障害
角膜頂点に一致して角膜上皮障害が生じており，不適切な HCL 装用が原因と考えられる．

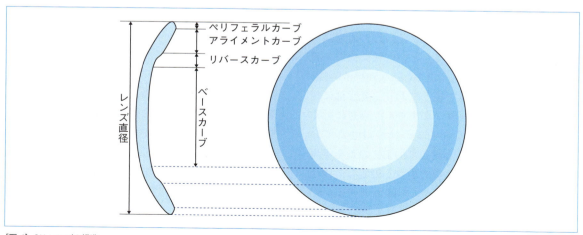

[図 4] OK レンズの構造
中央からベースカーブ部，リバースカーブ部，アライメントカーブ部，ペリフェラルカーブ部の 4 領域で構成されている．

3 レンズの適応

OKは正常な角膜に変化を与える手法であるため，適応・非適応例を理解した上で，適切な患者選択を行うことが非常に重要であり，その詳細について，日本コンタクトレンズ学会が発行したOKガイドライン[3]に記されている(**表1**)．このガイドラインは，2009年のオルソKの承認と同時に第1版が策定され，市販後調査データを集積したのちに，第2版が2017年に策定されている．尚，主な変更点は以下の3つである．①適応年齢："20歳以上"から"原則20歳以上，未成年は慎重処方"，②インフォームドアセント：未成年への処方においては装用者本人からインフォームドアセントを得るとともに，保護者からインフォームドコンセントを得る必要がある．③レンズケアについて：界面活性剤による擦り洗いに加えて，ポビドンヨード剤による消毒の推奨．また，表1の非適応例以外にも，睡眠時間や生活パターンが不規則な症例，開瞼が不十分な症例では，処方が困難になる．

III カラーコンタクトレンズ

1 レンズの種類

カラーコンタクトレンズは虹彩付きカラーコンタクトレンズとも呼ばれ，虹彩部分に着色(tinted)を施した製品を指す(**図6**)．元来は，虹彩異常眼および角膜混濁や白斑などの角膜異常眼に対する整容用に開発されたが，現在はおしゃれ＝美容用としての装用者が増えている．以前は度なしのカラーコンタクトレンズは雑貨として扱われていたが，2009年以降は通常のコンタクトレンズと同様に高度管理医療機器に指定されており，その承認の有無と内容によって，3つに分類される(視力補正用色付きCL，非視力補正用色付きCL，未認可品)．また，1日使い捨てや頻回交換型などの装用スケジュールによる分類や，デザイン上の分類，着色部位による分類も存在する．

2 レンズの特徴

カラーコンタクトレンズの特徴としては，レンズの周辺部ないしは最周辺部に色素が封入されて

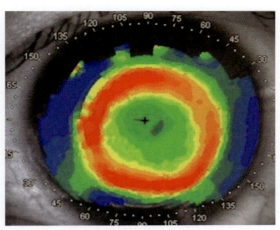

[図5] OKレンズ装用眼の角膜形状解析結果
適切なフィッティングが得られていればbull's eye patternを呈する．

[表1] OKレンズの適応

適応	1) 屈折値が安定している−4Dまでの近視，−1.5Dまでの乱視．明確に倒乱視・斜乱視については十分な検討を要する． 2) 角膜中心屈折力が39.0〜48.0D． 3) 眼疾患を有していない健常眼で，顕著なフルオレセイン染色がなく，ShirmerI法試験にて5分間で5mm以上であること．かつ，角膜内皮細胞密度が2000/mm^{2}以上であること．
禁忌	1) インフォームドコンセントが得られない患者 2) 妊婦・妊娠中の女性，あるいは妊娠の計画がある女性 3) 免疫疾患・糖尿病を有する患者 4) 前眼部に炎症性疾患および活動性角膜感染症を有する患者 5) 重症なドライアイおよび角膜知覚の低下した患者 6) 屈折値が不安定，あるいは角膜不正乱視を有する症例 7) 定期検診に来院することが困難な症例 8) レンズの装用，あるいは，ケア用品の仕様によってアレルギー反応が惹起される症例
相対禁忌	未成年者 薬物性のドライアイなど

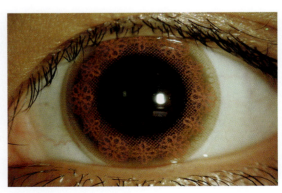

[図6] カラーコンタクトレンズ
周辺部に茶色の花柄模様がデザインされている．

いることである．この結果，角膜径を大きく見せることや，虹彩色・形状を変化して見せることが可能となっている．一方で，レンズ径が大きく，レンズが分厚く，着色部位の色素が酸素の透過を阻害するため，同じ素材からなる通常のクリアレンズに比較して角膜低酸素や機械的擦過を生じやすいことが懸念されている．また，カラーコンタクトレンズは，クリアレンズに比較して酸素透過性が非常に低い素材のレンズが数多く流通していることも注意が必要である．カラーコンタクトレンズに関する基礎研究は少なく，その安全性についてはさらなる研究が求められている．

3 レンズの適応

整容・美容のいずれの目的でも希望者が適応となる．しかし，上述のように，カラーコンタクトレンズはクリアレンズに比較して酸素不足や機械的擦過が生じやすいことが懸念されているため，酸素透過率の高い，より安全で品質の高いカラーコンタクトレンズを選択する必要がある．また，2014年の国民生活センターの調査[4]では，カラーコンタクトレンズ装用者の多くが眼科を受診せずにインターネットや量販店でレンズを購入しており，カラーコンタクトレンズ装用者の低いコンプライアンスが指摘されている．カラーコンタクトレンズを安全に装用するためには，"カラーコンタクトレンズの危険性を十分に理解し，眼科での検査・診察の重要性を理解できる"ということが必須であり，若年者やコンプライアンスが不良な患者への処方は慎重に考える必要がある．

文献
1) Cho P, et al：Retardation of myopia in Orthokeratology (ROMIO) study：a 2-year randomized clinical trial. Invest Opthalmol Vis Sci 53：7077-7085, 2012
2) Alicia Sanchez-Garcia, et al：Structural changes associated to orthokeratology：A systematic review. Cont lens Anterior Eye. 2020 Oct 10；101371.
3) 日本コンタクトレンズ学会オルソケラトロジーガイドライン委員会：オルソケラトロジーガイドライン（第2版）．日眼会誌 121：936-938，2017
4) 渡邉 潔ほか：カラーコンタクトレンズ装用に関わる眼障害調査報告．日コレ誌 56：2-10，2014

〈糸井素啓〉

4 調節・輻湊検査

1)調節検査
① 自覚的調節検査

I 検査の目的

1 検査対象

遠視，老視や近見障害，神経眼科的疾患など調節異常をきたす種々の疾患が疑われた症例，眼精疲労などの自覚症状を訴える症例が対象となる．

また，VDT（visual displey terminal）作業者の健診でも使用される．

2 目標と限界

調節異常が疑われる症例において自覚的調節機能を定量的に測定することが目標である．調節力とは遠点と近点の距離範囲を眼屈折力の変化で表したものであり，遠点は無調節状態にて明視している点，近点は最大に調節して明視できる点である．調節力の算出方法を図1に示す．

自覚的な検査であるため，被検者は検査方法を理解すること，視標の固視と明視をし続けることが要求される．また，視標がぼやけるという感覚は被検者ごとに異なり，被検者の検査に対する努力や集中力なども結果に反映され変動や個体差が大きくなるなどの限界がある．

II 検査法と検査機器

近点計にはいくつかの機器が存在するが，いずれも近点と遠点を測定し調節力を算出する（表1）．調節力に加え，アコモドポリレコーダは調節緊張時間，調節弛緩時間を，トライイリスは瞳

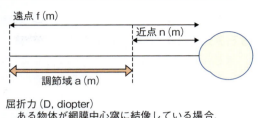

[図1] 調節力の算出方法
ここでは眼前を正の値として扱う．
(長井隆行：眼科検査ガイド，第2版，p135)

孔・輻湊反応を測定できるが，最近ではより正確に他覚的にこれらを測定できる機器が開発され臨床でも用いられるようになってきている（他覚的調節検査については該当箇所を参照）．

すべての機器において，完全矯正レンズを用いた状態で視標を近づけることで近点を測定し，ときに凸レンズを追加し遠点を測定し，得られた近点，遠点から調節力を算出する．

本項では現在生産されており，臨床で主に使用されている石原式近点計（石原・大塚式近点測定器）と両眼開放式定屈折近点計 D'ACOMO について述べる．

[表1] 種々の機器の特徴

	石原式近点計 (石原・大塚式近点測定器)	定屈折近点計 D'ACOMO	近点計 NS-100	NP アコモドメータ	アコモドポリレコーダ	トライイリス
メーカー	はんだや	ワック	TOWA	KOWA	KOWA	浜松ホトニクス/ワック
視標の移動方法	手動	自動	自動・手動	自動	自動	自動
視標の移動速度		定屈折	定速度	定速度	定屈折	定屈折
照明	室内照明	内部照明	内部照明	内部照明	内部照明	内部照明
近点・遠点測定以外の機能					調節緊張・弛緩時間の測定	瞳孔・輻湊反応の測定
備考			生産終了		販売終了	販売終了

III 検査手順

1 石原式近点計（石原・大塚式近点測定器）

① 被検眼の前のレンズホルダーに完全矯正したレンズを装着し，他眼は遮閉するため遮閉板を入れる．

② 顎台に顎をのせ，額がしっかりつくよう顎台を調整する．同時にレンズ枠の中心に瞳孔がくるよう瞳孔間距離を合わせる．

③ 機器の側方のミラーを覗いてスケールの0mmを角膜頂点に合わせる．

④ 視標は被検者が読むことのできる範囲内でなるべく小さいものを用いる．一般的には近距離視力表の0.6くらいの大きさの視標を使い，スケール内で視標を明視できることを確認する．明視できない場合には，完全矯正に適当な凸球面レンズを付加して明視できる距離に近づけ測定する．

⑤ ハンドルを回して視標をゆっくりと被検眼に近づけていき，被検者には明視し続けるように指示する．

⑥ 被検者に視標がぼけ始めた時点で答えてもらい，このときの視標の位置をスケールで読み取る．この位置が近点 n（m）となる．数回繰り返し平均をとり，近点における屈折値 N（D）を算出する．

$$N(D) = 1/n$$

凸球面レンズを付加した場合

$$N(D) = 1/n - （付加したレンズ度数）（D）$$

次に遠点を測定するが完全矯正レンズを装用し正視の状態として測定しているため，遠点は∞としてもそれほど問題はない．この場合，遠点における屈折値 F（D）は $1/∞ = 0$ となる．

⑦ 近点と同一条件下で遠点を測定する場合，完全矯正度数に＋4.00Dを加えたレンズをレンズホルダーに装着し，遠点がほぼ25cmにくるよう設定する．

⑧ 視標をスケールの15cm前後の位置に置き，ゆっくりと被検眼から遠ざけ被検者には明視し続けるように指示する．被検者に視標がぼけ始めた時点で答えてもらい，このときの視標の位置をス

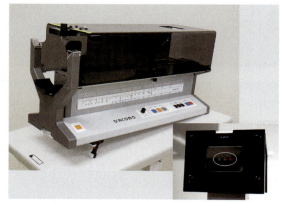

[図2] 両眼開放式定屈折近点計 D'ACOMO（ワック）外観と赤黄緑視標．
(長井隆行：眼科検査ガイド，第2版，p137)

ケールで読み取る．この位置が遠点 f（m）となる．数回繰り返し平均をとり，遠点における屈折値 F（D）を算出するが，＋4.00Dを加えているため下記のようにレンズ度数を除して算出する．

$$F(D) = 1/f - 4$$

⑨ 以上より得られた近点，遠点における屈折値 N，F を用いて調節力 A（D）を算出する．

$$A(D) = N - F$$

2 両眼開放式定屈折近点計 D'ACOMO（図2）

石原式近点計（石原・大塚式近点測定器）と同様に，近点，遠点の測定が可能である．視標は自動で動き，定屈折（D/秒）で移動するため近点付近では速度が低下し，被検者が焦点を合わせやすく，より精密な近点が検出されると考えられる．また，検者の習熟度に影響されにくいことから，異なる施設においても同条件での測定結果を得ることができる．検査手順としては，石原式近点計と同様の手順で近点，遠点を測定できるため，手順は割愛しここでは当機器での特徴を述べる．

① 緑，黄，赤の十字が並んだ赤黄緑視標が設置されている．被検者には黄色十字を見てもらい，近点測定において，ぼけ始めた時点で赤色十字がぼけ，緑十字が鮮明であることを確認することで，他覚的に近点を確認することができる．石原式近点計同様これらのぼける感覚を被検者に理解してもらうことが重要となる．

② 他眼は偏光板により遮閉するため，自然視に近い両眼開放のまま片眼測定が可能となってい

る．

　③検眼枠がないため検眼用検眼枠を準備する必要があり，検眼枠に完全矯正レンズを装着し被検者に装用させて検査を行う．

　④視標の移動は自動である．速度は定屈折でhi，mid，lowの3段階の設定があり，それぞれ0.3，0.2，0.15（D/秒）で移動する．スタートボタンを押して視標を被検眼に近づけ，視標がぼやけた時点で被検者用ストップボタンを押してもらう．

　⑤スケールには距離（cm）だけでなく，屈折力（D），年齢（歳）が表示されており，完全矯正レンズにおける遠点を∞（遠点における屈折値F＝0D）として考え，スケールで読み取った屈折力がそのまま調節力となり，それに対応する年齢がわかるようになっている．

Ⅳ　検査のコツと注意点

　どちらも必要に応じて矯正レンズを使用するが，乱視は明視域を拡大する可能性があり乱視矯正は厳密に矯正を行う．

　近視眼ではコンタクトレンズ，遠視眼では検眼レンズのほうが調節力を多く必要とするため，検査時の完全屈折矯正の仕方は統一する必要がある．

　自覚的検査であることから被検者の応答が重要となる．ぼけの判断は個人差があるため，ぼけの自覚の基準が一定となるようあらかじめ視標のぼける感覚を認識してもらうよう練習しておくと良い．また，可能な限り努力して視標を明視し続けるように声掛けをすることも重要である．

1 石原式近点計（石原・大塚式近点測定器）

　本来，眼球光学系の主点を0mmに合わせるべきであるが，臨床的誤差も含めて角膜頂点を基準にしても問題ないとされる．角膜頂点やスケールを見る際に真上から見て角膜頂点と0の位置を正確に合わせることが大切である．

　視標移動速度は約2.5cm/秒とされているが，視標を等速度で動かすと遠方では視標の動きをゆっくりと感じ，近方では速く感じる．近点に近づくと一定の速度では被検者の対応が追いつかないため徐々に速度を落とす必要がある．よって，安定した近点を求めるためには眼に近づくにつれ視標のスピードを遅くしていき，等屈折の速度で視標を移動させることが望ましい．また，大きい視標では多少のぼけでも視標の形や模様を認識できぼけの判断が難しいため，明視可能な最小サイズの視標を用いるほうがぼけの判断が容易である．

2 両眼開放式定屈折近点計 D'ACOMO

　視標速度は年齢によってhiは20歳以下，midは20〜40歳，lowは40歳以上とされているが，速度は自由に変更可能である．調節持続力が低下した近点が遠くなるような症例や高齢被検者でlowでも速すぎる場合は，追従可能な速度に変更するとよい．

　専用の記録用紙があり（図3），本体側面には記録用紙と同様の＋3.00D付加での遠点と近点の測定結果がわかるよう換算された独自のスケールがある．遠点と近点のそれぞれで指針が指しているスケール板の目盛の数字を専用の記録用紙に記載するだけで調節力・その調節力の年齢・明視域・矯正度数が過矯正か低矯正かが一目で把握できるようになっている．

Ⅴ　検査結果の読み方

1 正常結果

　調節力は年齢とともに低下していく．検査によって得られた調節力が図4の年齢調節力曲線と比較して年齢相応の値であれば，加齢による正常な変化と判断する．

2 異常所見とその解釈

　年齢相応の値でない場合には年齢以外の調節異常と判断する．年齢に相応した値より常に小さい場合は調節不全，近点，遠点ともに異常に眼に近接していれば調節痙攣，近方に焦点を合わせることができない状態は調節麻痺である．

　連続近点距離は2〜3cm以内の変化であれば正常範囲内と判断するが，反復するごとに延長する場合は調節衰弱である．

　調節力は正常に測定されるが，調節時間及び弛緩時間のいずれかあるいは両者がともに延長していれば調節緊張症である．調節力は毛様体筋が最

4. 調節・輻湊検査

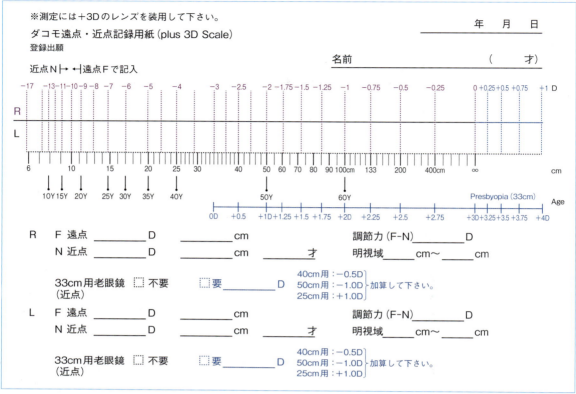

[図3] ダコモ遠点・近点記録用紙

大限に収縮することで水晶体が変形した時の屈折力の変化を示す値であり、毛様体筋の緊張状態まではわからないことから、調節力が正常であっても調節機能が正常とは限らず、調節力だけで調節機能が正常と判断できない．

調節は輻湊や瞳孔反応（縮瞳）とも互いに関連しているため、調節の評価は単純に処理できないことが多い．そのため、以上の検査結果だけでなく、調節異常に関する病態も考慮し、必要によっては他覚的調節検査も併せて行う．

文献
1) 長井隆行：自覚的調節検査．眼科検査ガイド，第2版，文光堂，東京，135-138，2016
2) 神田寛行：調節の自覚的・他覚的検査法とその進歩．あたらしい眼科 31：637-643，2014
3) 井上治郎：調節検査．眼科MOOK3眼科一般検査法，植村恭夫編，金原出版，東京，33-39，1978
4) 梶田雅義：調節検査．視能検査学，和田尚子ほか編，医学書院，東京，102-105，2018
5) 梶田雅義：老眼用眼鏡の最近の進歩．あたらしい眼科 22：1035-1040，2005

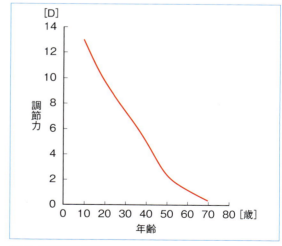

[図4] 年齢調節力曲線
（文献5）より）

（和田友紀）

4 調節・輻湊検査

1) 調節検査
② 他覚的調節検査

Ⅰ 検査の目的

1 検査対象

自覚的検査同様, 老視, 近見障害, 眼精疲労などの調節異常, または調節異常をきたす種々の疾患が疑われた症例が対象となる.

2 目標と限界

被検者のオートレフラクトメータ(オートレフ)を使用して計測した屈折値を他覚的に評価することで自覚的検査での調節ラグの影響を排除することができ, 応答の信頼度が低い症例でも調節反応を測定できる.

また, 負荷調節検査においては視標を注視した調節異常の病態を把握することができる.

検査の限界として, 自覚的調節検査同様, 被検者の努力や集中力, 矯正視力や視標の大きさや形状, 移動速度などが影響する. また, オートレフを用いることから, オートレフの限界にも準じる(該当箇所参照).

Ⅱ 検査法と検査機器

1 測定原理

他覚的調節検査は内部固視標または外部固視標を移動させ固視標を注視した際の屈折度をオートレフで測定する.

調節力の測定は, 遠方から近方に移動してくる視標に被検者がピントを合わせ続けることで, 無調節時と最大調節時の屈折度を他覚的に測定し, その差から調節力を測定する.

負荷調節検査では視標の種々の屈折度で提示距離を変えることで調節負荷を与え, 調節を維持している時の時間変化を調節波形として測定できる. その波形を解析することで, 調節近点・調節遠点, 調節力, 調節ラグが定量できる.

また, 調節機能測定では他覚的屈折値を高速Fourier変換により分析することで調節微動高周波成分出現頻度 high frequency component (HFC)

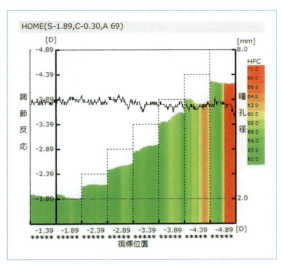

[図1] 正常眼 Fk-map (文献1) より
AA-2による正常眼のFk-map
縦軸左：調節反応, 縦軸右：瞳孔径, 横軸：視標位置. カラーバーの上端は被検者の屈折値(調節反応量). 破線上端は刺激視標位置. カラーバーの色はHFC値. 毛様体筋の震えが大きいときには赤, 小さいときには緑で示し, その間をグラデーション表示している. カラーから毛様体筋の負担の程度を見ることができる.

を求め, この値を視標呈示位置ごとに表示したFk-map (fluctuation of kinetic refraction-map) (図1)として評価することで毛様体筋の活動状態を推測することができる.

他覚的調節検査の機器として, ARK-1・ARシリーズ(ニデック社), アコモレフ2(ライト製作所), WAM-5500(シギヤ精機製作所GS事業部)などがある.

2 機器の概要

1) ARK-1シリーズ/TONOREFⅢ(ニデック社)(図2)

内部視標の位置を経時的に変化させ, 屈折値と瞳孔径を測定する. 調節検査には視標を移動させたときに得られる調節反応特性である動的特性と一定の距離においた視標を注視させた状態での調節反応特性である静的特性がある. この機種では調節の静的特性が損なわれない範囲に定屈折度の速度で視標を移動させたときに得られる特性である準静的特性を測定することが可能な機種である.

ARKシリーズの1sでは負荷調節測定が可能で, ARK-1シリーズは調節機能測定ソフトウェアAA-2と接続することでHFCと調節反応量が

[図2] ARK-1（ニデック社）

[図3] アコモレフ2（ライト製作所）

[図4] WAM-5500とWMT-2（シギヤ精機製作所GS事業部）

解析される．

2）アコモレフ2（ライト製作所）（図3）

AA-2（ニデック社）同様，調節微動を解析してFk-mapを表示する調節機能解析装置である．測定モードには視標呈示距離が4点あり片眼49秒で測定できるスクリーニングモードと，スクリーニングモードで発見した被検者の症状をさらに精密に調べたい場合や調節機能を詳しく調べたい場合に用いるAMF（accommodative micro fluctuations）モードがある．

視標には夜空に浮かぶ花火をイメージしたものを使用し，遠方への調節を促しやすくする工夫がされている．

この機種も他機種同様，屈折値と同時に瞳孔径も測定される．

3）WAM-5500（シギヤ精機製作所GS事業部）（図4）

この機器は両眼開放型のオートレフラクトメータであり，他の機器よりも自然視に近い状態で測定を行うことから，器械近視になりにくくより正確な屈折測定が可能である。屈折値測定機能に加え，屈折値と瞳孔径の同時測定が可能であることから，調節が行われているかがより正確に判断できる．

専用通信ソフトのWCS-1を使用することで，0.16秒ごとの値が評価できる連続高速測定のハイスピードモードでの調節反応の測定が可能となる．

さらに，両眼開放型のオートレフと可動式の外部固視標WMT-2を併用することで視標移動の制御が特徴的な6種類の視標移動モードで測定することが可能となる．

Ⅲ　検査手順

1　検査の流れ

測定前には視標のシェーマを呈示し，雲霧時は視標がぼやけるがその際は焦点を合わせようとしないこと，視標が移動し近づいてくる際は視標の中心部に焦点を合わせしっかり明視し続ける努力をするよう説明する．

検査はオートレフラクトメータの測定同様明室で行い，顎台に顔をのせ中の視標を固視させる．検者はジョイスティックを前後左右に動かし，瞳孔中心がモニター上の所定の位置にくるように合わせて測定を開始する．

通常，一般的な屈折測定（雲霧使用後（無調節状態）の屈折測定）を最初に行う．その後に調節測定を行う．視標の見え方は測定モードによって異なるため，視標の見え方に合わせて声掛けを行う．測定は規定の時間をもって，自動で終了する．

2　検査のコツと注意点

自覚的調節検査同様，被検者の調節努力に依存することから，他覚的検査であっても，被検者と機器に任せるのではなく，検者がしっかり見るときとぼんやりと見るときを測定のタイミングに合わせて指示を与え，被検者にはその指示に従うよう協力してもらうことが重要となる．また，測定時間も長いため残り時間を案内するなど，集中力を維持してもらう工夫も必要である．

調節ラグにはピンホール効果としての小瞳孔や乱視の存在などが影響しているが，他覚的調節検

1）調節検査

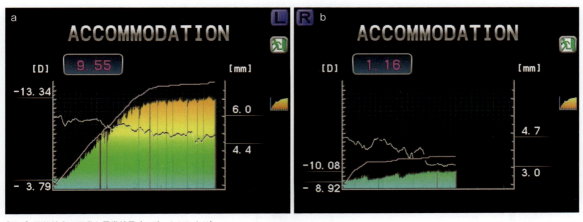

［図5］調節検査の正常と異常結果（ニデックHPより）
a ARK-1sによる正常眼の調節力測定結果　b ARK-1sによる老視の調節力測定結果
縦軸左：測定屈折値，縦軸右：瞳孔径　測定屈折値と視標の差が1.5D以上になるところまで測定．

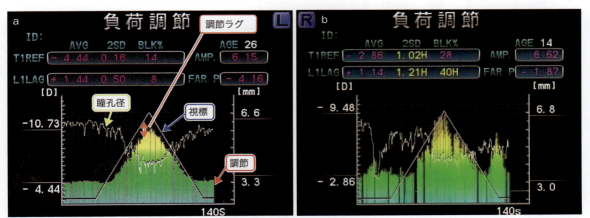

［図6］負荷調節検査の正常と異常結果（aは文献2），bはニデックHPより）
a ARK1sによる正常眼負荷調節波形　b ARK1sによる眼外傷の負荷調節波形
〈パラメータ〉
削除率（BLK%）：測定信頼性を示す値．T1REFとL1LAGの値に表記．調節変動量（2SD）：屈折度の安定性を示す値．T1REFとL1LAGの値に表記．AVG（T1REF）：T1の屈折度の平均値．AVG（L1LAG）：視標と屈折度と被検者の屈折度の差（調節ラグ）の平均値．AMP：最大調節反応量．FAR P：検査全体における屈折度の最大値．

査ではその影響を受けにくいことから調節力は自覚的調節検査の値より小さくなる．

IV 検査結果の読み方

1 正常結果

図5aに正常者の調節検査の結果を示す．最大調節力において安定して一定距離にピントが合っている．瞳孔波形から同時に縮瞳もみられることがわかる．

図6aに正常者の負荷調節検査の結果を示す．調節波形が視標波形とほぼ同じ形になっているこ

とから，内部固視標の動きと連動して調節が起こっていることがわかる．また瞳孔波形から調節時に縮瞳がみられることもわかる．

図1に正常者の調節機能測定の結果を示す．遠方視でHFC値が高く毛様体筋がリラックスしている．近方視でHFC値が上昇しているが，0.5Dごとの負荷調節に伴い調節ラグを認め，調節は正常に機能していることがわかる．

2 異常所見とその解釈

図5bに老視の調節検査の結果を示す．調節負荷によって調節反応がほぼ変化してないことから

4. 調節・輻湊検査

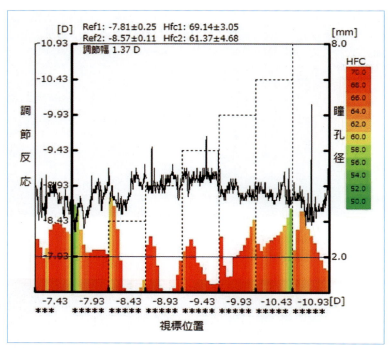

[図7] Fk-map の異常結果（ニデック HP より）
AA-2 による重度調節痙攣の Fk-map.

調節力が低下していることがわかる．

図6b に眼外傷の負荷調節検査の結果を示す．右眼では雲霧時と負荷調節時において調節変動量が高値を示していることから，屈折度が不安定な状態であることがわかる．

図7 に重度調節痙攣の調節機能測定の結果を示す．どの視標位置でもその負荷と調節の反応が一致しておらず，屈折度も安定していない．またすべての視標に対して HFC 値が高値となっている．

文献
1) 梶田雅義（監）：眼精疲労のスクリーニング．NIDEK 社カタログ
2) 中島伸子：オートレフラクトメータ AR-1s オートレフラクトメータ ARK-1s 負荷調節測定解説集・症例集，NIDEK
3) 浅川 賢ほか：調節の測定方法．あたらしい眼科 28：609-613，2011
4) 梶田雅義：5 輻湊．眼科プラクティス 25．眼のバイオメトリー—眼を正確に測定する—，大鹿哲郎編，文光堂，東京，254-262，2009
5) 神田寛行：調節の自覚的・他覚的検査法とその進歩．あたらしい眼科 31：637-643，2014
6) 近江源次郎：他覚的調節検査．眼科検査ガイド，第 1 版，文光堂，東京，216-219，2004
7) 梶田雅義：屈折矯正における調節機能の役割—臨床から学んだ眼精疲労の正体—．視覚の科学 33：138-146，2012

（和田友紀）

4 調節・輻湊検査

2) 輻湊検査

輻湊近点検査

I 検査の目的

輻湊障害の有無を検出する.

1 検査対象

① 近見時の複視や眼精疲労を訴える場合.
あるいは斜位があり,固視点の距離によって複像間距離や斜視角が変動する場合.
③ 眼球運動障害が疑われる場合.

2 目標と限界

輻湊には緊張性輻湊,調節性輻湊,融像性輻湊,近接性輻湊の4つの要素があり,輻湊近点はこのすべての輻湊機能を検査するものである.そのため,輻湊近点に異常がある場合はそれぞれの輻湊検査を行う必要がある.

II 検査法と検査機器

1 測定原理・測定範囲

調節近点は緊張性輻湊,調節性輻湊,融像性輻湊,近接性輻湊を測定するものである.しかし,緊張性輻湊は臨床的に測定することが困難であるため,全身麻酔下などの特殊な状況でなければ一定と考えて差し支えない.

2 機器の構造

固視目標となる調節視標と点光源(ペンライト),両眼分離のための赤フィルター,輻湊近点距離を測定する定規である.
石原式近点計を用いることもあるが,その場合は近点計の目盛りをそのまま読むのではなく,基点より視標までの距離の実測値を測定する.

III 検査手順

1 検査の流れ

被検者の正面40〜50cmに固視目標を置き,やや下方から鼻根部に向けてゆっくりと近づけていく.

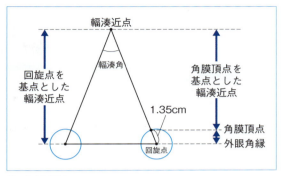

[図1] 輻湊近点

他覚的検査法は一眼の視線が外方にはずれる点,瞳孔の近見反応による縮瞳反射がなくなり散瞳がみられた点を,自覚的検査法は視標が2つに見え複視が出現する点を輻湊近点とする.
赤フィルターを用いる場合は一眼に赤フィルターを装用し,光視標を用いて同様に測定する.
輻湊近点の距離は両眼の回旋点を結んだ直線中央を基点とするが,臨床的にこれは測定不能である.よって,角膜頂点や眼の回旋点とほぼ同じ平面上にある外眼角縁で代用する方法や角膜頂点から測定する測定距離に1.35cmを加えて算出する方法がある.臨床的にはどれを用いても問題はないが,どこを基点としたかを記載しておく必要がある(図1).

2 検査のコツと注意点

一般に輻湊近点は調節近点より近位にあることから,調節力(調節近点)を検査しておくことでおおよその輻湊近点の位置を予測できる.
また,視標が調節近点内に接近すると輻湊近点付近ではかなりのぼけを生じるため,視標はあまり細かいものではないほうがよく,一般的には指や文字,ボールペン,ペンライトなどが使用される.
光視標を用いる場合,検者が角膜反射像を観察できる点は良いが,被検者に直接強い光源を見させることは調節運動の妨げとなるため,光源の枠などを見てもらうようにするとよい.
視線がずれる眼は偏位眼または非優位眼であると考えられることから,どちらの眼がずれるのかを確認することで,眼優位性を検出することがで

Ⅳ 検査結果の読み方

1 正常結果
成人では6～8cmである．幼児では視標が鼻根部に至るまで輻湊可能な症例もあり，その場合，近点はto noseと記載する．

2 異常所見とその解釈
10cm以上に延長する場合は異常と判定する．10cm以上であれば輻湊不全，さらに著明な延長を示し，40～50cm以上あるいは輻湊が全くできない場合は輻湊麻痺である．反対に5cm以内に短縮を示す場合は輻湊過多，特に著明な短縮を示し固視標を除去しても輻湊と縮瞳が継続する場合は輻湊痙攣である．

3 アーチファクト
健常者では視標によって測定結果に差が出ることはないが，輻湊障害があると赤フィルター装用下の光視標，光視標，調節視標の順で輻湊近点距離が延長しやすい．眼精疲労を訴える場合や斜視または斜位がある場合などは，これらの差を見ておく必要がある．

小児では調節力が十分なこと，瞳孔間距離が小さいことにより5cm以下に短縮を示すものもあるため，輻湊過多による内斜視の鑑別に注意が必要である．

融像性輻湊検査

Ⅰ 検査の目的

融像力の低下による輻湊障害の検出．

1 検査対象
輻湊近点検査と同様である．

2 目標と限界
輻湊は緊張性輻湊，調節性輻湊，融像性輻湊，近接性輻湊の4つの要素で成立しており，臨床的には調節性輻湊と融像性輻湊が主な要素である．よって，輻湊障害が認められた場合，この両者そ れぞれの検査を行い，詳細な鑑別を行う必要がある．

特に融像幅の狭い症例では，視能訓練によって融像幅を拡大できる可能性があり，治療に期待できる点からも必要な検査である．

Ⅱ 検査法と検査機器

1 測定原理
融像性輻湊とは，両眼の網膜像のずれを補正し両眼単一視させるための運動であり，この像のずれを刺激として輻湊を測定する．

同時に調節と瞳孔反応を伴うため，融像性輻湊を臨床的に測定するには調節を一定とし，相対性融像幅として測定する方法が主に使用される．

2 機器の構造
1）大型弱視鏡を用いる方法
該当箇所を参照．

2）プリズムを用いる方法
プリズムには，ロータリープリズム，プリズムバー，角プリズムなどがある．
ロータリープリズムは2枚のプリズムが組み合わされており，回転つまみを回すことで0～30△までを連続して測定できるが，プリズムバーや各プリズムでは度数が連続していないため，断続的になる．

3）Bagolini線条レンズを用いる方法
該当箇所を参照．

Ⅲ 検査手順

1 検査の流れ
1）大型弱視鏡を用いる方法
大型弱視鏡の検査の前に屈折矯正，調節力，瞳孔間距離の測定を行う．

顎台や額当て，瞳孔間距離など大型弱視鏡の調整を行い，完全矯正レンズをレンズホルダーに入れる．

まず，同時視用スライド（異質図形）を用いて自覚的斜視角を測定する．次に融像用スライド（同質図形）に入れ替える．自覚的斜視角の位置に鏡筒を合わせ，ここで融像が存在することを確認する．この位置よりまずは開散側へゆっくりと

輻湊開散ノブを回し，視標が2つに見えるもしくはチェックマークが消えるといった融像が破れる限界点 break point を測定する．次に輻湊側へも同様に行い，開散と輻湊の限界点の幅が融像幅である．

2) プリズムを用いる方法

屈折異常があれば矯正した上で，被検者に遠見の視標を注視させる．

一眼の前にプリズムを基底外方に置くと，固視していた視標が動くため複視を自覚するが，すぐに融像性輻湊が働き両眼単一視の状態を得ることができる．これを相対輻湊という．

プリズム度数を次第に強めていくと，両眼単一視ができなくなり複視を自覚するが，複視を自覚した点 break point を測定する．これを相対輻湊近点といい，日常の眼位のプリズム値からこの点までの幅を相対輻湊幅という．

次に，プリズムを基底内方に置く．同様に測定した場合は相対開散を生じるが，この場合も同様に複視を自覚した点 break point を測定する．これを相対輻湊遠点（相対開散近点）といい，日常の眼位のプリズム値からこの点までの幅を相対開散幅という．

このようにして求めた相対輻湊近点と相対輻湊遠点の間が融像幅である（図2）．

3) Bagolini 線条レンズを用いる方法

検査方法は上記のプリズムを用いる方法と同様である．視標に光視標を用いて常に2本の線が交差していることを確認しながら測定する．

2 検査のコツと注意点

1) 大型弱視鏡を用いる方法

融像幅が狭い症例や不安定な症例では同時視用スライドで測定した自覚的斜視角の位置で融像できず融像用スライドが重ならないことがある．その場合は融像用スライドで重なる位置を見つけ，そこを基点として融像幅を測定する．

輻湊方向に鏡筒を動かしていくと調節が一定に保たれているため，一般に小視症が誘発される．これは眼球運動が伴っていれば，確実に融像していることを意味する．さらに動かすと視標がぼけ始める blur point，次に複視が出現する break

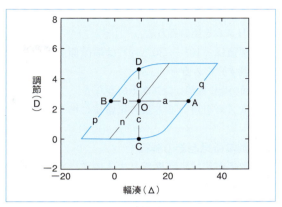

[図2] 相対輻湊・相対開散および相対調節
正位かつ正規の被検者が2.5Dの調節刺激を与えられたときの相対輻湊（直線aおよびb）と，7°の輻湊に固定されたときの相対調節（直線cおよびd）を表している．直線a：相対輻湊幅，直線b：相対開散幅，直線cおよびd：相対調節幅．A：相対輻湊近点，B：相対輻湊遠点（相対開散近点），C：相対調節近点，D：相対調節遠点，O：自然視下の眼位．直線p：開散の限界，直線q：輻湊の限界，直線n：自然視下の眼位（斜位）．
（文献1）より引用）

point が現れる．その後，逆方向にゆっくり鏡筒を戻していくと急に融像が起こり複視が消失する recovery point が検出される．同様に開散方向に行った場合も同じ現象がみられる．これらは自覚的応答によって検出されるが，break point, recovery point は眼球運動を観察することで他覚的にも検出可能である．

2) プリズムを用いる方法

プリズム度数の上限まで上げても複視が出現しない場合は，さらに他眼にもプリズムを追加し同様の手順で行う．

3) Bagolini 線条レンズを用いる方法

光視標のため，調節を一定に保つことは難しいが，2本の線が交差していることを確認しながら測定することから，両眼視の有無の確認は容易である．

IV 検査結果の読み方

1 正常結果

1) 大型弱視鏡を用いる方法

正常値の目安として開散は−4〜6°，輻湊は+20°である．

他の検査結果との比較をするにあたり，臨床上

はΔで表現するほうが都合が良い．

2) プリズムを用いる方法
正常値は－10～＋30Δ（－は開散側，＋は輻湊側を表す）である．

3) Bagolini 線条レンズを用いる方法
プリズムを用いる方法の正常値に準じて判定する．

2 異常所見とその解釈
融像幅が狭ければ異常とするのではなく，輻湊近点，調節性輻湊，近接性輻湊の検査と併せて総合的に判定する必要がある．

3 アーチファクト

1) 大型弱視鏡を用いる方法
チェックマークは異質図形であるため，サイズによっては融像の妨げになる場合がある．

使用するスライドの種類によって測定値に差が出るので，使用したスライドの種類を明記しておく必要がある．

2) プリズムを用いる方法
収差などの影響で視標の像がぼやけると調節が働き，調節性融像の要素が含まれてくることがある．

プリズムバーや角プリズムを用いる場合は連続的な変化ができないため，度を変更したあとは融像が安定するまでしばらく時間をおく必要がある．

3) Bagolini 線条レンズを用いる方法
光視標を用いるため，視標がぼやけて見え調節を一定に保つことが困難である．

AC/A 比検査

I 検査の目的

1 検査対象
輻湊近点検査の対象と同じである．特に斜視および間欠性斜視で遠見と近見の眼位量に差がある症例においては重要である．

2 目標と限界
調節性輻湊は輻湊を構成する主な構成要素であることから，単位調節刺激に対する調節性輻湊量 AC/A 比の測定は，輻湊異常の検査において特に重要な検査となる．また，輻湊障害そのものだけでなく，斜視の検査としても重要視され，斜視の診断や治療法の決定にも必要な検査である．

II 検査法と検査機器

1 測定原理・測定範囲
輻湊と調節はともに連合運動を行っていることから，融像を除去した状態で片眼に調節刺激を与えると，調節とともに輻湊が起こる．このときの輻湊運動を調節性輻湊といい，これを数値的に表す手段として，単位調節刺激に対する調節性輻湊量 AC/A 比を測定する．

検査法には gradient 法，大型弱視鏡，heterophoria 法を用いる方法がある．

2 機器の構造

1) gradient 法
5m の位置に視標を置いて測定する far gradient 法と，33cm の位置に視標を置いて測定する near gradient 法がある．

明視できるなるべく小さい視標が必要となる．視標の位置を固定しておき，眼前に置くレンズ度数を変化させることにより調節刺激を与えて，交代遮閉試験を行う方法である．また，交代遮閉試験を行うため，プリズムと遮閉板も必要である．

2) 大型弱視鏡を用いる方法
大型弱視鏡の仕様と構造については該当箇所を参照．

3) heterophoria 法
交代遮閉試験で眼位測定を行う点は gradient 法と同様であるが，視標は固定ではなく，距離を移動させて調節刺激を与える方法である．

III 検査手順

1 検査の流れ

1) gradient 法
far gradient 法では，被検者に完全矯正度数眼鏡を装用し，5m の位置にある視標をしっかり固視させた状態で交代遮閉試験を行う．

次に，両眼に同じ度数の凹レンズを装用し，視標を明視させる．臨床的には－3.0D の凹レンズを用いることが多いが，負荷する度数が調節幅を

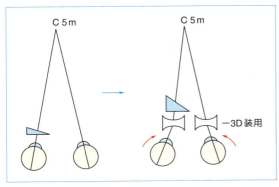

[図3] far gradient 法
(後藤 晋：眼科診療プラクティス86, p59)

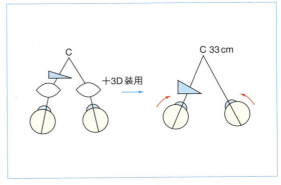

[図4] near gradient 法
(後藤 晋：眼科診療プラクティス86, p59)

超えないように設定する．その時の眼位を交代遮閉試験で測定する（図3）．

調節負荷前後の眼位の変化量を調節負荷の値で割ったものがAC/A比である．

near gradient 法は，視標を33cmの位置に置き，完全矯正度数眼鏡に＋3.0Dを加えfar gradient 法と同様に測定を行う（図4）．

レンズ負荷前の眼位をΔ_1，レンズ負荷後の眼位をΔ_2，調節負荷量をDとすると，AC/A比は以下の式となる．

A. far gradient 法
  AC/A 比 = $\Delta_2 - \Delta_1$/D
B. near gradient 法
  AC/A 比 = $\Delta_1 - \Delta_2$/D

眼位ずれが内斜であれば＋の値，外斜であれば－の値として示される．

2) 大型弱視鏡を用いる方法

far gradient 法同様に，完全矯正度数眼鏡を装用した眼位と両眼に同じ度数の凹レンズを装用した時の眼位を測定する．交代点滅により融像性輻湊を除去し，他覚的斜視角を測定する（図5）．どちらも調節を惹起しやすい中心窩同時視用スライドを用いて行う．

レンズ負荷前の眼位をΔ_1，レンズ負荷後の眼位をΔ_2，調節負荷量をDとすると，AC/A比を求める式はfar gradient 法と同様となる．

3) heterophoria 法

瞳孔間距離を測定し，完全矯正度数眼鏡を装用させる．

5mの位置にある視標を固視させ，交代遮閉試験にて眼位を測定し，その後視標を33cmに移動させ，同様に眼位を測定する（図6）．計算式は瞳孔間距離をPD（cm），遠見眼位をΔ_1，近見眼位をΔ_2，視標の移動により調節負荷量をD（臨床上5mは無限遠と考えるため，5mから33cmでは3D）とすると以下のようになる．

AC/A 比 = PD + $(\Delta_2 - \Delta_1)$/D

2 検査のコツと注意点

調節刺激を与えてしっかり調節を惹起させるために，完全屈折矯正下で行う．特に小児では調節麻痺下の屈折検査を実施しておく必要がある．また，視標は固視しやすい図形中心のあるもので，なおかつ明視可能で小さい調節視標を用いる．

固視交代や交代遮閉試験の際は融像性輻湊の除去を確実に行うために遮閉時間を長くして被検者の明視状態を確認しながら検査を進める．

検査としてはheterophoria 法が簡単ではあるが，瞳孔間距離を補正値として計算することと，近見測定時に近接性輻湊の影響を受けるため高値を示しやすく，正確性ではgredient 法のほうが優れている．

IV 検査結果の読み方

1 正常結果

$4 \pm 2 \Delta$/Dとされているが，heterophoria 法では近接性輻湊などによる影響で高値となるように，測定方法によるばらつきがあることから，測定方法を明記しておく必要がある．

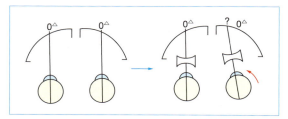

[図5] 大型弱視鏡を用いる方法
(後藤　晋：眼科診療プラクティス86, p60)

2 異常所見とその解釈

異常値として値の大きいものを high AC/A 比，小さいものを low AC/A 比と表現されるが数字だけで簡単に分類，評価できるわけではない．

遠見眼位と近見眼位の差や斜視型の分類などから，high AC/A 比型，low AC/A 比型の判定をしておき，補足的に扱うことが望ましい．

斜視型と AC/A 比に乖離がみられる場合，他の輻湊要素の検査および評価を詳細に行う必要がある．

3 アーチファクト

AC/A 比には調節刺激の量を分母とする stimulus AC/A 比と調節反応量を分母とする response AC/A 比がある．通常は stimulus AC/A 比が測定されているが，実際に生じた調節反応量が不明のまま調節と輻湊の関係をみていることになる．一方，response AC/A を測定することは臨床上困難である．

近接性輻湊の検査

I 近接性輻湊の意味

調節性輻湊が輻湊運動のなかで占める割合は大きいと考えられているが，輻湊異常があっても調節性輻湊に異常がない症例も存在する．このような症例では近接性輻湊が関与している可能性が高

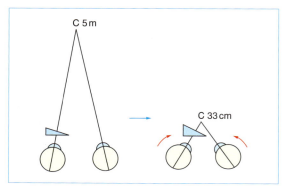

[図6] heterophoria 法
(後藤　晋：眼科診療プラクティス86, p58)

いと考えられている．

近接性輻湊は視標の感覚的な接近感により不随意に発動される輻湊運動である．よって，視標が近方にある場合は，眼位に近接性輻湊の影響を考慮しておく必要がある．近接性輻湊は直接測定することが困難である．輻湊量は緊張性輻湊，調節性輻湊，近接性輻湊，融像性輻湊の4つを合わせたものであることから，緊張性輻湊が一定であると仮定すると，理論上は輻湊量から調節性輻湊と融像性輻湊を引いたものが近接性輻湊ということになる．一般的には斜位の範囲である融像除去眼位を交代遮閉試験で測定し融像性輻湊を求め，調節性輻湊は AC/A 比から算出することで，計算により近接性輻湊を求めることができる．

文献
1) 内海　隆：輻湊検査．眼科検査法ハンドブック，第3版，医学書院，東京，65-75, 1999
2) 森澤　伸ほか：輻湊検査．眼科検査ガイド，第2版，眼科診療プラクティス編集委員編，文光堂，東京，142-147, 2016
3) 大村由美子：輻湊検査．若山曉美ほか編，視能訓練学，医学書院，東京，137-138, 2011
4) 内海　隆：5. 輻湊・解散と調節，AC/A 比．視能矯正学，改訂第3版，丸尾敏夫編，金原出版，東京，167-171, 2012
5) 内海　隆：1. 輻湊・解散と調節．視能矯正学，改訂第3版，丸尾敏夫編，金原出版，東京，159-164, 2012

(和田友紀)

5. 眼位・眼球突出・眼球運動検査
6. 両眼視機能検査

5 眼位・眼球突出・眼球運動検査

1) 眼位検査
① 眼位定性検査（遮閉試験）

I 検査の目的

1 検査対象

眼位ずれがある場合や，眼精疲労や複視など眼位ずれを疑う症状を訴える場合，頭部傾斜や顔回し，顎上げ，顎引きといった所見がある場合．また，小児での検診や眼科一般検査としても行う．

2 目標と限界

眼位ずれの有無とその種類をみる（図1）．

眼位ずれがある場合には顕性（斜視）か潜伏性（斜位）か，間欠性か恒常性か，種類と型の定性的な測定が行える．測定の限界は2プリズムぐらいまで，被検者の視力は0.1程度の視力が必要とされる．偏心固視や注視の協力が得られない場合には正しく判定することが困難となる．

II 検査法と検査機器

1 測定原理

遮閉試験は，片眼を遮閉することで融像を除去して単眼のみで固視させた場合と遮閉をとったときの眼の動きを観察することで，眼位異常の有無や性質を定性的に測定する．

遮閉の仕方によって ① 遮閉試験 cover test (CT), ② 遮閉-非遮閉試験 cover-uncover test (CUT), ③ 交代遮閉試験 alternate cover test (ACT), ④ screen-comitance test がある．

2 機器の構造

片眼遮閉を行うために遮閉子（オクルーダー）と注視目標を用いる（図2）．

III 検査手順

1 検査の流れ[1〜5]

注視目標は，近見は33cm，遠見は5mの距離で，患者の視線の高さに合わせる．検査距離に応じて屈折を矯正する．

1) 遮閉試験（カバーテスト，CT）

両眼で注視目標をしっかりと見させる．検者は，

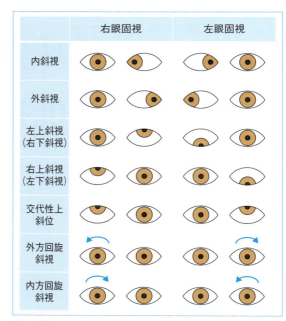

[図1] 斜視の種類

片眼を遮閉（カバー）し，他眼を観察する．これを左右の眼に行う．顕性の眼位異常があるか，眼位異常の方向や性質，固視の状態がわかる．

2) 遮閉-非遮閉試験（CUT）

まず片眼を遮閉し，遮閉していない方の眼の動きを観察し（カバーテスト），続いて遮閉を外す（アンカバー）．遮閉を取り除かれた瞬間の眼の動きを観察する．片眼遮閉されて融像ができない状態から両眼開放され融像可能となった際の眼の動きを評価することで，正位か斜位か，斜視では片眼性か，交代性かがわかる．

3) 交代遮閉試験（ACT）

融像能力の強い斜位や交代性上斜位の有無を検査する．両眼を開放せず，片眼ずつ素早くオクルーダーを移動させて交互に遮閉し，遮閉を外された方の眼の動きを観察する．遮閉を外してすぐに他眼を遮閉するため，両眼での融像が妨げられた状態での眼位（融像除去眼位）がわかる．これにより，顕性斜視，斜位を含めた最大の眼位ずれを引き出すことができる．

4) screen-comitance test（SCT）

患者に視標を注視させて，カバーを顔面に対し

て傾け，被検者からは片眼のみに注視目標が見え，検者からは両眼が見えるようにして両眼の眼位の比較をする．注視目標が遮閉する眼には見えないように不透明のオクルーダーを斜めに当てたり，半透明オクルーダーを使用したりする．検者からは遮閉眼も見えることで，交代性上斜位や潜伏眼振，下斜筋過動などの診断に有用である（図3）．

2 検査機器の使い方とコツ[6, 7]

　完全な融像除去には不透明なオクルーダーを用い，交代性上斜位など遮閉眼の観察を要する場合は半透明のオクルーダーを使用する．半透明なオクルーダーでは，視標の種類や位置，遮閉距離によっては透けて見え効果が出ないことがあるので注意する．遮閉は外斜視では融像を除去するために長く，内斜視では遮閉を繰り返すと調節性輻湊を招いたり，融像が破れて偏位の増大につながったりするため，素早く行う．また，遮閉を外す場合は鼻側に素早く抜き取る．乳幼児では患児の頭をおさえる際の親指をオクルーダーの代わりに用いてもよい．注視目標は，被検者の状態や病態，検査法により使い分けるが，日常眼位を測定するには調節視標が基本となり，適切な調節状態を作り保った状態で測定する．光視標は理論的には非調節視標とされるが，不安定な調節の介入が起こるとも報告されている．乳幼児では，固視を維持するために興味をひく絵やおもちゃなどを用い，幼児ではいくつかの目標を用意して飽きさせないようにする．大人では，視力より2～3段階大きめの視力表の文字などを利用する．

IV 検査結果の読み方と解釈

1 正常値，異常値とその解釈（異常所見の読み方）

1）遮閉試験（カバーテスト，CT）

　両眼で注視目標を見させ，片眼を遮閉した場合に，遮閉されていない眼が注視目標を見るために眼を正面に動かす動きがあれば斜視がある．左右に行い，いずれにも動きがなければ正位か潜伏性のずれ（斜位）である（図4）．

[図2] 片眼遮閉を行うために遮閉子（a）と注視目標（b）

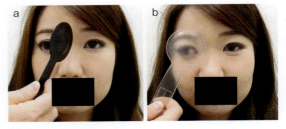

[図3] screen-comitance test
a 不透明オクルーダーを顔面に対して傾けて当て遮閉眼を観察する．
b 半透明オクルーダーで遮閉下の眼位を観察する．

2）遮閉-非遮閉試験（CUT）

　a．カバーテストで左右どちらにも動きがない場合＝正位ないしは斜位

　遮閉を外した眼（uncoverされた眼）の動きを観察する．遮閉-非遮閉試験を左右に行い，どち

らにも動きがなければ正位である．遮閉を外した眼（uncover された眼）が，融像して注視目標に向かう復位運動があれば斜位がある．外斜位では，外から内への動き，内斜位では，内から外，上斜位では上から下，下斜位では下から上に動く（**図 5a**）．

　b．カバーテストで斜視がある場合

片眼性か交代性かを判定する．遮閉を外した時に他眼が遮閉前の位置に戻り，uncover された眼で固視した場合は反対眼の片眼性の斜視である．uncover された眼がずれたまま，他眼での固視が続く場合は交代性の斜視と判断する（**図 5b**）．

3）交代遮閉試験（ACT）

交互に遮閉を行っても動きが出ない場合は正位である．遮閉を外された眼の動きは，遮閉-非遮閉試験の際と同様である．通常の上斜視または上斜位の場合には，遮閉を交代すると反対眼は下から上に動く下斜視，または下斜位となるが，左右いずれの眼も遮閉を外された眼が上から下への動きとなる場合は交代性上斜位である．

4）screen-comitance test（SCT）

遮閉眼の眼位も観察して，両眼眼位の比較を行うことで，交代性上斜位やむき眼位の診断に有用である．

2 アーチファクト

微小斜視の検出は困難なため，正位や斜位と判定されることがある．弱視や網膜異常対応，両眼視機能から微小斜視の存在が疑われる場合は4プリズム基底外方試験などを行う．屈折矯正が適切でない場合には，視標がはっきり見えず不安定となったり，調節のために過剰な眼位ずれが出たりする．遮閉を繰り返すと，内斜視では融像が破れやすく眼位ずれが強くなってしまう．検査時に頭位を保っていない，注視目標をしっかりと固視せず眼を動かすなどすると，遮閉や非遮閉によって引き出された眼球の動きなのか，注視目標から眼をそらしたり，頭が動いたりして眼が動いたのかわからず定性の判定が難しくなる．

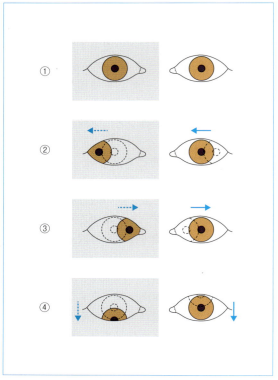

[図4] 遮閉テスト（cover test, CT）
右眼遮閉の際に左眼を観察した場合
① 左眼に動きなし⇒顕性の斜視は遮閉されていない眼にはない．
② 左眼が外から内へ動く⇒外斜視
③ 左眼が内から外へ動く⇒内斜視
④ 左眼が上から下へ動く⇒上斜視

文献
1) 宮崎茂雄ほか：視能矯正に必要な指示とデータの読み方 眼位検査．眼科診療プラクティス 86．眼科医と視能訓練士のためのスキルアップ，久保田伸枝ほか編，文光堂，東京 24-32，2002
2) 渡邊 聖：眼位定性検査．眼科検査ガイド，眼科診療プラクティス編集委員編，第1版，文光堂．東京，304-305，2004
3) 丸尾敏夫ほか：斜視・弱視診療アトラス，第2版，金原出版，東京，10-11，1986
4) 渡辺好政：眼位の検査，視能矯正学，第2版，金原出版，東京，225-234，1998
5) 清水有紀子：斜視診療のコツ 眼位検査．MB OCULI 25：17-25，2015
6) 金谷まり子：本音で語ろう間欠性外斜視 間欠性外斜視の視能矯正的検査法とその評価―視能矯正の立場から―．日視会誌 39：47-60，2010
7) 中村桂子：眼位検査とその評価 遮閉試験．日視会誌 28：65-72，2000

（中西裕子）

1) 眼位検査

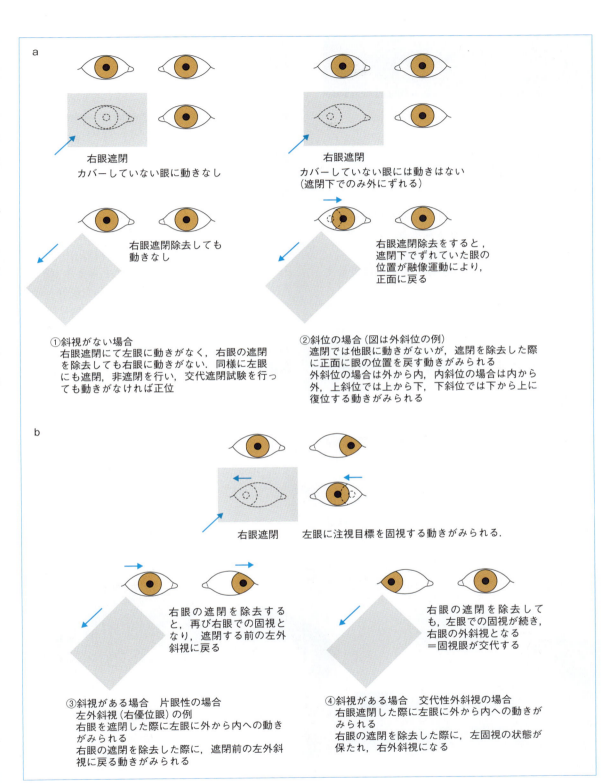

[図5] 遮閉-非遮閉テスト（cover-uncover test, CUT）
a 正位，斜位の場合
b 斜視がある場合

5 眼位・眼球突出・眼球運動検査

1）眼位検査
② 眼位定量検査

Hirschberg 法

I 検査の目的

1 検査対象

眼位異常が疑われる乳幼児や協力が得られない患者，手早く眼位検査が必要な場合．

2 目標と限界

近見の顕性斜視角を他覚的に大まかに定量する．小さな角度の斜視は測定できない．

II 検査法と検査機器

1 測定原理

被検者の眼前 33 cm に光源を置き，角膜反射像から斜視角を測定する．

2 機器の構造

固視光源のペンライトを使用する．

III 検査手順

1 検査の流れ

患者と正面に対座し，眼前 33 cm から鼻根部に向かってペンライトの光を当て，角膜反射を観察する．検者の観察眼は光源と同軸とする（図1）．

2 検査機器の使い方とコツ

被検者の体が傾かないように気をつける．被検者と目の高さを揃えて正面から光を当てる．

IV 検査結果の読み方と解釈

1 正常値

両眼の角膜反射が瞳孔中心にあれば正位である．

2 異常値とその解釈（異常所見の読み方）

角膜反射のずれ 1 mm を 7°（≒15 プリズム）と換算した場合には，斜視眼の角膜反射が瞳孔縁にずれていれば 15°，瞳孔縁と角膜輪部の中間であれば 30°，角膜輪部であれば 45°と考える（図2）．しかし，魚里らが固視用光源の角膜光反射と偏位眼の入射瞳（みかけの瞳孔）との相対的位置関係を生理学的に検討した結果から，角膜中央部 1 mm のずれを 12°として換算する方法もある．

3 アーチファクト

魚里らの換算値では，角膜曲率半径が小さくなるほど，入射瞳面の距離が大きくなるほど，1 mm 当たりの換算値が大きくなる．黄斑偏位や γ 角の異常，偏心固視を伴う場合は正確に測定することができない．

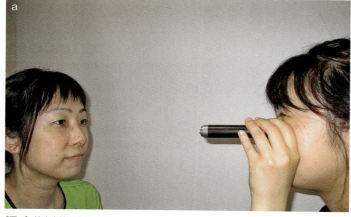
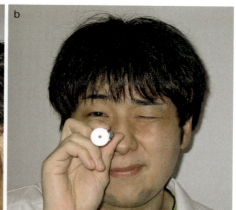

［図1］検査方法の実際
a 患者と正面に対座し，眼の高さを同じにする（検査距離 33 cm）．
b 検者の観察眼を固視灯の光源と同軸にし，観察する（検者の他眼は閉瞼している）．

1) 眼位検査

正切尺角膜反射法

I 検査の目的

1 検査対象
Hirschberg法と同様．

2 目標と限界
眼前1mを固視したときの他覚的眼位検査法．指示棒を固視するため，乳児には難しい．斜位は検出できない．

II 検査法と検査機器

1 測定原理
正切尺の前1mから中央の光源を固視させる．角膜反射は固視眼では角膜中央に，斜視眼では角膜中央からずれている．指示棒を斜視と反対へ動かし，角膜反射の位置が中央となったときに指示棒の示す目盛で斜視角を測定する．

2 機器の構造（図3）
光源と角膜反射の位置のずれを測定するための正切尺を用いる．正切尺は上下と水平に直交する正切尺の交叉する中央に小さな孔があり，その後方に電灯がつく．数字は5m，小さな数字は1mでの角度（°）を表す．

III 検査手順

1 検査の流れ
上述の測定原理を参照．

2 検査機器の使い方とコツ
指示棒を追って顔ごと頭位を動かさないようする．

IV 検査結果の読み方と解釈

1 正常値，異常値とその解釈（異常所見の読み方）
正常では，両眼ともに中央に角膜反射があり0のままである．眼位ずれがある場合は，1mの検査距離で行うため，1Dの調節負荷がかかった眼位を表す．小さな数字の角度が他覚的斜視角（°）である．

2 アーチファクト
検査時に固視眼を遮閉して，斜視眼で光源を見

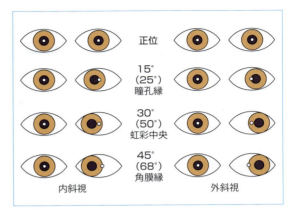

[図2] Hirschberg法による斜視角測定
1mm＝7°と換算．（　）内は1mm＝12°で換算した場合を表す．

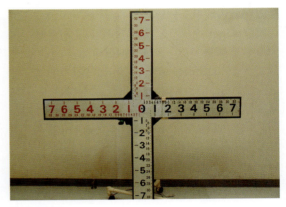

[図3] 正切尺
（渡辺 聖：眼科検査ガイド，第1版，p307）

させ，斜視眼が動く場合は修正する．偏心固視や視力が悪く光源を固視できない場合には確認が難しい．

Krimsky法

I 検査の目的

1 検査対象
眼位の定量を要するが，乳児などで協力が得られずプリズム遮閉試験が難しい場合，視力不良，眼球運動障害のため斜視眼での固視が行えない場合．

2 目標と限界
プリズム遮閉試験ができない状況において，Hirschberg法よりは精度の高い眼位の定量が行

145

える．視力不良例でも測定可能であるが，両眼開放での検査のため斜位は測定できない．

II 検査法と検査機器

1 測定原理

角膜反射像を瞳孔中心に移動させるようにプリズムを置いて斜視角を定量する検査法である（図4）．

2 機器の構造

固視光源となるペンライトや検眼鏡，phoriascope，プリズムが必要である．

III 検査手順

1 検査の流れ

眼前33cmから光を当て被検者に固視させ，角膜反射を観察する．a．斜視眼の前にプリズムを置く方法（Krimsky法）と，b．固視眼の前にプリズムを置く方法（Krimsky変法）がある．いずれも偏位と逆方向に基底を向けたプリズムを置き，偏位眼の角膜反射が角膜中央にくるプリズム度数を斜視角とする（図4）．

斜視と挿入するプリズム基底方向

外斜視	基底内方
内斜視	基底外方
上斜視	基底下方
下斜視	基底上方

2 検査機器の使い方とコツ

固視眼の前にプリズムをおいて偏位眼の角膜反射を観察するほうが角膜反射の位置を観察しやすいので，Krimsky変法を用いることが多い．ただし，非共同性斜視や麻痺性斜視では斜視眼にプリズムをおいて測定する．プリズムの当て方は，水平プリズムバーでは平面側を前額面に，垂直プリズムは凹凸面を前額面に平行に保持する．ブロックプリズムは視線がプリズムの前後面で等しい角度をなす最小偏角に保持する（図5）．ただし，その保持の難しさから，実際は前額面保持で代用されることも多い．

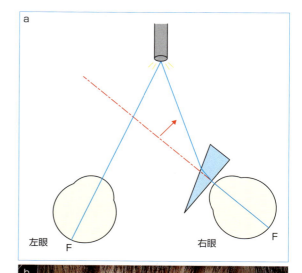

[図4] Krimsky法
a 両眼の中心窩（F）に投影されるように角膜反射が瞳孔中心にくるプリズムを求める．図は右内斜視の例で，基底外方にプリズムを装用．
b 眼位測定（右内斜視）．角膜反射が瞳孔中央となるように基底外方にプリズムを置く．

IV 検査結果の読み方と解釈

1 正常値，異常値とその解釈（異常所見の読み方）

正確には換算表を用いる．
プリズムジオプターΔは，度（°）の約2倍におおよそ換算される（1°≒2Δ）（表1）．
プリズムジオプトリーはそのままの数値を加算はできない．つまり，20°＋20°＝40°であるが，20Δ＋20Δ＝40Δとはならない．

2 アーチファクト

黄斑偏位や偏心固視，臨床的κ角（γ角）異常に

1) 眼位検査

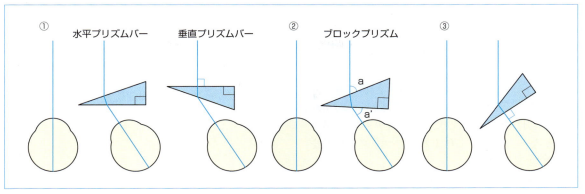

[図5] プリズムの当て方
① frontal plane position
平面側を前額面に平行に保持する．水平プリズムバーは，平面側を前額面に向けて，垂直プリズムバーは，凹凸側を前額面に向けて保持する．
② minimum deviation position
ブロックプリズムは，最小偏角（a＝a'）で，保持する．
③ prentice position
患者の視線とプリズムの後面が直交する．

よる誤差を含んだ斜視角を表すことに注意する．眼前のプリズムによる近接性輻湊の介入や，プリズムと被検者の眼の距離が離れることで誤差が生じる．

プリズム遮閉試験

I 検査の目的

1 正常値
遮閉試験で眼位ずれが疑われ，眼位異常の定量を必要とする場合．

2 目標と限界
プリズムと遮閉試験を併用し，さまざまな検査距離やむき眼位での眼位ずれを定量できる．両眼中心固視が得られない場合，固視目標が見えない，協力が得られない場合は測定できない．

II 検査法と検査機器

1 測定原理
プリズム遮閉試験 prism cover test は，片眼を遮閉したり外したりして眼位ずれを検査する遮閉試験にプリズムを組み合わせ，眼位異常を定量する．遮閉やプリズムの使い方により
① プリズム遮閉試験 single prism cover test（PCT），② 同時プリズム遮閉試験 simultaneous prism cover test（SPCT），③ 交代プリズム遮閉試験 alternate prism cover test（APCT）がある．

2 機器の構造
遮閉に用いるオクルーダーと注視目標斜視角の定量にプリズムを用いる．

[表1] プリズムジオプター換算表

Δ	度	Δ	度	Δ	度
1	0.6	12	6.9	30	16.7
2	1.2	14	8.0	35	19.3
4	2.3	16	9.1	40	21.8
6	3.5	18	10.2	45	24.2
8	4.6	20	11.3	50	26.6
10	5.7	25	14.1	60	31.0

日常診療では，1度を2Δと概算する．
（伊藤大蔵：眼科診療プラクティス4，p104）

III 検査手順

1 検査の流れ
① PCT
遮閉-非遮閉試験（cover-uncover test）にプリズムを組み合わせて顕性斜視角を定量する．斜視眼に斜視を中和する方向へプリズムを当て，固視眼の遮閉を繰り返す．
斜視眼の復位運動がなくなったときのプリズム度数が顕性偏位量を示す．

② SPCT
顕性斜視を定量する．斜視眼にプリズムを当て

るのと同時に固視眼の遮閉を行い，斜視眼の復位運動がなくなったプリズム度数が顕性偏位量である（図6）．

③APCT

顕性，潜伏を合わせた全偏位量を定量する．斜視眼にプリズムを当て，交代遮閉試験（alternate cover test）を行う．交代遮閉を繰り返し，動きがなくなり，偏位が中和するまでプリズム度数を強くする．

2 検査機器の使い方とコツ

プリズムは少ない量から偏位を中和できるまで徐々に度数を増やす．偏位量は，内斜偏位では，復位運動がなくなったときのプリズム度数，外斜偏位では，復位運動が逆転する手前のプリズム度数とする．

水平と垂直偏位が合併している場合は，まず水平偏位を中和した後に垂直偏位を測定する．水平と垂直の偏位は片眼にプリズムを重ねることができるが，水平プリズムを重ねることはできず，斜視角が大きく片眼で30△を超える場合は，両眼に分けて測定する．ただし，左右に分けたプリズムは，換算表を用いて角度を算出する．

A-V型斜視が疑われる場合は上下方向での偏位も定量する．麻痺性斜視の疑いがある場合は左右各々の固視での検査やむき眼位での測定を行う．融像の強い斜位や間歇性外斜視などは，遮閉は長めに，交代はすばやく行い，融像除去をしっかりと行うことで最大の斜視角を引き出す．内斜視ではAPCTを繰り返すと調節性輻湊を誘発し，斜視角が増加しやすくなるため，できるだけ短時間に検査を行うようにする．

IV 検査結果の読み方と解釈

1 正常値，異常値とその解釈（異常所見の読み方）

遮閉-非遮閉試験で動きがなければ眼位ずれはない．

①PCT，②SPCTで得られたプリズム度数は，顕性斜視の斜視角を示す．③APCTで，得られたプリズム度数は，顕性，潜伏を合わせた全偏位量を示す．

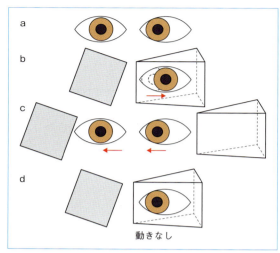

[図6] 同時プリズム遮閉試験　左内斜視の例
a 左内斜視
b 右固視眼の遮閉と同時に左斜視眼にプリズムを基底外方で当てた場合に斜視眼の復位運動を観察する．
c 左斜視眼に復位運動があれば，両眼を開放し，プリズム量を増やしbの動作を繰り返す．
d 左斜視眼の復位運動がなくなったときのプリズム度数を求める．

2 アーチファクト

プリズムの当て方が傾いていると誤差が生じ，定量が不正確となる（図7）．また，プリズムと被検者の眼との距離も誤差を生む原因となる．

Maddox杆正切尺法，Maddox杆プリズム法

I 検査の目的

1 検査対象

斜位，間歇性外斜視，麻痺性斜視が対象の自覚的定量検査法．

2 目標と限界

斜位の自覚的斜視角を測定する．斜位と斜視の鑑別はできず，対応異常がある場合や斜視眼に抑制がかかっている場合には測定困難である．正切尺を用いる場合は，第一眼位かつ，検査距離は1m，5mに限られるが，プリズム法では5m以内で検査距離や視方向を選ぶことができる．

II 検査法と検査機器

1 測定原理

Maddox杆を眼前に置いて左右眼を分離させ，正切尺の目盛を読む（Maddox杆正切尺法），視

1) 眼位検査

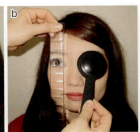

[図7] プリズム遮閉試験の実際（a, b）と，アーチファクトにつながる誤ったプリズムの当て方（c, d）
c 頭が傾いている．
d プリズムバーが斜めに傾いている．

標の点光源とMaddox杆の線条を重ねるのに必要なプリズム度数を測定すること（Maddox杆プリズム法）で眼位ずれを定量する．

2 機器の構造

Maddox杆は，点光源が線条になるような高い屈折力をもった円柱ガラスが平行に並んだもので，赤フィルターの入ったものと，入っていないものがある（図8）．

赤いフィルターが入ったものでは，白い光の点は赤い線条に変換され，Maddox杆のガラス棒を水平にした場合の線条は垂直に，垂直にした場合の線条は水平に見える．

III 検査手順

1 検査の流れ（水平斜位の場合）

1) Maddox杆正切尺法の場合

正切尺の1 m，5 m前に被検者を座らせる．眼鏡枠の片眼にMaddox杆を水平にして入れる．被検者に中央の光源を注視させると赤色の線条が縦に自覚される．線条の位置が自覚的斜視角で，内斜位の場合は同側性，外斜位では交叉性に線条が見える．垂直の斜位ではMaddox杆を垂直にして水平の線条から眼位を測定する（図9）．

2) Maddox杆プリズム法の場合

検査距離は5 m以内であれば，測定距離やむき眼位は検者の必要に応じて選んでよい．Maddox杆正切尺法同様に検眼枠にMaddox杆を入れ，固視眼で光源を見させる（図10）．線条が光源に重なるようにプリズムを入れ，重なった度数が自覚的斜視角である．

[図8] Maddox杆

2 検査機器の使い方とコツ

調節性輻湊が介入し，斜位が続く場合には，Maddox杆を当てた眼をしばらく遮閉するとずれが測定しやすくなる．

IV 検査結果の読み方と解釈

1 正常値，異常値とその解釈（異常所見の読み方）

線条と光源が重なれば正位である．斜位では，自覚的斜視角が，正切尺の角度やプリズム度数から計測される．左右で差がある場合は麻痺性斜視を疑う．

2 アーチファクト

赤い線条を追って眼や頭を動かすと測定誤差が生じる．

Maddox杆ダブルロッドテスト

I 検査の目的

1 検査対象

回旋偏位が疑われる場合，水平や上下の眼位ず

149

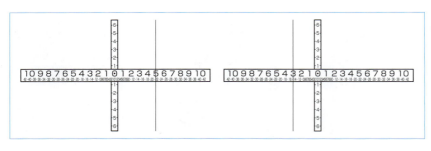

[図9] Maddox 杆正切尺法
右眼に Maddox 杆を装用した場合の見え方
左：内斜位，右：外斜位
（文献3）より改変）

れは少ないが複視の訴えが強い場合．

2 目標と限界

自覚的回旋偏位を測定できる．斜視と斜位の区別はできず，両眼を分離した状態での検査となる．

II 検査法と検査機器

1 測定原理

赤と白の Maddox 杆を軸が90°方向となるように装用して光源を注視することで，左右の眼を分離して赤と白の水平の線条を見させる．回旋偏位がある場合には線条が傾斜し，これを水平にするまで Maddox 杆を回転させることで，回旋の向きと角度を測定できる．

2 機器の構造

赤と白の Maddox 杆と光源を用いる．

III 検査手順

1 検査の流れ

赤と白の Maddox 杆を90°に軸がくるように向きを揃えて検眼枠に入れてかけさせる．光源を見させると水平方向の赤と白の線条が見え，線条に傾きがあるかを答えさせる．傾いている線条の Maddox 杆を水平になるまで回転させたときの乱視軸を読み取り，回転させた向きから外方回旋，内方回旋，90°から回転させた角度が，回旋偏位量となる（図11）．

2 検査機器の使い方とコツ

赤と白の線が重なる場合，5プリズム程度を基底下方にして一眼の前に置き，2つの線を区別しやすくする．頭位をまっすぐに保つ．

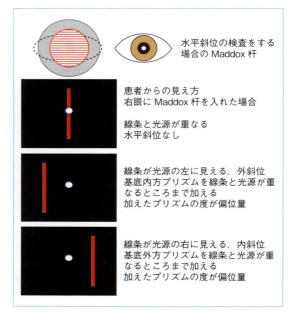

[図10] Maddox 杆による眼位定量

IV 検査結果の読み方と解釈

1 正常値，異常値とその解釈（異常所見の読み方）

赤と白の線条が水平に見える場合には，回旋偏位はない．鼻側に傾いている場合は外方回旋偏位，耳側に傾いている場合は内方回旋偏位があり，回転させた角度が自覚的回旋偏位角である．

2 アーチファクト

始めに頭位が傾いている，Maddox 杆が90°からずれていると正しい結果が得られない．

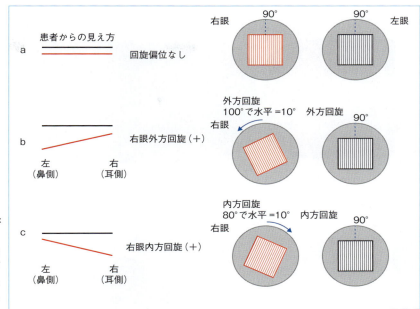

[図11] Maddox二重杆試験 (Maddox double-rod test)
a 回旋偏位なし 2本の線は水平
b 右眼の外方回旋の例．右眼の軸を100°に合わせると2本の線が水平になる．10°外方回旋偏位
c 右眼の内方回旋の例．右眼の軸を80°に合わせると2本の線が水平になる．10°内方回旋偏位

Cyclophorometer

I 検査の目的

1 検査対象
複視の訴えや回旋斜視が疑われる場合．

2 目標と限界
非接触で体位によらず，むき眼位においてに自覚的回旋偏位を1°刻みで測定できる．
他覚的偏位や回旋以外の偏位は測定できない．

II 検査法と検査機器

1 測定原理
固視眼の光学部が線条レンズで輝点が観察できる以外は，測定原理はMaddox double rod testと類似している．

2 機器の構造
約8×23cmの板状の装置で，装置の固視眼側に赤いBagolini線条レンズを，測定眼側に緑のMaddox杆がそれぞれ垂直方向に配置されている（図12）．

III 検査手順

1 検査の流れと機器の使い方
固視眼をいずれかに定める．固視眼側に赤のBagolini線条レンズ，測定眼側に緑のマドックス杆となるように被検者の前額面に平行に機器を保持し，両眼開放下で点光源を見るように指示する．固視眼では中央の点光源と赤い横線が見え，測定眼では緑の横線が見える．測定眼側の目盛りのついたダイヤルを回して緑のMaddox杆を回転し，赤と緑の横線が平行になったときの目盛り（1目盛り＝1°）が自覚的回旋角度（°）を表す．

2 検査のコツと注意点
被検者の前額面に平行になるように注意する．Maddox double rod testと違って機器を手で持ちながら測定するため，傾きや動揺があると，値のばらつきや不正確な測定になる．

機器の傾きに気をつけ検者に把持させながら見え方を尋ねてもよい．

IV 検査結果の読み方

1 正常結果
2本の横線が平行に見える場合，回旋偏位はな

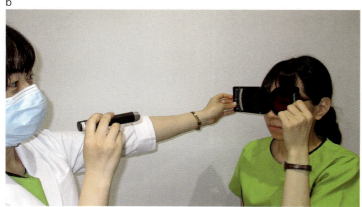

[図12] a Cyclophorometer
b Cyclophorometer を用いた回旋偏位の測定
(文献8)より)

2 異常所見とその解釈

2本の横線が平行でない場合，回旋偏位がある．ダイヤルを回転させ平行になったときの目盛りで回旋偏位角を示す．上方に針が振れる場合は内方回旋偏位，下方は外方回旋偏位である．横線が1本しか見えない場合は上下偏位がないか小さく融像している．この場合は膜プリズムのアタッチメントをつけて線を上下に分離する．プリズムを使っても2本の横線が見えない場合は抑制を疑う．

3 アーチファクト

さまざまな頭位や体位，むき眼位で測定が行える一方で，傾きや不安定な保持から測定に誤差が生じる場合がある．

文献

1) 宮崎茂雄ほか：眼位検査．眼科診療プラクティス 86．眼科医と視能訓練士のためのスキルアップ，久保田伸枝編，文光堂，東京，24-32，2002
2) 渡邊 聖：眼位定量検査．眼科検査ガイド，第1版，眼科診療プラクティス編集委員編，文光堂，東京，306-313，2004
3) 丸尾敏夫ほか：斜視角の検査．斜視・弱視診療アトラス，第2版，金原出版，東京，38-41，1986
4) Gunter K. von Nooden：斜視の定量診断．アトラス斜視，西 興史監訳，メディカル葵出版，東京，44-63，1990
5) 松岡久美子：両眼性眼位検査．視能学，第2版，丸尾敏夫ほか編，文光堂，東京，319-328，2011
6) 魚里 博：眼の軸と眼位の定量検査．あたらしい眼科 13：193-202，1996
7) 佐々木 翔ほか：新しい回旋偏位測定装置「Cyclophorometer」の臨床使用．眼臨紀 8：343-346，2015
8) 後関俊明ほか：Cyclophorometer．神経眼科 35：97-103，2018

(中西裕子)

5 眼位・眼球突出・眼球運動検査

1）眼位検査
③ 単眼性眼位検査

I 検査の目的

1 検査対象

偽斜視も含めて眼位異常が疑われる患者．主には乳幼児，小児が対象となる場合が多い．

2 目標と限界[1~3]

臨床的κ角（いわゆるγ角）異常を検出すること．

眼球の解剖学的な軸（眼軸＝光軸）と網膜中心窩には多少のずれがあり，光軸と注視線のなす角が大きくなると，斜視ではないのに斜視のように見える場合がある（偽斜視）．視軸と眼軸（光軸）がなす角度を測定するにあたり，理論上のα角（光軸と視軸のおりなす角度）や，注視線（眼球回旋点と固視点を通る軸）と眼軸（光軸）とがなすγ角は，視軸，光軸の定義や眼球回旋点の決定ができず，そのままでの定義通りに測定することができない．代用するために瞳孔の中心を通り角膜中央に垂直な線，つまり，瞳孔中心線と視線のなす角であるκ角を測定するとされるが，実際に眼科臨床で測定ができるのは，瞳孔中心線と眼の照準線とがなす角であるλ角で，これが臨床的κ角として用いられる．臨床的κ角（λ角）は，臨床の場においてはしばしばγ角として記載されていることも多い（図1）．

II 検査法と検査機器

1 測定原理

通常は，網膜中心窩は後極の耳側に位置し，中心窩で固視するために眼球はわずかに外転する．これにより角膜に照射された光は角膜の中心よりわずかに鼻側で反射する．この場合，臨床的κ角は正の値をとり，これが大きいと見かけ上の外斜視（偽外斜視）が生じる．κ角が負となるのは，中心窩が後極の鼻側に位置する場合で，この場合は角膜の中心より耳側に角膜反射が生じ，見かけ上内斜視（偽内斜視）のようにみえる[4]（図2，3）．

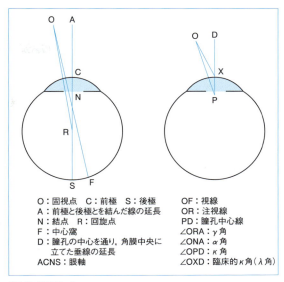

[図1] 臨床的κ角
（小口芳久：眼科診療プラクティス4, p109）

O：固視点　C：前極　S：後極
A：前極と後極とを結んだ線の延長
N：結点　R：回旋点
F：中心窩
D：瞳孔の中心を通り，角膜中央に立てた垂線の延長
ACNS：眼軸

OF：視線
OR：注視線
PD：瞳孔中心線
∠ORA：γ角
∠ONA：α角
∠OPD：κ角
∠OXD：臨床的κ角（λ角）

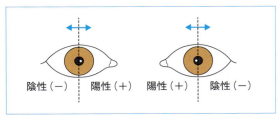

[図2] 陽性γ角と陰性γ角
角膜反射の位置が中央の線より鼻側なら臨床的κ角（γ角）陽性，耳側なら陰性．

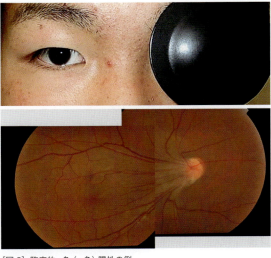

[図3] 臨床的κ角（γ角）陽性の例
未熟児網膜症による瘢痕のため，右眼の黄斑が耳側に偏位し，角膜反射は鼻側へ偏位している．

2 機器の構造

大型弱視鏡の項（184頁）を参照．

Purkinje像を利用する方法や正切尺，視野計を用いて測定する方法，ペンライト・ハンドライトなどの光源と偏位角を測定するアークペリメーターを用いる方法もある．

III 検査手順

1 検査の流れ

1) ペンライトなどの光源を用いる場合

検者は被検者と50cmぐらいの適当な距離をおいて向かい合う．検者の一方の眼の前にハンドライトの光源を持ち，被検者に固視させる．検者の眼と被検者の眼の注視方向を同軸とし，その軸上にハンドライトの出射端をおいて，被検者の瞳孔中心と光源の反射像を観察する．角膜反射像が真ん中にない場合，検者のもう一方に持った固視用視標を光源の位置から順次遠ざけ，被検者に固視させる．角膜反射像が瞳孔中心にくる位置を探し，光源位置からの偏心量あるいは角度が，臨床的κ角（λ角）である[1]．

2) 大型弱視鏡を用いる場合

γ角測定図形（図4）を用いて，一眼ずつ測定する．測定眼の鏡筒を0°に合わせ，その鏡筒のみを点灯して視標中央の○印（0°）を固視させる．被検者の角膜反射が瞳孔中央にあれば，γ角異常はない．ずれている場合は反射が中央にくるまで，視標の数字あるいはアルファベットを順番に誘導し固視させる．文字間は1°で，角膜反射が鼻側にあれば陽性，耳側にあれば陰性で±5°以内を正常とする[5]．

2 検査機器の使い方とコツ

ペンライトなどの光源を用いて最初に角膜反射像を確認する際，被検者と注視方向がぶれないように注意する．大型弱視鏡では頭位がずれたり，頂間距離が大きくなり過ぎたりしないように固定する．

IV 検査結果の読み方と解釈

1 正常値，異常値とその解釈（異常所見の読み方）

角膜反射像はわずかに瞳孔中心より鼻下側にず

[図4] γ角測定用の視標
各文字間は1°である．
（画像提供：臼井千恵，p191参照）

れていることが多く，正常者の臨床的κ角（λ角）は，平均4〜5°で，正視眼で+3〜+5°，遠視眼で大きく，近視眼は小さく+2°付近のこともある．大型弱視鏡で測定した場合，±5°以内を正常とする．

異常がみられる場合には，遮閉試験で真の眼位ずれの有無や，眼底検査で黄斑偏位の有無，固視検査で偏心固視の有無を確認する必要がある．

2 アーチファクト

角膜反射像の瞳孔面でのずれだけでも大まかな斜視角は定量できるが，角膜曲率半径や前房深度に影響される．斜視の有無を検出する際には，単眼性眼位検査のみでは臨床的κ角を含んで過大評価を行うことになるため，両眼での眼位定性ないしは定量検査を行う．また，固視不良の場合には誤差が大きくなる．左右の角膜反射像のずれの対称性も考慮する必要がある．

文献
1) 渡邊 聖：単眼性眼位検査．眼科検査ガイド，眼科診療プラクティス編集委員編，第1版，文光堂，東京，314-315，2004
2) 小口芳久：偽斜視の診断．眼科診療プラクティス4．斜視診療の実際，丸尾敏夫編，文光堂，東京，107-109，1993
3) 魚里 博：眼の軸と角度．眼光学の基礎，金原出版，東京，126-130，1990
4) 丸尾敏夫ほか：γ角の検査．斜視・弱視診療アトラス，第2版，金原出版，東京，32，1986
5) 臼井千恵：大型弱視鏡．眼科検査ガイド，眼科診療プラクティス編集委員編，第1版，文光堂，東京，338-351，2004
6) 久保田伸枝ほか：大型弱視鏡検査．眼科診療プラクティス86．眼科医と視能訓練士のためのスキルアップ，久保田伸枝ほか編，文光堂，東京，62-70，2002
7) 丸尾敏夫：斜視診療はこれでいいのだ．眼科プラクティス29．これでいいのだ斜視診療，丸尾敏夫編，文光堂，東京，2，2009

（中西裕子）

5　眼位・眼球突出・眼球運動検査

1) 眼位検査
④ 固視検査

I　検査の目的

1　検査対象
弱視や斜視の症例で，診断や治療経過，予後を判定する際に行う．特に，中心固視が疑わしい症例で必要な検査．また，ロービジョン患者の固視能の評価にも用いられる．

2　目標と限界
通常は単眼での固視状態を検査し，中心固視か中心窩以外での偏心固視か，また安定維持といった状態を確認する．両眼固視検査はファンダスハプロスコープなどの機器が必要となる．

II　検査法と検査機器

1　測定原理と機器の構造
1) 角膜反射による方法
ペンライトや検眼鏡の光を当て，角膜反射像の位置や安定性をみる．新生児や乳幼児で眼底を直接観察する検査が難しい場合，斜視や弱視において両眼開放下での固視やその持続力を評価する際に用いる．

2) ビズスコープによる方法（図1）
ビズスコープやユーティスコープを用い，種々の図形を投影できる直像検眼鏡で眼底をのぞき，観察する．

3) 眼底カメラを用いる方法（SLO）
固視用視標を組み込み，眼底写真を撮影する．

4) ファンダスハプロスコープを用いる方法
大型弱視鏡の左右の鏡筒の中に赤外線カメラが内蔵され，眼底の状態をビデオモニターから観察し，両眼視下での固視状態を見ることができるが，装置が大型で，広く一般には使用されていない．

5) 光干渉断層計（OCT）を用いる方法
視標を見つめOCTが撮像できる年齢であれば行える．OCTで黄斑部撮像を行い視標を固視する位置が投影された眼底のどこにあるかで評価する．画像を撮像して中心窩から固視点までの距離を機器で計測し定量化でき，赤外光を用いるためまぶしさが少ない．

6) マイクロペリメータを用いる方法
MP-3など眼底直視下微小視野計におけるfixation testを用い，固視安定性，固視位置，中心窩から固視点中心までの距離（中心窩・固視点間距離）を評価する．

W：文字　　P：絵　　C：Landolt環　　T：固視標（1目盛り0.5°）

[図1] ビズスコープと視標パターン
小児での固視検査やロービジョン患者での偏心視域，固視状態を評価するために，従来のビズスコープの視標パターンに加えて絵や文字が組み込まれたものもある．
（NEITZ BX αPlus 視標パターンはカタログより引用）

III　検査手順

1　検査の流れ
1) 角膜反射による方法
両眼開放下で検眼鏡やペンライトの光を固視させ，角膜反射の位置を確認し，まず斜視・弱視眼を遮閉して健眼，続いて健眼を遮閉し，患眼の固視の状態を観察する．

2) ビズスコープによる方法
両眼散瞳下の方がわかりやすい．被検者にあらかじめ見える像を示して理解させる．他眼を遮閉して，直像眼底検査の要領で，直像検眼鏡補正レンズで図形のピントを眼底に合わせて投影する．能動的検査では，被検者に図形の中心を固視するように指示し，視標が投影された眼底の位置を観察する．その際には固視の安定性（steady, unsteady）や持続性（maintain, unmaintained）もチェックする．受動的検査では，中心窩に図形を検者が置き，その位置を聞き，その後図形を見るように指示したときの眼の動きを観察する．

2 検査機器の使い方とコツ

まず直像鏡の操作や検査距離を習熟する．ビズスコープはできるだけ暗い光で行い，緑のフィルターを入れると，観察しやすい．検査は健眼と思われる眼から行い，信頼性を確認する．正確な応答ができない乳幼児では受動的検査は行えない．眼底カメラでは，視標を固視できる光量に絞る．

IV 検査結果の読み方と解釈

1 正常値

正常であれば，中心窩で安定しており，中心固視 central fixation という．角膜反射による方法では，瞳孔中心に角膜反射がある．

2 異常値とその解釈（異常所見の読み方）

中心窩で固視していなければ，偏心固視 eccentric fixation で，その場所によって傍中心窩固視，傍黄斑固視，周辺固視の3つの領域に分けられる（図2, 3）[3]．固視の位置と安定の状態を眼底の図に記載する．瞳孔中心から外れて見ている場合を偏心固視とする（図4）[1]．ただし，黄斑偏位やγ角異常は，角膜反射では偏心固視に見えても中心固視の場合がある．固視点が定まらなければ固視不定とする．器質的変化や暗点により中心窩以外の場所に固視点はあるが，その固視点を正面とはとらえておらず主視方向が中心窩にあるものは，偏心視 eccentric viewing という．

3 アーチファクト

固視が動揺する場合にはどの時点でとらえているかわからないので，眼底カメラでは，複数記録し，観察時の記録を添える．

文献

1) 丸尾敏夫：斜視診療はこれでいいのだ．眼科プラクティス 29．これでいいのだ斜視診療，丸尾敏夫編，文光堂，東京，2-40, 2009
2) 臼井千惠：斜視弱視視能矯正—弱視治療．眼科プラクティス 29．これでいいのだ斜視診療，丸尾敏夫編，文光堂，東京，154-161, 2009
3) 内海 隆ほか：固視検査．眼科診療プラクティス 86. 眼科医と視能訓練士のためのスキルアップ，久保田伸枝編，文光堂，東京，18-23, 2002
4) 渡邊 聖：固視状態検査．眼科検査ガイド，第1版，眼科診療プラクティス編集委員編，文光堂，東京，315-316, 2004
5) 山本 節：固視の検査．視能矯正学，第2版，金原出版，東京，350-351, 1998

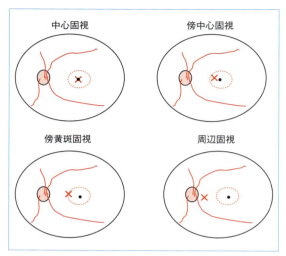

[図2] 固視状態の分類
(内海 隆：眼科診療プラクティス 86, p22)

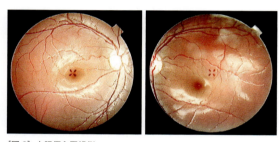

[図3] 左眼偏心固視例
視標は花びらのように上下左右に配置された4個の▼でその中心を固視させている．
(内海 隆：眼科診療プラクティス 86, p23)

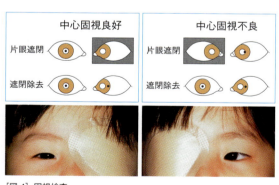

[図4] 固視検査
—中心固視と偏心固視—
(丸尾敏夫：眼科診療プラクティス 29, p14)

6) Nakamoto Y, et al：Quantification of eccentric fixation using spectral-domain optical coherence tomography. Ophthalmic Res 60：231-237, 2018

（中西裕子）

2）眼球突出検査

[表1] Hertel 眼球突出計（イナミ社製）

炎症性	甲状腺眼症，眼窩蜂窩織炎，全眼球炎，外眼筋炎，副鼻腔炎
腫瘍性	原発性・転移性・眼窩腫瘍，視神経腫瘍，偽腫瘍
血管性	頸動脈海綿静脈洞瘻，眼窩静脈瘤
先天性	先天眼窩骨形成異常，頭蓋顔面異骨症，水頭症
外傷性	眼窩内出血，眼窩気腫
その他	強度近視

I 検査の目的

1 検査対象

　眼球突出，眼球陥凹を疑う，もしくは呈する疾患である．眼球突出は甲状腺眼症，腫瘍，頸動脈海綿静脈洞瘻が代表疾患である（表1）．眼球陥凹は眼窩底骨折や眼窩内手術後にみられるが，近年ではプロスタグランジン系点眼薬による副作用でもみられる[1]．

2 目標と限界

　眼球突出，眼球陥凹は何らかの病因によって眼窩内組織の体積増大，もしくは減少により起きる．その程度を眼球突出度として定量し，病態，活動性の把握や加療効果の評価に用いることを目標とする．しかし，計測結果は正常人でもばらつきが多く，検者の技量やさまざまな要因に影響され再現性が乏しい場合がある．よって，計測数値やその差をそのまま評価に使用することには注意が必要であるが，片眼性の眼球突出，眼球陥凹での左右差の評価には特に有用である．

II 検査法と検査機器

　両眼窩縁外側間を結ぶ基準線から角膜頂点までの垂直距離を眼球突出度とする．検査法にはHertel（ヘルテル）眼球突出計（図1），ディスタントメータ（図2），そしてCT，MRIによる画像での計測（図3）がある．画像計測の際，撮影時は正面視させ眼球，視神経，外眼筋が左右対称に描出されている水平断スライスを用いる．同じスライスでの撮影が可能であれば再現性が高いが，簡便な検査とはいえない．よって主に使用される検査機器は，使用が簡便な Hertel 眼球突出計である．

■Hertel 眼球突出計

1 測定原理

　突出計に取りつけられたプリズムを介して，眼球側面から眼球突出度を計測する．

2 機器の構造

　光学プリズムを使用し，計測誤差が生じにくい構造をしている．また，検者，被検者の眼の位置を正しく保てる工夫が施されている．

3 検査の注意点

　腫脹を伴う疾患では，眼球突出度が過小に計測されやすい．また顕著な眼球突出では外眼角部の引きつれのため過度に計測されやすい．しかし，基準線を常に一定にすることで，検査の再現性は向上する．

III 検査手順

1 検査の流れ

　眼球突出を疑う疾患，もしくは治療効果の指標に眼球突出計を用いる．

2 検査機器の使い方とコツ

　最初に，アーム先端部を左右の眼窩縁外側に当てる（図4）．両外側縁間の基準線の距離を確認する（図5）．プリズム内の2本の赤線が1本に重なるようにして，正面視しながら角膜頂点の目盛りを計測する（図6）．基準線の距離を記録し，以後同じ距離で毎回計測することが重要である．

IV 検査結果の読み方と解釈

1 正常値

　日本人の正常眼球突出度は，身長や顔面の大きさなどで個体差はあるが，10～16mm（平均13mm）である．左右差は2mm未満を正常とするが，日本人の97％以上が左右差1.5mm未満という報告もある[2]．

2 異常値とその解釈

　眼球突出度は個体間でばらつきが大きいため，

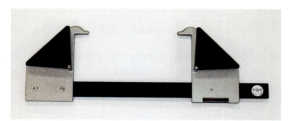

[図1] Hertel 眼球突出計（イナミ社製）

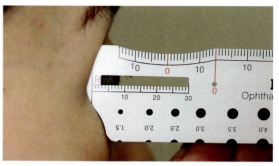

[図2] ディスタントメータによる計測
ディスタントメータを前眼部に垂直になるように眼窩縁外側に押し当て計測する．簡便な検査法であるが，器具の押し当て方次第で測定値にばらつきが出る．

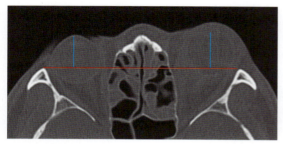

[図3] 画像による計測
両眼窩外側骨縁を結ぶ直線から角膜頂点までの垂線の距離を計測する．

[図4] Hertel 眼球突出計の計測
アーム先端部を左右の眼窩縁外側に当てる．

[図5] 基準線の計測
本例では base 101 mm である．

[図6] 眼球突出度の計測
プリズム内の2本の赤線が重なるように正面視して計測する．本例では 16 mm であり，正常である．

測定値のみの評価よりも，左右差の評価のほうが利用価値は高い．日本人では 17 mm 以上の突出，もしくは左右差 2 mm 以上を病的と判断する．

3 アーチファクト

特記なし．

文献
1) 森本　荘ほか：眼窩疾患の基本病型と診断．眼科学I，丸尾敏夫ほか監修，大鹿哲郎編，文光堂，東京，606-608，2011
2) 中山智彦ほか：今日の日本人の眼球突出度について．臨眼 46：1031-1034，1992

（柳沼重晴）

5 眼位・眼球突出・眼球運動検査

3）眼球運動検査
① 9方向むき眼位

I 検査の目的

1 検査対象
斜視の存在，複視の自覚など，眼球運動の異常が疑われる患者．

2 目標と限界
眼球運動の不全，過動の有無と不全筋の観察．正確な不全筋の同定は眼位検査などの他の検査に劣る．

II 検査法（図1）

患者の正面に正対する．視標を約50 cm（成人の腕の長さ）離す．視標を患者に固視してもらう（第1眼位）．それからゆっくりと視標を検者から見て左方（患者から見て右方）に水平に動かし，視標を眼で追ってもらう．限界まで動いたら，いったん停止させる（第2眼位）．正面に戻し，視標を検者から見て右方（患者から見て左方）に水平に動かし，視標を眼で追ってもらう．限界まで動いたら，いったん停止させる（第2眼位）．正面に戻し，視標を上方に，視標を眼で追ってもらう．限界まで動いたら，いったん停止させる（第2眼位）．正面に戻し，視標を下方に，視標を眼で追ってもらう．限界まで動いたら，いったん停止させる（第2眼位）．右眼の外上転の評価は正面からゆっくり検者から見て左方に視標を動かし，限界まで動いたらそこからそのまま上転させる（第3眼位）．右眼の外下転の評価は正面からゆっくり左方に視標を動かし，限界まで動いたらそこからそのまま下転させる．右眼の内上転の評価は正面からゆっくり検者から見て左方に視標を動かし，限界まで動いたらそこからそのまま上転させる．右眼の内下転の評価は正面からゆっくり右方に視標を動かし，限界まで動いたらそこからそのまま下転させる．左眼も同様に行う．第3眼位へ動かす場合は直線的に外上転，外下転，内上転，内下転させても構わない．

III 検査手順

1 検査の流れ
第1眼位，第2眼位，第3眼位の順で行う．第3眼位は右眼，左眼，別々に評価する．左右の順番はどちらから先に行っても構わない．

2 検査のコツ
検査中は，常に頭位に注意する．また，下方視の眼位検査では，眼瞼を挙上して観察する．

第3眼位の評価は，通常両眼開放下で行うが，単眼の各外眼筋の機能を評価している．例えば，右方視させた場合，右眼の外直筋と左眼の内直筋を評価しており，そのまま上転させると右眼の上直筋と左眼の下斜筋を評価，右方視後下転させると，右眼の下直筋と左眼の上斜筋の機能を評価している（図2）．図のように外眼筋の動きを想像しながら評価すればよい．

水平第2眼位を観察する場合は外転眼の位置のみでなく，内転眼の下斜筋過動や上斜筋過動の有無，眼瞼の変化の有無にも気を配る．

内眼角贅皮がある小児では内斜視や下斜筋過動があるようにみえることもあるので注意する．そのような例では内眼角の皮膚をつまんで確認する．小児では，指人形や，動いたり音を発したりする玩具を用いると検査が行いやすい．

9方向の眼位は写真撮影して記録する．左右差の評価，経過観察や手術の評価に役立つ．

IV 検査結果の読み方と解釈

1 正常値
外転は外方の強膜が見えなくなるまで，内転は上下の涙点の位置に瞳孔内縁がくるのが正常である．上転は内眼角と外眼角を結ぶ線より角膜下端が上にあるのが正常，下転は内眼角と外眼角を結ぶ線より角膜上端が下にあるのが正常である（図3）．第3眼位は，その応用である．外上転は外方の強膜が見えず，かつ内眼角と外眼角を結ぶ線より角膜下端が上にあるのが正常である．外下転は外方の強膜が見えず，かつ内眼角と外眼角を結ぶ線より角膜上端が下にあるのが正常である．内上転は上下の涙点の位置に瞳孔内縁が位置しかつ

5. 眼位・眼球突出・眼球運動検査

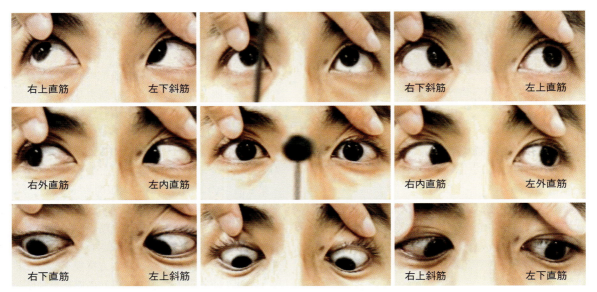

[図1] 正常9方向むき眼位

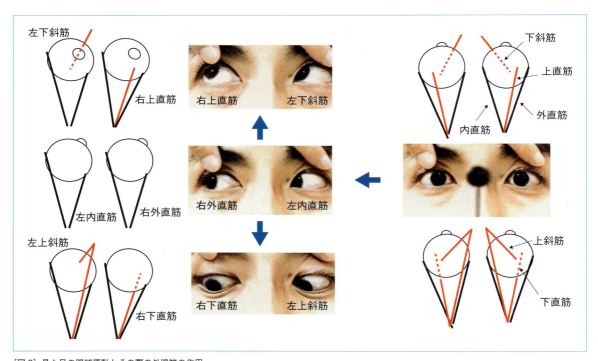

[図2] 見た目の眼球運動とその際の外眼筋の作用
正面視から右方視させ，そのまま上方視または下方視させるとき（太矢印）の外眼筋の働きを示す．外眼筋は上方からみている．

内眼角と外眼角を結ぶ線より角膜下端が上にあるのが正常である．内下転は上下の涙点の位置に瞳孔内縁が位置しかつ内眼角と外眼角を結ぶ線より角膜上端が下にあるのが正常である．人により眼窩の大きさや眼球の大きさに差があり，この基準に当てはまらない症例もある．常に左右眼で比較すること，正確には眼位で判断することが大切である．

2 異常値とその解釈

運動範囲が基準に満たない場合，また左右眼で差がある場合，その方向に動かす外眼筋の運動制限があると考える．後ほど眼位検査で麻痺筋を確定する．

外転制限に対側の内転眼に瞼裂狭小がみられればDuane症候群を考える．

上下むき運動で下方視より上方視で外方変位が大きければV型斜視（図4），小さければA型斜視を疑い，眼位で確認する．

水平第2眼位で内転眼が上転すれば下斜筋過動（図5），下転すれば上斜筋過動を考え，頸部傾斜試験（図5）を合わせた眼位検査やV型，A型斜視の有無で総合的に診断する．

3 アーチファクト

幼少時から内斜視の症例では内転眼で固視するため，外転制限があるようにみえる．あくまでも外転制限かどうかは眼位検査で決定すべきである．

例えば左の滑車神経麻痺（上斜筋麻痺）の症例では，左の下斜筋過動があるため，右の上直筋の運動制限があるようにみえる（図5）．あくまでも麻痺筋は眼位検査で決定すべきである．

V 9方向むき眼位の異常を生ずる疾患とその臨床的特徴

日常診療で遭遇する頻度の高いものを，その臨床的特徴とともに述べる．

甲状腺眼症は下直筋の腫大により伸展制限をきたし，上転制限になるものが多い．強制引っ張り試験（forced duction test）は拘縮性（陽性）となる．内直筋が腫大して外転制限を生ずるものもある．眼瞼が特徴的で，正面視での眼瞼挙上（lid retraction），下方視時の眼瞼挙上（lid lag）を合併する．

滑車神経麻痺は上下の複視を主訴に来院し，眼球運動は見た目には正常に見えることがある．したがって斜頸時を含めた9方向眼位検査で診断することが大切である．

外転神経麻痺は外転制限を生ずるのでわかりやすいが，そっくりさんに注意すべきである．外転神経麻痺以外に外転制限を生ずるものは，甲状腺眼症，眼窩吹き抜け骨折，重症筋無力症，Duane症候群，近見痙攣，内斜視がある．forced duction testで拘縮性の甲状腺眼症，眼窩吹き抜け骨折か，麻痺性の外転神経麻痺，重症筋無力症に鑑別できる．甲状腺眼症は上記の臨床所見に加え，甲状腺自己抗体の測定が有用である．眼窩吹き抜け骨折は眼窩部CTで診断できる．重症筋無力症はテンシロンテスト，アイステスト，自己抗体の測定で診断する．Duane症候群は内転時のウインクで，近見痙攣は縮瞳を伴っていること，単眼での眼球運動の正常化で，内斜視は共同性と単眼での眼球運動の正常化で診断する．小児の外転神経麻痺の原因は外傷を除くと腫瘍性が多い．

動眼神経麻痺は内転，上転，下転制限をきたし，眼瞼下垂，瞳孔括約筋運動制限を合併する．成人の動眼神経麻痺の原因は脳動脈瘤に注意である．

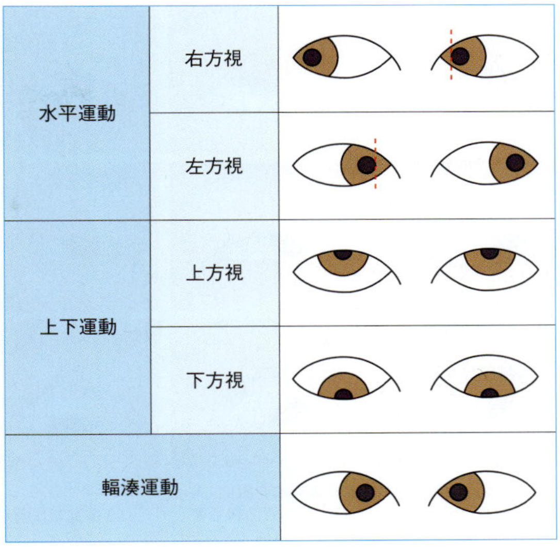

		右眼	左眼
水平運動	右方視		
	左方視		
上下運動	上方視		
	下方視		
輻湊運動			

[図3] 眼球運動の正常範囲
┊ 上下涙点を結ぶ線
（文献1）より引用）

文献
1) 丸尾敏夫ほか：斜視・弱視診療アトラス，改訂第3版，金原出版，東京，12-13，1998
2) Mehta A：Chapter 1 chief complaint, history, and physical examination. Rosenbaum AL, et al ed, Clinical Strabismus Management, WB Saunders, Philadelphia, 3-21, 1999
3) 丸尾敏夫ほか編：視能矯正学，金原出版，東京，161-166，1994

（中馬秀樹）

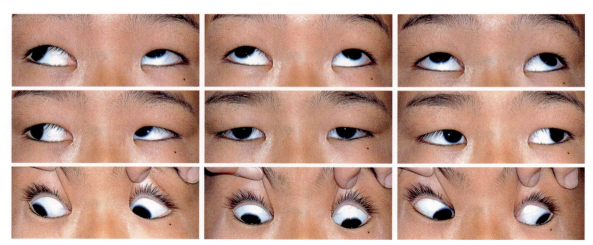

[図4] V型外斜視における9方向むき眼位
7歳, 男児. 外斜視が下方視に比べ上方視で著しく, むき運動では両眼下斜筋過動を認める. むき運動では, 右眼の軽度の内転障害があるようにみえるが, ひき運動で内転障害は認めない.
(河野玲華：眼科検査ガイド, 第1版, p319)

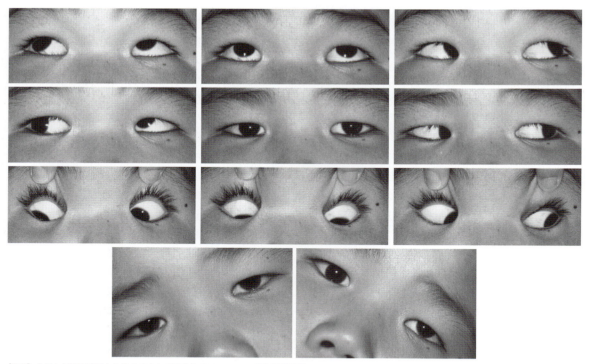

[図5] 左眼上斜筋麻痺における9方向むき眼位とBielschowsky頭部傾斜試験
9歳, 男児. 左眼上斜筋遅動と下斜筋過動を認め, 左へ傾けると左眼上斜視がみられる.
(河野玲華：眼科検査ガイド, 第1版, p319)

5 眼位・眼球突出・眼球運動検査

3）眼球運動検査
②Hess赤緑試験

I 検査の目的

1 検査対象
　後天発症の複視の自覚のある症例，麻痺性斜視などは良い対象である．ただし，同時視のない症例は検査が施行できない．最低でも同時視のあるものに限られる．

2 目標と限界
　眼球運動制限を客観的に捉えることができるため，経過観察，術前後での比較などに有用である．単筋の麻痺の場合は麻痺筋の同定が可能である．先天的な斜視では斜視眼に抑制がかかったり，網膜対応異常のある症例も含まれるため，検査が不正確であったり，施行困難なことがある．また，視標が丸い点のため，回旋偏位を捉えることはできない．強い複視が回旋偏位の場合には，他の検査を組み合わせて判定する必要がある．特に，両滑車神経麻痺の場合には正面視で上下偏位を示さず，Hess試験のみでの検出は不可能である．

II 検査法と検査機器

1 測定原理
　被検者は赤緑フィルターを装着し（図1a），正面のスクリーンには背景が赤のグリッド，矢印が緑で映し出される（図1b）．測定範囲は，正面を含む上下，左右，斜め方向の9方向を測定する．背景は1目盛が5°であり，15°と30°で測定することができる．例えば右眼に緑フィルター，左眼に赤フィルターを装着すると，右眼には矢印のみ，左眼には背景のみが見えており，この場合は右眼の眼球運動を測定していることになる．逆に，左眼に緑フィルターを装着すると左眼の眼球運動の測定ができる．

2 機器の構造
　プロジェクターと顎台（図2a），スクリーンからなる（半田屋）．顎台とスクリーンとの距離は

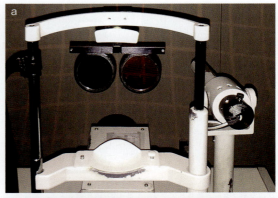
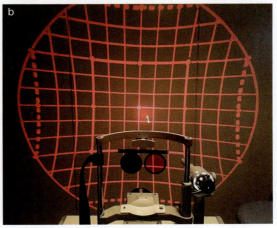

[図1] Hess テスト
a 赤緑フィルター：緑フィルターを装着した方の眼球運動をみている．右に緑フィルターを入れると右眼の眼球運動を検査できる．
b スクリーンには赤いグリッドと緑の矢印が映し出される．

140cmとする．顎台には赤緑フィルターがついており，両眼を分離して測定できるようになっている．顎台の横に指示器があり右手で操作する（片麻痺の患者の場合など，左に移動することも可）．スクリーンは図1bのように赤い格子状で15°の9方向，30°の9方向が赤い太い点線で記されている．

III 検査手順

1 検査の流れ
　被検者は顎台に顎を乗せ，額も前方にバーがあり，しっかりつける（図2b）．複視のある患者では自然と複視を避けるような頭位異常を呈するため，この時，正しい頭位を保つことは非常に重要

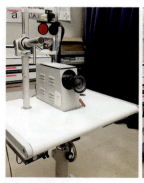

[図2] 機器の構造
プロジェクターと顎台とスクリーンは140cm距離をとる．被検者に合わせて台の高さの調節をする．

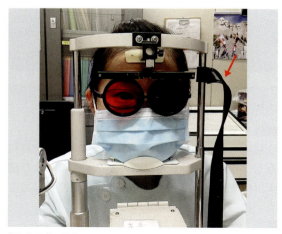

[図3] 頭位の固定
視線を赤緑フィルターの中央に合わせる．額も前方のバーにしっかり当て，頭位が確定したら矢印のバンドで頭を固定する．

である．

次に，赤フィルターを右眼，緑フィルターを左眼に装着し，瞳孔中心に赤緑フィルターのレンズの中心がくるように顎台で高さを調節する．額のバーも前後するようになっているので，レンズと眼球が平行になるようにセットし，頭位のセッティングができたら頭をヘッドバンドで固定する（図3）．赤緑フィルターが離れすぎたり，近すぎたりするとフィルターの枠のため視野が妨げられてしまう．

頭位が安定したら部屋を暗室とする．スクリーンには図1bのように格子状のグリッドが映し出される．通常は右眼の眼球運動から開始するため，右眼に緑フィルターをセットし，ポインターで中央の真ん中（正面視）を指示させ，上方から時計回りに9方向ポイントし，最後に正面に戻ってきて，正面が最初のポイントと同様かをチェックする．検者は矢印の位置を1回ごとに記録用紙（図4）に記載する．Hessチャートの記載は向かって右が右眼の眼球運動，向かって左が左眼の眼球運動となり（視野と一緒），記載を間違えやすいため注意が必要である．次に，左眼に赤フィルターをセットして同様に行う．15°で変化が乏しい場合など，必要があれば30°でも追加で施行する（図5）．全例に行う必要はない．

正面から開始し時計回りに9方向のポイントを指すが，最後に正面視でのポイントを確認するのは，検査中に頭位異常をきたすケースがあること

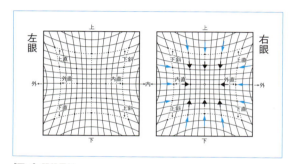

[図4] 記録用紙
記録用紙は向かって右が右眼，向かって左が左眼の眼球運動となる．黒い矢印が15°，青い矢印が30°の眼球運動のポイントである．

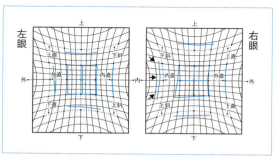

[図5] 機械的斜視（60歳）
左方視での複視の訴えが強い症例であったが，15°では明らかでなく，30°で偏位が明らかとなった．

（この場合はやり直し）と，筋無力症では疲労現象のため正面視でのポイントが最初と最後でずれる特徴がある．検査開始時，もしくは検査終了時

3) 眼球運動検査

には検査時間の記載を行う．検査の施行時間で結果が異なる場合もあり，診断に役立つことが多い．

2 検査機器の使い方とコツ

検査は暗室で行うが，頭位の固定と位置関係の確認までは部屋を明るくして行う．被検者に矢印の動かし方を両眼開放下で先に確認しておくと検査がスムースに行える．赤緑フィルターを装着したら，矢印は故意にちょっとずらして持たせてから開始する．斜視のある患者では，「矢印が消える」と訴えることがある．瞬きをさせたり，赤フィルターを手で覆ったりして緑の矢印を確認させる．幼少時からの斜視では抑制がかかりやすかったり網膜対応異常のケースもあることから，検査を行う前には後天性の斜視なのか先天性のものであるかくらいの知識をもった上で検査を施行すべきである．上下偏位のある患者では自然と頭位が傾いてくることから，検査中は，頭位が固定されているかに注意を払う．

IV 検査結果の読み方と解釈

1 正常値

両眼を分離して検査を行っているが，特に若年者では調節性輻湊が働きやすく，データとして内転位をとっているかのようなデータが得られることがある（図6）．間欠性外斜視では中心点が外側に偏位するも両眼の眼球運動の大きさに差は認めない．内斜視の場合も同様である．

斜位と斜視の違いはHessテストではわからないが，大きさの形が同じであれば共同性と判断し，眼球運動制限はないと考える．

2 異常値とその解釈（異常所見の読み方）

Hessテストでは，単筋麻痺の場合は麻痺筋の同定が可能である．図7は外転神経麻痺のHessチャートであるが，これをみれば，肉眼的にわかりづらい眼球運動制限も明確である．肉眼的にはわずかに左眼に外転制限があるが，Hessテストでは，左眼に外転制限があり，Heringの法則に従い，強いインパルスを受けた右眼の内転が大きくなっている．このように，麻痺眼で形は小さく，強いインパルスを受けた健眼で眼球運動の形

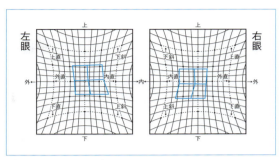

［図6］若年者のHessテスト
正面で4PDの内斜位の症例であるが，Hessテストでは共同性に内転位をとっている．調節の要素が入っていると考えられる．

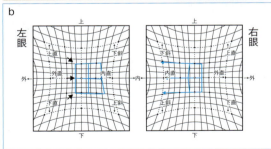

［図7］左外転神経麻痺
a 肉眼的には眼球運動制限は著明ではない．
b 左の外転制限が明らかである．

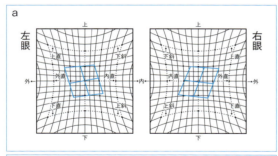

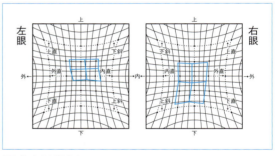

[図9] 左上斜筋麻痺
左代償不全性上斜筋麻痺では上下偏位が大きいことが特徴である．しかし，回旋偏位は検出されない．

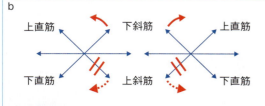

[図8] 両滑車神経麻痺
a 両眼の上斜筋がバランスよく麻痺すると正面での上下偏位は全く認められない．
b 上斜筋のもつ外転作用の減弱，上斜筋が麻痺することによる下斜筋のもつ外転作用の増強でHessテストでは眼球運動の形がVパターンを示す．

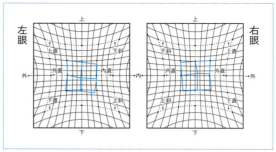

[図10] ボトックス®による下斜筋麻痺（両眼）（45歳，女性）
美容目的で受けた下眼瞼へのボトックス®注射が下斜筋に浸潤し，両眼の下斜筋麻痺を生じた．ボトックス®注射1週間後から複視を自覚し，1～2か月で自然に消失した．

が大きくなる．

図8aは両滑車神経麻痺のものである．バランスよく両眼の上斜筋が麻痺すると，図8aのように正面視では上下偏位は認めない．これは眼球運動を解釈するとVパターンを呈しているといえる（図8b）．

一方，片眼の滑車神経麻痺では，正面視で上下偏位をきたすことが多いため有用である（図9）．ただし，患者は回旋複視を訴えており，回旋偏位の測定は他の検査を用いる必要がある．

Hess赤緑試験が診断に有用であった症例を図10，11に示した．

（木村亜紀子）

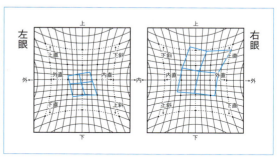

[図11] 左眼窩底骨折（41歳，男性）
左眼の上転制限がある．そのため，強いインパルスが右眼に働き，右眼は上方への過動が認められる．

5 眼位・眼球突出・眼球運動検査

3) 眼球運動検査
③ ひっぱり試験・牽引試験

I 検査の目的

1 検査対象

ひっぱり試験，牽引試験 forced duction test (FDT) は，神経原性，外眼筋自体の障害，機械的制限などが原因となる眼球運動制限の鑑別を要する症例が対象となる．FDT の適応となる疾患を表1に示す．

2 目標と限界

眼球を他動的に動かすことにより眼球運動障害の原因が，脳神経麻痺による神経原性か，筋の拘縮など外眼筋自体の障害または筋の機械的な嵌頓による伸展制限かを鑑別することが目標である．局所麻酔下で行う場合は被検者の協力が必要となる．注視ができなかったり緊張で眼球に強い力が加わったりする場合には，眼球運動が抑制され適切な検査結果が得られないことがあり検査の限界がある．手術加療を全身麻酔下で行う場合には，術前，術中に検査を行うことができ，上記の随意運動を排除でき判断が容易となる．

II 検査手順

1 検査の流れ

被検者に仰臥位をとらせ，局所麻酔下で行う場合には点眼麻酔を十分に行う．開瞼器もしくは検者の指で開瞼する．有鉤鑷子または固定鑷子で角膜輪部近くの結膜と上強膜を把持し，眼球を回転させて，抵抗があるかどうかを確認する（図1）．

直筋に対して行う場合は眼球運動制限のある方向に眼球を回転させる．2本の鑷子を使用する場合，図2aのように把持する．1本の鑷子の場合は運動制限のある方向とは反対側の角膜輪部を把持して行う．斜筋に対して行う場合には2本の鑷子で把持し眼窩先端部方向に眼球を押したまま内転させる．その後，上斜筋または下斜筋に対して図3のように回転させる．

[表1] FDT の適応となる疾患

- 外傷（眼窩骨折）
- 甲状腺眼症
- 先天性
  - Duane症候群
  - Brown症候群
  - Moebius症候群
  - 先天性外眼筋線維症
- 固定斜視（先天性，後天性）
- 術後の眼球運動障害
  - 斜視手術
  - 網膜剥離手術
  - 緑内障インプラント手術
- 神経麻痺後のはり合い筋の拘縮
- 眼窩腫瘍
- 炎症

（古瀬 尚：眼科検査ガイド，第1版，p325）

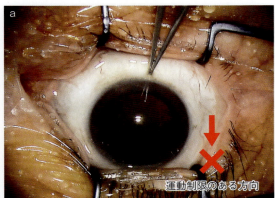

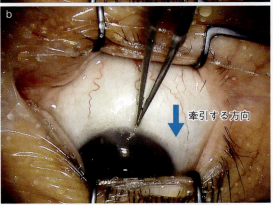

[図1] forced duction test (FDT) の実際（右眼，術者側から見た図，1本の鑷子を使用）
a 点眼麻酔をした後に開瞼器で開瞼させ，運動制限のある方向とは反対側の角膜輪部を把持する．
b 運動制限のある方向に眼球を回転させる．

2 検査機器の使い方とコツ

眼球運動制限を確実に判断するためには筋肉を弛緩させておく必要がある．直筋に対して行う場

合には眼球を眼窩先端部方向に押すと弛緩が十分ではなくなり，運動制限があっても正常のように判断できてしまう．そのため眼球を前方に持ち上げ，直筋が弧を描くように回転させる．斜筋の場合は筋の付着方向が直筋とは異なるため眼窩先端部方向に眼球を押してから回転させる．局所麻酔下では，眼球運動制限がある方向を視標などを用いて注視してもらい，筋肉を弛緩させる．また鑷子で把持する部分が角膜輪部から離れていると結膜が伸展してしまい，角結膜を損傷したり眼球の回転が十分でなかったりするため，輪部から1〜2mmの範囲で把持する．

Ⅲ　検査結果の読み方と解釈

眼球運動の正常な可動域を図4に示す．内転では瞳孔の内縁が上下の涙点を結ぶ線まで，外転では角膜輪部の外縁が外眼角に接するまで眼球が動くと正常である．上転，下転では，角膜輪部が内眼角と外眼角を結ぶ水平線を超えるまで動くと正常である．これらの正常な可動域まで抵抗なく

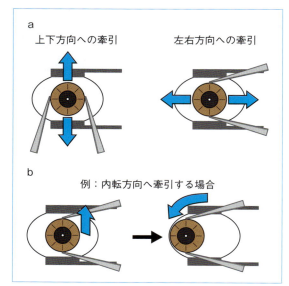

[図2] 直筋に対するFDT（右眼，術者側から見た図，2本の鑷子を使用）
a 上下方向の牽引では3時9時方向，左右方向の牽引では6時12時方向の角膜輪部を把持して行う．
b 例：内転方向へ牽引する場合．眼球を前方に持ち上げ，直筋が弧を描くように回転させる．

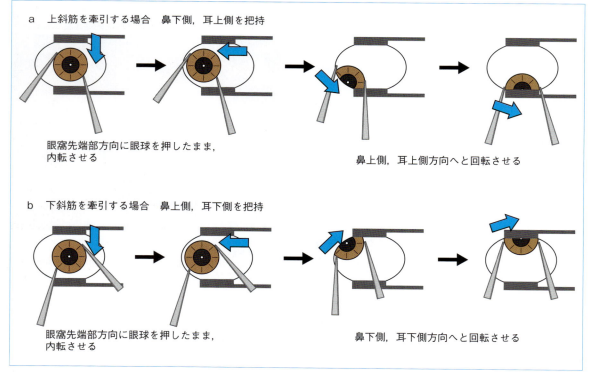

[図3] 斜筋に対するFDT（右眼，術者側から見た図）

眼球が回転すればFDT陰性となり，眼球運動制限のある方向の作動筋の麻痺による眼球運動制限であると判断する．逆に抵抗があり十分に眼球が回転しない場合はFDT陽性となる．FDT陽性となる主な疾患と所見について以下に示す．

1 眼窩吹き抜け骨折 blow-out fracture

前方からの鈍的外傷により眼窩骨壁が副鼻腔側へと骨折し，その骨折縁に筋肉および周囲組織の嵌頓が生じると機械的な制限による眼球運動障害を起こす．眼窩底骨折で下直筋が制限されると上転方向への牽引でFDT陽性となり，眼窩内壁骨折で内直筋が制限されると外転方向への牽引でFDT陽性となる．しかし，嵌頓の程度により抵抗が異なるため，判断には僚眼と比較するなど注意が必要である．外傷性の外眼筋（不全）麻痺ではFDT陰性となるため鑑別に有用である．

2 甲状腺眼症

バセドウ病やまれに橋本病に伴う眼窩組織の自己免疫性炎症性疾患であり，外眼筋に炎症が生じると筋肉は腫脹し伸展障害を生じる．そのためFDTは炎症により腫脹した筋肉が伸展する方向への牽引で陽性となる．例えば，上転方向で陽性となった場合，下直筋が腫脹していると判断する．下直筋，内直筋，上直筋が障害されることが多い．

3 Duane症候群

外直筋の異常神経支配を主体とした先天性疾患である．FDTは局所麻酔下で行い，牽引する方向を注視してもらい検査を行う．Duane症候群はⅠ，Ⅱ，Ⅲ型に分類され，最も頻度が高いⅠ型では外転障害と内転時の瞼裂狭小・眼球後退を認める．Ⅰ型の場合，運動制限のある外転方向を注視してもらい，さらに外転方向へ牽引するとFDT陰性となり，また，眼球後退を認める内転方向を注視してもらい，さらに内転方向へ牽引すると内転時に外直筋も収縮するためFDT陽性となる．このとき内転の状態から外転方向へ注視してもら

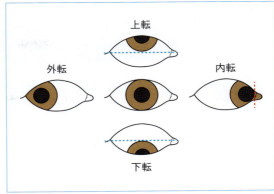

[図4] 眼球運動の正常可動域（右眼）
赤色の破線は上下の涙腺を結ぶ線，青い破線は内眼角と外眼角を結ぶ水平線を示す．

うと抵抗が解除され，外直筋の収縮が起こっていないことも確認できる．

4 Brown症候群

上斜筋の伸展障害をきたす疾患で，上斜筋腱鞘や上斜筋腱，滑車などに異常が認められる．そのため，上斜筋に対して牽引を行う場合にFDT陽性となる．

5 外眼筋線維症 general fibrosis syndrome

先天性に外眼筋に線維化が起こる疾患であり，線維化した筋が伸展する方向への牽引でFDT陽性となる．下直筋のみ障害される下直筋fibrosisの場合，上転方向への牽引でFDT陽性となる．

文献
1) 古瀬　尚：ひっぱり試験，牽引試験．眼科検査ガイド，第1版，眼科診療プラクティス編集委員編，文光堂，東京，324-326, 2004
2) 長谷部 聡：牽引試験（ひっぱり試験）．眼科検査法ハンドブック，第4版，小口芳久ほか編，医学書院，東京，93-95, 2005
3) 横山吉美：眼球牽引試験．眼科グラフィック 2：170-172, 2013
4) 林　孝雄：斜視特殊型．眼科プラクティス29. これでいいのだ斜視診療，丸尾敏夫編，文光堂，東京，122-135, 2009
5) Plager DA：Traction testing in superior oblique palsy. J Pediatr Ophthalmol Strabismus 27：136-140, 1990

（長井隆行）

3) 眼球運動検査
④ 注視野検査

I 検査の目的

1 検査対象
眼球運動異常や複視がある症例が対象となる．

2 目標と限界
頭部を固定した状態で眼球運動のみで中心固視できる範囲を測定することが目的である．注視野検査には単眼注視野検査と両眼注視野検査があり，単眼注視野検査ではひき運動の範囲（限界）を，両眼注視野検査ではむき運動の範囲（限界）すなわち両眼単一視が可能な範囲を定量的に測定する．また両眼注視野は両眼単一視を確立させることが治療目的である非共同性斜視の治療効果の判定に有用である．

II 検査法と検査機器

単眼注視野検査法と両眼注視野検査法がある．検査機器としていずれも Goldmann 視野計や弓状視野計，大型分度器を用いる．

III 検査手順

1 検査の流れ
現在市販の検査装置はないが，ここでは Goldmann 視野計を使用した測定方法について解説する．

1) 単眼注視野検査
片眼を遮閉し顎台に顔を乗せた状態で頭部をしっかり固定する．検者は固視観察筒を覗き，被検眼を視野計の中央に合わせる．周辺視野を使用しないよう中心窩で視標を追視させる必要があるため，視標は明瞭に見える視標の中で最も小さく暗い視標を用い，中心から周辺に向かって動かしていく．被検者には視標を追視するように指示し，視標が追視できず視認できなくなった時点で合図をしてもらう．明視可能な限界点を第2眼位（上方，下方，右方，左方視）と，第3眼位（右上方，右下方，左上方，左下方視）の8方向の向きにおいて測定していく．検者は固視観察筒から眼球運動を確認しながら行う．

2) 両眼注視野検査
両眼開放のまま，顎台に顔を乗せた状態で頭部をしっかり固定する．検者は固視観察筒を覗き，両眼の中心である鼻根部を視野計の中央に合わせる．視標は明瞭に見える視標を用い，被検者には両眼で視標を追視するよう指示する．まずは両眼単一視可能な場所を確認する．そこを中心とし，周辺に向かって視標を動かしていき融像がくずれて視標が2つに見えた時点で合図をしてもらう．両眼単一視できる範囲を単眼注視野同様，8方向の向きにおいて測定していく．複視が自覚できない場合は，Bagolini 線条レンズを装用させ，視標が2つに見えた時もしくは一方の線条が消失した際に合図をしてもらう．

固視観察筒からは，眼球はほとんど観察されず眼球運動の把握ができないため，注意が必要である．

2 検査のコツ
注視野は検眼枠やレンズの影響を受けるため，可能な限り眼鏡や検眼枠での矯正は行わず，裸眼もしくはコンタクトレンズ装用にて行うのが望ましい．

頭部の固定が重要となるため，検査中に頭位が動いていないか確認しながら検査を行う必要がある．また，検査中は常に視標を中心窩で捉えておく必要があるため，検査前に中心窩外で見ると視標がぼやけるのを体験させておくとよい．その際，被検者が視標をきちんと追視できているかどうか，検者は眼球運動を注意深く観察しておく．

両眼注視野の測定では抑制がかかっていて1つに見えると答える場合があるため，両眼単一視をしているかを確認しながら進める必要がある．

IV 検査結果の読み方と解釈

1 正常値
個人差や年齢差があるが，正常値は単眼注視野では平均はほぼ55°で，側方，下方で差はないが上方がやや狭い（図1）．年齢が高いと注視野の範囲が狭くなる傾向にある．また，両眼注視野は

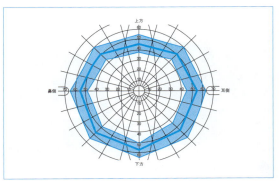

[図1] 単眼注視野の正常範囲
(文献5)より引用改変)

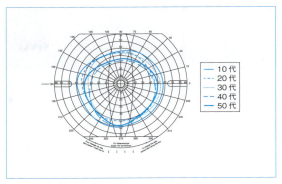

[図2] 世代別両眼注視野の正常範囲
(文献6)より引用改変)

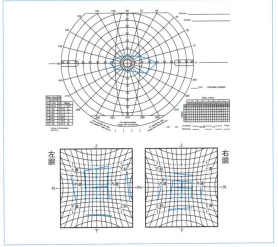

[図3] 眼窩底骨折のHess赤緑試験と両眼注視野

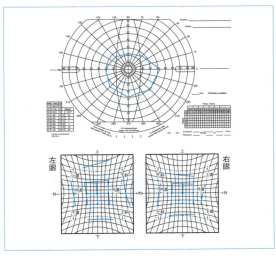

[図4] 図3の手術後のHess赤緑試験と両眼注視野

単眼注視野よりやや狭く約44°で，上方は40°，下方は50°側方50°であるが，40歳から注視野の範囲が狭くなる傾向がある（図2）．

2 異常値とその解釈

眼球運動制限がある場合は，単眼注視野，両眼注視野ともに制限されている方向の注視野が狭窄する．過動がある場合，単眼注視野では拡大する．

図3は，眼窩底骨折の症例である．両眼注視野では両眼単一視が可能である範囲が正面視の狭い範囲のみであったが，図4に示した治療後の結果では，正面から上方視，下方視にかけても両眼単一視が可能な範囲が拡大した．このように両眼注視野は複視の自覚する範囲の変化をとらえることで治療の判定が可能である．

文献
1) 山縣祥隆ほか：眼球運動検査．眼科診療プラクティス86．眼科医と視能訓練士のためのスキルアップ，久保田伸枝編，文光堂，東京，43-45，2002
2) 古瀬　尚：注視野検査．眼科検査ガイド，第1版，眼科診療プラクティス編集委員編，文光堂，東京，327-328，2004
3) 長谷部聡：注視野検査．眼科検査法ハンドブック，第4版，小口芳久編，医学書院，東京，95-96，2010
4) 田淵昭雄：注視野検査．眼科検査法ハンドブック，湖崎克ほか編，医学書院，東京，282-285，2010
5) 緒方真治ほか：注視野による眼球運動の評価─健常人の正常範囲─．眼臨 89：660-662，1995
6) 大野千草ほか：眼窩底骨折における両眼注視野面積の解析．日視能訓練士協誌 28：199-203，2000

（和田友紀）

4）頭位の検査

I　検査の目的

1　検査対象

頭位異常のある患者はすべて対象となる．ただし，片眼遮閉で頭位異常が改善しないものは眼性ではないと判断し（頸性斜頸など），眼科で経過観察せず整形外科など他科受診を勧める（図1）．

2　目標と限界

片眼性の先天上斜筋麻痺ではParksの3ステップ法を用いることにより診断は比較的容易であるが，両眼性では診断が難しい．両眼性ではBielschowsky頭部傾斜試験（Bielschowsky head tilt test：BHTT）が両側で陽性あるいは判定不能となる（図2：検査の原理参照）．

上下斜視をきたす疾患，甲状腺眼症，斜偏位，筋無力症などでも陽性となることがある．他の検査結果も踏まえて診断に至る必要がある．

II　検査の原理

通常，右への頭部傾斜では右眼に内方回旋，左眼に外方回旋が生じ，左への頭部傾斜では右眼に外方回旋，左眼に内方回旋が生じる（姿勢反射，図3）．顔を傾けた側の眼は内方回旋するため，

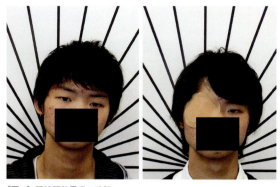

[図1] 眼性頭位異常の確認

上斜筋麻痺では麻痺眼の眼が上転する．BHTTは顔を傾けた側の眼が内方回旋するかをみているテストであり，右に顔を傾けたときには左眼固視，左に顔を傾けたときには右眼固視であると判定しやすい．

III　Parksの3ステップ法（図4）

第1段階：麻痺筋の可能性の同定．例えば，右眼固視で左上斜視の場合は，左眼固視では右下斜視となる．

第2段階：右方視と左方視のどちらで上下偏位が大きいか．

第3段階：右への頭部傾斜と左への頭部傾斜のどちらで上下偏位が大きいか．

[図2] 両上斜筋麻痺
上段：両下斜筋過動症を高度に認める．
下段：BHTTは両側で陽性となる．

4)頭位の検査

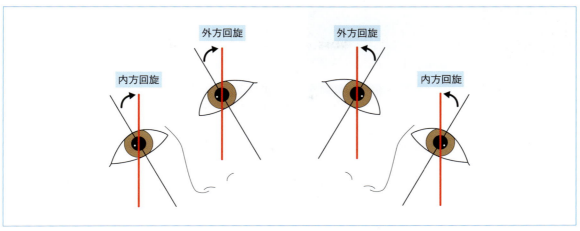

[図3] 姿勢反射
右への頭部傾斜で右眼では内方回旋，左眼では外方回旋が生じ，左への頭部傾斜で右眼では外方回旋，左眼では内方回旋が生じる．

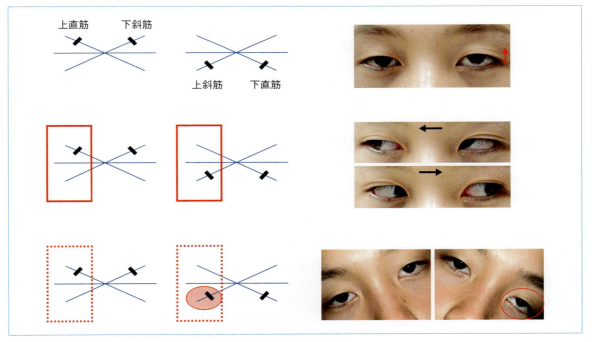

[図4] Parksの3ステップ法

Ⅳ 検査結果の読み方と解釈

例えば左上斜筋麻痺の場合（図4）．

第1段階：左上斜視なので，麻痺筋としては，右下斜視と考えると→右上直筋，下斜筋
左上斜視と考えると→左下直筋，上斜筋となる．

第2段階：右方視で上下偏位が増強（もしくは複視が増悪）→右眼だと上直筋，左眼だと上斜筋が麻痺筋として考えられる．

第3段階：左への頭部傾斜で左眼が上転→左眼の内方回旋ができていない＝左上斜筋麻痺と診断できる．

（木村亜紀子）

5 眼位・眼球突出・眼球運動検査

5）眼球震盪の検査

I 検査の目的

1 検査対象

眼球の荷電を利用した「電気眼振計」による「眼球震盪（眼振）の検査」は，主に耳鼻科領域の平衡機能検査として行われており，頭位変換やカロリック試験で生じる眼振の記録にも用いられている．「電気眼振計」では，眼球荷電は記録の安定性を高める交流増幅がなされるため，眼位の定量性には欠けるが，眼振の相対的な強さ（振幅），周波数，緩徐相波形を客観的に評価できる．これに対して神経眼科領域では，固視の異常である眼振のみならず衝動性眼球運動や追跡眼球運動の異常などを定量的に評価することを目的として，「電気眼振計」と同一の記録装置を用いても眼位信号の定量解析を可能とする直流増幅にて記録する（直流眼球運動記録）．神経眼科領域で用いられている他の眼球運動記録法もすべて眼位定量性の高い記録法であり，本項では眼振以外の眼球運動も検査対象として述べる．

2 目標と限界

両眼の 3 つの回転軸周りの眼球運動（水平，垂直，回旋）を同時に高い精度とサンプリングレートをもって定量的に継続してデジタル媒体に記録することがベストであるが，手技が複雑となり困難を伴う．常にベストの記録を行う必要はなく，眼球運動異常の特性，診断目的に合わせ，記録法，記録内容，精度などを決定する．ただし，記録法によっては閉瞼時の眼球運動は測定できないものもあり，睡眠時，閉瞼時の眼球運動記録は記録法が限定される．

II 検査法と検査機器

現在利用可能な，眼球運動記録法を表 1 にまとめた（前眼部動画解析法を除く）．眼球運動異常の診断，評価に必要な項目をカバーする記録法を選択することが重要であるが，被検者の検査に対する理解度と全身状態も考慮しなければならない．小児や高齢者では侵襲が少なく，短時間で済む記録法を選択せざるを得ない場合もある．

1 測定原理

1）電気眼振計（ENG/DC-EOG）

眼球周囲の皮膚に固定した電極で，眼球の電気的特徴（角膜がプラス，網膜がマイナスに荷電している）がもたらす眼球運動に伴う電位変化（角膜頂点が接近すると電位が上昇，離反すると低下）をとらえるものである（図 1a）．微小な電位変化（100μV/10° 程度）なので，電位のドリフ

[表 1] 各検査法の特徴

名称（日本語）	電気眼振計（直流眼球運動記録計）	光電素子眼球運動記録法	角膜反射法	サーチコイル法
名称（英語）	electro-nystagmography (D.C. electro-oculography)	photo-electric oculography limbus tracker	Purkinje image tracker	magnetic search coil technique using scleral annulus
略称	ENG (DC-EOG)	P-EOG	Purkinje tracker	search-coil
測定対象	電位変化	眼球表面の赤外線反射光量	角膜上の赤外線反射（虚像）	誘導電流
対象年齢	乳幼児から可	小児以上	中学生以上	中学生以上
装着端末	皮膚（銀/塩化銀）電極	赤外線素子・光電素子装着眼鏡様枠	赤外線素子・CCD 装着眼鏡様枠	検出コイル包埋アニュラス
侵襲性	低い	低い	低い	高い
測定しやすさ	目的により異なる	水平は容易，垂直はやや難	端末と頭部の固定が必要	やや難
安定性	DC-EOG は低い	低い	高い	高い
精度	低い	約 0.5°	約 0.5°	0.1° 以上
最大測定角（水平/垂直）	30〜40°/20°（30°/15°）	15〜30°/10-15°	30° 以下/30° 以下	45°/45°
回旋眼球運動の計測	不可	不可	不可	可
閉瞼時の計測	可	不可	不可	可
入手しやすさ	容易（国産市販品あり）	容易（国産市販品あり）	容易（国産市販品あり）	難（国産品なし）

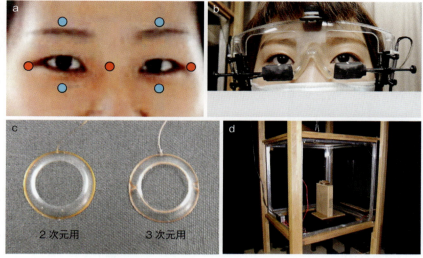

[図1] 各検査機器と測定法
a 皮膚電極装着部位（ENG/DC-EOG）
●：水平用，●：垂直用，接地電極：片側耳朶か，前額部中央
b 光電素子装着眼鏡（P-EOG，竹井機器工業）
c 検出コイル（search-coil，Sklalar 社）
d アルミニウム製磁場コイル（search-coil，Remmel Labs 社）

トが生じやすいため，増幅時に交流増幅（時定数3秒が一般的）を行い基線の安定化を得る[1]．乳幼児，閉瞼時にも記録ができ，頭位変換も容易であることは大きなメリットである．乳幼児で共同性水平眼球運動のみ記録すればよいのであれば，両外眼角部と不感電極の3個のみでも記録可能である．しかし，交流増幅では測定電圧と眼位は比例しないため眼位の定量的な解析は行えない．電気眼振計と同様の電極を用いて直流増幅を行うと測定電圧と眼位とが比例し，眼位の定量解析が可能な直流眼球運動記録計となる．しかし，安定した記録を行うには熟練を要し，また電位のドリフトの有無を確認する頻回の較正（キャリブレーション）が必要となる．

2）光電素子眼球運動記録法（P-EOG）

赤外線輪部反射法・強膜反射法も同義である．この方式は，赤外線を眼球にあて，内，外側輪部からの反射赤外線を光電素子で受光して計測する方式である．反射赤外線量が強膜部と透明角膜の奥に位置する虹彩色素沈着部で大きく異なることを利用し，内，外側の信号を減算することで水平眼位を，加算することで垂直眼位を測定する．水平眼位は広範囲で定量測定が可能であるが，その原理上，垂直眼位の定量測定は測定可能範囲も狭くある程度の熟練を要する（図1b）．

3）角膜反射法

角膜に照射した赤外線の反射像（Purkinje image）を前額面で測定し，その移動量から眼球運動を算出評価する．角膜曲率から推定される曲率中心と眼球の回転中心が異なっていることを利用する．最も反射の強い角膜表面からの反射像のみの評価では，眼球の回転と平行移動が区別できないため，ノイズは少ないのだが，赤外線照射素子，CCDカメラと頭部の確実な固定がなされなければ精度が非常に低下する．精度を保つために，角膜表面からの反射像と水晶体後面からの反射像を同時記録する二重角膜反射法（Dual Purkinje tracker）やCCDカメラによる瞳孔中心位置検出を同時に行い，平行移動のファクターを補正する検査機器も市販されている．

4）サーチコイル法（search-coil）

角膜周囲・球結膜に固定したアニュラス（シリコンリング）に包埋した検出コイルが頭部の周囲に固定した磁場コイルが発生する磁場を受けて誘導する電流を用いる．最高精度の定量性の高い安定した記録法である．検出コイルに二重コイル型の検出コイルを用いることで回旋眼球運動も記録することができる[2,3]（図1c，d）．しかし，国産の測定器，コイルはなく，侵襲性もあり，臨床普及は進んでいない．少なくとも臨床の場での高精度な眼球運動記録は，非侵襲性で回旋眼球運動評

[図2] バイトバーの作成法
a 印象材付板，b 被検者の歯形付板（バイトバー），c バイトバー装着頭部固定台

[表2] バイトバーによる頭部固定の手順

必要なもの	硬い板（厚さ5mm，幅25mm程度で，長さは適宜） 歯科用ゴム質弾性印象材（印象材） 眼球運動検査時の板の固定台（search-coil法用は非磁性体）
手順1	印象材を厚さ15mm，幅45mm，長さ30mm程度に丸めて板に取り付ける（図2a）
手順2	被検者に印象材を軽く噛んでもらった後，すぐに外す（図2b）
手順3	印象材硬化後，バイトバーを固定台に固定する（図2c）
手順4	固定したバイトバーを軽く噛んでもらいながら眼球運動を記録する

価も行え，500 Hzを超える時間解像度の機器も市販されている前眼部動画解析法（次項，ビデオ眼球運動記録法を参照）に移行していかざるを得ないであろう．

III 検査手順

1 検査の流れ

① 頭部固定の準備

眼球運動は，頭部に対する眼球の回転であり，定量的に眼球運動を記録，解析するためには，頭部の固定が重要である．前庭眼反射を評価する場合は，頭部運動も同時記録する必要がある．

種々の固定法があるが，パテタイプの歯科用弾性印象材（シリコーンラバー印象材，EXAFINE®，ジーシー社など）による歯型固定（バイトバー）法が簡便かつ確実である（図2，表2）．

② 測定端末の装着

ENG/DC-EOG：眼球周囲皮膚への皿電極貼り付け．

P-EOG/角膜反射法：赤外線照射素子，光電素子/CCD装着眼鏡枠の装着．信号ケーブルを衣類背部にペアンなどで固定し，眼鏡枠をテープで前額部に固定すると眼鏡枠のずれを減らすことができる．

search-coil：誘導線包埋アニュラス（外径19mm，内径12mm）を眼球に装着．切れ長な瞼裂を持つ日本人では導出ケーブルは外眼角を経て耳側皮膚に固定する方が簡便で安定する．

③ 頭部の固定
④ 正面視用視標提示による正面固視
⑤ 0点設定

⑥ 較正用視標の提示と提示視標固視による較正

眼球運動記録では，眼位（視線の向き）と信号の強さ（一般には電圧）が比例していることが原則である．眼位の正面からのズレが大きくなるほど，直線性が低下しやすいので，信頼できる区間がどこまでかを事前に十分に確認しなければならない．このことを前提に，視野平面上の任意の位置に定めた複数箇所の視標（例えば，10°ごとに左右30°，上下20°）を固視している時の信号の強さから，キャリブレーションを行う．

⑦ 眼球運動誘導視標を提示し，目的の眼球運動（眼位信号）と視標位置信号を同時に記録する．

⑧ 視標提示の終了後，頭部固定を解除し，測定端末を外す．

2 検査機器の使い方とコツ

1）アナログ解析

アナログの眼位信号は微分回路（時定数0.03秒が一般的）を用いて眼球速度信号へ変換することができる．ENG/DC-EOGではこの両信号，さらには同時記録した視標信号を記録紙に書き出させて解析する．

2）デジタル解析

眼位信号がデジタル信号として出力される場合はそのまま，もしくは適切なサンプリングレートに変換して，アナログ信号として出力される場合は適切なサンプリングレートでデジタル化して，コンピュータに取り込み解析する．汎用AD（analog-digital変換）ボードを用いるのが最も安価な方法であるが，市販の信号解析システム（ソフトとインターフェイスのセット）を用いると簡便である．サンプリングレートが500 Hz以上で

あればサッケードの定量解析も十分に行うことができるが，1kHz以上が望ましい．波形解析に用いることが可能な市販ソフトは種々あるが，著者らは，MATLAB®（The MathWorks，サイバネットシステム株式会社）を用いている．

IV 検査結果の読み方と解釈

基本となる課題において検討すべきパラメータを以下にまとめた．

1）固視

眼振，衝動性眼球運動混入（saccadic intrusions）の有無．これらを認める場合は，その方向と振幅，周波数，眼振の緩徐相の波形を解析する．先天眼振の診断では，視標を消した完全な暗室下での計測，輻湊時の計測も重要である．

2）サッカード（衝動性眼球運動）

固視視標と目的視標の開き（ステップ量）に対する初回サッカード振幅の比（利得），視標の移動開始からサッカードの開始までの時間遅れ（潜時），振幅と最大速度を計測する（図3）．横軸に振幅，縦軸に最大速度をとったグラフ（主系列，main sequence）は，slow saccadesの検出に有用である（図4）．

3）パシュート（滑動性眼球運動）

種々の視標速度での利得（定速度視標では視標速度に対する眼球運動速度の比）を解析する．30°/秒以下の一定速度視標を用いた場合の正常利得は0.8〜1とされている[4]．

4）視運動性眼振

網膜全体を刺激できる視標を用いることで誘発できる．視標の動きを止めた後の視運動性後眼振（暗室下で出現），固定視標を提示することによる視運動抑制も計測するとよい．利得（視標速度に対する眼球運動速度の比）を検討する．

5）前庭眼反射

眼球運動計測端末を含めた頭部全体を回転させねばならないため刺激用の回転いすなどが必要となる．search-coil法では磁場発生用のコイルも含め，一体として回転する必要があり，大がかりな設備が必要になる．

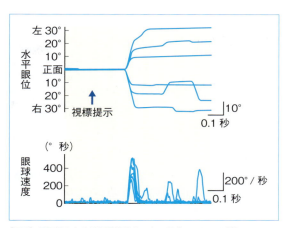

[図3] 正面視からの視標誘導性サッカード（search-coil法）
正常サッカードの潜時は0.2秒程度で，眼球速度はベル型の波形を呈する．速度波形の前半は大きさにかかわらずほぼ一定である．

1 異常値とその解釈（異常所見の読み方）

1）固視

眼振の向きは「速い動き（急速相）」の方向と定義されているが，眼振の原因は固視を障害するゆっくりとした動き（緩徐相）にある．緩徐相波形から3種に分類されるが，方向性を持たないゆっくりとした動きの連続を呈することもある（図5a〜d）．加速型緩徐相のほとんどは先天眼振で生じる．減速型緩徐相はサッケード後の眼位保持機構（神経積分器）の障害を示唆し，種々の後天性脳障害，視線眼振などで認める．また，等速型緩徐相は主に前庭信号のアンバランスで生じるが，生理的なものも病理的なものもある．振り子型眼振は先天眼振，視覚障害性眼振で認められる．

早い動きによる固視の障害は衝動性眼球運動混入（saccadic intrusions）と称される（図5e, f）．広い意味で眼振とされることもある．異常衝動性運動後に0.2秒程度の固視時間がある場合（図5e）とない場合（図5f）がある．図6〜9aに例を示した．

2）サッカード

サッカードの異常所見には大きさの異常（推尺異常，saccadic dysmetria，図9b）と最大速度の低下（図10），潜時の延長などがある．視標に向かって生じたサッカードが視標を超えてしまう場合を推尺過大（saccadic hypermetria），視標に達

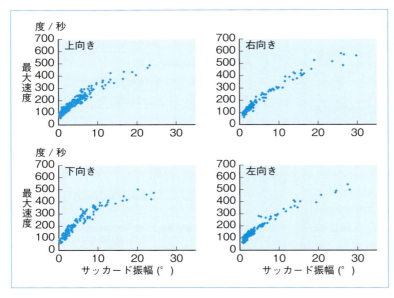

[図4] サッカードの主系列（main sequence, search-coil 法）
症例ごとに最大速度のカーブは異なるが，正常例ではサッカードの向きによる差は認めない．

しない場合を推尺過小（saccadic hypometria）という．0.2秒程度を置いて生じる補正サッカード（過大の場合は逆向き，過小の場合は同方向）を繰り返して視標位置に達する．大きさや潜時の異常は主に小脳障害で，速度低下の水平方向は同側の傍正中橋網様体（PPRF），垂直方向は内側縦束吻側間質核（riMLF）にあるバースト細胞の障害で生じる[4,5]．

3) パシュート

利得が1に近ければ滑らかな視標追従が可能であるが，小脳障害に際しては低視標速度から利得が低下する．このため，視標に追いつくサッカード（catch up saccade）が混入し階段状波形を呈する（図11）．

2 アーチファクト

いずれの記録法においても，瞬目の混入は避けることはできない．解析に際しては注意を要する．

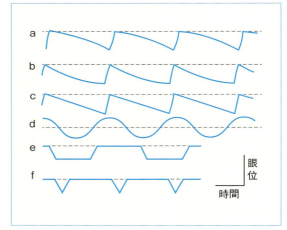

[図5] 眼振の典型波形（模式図，点線は固視眼位を示す）
a 加速型眼振，b 減速型眼振，c 等速型眼振，d 振り子型眼振，e 固視時間のある衝動性眼球運動混入，f 固視時間のない衝動性眼球運動混入

文献
1) 伊藤彰紀：電気眼振図（ENG）の検査法と診断的意義について．Equilibrium Res 69：401-411，2010
2) 鈴木康夫ほか：三次元眼球運動の記録と解析の意義．神経眼科 12：333-340，1995
3) 鈴木康夫：3D眼球運動解析．すぐに役立つ眼科診療の知識臨床神経眼科学，柏井 聡編，金原出版，東京，55-59，2008
4) Leigh RJ, et al：The neurology of eye movements, 5th ed, Oxford University Press, New York, 2015
5) 鈴木康夫：眼球運動の分類とその選択的障害が示す局在診断．神経眼科 21：121-128，2004

（鈴木康夫）

5) 眼球震盪の検査

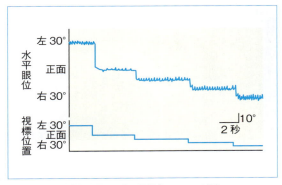

[図6] 加速型緩徐相を呈した先天眼振（search-coil法）
水平眼位に依存して眼振の向きが変動している．

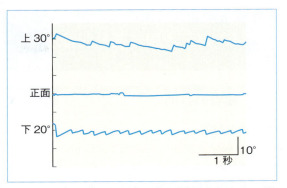

[図7] one-and-a-half syndromeで認めた減速型眼振（search-coil法）
MLFを含む広範な脱髄に起因した上下両方の垂直神経積分器障害を示唆する．

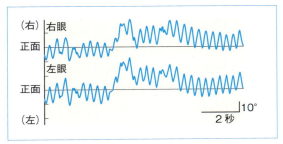

[図8] 振り子様水平眼振（P-EOG法，両眼水平記録）
先天眼振症例で，共同性，同期性眼振を認める．

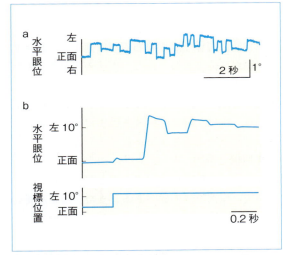

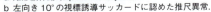

[図9] 脊髄小脳変性症に認めた異常眼球運動（search-coil法）
a 矩形波律動（square-wave jerks）．
b 左向き10°の視標誘導サッカードに認めた推尺異常．

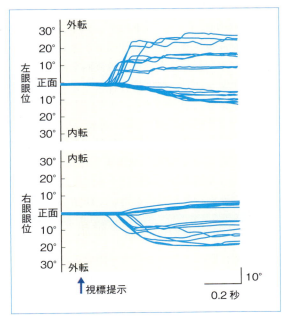

[図10] 脳幹海綿状血管腫症例のslow saccade（DC-EOG法）
両眼の内転サッカード速度が著明に低下していることに加え，右眼外転サッカードの速度の低下もあり，one-and-a-half syndromeを呈している．

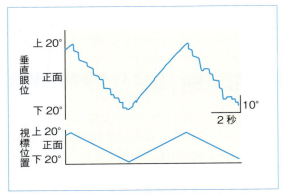

[図11] 脊髄小脳変性症で認めた追跡眼球運動障害（search-coil法）
上向きは良好だが，下向き利得が著明に低下し，階段状波形を呈している．
視標速度±10°/秒，振幅±20°．

179

5 眼位・眼球突出・眼球運動検査

6）ビデオ眼球運動記録法

Ⅰ 検査の目的

1 検査対象

　Hess赤緑試験は先天斜視で同時視のない人や抑制のかかりやすい人，あるいは顎台に顔が乗らない人（体位保持が難しい人），視力不良者には検査が実施できないが，ビデオ眼球運動記録法video-oculography（VOG）はゴーグルタイプでCCDカメラで映した眼球の画像をコンピューター処理して眼球運動を記録するため，視力や両眼視機能に関係なく片眼あるいは両眼の眼球運動の記録が可能である．ただ，本法の明確な定義はなく，単に耳鼻咽喉科領域で用いられるFrenzel眼鏡にCCDを取り付けただけの眼振記録用のものから，水平・垂直・回旋運動まですべて解析できるものまでさまざまである．

2 目標と限界

　眼球運動を瞳孔中心で捉えて記録するため，瞼裂が狭い症例では困難である．また，開瞼を維持できない小児なども適応外となる．睫毛がアーチファクトとなることや眼内レンズで時に瞳孔中心を誤ることもある．精度の高いものではHess赤緑試験では測定困難な回旋偏位の測定もできることが特徴であるが，そのためには虹彩紋理の特徴的な部分を選び出して基準パターンとする．しかし，この基準パターンとなる虹彩紋理が明らかでないものはコンピューターが認識できず回旋偏位の測定ができない欠点がある．

Ⅱ 検査機器の構造

　VOGはCCDカメラで映した眼球の画像をコンピューター処理して眼球運動を記録する．コンピューターが瞳孔中心の動きを捉え，垂直，水平眼球運動を記録する．さらに虹彩紋理の最も特徴的な部分を選び出して基準パターンとし，回旋成分を記録することもできる．

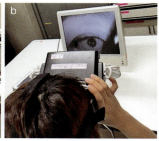

［図1］眼球運動検査機器（ニスタモ21　モリタ製作所）
a 両眼に赤外線カメラが内蔵されたゴーグル型眼球運動検出器である．
b ゴーグルの下のコードを代えることで，右眼，左眼の眼球運動を映像表示と記録することができる．

Ⅲ 検査手順

　本装置の測定条件は現在のところ統一されたものは存在せず，各メーカーや施設で独自の方法を用いている．当院で用いているHess赤緑試験が施行できない症例に対する9方向眼位測定について述べる．
　まずゴーグル（ヘッドセット検出器）を装着し（**図1a**），カメラコントロールユニットを介してポータブル処理機に接続する．視標板への接続も行う（**図1b**）．測定プログラムを起動し，モニター画面の正面，上下方向15°，水平方向の15°の5点を注視させ，視覚刺激画面と眼球の位置のキャリブレーションを行う．瞼裂幅や睫毛などの影響をチェックし，悪い場合はゴーグルや眼球カメラの位置などを調整する．9方向眼位測定を開始する．まず両眼開放でHess赤緑試験の時と同様に中央の視標から15°ずつ時計回りに9方向3秒ずつ点灯させて追従させ固視させる．その後，右眼固視と左眼固視で同様に9方向眼位測定を行う．何度か施行し平均値を用いて作図を行う．

Ⅳ 検査結果の読み方と解釈

　本装置は眼振の波形なども評価できるサーチコイル法ほどの精密さは持ち合わせないが，ゴーグル型のため装着は容易で映像表示と記録が行えることから，術前後の効果判定や患者への説明などに有用である．Hess赤緑試験に代わる9方向眼位測定として，正常者と間欠性外斜視，甲状腺眼

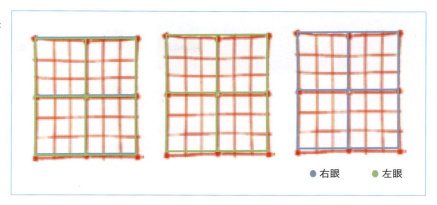

[図2] 正位
左：両眼開放，中央：右眼固視，右：左眼固視

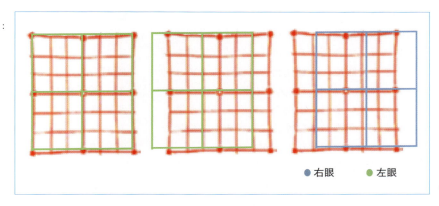

[図3] 間欠性外斜視
左：両眼開放，中央：右眼固視，右：左眼固視

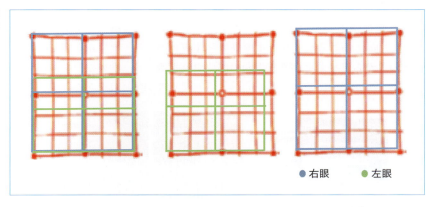

[図4] 甲状腺眼症（左下直筋が罹患筋）
左：両眼開放，中央：右眼固視，右：左眼固視

症患者の例を呈示した．正常では眼位ずれはなく（図2），外斜位では両眼ではずれはないが，片眼ずつでは外方に同じ形でずれる（図3）．甲状腺眼症では正面視で上下ずれがあり，左眼に眼球運動制限を認める（図4）．

（木村亜紀子）

5 眼位・眼球突出・眼球運動検査

7）他覚的視機能検査

ORTe アイナック®（EYENAC）

I 検査の目的

1 検査対象
眼位異常が疑われる症例，麻痺性斜視など眼球運動の異常が疑われる症例に対して行う．

2 目標と限界
眼位・眼球運動所見の定量化，眼球運動制限を相対的に捉えて評価する．瞳孔と角膜反射像を検出することで眼位・眼球運動を計測するため，抑制により同時視がない症例でも検査を施行できる．瞼裂の狭い症例，小児など瞳孔間距離が著しく狭い症例，角膜および瞳孔に障害のある症例などは正確な検査が困難なことがある．

II 検査法と検査機器

1 測定原理
瞳孔と角膜反射の位置関係から視線を検出し，眼球の幾何学モデルに当てはめて注視点を求める．9方向に順に呈示される視標位置と注視点の位置の差から水平および垂直方向の眼位ずれを測定し，眼球運動の動的軌跡を記録する．

2 機器の構造
アイナック®は接眼部から内部の視標呈示部を覗くことで左右眼に各々視標を呈示する両眼分離構造である（図1a）．眼位・眼球運動検査時には片眼（固視眼）のみに視標を呈示することで，両眼分離下で両眼の視線位置を計測できる．検査は明室・暗室いずれにおいても検査可能である．検査距離は33cmに設定されている．

III 検査手順

1 検査の流れ
被検者の顎を顎台にのせ，額を当てて頭部を安定させる．顎台調整ノブで高さ調整を行い，装置側面のピント調整ノブを回して，ピント調整する．測定前に被検者の注視している位置と視線計測結果が一致するように数秒程度でキャリブレーション[1]を行う．被検者は9方向に呈示される視標を追視することで，各視標位置での視線位置（最も停留している位置），視標移動間の眼球運動の軌跡を同時に解析して記録される．視標呈示は中心（第1眼位）から開始され，上方から時計回りに9方向（15°位置）に移動し，最後に中心に戻ってくる．検査は右視標呈示（右固視），左視標呈示条件（左固視）にて同様に行う．被検者は検査視標を注視するだけで，自覚応答の必要はな

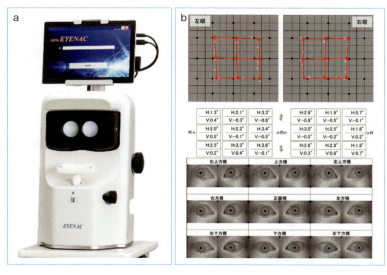

[図1] ORTe アイナック®（ジャパンフォーカス社）の外観と検査結果表示
a ORTe アイナック®の外観
b 内斜位を対象とした検査結果（上：Hessチャート，中央：9方向眼位，下：9方向眼位写真）を示す．左右眼のHessチャートの形は同等であり，眼位ずれ量もわずかである．従来のHess赤緑試験の検査結果よりやや外方偏位を示す傾向がある．

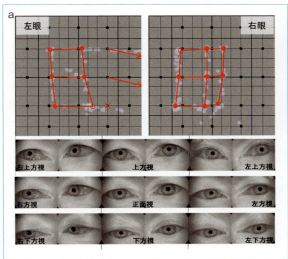 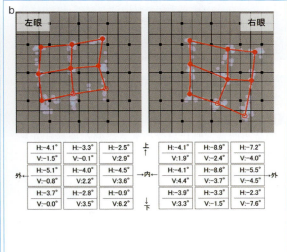

[図2] ORTe アイナック® の Hess 検査測定例
a 外転神経麻痺（右眼）の Hess チャート（上段）と9方向眼位写真（下段）
b 滑車神経麻痺（両眼）の Hess チャート（上段）と9方向眼位結果（下段）

く，検査結果も自動解析され，視標注視時の眼位写真も併せて結果表示される．

2 機器の使い方とコツ

眼位・眼球運動異常のある患者では頭位異常を呈する場合があるため，頭部の傾きや回転がないように頭位を調整する．測定は裸眼での測定が基本であり，固視眼で検査内部の視標を認識できれば検査可能である．眼鏡およびコンタクトレンズ装用下で測定する場合はレンズ表面の反射などの影響により視線計測値に誤差が生じる可能性があり，検査結果について相対的に捉える必要がある．

IV 検査結果の読み方

本装置は9方向眼位を Hess 赤緑試験に準じたHess チャートとして他覚的に測定できる．左右眼の Hess チャートと形が同等であれば共同性の眼位ずれと判断する（図1b）．従来の Hess 赤緑試験結果と高い相関[2]を示す9方向眼位検査として，外転神経麻痺（左眼），上斜筋麻痺（両眼）の検査結果を示す（図2）．片眼性の眼球運動制限の場合，Hess チャートの大きさが小さいほうの眼球運動制限があり，健眼では Hess チャートの大きさが大きくなる（図2a）．両眼性の眼球運動制限の場合，Hess チャートの大きさに大差はないが，両眼とも麻痺筋の作用方向に眼球運動制限が認められる．Hess チャートには検査中の視線の揺らぎ（白い点で示す視線の軌跡のヒートマップ）が重畳して表示される．眼球運動制限方向を注視した場合に視線の揺らぎが大きくなるため，視線の揺らぎは眼球運動制限の結果解釈に役立つ．Hess チャートとともに9方向眼位ずれ量と9方向眼位写真を併せて確認する．

文献
1) 半田知也：他覚的視機能検査装置 ORTe-EYENAC. 眼科 62：482-488，2020
2) Iwata Y, et al：Objective measurement of nine gaze-directions using an eye-tracking device. J Eye Mov Res 13：4, 2020

（半田知也）

6 両眼視機能検査

1）大型弱視鏡

I 検査の目的

1 検査対象
眼位や眼球運動に異常のある症例が検査対象となる．

2 目標と限界
眼位と両眼視機能について下記項目を調べる[1~2]．
① 顕性および潜伏分を含む眼位の定性と斜視角の定量
② むき眼位における斜視角の定量
③ 同時視（後述）の可否
④ 網膜対応の判定
⑤ 感覚性融像の可否と運動性融像の測定
⑥ 立体視の可否
⑦ 回旋偏位の定量
⑧ γ角の定量と偽斜視の判定

斜視角の定量では，症例の所見を忠実に数値化することを目標に検査を行う[3]．両眼視機能検査では，大型弱視鏡（以下，本器）は両眼の中心窩に視標を投影させた状態（後述）での検査になることを意識して同時視，融像，立体視および網膜対応を評価する．被検者は，両眼中心固視で，検者の指示に従って視標を固視できるなど信頼できる応答が可能であれば，3歳くらいの幼児から適応となる．

機器の構造（後述）により眼前の鏡筒を左右それぞれの眼で覗きながら検査を行うため，近接性輻湊や調節性輻湊が介入しやすい．同様に，左右眼を分離した状態で両眼視機能を調べることになるため，実際空間すなわち日常視下とはかけ離れた状況下での結果となることを常に念頭に置く必要がある．特に網膜対応の評価に際しては，必ず他の検査方法で行われた結果と比較することが大切である．

II 検査法と検査機器

英国産と国産のものがあるが基本的な仕様は変わらない．主に使用されている2機種を表1に示す．

1 測定原理
左右の鏡筒を動かして両眼の中心窩に等しく視標を投影することにより，斜視角あるいは両眼視機能を測定する．鏡筒の内部照明を左右交互に点滅させながら被検者に点灯した方の視標を固視するよう指示すると，斜視がある場合は視標を中心窩で固視しようとして眼球が動く（これを整復運動と呼ぶ）ため，その動きが止まる位置まで鏡筒を移動させることによって斜視角が測定できる．また，その角度は本器上では斜視が解消された位置となるため，その位置での同時視の可否，網膜対応，融像あるいは立体視を調べることにより両眼視機能が評価できる．検査では，固視眼の鏡筒を斜視角0°に固定し，測定眼の鏡筒を移動させて検査を行う．

2 機器の構造
鏡筒の一端は電球で照明された視標の入った支持部で，他方の端である接眼部から内蔵されている反射鏡を利用して視標を固視する．接眼部には被検者が調節せずに視標を明視できるよう凸レンズが組み込まれている[1]ことから，理論上は遠見での眼位・眼球運動および両眼視機能を検査することになる．本器の基本的仕様を図1に，測定に必要なスケールをClement Clark社SynoptophoreR2002型を用いて図2にそれぞれ示す．

3 感度と特異度
本器では一般に眼位や眼球運動の状態を度数（以下，°）で表し，AC/A比検査（輻湊検査の項を参照）のみプリズム（以下，△）で表記する．スケールの1目盛は1°で，1°単位の斜視角を記録できる．また，両眼視機能検査に用いる視標は，描かれている図形の大きさや図柄から両眼視機能の程度をおおまかに評価することが可能である（後述）．

一方，両眼視機能検査は両眼を完全に分離し日常視ではありえない状況下で行われるため，両眼開放下で行われるその他の両眼視機能検査とは検査条件で一線を画している．特に，両眼単一視の

[表1] 国内で入手可能な大型弱視鏡2機種の比較

比較項目 \ 機種	Synoptophore 2002 (Clement Clarke 社)	シノプチスコープ L-2510B ((株)イナミ)
機種外観		
接眼部凸レンズ	+6.50 Diopter	+6.00 Diopter
検査可能項目	斜視角測定(水平・上下・回旋) 同時視検査 融像力測定 立体視検査 γ角測定	斜視角測定(水平・上下・回旋) 同時視検査 融像力測定 立体視検査 γ角測定 残像検査
鏡筒可動範囲 内転方向 外転方向 上転方向 下転方向 回旋方向	 50° 40° 30° 30° 20°	 50° 40° 30° 30° 20°
その他の特徴	ハーフミラーヘッドの交換可能 視標の種類が豊富	90°変角ミラーの背面扉を開け自然視での検査可能 絵本作家を起用した標準視標

(資料提供:ジャパンフォーカス(株),(株)イナミ)

可否は,右眼と左眼の中心窩にそれぞれ異なった図形を投影し,脳内で同時に1つの図形として認知できるか否かを調べることから,同時視(simultaneous perception,通常はSPと略して用いる)という用語で表すが,これは本器の検査でのみ用いられる用語である.

III 検査手順

1 検査の流れ

1) 検査を始める前の準備

a. 被検者の状態の把握

事前に,視診で眼位および眼球運動を調べ,被検者の所見を十分に把握しておく.具体的には,Hirschberg試験(本器は従来の1mm=7°(15△)に対応),遮閉-遮閉除去試験あるいは交代遮閉試験などによる眼位検査,ペン先などを追従視させて行う眼球運動検査で斜視や眼球運動障害の有無とその程度についておおよその見当をつける.視診で得られた所見に基づいて検査を進めること

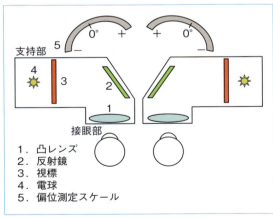

1. 凸レンズ
2. 反射鏡
3. 視標
4. 電球
5. 偏位測定スケール

[図1] 大型弱視鏡の基本的構造

が,より正確なデータの検出につながる.

b. 被検者の検査体勢のチェック

快適な姿勢で検査を受けられるように,被検者の体勢に合わせて機器や光学台を以下のように調整する.

6. 両眼視機能検査

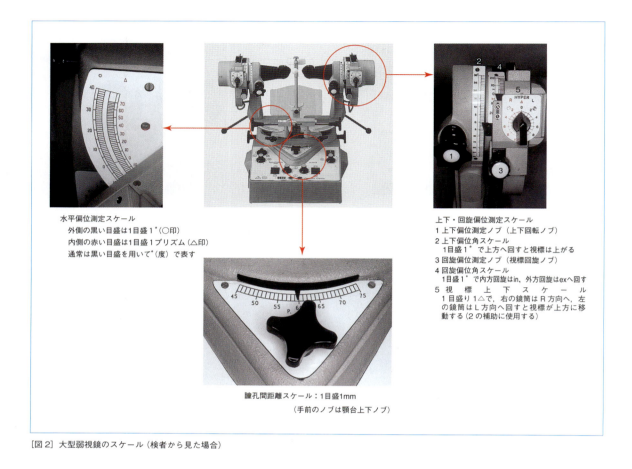

[図2] 大型弱視鏡のスケール（検者から見た場合）

① 光学台や椅子の高さを被検者に合わせ，被検者が椅子に楽に座ってちょうど接眼部に眼がくるように本器の顎台の高さを調整する（図3a）．

② 本器の瞳孔間距離 pupillary distance（以下，PD）目盛を患者のPDに合わせる．

③ 額当てを被検者の角膜頂点と本器接眼レンズとの距離（以下，頂間距離）が10〜20mm位となるように前後させ，顔がレンズ面と平行になるように固定する．頂間距離が大きい程，実際の斜視角と本器で得られた斜視角との誤差が大きくなるとの報告がある[4]．眼位の観察を容易にする目的で，不用意に頂間距離を大きくしないよう注意する．

④ 屈折異常を矯正する場合は，完全矯正レンズを接眼部のレンズホルダーに装着する．
レンズホルダーにはレンズが1枚しか入らないので，乱視がある場合は等価球面値とする．眼鏡はレンズのプリズム効果が検査結果を不正確にすることがあるので，特に各むき眼位における眼球運動の定量には使用しない．

2）検査の手順

検査は，まず被検者の潜伏分を含む全斜視角を測定し，その位置すなわち機器上では斜視が解消され，各眼の中心窩に視標が投影される状態で両眼視機能である同時視，融像，立体視などを調べるのが一般的である．

ただし，調節性内斜視のようになるべく両眼単一視を妨げない状態で日常視下の両眼視機能を評価したい場合や眼球運動障害で複視を自覚している症例では，両眼視機能検査を先行することがある．

2 機器の使い方

ここでは，前項で述べた検査の手順に従って各検査方法を解説する．

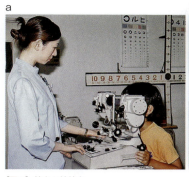  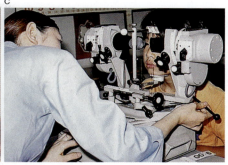

[図3] 検者と被検者
a 検者と被検者の位置
b 自覚的斜視角測定時の被検者への同時視の説明
c 他覚的斜視角測定時の検者の体勢の一例．被検者の下鼻側から眼位を観察すると偏位の観察が容易．

[図4] 他覚的斜視角測定用に用いる視標
被検者の視力に応じて，なるべく小さい図形を使用する．

[図5] 交互点滅の操作
a 固視眼が右眼，測定眼が左眼の場合は，左手で交互点滅を行い右手で鏡筒を操作する．
b 固視眼が左眼，測定眼が右眼の場合は，右手で交互点滅を行い左手で鏡筒を操作する．

1) 他覚的斜視角 objective angle of strabismus (Obj.A) の検査

両眼視させない状態で測定した斜視角を他覚的斜視角と呼ぶ．被検者の全斜視角（顕性斜視角＋潜伏斜視角）が記録できる．

検査に用いる視標は，被検者の視力に応じた最小のなるべく中心部のはっきりした視標を用いる（**図4**）．固視眼の鏡筒を0°に，測定眼の鏡筒をあらかじめ視診などで調べた斜視角付近にそれぞれセットする．測定眼側の視標を消灯して，被検者には固視眼側の視標を固視するように指示する．固視眼が視標をしっかり固視していることを確認したら，今度は測定眼を観察しながら固視眼の視標を消灯し，測定眼の視標を点灯して被検者に測定眼側の視標を固視するように指示する．測定眼が動かずそのまま視標を固視し続ければ，その目盛が斜視角となる．視標を固視しようと測定眼に整復運動が認められたら，測定眼側の視標を消灯しながら固視眼の視標を点灯し，測定眼側の鏡筒の位置を修正する．再び固視眼の視標を消灯し，測定眼の視標を点灯しながら測定眼の動きを観察する．以上の交互点滅作業（**図5**）を測定眼の整復運動がなくなるまで繰り返し，最も開散側の位置を求めて目盛を読む．測定眼の動きを基にした鏡筒（上下斜視の場合は上下ノブ）の動かし方と診療録の記載方法を**表2**に記す．

各むき眼位を測定する場合は，固視眼の基点を水平・上下それぞれ各方向に20°ずつ移動して同様に斜視角を求める．Hess チャートと結果を比較する場合は，移動する角度を15°にして検査を行う．得られた斜視角は事前の眼球運動検査での所見と照らし合わせ，矛盾した結果が出た場合は，その方向について必ず再検査する．診療録の記載方法を**表3**に記す．

[表2] 鏡筒の動かし方と記載方法

斜視の種類	測定眼の動き	鏡筒の動かし方 (上下ノブの動かし方)	記載方法 (斜視角10°の場合)
外斜視	耳側から鼻側へ	0°より外側へ	−10°
内斜視	鼻側から耳側へ	0°より内側へ	+10°
左眼上斜視 (右眼下斜視)	左眼 上から下へ (右眼 下から上へ)	右眼固視の場合 0°より上方へ	L/R10°
左眼下斜視 (右眼上斜視)	左眼 下から上へ (右眼 上から下へ)	右眼固視の場合 0°より下方へ	R/L10°

診療録の記載方法:右眼固視で10°内斜視,3°左眼上斜視の場合
　　　　　　　　R Fix
　　　　　　　　Obj. A＋10° L/R3°

2) 自覚的斜視角 subjective angle of strabismus (Subj.A) の検査

両眼の中心窩に視標が投影され両眼視できる状態で測定した斜視角を自覚的斜視角と呼ぶ.結果は,斜視角とともに同時視(SP)の有無で表す.検査の目的は正常両眼視機能が存在するかどうかを確認することにある.正常両眼視機能が存在すれば,他覚的斜視角で同時視が証明される.証明されなければ両眼視機能異常の存在が疑われる(後述).

検査には「車」と「車庫」,「ライオン」と「檻」のように左右眼それぞれに異なった視標「入れもの」と「入れるもの」を投影する2枚1組の異質図形(または異型図形,図6a)を用いる.通常は固視眼に「車庫」や「檻」のような「入れもの」の視標を,測定眼に「車」や「ライオン」のような「入れるもの」を投影して使用する.「入れもの」は,「檻」よりも「車庫」のように内側が空洞になっている方が同時視が得られやすい.視標は網膜に投影される像の大きさから,中心窩知覚用(1°),黄斑部知覚用(3°),傍黄斑部知覚用(10°)などに分けられ[2](図6b),視標が小さくなるほど同時視が困難となるため,同時視の有無を調べるときはなるべく大きなサイズで「入れもの」は内側が空洞なものを使用し,同時視の程度を調べる場合は視標を順次小さくしたり,複雑な図柄の組み合わせを選ぶなどして,さまざまな条件下で同時視の有無を調べる.

検査にあたっては,事前に被検者の眼前で視標を見せながら両者を接近させ,ついには重ね合わせて同時視がある場合の見え方を実感させておく

[表3] 9方向むき眼位の測定位置と記載方法
固視眼(R Fix L Fix)と他覚的斜視角(Obj. A)あるいは自覚的斜視角(Subj. A)を例えばRF Subj. Aのように結果上部に記載する

左上方視 左 20° 上 20°	上方視 上20°	右上方視 右 20° 上 20°
左方視 左 20°	正面視 0°	右方視 右 20°
左下方視 左 20° 下 20°	下方視 下 20°	右下方視 右 20° 下 20°

むき眼位測定時の診療録の記載方法:水平・上下・回旋の各斜視角は上から順に下記のように3行で記載する
〔例〕10°外斜視,4°左眼上斜視,3°外方回旋の場合

水平斜視角　　−10°
上下斜視角　　L/R4°
回旋斜視角　　外方3°

[図6] 自覚的斜視角測定用の視標
a 異質(異型)図形.車と車庫,ライオンと檻のように2枚1組になっている.固視眼に車庫や檻,測定眼に車やライオンを見せる.
b 視標の大きさ.同じ2枚1組の図形にもさまざまな大きさがある.ライオンの網膜上の視角(縦×横で表記)は上から7×11°,4.5×7°,3.5×6°,2×3°である.

(図3b).特に,被検者が幼小児の場合は,「入れるもの」の縦と横が正しく「入れもの」の中に入り両者が重なった状態と重ならない状態の区別を十分に理解させることが必須であり,これが無理

ならば検査はできない．

　検査は他覚的斜視角測定に引き続き行うため，左右の鏡筒の固視眼は0°に，測定眼は他覚的斜視角にセットしたまま被検者には固視眼の視標を意識して固視するように指示しながら，両眼に見える像の位置関係を尋ねる．両者が重なっているという回答が得られたら同時視ありと判断し，診療録には自覚的斜視角の数値，同時視ありを意味する「SP（＋）」，他覚的斜視角と自覚的斜視角が一致しているという意味で「眼位一致」をそれぞれ記載する．また，このときの視標は各眼の中心窩に投影されているため，左右眼の中心窩が対応していることになり，網膜対応は正常対応と判定することができる．他覚的斜視角で同時視が得られない場合は，同時視が得られる自覚的斜視角の有無，自覚的斜視角が得られた場合は測定眼の整復運動の有無などから網膜対応の状態を評価する（判定方法はⅣ検査結果の読み方と解釈を参照）．

3）融像（fusion）検査

　融像とは，左右それぞれの眼に投影された像を脳内で1つに融合させる両眼視機能である．

　本器では，同時視のある被検者の感覚性融像の有無と運動性融像を測定することができる．使用する視標は2枚1組の同質図形（または相似図形，図7a）で，融像していることを確認するためのチェックマークが融像する図形の外側にある視標と内側にある視標があり，外側にある方が融像しやすい．また，異質図形と同様に大きさの異なる視標がある．そこで，融像力の有無を調べるには，チェックマークが外側のなるべく大きなサイズの視標を用いて被検者の周辺融像を含む最大の融像力を測定する．融像の程度を調べる場合は，視標を順次小さくしたりチェックマークが内側にある視標を選び，さまざまな条件下での結果を比較検討する．

　融像力の測定には，まず両眼の鏡筒を自覚的斜視角を二等分した位置にそれぞれ置き，被検者に視標を固視させて感覚性融像があることをチェックマークから確認する．どちらかのチェックマークが見えないときや融像図形が重なっていないときは，左右の鏡筒を多少ずらして融像できるか否かを確かめる．どうしても融像できない場合は，融像（－）となる．感覚性融像がある被検者には視標を凝視してもらい，どちらか一方のチェックマークが消えたり視標が2つに分離しはじめたら返事をするように指示する．次に，検者は被検者の両眼を観察しながら左右の鏡筒を同時に開散側にゆっくり動かす．融像限界点（この位置をbreak pointともいう）に達して融像できなくなると被検者の眼は左右に動きだし，視標に変化が起きたことを口頭で伝えるので，そのときの鏡筒の目盛を左右それぞれ読む．次に，鏡筒を輻湊側に動かして元の位置に戻しながら再び融像した（この位置をrecovery pointともいう）ことを確認した後，開散側と同様の要領で鏡筒をさらに輻湊側に動かして融像できなくなる位置を求める．その際，融像している視標が調節によりぼやけて見えることがあり，これをblur pointという．融像が維持できていれば検査を継続する．融像力は，開散側および輻湊側でそれぞれ融像限界点の鏡筒の目盛を左右加え，開散～輻湊の連続した眼位すなわち融像域[1,5]として表す（図7b）．正位の場合の正常な融像域はおおよそ-4°～+20°である．

　なお，上記の検査手技で得られた結果について，感覚性融像の位置を融像の基点すなわち0°として開散側と輻湊側の融像幅[1,2]を記録することもある．この場合は，開散側を常に-，輻湊側を常に+として表す．例えば，自覚的斜視角-20°の位置で融像し，左右眼それぞれ開散側に2°ずつ，輻湊側に8°ずつ融像を保てた場合，融像幅は-4°～+16°で，融像域としては-24°～-4°となる．両者はともに被検者の融像力を表しているが，融像幅では被検者の基本的な開散および輻湊の融像力を知ることができ，融像域ではその融像力で被検者が眼位を正位に保つことができるか否かを評価することができるので，融像検査を行う目的に応じて結果の記載方法を選択するとよい．

4）立体視検査

　本器では左右眼それぞれの中心窩に直接視標を投影するため，たとえ顕性斜視であっても同時視があり融像力がある場合は，立体視の有無を調べ

6. 両眼視機能検査

ることが可能である．

視標は視差のある相似図形（**図8**）を用いる．視標には同質図形のように融像する図形とそれを確認するチェックマークのほかに，視差を生じる偏心図形が描かれている．偏心図形は1個のものと，図8に示すごとく複数で互いの視差に差があるものとがある．立体視の有無を調べる場合は前者を，立体視の程度を知りたい場合は後者の視標を選択する．

測定は融像検査と同様に両眼の鏡筒を自覚的斜視角を二等分した位置に置いて視標を固視させ，被検者が融像したことを確認したら，偏心図形について立体的に見えるか否かを尋ねる．立体的に見えない場合は立体視（−）となる．立体的に見えるときは，偏心図形が飛び出しているか引っ込んでいるかを質問して，被検者の答えが正しいか否かを確認する．正しければ立体視（＋）と診療録に記載する．被検者の答えをさらに確認したいときは，視標を左右入れ替えると凹凸が逆になるので，これを利用して再検査するとよい[1]．

5) 回旋偏位の定量

各むき眼位を測定する際に，後天性眼球運動障害で被検者が複視を訴えている場合は，自覚的斜視角で向き眼位を測定すると水平・上下偏位に加えて回旋偏位を定量することができる．検査には回旋図形（**図9**）を用いる．

むき眼位検査に際しては，事前に被検者の眼球運動所見から水平3方向眼位，上下3方向眼位，水平上下5方向眼位，9方向眼位など測定するむき眼位を適切に選択する．検査では，まず被検者に検査方法を説明する必要がある．「緑の円の切れ目に赤の十字を入れてください．そのときに，ご自身（被検者）で左右のずれを修正してください．赤の十字が上下にずれていたり，どちらか一方に傾いていたら私（検者）が修正しますので教えてください．」などと説明しながら，実際に赤の十字視標が緑の円視標に対してずれている様子と正しく重なる様子を被検者に見せておく．また，被検者が的確に答えられるか否かもチェックする．被検者が幼小児で回旋図形を用いた検査の実施が難しい場合は，自覚的斜視角検査に用いる

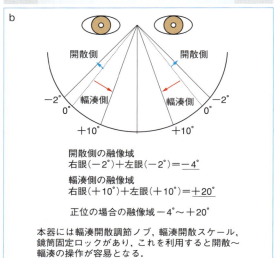

[図7] 融像の測定
a 融像測定用の視標
同質図形（相似図形）を用いる．2枚1組で，ウサギと車が融像図形，ウサギは花束としっぽ，車は運転手と客が融像を確認するチェックマークである．ウサギのようにチェックマークが融像図形の外側にあるほうが融像しやすい．
b 融像域の求め方

[図8] 立体視検査用の視標
視差のある相似図形を用いる．2枚1組で，飛行機が融像図形，月と星がチェックマークで，パラシュートも融像図形であるがそれぞれに視差がついているため融像すると立体的に見える．

異質図形のうち「車」と「車庫」のように車の前輪が左右ともに車庫の下枠に接するような視標を利用すると，上下偏位と回旋偏位の訴えを聞き出すことができる．

次に，本器の固視眼側に緑の円視標，測定眼側に赤の十字視標を入れ，被検者には測定眼側の鏡筒を動かして水平偏位を直してもらう．上下と回旋偏位は被検者の指示に従って検者が測定眼側のノブを操作し調整する．外方回旋 extorsion は十字の傾きがなくなるまで回旋ノブを ex の方向へ回す．内方回旋 intorsion は同様に回旋ノブを in の方向に回す．診療録には，例えば外方回旋 5°は外方 5°あるいは Ex 5°と記載する．

左右の視標の重ね合わせに対する理解が低い場合は正確な測定が不可能であると判断し，自覚的斜視角によるむき眼位検査を他覚的むき眼位検査に変更する．

6) γ（ガンマ）角（臨床上 κ（カッパ）角で代用）の定量

光軸と注視線との成す角が大きいと角膜反射が瞳孔中央からずれて斜視のように見えることがあり，これをγ角異常と呼ぶ．本器では臨床的γ角として瞳孔中心線と視線のなす角であるκ角を測定する．0〜9°までの定量が可能である．

測定はγ角測定図形（図 10）を用いて一眼ずつ測定する．測定眼の鏡筒を 0°に合わせ，その鏡筒のみを点灯して視標中央の○印（0°）を固視させる．このとき被検者の角膜反射が瞳孔中央にあればγ角異常はない．ずれている場合は，反射が中央にくるまで視標の数字あるいはアルファベットを順番に誘導し固視させる．各文字間は 1°で，例えばアルファベットの B で反射が中央ならばγ角は 2°となる．γ角は鼻側を陽性γ角，耳側を陰性γ角と呼び，それぞれ 5°以内を正常とする．

3 検査のコツと注意点

1) 他覚的斜視角の検査

a. 内斜視

他覚的斜視角検査では必要最低限の交互点滅で斜視角を求めるように心がける．機器の構造上，近接性輻湊が介入しやすいので，交互点滅を繰り返すことで斜視角が輻湊方向に増大する傾向がある．得られた結果は，この点を考慮して最小の偏位を採用する．特に，調節性の要素がある内斜視ではこの傾向が強いので，遮閉−遮閉除去試験の要領で固視眼の視標のみを消灯−点灯して斜視角を求める固視眼点滅法を利用する．本法では，固

[図 9] 回旋偏位の定量
回旋偏位測定用の視標．固視眼に緑の円視標，測定眼に赤の十字視標を用いる．小児で図形に対する理解が困難な場合は，自覚的斜視角測定用の異型図形を用い，車のタイヤが両方とも正しく車庫の底辺についているか否かで回旋の有無を調べるとよい．

[図 10] γ角測定用の視標
各文字間は 1°である．

視眼の視標が点灯しているとき被検者に両眼視の機会を与えるため，得られた他覚的斜視角は潜伏分を含まない顕性斜視角となり，被検者の日常視下の眼位を評価する場合に有用である．

b. 間欠性外斜視・交代性上斜位

間欠性外斜視のように融像力で眼位が矯正されやすい症例や，交代性上斜位のように遮閉下と非遮閉下とで上下の斜視角が動揺する症例は，どちらも最大の偏位を検出するよう努める．検査時は，固視眼の点灯を長く，測定眼の点灯をやや短くして，交互点滅を何回か繰り返す．この作業で融像が除去されると測定眼はゆっくり外転あるいは上転するので，検者は測定眼の動きを観察し，偏位が最大になるまで待ってから鏡筒を移動して斜視角を測定する．特に上下偏位は測定眼を鏡筒の鼻側斜め下から観察すると，固視に伴うわずかな動きが確認しやすくなる（図 3c）．検査に飽きやすい幼小児の被検者に固視眼の視標を長く固視

2) 自覚的斜視角の検査

検者が被検者に見え方の表現方法を誘導したり，被検者の答えに勝手な解釈を加えないように努める．同時視ありとの回答を得たときは直ちに固視眼の視標を消灯し，測定眼に整復運動がないかどうかを必ず観察する．さらに，固視交代しながら視標の位置関係を答えていないか，検査中は被検者の両眼の動きを注意深く観察することが大切である．

3) 融像・立体視検査

両眼視機能は同時視，融像，立体視の順にレベルが高度になると考えられており，融像の項でも同時視のある被検者に対して行う検査であることを述べたが，本器で使用する視標は同時視が異質図形であるのに対し，融像および立体視は同質図形であるため，後者のほうが図形的には融像しやすい．そこで，もし自覚的斜視角の検査で同時視が得られなくても，他覚的斜視角の位置で各眼に投影した視標が交差するなど網膜正常対応の存在を予想させる結果が得られたとき（後述）は，融像検査を試みる．本器ではSP（−）でも融像検査の実施が可能な症例が存在する．

4) むき眼位検査・回旋偏位の定量

外眼筋はHeringおよびSherringtonの法則で互いに関係しあっているので，本器で各むき眼位を測定して眼球運動所見を数値で記録する場合，たとえ異常があっても多くの症例は外眼筋の作用に関連した一定の傾向を示すことが多い[3]．検査では，視診で得られた眼球運動所見と各むき眼位における外眼筋の本来の作用とを照らし合わせ，事前に検査結果の傾向を予測しながら検査を進め，矛盾した結果が出た場合は，そのむき眼位について再検査を行う．その際，自覚的斜視角検査でむき眼位検査を行う場合は，視標を凝視することで近接性輻湊や融像性輻湊が介入しやすくなるため，水平眼位の輻湊側への動揺を回避する目的で，各むき眼位を測定するたびに被検者を閉瞼させる．

また，回旋作用は外方・内方回旋ともに10°程度の融像力があるため，むき眼位に伴う多少の変動は融像で補うことがある．そこで，むき眼位における回旋偏位測定では，測定する方向が変わるたびに回旋ノブの目盛を必ず0°に戻して測定することが大切である．さらに，回旋偏位は頭位が少しでもずれると変化するため，被検者にはすべての検査が終わるまで頭を動かさないよう指示するとともに，検者は被検者が疲れて頭を動かさないように，短時間で測定を終了できるよう努力する必要がある．なお，脳梗塞や交通外傷などで発症する両眼性の滑車神経麻痺では，一般に上下偏位をほとんど認めず，10°以上の大角度の外方回旋偏位が異常の主体となる．症例は片眼性の麻痺のように代償性頭位異常をとらないことも多く，本器による9方向むき眼位での回旋偏位の定量で初めて異常が明らかになる．視診で著明な眼位・眼球運動障害を認めないにもかかわらず正面視で10°以上の大角度の外方回旋偏位が認められた場合は，両眼性滑車神経麻痺の可能性を疑い，右眼固視と左眼固視のそれぞれの9方向むき眼位を測定する．

IV 検査結果の読み方と解釈

本器は，眼位あるいは眼球運動異常を知るための第一選択として使用するものではない[5]．検査で得られたデータは眼位や眼球運動の状態を数値として記録したものにすぎず，この結果のみで眼位異常や眼球運動障害を評価しようとするような使い方は避けるべきである[3]．また，本器で調べる両眼視機能は両眼を分離した状態での検査であるから，得られた結果を日常視下での両眼視機能と同等に捉えることはできないことも忘れてはならない[2]．

検査の実施に際しては，事前に被検者の眼位および眼球運動について問診や視診で十分に調べ，できればこの段階で被検者の所見から異常の原因についておおよその見当をつけた上で検査を開始し，あらかじめ予想した結果が記録できているかという観点から得られたデータを評価しつつ検査を進めるのが望ましい．

1 正常値

眼位および眼球運動に異常がない健常者は，理論的には他覚的斜視角，自覚的斜視角がともに0°で，その位置で正常網膜対応が認められ，融像域は$-4°\sim +20°$，立体視も可能となる．

しかしながら，実際には健常者の多くが多少の斜位を有している．他覚的斜視角は前述したように斜位を含む全斜視角を検出するため，常に0°を示す症例は少ない．加えて，近接性輻湊が介入しやすいので，融像を必要とする自覚的斜視角検査では本来の眼位より輻湊側に値がシフトしやすい[1,4]．そこで，事前の視診による眼位および眼球運動検査で明らかな異常が認められず被検者も眼精疲労などの自覚症状がない場合は，本器による検査で多少の偏位が検出されても異常なしと判定して差し支えないと考える．

2 異常値とその解釈（異常所見の読み方）

本器で得られた値は，① 視診で得られた結果と一致しているか，② 異常所見を正しく記録できているか，といった観点から絶えず検証を行いながら検査を進めていくことが大切である．以下に，臨床で実際に遭遇するさまざまなケースについて，データ解釈の際の考え方を含めて解説する．

1) 他覚的斜視角検査で視診の結果と異なるデータが得られた

多くの症例は視診の所見とほぼ一致した他覚的斜視角が得られるが，視診では著明な眼位異常が認められるのに本器での検査では異常が検出できない，あるいはその逆に，視診では一見して異常が認められないのに本器での検査では異常が著明になる，といった症例がある．前者は輻湊不全型の間欠性外斜視に，後者は開散過多型の間欠性外斜視や開散麻痺に認められる現象で，これは検査距離が関係している．

本器は鏡筒の接眼部に凸レンズが組み込まれているため，構造上は遠見眼位を測定することになる．一方，視診で行う検査は，そのほとんどが近見での検査である．したがって，検査距離によって眼位に変動が認められる症例では，異常のすべてを本器の結果で表すことは不可能となる．かかる症例に対しては，本器での眼位検査の他に遠近プリズム遮閉試験を行うなど，補足の検査が必要となる．

2) 自覚的斜視角検査で網膜対応の異常が認められた

両眼網膜の視方向の対応関係を網膜対応 retinal correspondence という．両眼がそれぞれ中心窩を中心として共通の視方向を持つものを網膜正常対応 normal retinal correspondence（NRC），共通の視方向を持たないものを総称して網膜異常対応 abnormal retinal correspondence（ARC）という．網膜正常対応では他覚的斜視角と自覚的斜視角がほぼ一致するが，先天性の恒常性斜視では同時視が証明できなかったり他覚的斜視角と異なる位置に自覚的斜視角があるなど，網膜対応の異常を示す症例が少なくない．

同時視が証明できないときは，被検者の視標の見え方を忠実に記録することが大切である．以下に，被検者の多くが示す応答とその場合の解釈を示す．

（1）左右の像を重ねようとすると両者の図形がすぐに交差してしまうため，うまく重ね合わせることができない（被検者に測定眼側のアームを動かしてもらうと，他覚的斜視角付近でアームを前後させる）

交差する位置に限局した抑制 suppression があるため，同時視が証明できないものと判断する[1]．網膜対応が正常対応の場合，測定眼の鏡筒が他覚的斜視角よりマイナス側にあると測定眼の視標は中心窩より鼻側網膜に投影されるため，被検者は固視眼の中心窩に投影された像に対して測定眼の視標を同側に自覚する[2]．そこから測定眼の鏡筒を他覚的斜視角を超えてプラス側に移動させると，左右眼に投影された視標も他覚的斜視角で交差し，被検者は測定眼の視標を固視眼の視標に対して交差した位置に自覚する．そこで，左右眼の視標が交差する位置が他覚的斜視角とほぼ一致する場合は網膜正常対応，一致しない場合は網膜異常対応の存在を考える．

（2）左右の像は同時に認知できるが，常に同側すなわち右眼像は右側に，左眼像は左側に見えていて両者がどうしても重ならない（被検者に測定

眼のアームを動かしてもらうと，他覚的斜視角を超えてもアームを動かし続ける）

左右眼の網膜が対応していない状態と考え，網膜対応欠如 lack of retinal correspondence と判断する[1]．

(3) 左右の像のどちらかは見えるが他方は消えてしまい認知できない（被検者は左右の像を交互に何度も見る）

図形の見えていないほうの眼に，強い抑制が広範囲に働いているものと考える[1]．左右眼に交互に抑制が働く場合と，常に決まったほうの眼に抑制が働く場合とがあり，斜視弱視では後者の所見を示すことが多い．

(4) 他覚的斜視角と異なる位置に自覚的斜視角がある

異常な網膜対応の存在が疑われる．以下に，被検者の示す自覚的斜視角からみた判定例を記す．

① 自覚的斜視角が他覚的斜視角と異なる位置にある場合

被検者にそのまま視標を固視し続けるように指示しながら固視眼の鏡筒を消灯する．測定眼に整復運動が認められなければ他覚的斜視角と眼位が一致していると判断し，網膜正常対応と判定する．この場合の自覚的斜視角と他覚的斜視角の多少のずれは，近接性輻湊の介入や前者が顕性斜視角であり後者が潜伏分を含む全斜視角のための差と考える．

一方，固視眼の鏡筒を消灯したときに測定眼が視標を固視しようとして整復運動を示す場合は，対応異常の1つである網膜異常対応を疑う．異常対応では，固視眼の中心窩と測定眼の中心窩以外の部位が対応するため，他覚的斜視角と自覚的斜視角に差が生じる．これを異常角と呼び，次の式で求める．

異常角＝他覚的斜視角－自覚的斜視角

他覚的斜視角と異常角が一致するものを調和性網膜異常対応 harmonious ARC，一致しないものを不調和性網膜異常対応 unharmonious ARC という．

② 自覚的斜視角がほぼ0°の位置になる場合

固視眼の鏡筒を消灯し，測定眼が他覚的斜視角の位置に移動するときは他覚的斜視角と異常角が一致する調和性網膜異常対応を疑う．

なお，間欠性外斜視では，自覚的斜視角測定の際に輻湊して0°付近で同時視が証明される症例がある[1]．この場合は眼位が一致するので異常対応とは診断せず，再度，他覚的斜視角での同時視の有無を調べ，他覚的斜視角でも同時視が証明できる場合は正常対応間欠性外斜視，他覚的斜視角では同時視が証明できず輻湊して0°付近で証明できる場合は二重対応間欠性外斜視と分類する．二重対応 double retinal correspondence とは，眼位が斜視のときは網膜正常対応が証明されないが，斜位あるいは顕性斜視がないときは網膜正常対応が証明できる状態を表す．

本器での検査で網膜異常対応の存在が疑われた場合は，プリズムを用いた複像検査やその他の網膜対応検査を併用して，真の網膜異常対応が存在するか否かを確認することが大切である．

3) 自覚的斜視角の位置で融像できない

正常対応の同時視が証明される場合は，自覚的斜視角の位置で感覚性融像が可能となるはずであるが，前述したように両眼視のレベルとしては同時視よりも融像の方が高度な両眼視機能となるため，視標となる同質図形（相似図形）を融像できないことがある．また，融像できる場合でも，すぐに融像図形が分離したり左右どちらかのチェックマークが消えたりして融像を維持できないことや，図形の図柄や大きさによって融像を維持しにくいことがある．このような場合は，融像（－）あるいは（±）として視標の種類とともに融像できない理由を記録する．

一方，間欠性外斜視では他覚的斜視角では融像できないが輻湊して0°付近で融像できる場合がある．この場合は，その位置を基点として融像域を測定し，他覚的斜視角がその中に含まれているかどうかを調べる．含まれていれば正常対応，含まれていなければ二重対応と判定する．

4) 日常視に近い状態で行う検査では立体視が証明できるのに本器では立体視が証明できない

間欠性の斜視や麻痺性斜視では，眼位異常が顕性化していないときや代償性の頭位異常を示すこ

[図6] Lang-Stereotest®
回折格子によって左右眼を分離するため，眼鏡は必要ない．

[図7] Stereo Fly test
検査プレートと偏光眼鏡

[表1] 主要な立体視検査の特徴

	図形	両眼分離	検査距離(cm)	視差
Randot® preschool stereoacuity test	random dot	偏光	40	800〜40秒
TNO test	random dot	赤緑	40	480〜15秒
Lang-Stereotest®	random dot	回折格子	40	Ⅰ：1,200〜550秒 Ⅱ：600〜200秒
Stereo Fly test	solid pattern	偏光	40	Fly：3,552秒 Circle：800〜40秒 Animal：400〜100秒

(200・100秒)，#2(60・40秒)，#3(800・400秒)の3つの検査プレートで構成されており，両眼分離には偏光眼鏡を用いる．各プレートともに左頁に4つの図形が描かれている．右頁にはこれら4つの図形のうち，同一視差がついた3つの図形が浮かんで見えるようになっている．抑制の検出プレートはない．

【TNO test】
　TNO testは，plate Ⅰ〜Ⅲはスクリーニング用で，plate Ⅴ(480・200秒)，plate Ⅵ(120・60秒)，plate Ⅶ(30・15秒)，plate Ⅳは抑制の検出用で，7枚の検査プレートで構成されており，両眼分離には赤緑眼鏡を用いる．plate Ⅴ〜Ⅶは，円図形の一部が三角形に欠けて見える．

【Lang-Stereotest®】
　Lang-Stereotest®にはLang ⅠとⅡがあり，Lang Ⅰではネコ(1200秒)，星(600秒)，車(500秒)が配置されている．Lang Ⅱではゾウ(600秒)，車(400秒)，月(200秒)と立体視を有しない症例でも見える図形として星が配置されている．両眼分離のために眼鏡を装用することなく，円柱回折格子によって左右眼の像を分離している．

2) solid pattern 図形による検査
【Stereo Fly test】
　Stereo Fly testは，ハエの羽(最小50秒，最大3,553秒)，Circle 1(800秒)，Circle 2(400秒)，Circle 3(200秒)，Circle 4(140秒)，Circle 5(100秒)，Circle 6(80秒)，Circle 7(60秒)，Circle 8(50秒)，Circle 9(40秒)，Animal A ネコ(400秒)，Animal B ウサギ(200秒)，Animal C サル(100秒)の検査プレートで構成されている．両眼分離には偏光眼鏡を用いる．

3 感度と特異度
　solid pattern 図形を用いた検査は，random dot 図形を用いた検査に比べて自然視に近い状態

で検査が行えるが，像の大きさ，重なり，陰影など単眼の手がかり（monocular depth cue）による偽陽性が出やすい．

III 検査手順

1 検査の流れ

検査法により，決められた検査距離で検査を行う．monocular depth cue による偽陽性の可能性に留意しながら検査を行う．

2 機器の使い方，検査のコツと注意点

【Randot® preschool stereoacuity test】

検査距離40cmで，両眼分離のため偏光眼鏡を用いる．#1（200・100秒），#2（60・40秒），#3（800・400秒）の3つの検査プレートで構成されている．検査は #3 のプレートから開始し，#1，#2 と検査を進めていく．各プレートともに左頁に4つの図形が描かれている．右頁にはこれら4つの図形のうち，同一視差がついた3つの図形が浮かんで見えるようになっている．判定は 2/3 以上の正答が得られた最小視差の値を立体視機能として評価する．

random dot 図形による検査のため，monocular depth cue による偽陽性が低いが，左頁の図形から選択させる方法を用いると偽陽性が高くなる．偽陽性が疑われる場合は検査の途中で片眼を遮閉し図形が見えなくなったかを確認する．

【TNO test】

検査距離40cmで，両眼分離のため赤緑眼鏡を用いる．plate V〜VII では，立体視を有する症例では円図形の一部が三角形に欠けて見える．検査では図形が見えるか，または欠けている部分がどこにあるか尋ねる．検査では欠けている方向を口答で答えさせるのみではなく，見えている図形の形を指でなぞらせるほうがよい．plate IV を用いた抑制の検出では，赤緑眼鏡による両眼分離の影響を考慮して左右眼の赤緑を入れ替えて検査を実施する．

不同視弱視では，赤緑眼鏡による影響があり赤緑眼鏡の左右を入れ替えて検査を実施したり，他の立体視検査を併用する．

【Lang-Stereotest®】

検査距離40cmで検査を行う．円柱回折格子によって左右眼の像を分離しているため眼鏡の装用は不要である．

Lang-Stereotest® は，検査表を傾けると正確に検査を実施することができないため注意が必要である．検査では見えている図形を返答させるが，描かれている図形から選択する方法を用いると偽陽性が高くなるため，図形に触らせて反応を確認する．さらに検査プレートを 90° 回転させると図形が見えなくなるため，この状態で図形は見えないと返答するか確認する．

【Stereo Fly test】

検査距離40cmで両眼分離のため偏光眼鏡を用いる．いくつか配置されている図形から飛び出している図形があれば指で示すように説明する．monocular depth cue による偽陽性が高い検査であることを考慮して検査を進めていく．

抑制の検出は，ハエの羽の下に配置されている L と R を用いて検査するようになっているが，L と R の配置が離れているため，抑制がある症例でも固視交代によって抑制がないと誤って判定する場合があるので注意が必要であるため，Circle 1 を用いた方法が推奨されている．Circle 1 を用いた方法は，微小斜視の抑制の検出にも有用である．

IV 検査結果の読み方

1 正常結果

近見立体視検査では立体視感覚を得ることができる最小の視差を立体視機能として評価する．例として，Stereo Fly test（Titmus stereo test）の測定結果を示す（図8）．

各検査法によって基準値は異なり，また明確な基準はなく，3歳末頃で 100〜40 秒になるという報告がある．一般的には 60 秒以下が正常とされている．

2 異常所見とその解釈

60 秒を超える場合，異常と判定する．検査に用いた図形，検査時の眼位，検査の理解度，monocular depth cue の影響などを考慮し，異な

3）網膜対応検査

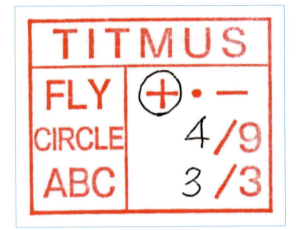

[図8] Stereo Fly test (Titmus stereo test) の測定結果

I 検査の目的

ヒトは実際の空間を両眼で別々に見ているが，視覚中枢では左右別々の空間情報を1つの視空間（visual space）として統合している．そのために，両眼の網膜の各領域は両眼共通の視方向を持ち，両眼の情報を単一視のものと認識している．このような両眼視機能を網膜対応 retinal correspondence といい，両眼視の基礎となるものである[1]．

網膜対応のうち，網膜正常対応 normal retinal correspondence（NRC）では，両眼の網膜対応している点がすべて同じ視方向をもって正常な両眼視を発揮している．そのため，内斜視では同側性複視，外斜視では交差性複視を自覚する．しかし，NRC の顕性斜視で複視を自覚しない場合は，抑制 suppression が生じている．

それに対して，網膜異常対応 anomalous retinal correspondence（ARC）では，固視眼では中心窩固視をしているが，斜視眼では中心窩外の周辺網膜（道づれ領）と対応して，複視，混乱視を自覚しないようにしている．

1 検査対象

正常な立体視は，NRC を基礎として成立するため，網膜対応検査を行う必要性はないといってもよい．しかし，立体視が異常の場合や立体視が確認できない場合では，網膜対応検査を行って両眼視の基礎の状態を把握する．対象の多くは，弱視，斜視の患者であり，網膜対応検査は2歳頃から検査可能である．

2 目標と限界

複視を自覚していれば両眼視は成立しているため，網膜対応は NRC か ARC である．NRC では他覚的斜視角と自覚的斜視角は一致し，異常対応角（＝他覚的斜視角－自覚的斜視角：angle of anomaly）はゼロになる．したがって，他覚的斜視角をもとに量定を行って手術すれば術後の複視は消失させることができる．

る検査法を用いて，それぞれの検査結果を比較して判定する．

3 アーチファクト

solid pattern 図形を用いた検査は，random dot 図形を用いた検査より，monocular depth cue による偽陽性が高いため，良い成績になりやすい．このため異なる方法で検査し，総合的に判定することが重要である．

文献
1) 粟屋 忍ほか：弱視・斜視にみられる両眼視機能．日眼会誌 101：891-905，1997
2) Walraven J：Amblyopia screening with random-dot stereograms. Am J Ophthalmol 80：893-900, 1975

〈森本　壮〉

他覚的斜視角をプリズムで中和しても複視が消失しない場合は，自覚的斜視角が他覚的斜視角より小さく，異常対応角はゼロでないことがほとんどである．この場合の網膜対応は不調和性網膜異常対応 unharmonious ARC であり，手術量は自覚的斜視角をもとに量定する．術後複視は消失するが，ARC は残るため正常な立体視は期待できない．

抑制以外に，斜視があっても複視を自覚していなければ，異常であるものの ARC によって両眼視は成立している．この際の ARC は，他覚的斜視角と異常対応角が一致して自覚的斜視角がゼロである調和性網膜異常対応 harmonious ARC である．このような両眼視下で斜視手術を行うと，術後眼位は正常となっても残存した ARC によって背理性複視 paradoxical diplopia を自覚することがある．背理性複視の予防のためには，術前に手術量のプリズム中和による術後シミュレーションを行い，背理性複視が出るかどうかを必ずチェックする[2]．

II　検査法と検査機器

網膜対応検査は，種々の方法で両眼分離 dissociation して行う．その方法によって，日常視に最も近い Bagolini 線条レンズ試験 Bagolini striated glasses test から，日常視からかけ離れた分離状態で行う残像ひきとり試験 after-image transfer test までさまざまな検査法がある．ARC は日常視に近い検査のほうが検出されやすく，逆に NRC は日常視からかけ離れたほうが検出されやすい．また，眼位を矯正せずに固視眼の中心窩と斜視眼の道づれ領の網膜対応を検査する方法と，眼位を矯正して両眼の中心窩を刺激して網膜対応を検査する方法がある[3]．

検査法によっては異なる結果が出ることがある．自然視に近い検査結果が ARC であった場合，日常視からかけ離れた検査でも ARC であると，網膜対応の治療によって NRC になることはほとんど期待できない．しかし，日常視からかけ離れた検査，特に眼位矯正下で両眼の中心窩刺激で行う検査で NRC であれば，他覚的斜視角で斜視矯正すると徐々に ARC から NRC へ改善する場合もある．術前のプリズム中和を行うと術後の変化を予想することができる．

■Bagolini 線条レンズ試験（図1）

1　測定原理，構造

多数の平行直線のスジを入れたガラスレンズ（図1a）を通して光源を見ると，平行直線のスジに対して直角する1本の光の線条が見える．2本の線条が45°と135°と直交するように両眼に装用させて，2本の線条の見え方で網膜対応と抑制について評価する．

2　感度と特異度

最も日常視に近い検査方法で，他の検査より NRC，ARC，抑制の判定がしやすいのが特徴である．しかし，大きな顕性斜視では抑制と判定されることが多い．

3　検査手順

1）検査の流れ

明室または半暗室で，近見検査は光源まで33cm（本邦では30cmが多い）の距離で，遠見検査は6m（本邦では5mが多い）の距離で行う．まず，片眼ずつ光源を見させて一眼では線条が1本しか見えないことを確認する．次に両眼で見たときの結果を測定する．測定結果は，眼位に影響されるため遮閉試験を同時に行って斜位を維持しているか，顕性斜視になっているかを考慮して被検者の返答を評価する．

2）機器の使い方と検査のコツ

4歳頃より信頼性の高い検査が可能になるが，より低年齢児を対象とする場合には図1のようなさまざまな見え方を印刷したモデルを作成し，その中から選択させるとよい．

4　検査結果の読み方と解釈

1）正常値

正位または斜位，両眼とも中心固視で，図1bのように2本の線条が光源の位置で十字に見える場合は NRC である．また，顕性斜視でも両眼中心固視であり，2本の線条が光源の位置で交差せず，ほかの位置で十字に見える場合は，2本の線条が同側性に見えれば NRC の内斜視（図1d），交差性に見えれば NRC の外斜視（図1e）と判定

3) 網膜対応検査

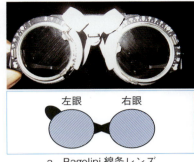 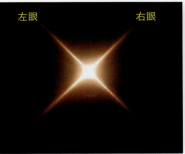 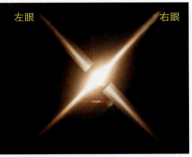

a　Bagolini 線条レンズ　　　b　正位なら NRC 斜視なら調和性網膜異常対応　　　c　左斜視眼の道づれ領にある抑制暗点（調和性網膜異常対応）

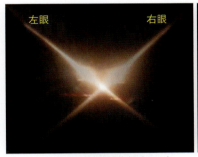 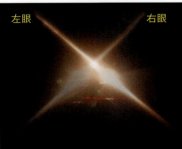 

d　内斜視の同側性複視（NRC）　　　e　外斜視の交差性複視（NRC）　　　f　左眼抑制

[図1] Bagolini 線条レンズと検査結果

される.

2) 異常値とその解釈

顕性斜視で，一眼が中心固視，片眼が偏心固視であるにもかかわらず，図1bのように2本の線条が光源の位置で十字に見える場合は調和性ARCである．図1cのように2本の線条は見えているが，十字に交差する位置で1本の線条しか見えなければ，見えない線条側の眼の偏心固視領域に抑制暗点が存在しており，ARCであり両眼視の異常が強い状態と判定される．また，図1fのように1本の線条しか見えない場合には，見えない線条側の眼が抑制されて片眼視の状態である[4]．

3) アーチファクト

抑制と判定された場合に，プリズムで他覚的斜視角を矯正して検査すると，抑制の下に潜んでいた網膜対応が明らかになることも少なくない．NRCであれば全斜視角の矯正手術によって良好な両眼視が期待できうる．しかし，ARCであれば術後の背理性複視を考慮しなければならない．

■赤ガラス試験 red glass test（図2）

1 測定原理，構造

固視眼に赤ガラスを装用させて光源を見させ，赤ガラスを通して見える赤色光と赤ガラスを装用していない他眼で見える白色光の位置関係を聞いて網膜対応と抑制について評価する．

2 感度と特異度

赤ガラスによって両眼分離するため，やや日常視より離れた検査方法で，NRCか抑制の判定がしやすいが，ARCの判定はやや難しい．

3 検査手順

1) 検査の流れ

明室または半暗室で，近見検査は光源まで33cm（本邦では30cmが多い）の距離で，遠見検査は6m（本邦では5mが多い）の距離で行う．まず，赤ガラスを装用しながら遮閉試験を行って，赤色光源と白色光源が交互に見えることを確認する．次に両眼開放状態で赤色光源と白色光源の見え方を聞き，同時に遮閉試験を行って斜位を維持しているか，顕性斜視になっているか考慮し

6. 両眼視機能検査

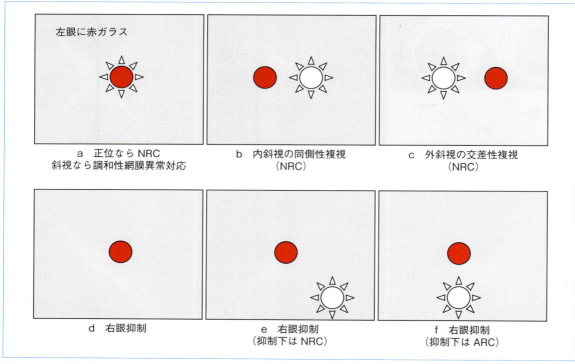

[図2] 赤ガラス試験と検査結果

て被検者の返答を評価する．

2) 機器の使い方と検査のコツ

4歳頃より信頼性の高い検査が可能になるが，より低年齢児を対象とする場合には図2のようなさまざまな見え方を印刷したモデルを作成し，その中から選択させるとよい．

4 検査結果の読み方と解釈

1) 正常値

正位または斜位，両眼とも中心固視で，図2aのように赤色光源と白色光源が重なって見える場合はNRCである．また，顕性斜視でも両眼中心固視であり，赤色光源と白色光源が離れている場合は，同側性に見えればNRCの内斜視（図2b），交差性に見えればNRCの外斜視（図2c）と判定される．

2) 異常値とその解釈

顕性斜視で，一眼が中心固視，片眼が偏心固視であるにもかかわらず，図2aのように赤色光源と白色光源が重なって見える場合は調和性ARCである．図2dのように赤色光源しか見えなければ，赤ガラスを装用していない斜視眼が抑制されて片眼視の状態である．

3) アーチファクト

顕性斜視で抑制と判定された場合に，垂直プリズム（基底部上方）を挿入して検査すると，抑制の下に潜んでいた網膜対応が明らかになることがある．NRCであれば白色光源は赤色光源の真下ではなく斜視角に相当して離れて見える（図2e）．ARCであれば白色光源は赤色光源の真下に見えるので（図2f），術後の背理性複視には留意しなければならない[1]．

■Worth 4灯試験 Worth four-dot test (W4D)（図3）

1 測定原理，構造

赤緑ガラスで両眼分離を行う．Worth4灯器には1個の固視灯用の白色灯の他に，上部に1個の赤色灯，左右に2個の緑色灯が配置されている．被検者は赤緑眼鏡を装用してWorth4灯器を観察する．

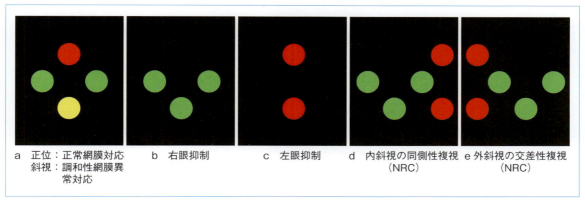

[図3] Worth 4 灯検査の結果
ここでは右眼に赤ガラス，左眼に緑ガラスを装用させている．

2 感度と特異度

赤緑ガラスによって両眼分離するため，日常視より離れた検査方法であり，抑制のかかりやすさに注意する．W4D は，網膜対応検査より周辺融像と抑制の検査といったほうがよい．

3 検査手順

1) 検査の流れ

明室または半暗室で，近見検査は光源まで 40 cm の距離で，遠見検査は 5 m の距離で行う．赤ガラスを通して見ると白色灯と赤色灯の2個が赤色に認知され，緑ガラスを通して見ると白色灯と緑色灯の3個が緑色に認知される．赤緑眼鏡をかけて4つの光源の色と数を回答させる．

2) 機器の使い方と検査のコツ

3～4歳頃より数が5つまで数えられれば信頼性の高い検査結果が得られるが，より低年齢児を対象とする場合には図3のようなさまざまな見え方を印刷したモデルを作成し，その中から選択させるとよい．

4 検査結果の読み方と解釈

1) 正常値

正位または斜位で NRC であれば，1つずつの白色灯と赤色灯，2つの緑色灯4灯全部が認知される．白色灯は赤色と緑色が重なって黄色に見えたり，視野闘争によって赤色や緑色に見えたりする．顕性斜視でも小角度の内斜視では，調和性網膜異常対応によって4灯全部が認知できることに注意する．

2) 異常値とその解釈

左眼に緑ガラス，右眼に赤ガラスを装用しながら，被検者に「何個見えるか？」質問し，「3個」と答えた場合には赤ガラスを装用している右眼に（図3b），「2個」と答えた場合には緑ガラスを装用している左眼（図3c）に抑制があると判定される．

顕性斜視があっても抑制がない場合には，緑色灯が3個，赤色灯が2個，合計5個の光源を自覚する．緑色灯3個が左側に，赤色灯2個が右側に見えればNRCの同側性複視を自覚する内斜視（図3d），赤色灯2個が左側に，緑色灯3個が右側に見えればNRCの交差性複視を自覚する外斜視（図3e）の反応である．光源が4つ見える顕性斜視の場合は調和性網膜異常対応があると判定する[1,5]．

3) アーチファクト

遠見検査時と近見検査時の W4D は，測定距離の影響を受けるために，左右2つまたは上下2つの光源間の視角が変化する．近見検査時には2つの光源間の視角は大きいため，それより小さい抑制暗点があっても検査結果は正常に出る．しかし，遠見検査時には2つの光源間の視角は小さくなるため，抑制暗点の範囲に入ると検査結果は抑制となる．小角度の内斜視では，調和性網膜異常対応下で抑制暗点を示すため，W4D では遠見と近見の検査を必ず行う．

6. 両眼視機能検査

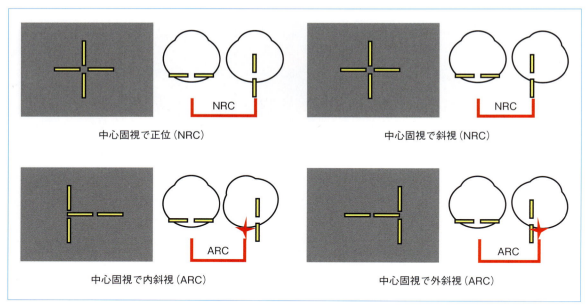

[図4] 残像検査の検査結果

■ 残像検査 after-image test

1 測定原理，構造

2本のストロボの間に切れ目をもつ電光残像検査器を固視させて，左右眼に2本の残像を作成する．これら2本の残像線の関係から網膜対応を判定する．

検査方法には，両眼とも開瞼して判定する陰性残像検査 negative after-image test と，両眼とも閉瞼して判定する陽性残像検査 positive after-image test がある[1,3,5,6]．

2 感度と特異度

陽性残像検査は日常視から大きく離れた検査である．しかし，他の検査でARCや抑制と判定されても，潜在的に有する網膜対応を検出できる．陽性残像検査でNRCが検出できれば，手術によって眼位が矯正されると術後にNRCが明確となり，術後良好な両眼視が獲得できることも少なくない．

3 検査手順

1) 検査の流れ

原則として非斜視眼では横，斜視眼では縦にして，ともに他眼を遮閉して切れ目を固視させてストロボを照射する．この縦と横の2本の残像線の見え方について回答してもらい，網膜対応を判定する．陰性残像検査と陽性残像検査の両方を行う．

4 検査結果の読み方と解釈（図4）

1) 正常値

眼位に関係なく両眼の中心窩の関係を見ているので，NRCであれば2本の残像線は中心で十字に認知される．陽性残像検査のほうがNRCとして出やすい．

2) 異常値とその解釈

2本の残像線は中心以外で交差して認知されればARCである．1本の残像しか見えなければ抑制と判定する．

■ 残像ひきとり検査 after-image transfer test

1 測定原理，構造

優位眼（非斜視眼）には残像検査と同じように縦の残像を作成し，斜視眼には内視現象であり，黄斑部の大きさに相当するハイディンガーのブラシ（Haidinger's brush）を，コージナトールなどによって自覚させ，両者の位置関係によって両眼

の中心窩の対応を検査する．斜視眼が偏心固視でも中心窩同士の網膜対応が検査できるが，最も日常視から離れた検査である[5]．

2 感度と特異度
就学前の小児にはやや難しい検査である．

3 検査結果の読み方と解釈

1）正常値
ハイディンガーのブラシが他眼の残像線の中央に認識できればNRCであり，ずれていればARCである．

■大型弱視鏡検査
184頁参照．

■位相差ハプロスコープ
左右眼の眼前で，扇形のセクターを90°の位相差で高速回転させて，両眼を60Hz以上の交代視させて両眼分離をする．両眼のプロジェクターからは各眼のみに同調する視標を投影させて両眼視の検査を行う．使用する視標用のスライドは，大型弱視鏡検査用とほぼ同じであるので，検査結果の読み方，解釈は大型弱視鏡検査の項を参照されたい．

日常視に近似した検査であるが，暗室で行うことの制限がある．現在製造されていないため，入手が難しい．

文献
1) von Noorden GK, et al：Examination of the patient—Ⅲ sensory signs, symptoms, and binocular adaptations in strabismus. Binocular Vision and Ocular Motility：Theory and Management of Strabismus, 6 th ed, Mosby, St. Louis, 211-245, 2002
2) 矢ヶ﨑悌司：プリズム処方のための検査．眼科診療プラクティス 86．眼科医と視能訓練士のためのスキルアップ，久保田伸枝ほか編，文光堂，東京，190-194，2002
3) 矢ヶ﨑悌司：網膜対応の検査．専門医のための眼科診療クオリファイ 22．弱視・斜視診療のスタンダード．不二門尚編，中山書店，東京，122-129，2014
4) Bagolini B：Sensorial anomalies in strabismus（suppression, anomalous correspondence, amblyopia）. Doc Ophthalmol 41：1-22, 1976
5) 佐藤美保ほか：両眼視機能検査．眼科診療プラクティス 86．眼科医と視能訓練士のためのスキルアップ，久保田伸枝ほか編，文光堂，東京，46-57，2002
6) 粟屋　忍：網膜対応の病態総論．眼臨 75：1905-1918，1981

〈矢ヶ﨑悌司〉

6 両眼視機能検査

4) 不等像視検査

I 検査の目的

不等像視 aniseikonia とは，両眼で同一物を見たときに左右眼で見えている像の大きさの左右差や形状の違いを感じる状態をいう．角膜や水晶体の屈折要素，前房深度，結点の位置などの屈折性因子や眼軸長などによって網膜上に結像される網膜像 retinal image の大きさは決まるが，この網膜像の左右眼の大きさの違いによるものが光学的不等像視 optical aniseikonia である．また，網膜像が投影される網膜視細胞の分布状態に異常が生じて自覚される不等像を解剖的不等像視 anatomic aniseikonia と呼ぶ．

不等像視は，軽度であれば自覚されることもなく臨床的には無症状である．しかし，5％を超す不等像視では，両眼視機能にさまざまな影響を与える．過度の両眼融像を刺激する場合には眼精疲労の原因となる．また，片眼ずつ見た像の左右差も明確となると，小視症や大視症を自覚する．6～8％を超す不等像視では，両眼視を維持できなくなり，立体視が破られて複視を生じる．視覚発達期内の小児では，視覚中枢での片眼抑制が生じて立体視発達障害や弱視の原因ともなりうる．

1 検査対象

遠視性不同視，近視性不同視や片眼性無水晶体などの屈折異常を有する患者．不同視弱視や屈折異常弱視で両眼視機能が不良の患者．複視，小視症や大視症を訴える患者．眼精疲労の原因を検索する場合．

2 目標と限界

不同視弱視や屈折異常弱視の治療前や治療中に，両眼視機能の発達や改善に不等像視が影響しないか，確認することが検査の第一目標である．また，不同視の矯正によって生じる不等像視の対策は，軸性不同視と屈折性不同視によって異なる．

軸性不同視の場合には，矯正レンズが前焦点に

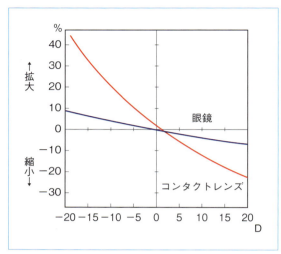

[図1] 軸性不同視の不等像視
眼鏡のほうがコンタクトレンズより不等像視は小さい．

装用されていれば矯正レンズの度数にかかわらず網膜像の大きさは正視眼の網膜像と同じになるという Knapp の法則が当てはまる．模型眼の前焦点は 16.67 mm と眼鏡処方時の原則である角膜頂点間距離 12.0 mm より長いため，Knapp の法則が理論どおり当てはまるわけではない．しかし，軸性不同視の矯正では，角膜上に装用するコンタクトレンズより眼鏡で行った矯正のほうが不等像視は小さくなる[1]（図1）．

屈折性不同視の場合には，眼鏡による矯正では頂点間距離の影響によって＋レンズでは網膜像の拡大，－レンズでは縮小し，不等像視が生じる．しかし，コンタクトレンズによる矯正では網膜像の変化はほとんどなく，特に片眼性無水晶体などの高度の屈折性不同視ではコンタクトレンズによる矯正でなければ著しい不等像視が生じる[1]（図2）．

不等像視検査は，両眼視機能精密検査，立体視検査などと同時に行われることが多い．しかし，不等像視検査は，両眼視機能精密検査などの視機能を評価する検査ではなく，視機能異常の原因を検索する検査であって，両眼視機能精密検査などと本質的に異なる検査であることに留意する．

Ⅱ　検査法と検査機器

不等像視の検査法には，大きく分けて2種類のものがあり，1) 左右眼で自覚している像を分離した状態で測定し，その比率を計算して求める方法と，2) 屈折には影響しない等像レンズ iseikonic lens を通して視標を見て，左右眼で自覚する像が等しくなる拡大率を測定する方法がある．

前者では両眼の分離視が必要であり，その方法には赤緑眼鏡を用いた New Aniseikonia Tests（Awaya）[2,3]，偏光フィルターを用いた Pola test，ハプロスコープ haploscope を用いた大型弱視鏡や位相差ハプロスコープ，イメージスプリッターを用いた 3D マルチビジョンテスターなどがある．後者では，最も正確な測定が可能である Space Eikonometer があるが，5%以上の不等像は測定できない欠点があり，あまり汎用されていない．

■New Aniseikonia Tests（Awaya）（図3）

1 測定原理，構造

検査表には，右側に緑色，左側に赤褐色の一対の半月図形が5mmの間隔をあけて互いに向き合うように印刷されている．真ん中に融像用の黒い十字がある．No.0 図形の半月の直径は，両側とも 4.0cm である．No.1 から No.24 図形までは緑の半月が赤褐色の半月より1%ずつ順次小さく，No.1' から No.24' までは逆に1%ずつ緑の半月が順次大きくなる．

赤ガラスを通して検査表を見ると，緑の半月が黒い半円として自覚されるが，赤褐色の半月は背景も赤褐色になるため自覚されない．反対に緑ガラスを通して検査表を見ると，赤褐色の半月が黒い半円として自覚されるが，緑色の半月は背景も緑色になるため自覚されない．

屈折異常の大きい眼に赤色ガラスを通して緑色の半円が見えるように赤緑眼鏡を装用し，両半月の大きさが同じになる番号の図形を決定する．屈折状態が不明な場合には，どちらの眼に赤ガラスを装用してもよいが，この検査は赤ガラスを装用した眼の他眼に対する不等像視を測定することが

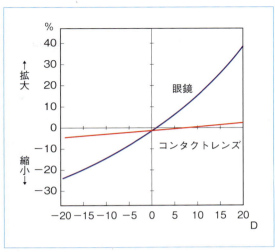

[図2] 屈折性不同視の不等像視
コンタクトレンズのほうが眼鏡より不等像視は小さい．

原理である．

2 感度と特異度

検査は簡便で測定しやすい．しかし，Space Eikonometer との比較や不等像視を実験的に負荷した際の期待値よりは低値となりやすい．また，測定値の再現性は高いとは言えないが，2回の測定値の差に関する95%信頼区間は約±1.5%から約±2.8%と小さく，繰り返し測定した場合の信頼性は臨床的には高いと言ってもよい．

3 検査手順

1) 検査の流れ

検査距離は40cmで，斜視があり融像できない場合にはプリズムを装用して測定することも可能である．

2) 機器の使い方と検査のコツ

屈折異常の大きい眼に赤色ガラスを通して緑色の半円が見えるように赤緑眼鏡を装用し，両半月の大きさが同じになる番号の図形を決定する．No.8 の図で同じ大きさならば赤ガラスを装用した眼の不等像視は+8%と判定される．また，No.8' の図で同じ大きさならば赤ガラスを装用した眼の不等像視は−8%と判定される．例えば，左遠視性不同視の場合，遠視の強い左眼に赤ガラスを装用して緑半円が見えるようにし，No.10 の図で同じ大きさならば左眼の+10%の不等像視と

6. 両眼視機能検査

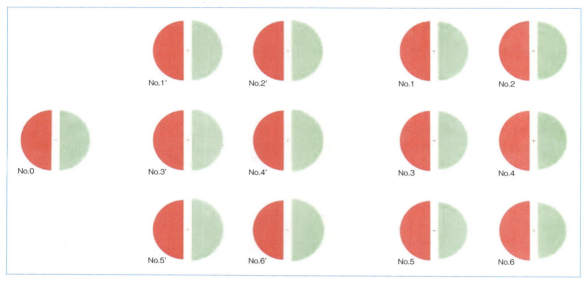

[図3] New Aniseikonia Tests (Awaya)

判定する[2,3]．

4 検査結果の読み方と解釈

1) 正常値

3％までの不等像視であれば臨床的にはほとんど無症状である．

2) 異常値とその解釈[4,5]

3〜5％までの不等像視では，両眼視の障害はでないが眼精疲労の原因となりうる．両眼融像の耐用限度は，個人差はあるものの4〜7％までの不等像視と思われる．8％を超える不等像視では，両眼視は障害されて片眼抑制や複視を生じる．

■ Pola test

1 測定原理，構造

両眼分離用の偏光フィルターを用いて，5m先のスクリーン上のむき合った一組のコの字型の図形を見せて大きさを比較する．

2 感度と特異度

コの字型の図形の幅は全体の大きさの約3.5％で作成されている．むき合ったコの字図形の上下ともに1/2幅ずつ大きさが違えば約3.5％の不等像視，1幅ずつ大きさが違えば約7％の不等像視と判定する．大まかな測定値しか得られないため精密な検査は難しい．

文献

1) 所 敬：不等像視．屈折異常とその矯正．第6版，金原出版，東京，207-211，2014
2) 粟屋 忍ほか：新しい不等像視検査法，"New Aniseikonia Tests"の開発とその臨床的応用．日眼会誌 86：91-96，1982
3) Antona B, et al：The validity and repeatability of the New Aniseikonia Test. Optom Vis Sci 83：903-909, 2006
4) Katsumi O, et al：Effect of aniseikonia on binocular function. Invest Ophthalmol Vis Sci 27：601-604, 1986
5) 磯村悠宇子ほか：Aniseikoniaと両眼融像に関する研究．日眼会誌 84：1619-1628，1980

（矢ヶ﨑悌司）

7. 光覚検査
8. 色覚検査

7 光覚検査

光覚検査

I 検査の目的

光覚の測定にはさまざまな方法があるが，一般臨床で主に用いられるのは，暗順応検査 dark adaptation test である．本検査は暗順応の時間経過を詳細に評価することができる唯一の臨床検査として，今なお重要である．

また，近年さまざまな網膜変性疾患に対する遺伝子治療，薬物治療，再生細胞治療，人工網膜移植などの臨床治験が広く展開されてきており，2013年に人工網膜，2017年に遺伝子治療が米国で承認を受けている．進行した網膜変性疾患患者の視細胞機能を定量化するための検査として，光覚検査である Full-field Stimulus Test（FST）が有用であることが示され，遺伝子治療では標準検査として採用されている．

本項では，本邦および世界で使用されている暗順応検査装置のほとんどを占める Goldmann-Weekers 型暗順応計（Haag-Streit 社）（図1）を用いた暗順応検査について述べる．しかし，この装置は近年生産中止となり入手は困難となっている．

1 検査対象

杆体機能あるいは錐体機能が広範囲に障害される，以下のような網膜疾患が対象となる．

(1) 進行性夜盲疾患：網膜色素変性，白点状網膜炎，コロイデレミアなど
(2) 停止性夜盲疾患：小口病，白点状眼底，先天停在性夜盲など
(3) その他の疾患：ビタミンA欠乏症，腫瘍関連網膜症，錐体ジストロフィ，杆体一色覚など

2 目標と限界

正常者での記録の練習を行い，Kohlrausch の屈曲点がきれいに記録される精度が得られることが目標である．

II 検査法と検査機器

暗順応検査は，一定の明順応後に被検者を完全

[図1] Goldmann-Weekers 型暗順応計の外観
装置の設置場所は完全な暗室でなければならない．
（近藤峰生：眼科検査ガイド，第1版，p300）

な暗順応状態に置き，光覚閾値の時間経過を測定して，横軸に時間を，縦軸に光覚閾値光強度（対数値）をプロットする検査である．

暗順応検査には部分的暗順応と全体暗順応がある．部分暗順応測定では，視野の中心部の円形のテスト板の部分が見えたらボタンを押す．全体暗順応測定では，網膜全体をドームを用いて均等に刺激し，少しでも明るさが感じられたらボタンを押す．暗順応検査としては前者が一般的であるが，視野の中心に大きな暗点がある患者では後者の方が適している．

III 検査手順

1 検査の流れ（Goldmann-Weekers 型暗順応計の部分暗順応測定の手順）

1) 記録用紙をドラムに巻き付けてスタートの位置にセットする．

2) 台と椅子の高さを調節し，非検査眼はアイパッチなどで遮閉する．

3) 顎台に頭部をのせた状態で，装置の明順応スイッチを入れて，約10分間の明順応を行う．このとき，視標の残像が出ないように視標のスライドを一番上まで引き上げておく．

4) その後明順応のスイッチを消し，暗順応の測定を開始する．スライドを一番下に下げて視標（縞模様）を提示する．光量を少しずつ上げていき，縞模様の視標が少しでも見えたところで患者に答えてもらい，その時点で閾値を紙にプロット

する．その後光量を十分に下げ，再び徐々に光量を上げていって同様に検査を続けることにより経時的な光覚閾値の変化を測定する．

IV 検査結果の読み方と解釈

1 正常値

図2は，正常者から記録された代表的な暗順応曲線である．暗順応を開始して約5分の間に光覚閾値は急速に下降し，いったんプラトーに達する．この最初に現れる急速相は第一次曲線といわれ，錐体の暗順応過程を反映する．その後，さらに閾値は指数関数的に低下し，40分ほどで最終飽和点に達する．この第一次曲線に続く緩やかな曲線は第二次曲線といわれ，杆体の暗順応過程を反映する．この2つの曲線の交点はKohlrauschの屈曲点（rod-cone break）と呼ばれている．

2 異常値とその解釈

網膜色素変性では杆体機能が障害されるため，その初期では第一次曲線は比較的保たれ，第二次曲線の最終閾値が上昇する．また杆体暗順応が飽和点に達するまでの時間も延長する．進行期の網膜色素変性では，Kohlrauschの屈曲点が不明瞭となることが多い（図3）．

小口病では，第一次曲線がプラトーに達した後，その状態が長時間（2〜6時間）続き，その後に第二次曲線が出現する．さらに長時間（5〜10時間以上）の暗順応を行うと，最終閾値は正常範囲にまで達するものもある．白点状眼底においても，暗順応過程はやはり遅延するが，その程度は小口病より軽く，2〜3時間以内で最終閾値に達する（図4）．

文献

1) 大庭紀雄：光覚・暗順応検査．遺伝性眼底疾患，金原出版，東京，55-67，1987
2) 飯島裕幸：光覚．眼科学大系1 眼科診断学・眼機能，中山書店，東京，334-344，1996
3) Alexander KR, et al：Prolonged dark adaptation in retinitis pigmentosa. Br J Ophthalmol 68：561-569, 1984
4) Roman AJ, et al：Quantifying rodphotoreceptor-mediated vision in retinal degenerations：dark-adapted thresholds as outcome measures. Exp Eye Res 80：259-272, 2005

（安田俊介）

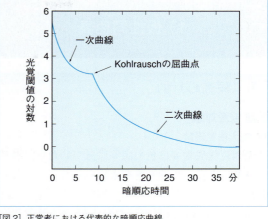

[図2] 正常者における代表的な暗順応曲線
最初に現れる急速相は第一次曲線といわれ，錐体の暗順応過程を反映する．その後の緩やかな曲線は第二次曲線といわれ，杆体の暗順応過程を反映する．
（近藤峰生：眼科検査ガイド，第1版，p301）

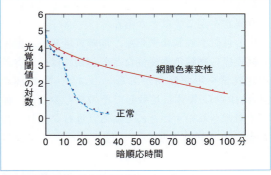

[図3] 網膜色素変性における暗順応曲線（赤線）
最終閾値は上昇しており，飽和点に達するまでの時間が延長している．
（近藤峰生：眼科検査ガイド，第1版，p301）

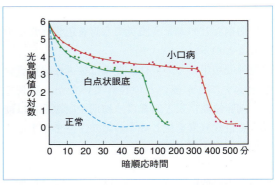

[図4] 小口病（赤）と白点状眼底（緑）における暗順応曲線
両者ともに暗順応の遅延がみられるが，その程度は小口病で特に強い．最終閾値は両疾患ともほぼ正常に近い値に達する．
（近藤峰生：眼科検査ガイド，第1版，p301）

8 色覚検査

1) 仮性同色表

I 検査の目的

1 検査対象

1) 先天色覚異常

先天色覚異常では色の誤りに気づいたり，進学や就職にあたって診断書を求められたときなどに眼科を受診する．学校での定期健康診断や雇入時健康診断で色覚検査が行われる機会は減少したが，色誤認の多い小児や微妙な色識別が必要な職種では今も色覚検査の需要が少なくない．

2) 後天色覚異常

網膜視神経が障害されるいずれの疾患でも後天色覚異常を起こすことがある．

中心性漿液性脈絡網膜症，加齢黄斑変性，糖尿病網膜症，網膜色素変性などの初期には後天青黄色覚異常を示す傾向がある．これは，S-錐体がM-錐体やL-錐体に比較してその数も少なく，脆弱で障害されやすいためである．進行につれて後天赤緑色覚異常も加わって種々のパターンを呈し，疾患末期には1色覚様になる．

錐体ジストロフィやStargardt病では初期に後天赤緑色覚異常が出現する場合があるが，多くは他の網膜疾患と同様に主に青黄色覚異常を呈する．

原田病などのぶどう膜炎でも青黄色覚異常を生じることが多い．

視神経疾患については，従来は後天赤緑色覚異常を示すことが多いといわれていたが，現在では，網脈絡膜疾患と同様に，初期や回復期には後天青黄色覚異常を生じやすいほか，さまざまなパターンを呈するとされる．

2 目標と限界

1) 先天色覚異常

先天赤緑色覚異常の検出を第一の目的とし，学校や職場などでのスクリーニングに用いられる．仮性同色表での検出は，非常に軽微な色覚異常以外ではほぼ可能である．しかし，検査表を誤読する正常色覚も全表正読する色覚異常も存在する．精度は表により異なる．

第二の目的としては1型色覚と2型色覚との分類であるが，その精度も表により異なっている．第三の目的は程度判定であるが，仮性同色表では困難と考えられ，現在国内で市販されている表には付属していない．

2) 後天色覚異常

後天色覚異常では，本人が色覚の変化に気づいたときや原疾患の診断の補助，疾患の経過や予後の予測，治癒を判定することを目的に色覚検査が行われる．しかし，原疾患により視力や視野などの視機能も障害されていることが多く，特に仮性同色表ではその影響を受けやすい．

II 検査法と検査機器

1 測定原理

2色覚では，正常色覚では明らかに異なる2つ以上の色が，非常に似かよって見え，あるいは色混同をする．このような混同色(仮性同色)をCIE(国際照明委員会)のxy色度図上で結んだ軌跡を混同色軌跡という(**図1**)．この色度図は，任意の色Cを原刺激R(赤)，G(緑)，B(青)で構成される三次元座標に表し，さらに平面上に投影したものである．各混同色線は，少なくとも1点で交わり，この点を収束点という．2色覚で白色光と区別できない単色光の波長を中性点といい，1型2色覚では495 nm，2型2色覚では500 nm付近にある．この付近の色は無彩色と混同される．

色覚検査表のしくみはこの混同色理論に基づくもので，仮性同色表という．

2 機器の構造

現在，日本国内で一般の医療機関に入手可能なのは石原色覚検査表(著作権：一新会，製造販売：半田屋商店)とSPP標準色覚検査表(発行：医学書院，製造販売：ジャパンフォーカス)のみである．東京医大式色覚検査表は販売終了となって久しいが，現在も一部では使用されている．各検査表間の比較を**表1**に記す．新色覚異常検査表は石原色覚検査表IIに組み込まれた時点で販売終了となった．

1）仮性同色表

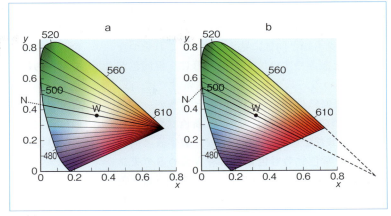

[図1] 2色覚の混同色軌跡
a 1型2色覚　b 2型2色覚
W：白色点　N：中性点
2色覚では線に囲まれた部分の色は似通って見える．仮性同色表はこの特性を利用して作成されている．

[表1] 仮性同色表　各表の種類と比較

		石原色覚検査表		SPP標準色覚検査表			東京医大式色覚検査表
種類		国際版38表	24表	コンサイス版14表	第1部先天異常用 (SPP-1)	第2部後天異常用 (SPP-2)	第3部検診用 (SPP-3)	
目的		先天異常用			後天異常用		スクリーニング	先天異常用
使用場所		眼科	一般医療機関・学校・健康診断		眼科			眼科
精度	検出表	◎	◎	○	◎	○	○	△
	分類表	△	△	△	○	○	○	△
	程度表	なし	なし	なし	なし	なし	なし	×

1）石原色覚検査表（図2）

　石原色覚検査表は，2013年4月に版を改訂し，「石原色覚検査表Ⅱ」となっており，表の枚数により国際版38表，24表，コンサイス版14表の3種類で構成される．改訂に伴い，従来広く使われていた学校用色覚異常検査表も販売終了となった．現在は，学校や健康診断などにはコンサイス版14表が推奨されている．

　国際版38表は先天色覚異常の検出に優れており[1〜3]，眼科診療には原則としてこれを用いる．

　数字表と曲線表，および環状表がある．曲線表は文字が読めない場合に用いられ，通常は数字表と環状表のみを用いる．国際版38表の場合，数字表は①正常色覚者も色覚異常者も読めるデモンストレーション表（1類：第1表），②正常色覚者と色覚異常者では異なる文字を読む表（2類：第2〜4表，3類：第5〜8表），③正常色覚者のみが読める表（4類：第9〜10表，5類：第

[図2] 石原色覚検査表Ⅱ
学校や健康診断などにはコンサイス版14表（右）が用いられており，眼科診療では国際版38表（左）を用いる．

11〜12表），④色覚異常者のみが読める表（6類：第13〜15表），⑤1型色覚と2型色覚とを分類する表（7類：第16〜19表）からなっている．上記の②では，例えば，第8表では，正常色覚では74と読むが，先天色覚異常の場合，この表の点々のうち，黄みがかった点であるオレンジや

213

茶色と黄緑が仮性同色となり見分けられず，黄色みのない緑は見え，さらに，正常色覚では見えにくいピンクも緑と同様に見えるので，これをつなげて 21 と読みやすい．④でも同様に，混同色が隠されている．しかし，先天色覚異常では，②や④も実際には全く読めないことも多い．環状表は，それまで市販されていた「新色覚異常検査表」の検出表を追加したもの[4]で，数字表と同様に，①正常色覚者も色覚異常者も読めるデモンストレーション表（第 38 表），②正常色覚者と色覚異常者では異なる切痕を答える表（第 37〜34 表），③正常色覚者のみが読める表（第 33〜32 表）からなる．

コンサイス版 14 表と 24 表は，国際版 38 表から抽出されており，表のデザインは同一である．

いずれも，1 枚ずつ取り外して入れ替えたり回転させたりできるように製本されている．

2) SPP 標準色覚検査表 (図 3)

第 1 部から第 3 部のすべてで，2016 年に新装版が刊行されている．

SPP 標準色覚検査表第 1 部先天異常用 (SPP-1, 図 4) はパネル D-15 の使用色を検査表に用いており，4 表のデモンストレーション表に続き，10 表の検出表および 5 表の分類表からなる．判定方法が記録用紙に明記されている点で使いやすく，色覚異常者にも何らかの数字が読める表が多いので精神的な負担が軽い点でも優れている．分類表のうち，第 15・17・19 表は色度の差が大きく強度色覚異常用に，第 16・18 表は色度の差が小さく弱度色覚異常用に作成されている[5]．

SPP 標準色覚検査表第 2 部後天異常用 (SPP-2,

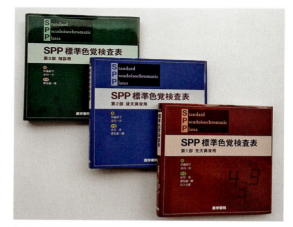

[図 3] SPP 標準色覚検査表
第 1 部先天異常用，第 2 部後天異常用，第 3 部検診用がある．

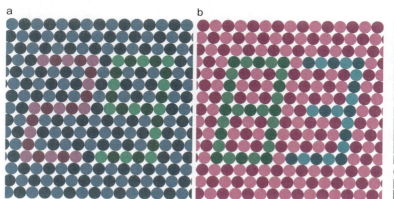

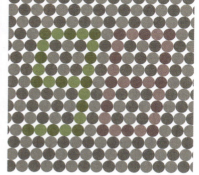

[図 4] SPP 標準色覚検査表第 1 部先天異常用 (SPP-1)
a 検出表（第 6 表）．正常色覚では「2」を読みやすいが，先天色覚異常では「2」の紫色が背景の青と色混同を生じて（仮性同色）見えにくく，「9」は青みが異なるため読みやすい．
b 分類表（第 15 表）．1 型色覚では「8」を，2 型色覚では「3」を読みやすい．1 型と 2 型で読みやすい表が分かれるのは，混同色軌跡の傾きによる．
（田邊詔子ほか：SPP 標準色覚検査表　第 1 部　先天異常用．医学書院，2016）

[図 5] SPP 標準色覚検査表第 2 部後天異常用 (SPP-2) の第 8 表
「9」は青黄異常，「8」は赤緑異常の検出用．
（田邊詔子ほか：SPP 標準色覚検査表　第 2 部　後天異常用．医学書院，2016）

注：検査表はいずれも色を吟味して作成されており，この図では，印刷時の正確な色再現は不可能である．これは読者の理解を助ける目的で掲載しており，その範囲内でのみ利用されるべきで，検査表としては使用できない．

石原色覚検査表II 国際版38表
（誤読数 第1〜15表中 12 ／15表，第38〜32表中 6 ／7表 計 18 ／22表）

表番号		1	2	3	4	5	6	7	8	9	10	11	12	13	14	15	16	17	18	19
正読		12	8	29	57	5	3	15	74	97	45	5	73	×	×	×	26	42	35	96
誤読	1型		3	70	35	2	5	17	21	×	×	×	×	5	2	45	6	2	5	6
	2型																2	4	3	9
被験者					×		8													

表番号		20	21	22	23	24	25	26	27	28	29	30	31	32	33	34	35	36	37	38
正読		上下	上下		線	線	線	線	線	線	線	線	線	↑	→	↓	↑	↓	←	→
誤読	1型	下	下	線	×	×	×	×	誤線	誤線	誤線	誤線	線	×	×	⇧	⇨	⇧	⇩	
	2型	上	上																	
被験者																×				

（曲線表は原則としては使用しない）（32〜38は 旧：新色覚異常検査表
➡：○：正読，⇨：△：誤読，×：読めない）

［図 6］ 石原色覚検査表Ⅱ国際版 38 表の記録例
記録用紙は別売されているが，図は著者が独自に作成し使用しているものである．環状表は適宜回転したのちに，その向きを記録しておくと便利である．

図 5）は青黄異常検出用に重点をおいた仮性同色表であるが，青黄異常検出表，赤緑異常検出表，杆体視検出表が混在している．

SPP 標準色覚検査表第 3 部検診用（SPP-3）は SPP-1 と SPP-2 を合わせたダイジェスト版である．

3）東京医大式色覚検査表

販売終了となっているが，顔料を用いたり灰色マスクで全面を覆うなどの対策により経年使用による退色が少なく，現在も一部の医療機関で使用されている．異常型と程度の分類が明記されているため便利と考えられ，産業医などにもよく用いられていたが，程度分類の信頼性は低い[6]．

3 感度と特異度

先天色覚異常の検出の精度は石原色覚検査表国際版 38 表が世界でも高く評価されている[1〜3]．石原色覚検査表Ⅱ国際版 38 表は，従来の国際版 38 表で誤読数 10 表以下の微度先天色覚異常者の誤読率を検討し，検出表で特に誤読率の低かった 6 表を削除し，代わりに従来の新色覚異常検査表の検出表 6 表を挿入したものである[4]．新色覚異常検査表の検出能力は高く評価されており[7,8]，石原色覚検査表Ⅱの精度は先天色覚異常に対しては，より向上していると期待されている．しかし，新色覚異常検査表は正常色覚で要精検が多いという報告もあり[4]，石原色覚検査表Ⅱ発売後に，「正常色覚が環状表の切痕を 2 か所とも読んでしまう」という指摘が聞こえている．

SPP-1 は検出，分類ともに一定の評価を得ており，特に分類に関しての評価が高い[7]．検出能力は石原色覚検査表よりはやや低く，軽微な色覚異常では正常と判定されることがある．

いずれも，印刷により作られている検査表の宿命として，版によって微妙に色が異なり，精度に影響することがある．

Ⅲ 検査手順

1 検査の流れ

検査距離と検査時間，照明条件が重要である．おおむね 75cm 以上の距離で視線と垂直に示し，呈示時間は 1 表につき 3 秒以内である．北向きの窓から 45° に入る明るい昼間の光での検査が望ま

SPP 標準色覚検査表 第 1 部 先天異常用
記録用紙

年　月　日　　検者

病名

視力　右
　　　左

ID

Name

Age　　m.f.

検出表

表番号	正常	1 型・2 型色覚
5	3	8 0
6	② <	⑨
7	4	読めない
8	⑦ <	④
9	8	⑦
10	4	3
11	2	④
12	7	5
13	⑧	読めない
14	3	⑥
計		

分類表

表番号	1 型色覚	2 型色覚
15	8	③
16	5	7
17	4	⑧
18	9	4
19	3	⑤
計		

判定　正常
　　　1 型色覚
　　　2 型色覚
　　　その他

〔指針〕

1) 表番号 1 から 4 はデモンストレーション表である。
2) 被検者が読んだ数字に○印をつける。
3) 二つの数字が読める場合はどちらかはっきり読める方に○印をつける。
4) 各欄の○印の数を合計し，正常の答が 8 以上ならば正常とする。
5) 1 型色覚の欄；2 型色覚の欄の○印の多い方に分類する。

〔SPP 標準色覚検査表 第 1 部 先天異常用　©2016　医学書院　〒113-8719　東京都文京区本郷 1-28-23
☎ 03-3817-5600(社内案内)〕

［図 7］SPP-1 の記録例
2 型 2 色覚に多いパターン．検者は両方読んだ場合を不等号で記載している．この症例では，第 10 表と第 12 表がいずれも読めず，第 13 表を正読している．第 16 表と第 18 表は読めず，第 15・17・19 表は 2 型色覚が読みやすい数字のみを読んでいる．
（田邊詔子ほか：SPP 標準色覚検査表　第 1 部　先天異常用．医学書院，2016）

しいが，人工光源では自然昼光になるべく近い色を選ぶ．厳密な検査用には標準 D_{65} 光源照明が用いられることが多い．

一度誤ってもすぐに正しく読み直した場合は正読とする．正解を記載した記録用紙などは受診者に見えないように配置する．

また，屈折異常や老視などでは検査距離に合わせた眼鏡が必要である．

日光による褪色や手指による変色に注意し，定期的に交換する．石原色覚検査表では 5 年程度での交換が推奨されている．

1）石原色覚検査表

国際版 38 表では，まず，第 1 表から第 15 表までを順に読ませ，次に第 38 表から第 32 表までをさかのぼる順に読ませる，そして分類表の第 16 表から第 19 表を読ませる，と付属の解説には指示されている．コンサイス版 14 表では同様に，第 1 表から第 8 表，次に第 14 表から第 11 表を読ませる．

環状表は正常色覚ではやや読みにくい表であるが，十分な距離を取れば問題なく，先天色覚異常では異常読を読みやすいので，数字表より先に読ませるのも一法であると著者は考えている．環状表は購入時には正読の切痕がすべて上になっているので，適宜回転しておく．正読と誤読の向きは裏に描かれており検査の際には確認しにくいの

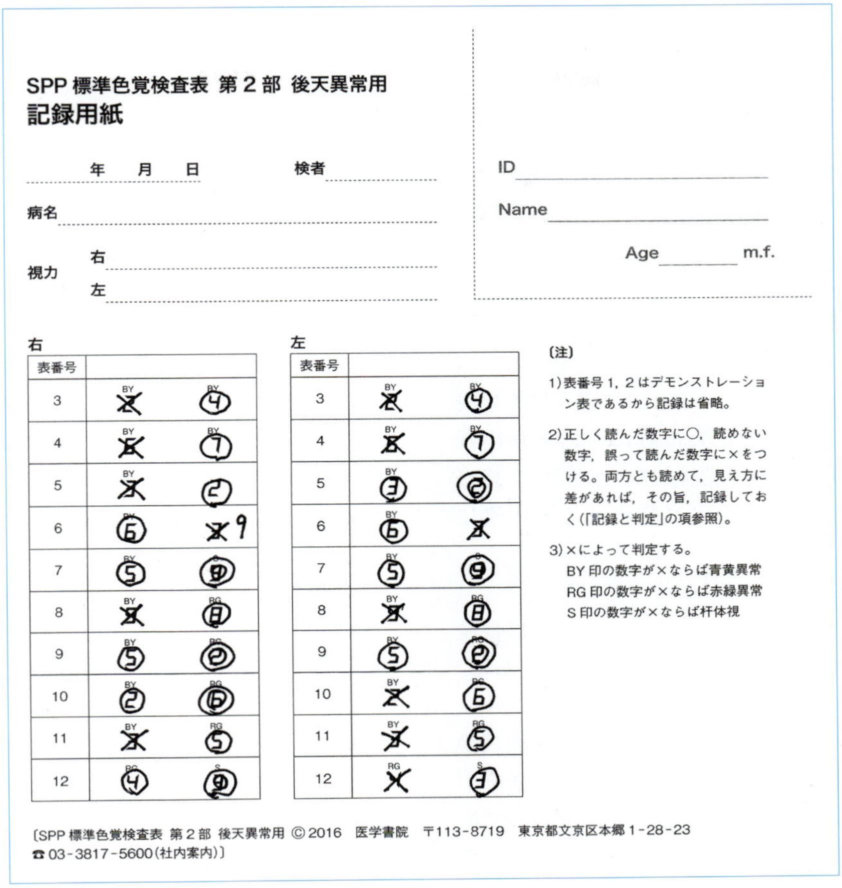

SPP 標準色覚検査表 第 2 部 後天異常用
記録用紙

年　月　日　　検者

病名

視力　右
　　　左

ID

Name

Age　　m.f.

右

表番号		
3	BY ×	BY ○4
4	BY ×	BY ○7
5	BY ×	○2
6	BY ○6	× 9
7	BY ○5	S ◎9
8	BY ×	RG ○8
9	BY ○5	RG ◎2
10	BY ○2	RG ◎6
11	BY ×	RG ○5
12	RG ○4	S ◎9

左

表番号		
3	BY ×	BY ○4
4	BY ×	BY ○7
5	BY ○3	◎2
6	BY ○6	×
7	BY ○5	S ◎9
8	BY ×	RG ○8
9	BY ○5	RG ◎2
10	BY ×	RG ○6
11	BY ×	RG ○5
12	RG ×	S ○3

〔注〕
1）表番号 1，2 はデモンストレーション表であるから記録は省略。
2）正しく読んだ数字に○，読めない数字，誤って読んだ数字に×をつける。両方とも読めて，見え方に差があれば，その旨，記録しておく（「記録と判定」の項参照）。
3）×によって判定する。
BY 印の数字が×ならば青黄異常
RG 印の数字が×ならば赤緑異常
S 印の数字が×ならば杆体視

〔SPP 標準色覚検査表 第 2 部 後天異常用 ©2016 医学書院 〒113-8719 東京都文京区本郷 1-28-23
☎ 03-3817-5600（社内案内）〕

［図 8］SPP-2 の記録例
軽度の後天青黄色覚異常の症例．
（田邊詔子ほか：SPP 標準色覚検査表　第 2 部　後天異常用．医学書院，2016）

で，記録用紙にあらかじめ記入しておくとよい（**図 6**）．

曲線表は通常は用いないが，用いる場合は 1 表につき 10 秒以内に筆などでたどらせる．

2）SPP 標準色覚検査表

① SPP-1

最初のデモンストレーション表から順にすべて読ませる．

記録用紙の，被検者が読んだ数字を，2 つの数字の両方を読んだ場合にはどちらかはっきり読めるほうを○で囲む，と記録用紙に指示されているが，その場合は両方読んだのか片方しか読まなかったのかが記録されない．そのため検者によっては後述の SPP-2 同様に◎や不等号記号（<）などを用いて記録していることも多い（**図 7**）[9]．

② SPP-2

後天色覚異常では左右眼で障害の程度が異なることが多いため，検査は必ず片眼ずつ行う．

記録用紙に，正しく読んだ数字に○，誤読または読めない数字に×，2 つの数字が両方読めた場合は見やすいほうに◎をつけるか不等号記号などで記載する（**図 8**）．

2 検査機器の使い方とコツ

先天色覚異常者は受診に際して不安や緊張を感じていることが多い．その気持ちをほぐすことが，検査の精度を向上させ，その後の指導も受け入れられやすくなるため，検者が穏やかな笑顔を見せることが色覚検査においては案外に重要であ

る．

　学校や健康診断などで行われる検査は仮性同色表，なかでも石原色覚検査表コンサイス版 14 表が用いられることが多く，それで異常が疑われた場合に受診する眼科では，より精度の高い検査が求められる．仮性同色表では石原色覚検査表国際版 38 表および標準色覚検査表第 1 部先天異常用（SPP-1）を用いるのが望ましい．

　仮性同色表では一部を抽出して使用することはせず，原則として全表の読みを総合判定する．石原色覚検査表は先天色覚異常者には読みにくい表が多いが，SPP-1 は色覚異常者にも何らかの数字が読める表が多いので精神的な負担が軽い．検査にあたっては，SPP-1 を先に読ませると円滑に進みやすい．

1) 石原色覚検査表

　先天色覚異常には読めない表が多いために被検者が不快感や心理的圧迫感を感じることがある．特に小児では，弱度でも，デモンストレーション表以外全く読めないことも多い．逆に，就職試験や免許資格取得にあたって，石原色覚検査表をすべて暗記して臨む受験者をときに見かけるので注意を要する．試験場などではこのような場合に備えて表の呈示順を変えておくこともある．

2) SPP 標準色覚検査表

① SPP-1

　デモンストレーション表が多い．幼児では「2」と「5」を混同していることがあり，「7」を「1」と読み間違えていることも多いが，ここでそれを確認できる．表の体裁は固定されており，そのまま読み進めさせる．

② SPP-2

　後天色覚異常では，原疾患により中心視野の虫食い状視野欠損などがあると，検査表の数字を認識できないことがある．SPP-2 の場合，検査にはやや時間をかけてよく，検査表を見やすい位置に動かしたり近づけたりしてもよい．

　原疾患に左右差がある場合には，軽症なほうの眼から行うと数字を記憶してしまうことがあるため，より重症なほうの眼から行うとよい．

Ⅳ　検査結果の読み方と解釈

1) 石原色覚検査表

　国際版 38 表では，数字表および環状表の計 22 表のうち，誤読が 4 表以下であったものを「正常」，8 表以上を「異常」，5〜7 表の場合は「異常の疑い」と判定する（図 6）．コンサイス版 14 表では，12 表のうち誤読が 1 表以下であったものを正常とする．

　1 類は，1 色覚も含む色覚異常者も正読可能であり，この表を読めないときは検査を理解していないか，視力障害，視野障害，あるいは心因性視覚障害や詐病なども疑う．

　先天色覚異常において第 1 表以外全く読めないことは異常 3 色覚でも珍しくない．また，ほとんど正読する 2 色覚も，多くの表を誤る正常色覚もまれには存在することに留意する必要もある．小児では点の集積から数字と判断することが難しい場合もある．

　誤読数が少なくても，2・3・6 類で色覚異常者が読みやすい読み方をしている場合は色覚異常を疑う．6 類では，読めない場合が「正読」である．

　正常で読む数字でも異常で読みやすい数字でもない，異なる数字を読む場合もある．例えば第 5 表は，正常色覚には「5」，先天色覚異常には「2」と読みやすいとされるが，その両方を感じ取り，「8」と読むことがあり，これも誤読とする．それとも異なる，全くあり得ない読み方をいくつもする場合には，心因性視覚障害の可能性も考える．7 類の分類表は信頼度が低く，1 型色覚が 2 型色覚と誤判定されることがある．

2) SPP 標準色覚検査表

① SPP-1

　SPP-1 では，検出表 10 表のうち，正常の答えが 8 表以上の場合に正常色覚とする．判定方法は記録用紙に明記されている．分類表では，記録用紙で 1 型色覚，2 型色覚のうち○の多いほうに分類する．

　先天色覚異常の判定では石原色覚検査表の結果を優先するが，石原色覚検査表で正常と判定されても，SPP-1 で異常であった場合には色覚異常

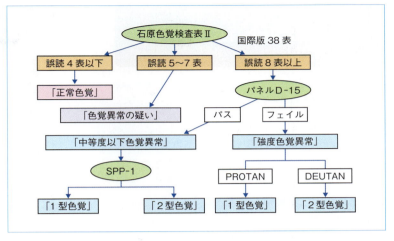

[図9] 色覚検査表とパネル D-15 のフローチャート
石原色覚検査表国際版 38 表で色覚異常の有無を判定し，パネル D-15 で強度と中等度以下を分ける．強度では型分類も同時に行う．中等度以下の場合にも SPP-1 での型分類が可能である．

を疑う．

表によって読みやすさが若干異なる．先天色覚異常には第 10 表と第 12 表の数字が 2 つとも読めないことが比較的多い．第 5 表の「8」も読みにくく，「0」と誤読することもある．

分類表は，2 型色覚では，第 16 表と第 18 表が全く読めないことが多い（図7）．

型分類は原則としてはパネル D-15 で行うこととされているが，パネル D-15 をパスする中等度以下の色覚異常の場合には SPP-1 でも判定可能である．その場合には，どの検査機器を用いて判定したかを明記する．

石原色覚検査表，SPP-1，およびパネル D-15 を用いた場合の判定の流れを図 9 に記す．

② SPP-2

SPP-2 では BY 印の数字が読めない場合は青黄異常，RG 印の数字が読めない場合は赤緑異常，S 印の数字が読めない場合は杆体視と判定する（図 8）．

しかし通常，程度の差はあれ青黄色覚異常と赤緑色覚異常の両者が合併しており，単独で現れることは少ない．結果は×が混在することになるが，その全体像を総合判定する．

第 3 表の「2」，第 4 表の「4」，第 12 表の「4」は，正常であっても読みにくく，この 3 つの文字に限っては，読めなくても病的ではないことが多い．

SPP-2 が全く読めない場合には，視力障害や視野障害，大脳性視覚情報処理障害，心因性視覚障害や検査時の精神的動揺なども考慮に入れる．赤緑異常が際立つ場合には先天色覚異常合併の可能性も考え，石原色覚検査表やアノマロスコープ検査を併せて行う．

文献

1) Hardy LH, et al：Tests for detection and analysis of color blindness. Arch Ophthalmol 34：295-302, 1945
2) Sloan LL, et al：Tests for color deficiency based on the pseudoisochromatic principle. A.M.A. Arch Ophthalmol 55：229-239, 1956
3) Birch J：Identification of red-green colour deficiency：sensitivity of the Ishihara and American Optical Company (Hard, Rand and Rittler) pseudo-isochromatic plates to identify slight anomalous trichromatism. Ophthal Physiol Opt 30：667-671, 2010
4) 岡島　修ほか：微度色覚異常における石原色覚検査表と新色覚異常検査表（新大熊表）の検出能力．眼科 54：661-665, 2012
5) 田邊詔子ほか：新しい色覚検査表の試作．臨眼 32：479-487, 1978
6) 岡島　修：色覚検査．眼科 43：417-421, 2001
7) 岡島　修：標準色覚検査表（SPP 表）と新色覚異常検査表（新大熊表）の使用経験．臨眼 39：223-227, 1985
8) 宮本　正ほか：大熊篤二考案「新色覚異常検査表（検出表・程度表）」（国際版 1979 年試作）の使用経験．臨眼 35：1787-1792, 1981
9) 田邊詔子：仮性同色表．眼科検査ガイド，眼科診療プラクティス編集委員編，文光堂，東京，275-282, 2004

（中村かおる）

8 色覚検査

2) パネル D-15 テスト

I 検査の目的

1 検査対象

先天赤緑色覚異常（1型色覚・2型色覚），先天青黄色覚異常（3型色覚），杆体1色覚などの先天色覚異常を検査対象とする．他に眼疾患で二次的に生じた後天色覚異常も対象となる．

2 目標と限界

色覚異常の程度を強度と中等度以下に二分する検査である．検査結果はパス pass するかフェイル fail するかのどちらかであり，パスすれば中等度以下の異常，フェイルすれば強度異常と診断する．したがって，色覚異常の有無を判定することはできない．

検査可能な年齢は6歳以降と考えられる[1]．しかし，小児の場合は minor errors が多く，10歳になるとほぼ成人と同様の結果を得られる[2]．

また，パネル D-15 テスト（Farnsworth Panel D-15 Test）を合格するのに必要な近見視力は 0.05 である．仮性同色表では近見視力 0.3 を必要としているのと比較すると低い視力でもそのための誤りは少ないと考えられる[3]．

後天色覚異常で用いる場合は，異常結果が出た時のみ色覚異常の存在と型の傾向を判定することができる．

II 検査法と検査機器

1 測定原理

パネル D-15 テストは色相配列検査の一つである．各色票は CIE 色度図上に各色票の番号順に楕円形に分布している（**図1**）．色度図上で最も近い色票を似た色と感じるので，正常色覚の場合は色票を1から15まで順に並べることができる．先天色覚異常の場合，この楕円が混同色軌跡（色覚異常者が混同しやすい色を色度図上で結んだ軌跡）の方向に縮まる．先天赤緑色覚異常の混同色軌跡は赤から緑の方向，先天青黄色覚異常の混同

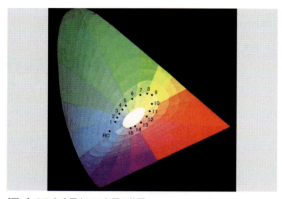

[図1] CIE 色度図上での色票の位置
色票の番号順に近くなるように配置されている．
（市川一夫：眼科検査ガイド，第1版，p284）

色軌跡は黄から青の方向である．色覚異常の程度が強くなるほど色度図上での色票の分布の楕円が軽度の楕円からほぼ直線になるまで縮まってくる．正常色覚の約 1/10 の色識別能しかなくなった場合，つまり楕円上の向かい側の色票との距離が 90％以上にまで縮まってきた場合に，隣の色票よりも向かい側の色票が色度図上で近くなる．その結果，強度異常の場合は，隣の番号の色票よりも向かい側の色票を並べることになる（この結果が記録用紙上の横断線となる．IV. 2 の項目参照）．

2 機器の構造

1個の固定された基準色票（reference cap）と15個の色票があり，各色票の裏には1から15までの番号が記してある（**図2**）．色票は木箱の中にセットされており，並べる時も木箱の中に並べていく．

3 感度と特異度

先天色覚異常において，この検査は色覚異常の程度を分類するもので，色覚異常の検出を行うものではない．原理からもわかるように，色覚異常の程度，特に強度異常を判定するという点においては感度が高いと考えられる．しかし，テストをパスする場合は，中等度以下の色覚異常から正常色覚までが含まれており，この間を分類できないという点では感度は低い．また，テストを典型的なパターンでフェイルした場合の特異度は高い．

2）パネルD-15テスト

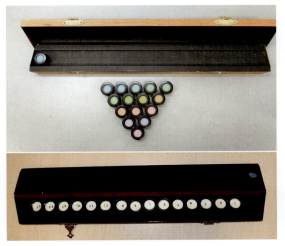

[図2] パネルD-15テスト
木箱に15個の色票がセットされている．色票の裏には番号が記されている．

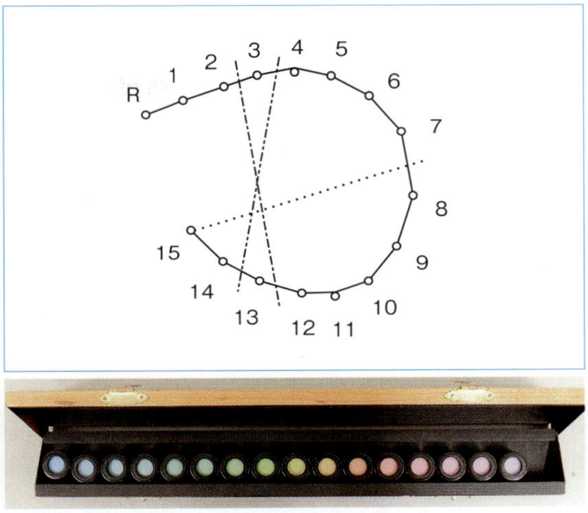

[図3] パネルD-15テストのパス（pass）の結果
色票の順番を間違うことなく並べる．

III 検査手順

1 検査の流れ

基本的には仮性同色表で色覚異常が認められるものに対して行う．男性の場合は両眼での検査でよいが，女性の場合は左右眼で異なる場合があるので片眼ずつ検査を行う．後天色覚異常の場合も，疾患の程度が左右眼で異なる場合があるので片眼ずつ検査を行う．結果が明らかに典型的な異常を示す場合やパスの場合は1回のみの検査でも良いが，わずかな間違いの場合や異常でも判定に迷うような場合は2回行う．2回行った場合は，程度が軽いほうの結果を採用する．

2 検査機器の使い方とコツ

色票を自由に並べさせるのでも良いが，まず15個の色票の中から基準の色に最も近いものを選ばせ，次にこの色票と最も似ているものを残り14個の色票から選ばせる．次も最終に選んだ色票と最も似ているものを残り13個の色票から選ばせる，というように同じ作業を順次行っていくと判定しやすい結果が得られることが多い．小児のように理解がややむずかしいものに対しては，集中力を欠かさないように常に声かけするこの方法がよいと思われる．被検者が色票のすべてを並べ終わったら，箱の蓋を利用して色票を裏返し，結果順に記録用紙の数字をつなげていく．

検査時の注意点として，色票を直接手で触れると変色の原因になるので検査前に被検者にその旨をあらかじめ説明しておくとよい．特に幼少児の場合は注意しなければならない．先を捌いた筆を使用してそれで色票を触ってもらうか，手袋をしてもらうなどすればよい．検査時の照明もまた重要である．人工光源の場合はなるべく自然光に近いものを用いる．厳密には色比較・検査用D65蛍光ランプがよいが，昼光色Dや昼白色Nなどの蛍光灯でもよい．電球色は用いるべきではない．また，天井照明だけなど暗い条件では間違いやすくなるので気をつけるべきである．

IV 検査結果の読み方と解釈

1 正常値

1から15まで順番を間違わずに並べられた場合はパスとする（図3）．また，いくつかの番号が前後する誤りであるminor errorsや，1本だけの横断線の場合のone errorもパスとする（図4）．ただし，minor errorsやone errorの場合は，検査を2回行うことが望ましい．

検査にパスした場合の結果の解釈であるが，中等度以下の色覚異常もしくは正常色覚と考える．正常色覚であるかどうかは仮性同色表の結果を合

8. 色覚検査

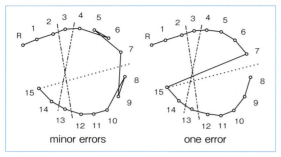

[図4] パネル D-15 テストのパターン
minor errors, one error どちらもパスとする.

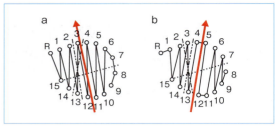

[図5] パネル D-15 テストのフェイル (fail) のパターン
a 1型色覚のパターン
b 2型色覚のパターン
1型色覚，2型色覚に特徴的な傾きの横断線を示す．

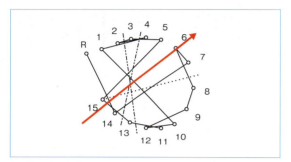

[図6] 杆体1色覚のパネル D-15 テストパターンの1例
2型色覚と3型色覚の間の scotopic 軸に平行な横断線がみられる．

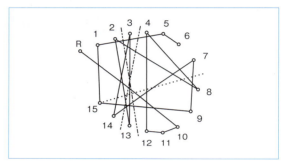

[図7] 心因性視覚障害のパネル D-15 テストパターンの1例
どの型にも分類できない非定型的な結果となる．

わせて判定すればよい．

2 異常値とその解釈

並べられた色票の順番通りに記録用紙に記入した時に2本以上の横断線がみられる場合はフェイルとする．1型色覚，2型色覚，3型色覚はそれぞれに特徴的な軸があり型判定を行うことができる（図5）．検査をフェイルした場合の結果の解釈であるが，色識別能が正常色覚者の10分の1以下の強度異常ということである．また，パスするものが異常3色覚でフェイルするものが2色覚であるかというと，必ずしもそうではない．パスする2色覚やフェイルする異常3色覚が数％存在する．フェイルした場合の型判定結果とアノマロスコープとの一致率は95％以上であり，かなり信頼性は高い．しかし，型判定の確定はアノマロスコープで行うので参考にとどめたい．杆体1色覚の場合も2型と3型の間の scotopic 軸に平行な横断線を示す（図6）．

後天色覚異常では青黄異常のパターンを示すことが多いが，特定の錐体が障害されることはなく赤緑異常も必ず混在していると考えるべきである．また，minor errors でも健眼が正常なら色覚異常の存在が示唆される．他に心因性視覚障害の場合に，何にも分類できない非定型的な横断線がみられることがある（図7）．

3 アーチファクト

検査結果が正確に検出できない原因としては，低年齢などでの理解不足，極度の緊張，不適切な照明が考えられる．判定に迷う結果が出た場合は再検査を行う．低年齢の場合は参考にとどめ，小学校中学年以降に再検査することを勧める．

文献
1) 市川　宏：小児眼科と色覚異常—幼児の色覚検査としての Farnsworth Panel D-15 Test—．眼科 14：275-284，1972
2) 大谷公子：小児の色覚その弁識能の発達及び blue vision の研究—色相配列検査による検討—．日眼会誌 82：724-735，1978
3) 宮川典子ほか：後天性色覚異常の検査に関する検討 (1) 視力の色覚検査に与える影響．眼紀 35：1597-1603，1984

（村木早苗）

8 色覚検査

3) ランタンテスト

I 検査の目的

1 検査対象

ランタンテストの対象は，主として1型および2型色覚を，職業適性の観点で評価することである．1型か2型か，2色覚か3色覚かの診断はできないが，仮性同色表やパネルD-15テストなどの検査と組み合わせれば，色覚異常の様相を多面的にみることができ，異常の程度判定に役立つ．色覚検査の多くは色素色を使った検査であるが，ランタンテストはアノマロスコープとともに，色光による検査であることが特徴である．ランタンテストは，色の間違いや視認困難が直接的に示されるので，被検者に異常を自覚させるのに有用である．

2 ランタンテストの歴史

ランタンテストは，1890年代に信号灯を含む業務の適性検査として始まり，Farnsworthランタン（1946）は，信号灯の模型から脱却した色覚検査器という理念によって作られ，検査成績と焔，のろし，発煙筒，航海灯の視認力との相関も報告されている[1]．市川ランタン（1962）はFarnsworthランタンにならったもので，JFCランタン（1996）は市川ランタンの製造中止後，改良復元したものである．現在は製造されていないが，検査成績の報告[2]もあり，入手できれば有用な検査器である．

II 検査法と検査機器

1 検査法

テスト光の赤・緑・黄の色を答えるだけの単純な検査である．正常色覚者には容易な検査であるが，色覚異常者には大変難しい検査である．

2 JFCランタンテストの仕様

視標呈示部と操作部（図1）からなる．

1. 視標（発光ダイオードランプ）
   赤：発光波長＝630nm

[図1] JFCランタンテスト
a 視標呈示部
b 操作部

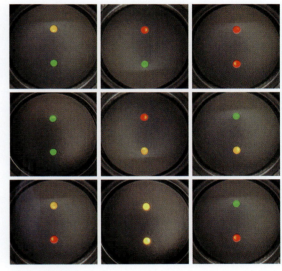

[図2] 視標の組み合わせ

   黄：発光波長＝580nm
   緑：発光波長＝555nm
   平均輝度＝20〜30cd/m^2，半値幅＝30nm
2. 視標呈示時間：2.0秒
3. 視標呈示方法：電子音が先行し，引き続き呈示
4. 視標呈示：・視標は上下に配置，視標間距離＝15mm
   ・視標の直径＝Φ2.4mm
   ・視標の組み合わせ（図2）
   ・視標の呈示順序はランダムとし，1回の測定ですべての組み合わせを呈示
5. 検査距離：3m

[表1] 1型2型色覚の程度判定

	仮性同色表	ランタン	D-15
弱度	fail	pass	pass
中等度	fail	fail	pass
強度	fail	fail	fail

3種の検査すべてpassのものをFarnsworth[4]はnormal, 馬嶋は微度異常[5]としている.

3 感度と特異度

1型および2型色覚については, 感度, 特異度とも100％に近い. ランタンテストで誤答のない微度異常者でも検査条件を厳しくするなど, 少しの負荷で誤答が誘発される[3]. 一方, 後天色覚異常では仮性同色表が全く読めなくても, 赤緑黄の色は正しく答えられることが多い[2,3]. すなわち, 1型2型色覚か否かは, ランタンテストで直ちに判定できる.

III 検査手順

1 検査の流れ, 機器の使い方

操作部の「START」を押す. 電子音が先行し視標が呈示される. 検者は被検者の回答する色を赤黄緑スイッチで入力する. 続いて「START」を押して次に進む. 9番目の呈示が終了すると, 1回目の測定は終了する. 測定は2回行う.

2 検査のコツと注意点

・検者は被検者の傍らに位置する.
・まずテスト光を見せる.「ピッと鳴ると光がつきます. 光の色を上から先に言ってください. 色は赤, 緑, 黄の3種類です. 2つ同じ色のこともあります」と説明する.
・答えをためらう場合は再呈示をする.
・1回ごとに「はい」と声をかける.
・答えを促すためにも検者は被検者の近くにいるのがよい.

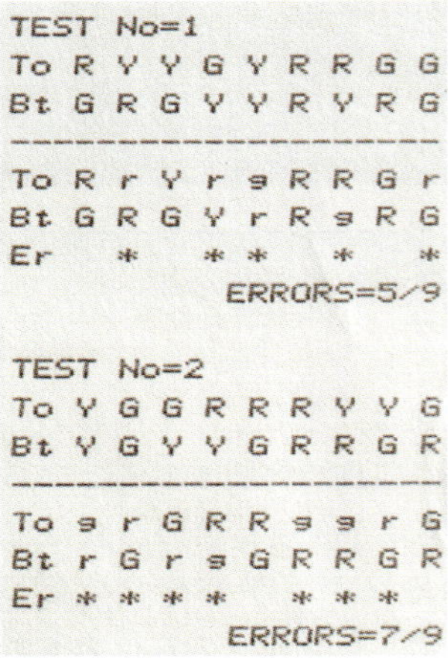

```
TEST No=1
To R Y Y G Y R R G G
Bt G R G Y Y R Y R G

To R r Y r ɘ R R G r
Bt G R G Y r R ɘ R G
Er   *   * *   *   *
              ERRORS=5/9

TEST No=2
To Y G G R R R Y Y G
Bt Y G Y Y G R R G R

To ɘ r G R R ɘ ɘ r G
Bt r G r ɘ G R R G R
Er * * * *   * * *
              ERRORS=7/9
```

TEST No.…測定回数
T…上段呈示
B…下段呈示

T…上段回答(正答は大文字)
B…下段回答(誤答は小文字)
…誤答のみ＊マーク
エラー総数

[図3] 測定結果の例

IV 検査結果の読み方

判定はpassかfailである. JFCランタン, 市川ランタンでは誤答3/9以下はpass, 4/9以上はfailとされている[2]. 2回検査を行い, 1回目がfailでも2回目がpassであればpassとする.

仮性同色表, ランタン, パネルD-15による程度判定基準をFarnsworth[4], 馬嶋[5]が提唱している(表1).

検査結果の例を示す(図3). テスト光2灯を正しく答えた組だけが正答である. 判定は簡明で, アーチファクトはない.

文献
1) Cole BL, et al：A survey and evaluation of lantern tests of color vision. Am J Optom Physiol Opt 59：346-374, 1982
2) 田邉詔子ほか：異常色覚程度判定のためのJFCランタンの規準. 臨眼 60：353-356, 2006
3) 田邉詔子ほか：ランタンテストによる色光視認力の検討. 視覚の科学 17：29-31, 1996
4) Farnsworth D：Testing for color deficiency in industry. Arch Indust Health 16：100-105, 1957
5) 馬嶋昭生：先天色覚異常の診断基準について(III). 眼紀 23：170-175, 1972

(杢野久美子・田邉詔子)

8 色覚検査

4) 100 hue テスト

I 検査の目的

現代社会では作業効率の向上を図るために色を指標とする場合が多い．製造されたさまざまな商品にはそれぞれ固有の色味があり，販売の際にそれらの商品に色むらやわずかな色の違いがあるとクレームの原因になる．このため，商品を管理する人たちには優れた色判別能力が求められる．

色の判別能力は経験や訓練によってある程度は向上するが，生来の個人差も存在する．この能力を全色相にわたって検査することができる持ち運び器具として開発されたものが100 hue テストである．現在，Farnsworth-Munsell 100 hue テスト[1]（以下，FM-100）と日本色研100色相配列検査器[2]（以下，ND-100）の2種類の検査器を使用することができる．

1 検査対象

100 hue テストの本来の目的は，仕事で「色」を取り扱う人の適性を調べることであるが，後天色覚異常者を対象として，症状の進行状況や治療効果の継時的な変化をみるためにも用いられる．先天色覚異常者の型や程度判定にも使用できるが，検査結果の解釈が難しい場合がある．

2 目標と限界

すべての色相 hue にわたる色票を似た色順に並べさせ，その間違いの程度から色の弁別能を総偏差点 total error score として評価することが1つの目標である．このテストは，似た色相群のなかだけで色の弁別を調べるものであり，色相環 hue circle の対側にある色相群との色混同を検査するものではない．このため，100 hue テストを用いて先天色覚異常で求められた混同軸 confusion axis は，2色覚の混同色線 confusion line (isochromatic line) とは必ずしも一致しない．

色相環上の色混同を調べる検査としては，Farnsworth Dichotomous D-15 テスト（以下，Panel D-15 テスト）が開発されている．このテストも小さな黒い丸キャップに入った色票を，色の似た順に並べる色相配列検査であるが，色覚異常の程度を強度と中等度以下に二分するための検査であり，その目的は100 hue テストとは異なっている．検査を行う際にはこの点に配慮したい．100 hue テストと Panel D-15 テストで用いられている色票の明度 value と彩度 chroma を表1に示した．

II 検査法と検査機器

1 測定原理

色相環を4分割して色相が近似した4つの群をつくり，その群の中で似た色順に色票を配列させ，その間違いの程度から色の弁別能を求めるものである．

2 機器の構造

FM-100 では93個，ND-100 では108個のカラーキャップが4つの細長い箱に分けて納められている（表2）．それぞれの箱の両端のキャップは箱に固定されたパイロットキャップであるため，色相の異なるテストキャップの数は FM-100 では85個（図1b），ND-100 では100個である（図2，左）．

黒い円筒形のキャップの大きさは，FM-100 の

[表1] 100hue テストと Panel D-15 テストの色票の明度と彩度

	明度 (value)	彩度 (chroma)
FM-100	5	約5
ND-100	6	2
Panel D-15	5	4 (P=6)

Panel D-15 テストの彩度は，15個のテストキャップは4であるが，パイロットキャップでは6である．Munsell 表色系での明度表示は，理想の黒を「0」，理想の白を「10」としてその間を感覚的に等分している．彩度は，無彩色の「0」を起点とし，色味が増すごとに等間隔に値が増えていくが，明度や色相により最大値は異なっている．

[表2] 100hue テストの4つの箱に収められているテストキャップの番号

	第1箱	第2箱	第3箱	第4箱
FM-100	(84) 85, 1… 21 (22)	(21) 22… 42 (43)	(42) 43… 63 (64)	(63) 64… 84 (85)
ND-100	(100) 1…… 25 (26)	(25) 26… 50 (51)	(50) 51… 75 (76)	(75) 76… 100 (1)

カッコ（ ）で示した番号の各箱の両端のパイロットキャップは箱に固定されている．

8. 色覚検査

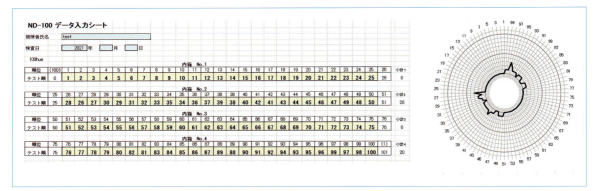

[図2] ND-100に付属している採点ソフトのデータ入力画面と，結果のパターングラフ

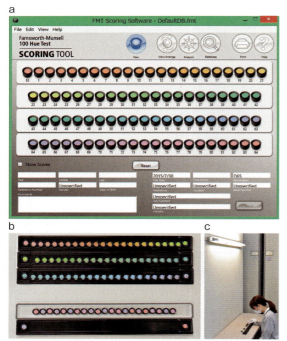

[図1] FM-100
a FM-100に付属している採点ソフトのドラッグ＆ドロップ操作を行う画面．
b FM-100の4つの箱で，一番下の箱は検査開始時に被検者に提示された状態．テストキャップはすべて蓋の上にランダムに並べられ，パイロットキャップが入った箱はその手前に置かれている．
c 検査時の様子．

ほうがND-100よりやや大きく，直径はそれぞれ22mmと20mm，高さは14mmと10mmで，その中央にそれぞれ13mm径と12mm径の円形の窓があいている．その窓の中に表面がつや消しで，見る角度で色の変わらないMunsell色票が

はめ込まれている．その色票の色度をCIE1931 xy色度図上に表示した（図3a）．FM-100のMunsell値は公表されていないため，Lakowski[3]（▲）と日本色彩研究所の川上ら[2]（◆）の実測値で表示し，ND-100は取扱説明書に公表されている値で表示した（─）．

CIE1931 xy色度図はすべての実在色を簡便に表示できるため，広く利用されているが，緑の領域が広すぎるなど，色差が均等ではない．座標上の幾何学的距離と色差をほぼ等しくした均等色度図（CIE1976 u'v'色度図）が考案されているので，その上に再表示したものを図3bに示した．

参考のために，Panel D-15テストの色票（●）を100hueテストの色票（▲，◆，─）とともに均等色度図上に表示したものを図4に示した．なお，この図では100hueテストの4つの箱の最初のキャップ（FM-100ではNo.85, 22, 43, 64，ND-100ではNo.1, 26, 51, 76）は（▲）（◆）（■）で示し，1型色覚の混同色線（赤の線）と2型色覚の混同色線（青の鎖線）も同時に表示した．

3 感度と特異度

FM-100の85種類の色票は，同程度のわずかな色差を持った色票として熟練した塗装技術者が選んだ百数十枚のなかから，主観的に選択されたものである．このため，色票間の弁別の難易度には多少の差がみられる．同じ色に見える色光の座標点のばらつきの標準偏差を示したMacAdam偏差楕円とともに，FM-100とND-100のカラーキャップを均等色度図上に表示したものを図5に

4) 100 hue テスト

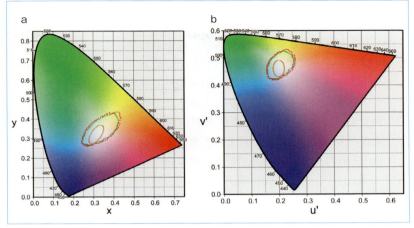

[図3] CIE1931 xy 色度図 (a) と CIE1976 u'v' 色度図 (b) 上に FM-100 (▲: Lakowski[3] の実測値, ◆: 川上ら[2] の実測値) と ND-100 (―) のテストキャップの色度を表示.

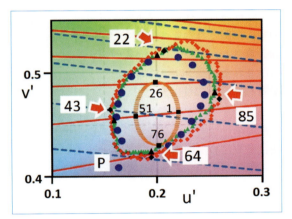

[図4] CIE1976 u'v' 色度図上に FM-100 (▲と◆), ND-100 (―), Panel D-15 テスト (●) のキャップの色度とともに, 1型色覚の混同色線 (赤の直線), 2型色覚の混同色線 (青の鎖線) を表示. FM-100の4つの箱の最初のキャップ (No. 85, 22, 43, 64) は▲あるいは◆, ND-100の4つの箱の最初のキャップ (No. 1, 26, 50, 75) は■で表示. P は Panel D-15 テストのパイロットキャップである.

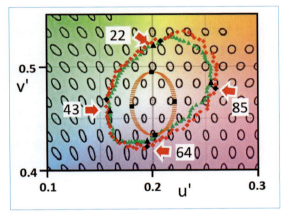

[図5] CIE1976 u'v' 色度図上に MacAdam の3倍偏差楕円と100hueテストのキャップの色度を表示.

示した. MacAdam 偏差楕円の約3倍が色弁別閾にほぼ相当するため, ここでは3倍に拡大した偏差楕円が表示してある.

FM-100 の No. 85〜21 の箱は隣り合うカラーキャップの間隔 (色差) がやや広く, 間違いの少ない箱であるが, No. 43〜63 の箱はその間隔が狭く, さらに, キャップの配置が図5に示された偏差楕円の長軸に沿っていることも加わり, 一番難しい箱になっている.

一方, ND-100 は, 明るさの心理尺度も加味された CIE1964 $U^*V^*W^*$ 均等色空間上に, 標準光 C を中心にして円周の長さが100色差単位 ($U^*V^*W^*$) の円を描き, その円周上で1色差単位の100色相を選んでいる. このため色票間の弁別に難易度の差はなく, CIE (国際照明委員会) の定める1単位の色差を知る教習用具としても利用されている. また, 彩度は「2」と低く, キャップ数も85個から100個に増えているため, 色票の弁別は FM-100 よりも難しくなっている.

III 検査手順

1 検査の流れ

この2つの100hueテストはいずれも色弁別能を調べる色並べ検査であるが, 検査時間の制限や

検査開始時のテストキャップの提示方法など，検査方法に多少の違いがある．

FM-100では，前準備として，両端に固定されたパイロットキャップ以外のキャップを全部裏返して細長い箱の中にランダムに並べ，テストキャップの裏に表示された番号が見える状態で透明な蓋をし，この箱を裏返して被検者の前に置く．検査の開始時に裏側から箱をはずすと，蓋の上に並べられたテストキャップが表向きになって出てくる．はずした箱の両端にはパイロットキャップが固定されているので，この箱を表返してテストキャップが並べられた蓋の手前に置き，この2つのパイロットキャップの間に，蓋に入っているテストキャップを似た色順に移すよう指示する．2分間で並べ終えるよう指示するが，時間よりも正確さが大切であり，検査時間は延長してもよい旨を話しておく．図1b枠内の一番下の箱は，検査開始時の状態を示しており，図1cの写真は検査中の様子である．

一方，ND-100では，1つの箱のテストキャップを机の上にすべて取り出してよく混ぜた後，両端にパイロットキャップが固定された箱の中に表向きにしてランダムに戻し，黒い蓋を閉じて中が見えない状態で被検者の前に置く．蓋を開けると同時に時間の計測を始め，2分間の制限時間内で色の似た順に並べ替えるよう指示する．2分間経過したら，その時点で蓋を閉じて検査を終了する．したがって，ND-100では並べ替えのスピードも結果に反映されることになる．

FM-100では検査時間に制限がないため，テストキャップを無彩色の机の上にバラバラに広げて検査を開始し，両端にパイロットキャップが固定された箱の中に色が似ている順に並べさせ，すべてのテストキャップを箱の中に入れ終わったのちに，色順を確認して並べ替える，という簡便法が広く行われている．この簡便法で検査を行っても結果は同じになるはずであるが，色覚検査は製作者の意図を尊重し，その指示通りに行うという原則に従うのがよい．

色票の並べ替えが終わったら箱を裏返し，テストキャップの裏に記載されている番号を記録する．この手順を4つの箱すべてで行う．4つの箱のどの箱から始めてもよい．なお，検査の前準備でテストキャップをランダムに混ぜ合わせるときには，テストキャップの色票を汚さないようにキャップは裏返したままで行い，裏側の窪みを持って箱に戻すことが推奨される．

FM-100にはオプションとして採点ソフトウエアが付属しており，これを起動すると85個のカラーキャップが画面上に4列で表示されるので（**図1a**），マウスのドラッグ&ドロップ操作で記録された順に並び替え，「Analysis」をクリックすると，総偏差点や混同軸などが表示される．ND-100では日本色研のホームページからエクセルで作成された採点ソフトがダウンロードできるので，記録された並べ順を入力すると，得点が自動計算され，FM-100と同様のパターングラフが表示される（図2）．

2 検査機器の使い方とコツ

カラーキャップの色票に多少の「染み」がついても結果には影響しないが，色票に指を触れると変色するため，検査時には被検者に手袋を着けてもらうのがよい．北向きの窓の近くの自然光の下で行ってもよいが，常に一定の条件が得られる人工照明が望ましい．

100hueテストはCIE昼光（標準の光C）下で使用することが推奨されており，相関色温度6,500Kで演色性の高い昼光色蛍光ランプあるいは常用光源蛍光ランプD_{65}（6,500K）を真上から照明し，約60°の角度からカラーキャップを観察するのがよい（**図1c**）．照度はFM-100では270〜330lux（25〜30ft・cd）あるいはそれ以上，ND-100では1,000lux以上と規定されている．目安としては，天井に取り付けた40型蛍光ランプを2〜3本点灯した程度の明るさであるが，照度計で確認して照明条件を常に一定にすることが大切である．

IV 検査結果の読み方と解釈

1 正常値

色覚正常者のなかにも色差弁別能の高い人と低い人がおり，総偏差点によって3つのタイプに分

類されている．FM-100 では優等識別力，平均的識別力，低識別力の3タイプ，ND-100 の新基準2017年ではランクA（優），ランクB（良），ランクC（可）に分類される．

1）優等識別力・ランクA

1か所のキャップを入れ間違えると偏差点は4と計算されるが，FM-100 では，1回目のテストで総偏差点が0から16までの人を「優秀弁別」といい，色覚正常者の約16%がここに含まれる．ND-100 では総偏差点が32までの人である．

2）平均的識別力・ランクB

FM-100 では，1回目のテストの総偏差点が20から100までの人で，色覚正常者の約68%がここに含まれる．ND-100 では総偏差点が80までの人である．

3）低識別力・ランクC

FM-100 では，1回目のテストの総偏差点が100を超える人で，色覚正常者の約16%がここに含まれる．このタイプの人は再検査で改善がみられるが，3回以上行っても総偏差点は改善しないとされている．ND-100 では総偏差点が80を超える人である．

2 異常値とその解釈

100hueテストの結果は主として総偏差点と混同軸で判定するが，総偏差点については色覚正常者のなかでも上記のように大きな個人差があり，年齢や熟練度も影響している．疾患による後天色覚障害の進行程度や治療効果の判定などのため，同じ人に繰り返し行う場合には個人差への配慮は不要であるが，100hueテストには練習効果があり，数時間から数日後に再検査を行うと総偏差点は30%程度改善するともいわれているため[4]，臨床的に使用する場合には2回目以降のデータを使用することが大切である．また，混同軸については先に述べたように，ここで得られた混同軸と2色覚の混同色線とは必ずしも一致していないことに注意が必要である．

3 アーチファクト

FM-100 の開発者であるFarnsworthは，求められた混同軸で先天色覚異常の判定もできると考えたが，FM-100 では色相5Rの赤キャップ，ND-100 では主波長780nmの赤キャップをNo.1キャップと規定し，そこから順に番号をつけ，さらに全体を4つの箱に分けている．このため，色差弁別能を高精度で検査できるという利点がある反面，全色相を一度に検査することができず，2色覚の混同色線に対応した色混同が不明瞭になる．図4，図5に示されている4つの箱の分割位置（▲，◆，■）を変えると総偏差点や混同軸が変わってしまうことも知られており[5]，先天色覚異常の検査に用いる場合にはその特性を十分に理解していることが大切である．

100hueテストを行う際には，このテストの本来の目的は色覚正常者を対象として，色を取り扱う人の職業適性を調べるためのものであることに留意したい．

文献
1) Farnsworth D：The Farnsworth-Munsell 100 hue and Dichotomous tests for color vision. J Opt Soc Am 33：568-578, 1943
2) 川上元郎ほか：日本色研100色相配列検査器（ND100）．色彩研究 22：24-35, 1975
3) Lakowski R：Theory and practice of colour vision testing：A review. Part 2. Br J Ind Med 26：265-288, 1969
4) Munsell Color Services Lab of X-Rite, Inc：Farnsworth-Munsell 100 hue test. Scoring Tool, v3.0.0, X-Rite Inc, 2011
5) 深見嘉一郎：色相配列検査器の適性検査能力の評価．第4報 4つの変法．日眼会誌 79：110-114, 1975

（安間哲史）

8 色覚検査

5) アノマロスコープ

I 検査の目的

1 検査対象

先天色覚異常が疑われる者，1型，2型の2色覚者および3色覚者．杆体1色覚の検査も可能である．後天色覚異常を併発する疾患に対しても検査可能な機器もある．

2 目標と限界

アノマロスコープは基本的には先天色覚異常の型および2色覚か3色覚かを検査し，確定診断のために用いられる．色覚異常の型別の人口割合として圧倒的に多いのは2型色覚であり，ついで1型色覚が多く，3型色覚は極めてまれである．アノマロスコープはこの1型色覚および2型色覚の診断に特化しており，L錐体，M錐体のそれぞれの分光感度の特性を考慮した波長幅の狭い光（以下，厳密には異なる器機もあるが，ここでは"単色光"と呼ぶ）を用いた検査である．また，事前に行う仮性同色表や色相配列検査などから，あらかじめおおよその型や程度の見当をつけてから検査を行わなければ，効率的な検査はできない．特殊な例ではあるが，アノマロスコープで正常を示し，仮性同色表で異常を示す色覚異常も存在する（後述）．アノマロスコープは自覚的な検査であるため，被検者の理解度が低いと検査の信頼性が低くなる．そのため，年齢が低すぎる場合や高齢者などでは検査自体が難しい場合もある．児童の場合には仮性同色表などによる判定のみとし，アノマロスコープによる確定診断は検査可能な年齢になるまで見送ることもある．10歳ぐらいであれば検査可能であるとされている[1]．

II 検査法と検査機器

1 測定原理

アノマロスコープは単色光の赤（670 [nm] 付近）と緑（545 [nm] 付近）の光を強度が一定になる割合で混色させた光と，同じく単色光の黄

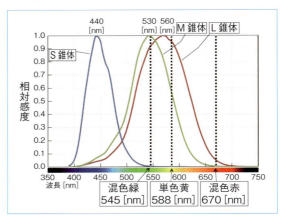

[図1] LMS錐体の相対感度およびピーク感度波長とアノマロスコープに使用される単色光の波長

（588 [nm] 付近）のみの光の強度を変化させた光を用いて，赤緑の混色光と黄色の単色光の色が同じ（等色）となる点を探す．正常者の場合では混色光の赤と緑を一定の割合に混色させたところで黄色に見え，単色光の黄色の強度を調整することで，この一点のみで等色する．図1はLMS錐体の相対感度およびそれぞれのピーク感度波長とアノマロスコープOT-IIで使用されている3色の光のピーク波長を示している．混色赤の光はL錐体しか関与できないので，1型2色覚の場合はアノマロスコープの赤色は極めて暗く感じ，単色光の黄色の強度を下げることで均等する．2型2色覚の場合には混色赤の波長帯にも感度があるため，単色黄の光を一定の強度にすることによって等色する．

また，アノマロスコープの測定原理は経験的に求められた混同色軌跡に基づいたものであり，用いられている赤，黄，緑の単色光は色度図上において1型色覚および2型色覚の混同色線上にある色なので単色光の黄色の強度を変化させるだけで，さまざまな混色光と等色する（図2）．

2 機器の構造

現在日本で手に入るものではNEITZ社製のアノマロスコープOT-IIと，OCULUS社製のHMCアノマロスコープがある．古くからはSCHMIDT HAENSCH社製のNagelアノマロスコープが広く使われているが，現在では製造が中止され，入

5) アノマロスコープ

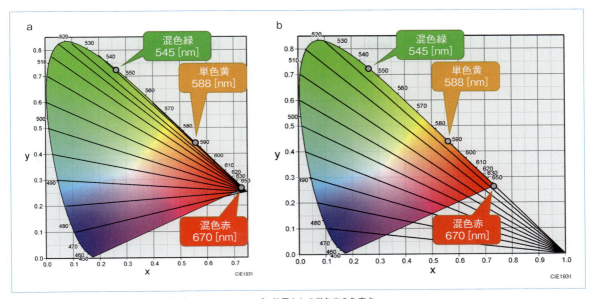

[図2] 1型2色覚と2型2色覚の混同色軌跡とアノマロスコープに使用される単色光の色度点
a 1型2色覚の混同色軌跡, b 2型2色覚の混同色軌跡
2色覚者には混同色軌跡の始点から引かれる線上の色は明るさを調整することによってすべて等色する.

手不可能である. それぞれの器機の特徴としては, アノマロスコープOT-IIではLED光源を用い, 赤：670 [nm], 黄色 588 [nm], 緑色 545 [nm] の干渉フィルタを用いて単色光に近い光を生成している. フィルタおよび光学系の経年劣化を考慮し, 正常等色の数値にずれがないかを半年または年に1度点検するのがメーカー推奨となっている. また, 光源にLEDを用いていることから熱を帯びにくい構造となっている. 操作盤には電源スイッチと混色ノブ, 単色ノブおよび異常比 (Anomalous Quotient：A.Q.) を表示するスイッチがついている (図3). 混色値と単色値はデジタル値で表示され, 0.5ずつ変化するようになっている. 異常比は自動計算され, スイッチを押している間だけ表示される. 接眼部には視度調整リングがついており, +7Dから-8Dまで調整可能となっている. 接眼部を覗いたときに見える視標は上と下の領域に半円状の視標が表示されており, 上の半円に赤と緑の混色光, 下の半円に黄色の単色光が表示される. 視角は正視の場合で2°10′である. 混色値は0から73まであり, 0の場合は純色の緑が表示され, 73の場合は純色の赤が表示され, 数値は赤と緑の割合を示しており,

[図3] アノマロスコープOT-IIの操作盤

それらの割合の合計は常に73となっている. 単色値は0から87まであり, 黄色の強度 (明るさ) を示しており, 0は光がない状態 (黒), 87は明るさが最大の状態となる (図4). また, 接眼部から目を離して下を見ると, 明順応野があり, スイッチを押している間だけ光が点灯するようになっている. 通常ある色を見続けていると, 色順応により見ている色が褪せてくる現象があるた

231

め，明順応野を見ることによって色順応を打ち消すことができる．

Nagelアノマロスコープの特徴は単色光の生成にプリズムによる分光方式を用いているため，純粋な単色光が得られる．機器の使い方自体はアノマロスコープOT-Ⅱとほぼ変わらない．HMCアノマロスコープも基本的には使用方法は変わらないが，今までのアノマロスコープと違い，PCベースで機械をコントロールすることが可能なため，オートのスクリーニング機能を有するプログラムを備えており，患者および検査データの蓄積も可能である．また，Moreland equationを用いた後天色覚異常を検査するための視標が用意されているのが特徴である．

3 感度と特異度

色覚異常者でない場合は基本的に検査は陰性であるため，特異度は100％となる．色覚検査によって得られる非定型的な症例の中には，アノマロスコープ（色光の検査）で正常またはわずかな等色範囲の拡大を示し，仮性同色表や色相配列検査（色素色の検査）で異常を示す極めてまれな"色素色色覚異常（pigmentfarbenanomale）"という症例もあり[2]，感度は100％とは言い切れず，検者の経験に左右されることになる．ただし，たいていの場合は事前のスクリーニング検査によって検出可能である．

Ⅲ 検査手順

1 検査の流れ

あらかじめ仮性同色表や色相配列検査（Panel D-15）によって色覚異常の型および程度の見当をつけておくと，検査がしやすい．特に，SPP1とPanel D-15は型判定に有用である．

まず，検査の前に色覚正常者の眼によって正常等色（混色40，単色15付近）を確かめておく．

被検者は接眼部から視標を覗ける位置に座り，検者は混色および単色ノブを操作しやすい位置に座り（図5,6），視度調整リングを回して視標がはっきり見えるようにする．アノマロスコープの検査は時間がかかりがちになるので，被検者が楽に検査を受けられるように椅子や台の高さを適切

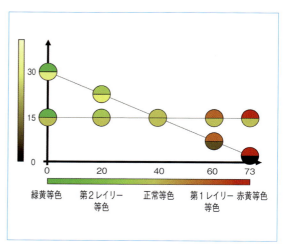

［図4］視標の見え方

に調整する必要がある．検査の説明をし，基本的には検者が混色・単色ノブを調整して被検者に上と下の色が同じかどうかを尋ね，等色したときの混色値と単色値を記録していくのが流れである．調べるべき起点となる等色点は正常等色，第1および第2レイリー等色，混色目盛を最大および最小としたときの赤黄等色，および緑黄等色である．

2 検査機器の使い方とコツ

1）眼鏡の有無

被検者が持っている眼鏡やコンタクトレンズは色が入っている場合もあるので極力使用しないようにする．

2）被検者への説明

最初に行う被検者への検査の説明は，視標が見えていることの確認である．色覚異常者には等色が起こりえない目盛に設定し，上と下の半円にそれぞれ2つの色が見えていることを確認する．その上で，「これから色を変えていきますので，その都度，上と下の色が同じかどうかを答えてください」というように説明する．検査中の質問は「上と下は同じですか？」に限る．違う場合はどのように違うかを尋ねる．ただし色覚異常者が答える色名は被検者の経験的学習によるものなので，正しく答えているとは限らない．そのため，色名を参考にはするが，あくまでも答えた色名を

[図5] NEITZ アノマロスコープ OT-Ⅱ
a 機種外観
b 被検者と検者の位置
被検者は接眼部から視標を覗ける位置に座り，視度調整をする．検者は操作盤のほうに座る．OT-Ⅱの場合は片方の側面にスイッチなどがまとまっているので操作しやすい．

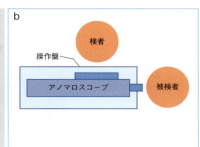

[図6] Nagel アノマロスコープ
a 機種外観
b 被検者と検者の位置
被検者は接眼部から視標を覗ける位置に座り，視度調整をする．検者はメモリのついているほうに座る．混色，単色ハンドルが両側面についているので，若干操作がしづらい．

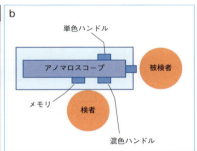

鵜呑みにしてはいけない．また検査全体を通してもいえることであるが，検者から色の名前を言うことは被検者の混乱を招くことになるため，言ってはならない．

3）等色成立の判断

等色成立は注視してから2～3秒程度で答えたときのみである（絶対等色）．それ以上の時間をかけて等色した場合は色順応によって本来等色しない色が等色していることになる（比較等色）．比較等色した場合は一度接眼部から目を離して明るい窓の外か，明順応視野を注視してもらい色順応を除去してから再度視標を見させる．

4）等色点を探す順序

図7はアノマロスコープ検査による通常の色覚異常の型と程度判定の流れである．

（ⅰ）正常等色［混色40/単色15］の検査

ここで等色が成立した場合は正常か，2色覚である．正常か否かの判断は事前に行うスクリーニング検査から可能である．等色が成立しなかった場合は異常3色覚が疑われる．

（ⅱ）2色覚が疑われる場合

まず混色目盛が73の位置での等色を確かめる．1型色覚では単色目盛が3付近で等色し，2型では単色目盛が15付近で等色が成立する．ここで1型色覚か2型色覚の判別がつけば混色目盛が0の位置で，1型色覚では単色目盛が30付近で等色し，2型色覚では15付近で等色し，この時点でそれぞれ1型2色覚，2型2色覚と診断が確定する．1型，2型の予想は仮性同色表とPanel D-15の結果からある程度予想できるが，被検者の答えも参考になる．1型の場合は赤を非常に暗く感じるので，混色目盛を73にしたときに上と下の明るさの違いを尋ねても良い．

（ⅲ）異常3色覚が疑われる場合

1型色覚では第1レイリー等色［混色60/単色7］付近，2型色覚の場合は第2レイリー等色［混色20/単色15］付近で等色することになる．ここで，1型色覚か2型色覚の予想は仮性同色表とPanel D-15からは難しい場合もあるので，被検者の答えを参考としても良い．すなわち，正常等色［混色40/単色15］を調べたときに，上が緑，黄緑，黄で下が赤，橙，茶などの答えであれば，赤に対する感度が低いことになるので，1型色覚が予想される．一方で上と下が上記と真逆の答え方であれば2型色覚が予想される．

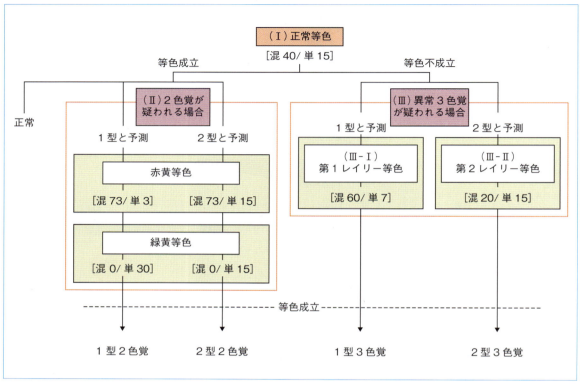

[図7] 均等点を探す順序

（ⅲ-ⅰ）第1レイリー等色［混色60/単色7］で等色した場合

　そこを基点にして混色目盛を2, 3目盛ずつ前後に動かしていき，等色し得る範囲を求める．単色目盛を調整しても等色しない場合も混色目盛を2, 3目盛ずつ前後に動かし，等色する点を探す．このとき混色目盛をどちらに動かすかは被検者の答えを参考にすると良い．上が赤，または下が黄緑か緑であれば混色の赤の成分が多すぎると判断できるので，混色目盛を緑の方（値の小さい方）へ動かす．上が黄緑か緑，または下が赤であれば，混色の緑の成分が多いと判断できるので，混色目盛を赤の方（値の大きい方）へ動かす．等色点が見つかれば，上記と同様に等色した点を基点として混色目盛を2, 3目盛ずつ動かし等色し得る範囲を求める．ただし，どこの等色点を取ることにも言えることであるが，等色の成立は絶対等色のみである．

（ⅲ-ⅱ）第2レイリー等色［混色20/単色15］の場合

　調べ方は第1レイリー等色の場合と同様である．

Ⅳ　検査結果の読み方と解釈

1　正常値

　スクリーニング検査（仮性同色表，Panel D-15など）が正常でアノマロスコープの等色点が正常等色点のみであれば正常色覚である．

2　異常値とその解釈（異常所見の読み方）

　アノマロスコープは精度が高く，異常の結果が読み取りやすいので，検査さえ正しくできていれば診断を迷うことはない．図8および図9は通常の診断に必要となる色覚異常の型・程度とアノマロスコープの結果例である．基本的な診断はここに示すもので良いが，これに当てはまらない診断の難しい以下4つの非定型的な症例もある．

極度1型3色覚
極度2型3色覚
色素色色覚異常（Pigmentfarbenanomale）
スペクトル色色覚異常（Spektralfarbenanomale）

これらは全体の10％程度に見られるといわれている[2]．

スペクトル色色覚異常はアノマロスコープで定型的な1型3色覚，または2型3色覚を示し，仮性同色表で正常と判定されるため診断は容易であるが，スクリーニングだけでなく，アノマロスコープによる検査までをしないと見逃す可能性もあるので，注意が必要である．

極度異常3色覚は異常3色覚に比べ，非常に広い等色範囲を持つ．赤黄等色，第1レイリー等色，正常等色，第2レイリー等色，緑黄等色のうち，2つ以上の等色範囲を持ち，かつ2色覚にまで至らない場合にこのように呼ばれる．

色素色色覚異常は前述したように，仮性同色表，色相配列検査で明らかに異常であるにもかかわらずアノマロスコープで正常を示すものである．ただし，アノマロスコープの等色は正常等色の等色範囲がわずかに広がる場合もある．

アノマロスコープの結果の評価の仕方として異常比（A.Q.：Anomalous Quatient）がある．これは日常一つのアノマロスコープを使用して診断する上ではとりわけ用いることはないが，複数のアノマロスコープのデータや多施設でのデータの検証を行うためには異常比での評価が必要である．これは検査環境やアノマロスコープ自体の個体差などの影響を除くためである．

$$A.Q. = \frac{(73-a')/a'}{(73-a)/a}$$

a：正常者の混色目盛等色範囲の中央値
a'：異常者の混色目盛等色範囲の中央値

アノマロスコープOT-Ⅱでは異常比の計算が組み込まれており，デジタル表示されるようになっている．

3 アーチファクト

検査に時間がかかることがしばしばあるということと，心理物理的（自覚的）な測定であるため，

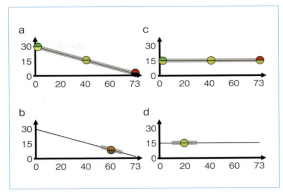

[図8] それぞれの色覚異常とおよその等色範囲
a 1型2色覚，b 1型3色覚，c 2型2色覚，d 2型3色覚

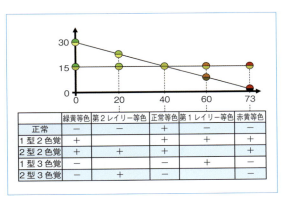

	緑黄等色	第2レイリー等色	正常等色	第1レイリー等色	赤黄等色
正常	−	−	＋	−	−
1型2色覚	＋		＋	＋	＋
2型2色覚	＋	＋	＋		＋
1型3色覚				＋	−
2型3色覚	−		＋		

[図9] アノマロスコープの診断

被検者の年齢や状態が検査結果にかかわることや，検査自体が不可能な場合もある．年齢が低い場合には検査可能な年齢になるまで検査を見送ることもある．また，被検者の理解度が低い場合も検査が難しくなる．

機械的な要因では光源やフィルタの劣化など，衝撃や振動などによる光学系の変化，さらには電圧などの関係により，目盛と実際に提示される光とのずれが生じる可能性があるので取扱いには注意が必要である．

文献
1) 太田安雄ほか：色覚と色覚異常，金原出版，東京，257-266，1992
2) 三島濟一ほか：眼科MOOK 16．色覚異常，金原出版，東京，134-138，1982

（田中芳樹・市川一夫）

9. 視野検査

9 視野検査

1）Goldmann 視野計（動的視野検査）

I 検査の目的

Goldmann 視野計は1945年にHans Goldmannの考案でHaag-Streit社によって投影式視野計として開発され[1]，動的視野検査の標準検査機器として用いられてきた．動的視野検査は，一定の背景輝度に設定されたドーム内に周辺から中心に求心的に視標を呈示し，視標を知覚できた点を結び，視覚の感度分布をイソプタ（等感度曲線）として求めていく検査法である．イソプタはTraquairの視野の島（visual island）[2]と呼ばれる視野の広がりや感度の高さを表現している（図1）．

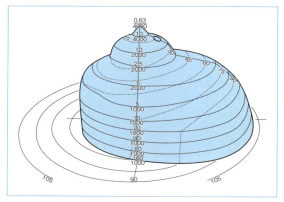

[図1] Traquairの「視野の島（visual island）」
（文献2）より引用改変）

1 検査対象

Goldmann 視野計は，周辺部を含めた視野全体の形状をパターンとして把握することに優れている．検査は，視神経疾患や中枢性疾患などの視路疾患，網膜色素変性などの網膜疾患，中期以降の緑内障の評価に有用である．特に視神経疾患では中心30°内にMariotte盲点を含む中心暗点を呈することが多く，このような症例では中心30°内を検査する静的視野検査では暗点のみの結果となるため，Goldmann 視野計による周辺視野を含めた視野の評価が有用となる．また，検者と被検者がコミュニケーションをとりながら症例に応じた測定ができるため，高齢者や小児に適している．特に進行した視野障害や周辺部に残存した視野の評価に有効で，日常生活における残存視機能の評価や有効的な活用の検討に不可欠である．

2 目標と限界

Goldmann 視野計による動的視野検査の目標は，視覚伝導路の障害部位に応じた視野異常の形状を検出することである．検者は視野異常のパターンを理解した上で，的確な診断ができるように検査を実施する．また検査時間が長くなると疲労が検査結果に影響を及ぼすため，1眼の測定時間は15分から20分以内に行うようにする．動的視野検査の限界としては，視標が動いているため

被検者の反応時間が検査結果に影響し，反応時間が長くなると実際の視野よりもイソプタは小さく，暗点は大きく検出される．またGoldmann 視野計は手動によって視標を提示するため，検者の技量が検査結果に影響する．検査結果に影響するこれらの因子については，半自動化による測定や反応時間を測定して検査結果に反映する方法が開発されている[3]．

II 検査法と検査機器

1 測定原理

Goldmann 視野計でのイソプタの測定は，視標面積，視標輝度の組み合わせによって行われる．視標面積は，V（64mm^2），Ⅳ（16mm^2），Ⅲ（4mm^2），Ⅱ（1mm^2），Ⅰ（1/4mm^2），0（1/16mm^2）の6種類があり，4倍ごとに変化させることができる．視標輝度は，最高視標輝度が1,000asbで，4から1のフィルタを用いることで5dB（約0.315倍）ごと，さらにeからaのフィルタを用いることで1dB（約0.8倍）ごとに輝度を変化させることができる．背景輝度は31.5asbで，これらの視標面積と視標輝度を組み合わせて視野の形状を検出する．視標面積と視標輝度の関係では，閾値に達していない視標輝度であっても視標面積を大きくすることで視標を知覚することができる．この現象は空間和といわれる．空間和における視標面積と5dBごとに減光するフィルタの関係では，視標面積番号と減光フィルタ番号を組み合わせること

で，同じ和の数字になる視標面積と視標輝度の組み合わせは，同じ刺激量の効果となり，ほぼ同じイソプタを検出することができる．

2 機器の構造

　Hagg-Streit社が開発したGoldmann視野計について述べる（**図2**）．Goldmann視野計は，固視監視望遠鏡を備えた投影式球面視野計で，背景や視標の明るさは1つの主電球から供給されており，検査中の電圧の変化などが検査結果に影響しないように配慮されている．主電球の交換時には電球のフィラメントが正しい位置になるように設置する必要がある．機器を水平に保つことでアームを支える軸を垂直にすることができ，アームの動きを左右均等に保つことができる．機器の水平設定は，視野計の両側にあるノブを回して水準器の気泡が中央にくるように調整する．残念ながら現在，Haag-Streit社のGoldmann視野計は製造中止となっている．

3 感度と特異度

　Goldmann視野計における動的視野検査は，検者が手動によって視標を呈示するため，検者の技量が検査結果に影響する．視野検査の結果は視野障害のパターンとして表されるため，自動視野計による静的視野検査に比べて早期の緑内障などわずかな感度低下を検出しにくく感度は低い．しかし，静的視野検査と比べて視野の形状で疾患を鑑別する上での特異度は比較的高い．

III 検査手順

1 検査の流れ

1）測定条件の設定

　視標輝度の設定は，視標面積V（64 mm^2），視標輝度4（1,000 asb）の視標を検査用紙の右側70°の位置にパンタグラフを設置して，輝度計の受光部に視標を投影させ，1,000 asbに調整する．背景輝度の設定は，白色板をセットし，視標面積V（64 mm^2），視標輝度1（31.5 asb）の視標を投影し，反対側の望遠鏡を通じて，白色板に投影された輝度と同じになるように調整する．

2）測定開始時の準備

　検査の実施にあたっては検査の方法について被

［図2］Goldmann視野計
（文献4）より引用）

検者に十分に説明し，実際に視標を呈示して練習を行い理解度を確認する．検査は被検者が測定条件下の明るさに十分に順応した状態で開始できるように説明時間などを有効に使用する．遮閉具は機器に付属しているドームと同色の遮閉具を使用することが望ましいが，日本人の顔の形状に適していないため，貼付する遮閉具を用いる．遮閉具の選択は被検者の皮膚の状態を確認し，皮膚状態に適した遮閉具を選択する．貼付時には遮閉下で瞬目できるようにふくらみをもたせて貼るようにする．検査眼の開瞼時の状態が上方視野に影響する可能性がある場合は優肌絆などの皮膚に貼付できるテープを使用し上眼瞼を挙上する．この際，瞬目ができ閉瞼できることを確認する（**図3**）．

3）イソプタの測定

　イソプタの測定は，V/4e，I/4e，I/3e，I/2e，I/1eの視標を用いて実施し，中心部についてはI/1aまたは0/1eなどの視標を用いて被検者が検出できる感度まで測定する．視標呈示速度は周辺部では1秒間に5度，中心部では1秒間に3度の呈示が基本である．イソプタとイソプタの間隔が広くなった場合はdからaのフィルタを用いて中間イソプタを測定する．中間イソプタは基本的には減光率の関係からc（63%）またはb（50%）のフィルタを用いて測定する．V/4eとI/4eの

中間イソプタは視標サイズを変更して測定する．

4）屈折矯正

中心30°内の測定は，検査距離30cm明視できるレンズを装用する．装用するレンズ度数は年齢別の調整力を考慮して決定する．また0.75D以上の乱視に対しては年齢にかかわらずレンズを装用する．

5）Mariotte 盲点の測定

Mariotte盲点は固視点から15°耳側，やや下方にある．Mariotte盲点の測定は，I/4eとMariotte盲点を囲む最小のイソプタの視標を遠心性に動かして測定する．見えない位置に視標を呈示するため，固視が不安定になる場合があるので注意が必要である．

6）中心感度の測定

Goldmann視野計ではドームの中央に2°の固視観察筒があるため，中心2°内のイソプタの測定は付属の固視点投影器を用いて測定する．固視点投影器を使用しない場合は固視観察筒の近くに被検者が検出できる視標を呈示し，呈示された視標を固視し，被検者が視標を検出できなくなるまで視標の輝度を暗くしていき中心感度を測定する．検査結果の表記は，例えば「視標を固視するとI/1cまで視認可能」と記載する．特に網膜色素変性のように求心性視野狭窄の症例では中心2°内に中心視野が存在する症例があり注意する必要がある．

2 異常視野の測定

欠損や沈下の測定は，想定するイソプタに対して垂直に視標を呈示して検出する．暗点の測定は暗点の広さと深さを検出する．暗点の広さは，暗点を囲む最小のイソプタの視標を用いて遠心性に視標を呈示して測定する．暗点の深さは，被検者が見えない最も明るい視標を用いて視標を遠心性に呈示して測定する．また暗点の検出は，暗点の存在が疑われるところに静的に視標を呈示し（スポットチェック）暗点を見逃さないように注意する．緑内障の症例では，Bjerrum領域や鼻側階段欠損での暗点の有無について検査を実施し，暗点がない場合はそのことがわかるように検査用紙に記載する．視力不良や中心暗点の症例では，

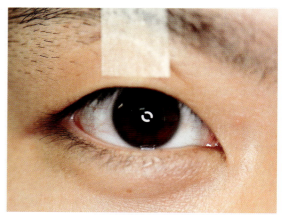

[図3] 上眼瞼の挙上

ドーム中央の固視部分が見えない場合があるので検者が固視の位置を誘導し，被検者には誘導された位置で眼をとめておくように伝え，検査中も固視状態を確認し声をかけながら測定する．

3 検査のコツと注意点

検査を円滑に行うためには，まず被検者が検査方法について十分に理解した上で検査を実施する．そのためには検査方法の説明後に実際に視標を呈示し，練習を行い検査に対する理解度を確認する．動的視野検査がはじめての症例では検査方法の理解の確認もあり，健眼から測定する．検査の経験がある症例では疲労による検査結果への影響を避けるため患眼から測定する．また疾患別の視野異常のパターンを考えながら測定点を配置し，短い休憩を入れながら検査を実施することが重要である．さらに検査中の固視状態，眠気や疲労の状態など検査中に気づいた点については，正しく検査結果を評価するために必ず検査結果に記載する．

4 マスク着用時の注意点

2020年，COVID-19の感染予防対策としてマスク着用で検査が実施されるようになった．マスク着用による結果への影響としてはHumphrey視野計では信頼性の低下や感度低下，レンズの曇りが指摘されている[5]．また，これらの影響はサージカルマスクよりも布マスクで大きいことも報告されている．これらの影響を最小限にするた

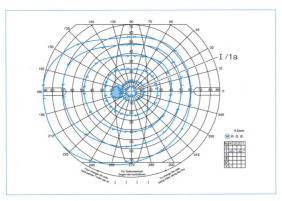

[図4] 正常視野（左眼）

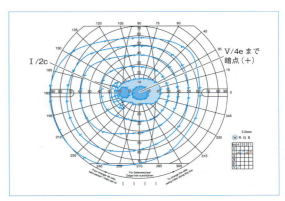

[図5] 特発性視神経炎（左眼）

めには可能な限りサージカルマスクを着用し，ノーズブリッジの部分をしっかりテープでとめて検査することが有効である．Goldmann視野計による検査においても同様の影響があり，適切なマスク着用が必要である．

IV 検査結果の読み方と解釈

1 正常値

正常視野は，上方60°，下方70°，鼻側60°，耳側100°の広さで，耳側15°やや下方に視神経乳頭に相当するMariotte盲点が検出される（図4）．

2 視野異常とその解釈

視野異常には，暗点（scotoma），欠損（defect），狭窄（contraction）がある．疾患別による視野異常を示す．

1）視神経疾患

視神経疾患では，中心30°内にMariotte盲点を含む中心暗点（盲点中心暗点）を示すことが多い（図5）．しかしながら虚血性視神経症や視神経脊髄炎では，必ずしも中心暗点が検出されず，水平半盲などの視野異常を示す場合がある（図6）．

2）網膜色素変性

網膜色素変性では，輪状暗点や求心性視野狭窄を呈する（図7, 8）．

3）緑内障

緑内障における視野障害は，Bjerrum領域の暗点，鼻側欠損，傍中心暗点を呈する（図9）．Quigleyら[6]はGoldmann視野計で異常が検出された場合にはすでに50%の視神経線維が障害さ

れていることを報告した．

4）視路疾患

視路疾患では，視交叉，視索，外側膝状体，視放線，視中枢の各領域に対応した視野異常が起こる．視交叉障害では，両耳半盲を示し，初期では視野の中心領域，つまり内部イソプタで両耳半盲を検出する（図10）．視索以降の視路障害では同名半盲となる．

5）心因性視覚障害

心因性視覚異常では，らせん状視野や求心性視野狭窄を示すことがあるが，正常視野を示すことも多い．

3 アーチファクト

Goldmann視野計による動的視野検査は，検者が手動によって視標を動的に呈示するため，呈示速度が速い場合や高齢者など反応時間が長い場合には視野は狭く検出される．また白内障などの中間透光体の混濁に対してイソプタは沈下する．またレンズ装用のタイミングやレンズ枠の影響については注意が必要である．

文献

1) Goldmann H：Ein selbstregistrierendes Projektionskugelperimeter. Ophthalmologica 109：71-79, 1945
2) Scott GI：Traquair's Clinical Perimetry, Henry Kimpton, London, 1957
3) Hashimoto S, et al：Development of new fully automated kinetic algorithm (Program K) for detection of glaucomatous visual field loss. Invest Ophthalmol Vis Sci 56：2092-2099, 2015
4) 若山曉美：動的視野検査．MB OCULI 11：19-23, 2014
5) Bayram N, et al：The impacts of face mask use on standard automated perimetry results in glaucoma patients. J

9. 視野検査

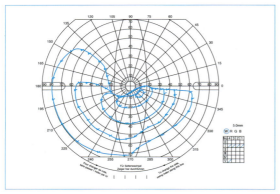

[図6] 視神経脊髄炎（左眼）

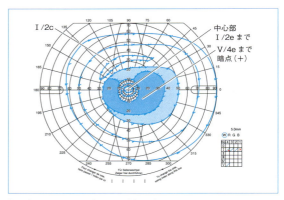

[図7] 網膜色素変性（輪状暗点）（右眼）

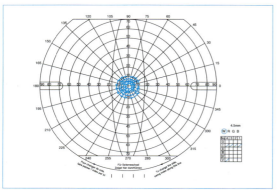

[図8] 網膜色素変性（求心性視野狭窄）（右眼）

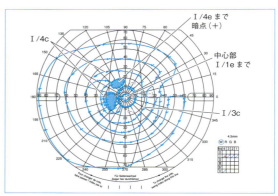

[図9] 緑内障（Bjerrum領域の暗点と鼻側階段欠損）（左眼）

[図10] 下垂体腺腫（両耳側半盲）

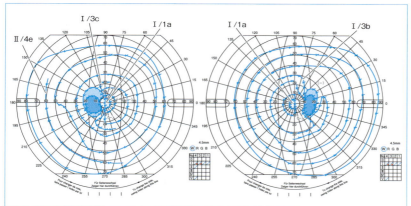

Glaucoma.DOI：10.1097/IJG.0000000000001786, 2021
6) Quigley HA, et al：Optic nerve damage in human glaucoma. Ⅲ. Quantitative correlation of nerve fiber loss and visual field defect in glaucoma, ischemic neuropathy, papilledema, and toxic neuropathy. Arch Ophthalmol 100：135-146, 1982

（若山曉美）

9 視野検査

2）自動視野計（静的視野検査）
① Humphrey 視野計

I 検査の目的

1 検査対象
視機能障害が疑われる眼疾患，および頭蓋内疾患に対し，視野障害の有無と程度を評価する．

2 目標と限界
通常，自動視野計 standard Automated Perimetry（SAP）といえば，静的量的視野検査を意味し，白色背景に白色視標を呈示する明度識別視野検査として測定されている．代表的な視野検査である Humphrey 視野計は，通常中心 30°内の検査プログラムが汎用されているが，その他にも中心視野や周辺視野，両眼開放視野なども評価可能で，測定ストラテジーの変更により，スクリーニングから精密視野測定まで，検査目的に合わせた多彩なプログラムが搭載されている．さらにオプションとして，Goldmann 視野計を意識した動的視野測定や早期緑内障の検出を目指した機能選択的視野検査の1つである blue on yellow perimetry（short wavelength automated perimetry〔SWAP〕）も検査することができ，視野障害が生じるすべての眼科疾患の検出を目標としている．しかし，どのプログラムも心理物理学的な自覚的検査であることに変わりなく，検査に不慣れな際に生じる学習効果や，検査時の疲労度や集中力の欠如といった患者コンディションは検査結果に大きく影響し，結果の信頼性が疑わしい症例もある．特に乳幼児や高齢者などでは，ときに測定そのものに限界があり，視野評価が不可能なケースも散見される．

II 検査法と検査機器

1 800 シリーズの登場
Humphrey 視野計（HFA）は 1987 年に 600 シリーズが日本に初めて導入されて以来，1995 年に 2 世代目となる HFAII 700 シリーズが登場し，CPU 等の一部ハードウェアを変更した HFAIIi

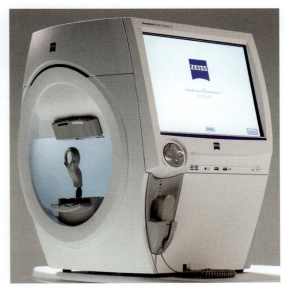

[図1] HFA3 800 シリーズ

700 シリーズ（2002 年）がリリースされ，バックアップ用保存媒体が USB に変更されるなどのマイナーチェンジを経て（2010 年），2015 年 4 月に OS が Windows となり，デザインも一新した HFA3 800 シリーズが最新版として登場した（図1）．

2 ハードウェア・機種別搭載機能
800 シリーズは現在 830, 840, 850, 860 の 4 機種がラインナップされている．基本的なハードウェアは全機種とも同一で，プロジェクタやフィルタ等の光学系も 700 シリーズを踏襲しているが，視標を投影するスクリーンは中心 27°から鋭角になる非球面型ドームに変更されている．全機種とも保存媒体はハードディスクで，バックアップ・データ転送用に USB ポート，LAN ポートが備わっている．840 以上の上位機種で固視監視機能のゲイズトラッキングと 700 シリーズから進化した動的視野測定（キネティックテスト）が標準装備されている．また 850, 860 の上位 2 機種には blue on yellow perimetry である SWAP とともに，新たな信頼性指標として測定時の被検眼の状態を評価する RelEye が搭載されている．

3 検査プログラム（図2）
800 シリーズには 700 シリーズのすべての検査プログラム（スクリーニング検査，閾値検査）が

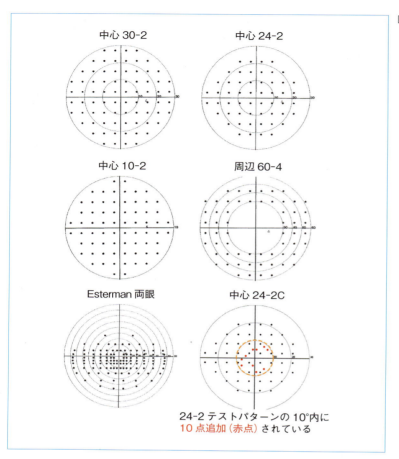

[図2] 代表的なテストパターン（右眼）

搭載されており，前機種からの同一プログラムで継続検査が可能である．代表的な検査プログラムとして，格子状に30°内を6°間隔の計76点で測定する中心30-2，もしくは30-2の鼻側2点を残し外周12点を除外した中心24-2や10°内を2°間隔の計68点で測定する中心10-2があるが，その他にGoldmann視野が実施できない際の周辺検査として，30～60°内を12°間隔で格子状に計64点で測定する周辺60-4などや，平成30年の視覚障害の認定基準の改定に伴い，評価項目に追加された両眼開放Estermanテストも測定頻度が増えた検査プログラムと思われる．また新たに800シリーズに搭載されたパラメータ，テストパターンとして，SITA-Fastをベースとして，検査精度を保持しながら検査時間の短縮を目指したSITA-Faster（24-2 SITA-Faster）（表1）や，黄斑部の網膜神経線維の走行に考慮して24-2のテストパターンに中心10°内に早期緑内障の感度低下を呈しやすい10か所を上下非対称に追加配置した中心24-2C（24-2C SITA-Faster）が使用可能となった．

III 検査手順

1 検査の流れ

1）患者データの選択・新規入力

1画面上で患者の選択・新規患者の入力，矯正レンズの度数入力，測定プログラム・ストラテジー選択，施行する検査眼（両眼か片眼か，先に施行する検査眼）の選択をすべて行う．

既存患者は左上の検索欄に患者の性別，ID，生年月日のいずれかを入力して検索する．新規患者は，姓，名，ID，生年月日を入力，続けて遠

2) 自動視野計（静的視野検査）

[表1] SITA-Faster の主な変更点（SITA-Fast との比較）

	SITA-Fast	SITA-Faster
検査スタート時のプライマリーポイントの刺激光の強さ	25 dB の刺激から呈示	年齢別の正常レベルの閾値から呈示
プライマリーポイントの閾値測定	double staircase strategy（閾値を2回またぐ）	single staircase strategy（閾値を1回またぐ）
最大輝度（0 dB/10,000 asb）で応答のない場合	2回呈示	1回呈示のみ
偽陰性	測定	廃止（オンも可能）
盲点チェック	Heijl-Krakau 法＋ゲイズトラッキングによる固視監視	ゲイズトラッキングのみ
刺激呈示間隔	被検者の反応ペースに適合させ、応答のない測定点では300ミリ秒遅らせて次の刺激呈示	応答がなくても遅らせずに次の刺激を呈示

用度数を球面，乱視，乱視軸の順に入力する．

全機種とも30歳以上で年齢ごとに加入度数を自動計算する機能が備わっており，遠用度数を入力すると矯正度数が計算されて試用レンズ欄に表示される．矯正レンズを手入力する場合は，直接試用レンズ欄に使用するレンズ度数を入力する．0.25D以内の乱視は入力せず，2.0D未満は等価球面度数，2.0D以上はそのまま入力する．また最上位機種のモデル860にリキッドレンズが搭載され，遠用度数を入力すると自動的にリキッドレンズの厚みが変化して矯正度数に適合される（図3）．リキッドレンズの適応範囲は球面±8D以内，乱視は2D以内とされ，それを超える場合は手動のレンズホルダに差し替える必要がある．

2）測定プログラム・ストラテジー・パラメータ選択

新規患者の場合は画面中央のドロップダウンメニュー右の下向き矢印（▼）に触れてスクロールし，任意のプログラム・ストラテジー・パラメータを選択する．既存の患者は直近のプログラム・ストラテジーが選択されるので変更がない場合は「次へ」を押して検査画面に移る．

3）検査画面（図4）

非検査眼を遮閉した後，検査画面，測定方法の概略を説明する．

・中心窩閾値をオンに設定している場合，最初に中心窩を測定する．固視点の下方に4点が点灯するので，その中心を見るよう患者に指示する．
・中心窩測定が終了すると，患者に橙色の正面固視点を見続けるよう再度指示する．オン，オフでゲイズ設定が行われる．

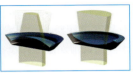

[図3] リキッドレンズ
遠用度数と年齢を基にレンズの厚さが変化し，±8D，乱視±2D の範囲で自動補正する．

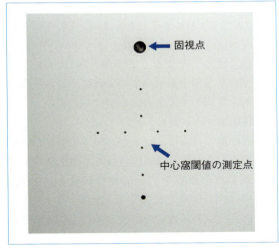

[図4] 中心窩閾値と固視点

・ゲイズ設定が終了すると本検査が開始する．

4）検査終了

ビープ音が鳴り検査終了を知らせる．もう片眼の検査に移る場合は，「他眼の検査」ボタンに触れて上述①～③を繰り返す．終了する場合は，「結果を表示」ボタンに触れて検査結果を表示し，「保存・終了」ボタンに触れて検査を終了する．プリンタに接続していれば自動的にプリントさ

2 検査機器の使い方とコツ

1）患者の姿勢

眼科検査のなかで測定時間が長い視野検査は，検査中の患者姿勢がとても大切となる．姿勢が適切でないと患者の疲労や集中力の欠如につながり，検査結果に大きく影響する場合がある．右眼の検査の場合は，ドームに向かって左側の顎台に顎をのせ，額を額当てに密着させる．テーブルの高さが適切でないと次第に顎と額が離れてしまう．姿勢のチェックは横からのみでなく背面からも患者を観察し，顎台が高く首が伸びていないか，逆に前かがみになっていないか，視野計の正面から検査できているかなどに注意して，テーブルや椅子の高さ，顎台の位置などを調整する．適切なポジショニングを維持するために，検査前の患者説明は重要で，例えば「台の高さはよろしいですか？」と聞くと，患者によっては遠慮して「大丈夫です」と答えることがある．「もう少し台を高くすると姿勢が楽になりますか？ それとも，低くすると楽になりますか？」のように，患者が率直な希望を述べやすいように，できる限り具体的な質問をするように心がけるとよい．

2）頂間距離・ヘッドトラック

頂間距離の目安は，睫毛がレンズに触れない程度が望ましく，通常は眼鏡作成時と同様にレンズと角膜頂点の距離を 12 mm で合わせる．上位 2 機種には頂点距離を監視する「頂点モニター」機能があり，ゲイズ設定時にレンズとの距離を測定し，検査中に額が額当てから離れると，画面上に「額が離れています」のメッセージとビープ音が鳴るので，速やかに額や顎が離れていないかを確認する．メッセージ表示後も検査は続行されるが，ヘッドトラックはゲイズ設定時点の頭とレンズ位置を記憶し，ある程度の位置ずれは顎台が動いて補正する機能がある．ただし神経質な患者などで顎台の動きを不快に感じる場合があり，患者の状態に合わせてオンオフを切り替えるとよい．

3）RelEYE

800 シリーズの新機能としてモデル 850, 860 に装備された RelEYE は，SITA-Standard を選択時に活用できる検査精度の評価システムである．すべての測定点で，視標呈示時の被検眼の状態を画像として記録し，モニター上で表示することができる．測定結果に信頼度が低い検査点があれば，測定時に被検眼がしっかり開瞼していたかを確認でき，結果の妥当性を評価することができる（図 5）．上方や最周辺部視野などで注意が必要な眼瞼下垂やレンズホルダによるアーチファクトの評価に大変有効で，FORUM と接続していれば，診察室のパソコン画面（FORUM Glaucoma Workplace）上で確認することができる．

4）固視点

中心の 1 点，7°下方にある 3°間隔の小ダイヤモンド，7 度間隔の大ダイヤモンドの 3 つから選択する．通常は中心 1 点を使用するが，中心固視点が見えない場合や中心暗点の程度によって大小のダイヤモンドを適時選択する（図 4）．

5）視標の呈示間隔

SITA の場合は検査開始後，1 分程度内の患者応答性を測定し，応答性に合わせて 2 秒以内の呈示間隔が決定される．高齢者ほど長くなる傾向にあるが，明らかに検査スピードに追いついていない場合は，検査中であっても「検査スピード」を「遅い」に選択することで最大 0.5 秒の遅延が可能である．

IV 検査結果の読み方と解釈

1 正常値

視野検査の結果は，年齢別正常人データベース（SITA プログラムでは 17〜89 歳，平均 53 歳）と比較し，感度低下のパターンによって評価する．各パラメータの意味を十分理解し，適切に検査結果を評価することが重要となる（図 6）．

1）信頼係数

a．固視不良

検査結果を評価する際は，はじめに確認すべき項目といえる．視野検査では 30 回に 1 回程度の割合で Mariotte 盲点に視標を呈示され，反応があると固視不良として記録される．固視不良が 20％を超えるとビープ音を発し，信頼性不良を意

2）自動視野計（静的視野検査）

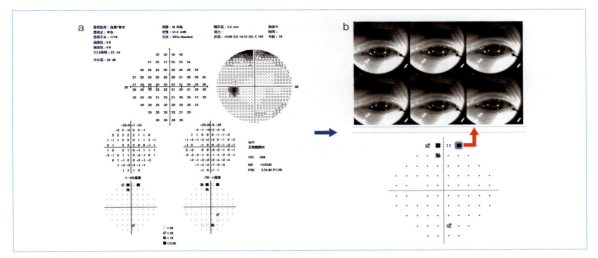

[図5] 上方視野障害と RelEYE の評価
a 78歳女性．左眼 Humphrey 視野．
b 選択した測定点の検査眼の状態が確認できる．上方の視野障害は疲労性の眼瞼下垂だったことが判明した．

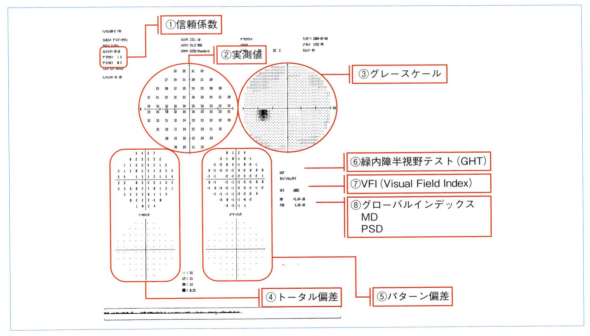

[図6] Humphrey 視野（30-2）のパラメータ

味する「××」が記される．測定ストラテジーによるが，検査開始後2分以内で固視状態が悪ければ測定法を再度説明し，非検査眼の遮閉が確実か，顎や額が離れていないかを確認し調整することで信頼性不良の表示が回避できる場合もある．その他に，測定時のモニタリング情報としてゲイ

ズトラッキングによるダブルチェックも推奨されている．基線上方へのブレは固視ずれの角度を表し，下方は瞬目などで固視追尾ができない状態を表している．固視不良は比較的検査早期に頻度が高く測定されるため，検査時間を通して固視の状態を把握するゲイズトラックや RelEYE をぜひ

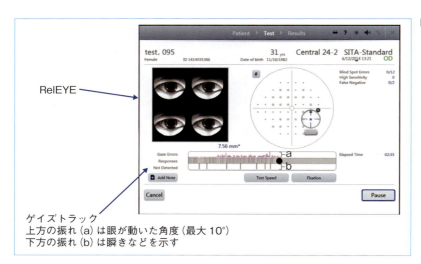

[図7] 検査中のモニター画面

RelEYE

ゲイズトラック
上方の振れ（a）は眼が動いた角度（最大10°）
下方の振れ（b）は瞬きなどを示す

併用して評価することが望ましい（図7）．

b．偽陽性

SITAの偽陽性は，キャッチトライアルが行われず被検者応答時間を基に判定される．一貫性のない反応や注意力の欠如により，見えないはずの視標に反応した％が記録される．検査全体を通して反応時間を捉えるため，検査中に画面表示はされず，検査終了後に表示される．15％を超えると「××」が記載され信頼性が低いと評価される．

c．偽陰性

既に閾値が決定された点で，それより9dB高輝度の視標を呈示しても反応がない場合に記録される．検査中の画面上で表示されるが，高率の場合でも「×」はつかない．またプライマリーポイントで9dBよりも感度が低いとN/Aと表示され偽陰性は測定されない．緑内障の視野障害の境界領域では，網膜感度の変動が大きいため，偽陰性率が高くても必ずしも信頼性不良と判断できない．そのためSITAでは偽陰性が単独で33％を超えても信頼性が低いメッセージは記載されないが，もちろん検査中の居眠りも否定はできないので，評価に注意する必要がある．

2）実測値

各測定点の相対的な網膜感度（生データ）を示すが，同一閾値でも測定した視野計で視野障害が同程度とは言えない．例えばHumphrey視野計とOctopus視野計では，最大視標輝度（0dB）が異なるため，同じ20dBでもHumphreyが100asbであるのに対し，Octopusは48asbとなり検査結果を単純比較することはできない．

3）グレースケール

実測値を10段階（5dB間隔）のグレートーンシンボルで示す（図8）．視野全体を直感的に把握でき患者説明に便利であるが，検査点以外を補間して表示しているため，測定点以外の視野は実際と異なる可能性があり，あくまで大まかな目安にとどめるべきである（図9）．

4）トータル偏差

各検査点で検出される感度（実測値）と，その検査点の正常値（年齢別の正常値データベース）との差がトータル偏差となる．同じ数値でも測定点によって確率プロットが異なることもある．マイナスの値が大きい程，確率プロットの％が小さい程，視野障害が強いことを意味している．

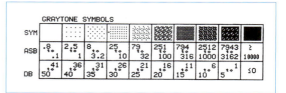

[図8] グレートーンシンボル
実測値を10段階（5dB間隔）のシンボルでイメージしている．1段階の差でも視野進行にかなり差（1〜9dB）がある．

5) パターン偏差

パターン偏差はトータル偏差から視感度の全体的な高さを補正している．これにより縮瞳や白内障などの中間透光体の影響を除き，緑内障の局所的沈下を明確にする．具体的には，最周辺部と盲点付近の3ポイントを除外し，計51か所の検査点のトータル偏差のなかで，最高値から7番目の数値を「0」に換算し，すべての測定点も同様に引き算してパターン偏差を算出する（図10）．トータル偏差と同様に各点の統計学的な有意差を示す確率プロットも表示され，局所の視野障害の検出に優れている．

6) 緑内障半視野テスト glaucoma hemifield test (GHT)

網膜神経線維層の走行を念頭に，上下半視野を鏡面的な5ゾーンに分け緑内障性視野異常を判定する評価法である（図11）．緑内障を判定する単独評価法として，検出力が最も高いとされている．

a. 正常範囲外（outside normal limits）

1組のゾーンのスコア差が P<1％，または，2組のゾーンのスコアがともに P<0.5％

b. 境界域（borderline）

1組のゾーンのスコア差が P<3％

c. 全体的な感度低下（general reduction of sensitivity）

「正常範囲外」ではないが，全体的な感度の高さが最も良い部分で，P<0.5％に沈下している．

d. 異常高感度（abnormal high sensitivity）

最も感度が良い部分で，P<0.5％の高感度を示す．固視不良，偽陰性例でみられる．

e. 正常範囲（within normal limits）

上記4基準に適合しない場合．

7) VFI (Visual Field Index)

パターン偏差を基に算出しているが，PSDと異なり中心部に重み付けをして緑内障の重症度を評価する．quality of vision を意識した新しいタイプの視機能評価法である．視野を％表示することで残存視野率を呈示し，100％は正常域，0％が視野消失を意味している（図12）．％で評価できるため患者への説明に便利であるが，実生活にど

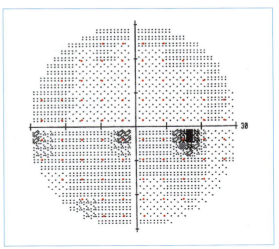

[図9] グレースケールと検査点配置
中心30-2検査では，グレースケールのドット数（黒点）は592点あるが，実際の検査点（赤点）は76点のみ．

れほど即しているか，これからの評価が待たれる解析法である．

8) グローバルインデックス

a. 平均偏差 mean deviation (MD)

年齢別正常値で補正した視野全体のびまん性な異常を示し，マイナス値が大きい程，正常値より感度が悪い．各測定点のトータル偏差のおよその平均値を意味している．通常，初回検査は実際よりも悪く過大評価されることが多く，検査慣れによって改善傾向がある（学習効果）．白内障，角膜混濁，縮瞳，眼精疲労などにより実際の網膜感度よりも悪化する．

b. パターン標準偏差 pattern standard deviation (PSD)

視野全体の凹凸変化を表現し，局所性の視野異常を敏感に検出する．プラス値が大きい程，局所の視野進行が進行していることを意味している．MD 値に比べて白内障などのびまん性の影響を受けにくい．特に早期緑内障の診断，進行評価に優れた指標といえる．

2 異常値の解釈と検査時の対処法

視野障害の程度を評価する際は，検査結果に対応する病変の有無を確認することが大切である．特に進行が遅く長きにわたる厳密な視野評価が必要となる緑内障において，眼底所見と辻褄が合わ

9. 視野検査

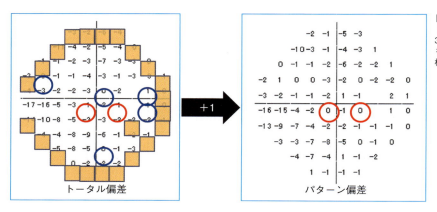

[図10] パターン偏差の算出法
トータル偏差の最周辺部と盲点付近の3ポイントを除外し，7番目に高い数値を「0」に換算し，すべての測定点も同様に引き算して算出する．

ない結果が得られた場合は，検査自体が正しく測定，評価されているか，視野障害を過大（過小）評価していないかなど，バイアスとなるいくつかの項目をチェックした上で，検査結果を読影することが重要である．

1) 信頼係数の不良

測定条件は検査精度に大きく影響する．そのため視野を評価する前にまず信頼係数を確認することが大切となる．固視不良，偽陽性，偽陰性，およびゲイズトラッキングは，被検者の疲労や眠気の影響，集中力の欠如などを間接的に評価でき，視野結果の信頼性を確認することができる．良いコンディションで検査に臨むようにアドバイスすることも重要で，さらに「視野検査はテストではないので良い点数をとろうとせず，リラックスして臨んでください」など，できる限り心理的要因を軽減するための説明は大切である．しかし，検査に対する不安やプレッシャーなどから，どうしても検査の集中や続行が難しく，正しい評価ができない症例もある．精度の高い結果を得るためには，検査中も絶えず患者の状態に気を配り，励ますことも大切で，場合によっては一度測定を中止し，休憩を入れるなどの配慮も必要である．

2) 検査者側の留意点

検査を始めるにあたり，不適切な屈折矯正や老視補正，年齢の誤入力は視野障害の過大（過小）評価の原因となる．また測定時の姿勢，頂間距離による検眼枠の影響にも注意が必要である（図13）．

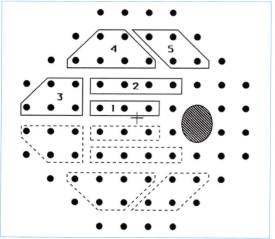

[図11] 緑内障半視野テスト（GHT）
網膜神経線維層の走行を考慮し，上下半視野を5つのクラスター（領域）に分けて比較判定する．
（文献1）より）

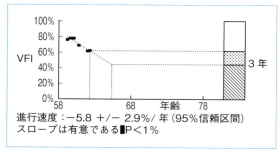

[図12] VFI（Visual Field Index）のトレンド解析

3) アーチファクト

a. 周辺視野障害

上方の視野障害は最も頻度の高いアーチファク

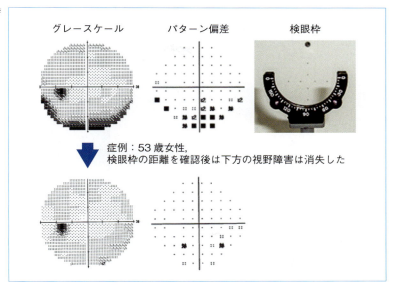

[図13] 検眼枠による影響

症例：53歳女性，
検眼枠の距離を確認後は下方の視野障害は消失した

トである．多くの場合は老人性の眼瞼皮膚弛緩や眼瞼下垂に起因するが，もともと奥目や彫りが深い顔貌，緑内障の治療中でPG関連薬によりDUES（上眼瞼溝深化）を生じた症例も視野に影響する可能性があり注意が必要である．検査に支障をきたすと考えられた場合は，上眼瞼のテーピングなどで確実に瞳孔領を確保することが大切であるが，あくまで瞬目を妨げず自由に閉瞼できる程度に調整して挙上するように注意する．

b．不規則な視野障害

網膜神経線維束の走行と整合性がなく，頭蓋内疾患も想定できないような不規則な視野障害は何らかのアーチファクトの可能性が高い．多くの症例は検査時の疲労や眠気が主な原因となるが，心因性の視野障害や意図的な要因，検査に対する根本的な理解不足などが関与することもある．また眼表面疾患や各種ドライアイによる角膜びらんも多彩な視野障害を生じることがある．

4）緑内障性視野障害の留意点

近年OCT検査が外来診療に普及したことで，これまで診断が困難であった前視野緑内障や極早期の緑内障の構造変化を鋭敏に検出可能となってきた．しかし通常検査（30-2もしくは24-2）の測定点配置では，局所に限局した中心領域の障害を見落とす危険性があることから（**図14**），10-2の

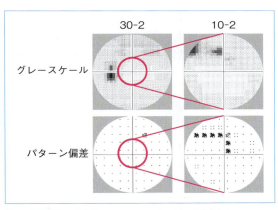

[図14] 極早期の緑内障における30-2と10-2の検出力

検査頻度が確実に増加し，外来業務の新たな負担となってきた．新規に搭載された24-2C SITA-Fasterは，測定時間の短縮と中心視野障害の検出力アップの側面から，今後の活用法が期待される（**図15**）．

緑内障の確定診断後は，基本的に生涯にわたる定期的な視野検査が必須となる．そのため長期の経過観察中に他疾患を併発するリスクがあり，特に加齢変化である白内障の影響は程度の差こそあれ必発といえる．白内障以外にも硝子体混濁などによる中間透光体の影響や，老化に伴う生理的な縮瞳，極度の眼精疲労なども視野に影響する．こ

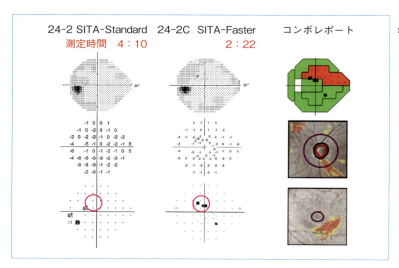

[図15] 極早期の緑内障における24-2 SITA-Standardと24-2C SITA-Faster

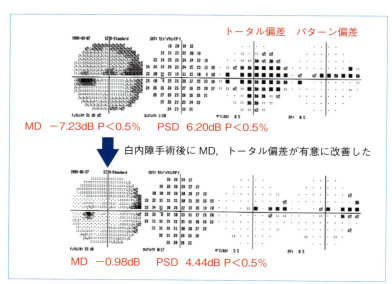

[図16] 白内障を併発した緑内障

れらの因子は総じてびまん性の感度低下を生じ，パターン偏差に比べてトータル偏差の悪化傾向が強い．そのため白内障術後にMDが改善することも多く，緑内障の進行評価の精度は向上する（図16）．また局所変化の指標となるPSDは早期から中期緑内障までは数値が上昇しピークとなるが，全体的に視野障害が進行した後期緑内障では逆に減少傾向に転じ，その後も進行し続けるMDと乖離が生じる．

経過観察中の治療方針の評価は，通常イベント解析やトレンド解析などの進行解析ソフトの活用が推奨される．Humphrey視野計では代表的なイベント解析としてパターン偏差をベースとしたguided progression analysis（GPA），トレンド解析としてはMDスロープやVFIスロープなどが内蔵されている．定量的で進行の有無がビジュアル的にわかりやすいため，診断のみでなく患者説明にも便利であるが（留意点は別項参照），必ず眼底所見との整合性に注意して，総合的に進行評価にあたるべきである．

文献
1) Katz J, et al : Comparison of analytic algorithms for detecting glaucomatous visual field loss. Arch Ophthalmol 109 : 1684-1689, 1991

（中野 匡）

9 視野検査

2）自動視野計（静的視野検査）
② Octopus 視野計（Pulsar 視野）

I 検査の目的

1 検査の目的

緑内障をはじめ，網膜疾患，視神経疾患，頭蓋内疾患などの視機能障害をきたすさまざまな疾患における視覚の感度分布を調べ，疾患の診断や経過観察を行うことが目的である．

2 目標と限界

通常の静的自動視野検査と言えば，白色背景に白色視標を呈示する視野検査のことを示す（standard automated perimetry：SAP）．Octopus 視野計（図1）では，オプションで Flicker 視野，Short Wavelength Automated Perimetry（SWAP）の測定が可能で，さらに 900 シリーズでは半自動動的視野測定 semi-automated kinetic perimetry（SKP）も測定可能である．また，600 シリーズでは Pulsar 視野や Glaucoma Screening Test（GST）が測定可能である．これらの測定方法を用いることで，疾患の早期診断や経過観察を行うことを目標とする．

自動視野計による検査は，患者が視野計に合わせて測定を行う自覚応答検査であるため，乳幼児，座位が保てない患者，認知機能が低下した患者，極度の神経質な患者には不向きである点が限界として挙げられる．

II 検査法と検査機器

1 測定原理

Octopus 視野計と Humphrey 視野計は同じ静的視野計であっても，最大視標輝度や視標呈示時間などが異なる．また，同じ Octopus 視野計であってもシリーズが異なると機器の仕様も異なる．表1に Humphrey 視野計とそれぞれの Octopus 視野計の違いを表記する．

1）測定点プログラム

通常の静的視野測定は，6°間隔の格子状に配列された 32 プログラムが一般的であるが，他にも神経線維の走行に合わせた G プログラムを搭載している．G プログラムでは，中心 10°以内の測定点の比率を多くすることにより，神経節細胞が密に分布する黄斑部の視機能を細かく測定できる．黄斑部の視機能評価に特化した M プログラムは，測定点が中心部は 0.7°間隔で配置されており，緑内障だけでなく加齢黄斑変性に対する黄斑部の機能評価が可能である．600 シリーズに搭載されている GST プログラムは G プログラムをベースに緑内障患者で異常が検出されやすい 28 の測定点で構成され，Pulsar 視野の測定点は 32P プログラムと呼ばれ，32 プログラムの上方と下方の 4 点ずつを削除した 66 の測定点で構成されている（図2）．900 シリーズと 600 シリーズでは，Humphrey 視野計に用いられている 24-2 プログラムや 10-2 プログラムも搭載されている．

2）測定ストラテジー

Normal，Dynamic，Tendency oriented perimetry（TOP）に加え，600 シリーズでは GST が搭載されている．以下にそれぞれのストラテジーの原理を述べる．

a. Normal

はじめに年代別正常値より 4 dB 高輝度な視標から計測する．その呈示された視標が見えた場合 4 dB 間隔で輝度を下げ，視標が見えなくなった時点で 2 dB 輝度を上げ，最後に見えた視標輝度と見えなかった視標輝度の間の輝度が閾値として決定される（図3）．計測時間は約 10〜20 分である．Normal は精密な閾値測定法であるが，測定時間が長く疲労現象[1]の影響の観点から臨床ではあまり使用されない．．

b. Dynamic

感度が良い部位では，視標に対する反応が安定しているため 2 dB 間隔で視標を呈示し，感度が悪い部位では，反応にばらつきが生じるため 4，6，8，10 dB 間隔で視標を呈示する[2]（図3）．Normal のように 2 dB 戻る測定は行わない．最後に見えた視標輝度と見えなかった視標輝度の間の輝度が閾値として決定される計測時間は約 5〜10 分である．測定精度も Normal と同等であり時間も約 50％ 短縮されるため，臨床で最も使用され

9. 視野検査

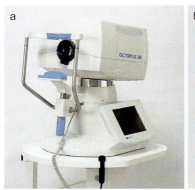 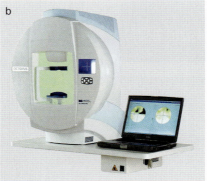 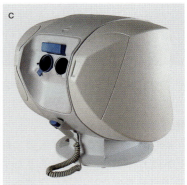

[図1] Octopus視野計の3つのシリーズ
a 300シリーズ，b 900シリーズ，c 600シリーズ

[表1] 各機種の仕様の比較

	Humphrey	Octopus300	Octopus900	Octopus600
最大視標輝度	10,000 asb	4,800 asb	4,800〜10,000 asb	480 asb
背景輝度	10 cd/m^2 (31.4 asb)	10 cd/m^2 (31.4 asb)	10 cd/m^2 (31.4 asb)	10 cd/m^2 (31.4 asb)
視標輝度範囲	0〜51 dB	0〜40 dB	0〜47 dB	0〜35 dB
検査距離	30 cm	無限遠方	30 cm	無限遠方
視標サイズ	I〜V	III or V	I〜V	I〜VI
視標呈示時間	0.2秒	0.1 or 0.2秒	0.1 or 0.2秒	0.1秒
測定可能範囲	86°（耳側）	30°	左右90°，上下70°	30°

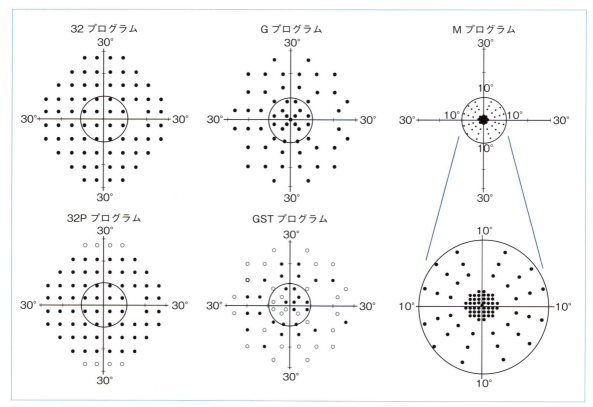

[図2] 測定点プログラム

るストラテジーである．

c．TOP

各測定点を4つのstageに分けて統計学的に予想される視標を1回ずつ呈示し，その反応の有無からstageごとに測定点とその隣接点の網膜感度を補間しながら視野計測を行う方法である[3]（**図4**）．最小限の視標呈示で閾値が推定できるため，測定時間は約3分である．

SAPをTOPで測定した場合，NormalやDynamicに比べ局所の深い異常部位を検出する能力は低く，異常部位が広く浅くなる特徴がある[4]．しかし，良好な再現性を示すことや，余剰性の少ない経路測定するSWAP，Flicker視野，Pulsar視野を施行する際には優れている．

d．GST

正常下限値5％の視標輝度を最大で3回まで呈示し，見えるか見えないかで視野異常をスクリーニングするためのアルゴリズムである．測定時間は約1分で再現性も良好である[5]．

2 Pulsar視野

600シリーズには早期緑内障を検出することを目的としたPulsar視野計が搭載されている．

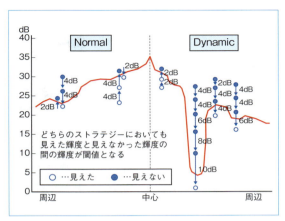

[図3] NormalとDynamicの2つのストラテジー

Pulsar視野の視標は特徴的で，0.6～6.5 cycle/degreeの空間周波数と3～100％のコントラストの両方の変化を組み合わせた視標を10 Hzで反転させることで（**図5**），Magnocellular系（M-cell系）を特異的に刺激することで早期の緑内障性視野異常が検出できる．背景輝度は31.7 cd/m^{2}であり通常の10 cd/m^{2}であるSAPより高輝度である．

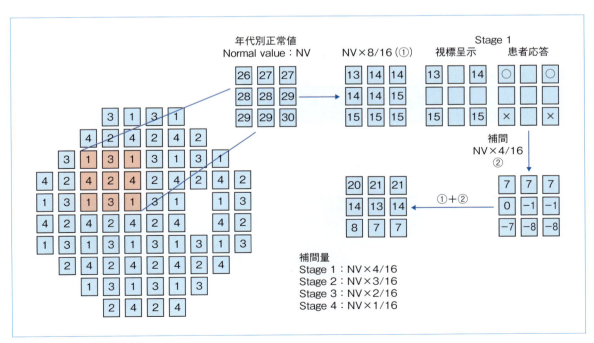

[図4] TOPにおける閾値決定方法

3 機器の構造

900シリーズは半径30cmのドーム型の視野計であり実空間上で検査を行う（図1）．測定範囲は左右90°，上下70°であるため，中心30°内だけではなく，それより周辺の静的視野も計測できる．その他にも，早期緑内障検出を目的としたSWAPやFlicker視野も計測可能である．また半自動の動的視野も計測できる．

300シリーズは，眼底に直接視標を投影する直接投影法を採用しており遠見矯正の状態で静的視野検査を行うことができる．

600シリーズは，Pulsar視標を呈示するためにTFTモニターが使用されている．搭載されているモニター上で呈示できる視標輝度の限界が10～24dBであるため，SAPでは10dBより明るい視標は10dBの視標輝度を保ちながら視標サイズを大きくし，24dBより暗い視標は24dBの視標輝度を保ちながら視標サイズを小さくするサイズ変調視野を採用している（図6）．

4 感度と特異度

余剰性の少ないM-cell系を刺激するFlicker視野やK-cell系を刺激するSWAPでは，SAPで異常を検出できなかった極早期の緑内障が検出できる[6]．Pulsar視野においても高い特異度を維持

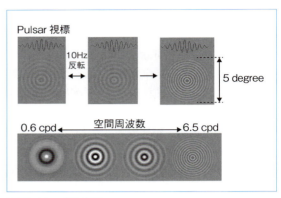

[図5] Pulsar視標の説明
視標サイズ：5 degree
空間周波数：0.6～6.5 cpd
背景輝度：100 asb；31.7 cd/m²
コントラスト比：3～100％

した状態で極早期の緑内障が検出できる[7]．SAPによるGSTも感度と特異度が良好で1分程度で視野異常のスクリーニングができる[5]．

III 検査手順

1 検査の流れ

患者を呼び入れる前に，測定方法の選択および患者情報の入力を行う．視野検査の結果は年代別正常値からの偏差量によって計算されるため生年月日とIDの入力には特に注意が必要である．

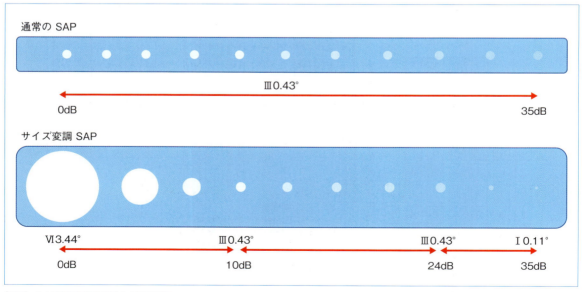

[図6] サイズ変調視野の視標サイズの説明

屈折矯正は，300と600シリーズでは年齢にかかわらず遠見矯正であり，900シリーズは年齢に応じた近見矯正が必要である．600シリーズでは，機器に付属している1D間隔の球面レンズのみしか使用できないため，乱視矯正が必要な場合は等価球面度数で矯正するが，それ以上の乱視がある場合は検眼用眼鏡によって屈折異常を矯正する．遮閉・上眼瞼挙上後，検査の説明を行う．

① 検査中は固視目標をしっかり固視すること，② 呈示される視標は"なんとなく"でも見えたら応答すること，③ 瞬目は我慢しないよう意識的にすること．最低限この3つは伝えなくてはならない．

2 検査機器の使い方とコツ

1) 患者の姿勢

検査時の姿勢は極めて重要である「もう少し台を高くすると姿勢が楽になりますか？ それとも，低くすると楽になりますか？」のように，患者が意見を言いやすいように聞くとちょうどよい高さに合わせられる．また，検者は患者の背後から姿勢が真っ直ぐになっているかを確認するのも重要である．

2) 顎と額の位置の調整

900シリーズは，Humphrey視野計と同様に顎台を動かすことによって視線の位置を中心に合わせる．その一方で，300シリーズでは手動の顎台に加え視野計本体も動かすことができる．本体だけ動かして視線の位置を合わせると，患者の顎と額の位置が安定しないため顔が動きやすく，自動固視監視が上手く作動しないことがある．そのため，顎台下のレバーを動かすことによって，理想の眼の位置を示す印に患者の外眼角を合わせることが重要である．

600シリーズは覗き込みタイプであるため，視線が検査画面のアイモニターの四角の中心になるように，検者は患者の顔の位置を誘導しなくてはならない．少し前かがみになるように高さを調整すると安定した姿勢になる．

3) 頂間距離

通常は眼鏡と一緒で，レンズと角膜頂点の距離は12mmで合わせる．

300シリーズでは，本体の後ろに本体を前後方向に動かすレバーがある．この調整が不十分であると自動の固視監視が上手く作動しない原因になる．12mmの位置に近づくとアイモニターの虹彩の模様がはっきりしてくる．

600シリーズでは額を当てるヘッドレストを自動で前後に動かすことによって頂間距離を合わせる．300シリーズ同様に，虹彩の模様がはっきりし始めると機械が瞳孔を認識する．この状態が最も検査に適した距離になる．

300・600シリーズは，検査距離を光学的無限遠方にするためにプラスのレンズが組み込まれている．そのため，矯正に必要なレンズ度数が強い患者を検査する場合，頂間距離が数mmずれることにより期待される矯正度数が得られなくなること，またレンズのプリズム効果により刺激部位に若干のずれが生じるため，頂間距離の調整は慎重に行わなくてはならない．また，頂間距離のずれは自動の固視監視にも影響するので注意が必要である．

4) 遮閉

300シリーズでは検査眼のみで視野計の中を覗くため，両眼開放下でも単眼での視野検査が可能である．しかし，非検査眼と検査眼が見ている色と輝度の違いから，視野闘争を自覚する患者が多く，特に非優位眼を検査するときに多く認められる．非検査眼は白いガーゼで遮閉するとうまくできる．

5) 固視目標

Octopus視野計では，小さい固視目標から順にPoint, Cross, Ringとある．固視目標が大きいほど，患者の視線動揺が大きくなる[8]．そのため，なるべく固視が可能な小さい固視目標を選ぶことが重要である．

6) 視標呈示間隔

Octopus視野計では0.5秒間隔で視標呈示の間隔を1.5～4.0秒で調整できるが，基本的には患者自身の反応速度に合わせるadaptiveに設定するとよい．

7) 固視感度

瞳孔追尾機能と眼瞼開閉検知機能を使って患者

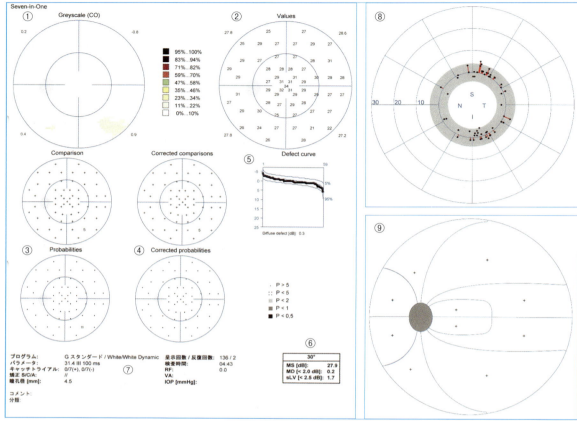

[図7] 検査結果の読み方と解釈

の固視を監視している．固視監視の強さは，auto, max, med, min, off の順に弱くなる．auto は瞳孔追尾と眼瞼開閉検知の両方を行い，max, med となるごとにこれらの監視の強さは弱くなり，min では眼瞼開閉検知だけになり，off ではこれらの機能は作動しなくなる．

固視感度の機能を正確に作動させるにはいくつかコツがある．1つ目は，上眼瞼が瞳孔や虹彩にかかっていないこと．2つ目は，瞳孔や虹彩のピントがしっかり合っていること．3つ目は，患者の顎と額が固定されていることである．これらの条件をクリアすると固視を自動で監視することができる．しかし，センサーの位置の関係から，"彫が深い人"は正確に作動しやすいが，そうでない場合はモニター全体が暗くなり，固視不良と誤認し，視標呈示の反復回数が増えることがあ

る．こういった場合は off にして検者が固視監視を行う方が好ましい．

8) Pulsar 視野

Pulsar 視野を行う場合，検査の後半になるとコントラストが下がっていくので Pulsar 視標が鮮明に見えなくなる．そのため，はっきり見えなくても "なんとなく" ゆらゆら動くものを感じたら応答するように伝える．

IV 検査結果の読み方と解釈

1 正常値

視野検査結果は各パラメータ単体で評価することはほとんどなく，年代別正常人データベースと比較し，感度低下のパターンによって評価する．そのため，ここでは検査結果の読み方を表記する．図7に Octopus 視野計によって測定された

正常眼の結果を示す．なお，Pulsar視野も同様の結果が表示される．

1) ①グレースケール
実測値を基に5dB間隔で色づけしたGreyscale (VA)と年代別正常値からの相対的な偏差量を基に色づけしたGreyscale (CO)の2種類の表記がある．

2) ②実測値
Octopus視野計では0dBは"■"で表示される．Humphrey視野計とOctopus視野計では最大視標輝度（0dB）が異なるため，例えば20dBという閾値でもHumphreyでは100asbであるのに対し，Octopus視野計では48asbであり，両者の視標輝度は異なるので単純に比較できない．

3) ③Comparison/Probabilities
年代別正常値からの偏差量を表している．Octopus視野計では感度低下を負の数値で表示するのではなく正の数値で表示する．また，正常範囲内の測定点は『+』の記号で表示され数値は表示されない．下段のシンボルマークによる確率マップは，統計学的に正常である確率が表されている．言い換えれば確率が低ければ異常である確率が高いという意味である．

4) ④Corrected Comparisons/Corrected Probabilities
全体的な感度上昇または感度低下を修正して局所的な異常の有無を表している．③同様，感度低下している部位は正の値で示されている．確率プロットに関しては③同様である．

5) ⑤Defect curve (Bebie curve)
③のComparisonの値を感度が良い測定点（数字が小さい）から順番に並べ，線を引いたものである．真ん中の線は平均値を示し，その上下に引かれている線は正常範囲の95%信頼区間を示している．

6) ⑥グローバルインデックス
全測定点の実測値を平均した値がMS (Mean Sensitivity)であり，③のComparisonの値を平均したものがMD (Mean Defect)である．視野異常の進行評価の際に用いられる指標である．MD<2.0dBが正常範囲の基準値とされている．

④のCorrected Comparisonsの値からMDを引いて平均した値の平方根がsLV (square Loss Variance)である．sLVの値が大きいと深い欠損があることを表す．sLV<2.5dBが正常範囲の基準値とされている．

7) ⑦検査条件と信頼係数
測定に用いたアルゴリズムや検査時間，視標の呈示回数，信頼性指標が表示されている．Octopus視野計では偽陽性と偽陰性を平均して評価するRF (reliability factor)が一般的であり，この値が15%以下を信頼性のある結果の基準値としている．

8) ⑧Polar Graph
データ管理にEyeSuiteを使用しているとPolar Graphを表示することができる．各測定点と視神経乳頭の対応部位を表したものである．眼底の視神経乳頭の位置と対応させるため，視野の結果に対し上下反転している．グレーのエリアは感度低下が5dB未満であるが，それより外側では5dB以上の感度低下を示す．

9) ⑨Cluster Analysis
各測定点を上下5個ずつのクラスターに分けて解析した結果である．MDは全測定点の感度低下を平均した値になるため，局所的に感度低下を示した場合にMDに反映されない．クラスターに分けることにより局所的な感度低下を評価できる．

2 異常値とその解釈（異常所見の読み方）
図8に初期から末期の代表的な視野異常の結果を供覧する．

1) 偽陽性と偽陰性反応
はじめにチェックすべき項目である．偽陽性反応が多い場合は，患者が見えた視標以上に応答ボタンを押していることになるため，その結果は真の結果より良く出ている可能性が高い．反対に偽陰性反応が多い場合は，もう少し見えるはずなのに患者が応答していないことになるため，その結果は真の結果より悪くなっている可能性が高い．しかし，偽陰性に関しては視野異常が進行した視野では，感度低下部位での反応のばらつきにより，多くなることが知られている[9]．

9. 視野検査

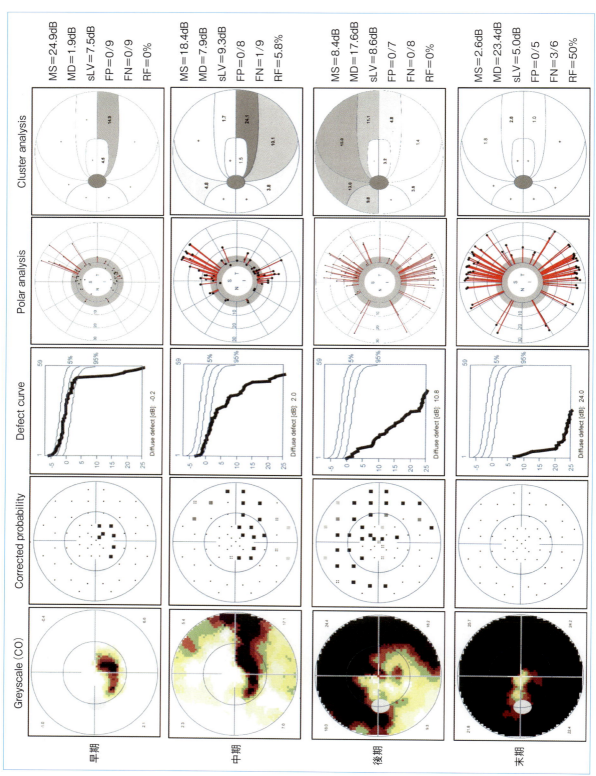

[図8] 病期ごとの視野異常例

2) Greyscale

Greyscale を見て，全体的な感度分布を視覚的に評価する．しかし，Greyscale はあくまで実測閾値に基づいて色づけしただけであるため，局所のわずかな感度低下などが反映されないこともあり，視覚的な評価に留めるべきである．

3) Corrected Comparisons/Corrected Probabilities

構造異常の部位と一致する異常点が連続していればそれは有意な感度低下として判定してもよい．視野異常の程度が増すと確率プロットの数は徐々に増加するが，視野全体の半分以上が欠損してくると局所的な異常というよりは，全体的な感度低下になるため，局所的な感度低下が表現できず，プロット数は徐々に減少する（図 8）．初期・中期の視野異常では参考になるが後期・末期ではあまり参考にならない．

4) Defect Curve (Bebie curve)

もし結果が正常範囲を逸脱して曲線が左上がりであれば異常な高感度を示す測定点があることを意味し，曲線は正常な形をしているが，全体的に下がっていれば全体的な感度低下があることを意味する．正常範囲を逸脱して曲線が右下がりであれば，どこかに深い感度低下があることを意味し，一目で視野の状態を把握できる（図 8）．

3 アーチファクト

1) 中間透光体の混濁

白内障や角膜混濁を有している場合，視野の感度は全体的に低下する．反対に白内障手術後では，白内障によって低下していた分の感度が元に戻る．そのため，MD のみで結果を比較すると評価が曖昧になる．全体的な感度低下の影響を受けにくい sLV や Corrected Probability なども活用して評価する必要がある．

2) 上眼瞼

上眼瞼や上眼瞼の睫毛が瞳孔領域にかかっている場合，上眼瞼をテープで挙上しないと上方の視野の感度が擬似的に低下する．

3) 屈折矯正

900 シリーズは近見矯正であるが，300・600 シリーズは遠見矯正である．通常視野検査は近見矯正で行うことが多く，300・600 シリーズを近見矯正で行うと全体的に感度が低下する．

文献

1) Gonzalez de la Rosa M, et al：Influence of the "fatigue effect" on the mean deviation measurement in perimetry. Eur J Ophthalmol 7：29-34, 1997
2) Weber J.：A new strategy for automated static perimetry. Fortschr Ophthalmol 87：37-40, 1990
3) Morales J, et al：Comparison between Tendency-Oriented Perimetry (TOP) and octopus threshold perimetry. Ophthalmology 107：134-142, 2000
4) Maeda H, et al：New perimetric threshold test algorithm with dynamic strategy and tendency oriented perimetry (TOP) in glaucomatous eyes. Eye (Lond) 14 (Pt 5)：747-751, 2000
5) Takahashi N, et al：Diagnostic Ability and Repeatability of a New Supra-Threshold Glaucoma Screening Program in Standard Automated Perimetry. Transl Vis Sci Technol 6：7, 2017
6) Nomoto H, et al：Detectability of glaucomatous changes using SAP, FDT, flicker perimetry, and OCT. J Glaucoma 18：165-171, 2009
7) Hirasawa K, et al：Diagnostic capability of Pulsar perimetry in pre-perimetric and early glaucoma. Sci Rep 7：3293, 2017
8) Hirasawa K, et al：Smaller Fixation Target Size Is Associated with More Stable Fixation and Less Variance in Threshold Sensitivity. PLoS One 11：e0165046, 2016
9) Bengtsson B, et al：False-negative responses in glaucoma perimetry：indicators of patient performance or test reliability？ Invest Ophthalmol Vis Sci 41：2201-2204, 2000

〈平澤一法・庄司信行〉

9 視野検査

2）自動視野計（静的視野検査）
③ アイモ

I 検査の目的

従来の自動静的視野検査は暗所に移動し片眼ずつ検査を行う必要がある．つまり，視野検査を行うためには暗所が必要になることに加え機器も大きいため設置するスペースの確保が必要となる．一方，アイモは明所でも視野検査を行うことが可能で機器本体もコンパクトな設計（**図1**）[1]となっている．

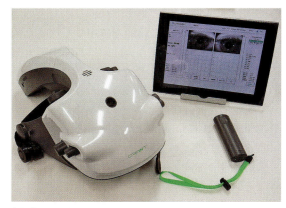

[図1] アイモ外観
本体，操作タブレット，応答ボタン

1 検査対象

緑内障をはじめ網膜疾患や視神経疾患，頭蓋内疾患等を有するものおよびそれらの疾患が疑われるもの．アイモの大きな特徴として両眼開放下で同時に視野検査を行えることがある．これにより心因性視覚障害や詐病等の視機能評価方法として有用な可能性がある．

2 目標と限界

自動静的視野検査は眼科臨床において行われる頻度の高い視機能評価法の1つである．アイモは他の自動静的視野計と同様に視野障害の有無やその程度を評価する視野計である．また後述するアイトラッキング機能等の他の機器にはない機能を有し，より詳細かつ信頼性の高い視野検査を行えるよう開発された．本機器の限界として，他の自動静的視野検査機器と同様に黄斑疾患や進行した緑内障等の視力が著しく低下した症例では，検査中の中心固視が難しくなり信頼性の高い検査結果を得るのが難しくなる．また，視野障害が生じている部位は検査結果にばらつきが生じることが多くなる．

II 検査法と検査機器

1 測定原理・測定範囲

測定原理は従来の自動静的視野検査と同様，一定輝度（31.4 asb：apostilb）の背景上に10,000 asbを最大輝度とするGoldmannサイズⅢの視標を200 msec呈示し検査を行う（サイズ：Ⅰ〜Ⅴ，呈示時間：33 msec〜∞まで設定可能）．これはHumphrey視野計と同じ測定条件となっている．測定プログラムは4-2dB bracketing，Ambient Interactive ZEST（AIZE），AIZE-Rapidの3つの測定プログラムがある．これらはHumphrey視野計の全点閾値検査（full threshold），SITA-standard，SITA-FASTと同じ位置づけの測定プログラムとなっている．これら3つの測定プログラム以外にアイモ独自の特徴のあるプログラムとしてAIZE-EXがある．AIZE-EXはAIZEで行った前回検査の結果を参照して2回以降の視野検査を行うプログラムである．それにより短時間で閾値測定を行うことが可能となっており，AIZE-EXはAIZEと比べ緑内障早期症例で約20〜30％，中期および進行期症例では30〜50％の検査時間短縮が可能であった．また，2つのプログラム間でのMDには有意差がなかった[2]．

測定範囲について，検査時の測定点配置としてHumphrey視野計同様に視角6°間隔の24-2と30-2測定点と2度間隔の10-2での検査が行える（**図2**）．通常，24-2（もしくは30-2）検査にて視野評価を行い，必要に応じて10-2検査にて視野中心領域の評価をする場合が多いと思われる．しかし，そのためにはそれぞれの検査を別々に行わなければならず，被検者および検査員にかかる時間的な負担が大きくなってしまう．また，中心視野は視力だけでなく実生活におけるQOLに大きく影響を及ぼすことがわかっている．そこでアイ

2) 自動視野計（静的視野検査）

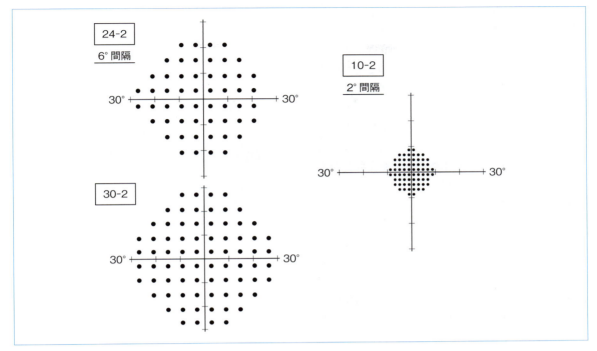

[図2] 24-2, 30-2, 10-2測定点

モには24-2測定時に中心視野評価も同時に行える24 plus検査（図3）がある．また，24 plusは24 plus (1)（図3：赤丸）のみの検査と24 plus (1-2)（図3：赤丸＋青丸）の2つのstageに分けての検査も行うことができる．24 plus (1)は緑内障性視野障害が生じやすい部位に測定点が配置され，短時間の検査でも視野障害を検出できるようになっている．中心視野評価は視野障害検出と同様に進行症例では残存視野の評価も重要になってくる．24 plusの中心10°内の測定点は，緑内障進行症例においても視野が残存している頻度が高い測定点が含まれている．そのため，24 plusは中期以降から進行症例においても有用な情報を提供してくれる測定点配置となっている．

2 機器の構造

アイモは図1のように本体，操作タブレット，応答用ボタンで検査を行う．本体の重さは1.7 kgとなっている．アイモでは左右独立した白色LEDバックライト上にある透過型フルHD液晶素子に視標が呈示され，被検者はコールドミラーを介してその視標を見ることになる（図4）．こ

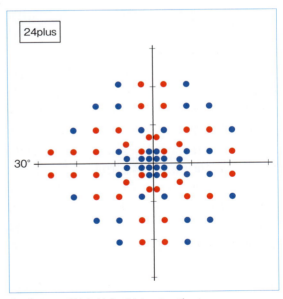

[図3] 24 plus測定点（赤丸：24 plus stage1）

れにより，視野検査を行うにあたり従来の視野検査と異なり両眼開放下での検査も可能となっている．加えて大きな特徴として，左右のディスプレイにランダムに視標を呈示することで両眼同時に

検査が行える．検査中の固視状態を確認するために赤外光を用いたカメラ（CMOS センサー）にて左右瞳孔を操作タブレットにて同時にモニターができる．これにより検査開始から終了までの眼球運動（眼球位置）を測定することが可能となっている．アイモに搭載されたアイトラッキング機能と合わせ眼球移動位置に追従した視標呈示ができるようになっている．つまり，眼球運動および固視不良に伴う視野検査結果への影響をより少なくすることができる．

3 感度と特異度

アイモでの緑内障性視野障害の検出についての Humphrey 視野計との比較で，アイモ 4-2 dB bracketing と Humphrey full threshold の緑内障眼での mean deviation（MD）を比較したところ同等な検査結果が得られた[1]．また，AIZE と SITA-standard の比較でも同様に 2 つのプログラムの MD に有意差はなく，検査時間については AIZE のほうが短かったことが報告されている[3]．

III 検査手順

1 検査の流れ

タブレットに被検者の年齢，性別等の基本情報を入力する．機器本体を頭の上に乗せ，両眼で左右のモニターが見えているか確認し，タブレットにて両眼の瞳孔がモニターの中心部位にくるように本体の位置補正を行う．また，自動静的視野検査を行う際には矯正レンズを使用して行うことになるが，アイモには-9.0〜+3.0 dioptor の幅で調整が可能なレンズが内蔵されており，アイモ本体にあるつまみで調整できるようになっている（図5）．加えて乱視矯正についてもマグネット式の矯正レンズを使用できるようになっている．ここまでのセッティングができたら，次に両眼で見た際にモニター中心にある固視点が 1 つに見えているか（融像）確認し検査を行っていく．アイモは従来の視野検査で行う片眼ずつの検査を行う片眼検査と，両眼解放下で両眼同時に検査ができる両眼ランダム検査を選択できる．

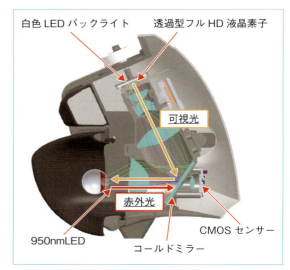

[図4] アイモ本体の内部構造

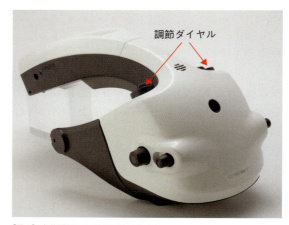

[図5] 内蔵矯正レンズの調節ダイヤル

2 機器の使い方と検査の注意点

頭に乗せて検査を行うため，被検者によってはその重さが気になり検査に支障をきたす場合がある．そのような場合，アイモ本体をスタンドに固定し被検者はモニターを覗き込むような前傾姿勢での検査が行えるようになっている（図6）．両眼ランダム検査を行うにあたり，検査前にカバーテスト等にて眼位異常がないか確認することが大切となる．検査中に固視点の融像ができないと検査結果に大きな影響を及ぼす可能性が高くなるためである．また，検査開始時には融像ができたに

もかかわらず検査中に眼位異常が生じ融像ができなくなってしまうことがある．このような場合は単眼検査へ切り替え検査を行う必要がある．

IV 検査結果の読み方

1 正常結果

アイモには日本人のみで取得した正常視野データベースが内蔵されている．その正常データを基に total deviation を算出し mean deviation（MD）等の global index が算出される．その結果は図7のように確認できるようになっている．Humphrey 視野計の検査結果と同様な表示様式である．1は偽陽性，偽陰性等の信頼性指標，2は感度とグレースケール，3，4はそれぞれトータル偏差とパターン偏差の結果，5は MD に代表される視野全体の評価指標であるグローバルインデックス，6は Octopus 視野計の検査結果に表示される defect curve と呼ばれるもので視野障害の程度とパターンを示している．7は検査中の固視状態を評価する gaze trucking の結果を表示している．

2 異常結果とその解釈

結果の異常はグレースケール，total deviation，pattern deviation にて確認できる．また，MD や pattern standard deviation（PSD）が異常範囲にある場合は有意確率値が表示され，defect curve でも曲線の正常範囲内からの逸脱が認められるようになっている（図8）．ここでは詳細は述べないが，defect curve の形状により視野障害が局所的な変化か全体的な感度低下であるのかがわかる．

3 アーチファクト

視野検査は被検者の検査への理解の度合い，体調等が検査結果へ大きく影響することがわかっている．つまり被検者の要因がアーチファクトを生じる原因となることが多い．一方で機器の要因として代表的なものは矯正レンズのレンズ縁によるもの，検査中の顎台から顔のズレなどにより検査

[図6] アイモスタンド

結果が不安定になることも知られている．アイモでは矯正レンズが機器に内蔵されておりレンズ縁によりアーチファクトが生じにくい設計となっている．また，機器を被った状態での検査のため顔が傾斜してしまうこともあるが，よほどの傾きでない限りは検査結果に影響を及ぼさないことがわかっている[4]．しかし，機器自体がずれる場合には信頼性の高い検査結果が得るのが難しくなる．そのような際は，再度正しい位置に装着を修正する，もしくはスタンドを利用し検査を続行する必要がある．

文献
1) Matsumoto C, et al：Visual Field Testing with Head-Mounted Perimeter 'imo'. PLoS One 26；11：e0161974, 2016
2) 野本裕貴ほか：新たな視野測定プログラム AIZE-EX．第123回日本眼科学会総会, 2019.
3) Kimura T, et al：Comparison of head-mounted perimeter (imo®) and Humphry Field Analyzer. Clinical Ophthalmol 13：501-513, 2019
4) Yamao S, et al：Effects of head tilt on visual field testing with a head-mounted perimeter imo. PLoS One 25；12：e0185240, 2017

（野本裕貴）

9. 視野検査

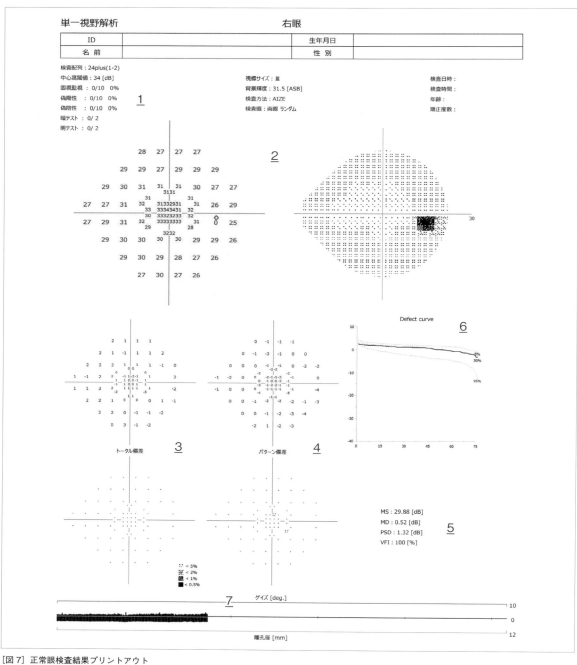

[図7] 正常眼検査結果プリントアウト
1 偽陽性率，偽陰性率，固視不良率
2 測定感度，グレースケール
3 トータル偏差，トータル偏差確率プロット
4 パターン偏差，パターン偏差確率プロット
5 MS，MD，PSD，VFI
6 defect curve
7 gaze
MS：mean sensitivity
MD：mean defect
PSD：pattern standard deviation
VFI：visual field index

2) 自動視野計（静的視野検査）

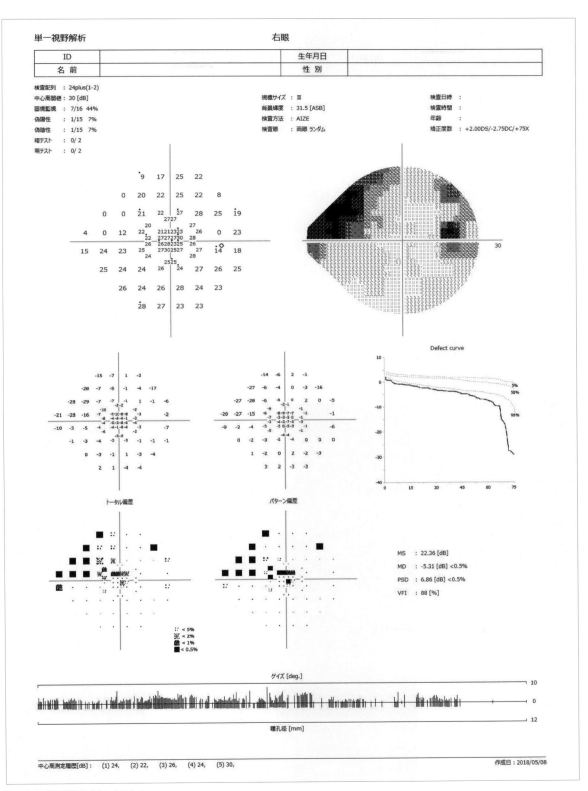

[図8] 緑内障眼結果プリントアウト

9 視野検査

3) Amsler Charts

I 検査の目的

1 検査対象
黄斑部疾患（中心性漿液性脈絡網膜症，加齢黄斑変性，特発性黄斑円孔，黄斑上膜など），視神経疾患（球後視神経炎など），その他，中心視野異常を呈する疾患．

2 目標と限界
簡便に，変視症や中心暗点を検出することができる．あくまで被検者の自覚症状を定性的に評価するもので，定量的評価はできない．

II 検査法と検査機器

1 測定原理・測定範囲
中心視野20°×20°に1°おきに引かれた碁盤目から構成される検査表を見せ，そのパターンの乱れから変視症，中心暗点を自覚的に検出する．

2 機器の構造
Amsler Charts は全7表から構成されている（図1，2）．

基本となる第1表のほかに，固視点を誘導する斜線が入った第2表，より暗点を検出しやすいように赤色で低コントラストの第3表，暗点のみを検出するランダムドッドからなる第4表，横線（チャートを90°回転させると縦線）のみの変視を検出する第5表，特に読書における変視を検出する目的で固視点近傍の横方向（縦方向）の密度を上げた第6表，固視点付近のみ2倍の密度の格子からなり中心部の微細な病変を検出する第7表がある．

3 感度と特異度
特に黄斑疾患の変視症に関しては，高い感度，特異度を有する．一方，傍中心暗点の検出に関しては，補填現象（filling-in phenomenon）が生じ

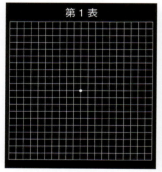

[図1] Amsler Charts 第1表

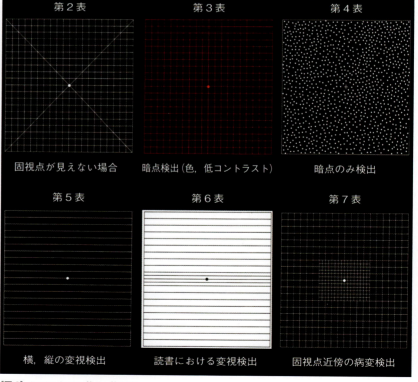

[図2] Amsler Charts 第2〜第7表

[図3] Amsler Charts を用いた検査の流れ

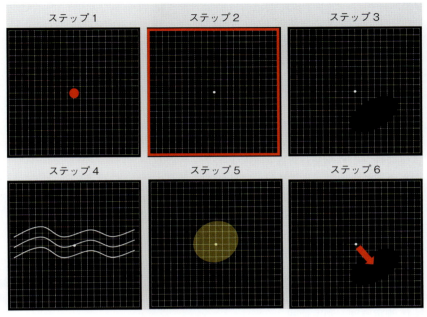

るため，静的視野検査に劣る．

III 検査手順

1 検査の流れ（図3）

片眼で次の設問に従って検査を進めていく．
問1 固視点が見えるか？
問2 外周の四角が全部見えるか？
問3 内部の編み目が完全に見えるか？
問4 線が歪んでいないか？編み目の大きさが均一か？
問5 動き，揺れ，輝き，色の変化はないか？
問6 異常部位があれば，その位置は？

以上の6種の質問を，検査の目的を理解した上で要領よく行い，付属の記録紙に書き込む．

2 検査機器の使い方

明室で検査を行う．片眼を遮閉し，必要ならば矯正レンズを装用し28〜30cmの距離で，検査表の中心を固視させ行う．Amsler Charts は半田屋から小型のアムスラー名刺と呼ばれる簡易表が市販されている．加齢性黄斑変性症などでは，患者自身に自宅で使用させることにより黄斑病変のわずかな変化を早期に検出できる．

3 検査のコツと注意点

被検者に異常を自覚させる際，中心固視がずれないよう誘導する．確実に上記の6つの設問に従って検査を進める．

IV 検査結果の読み方と解釈

1 正常結果

上記設問に対し，すべて異常を認めない．
特に，変視症に関しては，すべての碁盤目が歪まず鮮明に見える．

2 異常所見とその解釈

黄斑部疾患では線の歪みを主とする変視症が検出されることが多い．視神経炎では中心，傍中心暗点が検出されることが多く軽症では線が部分的にとぎれて見える．

3 アーチファクト

近見矯正が不十分な場合，格子が見えづらくなり検出感度が低下する．

文献
1) 松尾治亘：視野の計り方とその判定．改訂第2版，金原出版，東京，1982

（松本長太）

9 視野検査

4) M-CHARTS

I 検査の目的

1 検査対象
黄斑部疾患（黄斑上膜，特発性黄斑円孔，加齢黄斑変性，中心性漿液性脈絡網膜症など）で変視症を有する症例．

2 目標と限界
変視症を簡便に短時間で定量化することができる．視力が0.2以下の症例（黄斑円孔を除く），大きな中心暗点を有する症例は評価が困難である．

II 検査法と検査機器

1 測定原理・測定範囲
変視症が認知されるには，直線成分などの連続した網膜面への刺激が必要であり，この直線を間隔の狭い点線から広い点線に変えると次第に変視は消失する（**図1**）．点線を間隔の細かな点線から粗い点線へ順次呈示していくにつれ，高周波数成分を主体とした軽微な変視は消失し，低周波数成分を主体とした重度の変視が残る．

本検査表では，固視点を中心に，上下左右10°経線上の変視症を定量化する（**図2**）．

2 機器の構造
M-CHARTS™は，視角0.2°から2.0°まで0.1°刻みに間隔を変えた19種の点線から構成されている．点線の全長はAmsler Chartsと同じ視角20°（固視点から上下10°），点線の個々の点は視角0.1°，固視点は視角0.3°とし固視点の左右に固視を誘導する補助視標が設けられている（**図3**）．検査視標は，固視点上を通る1本線（**図4**）と，黄斑円孔のように中心暗点のある症例を対象とした固視点から1°離れた2本線からなる2種類からなる（**図5**）．またVer2.0より，視覚0.5°の点線で作られた低視力者用検査視標が含まれている．

3 感度と特異度
黄斑上膜症例では，縦方向ならびに横方向の変

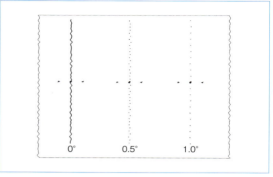

[図1] 画像処理による変視のシミュレーション
横方向に変視を加えると直線や細かな点線ではゆがみが自覚されるが粗い点線になると変視は自覚されなくなる．

[図2] M-CHARTS

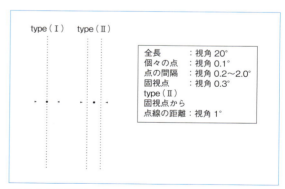

[図3] 0.4°の視標サンプル

視量を定量化することで，Amslar Chartsを基準として感度97.8%，特異度100%である．

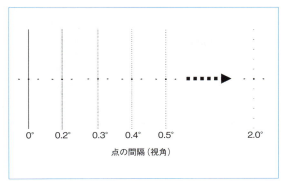

[図4] 1本線のM-CHARTS

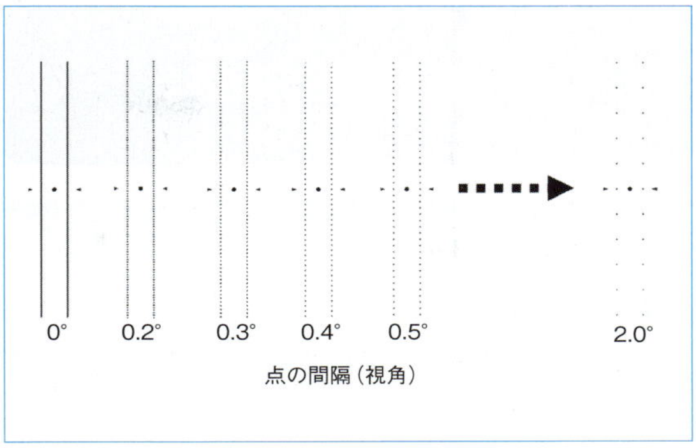

[図5] 2本線のM-CHARTS

III 検査手順

1 検査の流れ

　検査距離は30cmで，近見矯正下にて測定を行う．測定は片眼ずつ行う．縦方向の変視を測定のあと，用紙を90°回転させ横方向の変視を定量する．

2 検査機器の使い方

　はじめに，直線の視標を呈示し，変視症が自覚されることを確認する．この時点で変視がなければ，変視量は0となる．次に間隔の細かい点線から間隔の広い点線へ順に呈示する．点線が粗くなるほど線のゆがみは次第に認知されなくなり，最終的に変視が自覚されなくなった時の点線の視角をもって変視量とする．測定は検査視標を縦方向，横方向それぞれ行い，縦，横の変視量として別々に求める．

3 検査のコツと注意点

　黄斑円孔など中心暗点がある症例では2本線のタイプを用いる．左右の補助視標を用い，固視点が消える部位で測定を行う．矯正視力が0.2以下の症例では，検査表そのものが見えにくくなるため，評価が不安定となる．低視力者の場合には，視覚0.5°からなる低視力者用視標を用いることで，従来の0.1°の視標では検査できなかった症例でも評価可能となることが多い．ただし，0.1°と0.5°の視標間には互換性がないので注意が必要である．

IV 検査結果の読み方と解釈

1 正常結果

　直線の視標で縦横ともゆがみを自覚しなかった場合，変視量は縦横とも0で正常となる．

2 異常所見とその解釈

　直線，あるいは点線がゆがんで見えた場合は，変視症が存在する．間隔の広い点線がゆがんで見えるほど変視の程度は強い．また，同じ症例でもしばしば縦方向と横方向の変視量が異なる．これは視細胞あるいはその外接の配列の乱れが縦方向と横方向で異なることを意味する．

3 アーチファクト

　健常者における偽陽性応答（直線がゆがんで見える）はほとんど認められない．しかし，矯正視力が0.2以下の症例や，加齢黄斑変性などで黄斑部に出血を伴い局所的な暗点を生じている症例では，点線が一部見えなくなり評価できない場合がある．

文献
1) 松本長太ほか：新しい変視表M-CHARTS®による変視症の定量化の試み．臨眼 54：373-377，2000
2) Matsumoto C, et al：Quantification of metamorphopsia in patients with epiretinal membranes. Invest Ophthalmol Vis Sci 44：4012-4016, 2003
3) Arimura E, et al：Retinal contraction and metamorphopsia scores in eyes with idiopathic epiretinal membrane. Invest Ophthalmol Vis Sci 46：2961-2966, 2005
4) Arimura E, et al：Quantification of metamorphopsia in a macular hole patient using M-CHARTS. Acta Ophthalmol Scand 85：55-59, 2007

〈松本長太〉

9 視野検査

5）眼底直視下視野計

I 検査の目的

1 検査対象

眼底直視下視野計（MP-3, maia）は，眼底を観察しながら視野感度を測定することにより，ある特定の領域ごとの網膜機能を測定する検査である．対象となる疾患は，眼底後極部に病変をもつ眼底疾患であり，加齢黄斑変性，網膜静脈閉塞症，糖尿病網膜症，黄斑円孔，黄斑前膜，網膜色素変性など，非常に多岐にわたる．

2 目標と限界

眼底の病変局在と網膜感度を対応させることができるので，視力検査に直接反映しない中心窩外の眼底疾患が視機能にどの程度影響を及ぼしているかを定量的に評価することができる．また，視力検査では検出できないような軽度の視機能異常も網膜感度の低下として捉えられることがある．さらに，フォローアップ機能により，経過観察中あるいは各種治療後に局所的な網膜機能がどのように改善もしくは悪化しているのかを正確に把握することができる．

眼底直視下視野計の測定には限界があり，固視標が確認できないほどの中心視力低下症例，硝子体出血や白内障などの中間透光体の混濁症例，検査の内容を理解できずスイッチを押すことのできない症例などでは測定が困難である．

II 検査法と検査機器

1 測定原理

共焦点走査眼底画像（SLO）による眼底トラッキング機能により，眼球を自動的に追尾しながら，眼底各所における網膜感度を測定する．被検者は中心視標を固視し，表示される視標を認識したところで応答スイッチを押す．視標の明るさをプログラムに準じて変化させ，視標を認識できる最も暗い輝度（閾値）を決定し，網膜感度とする．

[図1] 眼底直視下視野計の外観
左が maia，右が MP-3．maia は PC 一体型だが，MP-3 はこのほかにデータ処理用の PC が外づけである．検者は眼底を随時見ながら測定の進行をモニタすることができる．

2 機器の構造

眼底直視下視野計は眼底を観察するカメラ型の本体（視標もこのレンズ内に表示される）と検者が鏡筒の位置を操作する部分，データ処理を行う PC で構成されている（図1）．

初期の眼底直視下視野計である MP-1（ニデック）では眼底は近赤外眼底カメラで観察されていたが，maia（トプコン），MP-3（ニデック）においては SLO により詳細に眼底観察を行うことが可能である（表1）．視標は LED にて表示され，液晶に比べて低輝度から高輝度まで呈示できるようになったため，0〜36 dB とワイドレンジでの網膜感度測定が可能になっている．maia では背景輝度が 4 asb であるため暗視下での測定となるが，MP-3 では 31.4 asb と薄暮視下での測定となり，桿体および錐体機能を反映した機能評価が可能となる．

3 感度と特異度

maia のダイナミックレンジは 36 dB，MP-3 では 34 dB である．背景輝度が両者では異なり，また最大刺激輝度も maia では 1,000 asb，MP-3 では 10,000 asb であるため網膜感度を単純に比較することはできない．なお，Humphrey 視野計も感度が dB で表示されるが，特に maia とは測定条件が異なるために比較はできない．

III 検査手順

1 検査の流れ

検査は原則として暗室で行う．無散瞳でも瞳孔

[表1] 眼底直視下視野計の比較

	MP-1	maia	MP-3
眼底トラッキング画像	IR	SLO	SLO
測定範囲	40°円形	20°×20°	40°円形
視標サイズ	Goldmann I〜V	Goldmann IIIのみ	Goldmann I〜V
最小瞳孔径	4mm	2.5mm	4mm
背景輝度	4 asb	4 asb	4 asb/31.4 asb
視標呈示	液晶ディスプレイ	LED	LED
視標最大輝度	400 asb	1,000 asb	10,000 asb
ダイナミックレンジ	0〜20dB	0〜36dB	0〜34dB
オートアラインメント	なし（マニュアル）	なし（マニュアル）	あり
眼底トラッキング	あり（25Hz）	あり（25Hz）	あり（30Hz）
測定カスタマイズ	あり	なし	あり
眼底撮影	カラー	白黒	カラー
画角	45°円形	36°×36°	45°円形
解像度	1,392×1,024 pix	1,024×1,024 pix	4,016×3,008 pix
フォーカス	マニュアル：−15〜+15D	オート：−15〜+10D	オート：−12〜+15D マニュアル：−25〜+15D

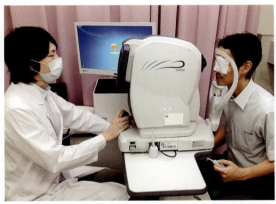

[図2] 実際の検査外観（MP-3）
検査しない方の眼をガーゼなどで遮閉し、被検者（右）には光が見えたらスイッチを押すように指示する．

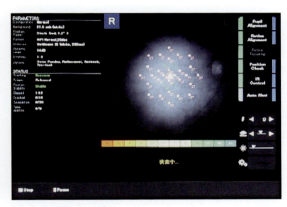

[図3] 測定画面（MP-3）
グレースケールで表示される眼底の上に各測定点が表示される．呈示中の視標が点滅し、視標の明るさがdBとして数字で示される．トラッキング機能によって検査を通じて眼底の同じ部分に視標が呈示される．

径が2.5〜4mm以上であれば、検査を行うことができるが、散瞳薬を使用した方が正確である．片眼ずつ測定するため、測定を行わない方の眼はガーゼなどで遮閉する．被検者に顔を顎台に乗せてもらい、高さを調節する（図2）．測定時間が5分以上はかかるため、首や肩に負担がかからないようにする．眼底画像の取り込みに引き続き、網膜感度の測定に進む（図3）．maia、MP-3ともに測定点のパターンが多数準備されているので疾患に応じて選択する．被検者には中央の固視標を見続けてもらい、周囲に視標が見えたらスイッチを押してもらう．固視の微動は、トラッキング機能で対応できるが、大きく眼位が外れた場合にはマニュアルで眼底画像を調整し検査を続行する（MP-3では本体が眼位のずれにもある程度追従する）．すべての測定点で、網膜感度が決定されれば終了となる．

2 検査機器の使い方とコツ

被検者にはあらかじめ視標がかなり小さいことと、気になっても視線を動かして探さないように伝えておく．特に初回の検査では、呈示される視標に気づかず、スイッチがずっと押されないことがある．中心の固視標近傍に比較的明るい視標が出始めるので、そこで視標の見え方を確認し、再度最初から検査を始めることもある．2回目以降、検査に慣れてくると測定がスムーズになり、

短時間で検査を終えることができるようになることが多い．高齢者や首や肩に障害があるような患者では，集中力が続かず不正確な結果となるので適宜休憩を入れる．

MP-3では測定点のパターンが多数用意されており，測定範囲，測定点分布・密度を変えて測定することができる．背景の明るさを含め，測定点の配置をカスタマイズすることも可能である．疾患に応じて使い分ける必要があり，測定点が多くなると片眼で30分近くかかることもある．被検者の負担を考え，最適な測定プログラムを選ぶ．黄斑円孔など中心窩付近の測定を行いたい場合には，中心8°のパターンを選ばないと異常値を検出できない．

IV 検査結果の読み方と解釈

1 正常値

maiaではおよそ26〜36dBが正常（緑で表示），24dB以下が異常値（橙色〜赤）として表示される（図4）．MP-3では22〜36が正常（緑），20dB以下が異常値として黄色〜赤（0dB）で表示される（図5）．網膜感度を疑似カラーでマップ表示する機能があるが，緑色で全体が表示されていればおおよそ正常と考えてよい．検査中の固視点は水色の点として表示され，この点のばらつきが狭い範囲に集中していれば，固視が安定していたことになる．

2 異常値とその解釈

代表例として，加齢黄斑変性（図6）と網膜色素変性（図7）を提示する．加齢黄斑変性の症例は，中心視力0.6であるが，中心窩下から耳側にポリープ状脈絡膜血管症があり，網膜下液の貯留が軽度みられる．この病変のために黄斑から耳側にかけて網膜感度の局所的な低下がみられる．このように中心視力が比較的保たれている症例でも，眼底直視下視野計では病変部位での感度低下が有意にみられ，治療効果を判定するうえでも役立つ．

網膜色素変性では，求心性の視野障害が起こるが，図7の症例のように，眼底所見にて色素沈着を伴う網膜変性が観察される部分では，網膜感度

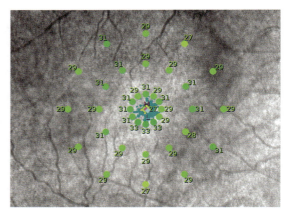

［図4］正常眼底　中心10°
maiaにて測定．眼底はグレースケールで表示される．網膜感度は27〜33dBである．固視点のばらつきが青色の点で表示されている．

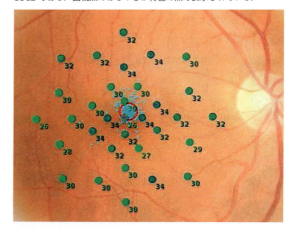

［図5］正常眼底　中心20°
MP-3にて測定．網膜感度は26〜34dBであり，各測定点は緑で表示されている．固視点のばらつきが水色の点で表示されている．

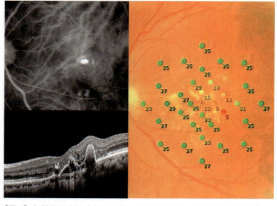

［図6］加齢黄斑変性（ポリープ状脈絡膜血管症：PCV）（71歳男性）
左眼　視力0.6.
左上：インドシアニングリーン蛍光眼底造影にて黄斑から耳側にPCVがみられる．
左下：光干渉断層計にてPCVと網膜下液が観察される．
右：MP-3による網膜感度が黄斑から耳側にかけて5〜15dBへ低下している．

が大きく低下していることがわかる．本症例では中心部分は20dB以上の網膜感度があるが，黄斑から離れるにつれて網膜感度が低下しており，光干渉断層計で観察される網膜外層構造の異常と対応している．

3 アーチファクト

前述したが，黄斑円孔の症例など，中心窩・傍中心窩の非常に小さな病変を検査する際には，中心8°のプログラムを選択する（MP-3）．通常のnormalという中心20°の測定モードでは異常をほとんど検出できない（図8）．中心近くの視標は固視標と重なり，感度が低く測定される．必要に応じて固視標の形（十字や円形など）や大きさを変更する．

また，特に暗視下での測定を行う機器（maia）では，部屋の明るさに注意すべきである．静的・動的視野計と異なりドームを持たず，レンズの中に表示される視標を覗き込んで測定するため，側方から光が差し込むだけで，測定視標がかなり見辛くなる．そのまま測定を続けると，全体的な感度低下として結果が出る．MP-3では背景光がやや明るいが，それでも周囲に明るいモニターが置いてあったりすると，測定に大きく影響する．経時的な変化をみる際には，測定する検査室の照明の条件を同じにしておく必要があり，全体的な感度低下がみられた際には測定状況をチェックした方がよい．

まとめ

眼底直視下視野計は視力検査とは根本的に異なる，光覚の一種である網膜感度という測定対象を用いて，網膜機能の評価を行うことができる装置である．本項では，黄斑病変を中心に解説したが，網膜・脈絡膜病変にとどまらず，緑内障，視神経疾患などにおいても十分に利用価値があると思われる．また，眼底視野計は偏心視獲得という視覚リハビリテーションとしての利用法もある．今後，眼底視野計のさらなる高性能化により眼底疾患の診療が進むことを期待したい．

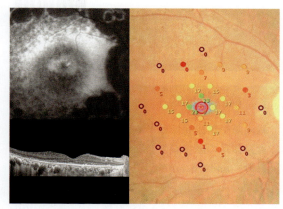

[図7] 網膜色素変性（66歳男性）
右眼 視力0.3
左上：眼底自発蛍光にて黄斑周囲に輪状の低蛍光領域がみられる．
左下：光干渉断層計では網膜外層の異常が観察される．
右：MP-3による網膜感度測定．黄斑周囲に0dBの測定点があり，網膜変性と一致していることがわかる．

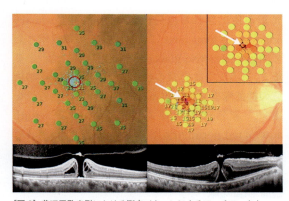

[図8] 黄斑円孔症例における測定パターンによるアーチファクト
左上：MP-3のnormalパターン（中心20°）にて測定した．中心感度は21dBで若干低下程度であり，その他の測定点での網膜感度は正常．
左下：同症例の光干渉断層計所見．全層の黄斑円孔．
右上：MP-3の中心8°の測定パターンにて検査（他の症例）．円孔部分は0dBを示す（矢印）．右上囲いは，測定点の拡大表示．
右下：同症例の光干渉断層計所見．全層の黄斑円孔．

文献
1) 馬場隆之：眼底視野計．眼科 57：414-422，2015
2) 梶田房枝ほか：正常者における2種類の眼底直視下微小視野計の計測結果の比較．あたらしい眼科 29：1709-1711，2012
3) Nizawa T, et al：Different fixation targets affect retinal sensitivity obtained by microperimetry in normal individuals. Clin Ophthalmol 11：2011-2015, 2017

（馬場隆之）

9 視野検査

6) 色視野計測（blue on yellow 視野測定）

I 検査の目的

緑内障や糖尿病では早期より後天色覚異常，特に青錐体系の障害が生じる．緑内障では静的自動視野計 standard automated perimetry（SAP）で通常用いられる白色背景光白色検査視標（white on white：W on W）による視野検査で−5〜−10 dB の網膜感度閾値低下を示す部位において，すでに網膜神経節細胞の 20〜40％が障害されていること[1]が明らかにされ，緑内障早期診断の重要性が求められている．近年，OCT による網膜構造の詳細な観察が可能となり，W on W で有意な視野異常が検出される原発開放隅角緑内障 primary open angle glaucoma（POAG）発症の前段階として「preperimetric glaucoma：PPG」の概念[2]が登場し，SAP では異常の検出困難な網膜神経節細胞の機能障害を抽出する目的で高輝度黄色背景を用い，青色検査視標による short-wavelength automated perimetry（SWAP）が緑内障早期診断法として用いられている（**図1**）．また，黄斑部領域の網膜虚血性変化の評価にも導入されている．

1 検査対象

高眼圧症 ocular hypertension（OH），PPG，早期 POAG，黄斑虚血が予期される初期糖尿病網膜症や網膜静脈分枝閉塞症

2 目標と限界

PPG や POAG 早期診断および黄斑部虚血性変化の評価に有用である．しかし，水晶体混濁に伴い短波長光の透過性が低下するため，偽陽性の感度低下を認める場合がある．

II 検査法と検査機器

1 測定原理・測定範囲

ヒトの網膜神経節細胞には，**表1**に示す機能分化した midget cells，parasol cells，small bistratified cells の 3 種類が混在して分布し，それぞれの軸索は外側膝状体の parvocellular layer（P 細

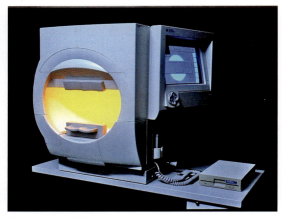

[図1] SWAP の外観

[表1] 網膜神経節細胞の種類と特性

網膜神経節細胞	外側膝状体	受容野特性	受容野の大きさ	空間解像度	軸索
midget cells	parvocellular layer（P 細胞層）	赤on中心 緑on中心 赤off中心 緑off中心	小さい	高い	細い
parasol cells	magnocellular layer（M 細胞層）	on中心 off中心	大きい	低い	太い
small bistratified cells	koniocellular layer（K 細胞層）	青on 黄off	大きい	高い	太い

胞層），magnocellular layer（M 細胞層），koniocellular layer（K 細胞層）へ投射している[3]．P 細胞系は網膜神経節細胞全体の 70％を占め，小型で軸索も細く，視力などの高い空間解像度に関与し，長波長または中波長にスペクトル極大点を持つ錐体（L-cone，M-cone）から赤緑チャンネルの入力を受けている．M 細胞系は全体の 8〜10％を占め，フリッカなど高い時間周波数に反応する．midget cells と parasol cells は内網状層の硝子体側に樹状突起を伸ばすタイプと脈絡膜側に樹状突起を伸ばすタイプの2種類が存在する．K 細胞系は全体の 8〜10％を占め，small bistratified cells は内網状層の硝子体側と脈絡膜側の両側に樹状突起を伸ばし，双極細胞を介して短波長にスペクトル極大点を持つ錐体（S-cone）と連絡し，青色光に刺激され（on 反応），黄色光で抑制（off 反応）される．

6) 色視野計測（blue on yellow 視野測定）

緑内障眼では K pathway が早期異常を示す根拠として，太い軸索が眼圧上昇に脆弱であること，また，細胞数が少なく余剰性がないため S-cone の異常を生じると考えられているが，そのメカニズムは未だ明らかではない．近年，神経化学研究の発展により，K pathway に特異的に多く存在し[4]，細胞内の蛋白質リン酸化酵素の活性化に重要な機能を持つ calcium/calmodulin-dependent kinase typeⅡ（CaMKⅡ）のサブユニット分子である CaMKⅡαが高眼圧下では活性が低下することが，緑内障眼での K pathway の障害との関連が推論されている．

視野測定は，選択的色順応法を用い，高輝度黄色背景を投影し視感度の高い中波長（M-cone），長波長（L-cone）系の錐体機能を抑制した条件下で，S-cone のスペクトル極大点に対応する青色検査視標を呈示し，中心視野 30°以内の K pathway の網膜感度識別域を評価する方法である．

2 機器の構造

Humphrey 視野計，Octopus 視野計にはSWAPの測定プログラムが内蔵されている．背景光は，輝度 100 cd/m^2，波長 530 nm の黄色，検査視標は波長 440 nm の青色で，サイズは Goldmann 視野計の視標V（64 mm^2）を用いる．通常，W on W と同様に，中心プログラム 30-2，24-2，10-2，黄斑プログラムを用いることができる．測定範囲は，中心視野 30°以内から黄斑部まで任意に測定することが可能である．

3 感度と特異度

PPG を対象に緑内障への診断予知能力についての検討では，Johnson ら[5]は，OH に対し SWAP と W on W を用いて 5 年間経過観察を行い，W on W では正常であっても，SWAP で異常を示す OH は，5 年後には W on W で暗点が出現し，POAG に移行することから，SWAP は緑内障進行の予知能力を持つことを報告しているが，van der Schoot ら[6]は，OH を対象に 7〜10 年の長期にわたり比較を行った結果，SWAP での視野異常の出現は W on W より遅れると報告し，その根拠として SWAP は白内障進行の影響を受ける点を指摘している．

Ⅲ 検査手順

1 検査の流れ

SWAP を用いた K pathway の機能評価には，S-cone より細胞数が多く，光刺激に鋭敏な L-cone，M-cone と，S-cone のスペクトル極大点とスペクトルが近い杆体（rod）の機能を抑制するため，検査開始前に，検査眼を高輝度黄色背景に順応することが必要で，通常 5 分間の順応を検査眼ごとに行い，通常の W on W との検査の違いを説明した後に検査を開始する．

2 機器の使い方

SWAP の検査時間は W on W より長時間になるため，検査アルゴリズムは full threshold ではなく，Swedish Interactive Threshold Algorithm（SITA）standard が選択される．検査視標サイズは W on W の視標Ⅲ（4 mm^2）より大きい視標V（64 mm^2）を用いる．

3 検査のコツと注意点

W on W の検査と異なり，被検者は初めての検査法であることが多いため，検査開始前に，検査内容について十分な説明を行うことが重要で，特に応答については，「明るさの違い」ではなく，「背景との色の違い」に気づいたときに「ブザーを押す」よう指示することが必要である．

Ⅳ 検査結果の読み方

1 正常結果

SWAP で測定された網膜感度閾値は測定点ごとに内蔵されている年齢別正常値データと比較され，W on W と同様に，トータル偏差 total deviation（TD）やパターン偏差 pattern deviation（PD）から，視野検査視標として mean deviation（MD），pattern standard deviation（PSD）が算出され，また，水平子午線の上下で対応する検査点の感度を比較する緑内障半視野テスト glaucoma hemifield test（GHT）の結果が表示される．TD や PD の表示で有意な異常シンボルがない場合は SWAP 正常と診断されるが，W on W で用いられている視野異常の判定基準[7]は SWAP に

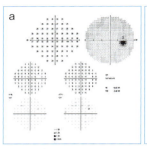 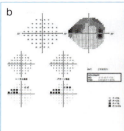 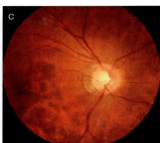 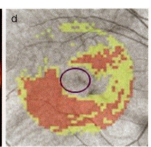

[図2] PPGの典型例
a HFA W on W 30-2
b HFA SWAP 24-2
c 眼底写真
d OCT 黄斑 map

は存在しない．

2 異常所見とその解釈

SWAPでの異常判定は，検査の主たる目的がPPGの診断であるため，眼底所見やOCT検査結果との対応から判断される．

図2はPPGの典型例である．眼底写真では視神経乳頭から下耳側に網膜神経線維層欠損があり，OCT黄斑Mapでは黄斑下に神経節細胞層の菲薄化を示している．W on Wでは正常視野であるが，SWAPではTD，PDともに上方Bjerrum領域に連続した感度低下点と鼻側階段を認め，MD，PSD，GHTのすべてが統計学的に有意な異常となっている．

また近年，黄斑部虚血を示す糖尿病網膜症[8]や網膜静脈閉塞症[9]の黄斑部網膜感度はSWAPでW on Wと比較し大きな感度閾値低下を示すこと，またOCTAで計測された虚血部位の網膜深層毛細血管の血流と相関することが報告され，SWAPの虚血性眼疾患への応用も注目されている．

3 アーチファクト

SWAPの最大の問題は，水晶体混濁に伴い短波長光の透過性が低下するため，偽陽性の感度低下を認めること，また，白内障進行の影響を受けるために長期的観察が難しいことが知られている．

文献

1) Quigley HA, et al：Retinal ganglion cell atrophy correlated with automated perimetry in human eyes with glaucoma. Am J Ophthalmol 107：453-464, 1989
2) Weinreb RN, et al：Risk assessment in the management of patients with ocular hypertension. Am J Ophthalmol 138：458-467, 2004
3) Yucel YH, et al：Effects of retinal ganglion cell loss on magno-, parvo-, koniocellular pathways in the lateral geniculate nucleus and visual cortex in glaucoma. Prog Retin Eye Res 22：465-481, 2003
4) Hendry SHC, et al：Neuronal chemistry and functional organization in the primate visual system. Trends Neurosci 21：344-349, 1988
5) Johnson CA, et al：Blue-on-yellow perimetry can predict the development of glaucomatous visual field loss. Arch Ophthalmol 111：645-650, 1993
6) van der Schoot J, et al：The ability of short-wavength automated perimetry to predict conversion to glaucoma. Ophthalmology 117：30-34, 2010
7) Anderson DR, et al：Automated Static Perimetry. 2nd ed, Mosby, St Louis, 121-190, 1999
8) Nitta K, et al：Influence of clinical factors on blue-on-yellow perimetry for diabetic patients without retinopathy：comparison with white-on-white perimetry Retina 2006 Sep；26（7）：797-802. doi：10.1097/01.iae.0000244263.98642.61.
9) Azuma K, et al：Comparison between blue-on-yellow and white-on-white perimetry in patients with branch retinal vein occlusion. Sci Rep 2020 Nov 17；10（1）：20009. doi：10.1038/s41598-020-77025-x.

〈山崎芳夫〉

9 視野検査

7) 瞳孔視野計

I 検査の目的

瞳孔対光反射の反応量や閾値を指標にして，視野を量的に他覚評価する．

1 検査対象

1) 自覚的応答が困難な低年齢児や高齢者，あるいは精神遅滞など．
2) 自覚的視野検査の裏づけが必要な心因性視能障害や詐盲．

2 目標と限界

他覚的視野計は自覚的視野検査の結果が他の所見と矛盾する場合やその信頼性が乏しい場合に最も効果を発揮する[1]．測定にはさまざまな方法が試みられているが，対光反射を利用する瞳孔視野計は特に非侵襲的かつ簡便に視野の他覚測定が可能である．被検者は特別な電極の装着など一切不要であり，測定の間，開瞼して中心固視標を注視するのみでよい．検査に対する精神的，身体的負担が軽減されるほか，自覚的視野検査で問題となる学習効果や検者の技能による影響がないことも利点である．

問題点として対光反射の反応には個体内，個体間ともに多少のばらつきがあることが挙げられ，各測定部位の反応を比較処理するような方法が検討[2]されている．また新しいディバイスの応用を含め，瞳孔視野に特化した測定技法が開発[3,4]されており，近い将来の実用化が期待されている．

II 検査法と検査機器

1 測定原理

光刺激によって誘発された瞳孔径の変化を赤外線電子瞳孔計で記録し，対光反射の変化量をコンピュータで解析する．縮瞳の程度を視野の感度として表現すると，正常例における瞳孔視野の感度分布は自覚的視野と相似した傾向を示す．

2 機器の構造

過去には既存の視野計に赤外線電子瞳孔計を組

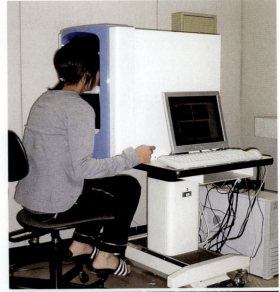

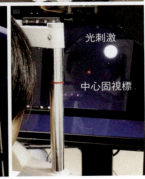

[図1] 据え置き型瞳孔視野計
光刺激は眼前 39 cm に置いた液晶ディスプレイから出力される．瞳孔径は眼前のホットミラーを介して，上部にある赤外線 CCD カメラにより 60 Hz のサンプリングで記録される．

み入れた瞳孔視野計が試作されていた．瞳孔視野計では十分な対光反射を誘発するために比較的大きなサイズ 4°程度の刺激がよく用いられているが，既存の視野計では選択できる刺激に制限があった．そのため，最近では刺激系にディスプレイを採用したタイプが多く利用されている．

川崎医療福祉大学が開発した瞳孔視野計を2種類紹介[5]する．両者とも刺激系に液晶ディスプレイ，瞳孔の記録系に赤外線 CCD を用いている点は共通である．1つは据え置き型の瞳孔視野計（図1）であり，被検者は座位で検査を受ける．液晶ディスプレイが有する機能上の範囲内で刺激の

サイズや露出時間，色が可変できる．もう1つはゴーグル型瞳孔視野計（図2）であり，被検者は座位だけでなく仰臥位でも検査が可能である．画角についてはゴーグル内に凹面鏡を仕込み，45×34°の画角を実現している．刺激には小型液晶パネルを採用しているが，据え置き型と比較すると刺激の自由度は低下する．

3 感度と特異度

瞳孔視野の反応には一定のばらつきがあることを理解した上で，同一個体内の上下同一部位の比較や個体間の差について評価する必要がある．感度と特異度について，残念ながら確立されたプロトコールで得られた数値はない．しかし，緑内障性視野異常を他覚的に検出できる分析手法も新たに考案[6,7]されつつある．また，症例に応じて最適な刺激を選択すれば，Humphrey 視野計（HFA）よりも先行して異常を検出できる場合もあり，今後の発展が期待されている．

Ⅲ 検査手順

1 検査の流れ

測定前は5分程度，暗順応させる．対光反射を複数記録するので，暗順応が深すぎると検査の前半と後半で数値が変わってくる．検査説明の後，被検者の非測定眼を完全遮閉する．片眼遮閉後，被検者が瞳孔視野計の顎台に顔をのせ，測定を開始する．

瞳孔に作用する薬剤の使用あるいは瞳孔縁の落屑物質の付着や瞳孔自体の偏位は結果に影響を及ぼすので事前に確認しておく．

2 検査機器の使い方とコツ

瞳孔視野計では刺激の前後2秒程度が縮瞳の解析区間となる．解析区間に瞬目が混入し，解析不能と判定された場合は刺激が自動追加される．被検者によっては刺激が呈示されると無意識的に瞬目してしまうので，ある程度抑制するためにも瞬目に対する事前の説明が必要である．どうしても瞬目が抑制できない場合には，必要に応じてオキシブプロカイン塩酸塩を点眼するとよい．

固視を強く意識してしまうと瞳孔動揺が出現しやすくなる．検査中は眼を動かす必要がないこと

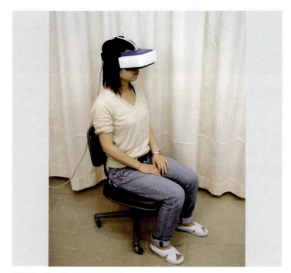

[図2] ゴーグル型瞳孔視野計
ゴーグル内部には2.5インチの液晶パネルと赤外線 CCD が各眼用に独立して組み込まれている．そのため，瞳孔視野に加え，swinging flashlight test の測定も可能である．

を強調した上で被検者をリラックスさせ，開瞼を促す．

Ⅳ 検査結果の読み方と解釈

1 正常値

瞳孔視野の縮瞳率の変化[8〜10]は，視野中心から偏心するに従い単調減少する（図3）．左右眼の反応は相関するが，一定の個体間差を認める．平常時（刺激前）の瞳孔径は加齢とともに縮瞳する．そのため，縮瞳量（縮瞳の絶対量）でみると加齢に伴い低下[8]するが，縮瞳率を用いた評価では明らかな加齢変化はない[9]との報告もある．

2 異常値とその解釈（異常所見の読み方）

瞳孔視野計で異常を検出できた代表例を供覧する．症例1（図4）は正常眼圧緑内障の63歳，男性である．HFA の MD 値は−2.72 dB，PSD 値は5.85 dB であった．眼底写真では，視神経乳頭上方の弓状線維束と上方および下方の乳頭黄斑線維束に網膜神経線維層欠損（NFLD），視神経乳頭下方に乳頭縁出血がある．HFA では下方に NFLD に対応した Bjerrum 暗点が検出されている．瞳孔視野では，Bjerrum 暗点に相当する耳側と鼻側視野下方の縮瞳率が減弱している．また

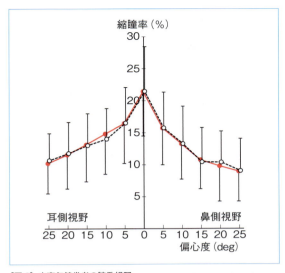

[図3] 中高年健常者の瞳孔視野
平均年齢48.5±6.1歳（40～60歳），30眼における瞳孔視野の平均値±標準偏差を示す．縦軸は縮瞳率，横軸は偏心度である．刺激の呈示部位は，45，135，225，315°方向の偏心度0，5，10，15，20，25°の計21か所であり，○は上方視野，●が下方視野の反応である．視野の感度分布と同様に中心部に縮瞳のピークがあり，刺激の呈示部位が偏心するに従い単調減少を示す．一定の個体間差があり，各部位5%程度の標準偏差を示す．

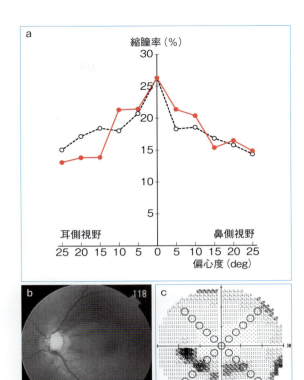

[図4] 正常眼圧緑内障の瞳孔視野（63歳，男性）
aは瞳孔視野（左眼）の結果，縦軸は縮瞳率，横軸は偏心度を示す．○は上方視野，●は下方視野の反応である．bは眼底写真，cはHumphrey視野計のグレースケール上に瞳孔視野の刺激の呈示部位をスーパーインポーズしている．瞳孔視野では，網膜神経線維層欠損（b）とBjerrum暗点（c）に対応して縮瞳率の減弱（a）を示している．

瞳孔視野の反応が偏心度に応じて単調減少することを考えると偏心度5°の反応は上方および下方ともに不良である．HFAでは十分に検出されていないが，乳頭黄斑線維束の欠損によるものと推測される．

症例2（図5）は右後頭葉梗塞の74歳，男性である．自動視野計では左同名半盲が検出されている．瞳孔視野では半盲側の反応がほぼ消失しており，健側との差は明らかである．対光反射の反応経路は非膝状体系視覚路であり後頭葉の障害は影響しないといわれているが，瞳孔視野計を用いて詳細に測定した場合は検出可能[11,12]である．これを半盲性瞳孔強直といい，その機序として非膝状体系視覚路とは別の反応経路の関与が示唆[13]されている．

近年，瞳孔の新しい光受容体であるメラノプシン含有網膜神経節細胞[14]が見出され，対光反射に関する新たな知見[15]をもとにpupillographyの測定や解析に関する標準化[16]が進められている．対光反射は視神経の異常に対して鋭敏である．瞳孔視野は単に他覚的な検査であるというだけでなく，症例によっては自覚的視野検査に先行して異常を検出できる場合がある．色刺激を用いるなどさらなる工夫によって視機能を他覚的かつ多角的に評価できる可能性があり，その新たな有用性が期待される．

3 アーチファクト

アーチファクトとしては赤外像の二値化処理の不具合により瞳孔径が正しく抽出できない場合がある．赤外線LEDの照射の具合を確認するとともに，睫毛が影響しないよう十分な開瞼を促す．

文献
1) 浅川　賢ほか：自覚応答が困難な症例における瞳孔視野測定の試み．日眼会誌 123：977-980, 2019
2) 衣川　龍ほか：新しい瞳孔視野指標の考案．視覚の科学

34：10-19，2013
3) 浅川　賢：瞳孔視野測定の最新技法．神経眼科 36：378-385，2019
4) Kelbsch C, et al：Objective measurement of local rod and cone function using gaze-controlled chromatic pupil campimetry in Healthy Subjects. Transl Vis Sci Technol 8：19. doi：10.1167/tvst.8.6.19., 2019
5) Maeda F, et al：A pupil perimeter for objective visual field measurement. Complex Medical Engineering 1116-1119, 2007
6) Carle CF, et al：High-resolution multifocal pupillographic objective perimetry in glaucoma. Invest Ophthalmol Vis Sci 52：604-610, 2011
7) Asakawa K, et al：Challenges to detect glaucomatous visual field loss with pupil perimetry. Clin Ophthalmol 13：1621-1625, 2019
8) Schmid R, et al：Effect of age on the pupillomotor field. J Neuroophthalmol 24：228-234, 2004
9) 浅川　賢ほか：瞳孔視野測定における年代別縮瞳率の検討．日眼会誌 113：727-731，2009
10) 丹沢慶一ほか：健常成人における各視野象限で誘発される対光反射の検討．神経眼科 35：41-47，2018
11) Skorkovská K, et al：How sensitive is pupil campimetry in hemifield loss?. Graefes Arch Clin Exp Ophthalmol 247：947-953, 2009
12) Asakawa K, et al：Pupil fields in a patient with early-onset postgeniculate lesion. Graefes Arch Clin Exp Ophthalmol 257：441-443, 2019
13) Maeda F, et al：Chromatic pupillography in hemianopia patients with homonymous visual field defects. Graefes Arch Clin Exp Ophthalmol 255：1837-1842, 2017
14) 石川　均：瞳孔とメラノプシンによる光受容．日眼会誌 117：246-268，2013
15) 前田史篤：対光反射の新しい考え方．神経眼科 36：372-377，2019
16) Kelbsch C, et al：Standards in pupillography. Front Neurol 10：129, 2019

（前田史篤）

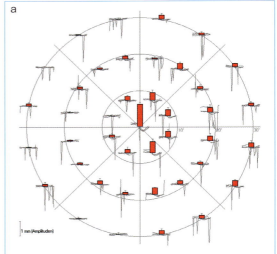

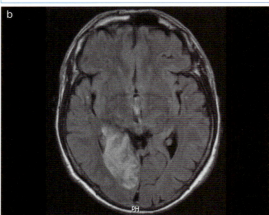

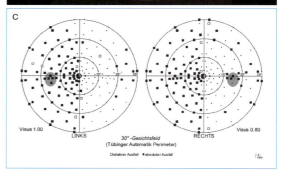

［図5］右後頭葉梗塞の瞳孔視野（74歳，男性）
a　瞳孔視野（左眼）の結果．棒グラフの高さが縮瞳の程度を示す．
b　MRI検査の結果．右後大脳動脈領域の梗塞を示している．
c　Tübinger自動視野計の結果．左側が左眼，右側が右眼のデータ．
右後頭葉梗塞（b）に対応して左眼の耳側視野と右眼の鼻側視野の感度が低下し，左同名半盲（c）が検出されている．瞳孔視野では半盲側である耳側視野の縮瞳が非半盲側である鼻側視野の反応よりも著しく減弱しており，半盲性瞳孔強直（a）を示している．
（Tübingen大学 Wilhelm教授のご厚意による）

9 視野検査

8) その他の視野計
① FDTスクリーナー

I 検査の目的

1 検査対象
緑内障性視野異常のスクリーニングや通常の視野検査（White-on-White）では視野異常が検出されない例に対して行う．

2 目標と限界
機能選択的視野計の1つである．FDT（frequency doubling technology）は，機器が小型であること，検査時間は短時間で屈折異常の影響を受けにくいとされているため，緑内障検診など緑内障のスクリーニングに有用といわれている．しかしながら，白内障などの中間透光体の影響を受けやすく，視標サイズが大きく緑内障性視野異常のパターンを把握し，評価することには限界がある．

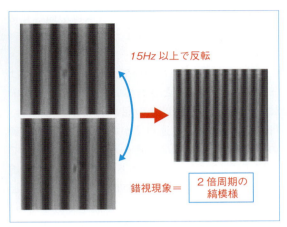

[図1] frequency doubling illusionの原理
cycle/degree以下の正弦波パターンを15Hz以上の速い周波数で反転すると，平均輝度の灰色にはならず，2倍の周波数の縞として見えるという錯視現象である．

II 検査法と検査機器

1 測定原理・測定範囲
FDTの原理は，frequency doubling illusionという1cycle/degree以下の正弦波パターンを15Hz以上の速い周波数で反転すると，平均輝度の灰色にはならず，2倍の周波数の縞として見えるという錯視現象である（図1）．この現象は，網膜神経節細胞のなかのM細胞が関与するといわれている．FDTスクリーナーでは，中心20°内の17か所の測定点を測定する．

2 機器の構造
FDTスクリーナーは，明室でも検査が可能である．視角10°の視標内に0.5cycle/degree，25Hzの正弦格子が提示され，視標のコントラストを変化させて感度測定を行う（図2）．

3 感度と特異度
FDTスクリーナーの緑内障検出率は，White-on-Whiteの視野計よりも早期に視野異常を検出することが可能とされ，感度は61.1～93％，特異度は61.1～100％と報告されている[1~3]．一方，

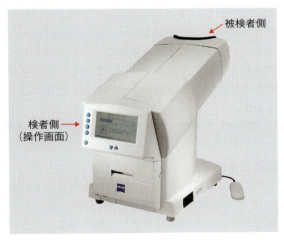

[図2] FDTスクリーナーの外観

狭義原発開放隅角緑内障と正常眼圧緑内障では検出能力が異なるという報告もある[2~4]．

III 検査手順

1 検査の流れ
FDTスクリーナーには，顎台がないため，検査中に姿勢が保持しやすいように機器の高さを被検者が楽な体勢になるようにしっかりと合わせる．見える視標の説明を入念に行う必要があり，事前にデモで検査視標を見せ，動きながら出てく

るので「ちらつきを感じたら」,「縦縞が揺れて見えたら」応答ボタンを押すように説明する.

2 検査のコツと注意点

検査時の屈折矯正について,取扱い説明書では±7Dは矯正不要[1]とされているが,実際の臨床においては中等度以上の屈折異常がある場合,「固視点がぼやけて違和感がある」という被検者の訴えが見受けられる.そのため,筆者の施設では屈折矯正を行う場合もある.HFAでの屈折矯正は近見矯正であるが,FDTスクリーナーはビデオレンズを通して視標を見る設定であるため,屈折矯正を行う場合には「遠見矯正」である.

FDTは検査時間が短く,スクリーニングでは1分ほどで検査が終了する.しかし,後から測定したほうの眼では被検者自身が「暗黒感」を訴え,感度低下が生じることがある.そのため,他眼の測定までは5分ほどの時間を空けて測定を開始するようにすることが望ましい.基本的にはガーゼやアイパッチでの遮閉は不要で,器械の遮光バイザーを使用して片眼遮閉する.しかし,暗黒感の訴えが強い場合には,アイパッチ等で遮閉することもある.

IV 検査結果の読み方

1 正常結果

FDTでは年齢別正常値が内蔵されている.FDTの視覚確率曲線は明度識別視野に比べて急峻であり,また異常部位でも変動が少ないことが報告されている.

2 異常所見とその解釈

スクリーニングの場合は測定時より内蔵された正常データの確率分布に基づき視標が提示されるため,測定結果は確率表示となる.閾値検査では正常データをもとにHFAと同様の解析が行われる(図3).

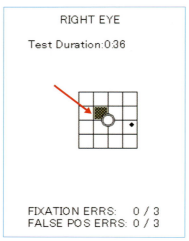

[図3] 前視野緑内障(63歳女性,右眼)
FDTスクリーナーの結果(閾値検査)を示す.眼底の網膜神経線維層欠損に対応する異常がみられる.

3 アーチファクト

白内障や中間透光体の混濁の影響を受けやすい.また,先に検査を行った眼よりも後で検査を行った眼のほうの感度が有意に低下することが報告されている.これは,遮閉されていた眼の明順応の遅延や視野闘争が一因と考えられている.

文献
1) Johnson CA, et al:Screening for glaucomatous visual field loss with frequency doubling perimetry. Invest Ophthalmol Vis Sci 38:413-425, 1997
2) 山城博子ほか:Frequency Doubling Technologyの極早期緑内障性視機能異常検出能力の検討.日眼会誌 105:488-493, 2001
3) Yamada N, et al:Screening for glaucoma with frequency doubling technology and Damato campimetry. Arch Ophthalmol 117:1479-1484, 1999
4) Murata H, et al:Frequency doubling technology perimetry in open-angle glaucoma eyes with hemifield visual field damage:comparison of high-tension and normal-tension groups. J Glaucoma 16:9-13, 2007

(宇田川さち子・大久保真司)

9 視野検査

8) その他の視野計
② FDT マトリックス

I 検査の目的

1 検査対象
FDT スクリーナーと同様に緑内障性視野異常のスクリーニングや通常の視野検査（White-on-White）では視野異常が検出されない例に対して行う．

2 目標と限界
機能選択的視野計の1つで，FDT スクリーナーよりも検査視標を小さくすると視野異常の検出力が向上すると考えられ，検査視標が小さい Matrix が開発された[1]．白内障などの中間透光体の影響を受けやすいことには注意が必要である．

II 検査法と検査機器

1 測定原理・測定範囲
FDT マトリックスの測定原理は，FDT スクリーナーと同様である．中心30°以内を Humphrey Field Analyzer（HFA）の 30-2 や 24-2 の検査点に相当する部位の測定が可能である．検査プログラムによって，視標サイズや時間周波数が異なる．測定アルゴリズムは，スクリーニング（Supra-Threshold），Modified binary search（MOBS），zippy estimation of sequential testing（ZEST）が搭載されている．

2 機器の構造
HFA 視野計と比較してコンパクトであり，明室でも検査が可能である（図1）．

Matrix には，FDT スクリーナーにはなかったアイモニターや顎台も搭載されており，検査中の固視監視が可能となり，患者の姿勢保持もしやすくなった．

3 感度と特異度
Humphrey Matrix では，HFA よりも検出力が高い[2]，HFA とよく相関し，検出力はほぼ同等である[3]，前視野緑内障の検出に有用である[4]などの報告がある．

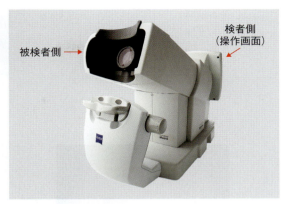

[図1] Humphrey Matrix の外観

III 検査手順

1 検査の流れ
機器の高さと顎台を被検者が楽な体勢になるように合わせる．少し前かがみになるため，姿勢が苦しくないかどうかを確認する．姿勢が整ったら，検査の説明を行う．見える視標の説明をしっかりと行うことが重要である．事前にデモンストレーション用で呈示されている検査視標を見せ，動きながら出てくるので「ちらつきを感じたら」，「縦縞が揺れて見えたら」応答ボタンを押すように説明する．

2 検査のコツと注意点
Matrix の屈折矯正については，取扱説明書によるとスクリーニング検査では±6D，30-2 と 24-2 では±3D，黄斑部および 10-2 閾値検査では±2D の範囲内になるように屈折矯正が必要とされている．FDT スクリーナーと同様に先に検査を行ったほうの眼よりも，後で検査を行ったほうの眼の感度が低下することがいわれている．

IV 検査結果の読み方

1 結果の表示と解釈
スクリーニング検査では，Matrix に内蔵される年齢別正常値との比較（シンボル表示の確率プロット）が表示される．

閾値検査を行った場合には，各検査点における実測閾値，トータル偏差，パターン偏差，グロー

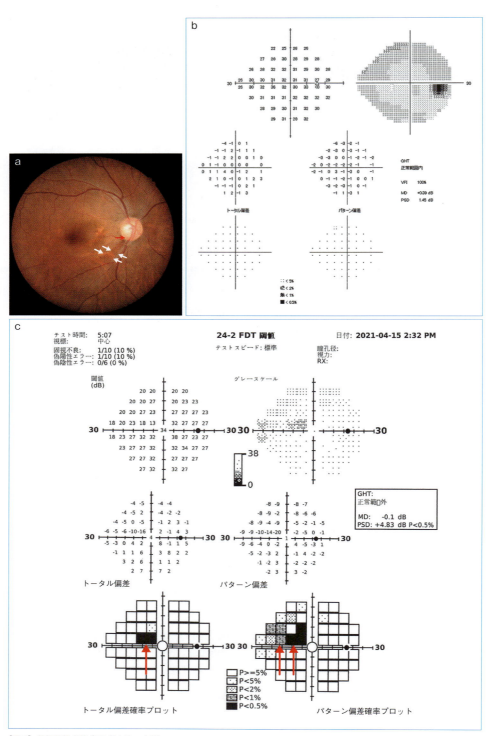

[図2] 前視野緑内障（70歳女性，右眼）
a 眼底写真．右眼の視神経乳頭下耳側のリムの菲薄化（赤矢印）および網膜神経線維層欠損（白矢印）がみられる．
b 通常の視野検査（HFA24-2）では視野異常はみられない前視野緑内障である．
c Matrix 24-2閾値検査ではトータル偏差確率プロットおよびパターン偏差確率プロットにて，上鼻側の感度低下がみられ（赤矢印），網膜神経線維層欠損および網膜内層菲薄化部位に対応した視野異常が検出されている．

バルインデックス（Mean Deviation, Pattern Standard Deviation），緑内障半視野テスト（Glaucoma Hemifield Test）が表示される（**図2**）．

2 アーチファクト

FDTスクリーナーと検査原理が同じであるため，アーチファクトについてはFDTスクリーナーと同様である．

文献

1) Johnson CA, et al：Frequency doubling technology perimetry using a 24-2 stimulus presentation pattern. Optom Vis Sci 76：571-581, 1999
2) Racette L, et al：Diagnostic accuracy of the Matrix 24-2 and original N-30 frequency-doubling technology tests compared with standard automated perimetry. Invest Ophthalmol Vis Sci 49：954-960, 2008
3) Nam YP, et al：Glaucoma diagnostic performance of Humphrey matrix and standard automated perimetry. Jpn J Ophthalmol 53：482-485, 2009
4) Choi JA, et al：Interpretation of the Humphrey Matrix 24-2 test in the diagnosis of preperimetric glaucoma. Jpn J Ophthalmol 53：24-30, 2009

〈宇田川さち子・大久保真司〉

8）その他の視野計
③ noise-field campimetry (snow field campimetry)

I 検査の目的

テレビまたはコンピュータのディスプレイに現れるランダムノイズ映像を観ると，視野異常の自覚がない患者でも，視野異常部分を直感的に陰影として自覚することができる．noise-field campimetry（snow field campimetryは，この現象を利用したもので，視野異常を自覚的に検出するための平面視野検査法である．"Rauschfeld-kampimetrie"（ドイツ語），"noise-field test"，単に"ノイズ映像検査"とも呼ばれ，下記の特徴がある．

・検査は観るだけであり，数秒という短時間で，視野全体の異常を確認することができること．
・視野欠損に対応して，「見えないこと」を検出するのではなく，「何かが見える」ことを検出すること．

1 検査対象

網膜疾患，緑内障，視神経疾患，眼窩・副鼻腔・頭蓋内疾患などすべての視野異常をきたす疾患

2 目標と限界

被検者に視野異常を自覚させることが目標である．検査結果はすべて被検者の自覚的応答によるため定量的評価は困難であるが，緑内障のスクリーニングや患者自身が自分の視野障害に対する病状を理解する上で有用である．

II 検査法と検査機器

1 測定原理

フリッカ視野検査で暗点部ではフリッカ値が低下する．これと同じようにノイズ映像検査では暗点部ではノイズの点滅を感じない．正常部では点滅を感じるが，ランダムなノイズであるために充填現象（filling-in phenomena）が起こりにくい．そのために暗点部を陰影として自覚できると推定

されている．

1987年Aulhornが家庭用テレビのノイズ映像（砂嵐）で暗点を自覚した緑内障患者の示唆により発見した方法であり，1988年にはTübinger Electronic Campimeter（TEC）を発表している[1,2]．TECはCRT（cathode ray tube，ブラウン管）ディスプレイを刺激画面とした平面視野計であり，ノイズ映像はコンピュータ制御のデジタルノイズであった．一方，家庭用21インチ型ブラウン管テレビの有用性も報告されている[3,4]．これはアナログテレビ放送用受信装置（アナログ用チューナ）から無放送時に発生するランダムノイズ映像である．しかし，2011年アナログテレビ放送が終了となり，以後発売されるテレビ・レコーダにはアナログ用チューナは内蔵されなくなった．

2 機器の構造・種類

通常，液晶ディスプレイを用いる．視距離30cmで測定範囲中心30°を得るには34.6cm幅の画面が必要であり，20インチ型以上が望ましい．全面に透明なフィルムを貼れば，固視点，座標軸を描くことも可能である．

1）アナログテレビ放送用受信装置のノイズ映像を用いる方法（図1）

アナログ用チューナ内蔵のテレビまたは各種レコーダを現有していれば利用可能である．アナログ用出力端子（コンポジット端子）から，任意の検査用ディスプレイに接続すれば，任意の大きさのノイズ映像が得られる．また，ノイズ映像を録画すれば，安定したノイズ映像が得られる．

2）コンピュータグラフィックス（CG）によるノイズ映像（図2）

種々制作方法があると考えられる．筆者らはOS Microsoft Windows 10®に標準搭載されているOpen GL®のCG機能を利用して制作した[5]．固視点，4象限を分ける座標軸もCGで作製できる．ランダムノイズ映像を制作する際には乱数生成関数をよってランダムノイズの質が異なるので，注意が必要である．

3 感度と特異度

CGノイズとアナログノイズの自覚的検出率を比較した筆者らの報告[5]では，緑内障視野異常

[図1] アナログノイズ映像（砂嵐，snow noise）の静止画
アナログテレビのノイズ映像をBlu-ray Discに録画し，パソコンの動画再生ソフトで静止画を抽出したものである．なお，アナログノイズはカラーテレビであっても白黒である．

223例223眼，前視野緑内障20例20眼，正常34例34眼で，感度は緑内障視野異常眼全体でCG 80.3％，アナログ63.7％であった．病期が進むにつれて検出率は高くなり，Anderson分類の後期ではCGでは90％以上であった．前視野緑内障眼ではCG，アナログともに自覚的異常を検出できなかった．特異度はCGで97.1％，アナログでは100％であった．

III 検査手順

1 検査の流れ

検査室は準暗室とし，被検者に片眼でモニター中央部の固視点を注視させ，モニター上のノイズの中に何か変化がないかを質問する．暗点の部位では「点滅がない，少ない，細かい」「曇って見える，灰色・グレーに見える」と回答することが多い．注視時間に制限はないが，通常5～10秒以内に回答が得られることが多い．再現性を確認しながら，所定の記録用紙に被検者自身に陰影部分を描いてもらう．または検査者が記録し被検者に確認する．

2 機器の使い方とコツ

被検者の中心固視が最も重要である．注視時間が長いと固視不良となりやすく，また錯視現象が現れることがあるので，注視時間が30～60秒を超えても明確な回答が得られない場合は，他眼の

8) その他の視野計

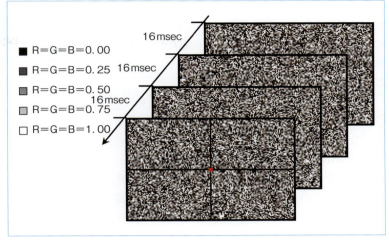

[図2] CGによるランダムノイズ映像の制作手順
5種類の濃淡の正方形を作製し，乱数生成関数でランダムに選択し，画面の端から順次配置していき1枚の静止画を作製する．作製した1枚の静止画を表示すると同時に次の静止画を作製し，16msec間隔で順次表示していくと，60fpsのノイズ映像となる．CGで中央に赤色の固視点と4象限を分ける座標軸を描いている．

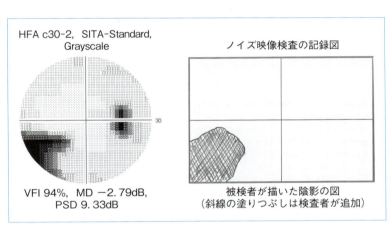

[図3] Humphrey視野検査とノイズ映像検査の結果
64歳男性（右眼）緑内障初期，MD値-2.79dB，Anderson分類early defectで自覚症状はないが，ノイズ映像検査で図のような陰影を自覚している．

検査に移る．片手で交互に遮閉し左右眼の比較を行った上で再検査をする．被検者に自覚する陰影と固視点および座標軸との位置関係，4象限のうちどの象限に見えるかを質問することにより，被検者は中心固視を維持しやすくなる．

IV 検査結果の読み方

1 正常結果

正常者ではモニター全体が均一にちらついて見える．液晶ディスプレイを使う場合はモニター中央と端の差はない．曇りやかすみがあっても瞬目ですぐに消えるという応答があるため，再現性の有無を確認する必要がある．

2 異常所見とその解釈

被検者の典型的な回答以外に稀な回答を得ることがあるが，再現性のないものは意義のある異常所見とは解釈されない．緑内障では，精密視野検査で得られる暗点とよく相関した部位に異常所見を認める（図3）．一方，脳梗塞などの半盲性病変では，疾患の経過とともに，視野検査で検出される半盲がノイズ映像検査では小さくなることがある．

3 アーチファクト

必ずしもアーチファクトではないが，視野異常と一致しない例を列挙する．

1) 錯視によるちらつきの変化

陰影が見えたり消えたり一定しない．動いてい

るように見える．長く見ていると出やすい．色を感じることもある．運動錯視・運動残光によるものと推定される．CG ではノイズ映像と黒色静止画面を交互に見せると消える．

2）飛蚊症による陰影

形が明確ではなく，形が一定しない，動く．CG では白色静止画面を見せると，その陰影が明確になることからも鑑別可能である．

3）Mariotte 盲点を自覚することがある

固視点を通る水平経線上の耳側 15°付近に円形または楕円形の陰影が見える．両眼のことも片眼のこともある．近視性コーヌス例に多く，精密視野検査では Mariotte 盲点の拡大と一致することもある．CG では，高輝度視標を表示しその陰影へ移動させると消えることで確実になる．

4）眼内レンズ偏位による Negative Disphotopsia

耳側に三日月形の陰影を自覚することがある．

文献
1) Schiefer U：Rauschfeldkampimetrie, Kohlhammer, Stuttgart, 1995
2) Aulhorn E, et al：Noise-field campimetry-A new perimetric method（snow campimetry）. Heijl A, ed. Perimetry Update 1988/1989：Kugler & Ghedini, Amsterdam, 331-336. 1989
3) Shirato S, et al：Subjective detection of visual field defects using home TV set. Jpn J Ophthalmol 35：273-281, 1991
4) Adachi M, et al：The usefulness of the Noise-field Test as a screening method for visual field defects. Jpn J Ophthalmol 38：392-399. 1994
5) 井上 新ほか：ランダムノイズ映像による視野欠損の自覚 ―CG ノイズとアナログノイズの比較．第 9 回日本視野画像学会，函館，2020 年（論文投稿中）

（井上　新）

9）緑内障の視野検査
① スクリーニング

I 検査の目的

1 検査対象

緑内障は自覚症状に乏しく，本人が見づらさに気づいて受診した時にはすでにかなり進行した視野障害をきたしていることもある．また，従来の自動視野検査では，5 dB の感度低下時にはすでに 20％，10 dB では 40％の網膜神経節細胞が消失しているとされ[1]，スクリーニングによる早期発見がきわめて重要である．

緑内障では，異常の検出にはスクリーニング検査が，経過観察には閾値検査が有用であるが，高齢者や子どもなど閾値検査不適応者にはスクリーニング検査を用いて経過観察をする場合がある．

2 目標と限界

スクリーニングでは，感度（1 − 偽陰性率：sensitivity），特異度（1 − 偽陽性率：specificity）がともに高いこと，患者負担が軽く，できるだけ簡便かつ短時間に行えること，経費がかからないことが目標となる．

視野検査を用いた緑内障スクリーニングでは，短時間で暗点を検出することを目標としており，眼科診療の場のみならず，健康診断，人間ドックなどの集団検診にも視野検査を導入することが望まれ，検査時間の短縮や装置の簡便化が求められる．しかし，スクリーニング検査では，暗点の広がりや深さを詳細に知ることはできず，数値が示されないため，経過観察には閾値検査を用いる．

II 検査法と検査機器

1 静的視野計

通常の緑内障診療に用いる Humphrey 視野計，Octopus 視野計などの測定アルゴリズムには，スクリーニング検査と閾値検査がある．ここでは，スクリーニング検査について述べる．

Humphrey 視野計のスクリーニング検査プログラムには，緑内障を目的としたアーマリー中心

(C-Armaly), アーマリー全視野 (FF-Armaly), 鼻側階段の3種類, 中心30°以内の検査用に中心40点 (C40), 76点 (C76), 80点 (C80) と64点 (C64) の4種類, 周辺視野用に周辺60点の1種類, 全視野用に全視野81点 (FF-81), 120点 (FF-120), 135点 (FF-135), 246点 (FF-246) の4種類の, 計12種類あり, 対象とする疾患により使い分ける. また, 測定方法には, 「2段階法」(中心10°付近の4点の閾値測定結果から個人の視野を予測し, それよりも6dB明るい視標を呈示し, 正常 (○) か異常 (■) かを判定する方法), 「3段階法」(2段階法で得られた異常点 (■) に最高輝度 (10,000 asb) の指標を呈示し, 応答ありを相対暗点 (×), 応答なしを絶対暗点 (■) とする方法) がある.

2 FDT スクリーナー

FDTスクリーナーの測定プログラムには, スクリーニング検査と閾値検査とがある. スクリーニング検査 (スクリーニング C-20) では, FDTデータベース内の年齢別健常視野のコントラストレベルに基づいた指標呈示が行われる. 検査時間は約45秒である. プリントアウトは, 患者の応答が得られた視標と, 年齢別健常視野レベルにおけるコントラストとを照らし合わせ, within normal limits, mild relative loss, moderate relative loss, severe loss の4段階の色調の偏差確率プロットで区分される. データの信頼係数として, fixation errors, false positive errors が示される (図1). 一方, 閾値検査は, 中心17点 (閾値テスト C-20) または, 鼻側20~30°に上下に視標を配置した19点 (閾値テスト N-30) において, 上下法によりコントラストの閾値が測定され, dB (デシベル) で表示される. 検査時間は, 約4~5分である. 各々の閾値は, FDTのデータベース内の年齢別健常視野と比較され, 5%以上, 5%未満, 2%未満, 1%未満, 0.5%未満の5段階の有意レベルに応じて偏差プロットが表示され, プリントアウトされる. また, 視野の全体的な情報を示すためのグローバルインデックスとして, MD (Mean Deviation 平均偏差), PSD (pattern standard deviation パターン標準偏差) が示される. データの信頼係数として, fixation errors, false positive errors, false negative errors が示される (図2).

FDTスクリーナーは, 検査時間の短いこと, 操作が簡便であること, 持ち歩きができること, 器械が比較的安価であることから, 緑内障スクリーニングに適している. すでに, 人間ドックなどにも取り入れられ, その有用性が報告されていた. 最近では, スマートフォンにFDTを入れた mobile virtual perimetry FDT が, 低コストかつ持ち運びが容易なスクリーニングデバイスとして報告される[2]など, 今後の応用も期待される.

III 検査手順

各測定機器の項目を参照.

IV 検査結果の読み方

1 静的視野計

中心に近く, 欠損値が大きい暗点, 特に絶対暗点ほど信頼性が高いと判断する. 最外周の孤立した暗点は鼻側以外では信頼性が低い.

2 FDT スクリーナー

1) FDT スクリーナーでの正常と異常

FDTを用いた緑内障の診断に関しては, 明確な診断基準は存在しない. 今までに報告された代表的な判定基準と, その感度・特異度を表1に紹介する.

2) FDT スクリーナー使用上の注意点 (アーチファクト)

FDTは, コントラスト感度を測定しているため, 白内障など中間透光体に混濁のある場合や縮瞳状態では, うまく測定できない. また, 両眼を測定した場合, 2番目に検査した眼の閾値が低い. これは, FDT検査中は, 他眼は遮光バイザーで遮閉されているため, 暗順応が起こり, 感度が低下するためといわれている. 両眼とも検査する場合は, 他眼の測定までに, 5分ほど休憩することが勧められる. さらに, Humphrey視野計同様, learning effect は存在するといわれており, 基本的には, 1回目の結果ではなく, 2回目以降の検査で判断すべきである[3]. スクリーニング検査では, 偽陽性が1割に生じるということに

9. 視野検査

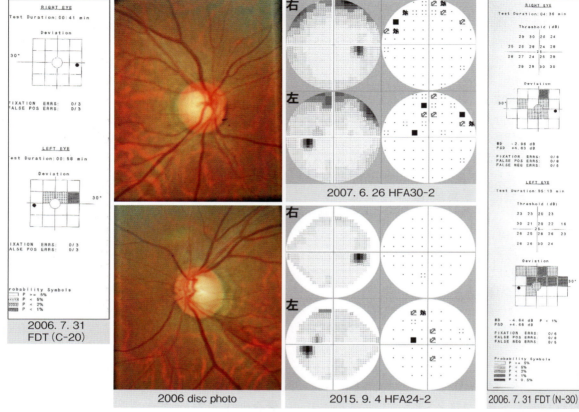

[図1] 人間ドックで視神経乳頭陥凹拡大を指摘され、眼科を受診（42歳、男性）
初診時に施行したFDT（C-20スクリーニング）では、右は正常、左上半視野の異常が認められた。Humphrey中心30-2プログラムでは、右眼は正常のまま、左は傍中心暗点を認め、以後9年間、進行は認めない．

[図2] 同一症例のFDT（N-30閾値検査）

も留意すべきである．適宜，FDT閾値検査やHumphrey視野検査を施行すべきである．

V その他のスクリーニング検査

1 Esterman視野

生活不自由度を評価するために開発された両眼開放下で行うHumphrey視野計の視野プログラム[4]で，Goldmann視野計サイズⅢで10dBの視標を用いて，上40°/下60°/両耳側150°の範囲で120点を調べる（図3）．Esterman視野検査の測定時間は，正常者で6〜8分と短いため，スクリーニング検査としても使用可能である．生活不自由度に重要とされる中心30°と下半分の視野に比重がおかれ，点数配分が多くなっており，結果は，Esterman disability score（満点は100点）として表示され，日常生活に必要な実用視野，運転

視野などの機能評価ができる．

2 クロックチャート

クロックチャートは，緑内障の早期発見のための簡易セルフチェック視野検査として松本長太氏により開発されたもので，インターネット上でも公開されている．盲点をチェックしたあとで，真ん中の赤い点を片眼で見つめたままチャートを回し，周りの生き物が消えるかどうかで視野の欠けをチェックする（図4）．緑内障患者における視野異常の自己検出率は，Aulhorn分類-Greve変法のⅠ期85％，Ⅱ期93％，Ⅲ〜Ⅵ期100％，特異度は89％であった[5]．本チャートは，簡便に視野異常を自己検出でき，緑内障啓発活動として有用な方法であるが，緑内障中後期であっても視野異常を自己検出できない症例があることに注意しなくてはならない．最近では，両眼開放下で行う，運

[表1] FDT異常の判定基準と感度・特異度

FDT異常の定義	報告者，年	感度（％）	特異度（％）
スクリーニング検査			
mild relative loss以上の異常点が1個以上	Casson R, 2001 斎藤ら，2001 勝島ら，2003	78.1 88 90	89.1 95 96
mild relative loss以上の異常点が2個以上	Quigley HA, 1998 Sample PA, 2000	91 70	94 86
中心部位に重みづけ	Patel SC, 2000	80	93
住民検診（眼科専門施設で実施）			
mild relative loss＝1点，moderate relative loss＝2点，severe loss＝3点として，カットオフ値を1点とした場合	Yamada N, 1999	92	93
企業検診			
鼻側内側4点に重みづけ (glaucoma screening protocol)	Tatemichi, 2003	初期*83.3 中後期*100	
疫学調査			
mild relative loss以上の異常点が1個以上	Iwase A（The Tajimi Study），2007	55.6 MD＞−2dB 32.1 −2dB＜MD＜−5dB 48.4 −5dB＜MD＜−8dB 73.7 −8dB＞MD 96.6	92.7
mild relative loss以上の異常点が1個以上で再検査，再検査で同2個以上	Wang YX（The Beijing Eye Study），2007	64.3 (eyes) 72.0 (subjects)	90.8 (eye) 86.1 (subjects)
mild relative loss以上の異常点が1個以上	Francis BA（The Los Angeles Latino Eye Study），2011	67	79
閾値検査			
軽度（p＜1〜5％の暗点が5個以上存在する），中等度（p＜0.5％が1個またはp＜1〜5％が14個以上存在する），重症（p＜0.5％が2個以上存在する）	Sponsel WE, 1998	85.4	86.5
	Cello KE, 2000	初期*85 中期*96 後期*100	初期*90 中期*96 後期*100
FDT staging system（MD値，CPSD値を組み合わせる）	Brusini P, 2003		95
p＜5％の暗点が1個以上	Fogagnolo P, 2005	C-20：87.5 N-30：87.5	C-20：90 N-30：95

*：初期（mean deviation −6dB以上），中期（−6dB＞mean deviation＞−12dB），後期（−12dB＞mean deviation＞−22dB）

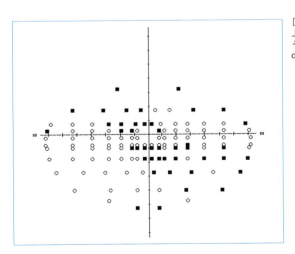

[図3] Esterman視野検査結果
上40°/下60°/両耳側150°の範囲で120点の検査点がある．それぞれ，見えた（○），見えない（■）が示され，Esterman disability score（満点は100点）として表示される．

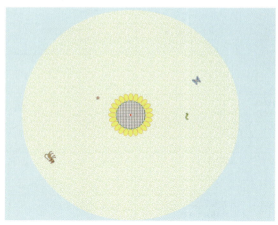

[図4] クロックチャート（文献5より引用）

9) 緑内障の視野検査

② 精密検査

はじめに

　緑内障は視野障害を主症状とする疾患であり，診断・病期判定・治療方針決定のいずれの局面においても視野検査の果たす役割は大きい．視野検査を正しく精密に解釈するためにはいくつものポイントがあるが，ここでは最も頻用されているHumphrey視野計（Carl Zeiss Meditec, Inc）を念頭に，その代表的なものについて述べる．

I 学習効果

　視野検査は患者の反応に依拠した自覚的検査であり，患者に慣れが出るまでは視野検査がうまく施行できないということは広く知られている．Heijlら[1]は緑内障と初めて診断された患者の学習効果を追跡調査した結果，初回視野に比べて2回目の視野検査は平均2.8 dBと有意に改善し，特に中心部より周辺部でこの傾向が顕著で，また後の視野で感度が良い点ほど学習効果の影響が強かったとされているため，注意が必要である．何回目の視野まで学習効果がみられるのかについては，議論の分かれるところであるが，Heijlらの論文では2回目以降はみられなかったとされている．また，Gardinerらは1年に1回ずつ視野検査を行った場合に，やはり初回の視野のみに学習効果がみられたとしている[2]．しかしながら，これらはfull thresholdを用いた解析であり，SITA法など異なったアルゴリズムを使用した場合に学習効果が異なる可能性も指摘されている[3,4]．

　実際に刺激の形態が異なる特殊視野検査ではさらに多くの視野に学習効果がみられたとする報告も散見されるため（Short Wave Length Perimetryで6回[2]，flicker defined form視野計で3回[5]，frequency doubling technologyで3回[6]など），注意が必要である．このように，初回に近い視野検査結果の解釈には注意が必要であり，特に視神経乳頭などの眼底所見と合わない視野結果

転場面を想定したCLOCK CHART binocular editionも開発され[6]，視野障害患者が自身の視野障害に気づくきっかけとして使われているが，簡便であることから，スクリーニングとしても有用であると考えられている．

文献

1) Quigley HA, et al：Retinal ganglion cell atrophy correlated with automated perimetry in human eyes with glaucoma. Am J Ophthalmol 107：453-464, 1989
2) Alawa KA, et al：Low-cost, smartphone-based frequency doubling technology visual field testing using a head-mounted display. Br J Ophthalmol 105：440-444, 2021
3) Matsuo H, et al：Learning effect and measurement variability in frequency-doubling technology perimetry in chronic open-angle glaucoma. J Glaucoma 11：467-473, 2002
4) Esterman B：Functional scoring of the binocular field. Ophthalmology 89：1226-1234, 1982
5) Matsumoto C, et al：CLOCK CHART®：a novel multi-stimulus self-check visual field screener. Jpn J Ophthalmol 59：187-193, 2015
6) Ishibashi M, et al：Utility of CLOCK CHART binocular edition for self-checking the binocular visual field in patients with glaucoma. Br J Ophthalmol 103：1672-1676, 2019

〈国松志保〉

が提示された時には検査を繰り返すなどの慎重な態度が求められる．Chauhanらによれば，最初の2年で6回の視野検査を行うことが推奨されており[7]，いずれにしても少ない回数の視野検査結果をもとにさまざまな判断を下すことは危険である．

II 視野の信頼性

前述のごとく，視野結果解釈の際にその視野の信頼性の評価を行うことはきわめて重要である．現行のHumphrey視野計では，固視不良，偽陽性，偽陰性のパラメーターが用意されている．固視不良は，盲点に視標を提示して応答が得られてしまった割合を計測し，偽陽性は，本来患者が視標提示に対して反応し得ない時間帯（listening time）に応答した割合をもとに，最尤推定法を用いて推定した値を，偽陰性はすでに閾値が決定している測定点に閾上刺激を提示して応答できなかった割合を示している．現行のHumphrey視野計（SITA法使用）では，固視不良>20％，偽陽性>15％の場合に信頼性なしと判定され，各々の割合の表示の横に「XX」がプリントされる．

しかし，これらには問題点もあり，鵜呑みにはできない．例えば固視不良は，盲点の位置設定のミスでも高値を示す[8]．そもそも固視不良は，「固視不良」というネーミングとは裏腹に，盲点への視標の呈示をもって代用されているに過ぎず，実際の固視の状態を監視して固視不良と判定しているわけではない．偽陽性では，listening time以外の時間に発生した陽性現象は捉えられていない問題がある．偽陰性は視野の病期の悪化に伴って，自然に増加することが判明し[9, 10]，SITA法使用の視野検査では勘案されていない．これらのことを反映してか，信頼性指標が有用であるとする報告[11, 12]と，逆の報告[9, 13]とが混在している．視野検査が自覚検査であることから，視野の信頼度というテーマは深く，今後の更なる改良が望まれる．

これらの視標とは別に，視野検査のプリントアウトの一番下に，固視状態を直接モニターした結果であるGaze trackが表示されている．著者らはこのGaze trackを詳細に評価することが，視野の信頼性推定に有用であることを報告している[14〜17]．またこの研究の中で，現行のSITA法では使用されていない偽陰性が，視野の再現性の推定に有用であることも明らかとした．

III 測定ストラテジー

SITA法ではSITA Standard法とSITA Fast法の2種類が多く用いられている．前者では4dBごとに視標明度を変えて測定し，さらに2dBごとの視標提示を行って閾値感度を決定している（Bracketing法閾値測定）のに対し，後者では，4dBごとの視標提示のみの簡易版検査である．過去の検討では，SITA Fastでは，SITA standardに比べて閾値感度の再現性が悪いことが明らかにされており[18]，また両者の間に互換性がないため常に同じストラテジーで検査することが推奨されていることから[7]，精密な視野検査では，高齢な場合などの例外を除き，常にSITA standardで検査を行うことが望ましい．

Humphrey視野計以外の視野計としてOctopus視野計（Haag-Streit，スイス），AP7700視野計（興和株式会社，名古屋）にも目的に応じた視野計測ストラテジーが複数備えられている．このうちOctopus視野計ではNormal，Dynamic，TOPなどのアルゴリムがある．このうちNormalは，Humphrey視野計の全点閾値計測法の基となったものであり，概ね同等である．Dynamicは測定指標の明度感覚を感度に応じて可変することで測定時間を短縮したものであり，原理は異なるが，筆者の経験では，臨床的にはHumphrey視野計のSITA standard法と概ね同等の信頼性を有すると考えられる．これに対してTOPは閾値想定に隣接点の感度を考慮して決定する方法を取っており，各測定点ごとにわずか1回だけの指標提示を行う．この結果視野測定時間は大幅に短縮されるが，SITA Fastと同様に測定精度は劣る傾向があり，視野の精密検査には向いていない．AP7700視野計には全点閾値やクイックなどの測定アルゴリズムがある．このうち全点閾値はHumphrey視野計と同様の測定原理である．ク

イックはSITA fastと同様な簡易版の視野測定であり，高速な反面，精密視野検査には向いていない．最近になってSmart strategyが導入された．このアルゴリズムでは，変分近似ベイズ線形回帰法[19,20]により視野感度をあらかじめ推測することで無駄な視標提示を防ぎ，測定時間を短縮するものである．ベイズ推定を用いて感度推定をする点においてSITAと類似の原理であるが，変分近似ベイズ線形回帰法の優位性により，SITA standardと同等の測定精度を保ちつつ，より高速な視野計測が可能である[21]．

IV 白内障合併例での緑内障性視野障害評価

視野感度は緑内障のみならず，白内障でも低下する．緑内障の発症頻度が年齢とともに上がるため，白内障合併例での緑内障視野障害の評価は臨床的に非常に重要である．Humphrey視野計では，7番目に良い点のトータル偏差値（閾値感度を正常感度で補正した値）で各測定点を修正した値がパターン偏差として表示され，この値が，白内障の影響を除外した緑内障性視野障害であるとされている．Bengtssonらは，パターン偏差を用いると白内障手術前後の有意な異常測定点数の変動が抑えられ有用であると報告している[22]．しかしながら，この報告では有意な異常測定点数しか解析されていないこと，白内障手術前後1～30か月と幅広い期間の視野検査が解析に使用されていることから，著者らは新たに白内障手術前後6か月の視野を解析してみた．その結果，パターン偏差による緑内障性視野障害推定では，白内障の強い例では視野を過少（悲観的）に評価し，緑内障の進んでいる症例では逆に過大（楽観的）に評価してしまう傾向があることがわかった[23]．このように，パターン偏差使用による白内障の視野への影響の除外は完全でなく，例えば白内障手術前に，術後に期待される視野を推定する際にパターン偏差を用いる時には注意が必要で，やはり眼底所見から推察される結果と乖離がないか留意して観察する必要がある．

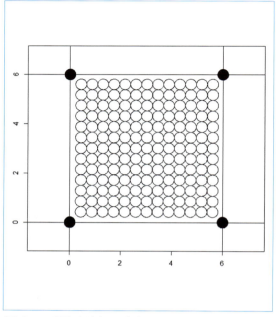

［図1］24-2視野の測定点間隔（6°）とsize Ⅲの視標
測定点間隔（6°）に比べてsize Ⅲの視標は非常に小さく，6°間隔で構成される正方形の領域には13×13個程度の視標が入り，この部分は実測されていない未測定領域である．

V Visual Field Index 使用時の注意

最近になってmean deviation（MD）に代わるグローバルインデックスとしてVisual Field Index（VFI）が提唱された．VFIには，パターン偏差を利用して計算した数値であるため白内障の影響を受けにくい，皮質拡大係数に応じて重みづけをされている，0～100%の数字で表されるため解釈しやすい，などの利点があるといわれている．しかしながら，上述のごとくパターン偏差には必ずしも正しいと言い切れないという側面がある上，パターン偏差値はMDが－20dB程度以上に視野が悪化すると逆に改善するという性質があるため，MD－20dB以下では，パターン偏差の代わりにトータル偏差を利用してVFIが計算されている点に注意が必要である[24]．このため，MD－20dBをまたいで視野の進行があった場合には奇異な変化を見せる[25]点に注意を要する．

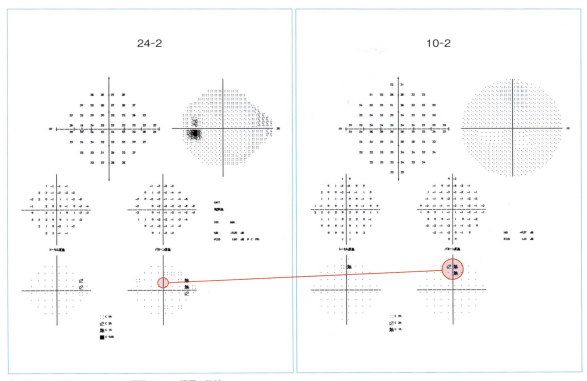

[図 2] 同一症例における 24-2 視野と 10-2 視野の比較
10-2 視野では上方に異常クラスターが計測されているが，この暗点は，24-2 視野では測定点の間に埋もれてしまっている．

Ⅵ 測定点配置

視野プリントアウトのグレースケールを一見すると，あたかも視野全体について詳細に検査された結果であるかのように錯覚してしまう．実際には 24-2 視野の測定点間隔（6°）に比べて size Ⅲ の視標は非常に小さく，計算してみると，6°間隔で構成される正方形の領域には 13×13 個程度の視標が入り，この部分は実測されていない未測定領域である（**図 1**）．グレースケールではこの領域を周囲の感度から線形補完したものを表示しているに過ぎず，これを過信すると誤診のもととなる．例えば 10-2 視野では上方に異常クラスターが計測されているが，この暗点は，24-2 視野では測定点の間に埋もれてしまっている（**図 2**）．また，著者らは暗点の辺縁部では 6°間隔の視野検査では不十分なのではないかと考え，同部に追加計測点を配置して視野計測を行ってみた．この結果，暗点の辺縁部では追加点を配置しない限り，きめ細かく視野障害を評価できないことがわかった．暗点の辺縁部以外ではこのような効果はみられなかった（**図 3**）[26]．

Ⅶ 前視野期視野の評価

視野に異常があるか否かの判定としては，一般に Anderson-Patella の基準が最も標準的である．しかし，たとえこの基準であっても万能とは言い難く，例えば著者らは，前視野期緑内障（すなわち Anderson-Patella 基準で正常）視野と正常眼を比較すると，両者の間に鼻側暗点部の感度や pattern standard deviation (PSD) に有意な差異があることを報告した（**図 4**）[27]．すなわち，たとえ既成の基準で正常視野であっても，眼底所見から視野異常が推測され，対応部位に基準を満たさないような微細な視野変化がある場合には（たとえトータル偏差などの確率シンボルがつかなくて

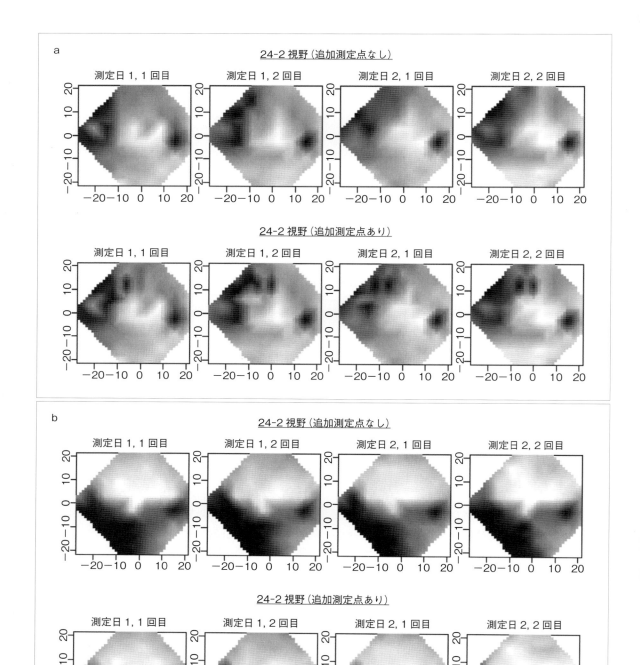

[図3] 24-2視野に暗点の辺縁に追加点を配置して測定した視野
暗点の辺縁に追加点を配置したことにより，よりきめ細かく視野障害を評価することができた．
a 症例1，b 症例2

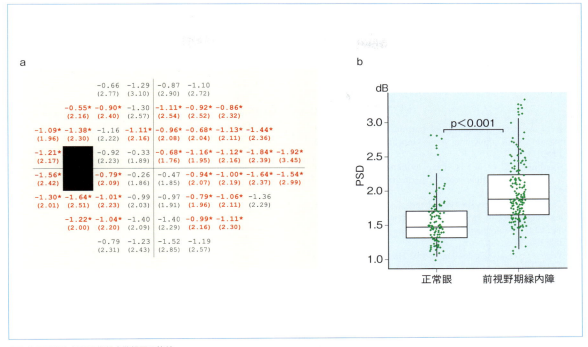

[図4] 正常眼と前視野期緑内障視野の比較
a 鼻側階段やBjerrum領域を中心に前視野期緑内障視野の方が有意に感度が低下していた．上段：トータル偏差平均値，下段：トータル偏差標準偏差値，＊：p＜0.01．
b 前視野期緑内障視野のほうが有意にPSDが低下していた．

も），すでに始まっている緑内障性視野障害を反映している可能性があり，十分に注意を払いながら視野検査を行っていく必要があると思われる．

Ⅷ 末期視野の評価

視野が進行してくるとだんだんと感度は低下し，いつしか20dBを切るような閾値を示すようになってくる．視野感度閾値は本来Bracketing法のような簡便な方法でなく，さまざまな明度の視標をどの確率で見えるかを表すロジスティック曲線（frequency of seeing curve）を推定し，その50％確率となる明度を閾値とするべきである．しかし感度が20dBを切るような部位では，sizeⅢの視標を用いて正しくfrequency of seeing curveを推定することが困難であり[28]，ましてやBracketing法で代用して計測された閾値の信頼度は著しく低いことは忘れてはならない．このような場合にはsizeⅤのような大きな視標を用いても正確な測定は困難で[29,30]，現在多くの視野計で採用されているbracketing法による感度測定の限界と考えられる．

まとめ

このように，緑内障診療における視野検査の重要性は自明であるにもかかわらず，実際に行われている現在の視野検査は仮定の上に仮定を重ねた計測であり，上記で触れたいずれの側面においても，完全に信頼に足るものとは言い難い．このことは視野検査が自覚検査であり患者の応答に完全に依拠したものである限り避けられないものでもあり，解釈には十分な注意が必要である．視野解釈の精度を上げるポイントの一つは，視野結果は常に疑ってかかり，とにかくまず眼底を精密に観察し，視野を推測してから解釈を進めていったり，振り返ったりすることである．この結果，視野結果に疑問が感じられる場合には，慌てて治療

を変更するよりも,むしろ視野を再検したりといった慎重な対応が必要と考えられる.この意味において,視野を精密に評価するためには,眼底所見を正しく理解する力が必要であるということが言えるであろう.

文献

1) Heijl A, et al : The effect of perimetric experience in patients with glaucoma. Arch Ophthalmol 114 : 19-22, 1996
2) Gardiner SK, et al : Is there evidence for continued learning over multiple years in perimetry? Optom Vis Sci 85 : 1043-1048, 2008
3) Capris P, et al : Evaluation of threshold estimation and learning effect of two perimetric strategies, SITA Fast and CLIP, in damaged visual fields. Eur J Ophthalmol 18 : 182-190, 2008
4) Yenice O, et al : Evaluation of two Humphrey perimetry programs : full threshold and SITA standard testing strategy for learning effect. Eur J Ophthalmol 15 : 209-212, 2005
5) Lamparter J, et al : Learning curve and fatigue effect of flicker defined form perimetry. Am J Ophthalmol 151 : 1057-1064 e1051, 2011
6) De Tarso Pierre-Filho P, et al : Learning effect of Humphrey Matrix frequency doubling technology perimetry in patients with open-angle glaucoma. Eur J Ophthalmol 20 : 538-541, 2010
7) Chauhan BC, et al : Practical recommendations for measuring rates of visual field change in glaucoma. Br J Ophthalmol 92 : 569-573, 2008
8) Sanabria O, et al : Pseudo-loss of fixation in automated perimetry. Ophthalmology 98 : 76-78, 1991
9) Bengtsson B, et al : False-negative responses in glaucoma perimetry : indicators of patient performance or test reliability? Invest Ophthalmol Vis Sci 41 : 2201-2204, 2000
10) Bengtsson B : Reliability of computerized perimetric threshold tests as assessed by reliability indices and threshold reproducibility in patients with suspect and manifest glaucoma. Acta Ophthalmol Scand 78 : 519-522, 2000
11) McMillan TA, et al : Association of reliability with reproducibility of the glaucomatous visual field. Acta Ophthalmol (Copenh) 70 : 665-670, 1992
12) Katz J, et al : Screening for glaucomatous visual field loss. The effect of patient reliability. Ophthalmology 97 : 1032-1037, 1990
13) Henson DB, et al : Influence of fixation accuracy on threshold variability in patients with open angle glaucoma. Invest Ophthalmol Vis Sci 37 : 444-450, 1996
14) Ishiyama Y, et al : An objective evaluation of gaze tracking in Humphrey perimetry and the relation with the reproducibility of visual fields : a pilot study in glaucoma. Invest Ophthalmol Vis Sci 55 : 8149-8152, 2014
15) Asaoka R, et al : Estimating the reliability of glaucomatous visual field for the accurate assessment of progression using the Gaze-Tracking and reliability indices. Ophthalmol Glaucoma 2 : 111-119, 2019
16) Ishiyama Y, et al : Estimating the usefulness of Humphrey perimetry Gaze Tracking for evaluating structure-function relationship in glaucoma. Invest Ophthalmol Vis Sci 56 : 7801-7805, 2015
17) Ishiyama Y, et al : The usefulness of Gaze Tracking as an index of visual field reliability in glaucoma patients. Invest Ophthalmol Vis Sci 56 : 6233-6236, 2015
18) Artes PH, et al : Properties of perimetric threshold estimates from Full Threshold, SITA Standard, and SITA Fast strategies. Invest Ophthalmol Vis Sci 43 : 2654-2659, 2002
19) Murata H, et al : A new approach to measure visual field progression in glaucoma patients using variational bayes linear regression. Invest Ophthalmol Vis Sci 55 : 8386-8392, 2014
20) Murata H, et al : Validating Variational Bayes Linear Regression Method With Multi-Central Datasets. Invest Ophthalmol Vis Sci 59 : 1897-1904, 2018
21) Murata H, et al : Comparing the usefulness of a new algorithm to measure visual field using the Variational Bayes linear regression in glaucoma patients, in comparison to the Swedish interactive thresholding algorithm. Br J Ophthalmol In press.
22) Bengtsson B, et al : Perimetric probability maps to separate change caused by glaucoma from that caused by cataract. Acta Ophthalmol Scand 75 : 184-188, 1997
23) Matsuda A, et al : Do pattern deviation values accurately estimate glaucomatous visual field damage in eyes with glaucoma and cataract? Br J Ophthalmol 99 : 1240-1244, 2015
24) Bengtsson B, et al : A visual field index for calculation of glaucoma rate of progression. Am J Ophthalmol 145 : 343-353, 2008
25) Rao HL, et al : Behavior of visual field index in advanced glaucoma. Invest Ophthalmol Vis Sci 54 : 307-312, 2013
26) Aoyama Y, et al : A method to measure visual field sensitivity at the edges of glaucomatous scotomata. Invest Ophthalmol Vis Sci 55 : 2584-2591, 2014
27) Asaoka R, et al : Identifying "preperimetric" glaucoma in standard automated perimetry visual fields. Invest Ophthalmol Vis Sci 55 : 7814-7820, 2014
28) Gardiner SK, et al : Assessment of the reliability of standard automated perimetry in regions of glaucomatous damage. Ophthalmology 121 : 1359-1369, 2014
29) Yanagisawa M, et al : Investigating the structure-function relationship using Goldmann V standard automated perimetry where glaucomatous damage is advanced. Ophthalmic Physiol Opt 39 : 441-450, 2019
30) Gardiner SK, et al : The Effect of Stimulus Size on the Reliable Stimulus Range of Perimetry. Transl Vis Sci Technol 4 : 10, 2015

〔朝岡　亮〕

9 視野検査

9）緑内障の視野検査
③ 経過観察

I 検査の目的

視野の経過観察は，緑内障の進行速度が十分に遅いか，それとも速いかを判定するために行う．この2つのどちらかに判定し，このままの治療で経過をみるか，追加の点眼または手術を行うか，を決定することが視野経過観察の目的となる．緑内障性視神経障害は不可逆性かつ進行性なので，視野の悪化を自覚する前，または生涯にわたって視野が保てないほど悪化する前に，進行速度が速すぎることを判定するのが理想である．

1 検査対象と検査機器の選択

基本的に失明していないすべての緑内障患者に行うが，小児や高齢者など視野検査ができない場合は，自覚症状，光干渉断層計（OCT），眼底検査などで経過観察を行う．OCTが網膜神経線維層と網膜内層を数値化できるようになり，緑内障の進行判定は自動静的視野計からOCTに移ると考えられた．確かに緑内障初期から中期にかけてのOCTによる進行判定は有用である．しかしながら，中期から末期にかけてはOCTによる構造の変化はわずかとなり，視野による進行判定に頼る必要がある．また，例えば眼圧が15mmHg前後で推移しているにもかかわらず，個々人や病期で視野進行速度が異なることも，視野進行判定の必要性を増している．

Goldmann視野計に代表される動的視野検査は，視標を認識してから被検者がブザーを押すまでの反応時間にばらつきがあり，検者の技量や経験が検査結果に影響するため定量的な判定が困難である．一方，Humphrey視野計，Octopus視野計に代表される静的視野検査は測定点ごとの閾値を数値として表示でき，検者側の要因に左右されにくいことから，統計学的処理を行う経過観察に適している．

2 目標と限界

進行判定を適切に行うことで，過剰な点眼や不要な手術を避けつつ，適切な時期に必要な追加治療を行い，必要十分な視野進行予防効果を引き出すことが目標である．

信頼性の低い視野検査は省くことができるが，信頼性が十分でも閾値が変動するため，単なる変動を真の視野進行であると誤判定してしまう可能性がある．イベント解析やトレンド解析などの統計学的手法を用いる場合には，その限界も理解する必要がある．さらに，進行速度が一定ではなく，余命がわからないことが，将来の視野を予測することを困難にする．

II ベースライン

緑内障患者の視野を経過観察する際には，まず，複数回視野検査を行い，ベースラインを確立することが重要である．特に初回は患者が検査に慣れていないため，2回目の視野と不一致になる場合がある（学習効果）．初回と2回目の視野が一致していれば，その2つをベースラインとしてよいが，不一致ならば速やかに3回目の検査を行い，2回目と3回目をベースラインとする．また，経過観察中に，点眼薬の追加・手術など治療内容に変更があれば，その後の2回の視野検査からなる新しいベースラインを決定すべきである．また，同一の視野測定プログラムを用いなければ比較ができないため，測定プログラムを統一する必要がある．

III 検査の間隔

経過観察を全例，一定の間隔で行うのは実際的ではない．1年に1回の検査では進行している患者には間隔が長すぎる．新たに緑内障と診断された患者においては，検査に慣れるためにも，診断後1～2年の間に年間3回程度測定する必要がある．その後，進行速度が遅く，眼圧もコントロールされ，構造的な変化もない場合は，徐々に検査間隔を伸ばしていくと，患者にも受け入れられやすい．ただし，落屑緑内障，ぶどう膜炎続発緑内障，開放隅角緑内障に閉塞隅角機序が合併する混合型緑内障などの進行速度の速い緑内障や，目標眼圧に達しないケース，または乳頭出血，新たな

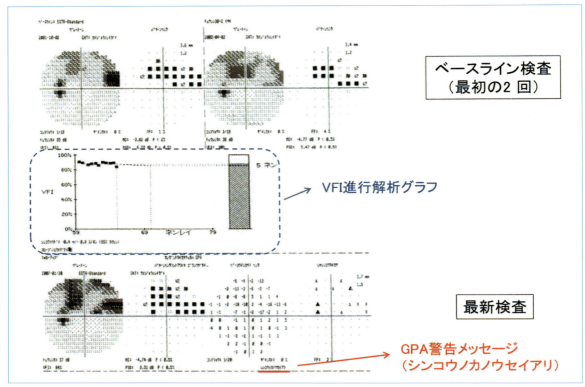

[図1] Humphrey視野計のGPAサマリー
上段にベースラインとなる2回の検査結果，中段にVFAスロープ，下段に最新の視野と各測定点の統計解析結果が表示される．
（文献3) p5より引用）

網膜神経線維束欠損（NFLD）などの眼底変化が明らかなケースでは，年間2～4回程度測定することが勧められる．

IV 視野サマリー

従来はプリントアウトした個々の視野データを並べて観察していたが，近年の自動視野計には解析ソフトが内蔵されており，統計学的な進行解析が行われた状態でプリントアウトまたはモニターに出力される．視野進行の評価のためには，統計解析による進行解析結果だけでなく，1回1回の生の視野データを時系列に並べて変化を直接確認することも重要である．Gray scaleの印象は検査日ごとの変動（長期変動）を反映することが多く，確率プロット（Humphrey視野計ではトータル偏差とパターン偏差，Octopus視野計ではprobabilitiesとcorrected probabilities）で異常点が増加した位置をチェックする．神経線維の走行に沿った弓状に拡大する，あるいは正常であった領域に複数の異なる異常点が出現していれば，真の視野進行の可能性が高いと判断される．

V 視野変化解析と解釈

視野の進行判定には，イベント解析とトレンド解析がある．イベント解析は主に測定点ごと，トレンド解析は全視野，半視野，クラスター，測定点ごとに解析する方法がある．

1 イベント解析

代表的なイベント解析としてHumphrey視野計のGPA (guided progression analysis) がある（図1）．経過観察時の数値がベースライン（信頼性のある最初の2回）と比較して，検査間のばらつきを超えた有意な変化である場合に進行と判定される．変化量の有意性は，単純な統計処理ではなく，正常な領域は変動しにくく沈下した領域は変動しやすい特徴がデータベースの変動範囲に考

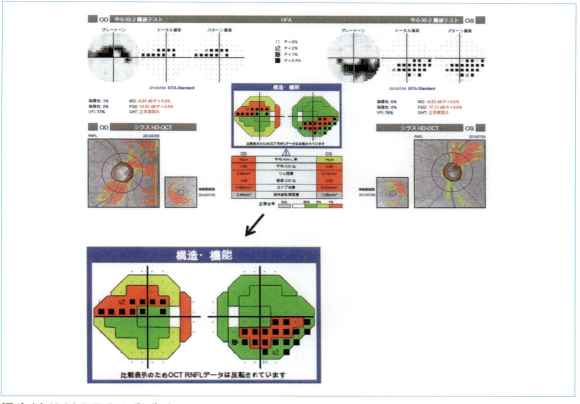

[図2] 中心30-2とRNFLのコンボレポート
OCTのRNFL厚（構造）と視野（機能）を重ね合わせて，両者が一致しているか判断しやすいように表示する．
（文献3）p8より引用改変）

慮されている．3回目以降の経過観察のデータを，各測定点のパターン偏差で比較する．視野沈下が統計学的に有意となった検査点に△の表示がされ，同部位が2回連続して異常判定となった場合は▲，3回以上連続して異常判定になった場合は▲が表示される．同じプリントアウトに▲が3個以上あると『進行の可能性あり』，▲が3個以上あると『進行の可能性が高い』と表示される．3回目以降の視野検査から判定できるため短期の変化に有効で，局所変化に敏感であるが，視野障害の部位が考慮されていないので，異常判定の測定点がNFLDなどの構造変化と一致するか確認する必要がある．OCTの黄斑マップはNFLDの境界がわかりやすく，黄斑マップによるNFLDの拡大と一致する異常点増加は，真の視野進行の可能性が高いと判断される．視野とOCTの結果を統合して表記する解析ソフトとして，Humphrey視野計とシラスHD-OCTの組み合わせに限られるが，FORUMのHFA-シラスコンボレポートがある（図2）．

2 トレンド解析

トレンド解析には，Humphrey視野計のMD（mean deviation：平均偏差）値，VFI（visual field index：中心部に重みづけをした全体視野の重症度）（図3），Octopus視野計のMD（mean defect：沈下量の平均），sLV（loss varianceの平方根），DDc（diffuse defect：びまん性沈下量），LDc（local defect：局所性沈下量）のスロープ解析がある（図4）．また，両者とも神経線維の分布によって分割されたクラスタ解析も可能である．各数値がどの程度のスピードで減少または増加しているかを線形回帰によって，年間の変化量を算出し，統計学的に有意な速度であるかを表示する．全視野データを活用でき，変動に影響され

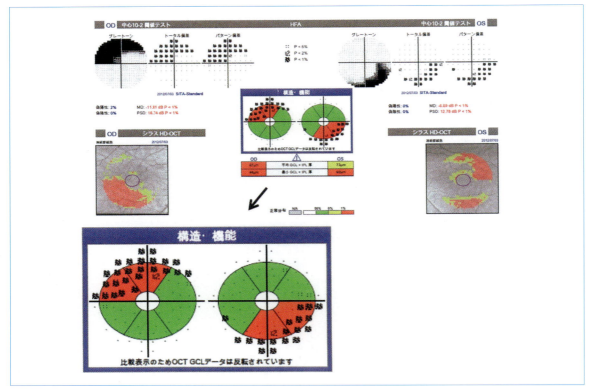

[図2](つづき) 中心10-2とGCAのコンボレポート
OCTのGCA（構造）と視野（機能）を重ね合わせて，両者が一致しているか判断しやすいように表示する．
（文献3）p8より引用改変）

にくいが，多数の視野が必要で時間がかかるために，手術決定などの対応が遅れる可能性がある．

　回帰直線を伸ばすことで未来の視野障害の程度を予測できるが，末期の緑内障では過小評価となりやすい．なぜなら，もし視神経障害が一定のスピードで進行した場合，50％の視神経が残存している状態で1％の視神経が減少しても49％となり，視野に与える影響は少ないが，残りが2％の状態から同じ1％減少した場合は，半分の視野が欠けることになる．実際，視神経乳頭全体が蒼白となった症例では，眼圧が一桁でも徐々に視野障害が進行することが多い．つまり，回帰直線が予測寿命の手前で末期の状態になるような場合は，もっと早い段階で末期になる可能性が高く，さらなる眼圧下降が必要と考えた方がよい．また，回帰直線は視野測定回数が増加するほど，統計学的に有意になりやすいという特徴があり，視野測定回数が増加するにつれ，わずかな変化でも有意となってしまう．つまりHumphrey視野のMDスロープにおいて，統計学的に有意な進行を認めたとしても，進行速度が遅く，長めに見積もった余命（例えば男性95歳，女性100歳）までに日常生活に支障の出る視野障害とならない場合は，そのまま経過観察することもある．逆に統計学的に有意になっていなくても，年間の進行速度が速い場合は，頻回な視野検査を行って注意深く経過観察する必要がある．統計学的に有意かどうかだけではなく，年間にどの程度のスピードで変化しているかをチェックする必要がある．

3 視野解析ソフト

　Beeline社のHfaFilesと，NIDEK社のNAVISが緑内障視野解析ソフトを搭載している．両者とも処方薬・眼圧値を視野と一緒に閲覧することができ，AGISスコアやCIGTSスコアを自動で計

9）緑内障の視野検査

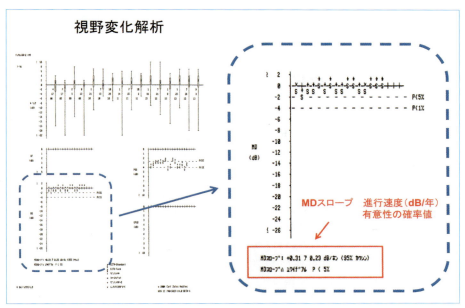

［図3］Humphrey視野計の視野変化解析（MDスロープ）
MDを用いて統計学的に有意な進行を認めるかどうかを表示する．
（文献3）p6より引用）

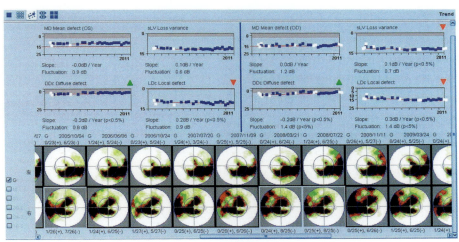

［図4］Octopus視野計Eye Suite Perimetryのグローバルトレンド解析
上段は各種パラメーターのスロープ解析（緑三角は回復，赤三角は重大な悪化．図中にはないが黄ひし形は変動の増大を示す），下段はグレイスケールを表示する．
（文献4）p17より引用）

算し表示できる．NAVISに搭載されているPROGRESSORは，視野の測定点ごとにトレンド解析を行う．下方に長い棒は沈下量が大きいことを示し，正のスロープ（改善）は青，緑色系が使用され，負のスロープ（悪化）は黄，赤，白色で示され色により統計学的有意差が明らかになる

（図5）．HfaFilesに搭載されている緑内障Proは全視野（円），半視野（半円），クラスターごとにトレンド解析を行う．直近4回では，最近の4回の間で−2dBから+2dBの横ばい（黄色矢印）なのか，+2dB以上改善（青色矢印），−2dB以上悪化（赤色矢印）を表示している．セクターでは，

305

文字の色が統計学的有意性を表しており，有意でなければ灰色，p＜0.05で有意な変化なら黒色に，p＜0.01で有意な変化なら赤色になる．塗りつぶしは有意な場合の進行速度を表しており，−1.0dB/年以上悪化が赤，−1.0から−0.5dB/年がピンク，−0.5から−0.2dB/年が黄色，−0.2dB/年以上が白色となっている（図6）．これらの統計学的解析には進行を判断する明確な基準はないが，連続して同じ領域が進行している場合，中心近くの視野障害が悪化している場合，神経線維に沿った構造変化に一致する悪化は進行と判定されやすい．近年，これらの視野解析ソフトには，将来の視野をAI（人工知能）で予測する線形回帰モデル（変分近似ベイズ線形回帰法 Variational Bayes Linear Regression：VBLR）が搭載され，少ない回数の視野データであっても現行のMDスロープなどの方法よりも正確な進行解析・予測が臨床応用可能となっている．

Ⅵ 中心視野

緑内障の経過観察で最も避けたい事態のひとつは，緑内障性視神経障害による視力低下であろう．不可逆性，進行性の緑内障性視野障害が中心窩にかかると，眼圧を十分に下降させていても徐々に視力低下が進行することが多い．中心10°のプログラムで経過観察し，中心窩感度の変化にも気を配るべきである．特に注意したいのは近視眼の緑内障である．疫学調査である多治見スタディから，近視は緑内障のリスクファクターである上に，近視は若年層ほど増加しており，今後近視眼緑内障は増加すると予測されている．近視眼緑内障の特徴として初期から中心視野が障害されやすく，たとえ視野全体としては初期の段階であっても，中心視野が障害され視力が低下する症例が少なくない．特に中心窩近傍にNFLD（検出にはOCTの黄斑マップが有効）が生じている症例では，30°の視野が正常であっても，必ず10°の視野を測定し，10°の視野で経過観察する必要がある．中心窩方向に視野欠損の拡大，NFLDの拡大が認められる場合には，早期の眼圧下降が必要である．

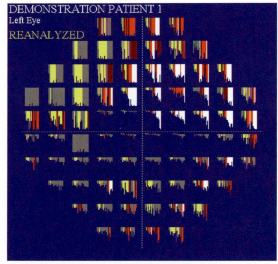

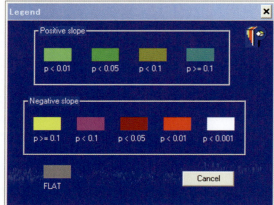

［図5］PROGRESSOR解析の1例
測定点ごとに有意な進行を認めたかどうかを確率に従って色分けして表示する．
（鵜木一彦：眼科プラクティス15, p152）

Ⅶ アーチファクト

経過観察で誤った視野進行判定が行われる場合には，主に3つの原因があげられる．1つ目は上述した変動と統計学的解析の限界によって生じるもの．2つ目は眼疾患の合併である．白内障の進行によりトータル偏差，MD値が悪化するが，パターン偏差は影響を受けにくい．白内障が合併している場合は，パターン偏差による進行判定を重視する．眼瞼下垂で生じる上方周辺の感度低下はしばしば経験する．網膜神経線維に沿って生じる網膜静脈または動脈分枝閉塞は緑内障進行と誤判

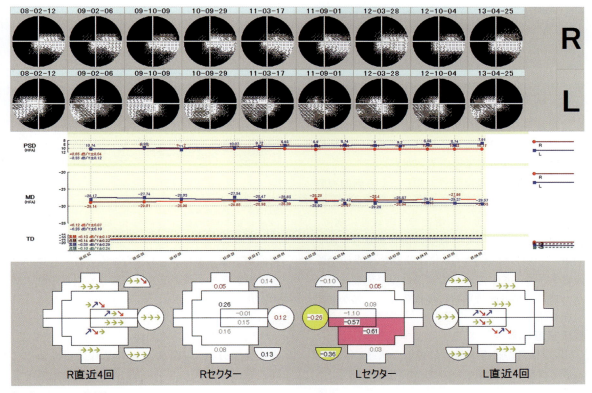

[図6] HfaFilesの緑内障Pro
上段にグレイスケールの推移，中段にMDなどのスロープ，下段にセクターごとの統計学的解析結果を色分けにして表示する．

定しやすい．特に急速な視野進行を認めた場合は，眼底疾患，視路や頭蓋内疾患の合併を疑って精査を行う．3つ目は，認知症や高齢化に伴い視野検査が正確に出来なくなって起こる誤判定である．視野検査は自覚検査のうえ長時間の集中が必要であり，検査が正確にできなくなった場合はOCTなどの他の検査で代用する．

おわりに

冒頭で述べたように，視野の判定には強力な眼圧下降を求めて治療の変更を伴う．視野測定自体に変動があり，統計学的解析にも限界があることから，上述した経過観察の知識を用いて進行判定の精度を向上させることが，過剰な治療を避け，手術の時期を逸しないために重要である．診断の時と同様に，OCTの黄斑マップ・乳頭マップと眼底写真のNFLD拡大，乳頭出血などの構造変化と，視野変化との対応を確認することが進行判定の精度を向上させる．

文献
1) 眼科診療プラクティス編集委員編：眼科検査ガイド，第1版，文光堂，東京，2004
2) 根木 昭編：眼科診療プラクティス15．視野，文光堂，東京，2007
3) 中野 匡：Humphrey視野計．MB OCULI 11：1-9, 2014
4) 奥山幸子：Octopus自動視野計．MB OCULI 11：11-18, 2014
5) 日本緑内障学会緑内障診療ガイドライン作成委員会：緑内障ガイドライン第4版．日眼会誌 122：5-53, 2018
6) Murata H, et al：A new approach to measure visual field progression in glaucoma patients using variational bayes linear regression. Invest Ophthalmol Vis Sci 55：8386-8392, 2014

（山下高明）

9 視野検査

10）神経眼科疾患の視野検査
① Goldmann 視野計

I 検査の目的

近年は，自動静的視野計による簡便かつ客観的な視野評価が可能となり，急速に普及し，緑内障分野では不可欠な検査法となっている．

一方，Goldmann 視野計（GP）による動的視野検査は，古くからある検査法であるが，検者の技量に負うところが多く，煩雑で，客観性に劣り，経時変化が追いづらく，検査の機会が減ってきている．しかしながら，GP による動的検査法が勝る点も多く，決して避けては通れない検査法である．特に，神経眼科領域には依然として欠かせない検査法である．

1 検査対象

GP は検者が検査の最中に患者の状態によって臨機応変に対応しやすいので，検査の理解度が不良な場合や固視不良例で有用である．また，視野のパターンの認識にも GP は優れている[1,2]．

1）検者の対応が必要な場合

a．検査の理解度が不十分な症例

小児，高齢者，高次機能障害などで視野検査の理解が不十分な場合によい．

b．視力不良，固視不良例

GP は視力不良例，中心暗点の存在，眼振症例など固視不良時に適している．視神経炎（図 1）や Leber 遺伝性視神経症（図 2）などの視神経疾患，両側後頭葉の後極病変では大きな中心暗点が存在し，GP でなければ信頼性がある結果を得るのは不可能である．

2）視野のパターン認識が有用な場合

a．経線に一致した視野異常

GP は自動静的視野計ならではの特性に影響されず，経線に一致した視野異常の的確な判断によい．ただし，検出には後述するような工夫が必要である．自動視野計は緑内障の鼻側階段を検出しやすいが，特異的なアルゴリズムのため，水平ならびに垂直経線に一致した視野異常を作りやすい

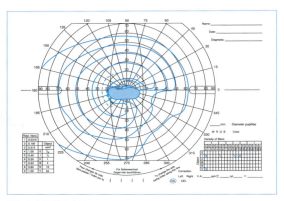

［図 1］視神経炎（左）
深い盲点中心暗点がある．
（文献 4，図 3（眼科検査法ハンドブック，第 4 版，医学書院，東京，151，2005）より転載）

反面がある．また，静的視野検査のため視標の呈示位置があらかじめ決まっており，異常の位置が固定化しやすい．

b．周辺視野の異常

GP は周辺部視野の把握に適している．また，求心性視野狭窄（図 3），耳側半月欠損のように周辺視野が消失している場合の全体像把握にも GP は適している．

c．視野欠損の辺縁

GP では視野欠損の辺縁の形状が理解しやすく，視野の島を想定する上で GP は有効である．イソプタの間隔が狭く，急峻な辺縁（steep）を持つ視野異常は，陳旧性，虚血性，神経線維の障害でみられる．経線を反映する半盲でも急峻となる．イソプタの間隔が広く，緩やかな辺縁（sloping）の視野異常は，急性活動性，圧迫性，浮腫でみられるといわれている．

d．調和性の判断

GP では調和性の判断がしやすく，頭蓋内疾患での局在診断や広がりの判定に勝り，特に後頭葉病変の評価に優れている[3]．

2 目標と限界

GP は自動視野計に比べ以下のような短所・限界が存在する．

1）検者の技量に左右される．
2）経時変化の客観的な評価が劣る．
3）中心近傍の感度低下の検出力が劣る．
4）経線に一致した視野異常の検出力が劣る．

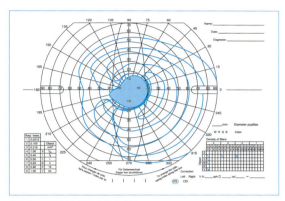

[図2] Leber遺伝性視神経症（右）
大きな深い中心暗点がある．

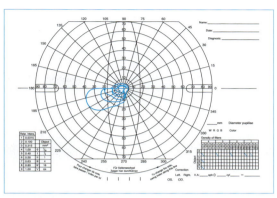

[図3] 視神経周囲炎（右）
求心性狭窄を認める．
（文献1，図2（眼科48：1434，2006）より転載）

　自動視野計では経線を挟んだ対称点を比べることで，経線を尊重しているか否かが数値的で判りやすい．ただし，アルゴリズムの関係で経線に一致した視野が生じやすく注意が必要である．

II　検査法と検査機器

1　測定原理

　背景輝度を固定し，輝度と大きさを変えた視標を周辺から中心に向かって連続的に移動させ，その出現点（閾値）をプロットする．各点を結んだものがイソプタ（isopter）で，地図でいう等高線に相当する．

2　機器の構造

　「Goldmann視野計（動的視野検査）」（238頁）を参照．

3　感度と特異度

　GPによる正しい検査結果を得るためには，適応症例の適切な選択，検者の技量の向上，結果の正しい解釈が要求される．これらが揃って初めて信頼性がある結果が得られる．

　結果を解釈する上で，イソプタの線のみではなく，プロットされた点に着目する．一見滑らかで，きれいに引かれたイソプタでも，各点が疎でその中間を大まかに引かれたイソプタでは特異度が落ちる．疑わしい部位で測定点が密にプロットされていれば，また，再現性があればその特異度は上がる．

III　検査手順

　詳しくは「Goldmann視野計（動的視野検査）」（238頁）を参照していただきたい．

1　検査の流れ

　視標を動かして計測する動的視野検査では視標の動かし方で結果の信頼性が変わる．海外の論文では，呈示法を厳密に記載している．例えば，一人の熟練者によって行う，正確なキャリブレーション，被検者の姿勢，屈折の矯正，固視の状態，頭位などが細かく述べられている．さらに，視標の動かす方向やスピードも厳密に記載されている[3]．

2　検査機器の使い方とコツ

　われわれの施設で行っている神経眼科疾患におけるGPの注意点を紹介する[4]．

　1) Mariotte盲点は2種の視標（I/2eとI/4e）で検出し，steepかslopingかを区別し，Mariotte盲点の露出を評価する．

　2) 象限ごとに中心部近傍の4点をI/1e以下の視標（I/1aや0/1e）で静的にチェックし，中心感度の参考とする．

　3) 垂直，水平経線に一致するか否かは非常に重要な情報である．垂直や水平経線に対して直角に両側から経線を挟むように視標を近づけ，経線に一致した視野異常かを厳密に評価する．

　4) 通常の視標で間隔が広ければcfilterなどを入れ，暗点の存在を見逃さないようにする．

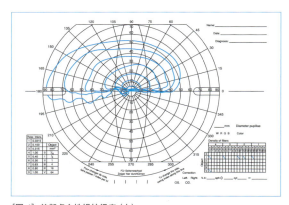

[図4] 前部虚血性視神経症（左）
水平経線に一致していない下半盲を認める.
（文献4，図4（眼科検査法ハンドブック，第4版，医学書院，東京，151，2005）より転載）

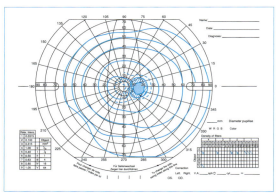

[図5] うっ血乳頭（右）
Mariotte盲点の拡大を認めるも中心感度は良好である．Mariotte盲点の辺縁は sloping を呈している．
（文献4，図5（眼科検査法ハンドブック，第4版，医学書院，東京，152，2005）より転載）

IV 検査結果の読み方と解釈

1 正常値

イソプタが等間隔になるように，一般には，V/4e，I/4e，I/3e，I/2e，I/1e の5種の視標を選択する．

各種法令上で規定されている，日本人の視野の正常範囲は，V/4 で，上 60°，上外 75°，外 95°，外下 80°，下 70°，下内 60°，内 60°，内上 60° である．海外からの報告もほぼ同様である[5]．

2 異常所見の読み方

1) 用語

a. 狭窄 contraction

周辺の感度低下で，V/4 イソプタの内方への陥入である．

b. 沈下 depression

内部イソプタの内方陥凹である．全体的沈下と部分的沈下がある．全体的沈下は中間透光体の異常や縮瞳で見られる．視野の象限単位の広範囲な狭窄や沈下は半盲，四半盲という．網膜色素変性では中心感度が保たれており，求心性狭窄であるが，正確には全体的沈下ではない．

c. 暗点 scotoma

正常な視野内にできた部分的な孤立した感度低下部位である．最高輝度（GPでは1,000asb，V/4視標）によるものを絶対暗点，それ以外を比較暗点という．

2) 中心暗点

視神経炎では中心暗点や盲点中心暗点（図1），虚血性視神経症では血流分布に関連した分節状の視野欠損や水平半盲（図4）が特徴的と考えられている．また，辺縁や部位を詳細に検討すると鑑別可能との報告もある[6]．しかし，一般的には視野異常のパターンから視神経炎と虚血性視神経症との鑑別は困難であると考えるべきである．典型的な視神経炎では，周辺視野から回復してくるので，GP が回復の判断には有用である．

3) Mariotte 盲点の拡大，露出

視神経乳頭部の病変でみられる視野異常のひとつである．中心暗点はなく，視力は良好である．うっ血乳頭（図5）に代表される乳頭腫脹をきたす疾患，AZOOR などでみられる．

4) 内部イソプタ優位の沈下

緑内障の傍中心暗点が一般的であるが，下垂体腺腫の初期（暗点性両耳側半盲）や後頭葉後極病変（同名半盲性暗点）のような頭蓋内疾患の場合もあるので注意を要する（後述）．このような視交叉より後方の病変では垂直経線を超えない暗点であることが着目すべき点である．

5) 神経線維束欠損型視野

これも視神経乳頭部病変で見られる視野異常である．鼻側で水平経線に一致した緑内障の鼻側階段が代表である．網膜内神経線維の走行における水平経線の特性から，視神経乳頭の耳側の病変で

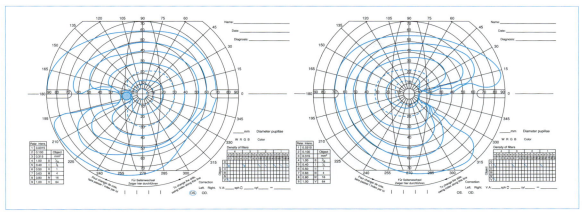

[図6] 視神経乳頭低形成
Mariotte 盲点を頂点とする耳側の視野狭窄を示す．
（文献7，第1図（眼科 45：1400，2003）より転載）

は鼻側視野に水平経線に一致した視野異常となるが，視神経乳頭の鼻側の病変では耳側視野にMariotte 盲点を頂点とするような楔状の視野異常となる（図6）．

6）経線に一致した視野異常

水平経線との一致は，視神経乳頭部，Meyer's loop，後頭葉の病変に特徴的である．Meyer's loop や後頭葉では，両側同名性で，耳側も水平経線に一致した視野異常となる（後述）．垂直経線との一致は，以下に述べる視交叉よりも後方の病変を示唆する所見で，垂直経線を越えない視野異常が特徴である．

7）両耳側半盲 bitemporal hemianopia

下垂体腺腫による両耳側半盲は完成された典型例では見誤ることはない．しかし，極初期の視野異常は，垂直経線に一致した左右対称性の内部イソプタの沈下が上方から始まり，緑内障との鑑別が要求される．その後は進行によって暗点が上方から下方へ広がっていく（暗点性両耳側半盲）（図7）．初期の経過中，視力は温存されている．発生部位による解剖学的特性から下垂体腺腫以外は通常は左右非対称である．

接合部暗点とは健側の上耳側半盲を伴う病側中心暗点で，視交叉前方の頭蓋内視神経との接合部の病変でみられる．対側の下鼻側線維が視神経内へ前方進入（Wilbrand knee）しているために起こると考えられているが反論もある．

8）同名半盲 homonymous hemianopia

視交叉より後方の視覚路異常はすべて病側と対側の同名半盲となる．この際に，以下の着目点が病巣診断の一助となる．

a．調和性の判断

同名半盲において，左右の視野が似ているとき，その視野異常は調和性，もしくは左右一致性（congruous）であるといい，後頭葉病変を疑う．対して，大きな不一致は非調和性，左右不一致性（incongruous）同名半盲として，視交叉後方視覚路の前方部位，すなわち，視索，外側膝状体，視放線前方の病変を示す．ただし，調和性の診断的価値は，部分同名半盲の時のみで，完全な同名半盲では，たとえ調和性でも後頭葉とは限らない．

b．各部位における同名半盲の特徴的な所見[7]

① 視索

視交叉での交叉線維と非交叉線維のアンバランス（交叉：非交叉＝53：47）のため，視索の病巣では対側の同名半盲に加え，対側の相対的求心路瞳孔異常（RAPD）陽性も見られる．同名半盲＋RAPD 陽性は視索病変の特徴である．

② 外側膝状体

内頸動脈からの前脈絡叢動脈と後大脳動脈からの外側脈絡叢動脈によって血流支配されている．前脈絡叢動脈梗塞では水平方向に半島状に視野が

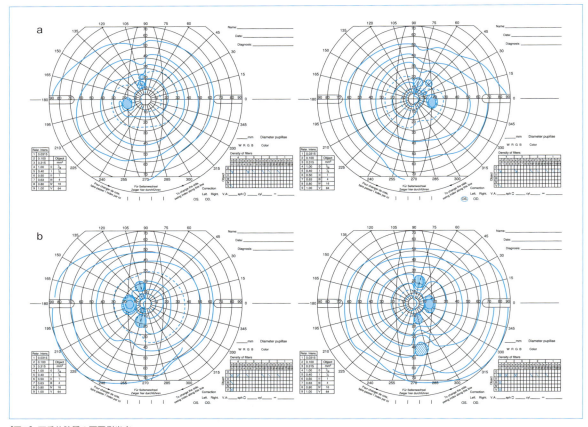

[図7] 下垂体腺腫の両耳側半盲
a 極初期は垂直経線に一致した上方の内部イソプタの沈下から始まる．
b 進行するにつれ下方へ垂直経線に一致した暗点（暗点性両耳側半盲）が広がっていく．
（文献4，図7（眼科検査法ハンドブック，第4版，医学書院，東京，153, 2005）より転載）

温存され，垂直経線に一致する上方と下方の四半盲を，外側脈絡叢動脈梗塞では水平経線を跨ぐ同名性の楔状型欠損をきたす（図8）．

③視放線

網膜下方の水平経線に近い部位からの線維はMeyer's loopの上方を走行するので，ここが障害されると，両側同名性，非調和性で，水平経線に一致した同名上四半盲の視野異常となる（図9）．また，Meyer's loopの最前方の障害では上方の楔状の視野欠損（pie-in-the-sky）となる[8]．

④後頭葉

i）黄斑回避 macular sparing

後頭葉病変の最も典型的な視野は黄斑回避を伴う左右一致性の同名半盲である．

ii）同名半盲性暗点

後頭葉後極近傍の病変で生じる同名半盲性暗点（図10）は，緑内障の傍中心暗点と間違われやすい．両側性で左右一致性，垂直経線に一致しているかをチェックすることが大事である．

iii）水平経線一致の同名四半盲

鳥距溝に沿ったV_1が保存され，V_2やV_3が障害された場合，両側同名性，調和性で，水平経線に一致した同名四半盲（図11）となる．

iv）耳側半月

後頭葉前方の単眼視野領域（各耳側60〜約100°）に相当する部位が障害されると同部の欠損となり，反対に，同部位が障害されずに残ると耳側半月が保存された同名半盲となる．周辺視野異常である耳側半月の検出にはGPが優れている．

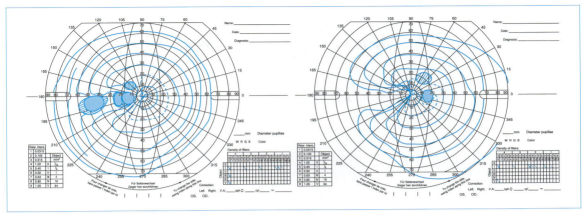

[図8] 外側膝状体
外側脈絡叢動脈梗塞による水平経線を跨ぐ同名性の楔状型欠損がみられる.
(文献7, 第4図(眼科 45：1402, 2003)より転載)

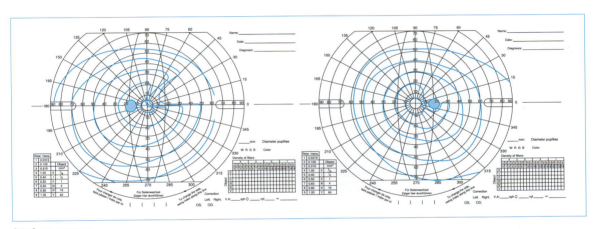

[図9] Meyer's loop
両側同名性, 非調和性で, 水平経線に一致した同名上四半盲の視野異常である.
(文献7, 第5図(眼科 45：1402, 2003)より転載)

ⅴ) double homonymous hemianopia

　両側後頭葉障害の視野異常で, 黄斑回避により中心のみが残る求心性狭窄型の視野の場合と, 反対に, 中心視野が障害され両眼の中心暗点様となる場合がある. 垂直経線に一致した段差があり, 求心性狭窄や中心暗点とは鑑別される.

9) 非器質性 (心因性) 視野異常

　最近は心因性という用語は用いず, 非器質性もしくは機能性といわれる. GPによるらせん状視野や星形視野など, 視覚路の神経線維の走行では説明がつかない視野異常が検出された時に非器質性視野異常を疑う. その他, 自動視野計における水玉様視野欠損やスイッチを全く押さない (すべて0 dB) ための真っ黒のグレースケール, 視野検査法の理論に合わない結果 (tangent screenによる管状視野), 求心性狭窄, 輪状暗点, Mariotte盲点の遠心性拡大や移動, 単眼性の耳側半盲や水平半盲などが非器質性視野異常でみられる[9,10].

3 アーチファクト

　年齢, 中心視力, 固視の状態, 屈折, 角膜や中間透光体の混濁, 眼瞼下垂や瞼裂狭小 (上方狭窄), おく目や鼻高の顔貌 (鼻下側の視野狭窄), 瞳孔径, 慣れと学習効果, 疲労やいねむり, 眼鏡枠, 不適切に設定された輝度, 心因性の問題など

9. 視野検査

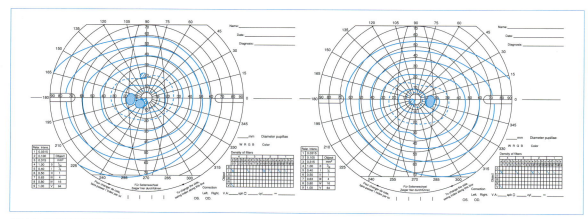

[図10] 後頭葉後極近傍の病変
垂直経線に一致している同名半盲性暗点である．
(文献7，第6図（眼科 45：1403, 2003）より転載）

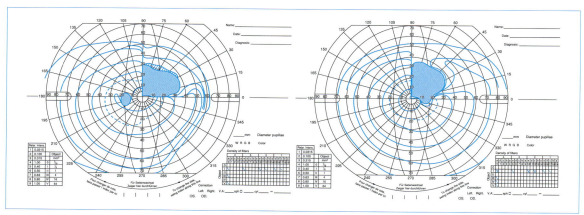

[図11] 後頭葉（V_2/V_3）障害
水平経線に一致した調和性同名四半盲である．
(文献7，第7図（眼科 45：1404, 2003）より転載）

が視野結果に影響する．

　屈折異常は屈折暗点をきたすので，中心部を検査するときは近方矯正が必要である．縮瞳はすべてのイソプタの全体狭窄，散瞳はV/4eの拡大と中心イソプタの縮小をきたす．

文献

1) 敷島敬悟：動的視野検査．眼科 48：1433-1438, 2006
2) 松本長太：神経眼科と動的視野．日本の眼科 77：1093-1098, 2006
3) Wong AMF, et al：A comparison of tangent screen, Goldman, and Humphrey perimetry in the detection and localization of occipital lesions. Ophthalmology 107：527-544, 2000
4) 敷島敬悟：眼科検査法ハンドブック，第4版，医学書院，東京，146-156, 2005
5) Niederhauser S, et al：Normal isopter position in the peripheral visual field in Goldmann kinetic perimetry. Ophthalmologica 216：406-408, 2002
6) Gerling J, et al：Visual field defects in optic neuritis and anterior ischemic optic neuropathy：distinct features. Graefe's Arch Clin Exp Ophthalmol 236：188-192, 1998
7) 敷島敬悟：視野検査の重要性．眼科 45：1399-1407, 2003
8) Barton JJ, et al：The field defects of anterior temporal lobectomy：a quantitative reassessment of Meyer's loop. Brain 128：2123-2133, 2005
9) Shikishima K, et al：Interpretation of hemianopia respecting the vertical meridian not related to chiasmal or postchiasmal lesions. J Clin Neurosci 13：923-928, 2006
10) 高橋寛子：外傷後に片眼性水平半盲様視野障害をきたした心因性視覚障害の1症例．日視会誌 34：151-156, 2005

（馬場昭典・敷島敬悟）

10) 神経眼科疾患の視野検査
② 自動視野計

使用経験から Humphrey 視野分析装置（HFA）について述べる．なお著者とカール ツァイス メディテック社とは利益供与関係はない．

I 検査の目的

1 検査対象

初診時は原因不明の視力障害や緑内障が疑われる患者，再診では定量性を活かし，視野欠損の進行性を評価したい患者．例えば，視神経乳頭低形成など初診時確定できず，正常眼圧緑内障との鑑別上，視野欠損の進行性をみるのにデータ解析ソフトも利用でき，必須の検査である．

定点測定だが静的視野では，わずかな沈下でも鋭敏に検出できる．すでに Goldmann 動的視野検査（GP）で網膜神経線維束障害（NFBD）型視野欠損は認めるが中心視力の低下を説明できる暗点が検出できない症例の中心視野の精査に適している．

2 目標と限界

GP に比べ感受性が高く，定量性に優れているが，1回で行える検査範囲が狭い．目的に応じて検査範囲を選択しないといけない．

広範囲な視野欠損が予想される場合は不向きでGP が良い．耳側周辺 60〜107°に位置する耳側半月をみるような後頭葉病変のスクリーニングにはGP が良い．

自動視野計は，中心 30°ないし 24°内の視野の傾斜勾配が平坦な Bjerumm 領域の孤発性のわずかな沈下を検出するのに適している．ただし，黄斑回避は中心視野 30-2 や 24-2 では正確に評価できない．また，中心暗点を疑うときは，中心 10°を 2°間隔で検査する中心 10-2 を選ぶ．中心視野は平面視野検査が適している．

II 検査法と検査機器

1 測定原理・測定範囲

ドーム型自動視野計は，最周辺は 70〜80° までが限界，また，測定点の総数の関係から，中心視野を無視した 30°ないし 60°から周辺をみるプログラムしか周辺視野は検査できない[*1]．中心 24°自動視野検査で，左右差が高度な非調和性同名半盲が測定圏外や 6°間隔の刺激間隙に入り検出を逃れ，GP なら同名性を描出できたと省察する脳梗塞（視交叉後方）による単眼性半盲が 3 例報告されている[1]．

2 検査機器の構造

検査機器の構造は 9．視野検査 2）自動視野計を参照．

3 感度と特異度

機器のハードウェアと提供されるプログラムの感度と特異度は，9．視野検査 2）自動視野計参照．

Swedish interactive threshold algorithm（SITA）は，年齢調整した正常視野と測定点間の閾値の相互関係は緑内障の NFBD の事前分布に基づき，閾値を決めていく．中心暗点や盲中心暗点を示す視神経炎や中枢性の半盲患者でも SITA standard（SS）24-2 は full threshold algorithm（FTA）24-2 の欠損をすべて描出した．また，半盲でも SS24-2 は FTA24-2 の検査時間を短縮（40〜46％）するだけでなく，欠損発見の感度が 1 dB 上昇する．これらは，視認度（frequency of seeing）は疾患特異的ではなく，閾値に依存して変わり，緑内障モデルを用いても支障ないと考えられる．

また，SITA fast（SF）24-2 を片麻痺や失調などの重篤な神経疾患患者や視力が 0.1 以下の高度視力障害例の初診時のスクリーニングに用い，GP と比較した研究によると，両者とも同様の信頼性を示し，視野欠損の一致性は 75％（神経疾患

[*1] Octopus 900 の open perimetry interface（OPI）を用いて中心視野 26°（64 点）から最周辺 50°鼻側，80°耳側，30°上方，45°下方（64 点）の全 128 点について，サイズVの視標で，平均を用いて試行ごとの刺激強度をベイズ推定で決定し，最尤法から最終的な閾値を求める SITA 類似の適応的閾値決定法 mean QUEST（ZEST, Zippy Estimated Sequential Testing）で全視野を検査するプログラムが開発され，特発性頭蓋内圧亢進症（IIH）患者（N=39）で中心 30°内だけでなく 30°外の周辺視野にわたって欠損の深さが線型に最周辺に広がることが示された[12]．IIH は神経眼科領域では緑内障に対応する疾患で，この全視野検査法の開発は意義深い．

患者では70％，高度視力障害患者では80％の一致）と良好だった．SITAは小児や0.1以下の高度視力障害例や神経疾患患者にも適応できる．熟練したGPの検査員がいない場合は，神経眼科領域の初診時スクリーニングにSF24-2を試みてよい．

III 検査手順

1 検査の流れ

測定方法は9.視野検査2）自動視野計を参照．

2 検査機器の使い方とコツ

大きな視野欠損は動的視野測定，小さな視野欠損には静的自動視野検査を選ぶ．原因不明の単眼視力低下で接合部暗点の除外検査には，静的中心視野検査が優れており，患者が検査可能なら第一選択である．下垂体腫瘍で視野検査のため対診された患者や，対座法で明らかに半盲を示す患者には，残存視野の描出性の優れたGPが適している．1点の測定時間の長いFTAは，広範囲な視野欠損には不向きである．

皮質拡大率によって視皮質（V_1）の83％が中心視野30°を処理する．したがって，耳側半月を除き，中枢性病変を疑う場合は，基本的に中心30°の変化に注目すればよい．ただ，初診時，中心視野24°は視皮質の80％を検査しているので，V_1の3％の違いで患者の負担（測定点の差が22点）を考えると，患者の検査遂行能力が不安な時は中心24°でよい．自動視野計は，経時的なデータ解析ができるので，検査ができる患者は最初から30-2で経過を追う．視交叉腫瘍は，GPだが，自動視野計なら30-2が第一選択である．

閾値の算出法は，うまくできそうなら，SSを選ぶ．難しそうならSFを使う[*2]．緑内障診療では進行速度が重要で，また，検査時間が1分増すごとに平均偏差（MD）が0.4dB低下する[2]ことから，SITA faster（SFR）で間隔を短く検査頻度

を増して進行性の早期把握を図るのも選択肢である[3]．一方，網膜病変はFTAが基本である．英国で網膜毒の抗てんかん薬（GABA分解酵素阻害薬）の視野障害患者（N=16）のSITAとFTAの比較研究で網膜障害でもSFが有効という報告が出たが，その後，正常視野患者の前向き臨床研究で閾上検査のFTAの方がSITAより検査受容度が良く，FTAを推奨している[4]．

IV 検査結果の読み方

自動静的視野計は光覚の弁別閾を計測する．心理物理学では刺激光の輝度（asb）を閾値とした刺激閾を用いるが，臨床では被検者の感度を問題にするため刺激閾の逆数の閾感覚を用いる．自動視野計は50％の視認度を示す指標の明るさをその測定点の閾感覚として，感度の高低が数字の大小と一致するよう，刺激光の最大輝度を減光する中和フィルターのdB表示となっている．おかげで，測定データは刺激閾の逆数の感度を表す．

米国の視神経炎（ON），非動脈炎性虚血性視神経症（ION），高眼圧症（OHT），特発性頭蓋内圧亢進症（IIH）の多施設治験の自動視野検査のデータ解析からUC Davis視野判読センター（VFRC）がまとめた米国OHT治療研究（OHTS）[5]の緑内障および非緑内障性視野障害の分類が最も包括的で，診断基準もそのままIIH治療治験（IIHTT）に採用され[6]自動視野計のデータ解析の基本となっている[*3]．

1 異常所見とその解釈

1）単一プリントアウトの解釈
　　―5つのリングのみかた

図1内に示した数字に従い，5つのリングを調

[*2] 検査時間が長いと視覚系の疲労現象によって暗点が深く大きくなる傾向がある．FTAはFastpacやSITAより異常が強く出て負荷試験としての側面を持つ．一方，SITAでは暗点が浅くなる傾向があり，正常者の閾値のバラツキの幅は狭いので，TDとPDでみると，FTAより軽い異常を拾える．

[*3] IIHTTからIIHの軽度視野障害例は，緑内障性視神経症と同様のNFBD障害（下方半側視野欠損有意）で，多数はIIH特有のうっ血乳頭型（盲点拡大＋部分弓状線維異常）で，OHTにはない中心周囲暗点型（Pc）や，二次性網膜剥離や脈絡膜皺襞形成による中心10°の感度低下を認めた．一方，ONでは90％余りが中心暗点（C）や盲中心暗点で限局性のNFBD型が20％余りだった．なぜかIIHでは左眼の視野障害が優位で，就寝時の頭位との関連性を推測している．なお，米国ON治療試験（ONTT），OHTSはFTA30-2，ION減圧治療（IONDT）はFTA24-2，IIHTTはSITA24-2に基づく．

10) 神経眼科疾患の視野検査

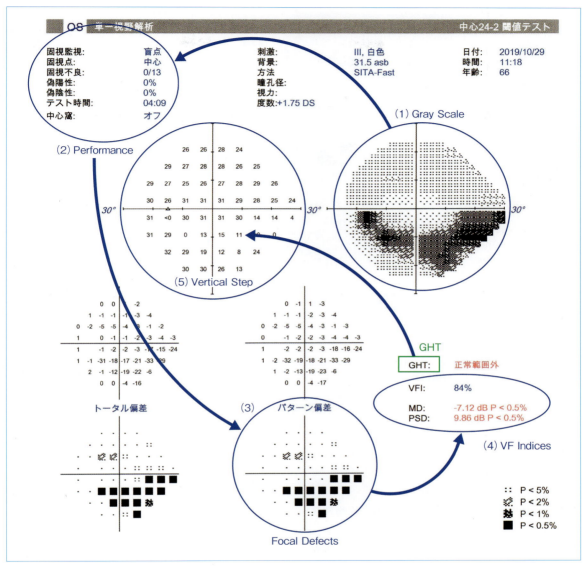

[図1] 自動視野計の読み方（症例1）
検査結果は，図のように5つのリングを反時計まわりに調べる[7]．
(1) Gray Scale で全体のイメージをつかむ．(2) データの信頼性 (performance) を評価する．(3) 局所的欠損 (focal defects) は，PD 絵図をみて，隣り合う2つ以上のシンボルマークが塊をなしているところを探す．2個や3個（図3の拡大図a, b参照）あっても核がないので，局在性のない非特異的感度低下域．盲点につながる下方の欠損は NFBD 型の定義にあてはまる．(4) 視野視標から局所的欠損の妥当性を PSD: p<0.5% で確認する．MD も赤字で P 値が付いているので比較的大きな欠損とわかる．VFI: 84%，MD: -7dB から緑内障なら軽症 (moderate) から中等 (moderate) 症になる[9]．さらに，HFA では，その上に，緑内障半視野テスト (GHT) が表示され"セイジョウハンイガイ"の印字から，NFBD 型と視野上は診断できる（OHTS 診断基準）．(5) 最後に，正中線をはさむ実測値をみて，半盲の初期変化である垂直ステップの有無を調べる（本文IV. 1. 1). e 参照）．なければ単独の NFBD 型欠損と決まる．

べる[7]．

a. Gray Scale で全体像をつかむ

　GP はイソプターを描画するが，静的自動視野検査では，イソプターは見えない．Gray Scale は，感度を5dB ごとに8段階の灰色階調で表し，階調が異なる2か所は1dB の差から，9dB の差まで不定である．また，Gray Scale で印字される1目盛（中心30度：6°，中心10度：2°）内をすべて検査したわけでなく，測定点のデータから推計補間し埋めている．Gray Scale は，灰色の

9. 視野検査

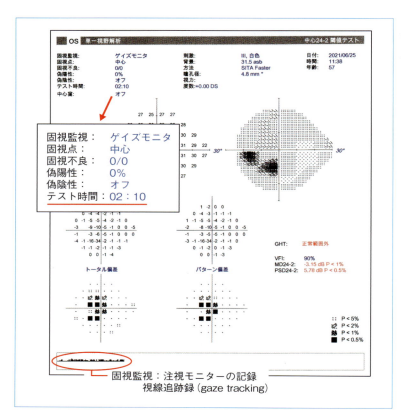

[図2] SITA faster（SFR）のプリントアウト
緑内障早期（MD-3.15dB，VFI90％）患者のSFR．検査時間は2分10秒．固視不良0/0は盲点チェックがないことを表し，固視監視装置によるゲイズモニタが下の欄外に描出される．偽陰性は計算されず（オフ），偽陽性のみ出力される．

階調差で描き出した視野の"虚像"に過ぎない．視覚的に最も目立つが，Gray Scale（図1-(1)）で視野欠損を診断すると誤りのもとになる．

b. 検査の信頼性を評価する

患者の集中力，遂行能力に依存する心理物理学的検査は，データに飛びつく前に，得られたデータの信頼性を評価する（図1-(2)）．患者の検査のできぐあい（performance）は，集中力だけでなく眼球を含めた視路の動作特性を反映する．従来，固視不良（FL），偽陽性（FP），偽陰性（FN）反応で判断したが，SFRではFLはなくなり視線追跡（GT）だけになりFNもなくなった[*4]（図2）．

当初，正常群，OHT，初期緑内障群の成績から，FLは20％，FPとFNは33％，SITAは反応時間からFPを15％とcut off値が設定された．その後，それらのMDへの影響をみた多数例（SITA10,262回/1,538眼の緑内障および疑い）の解析[2]などから，FLはMDに影響なく，FNもMDへの影響は少なく，進行例では35％まで影響ない．ただし，軽症では25％でMDに影響し，初期～軽症例のPSDでSS24-2の再現性をみた別の解析もFNの関連を指摘している．FPは重症例や20％を超えると信頼性がなくなるが，PSDでみた再現性には関係しない．SFRはFPが増すが，進行性の評価が重要な緑内障診療では頻回検査可能なSFRの意義が指摘されている[3]．なお，GTは，検査中の視線の動きを記録しただけで，結果を評価する計量的指標はなく，自前で工夫[8]しないといけない．

FPが高い場合，患者に「あわてなくてよい」旨を理解させ再検する．病的視野欠損によるFNは，空間的に感度低下域が塊をなして集簇する特

[*4] SS，SFの開始4主点は25dBだが，SFRは年齢調整した閾値から始め1階段逆転法で決め，SFで得た正常者群のP（X）に基づく．信頼指数も，SFRは盲点チェックはなく，固視監視による視線追跡録のみとなった．SITAは，反応を示さない視標提示後，300msおいて次の刺激を開始するが，SFRでは直ちに次の刺激を開始する．

徴がある．集中力の低下による感度低下は周辺部ほど著明になり，Gray Scaleで貝殻やクローバーの葉様の求心狭窄を示す．左右差も参考になるが，1回の検査結果からは判断できない．臨床症状や光干渉断層計（OCT）を含めた眼底所見から，再検査するか決める．

c. 視野欠損の有無は確率プロット図（絵図）で判定する

視野欠損の有無は，パターン偏差（PD）の確率プロット図（＝絵図）（図1-(3)）で評価する．最も感度の良い点から7番目の感度を視野の"丘"の水準点"0"とし，他の検査点を補正したのがPDで，白内障のように視野全体が一様に低下したとき，隠れてしまった局所的な欠損を引き出す．

静的自動視野検査では，局所的欠損はPD絵図で2つ以上のP＜5％以下のシンボルマークが隣接して塊をなして初めて有意と考える．p値のマークがついているからといって，1点だけの"孤立点"は局所的欠損とはいえない．これは，例えば，p値＜5％のマークが付いても，正常でも5％気づかない人がいることを意味し，直ちに，その点が「見えない」わけではない．自動視野検査で欠損とみなすにはp値の付いた"お隣"さんが必要である．ただし，中心4点の"特異点"はその例外である（後述の2）参照）．

局所的視野欠損は，病巣の局在診断の観点から，NFBD型，半盲型そして責任病巣が推定できない非局在性欠損の3つに分ける．

① 網膜神経線維束欠損（NFBD）型視野障害

PD絵図（図1-(3)）の拡大図（図3）をみて，P＜5％のシンボルマークが3つ以上隣り合って塊をつくり，そのうちの1つが1％以下（P＜1％）の深い感度低下を示す"核（nucleus）"を持ち，網膜神経線維束の走行に沿って集簇していればNFBD型障害を疑う（OHTS診断基準）．PD絵図の最周辺部は測定点間のバラツキが大きく3つの勘定には入れないが，他の低下部（3つ以上連続）とつながっていれば有意と取る．続いて，視野視標（図1-(4)）をみてPSDにP＜5％が付いているか確認し，緑内障半視野テスト（図1-GHT）が

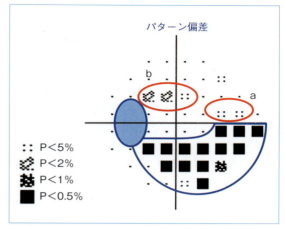

[図3] 症例1のPD絵図の拡大図
OHTS診断基準から，aとbは非特異的感度低下域，盲点につながる水平線の下方のNFBD型欠損は，連続性に正中線を越え鼻側に少なくとも1個15°を越える（実際は2個）鼻側水平経線上につながっているのでOHTSの弓状線維障害型（Arc）にあてはまる[5]．もし，連続性がなく，盲点か鼻側水平経線のどちらかにつながっていて，耳側に少なくとも1点シンボルマークがあれば部分Arc（PArc）という．

「セイジョウハンイガイ」なら，OCTで裏がとれれば緑内障性NFBD型欠損と診断できる．

非緑内障性視神経症も，臨床的に期待される部位にOHTS基準に従い，核を含む3つ以上のp値のついたシンボルマークが塊を成して分布していればNFBDを疑い，PSDが有意ならNFBDと考える．OHTS/IIHTT分類はさらに形状を細分類（図3）する．

② 半盲型視野障害

PD絵図のシンボルマークの分布パターンが，正中垂直経線を越えることなく，正中線の上下方向に依存して固視点を境に分布する半盲型か，正中線を無視して左右のつながりに強く連結して盲点を起点あるいは鼻側水平線に固着するNFBD型（図3）か，みる．正中線に沿うとき，OHTSはさらに垂直ステップ（図4），1/4盲，半盲に分類する．

確率絵図のみかけの形状判断は主観的で，ことに初期の半盲型欠損＝垂直ステップは診断できない．垂直ステップは最終的に実測値で定義される（e参照）．

③ 非局在性視野障害

局所的欠損は2つ以上のP＜5％以下のシンボ

ルマークが隣接して，解剖学的に意味のある部位に塊をなして，初めて病巣診断ができる．2つ以上の隣接点を認めても神経解剖学的に意味をなさない分布は非特異的感度低下域と呼び，非局在性欠損に分類する．

病巣診断上意味をなさない空間分布や異様な形状の欠損は，信頼指数や GT を再度確かめる．信頼指数が低い場合，日を改めて SF や SFR のような迅速法で再検する．非局在性欠損の病的意義は，他の臨床所見から考える．

d. 欠損の読みを3つの視野視標（visual field indices）で裏をとる．

PD 絵図で局所的欠損の分布パターンをみたら，検査結果を1つの数字で表す3つの要約視標から全体との整合性を評価する．症例2（図1-(4)）は，MD，PSD ともに赤く P 値が付いて異常を裏付けている．

MD は中心視野に重みを置いた患者の視野の各測定点の年齢調整した正常対照視野からの差の平均値（dB）で，<u>マイナス値は視野「欠損」の総平均</u>を表す．MD で視野の全体的感度低下の有無を判断する．正常なら全体的な低下はない．小暗点なら MD に影響しないが，中等大の欠損は影響する．MD は，経過を追う際，視野欠損の進行性の評価に役立つ．

パターン標準偏差（PSD）は，各測定点の感度低下（トータル偏差：TD）の平均値（MD）からのバラツキを表し，視野の起伏（凹凸ぐあい）を表す．PD 絵図から局所的欠損が疑われる場合，PSD に p 値がついていれば有意な欠損の存在を示唆する．緑内障視野障害では，初期から軽症では PSD は障害度に応じて単調増加するが，一旦，MD が－20 dB 以下になると非単調となり減少する．

visual field index（VFI）は，緑内障進行指数（GPI）として導入された．PD 絵図の異常点から正常視野を 100 として"緑内障"患者の「残存」視野のパーセント表示を試みたもので，経時変化から線形回帰スロープが引け MD スロープ同様進行速度が推定できる．MD は dB 表示だが，VFI は残存視野の％表示なので，"直感"にうまく訴

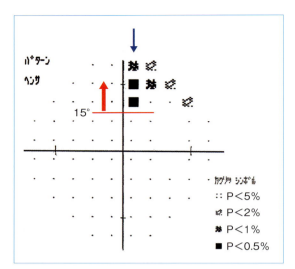

[図4] 垂直ステップの PD 絵図（症例2）
PD 絵図から正中線に沿って（青矢印）右側に P＜5％以下の確率シンボルマークが赤矢印が示す 15°外縁から連続して2個以上周辺に向かって並んでいることから，OHTS の垂直ステップにあてはまる．視野指数（PSD）からこの局所的欠損の裏付けを取る．

える．しかし，100％でも"正常"というわけでなく，初期緑内障（MD＞－5 dB）では VFI が 99％以上示すことがあり，また，"0"といっても「見えない」わけではなく，重症例（MD＜－20 dB）では TD をもとに算出するので，バラツキが大きく不正確となる．残念ながら現時点では，緑内障の病期分類に統一した基準がなく[9]，VFI 単独の意義付けは困難だが，MD と異なり白内障の影響を受けないので，一貫した緑内障の経過観察には役立つ．ただ，非緑内障性視野異常には未知数である．

e. 最終診断は実測値（測定感度値地図）で決める

図5の症例3も同様に（1）から（4）までのリングを回る．PD 絵図（図 5-(3)）上，P 値のついたシンボルマークが連続して存在するが，神経解剖学的に意味ある分布ではなく，孤立点を合わせ PD 絵図上は，非局在性欠損である．最後に，初期半盲の垂直ステップの有無を視野地図に表示された実測値（測定感度値表，図 5-(5)）で調べる．

測定感度値地図（図6）の，まず，正中線をはさむ左右の対のデータ（dB 値＝感度）を比較する（図6，赤枠）．左右差が2 dB 以上あれば有意と考え，正中線に沿って比較する．正中線に沿って

10) 神経眼科疾患の視野検査

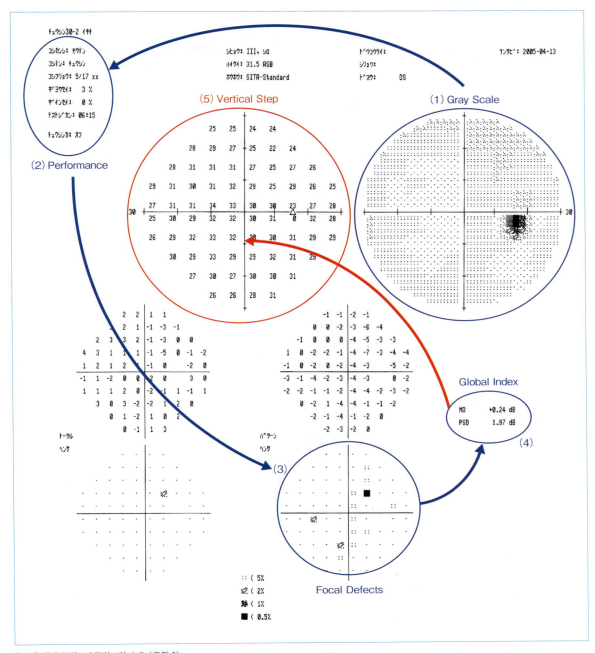

[図5] 最終診断は実測値で決める（症例3）
(1) Gray Scale で全体のイメージをみて，(2) performance を信頼指数で評価し，(3) 局所的欠損や暗点の有無を PD 絵図でみる．(4) PD 絵図上の局所的欠損の有無の妥当性を視野指数の PSD で確認する．すべて正常範囲内．(5) 最後に，必ず実測値（測定感度値地図）に戻って，垂直ステップの有無を実測値（図6の拡大図参照）から評価しないといけない．

上下に連続して3個（対）以上，一方が高ければ，すべて高いとき，その横（正中線から2番目の縦の列）の数値を比べる（図6, 青枠の対）．それらの対の閾値も，同様の極性を示し，一方の閾値が高ければ，すべてにわたって，他側の閾値より高いとき，正中線を境に有意の垂直ステップがある（図6）と考える（Mills の定義）[10]．実際，MRI で大きな下垂体腫瘍（**図7**）が描出された．

321

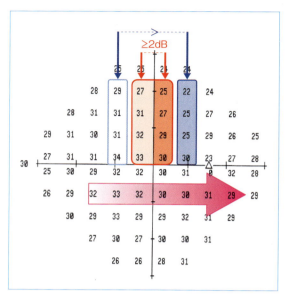

[図6] 垂直ステップの判定（症例3）
正中線に沿って，上から左右の対（赤矢印の下）を見ていく．左側の正中線に沿った固視点上の4つは，いずれも右側の対応点4つより2dB以上大きく（＝感度が高く），さらに，それぞれの1つ横隣の測定点（青矢印の下）の左右の対を比べても，左側がすべて大きく正中線を境に極性がピンク矢印の方向に一定で，耳側（盲点を示す△印側）の感度が鼻側より有意に低下した耳上側1/4盲であると診断できる．初期半盲の垂直ステップは実測値から評価しないと決まらない．

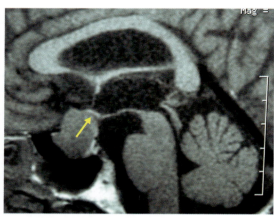

[図7] 症例3のMRI画像
症例3の視交叉のMRI（T1強調画像）矢状断から，HFAでは初期の半盲性欠損（垂直ステップ）だが，下垂体腫瘍が1cm以上も進展して視交叉前部を下方から圧迫（矢印）している．

　正中線をはさむ左右の実測値の対のみ比較して，正中線に沿って耳側が2dB以上の低下が連続4対，あるいは3dB以上の低下が連続3対あれば耳側半盲とするみかた（藤本の判定法）もある[11]．

　PD絵図の正中線を挟む鼻側と耳側の16点をスコア化しその総計の差を判定する神経半視野テスト（NHT）があるが，一般に普及していない．

2）左右のプリントアウトを合わせて判定
　—中枢性視野異常の診断のしかた

a. 同名性か異名性か

　単眼だけでなく，必ず，左右眼のプリントアウトを並べて，正中線を基準に，それぞれ半側視野ずつ見比べる．視交叉から後方の中枢性視野障害は，左右の半側視野ずつを見比べない限り診断できない[7]．NHTは単一プリントアウトの半盲判定だけでなく，両眼のスコアの左右差から同名か両耳側半盲を判定するアルゴリズムだが，自作しないといけない．

　前項eで垂直ステップを認めれば，左右の結果を見合わせ，単眼性か，両眼なら同名性か異名性を判断し，単眼性では視力を調べ接合部暗点について，異名性は視交叉，同名性は後部視路をGd造影MRI検査する．

b. 固視点周囲の特異点のチェック

　単一プリントアウトでは，局所的欠損は，少なくとも2つの隣接した検査点が塊状欠損をなすことが原則で，孤立点だけでは評価できない．しかし，この例外に固視点まわりの特異点がある．

　中心暗点は，自動視野計では10-2を用いないと正確に評価できない（前述I．2参照）．しかし，実地臨床ではスクリーニングに24-2や30-2を用いるので，傍中心暗点を見逃さないために，固視点のまわりの4点は"特異点（singular point）"として特別扱いする[*5]．左右のプリントアウトのPD絵図を見比べ，固視点のまわりの特異点にP＜5%以下のシンボルマーク（P＜5%）が，左右で同じ象限に対で認められ（図8）れば，合致する自覚症状があれば，測定点1個（1対）でも有意な同名半盲性傍中心暗点を考え後頭極の画像検

[*5] 網膜極座標系の原点の中心窩は，直交座標系の左右の一次視覚野（V_1）の後頭極へ，あたかも"無限大"に発散するかのように投射する．複素解析ではこのような点を特異点という．単一プリントアウトでは固視点周囲の孤立点のようでも，V_1（4c層）では，左右隣り合わせの同じ番地＝"対"になっている．

[図8] 固視点周囲の特異点－同名半盲性傍中心暗点（症例4）
単一プリントアウト上，感度低下（P<5%）が1点だけの孤立点は異常とはいえない．しかし，スクリーニングでよく使う中心24-2や30-2検査では，固視点の周りの4点（円の中の4点）は特異点（singular point）と呼び*5，この例外となる．左右のプリントアウトの特異点を見比べ，同一象限の特異点（矢印）が感度低下（P<5%）していれば，同名半盲性傍中心暗点が示唆され，有意の暗点と考え，自覚症状があれば頭部画像検査（図9）を行う．中心暗点の検査には10-2を用いる．

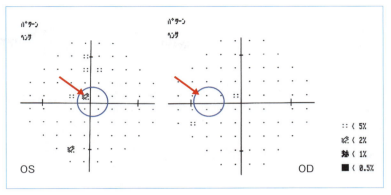

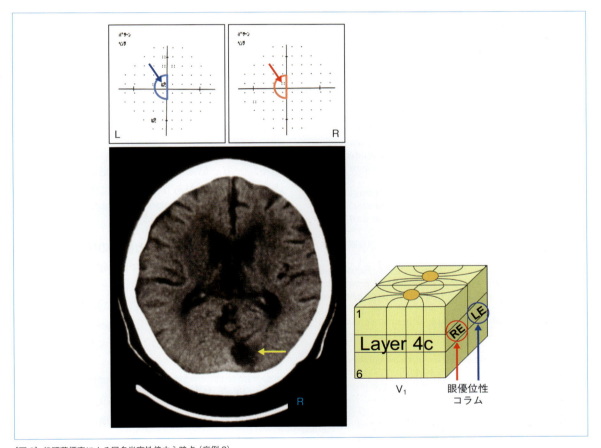

[図9] 後頭葉梗塞による同名半盲性傍中心暗点（症例3）
中心30°のプリントアウト上ではたった1点の暗点（視角4.2°）もCT検査で右後頭極に大きな梗塞を認める（皮質拡大率）．同一象限の左右の特異点は，単一視野で見ると単一孤立点でも，脳の中に入ると，V_1の4c層のhyper columnでは隣同士になっている*5のである．

査（図9）で確認する．皮質拡大率によってCTでもはっきりわかる梗塞像を認めるのが同名半盲性傍中心暗点の特徴である．

2 アーチファクト

上眼瞼，瞳孔，屈折暗点などの視野検査のアーチファクト一般は9．視野検査1），2）を参照．
HFAに特有なアーチファクトとして，オプ

ションの中心窩閾値検査を行った後，本番の視野検査でも引き続いて中心閾値検査の際に固視したドーム中心から10°下側を患者が見続けて起こる不適切な固視に基づく視野異常がある．盲点は水平経線から10°下方の下耳側部の暗点となり，上方視野周辺部は沈下傾向を呈する．検査中の患者の固視監視が大切である．

文献

1) Lee SK, et al：Monocular hemianopia secondary to stroke. Am J Ophthalmol Case Rep. 2020 May 28；19：100758. doi：10.1016/j.ajoc.2020.100758
2) Yohannan, J et al：Evidence-based criteria for assessment of visual field reliability. Ophthalmology 124：1612-1620, 2017
3) Phu J, et al：Clinical evaluation of Swedish interactive thresholding algorithm-faster compared with Swedish interactive thresholding algorithm-standard in normal subjects, glaucoma-suspects, and patients with glaucoma. Am J Ophthalmol 208：251-264, 2019
4) Wild JM, et al：Objective derivation of the morphology and staging of visual field loss associated with long-term vigabatrin therapy.CNS Drugs 33：817-829, 2019
5) Keltner JL, et al：Classification of visual field abnormalities in the ocular hypertension treatment study. Arch Ophthalmol121：643-650, 2003. Correction. Arch Ophthalmol 126：561, 2008
6) Keltner JL, et al：Baseline visual field findings in the idiopathic intracranial hypertension treatment trial（IIHTT）. Invest Ophthalmol Vis Sci 55：3200-3207, 2014
7) 柏井　聡：自動静的視野検査の読み方—ハンフリーに隠された5つのリング "The Lord of the Rings". 神経眼科 26：243-260，2009
8) Asaoka R, et al：Estimating the reliability of glaucomatous visual field for the accurate assessment of progression using the gaze-tracking and reliability indices. Ophthalmol Glaucoma 2：111-119, 2019
9) Hoang TT, et al：Comparison of perimetric glaucoma staging systems in Asians with primary glaucoma. Eye 35：973-978, 2021
10) Mills RP：Automated perimetry in neuro-ophthalmology. Int Ophthalmol Clin 31：51-70, 1991
11) Fujimoto N, et al：Criteria for early detection of temporal hemianopia in asymptomatic pituitary tumor. Eye 16：731-738, 2002
12) Wall M, et al：Threshold static automated perimetry of the full visual field in idiopathic intracranial hypertension. Invest Ophthalmol Vis Sci 60：1898-1905, 2019

（柏井　聡）

10）神経眼科疾患の視野検査
③ 中心視野と対座法

I 検査の目的

1 検査対象

視覚異常を自覚するすべての患者が対象となる．

中心視野は平面視野計で測定し，中心視野異常を精密に検査したいとき，求心性視野狭窄が心因性か器質的かを判別する際に有用である．

対座法は，スクリーニングに用いる．また，小児や，ベッド上で大まかに視野欠損の有無をみるのに有用である．加えて，半盲と半側空間無視の鑑別にも有用である．

2 目標と限界

視野欠損，暗点の有無のスクリーニングを目的とする．

平面視野計は中心視野内の暗点の検出に優れている．一方，結果の正確性や測定条件の相違による再現性に問題があり，定量化に劣る．

II 検査法と検査機器

1 測定原理・測定範囲と機器の構造

平面視野計は患者の面前の平面を用いて中心視野を調べる．

検査距離を1m，2mと自由に長くとることができるので，視野異常が正接（tangent）に比例して拡大され，中心部を詳しく調べることができる（図1）．

III 検査手順

1 検査の流れおよびコツと注意点

1) 平面視野計（図2）
① 視野と眼の距離は通常1mとする．
② 視標のサイズは直径5mmの円盤を用いる．色は白，赤，緑，青がある．
③ 固視点には白色を用いる．
④ 視標を周辺から中心に向けてゆっくりと動かし，見えた点からイソプターを求める．また静的に視標を提示し，暗点を求める．

10) 神経眼科疾患の視野検査

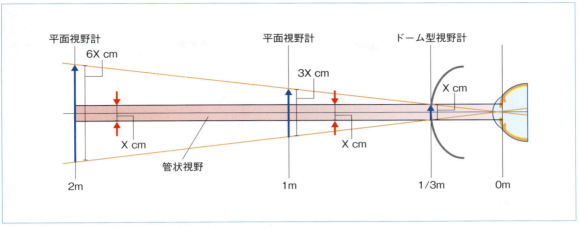

[図1] 平面視野計とドーム型視野計における管状視野
眼前1/3mのドーム型視野計の像がXcmであれば1mの距離の平面視野では3Xcmに，2mでは6Xcmの大きさになる．管状視野ではXcmのままで変わらない．
(木村　徹：眼科検査ガイド，第2版，p336)

⑤ 比較暗点の検出は色視標を用い，暗点の内から外へ動かして色が変わる点で求める．
⑥ 半盲を検査するには，正中線の両側で水平に耳側から鼻側へ，またその逆に動かして感度の違いを調べ，水平線の上下も同様に調べる．
⑦ 黒板上の5°間隔の同心円状の白線を基にチャートに記入する．

2) 対座法

① 60cmくらい離れて患者と対面して座る．患者には片眼を手で覆ってもらい，検者の鼻先を見つめてもらう．
② 顔の中でぼやけたり見えないところがあるか，顔の構成成分が見えるかを尋ねる．
③ 指を0〜3本，各4象限で指を提示し，数を問う．
④ 見えていないときは垂直線，水平線に向けて動かし，見えたらその本数を答えてもらう．欠損が垂直線，水平線を越えるか注意しなければならない．
⑤ 正中線の両側に同時に両手指を1〜2本，1,2秒間提示し，全部で何本見えるかを問う（図3）．異なる指の数を提示すればどちらが見えていないかがわかる．
⑥ 指の数が正しく答えられても，なお疑わしければ垂直中心線の左右に赤色の色鉛筆や

[図2] 平面視野計

[図3] 対座法の検査風景

キャップなどを示して，明るさの比較を行う．
⑦ 周辺視野を調べるときは，周辺から中心に向けて指を動かしながらゆっくり進めて，見えたら合図をしてもらう．1mと2mの距離で

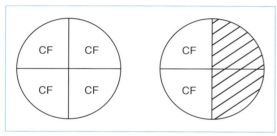

[図4] 対座法の記載法

視野の広さを比較して真の視野狭窄か，管状視野かがわかる．その際，2mの距離では，指でなく，手全体を使用する．

⑧ 半盲が疑われた場合，体を正中させ，顔のみを健側視野のほうを向かせ，同じように検査を行う．

IV 検査結果の読み方

1 平面視野計

平面視野計の感度は「視標のサイズ(mm)/検査距離(mm) 色」で表記する．直径5mmの視標を白色(white：W)を用いて1mの距離で検査したときは「5/100 W」と表記する．3mmの赤色視標(red：R)の見え方が暗くなった比較暗点で，検査距離50cmであれば「3/500 R 比較暗点」と記すればよい．

求心性視野狭窄があって検査距離1mと2mで同じ視野であれば管状視野である．

2 対座法

正常結果は，垂直水平経線を意識して記載する．CFはcounted fingersの略である．

半盲があれば欠損部に斜線を引く（**図4**）．

半盲が疑われ，体を正中させ，顔のみを健側視野のほうを向かせ，やはり半盲が観察されれば同名半盲，半盲が消失すれば半側空間無視を考える．

文献

1) Trobe JD：Visual fields. The Neurology of Vision, Oxford University Press, New York, 111-113, 2001
2) Harrington DO：Instruments of perimetry and their use. The Visual Fields A textbook and atlas of clinical perimetry, 5th eds, Mosby, 13-50, 1981

（中馬秀樹）

10) 神経眼科疾患の視野検査
④ 中心フリッカー値

I 検査の目的

1 検査対象

すべての視神経疾患．

2 目標と限界

網膜神経節細胞から第1次視覚野までの第3ニューロンの障害の検出が目標である．フリッカー融合頻度 critical fusion frequency (CFF) は，視神経疾患の診断，経過観察に有用であるが，固視が不安定な場合，正確な測定が困難となる．

II 検査法と検査機器

1 測定原理，測定範囲

眼前に点滅する不連続光を見ると，ちらつきとして感じる．その点滅頻度を徐々に高めると，ちらつきが認識できなくなり，最終的には1つの連続光として感じるようになる．このときの頻度がCFFとなる．CFFは，視覚系の時間周波数特性のカットオフ周波数であり，時間的分解能を評価することができる（図1）．

2 機器の構造

各種機器とその特徴を**表1**に示す．

3 感度と特異度

視神経炎をはじめとする種々の視神経疾患の検出感度は高い．屈折異常や中間透光体の影響を受けにくく，軽度の網膜疾患では異常が検出されず特異度も高い．

III 検査手順

1 検査の流れ

近大式中心フリッカー値測定器では，まず，接眼筒を赤線まで引き出す．視力良好の眼から，接眼筒の中の点滅する視標を覗かせる．頻度変換ダイヤルをゆっくり回して周波数を上げ，ちらつきがわからなくなった時点で合図させる．さらに周波数をいったん上げた後，周波数をゆっくりと下げ，再びちらつきを始めた時点で合図させる．こ

れを何度か繰り返し，CFF値を絞り込んでいき，最終的には，ちらつきを自覚できる最高周波数を求め，この値を中心CFF値として記録する．

2 検査のコツと注意点

中心輝度，背景輝度により変化するため，一定条件で行うことが大切である．検査中に，接眼筒を押して，検査距離が変わらないか赤線を確認しながら測定する．測定値のばらつきを減らすため，ダイヤルを一定の速度でゆっくり回すことが大切である．

Ⅳ 検査結果の読み方

1 正常結果

各機種別の中心CFFの正常値を表2に示す．中心CFF値の平均値は40～50Hzで，近大式中心フリッカー装置を用いた場合，一般的に35Hz以上を正常，25Hz以下を異常，26～34Hzを要精査とする．

2 異常所見とその解釈

中心CFF値が低い場合は，視神経障害の存在を念頭に鑑別する必要がある．視神経炎の場合，

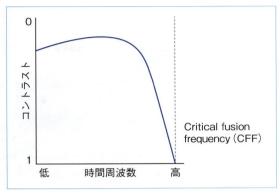

[図1] 時間周波数特性とCFFとの関係（文献1）より）

急性期は中心CFF値の低下が起こり，遅れて視力が低下することが多い．逆に，回復期は，視力が先で，中心CFF値は遅れて回復する．これは，中心視力-中心CFF値解離現象と呼ばれる[3]．一方，Leber遺伝性視神経症では，矯正視力は不良であっても，中心CFF値が回復することがある[4]．また，中心CFF値が良好で，矯正視力が悪い症例では，Leber遺伝性視神経症を除く視神経疾患の可能性は低く，白内障術後の視機能予測

[表1] 各種中心CFF値測定装置の特性（文献2）より）

	近大式中心フリッカー地測定器（ヤガミ）	フリッカーテスト（はんだや）			ハンディフリッカHF-Ⅱ（ナイツ）			フリッカー・ミニ（日点）
視標の色	白（帯黄）	白	青	赤	黄	緑	赤	赤
平均視標輝度（asb）	828±6.8（50Hz）	4652±28.5	9±0.1（50Hz）	14±0.0	179±0.9	218±0.8（50Hz）	142±0.6	262±1.0（50Hz）
背景輝度（asb）	15±1.0	—			—			—
視標視覚	2°	1.6°			2°			1.6°
背景視覚	8°	—			—			—
フリッカー方式	セクターディスク	放電管（青，赤は干渉フィルター）			発光ダイオード			発光ダイオード
波形	矩形波	三角派			矩形波			矩形波

[表2] 各種中心CFF値測定装置の正常値（n=150）（文献2）より）

		年齢							
		10～19	20～29	30～39	40～49	50～59	60～69	70～	全年齢
近大式		48.1	51.2	53.6	48.7	48.3	43.5	42.6	48.2±5.3
半田屋式	白	41.2	42.2	41.5	41.1	41.0	40.8	38.5	40.9±3.6
	青	29.0	33.1	33.7	28.6	26.6	24.7	23.2	28.6±5.6
	赤	28.1	32.2	32.4	28.5	28.6	25.0	24.0	28.5±5.3
ナイツ式	黄	43.8	43.0	42.4	40.6	41.1	36.5	35.3	40.5±5.4
	緑	44.9	43.8	43.0	41.0	39.2	36.4	35.1	40.6±5.0
	赤	41.3	40.4	39.4	38.6	36.9	34.0	34.2	38.0±4.3
日点式		38.7	38.3	37.4	37.2	36.9	34.7	34.5	36.9±2.6

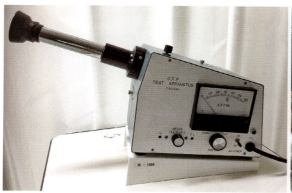 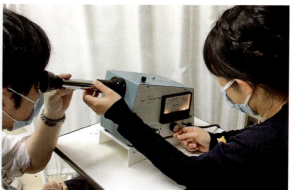

[図2] 中心フリッカー値測定

にも有用である．

3 アーチファクト

　CFF値は，屈折異常や軽度な中間透光体の混濁の影響を受けにくいが，加齢や縮瞳，疲労によって低下する．また，中心固視が不良な場合，結果の判定には注意を要する．

文献
1) 松本長太：中心フリッカー値．眼科プラクティス6．眼科臨床に必要な解剖生理．大鹿哲郎編．文光堂，東京，362-367，2005
2) 中村紀孔ほか：各種中心フリッカー値測定装置の比較．眼臨医 94：12-14，2000
3) 大鳥利文ほか：視神経疾患の診断治療における中心フリッカー値測定の意義について．臨眼 27：301-309，1973
4) Nakamura M, et al：Variable pattern of visual recovery of Leber's hereditary optic neuropathy. Br J Ophthalmol 84：534-535，2000

（栗本拓治）

10. 眼瞼検査
11. 涙液・涙道検査

10 眼瞼検査

1）眼瞼痙攣の検査（瞬目検査）

I 検査の目的

眼瞼痙攣症例の約80％の初診は眼科である．その病態は，1）開瞼困難，瞬目異常などの運動障害，2）羞明，眼部不快感，乾燥感，眼痛などの感覚過敏としてまとめられる感覚障害，3）抑うつ，不安，焦燥，不眠などの精神神経障害の3要素からなる．視床など基底核を含む中枢神経回路の伝達異常が原因の疾患である[1,2]．

重症例で日常生活上，ほとんど閉瞼状態の症例が，開瞼努力時に眼輪筋や顔面筋に「痙攣」，もしくは「攣縮」に相当する不随意運動がみられたことが，本症の病名の由来である．ただし，このような外見上の重症例は比較的少なく，短時間の診察で，眼瞼部の不随意運動を検出するのが難しい例が多い．

診断においては，問診，視診のほかに，随意瞬目運動を負荷させると，瞬目異常や開瞼失行が顕性になることがある．ここに紹介する瞬目検査は，そうしたことを背景に考案されたものである．

1 検査対象

1）「目を開けているのが辛い」「眩しくて（あるいは痛くて）開けていられない」といった開瞼困難を示す訴えの他，もの（特に画面，光）を見ていると症状が悪化する特徴を持つ例．また，「目を閉じていたほうが楽」「自然に眼が閉じてしまう」「眼が眠くなる」「片目をつぶってしまう」など，日常生活の中で閉瞼時間が長いことが示唆される症例．

2）自覚的に眼部の頑強で，持続的な不調，不快感を持つが，それに対応する眼所見に乏しい症例．

3）ドライアイとして治療を継続したが，自覚的改善が乏しいか，むしろ悪化している症例（眼瞼痙攣の50％以上が過去にドライアイと診断治療されている．また，ドライアイも治療に反応しない49例のうち28例（57％）が，眼瞼痙攣の重症型，Meige症候群であったとの報告もある[3]）．

2 目標と限界

瞬目試験を用いると瞬目の質の異常を発見でき，本症の診断につながることがあるが，必ずしも瞬目試験だけで診断すべきものではなく，総合診断の中の一要素として用いられるべきである．

また，瞬目試験陽性は本症を疑う契機とはなるが，眼表面異常などでも一過性に瞬目異常がみられることがある．また，自覚的訴えがなく，瞬目試験だけが異常という場合もあり，もともとリズムがとりにくい人や，高齢者にみられる．

II 検査法

視診である．軽瞬，速瞬，強瞬に分けて表1のように点数化する．健常者はいずれも円滑にできるはずである．音の出るストップウオッチ（メトロノーム）を用意して，音に合わせて瞬目してもらうとよい．

III 検査手順

3種の随意瞬目の検査は順不同で構わないが，軽瞬，速瞬，強瞬の順で行うのが患者に理解されやすいようである．

軽瞬は1分間70回の瞬目，速瞬は1分間に140～150回ストップウオッチの音に合わせて，軽くて歯切れのよい瞬目をさせる．速瞬は表1のようにできるだけ速い瞬きをしてもらう方法でもよい．若い健常者では10秒間で35～40回は可能である．

ストップウオッチを用いる場合は10秒間30回は180回/分に相当するが，ストップウオッチの音に合わせての瞬目の場合は早すぎるので，われわれは140～150回/分に設定している．

瞬目は，音が出た時に閉瞼するタイミングで行い，リズムよく，余分な瞬きや，痙攣様動きなど余分な運動が入らないことが大切である．「軽くて」の意味は，動く部位は上下眼瞼だけで，眉毛部や前頭部が動いてはならないことを意味する．

強瞬は，厳密には瞬目ではなく，瞼の開閉である．強く閉瞼し，素早く開瞼する動作を10回繰り返してもらう．

[表1] 瞬目テストと評価基準

	A. 眉毛部分を動かさないで、軽い歯切れのよいまばたきをゆっくりしてみる（軽瞬）	B. できるだけ速くて軽いまばたきを10秒間してみる（速瞬）	C. 強く目を閉じ、すばやく目を開ける動作を10回してみる（強瞬）
0点	できた	10秒間に30回以上のまばたきが、ほぼリズムよくできた	できた
1点	眉毛部分が動く、強いまばたきしかできない	途中でつかえたりして30回以上はできないが、大体できた	すばやく開けられないことが1、2回あった
2点	ゆっくりしたまばたきはできず、細かく速くなってしまう（不随意瞬目の混入）	リズムが乱れたり、強いまばたきが混入した	開ける動作がゆっくりしかできなかった
3点	まばたきそのものがうまくできず、目をつぶってしまう	速く軽いまばたきそのものができない	開けること自体に著しい困難があるか、10回連続できなかった
合計	A＋B＋C＝合計点数		

0点：眼瞼痙攣でないか、ごく軽症例　1～2点：軽症眼瞼痙攣　3～5点：中等症眼瞼痙攣　6～9点：重症眼瞼痙攣

（文献2）に基づいて本稿のために改変）

多忙な外来では、簡易版として「ぽんぽこぽんギューギュー試験」を勧めている．

ぽんぽこぽんギューギューのリズムに従って瞬目をしてもらう．「ぽん」は軽瞬，「ぽこ」は速瞬，「ギューギュー」には強瞬の要素がそれぞれ入っている．

患者には，負荷試験の目的を伝え，医師や検査員が手本を示したり，1，2回練習させてみて，検査の方法を理解しているかを確かめてから評価を始めるとよい．

IV 検査結果の読み方と解釈

1 診断のための検査

判定者は，何人かの健常者に軽瞬，速瞬，強瞬をさせて，健常な随意瞬目を十分把握しておく必要がある．動的な運動の評価であり，文字での説明には限界がある．また，わずかな異常の検出には，若干の経験が必要で，異常の出方にも症例によりバリエーションがあるので，眼瞼痙攣が確定している例の負荷試験の様子などを視聴して，自身の視診による判定確度を上げておく必要がある．

観察，判定のポイントを文章で示すことは，紙面の関係で割愛せざるを得ない．以下のサイトに動画で解説されているので参照されたい．

https://gskpro.com/ja-jp/disease-info/bs/test/

2 重症度をみるための検査

診察室で，眼瞼痙攣と診断したら，筆者は同時に重症度も診断している．

[表2] 診察室での重症度分類

I	訴えに対応した他覚的所見が得られない
II	軽瞬，速瞬が不規則または強瞬しかできない
	註：I，IIでは診察室で特有な表情はほとんどみられない
IIIA	強瞬時，開瞼に著しい遅れや痙攣（失行型）
IIIB	瞬目させると中途で痙攣が生じたり閉瞼状態
	註：IIIでは室内でも眩しそうな顔貌，しかめ面が確認できる
IV	診察室でも大半が閉瞼状態
V	全く開瞼できない
	なお，眼瞼周囲以外の筋にジストニアが確認できる場合はIVまたはVに分類すること

表2は重症度を5段階に分けた分類である．注意すべきは，重症度Iで，これは瞬目試験でも明らかな異常所見が得られないものである．このように，瞬目試験が陽性にならない，あるいは，はっきり陽性とは判定しにくい軽症例もあり，瞬目試験が絶対的指標でないことを示している．ただし，ここでの軽症とは他覚的に判定した場合であり，感覚異常が強く，運動異常が軽微な症例もあることから，自覚的な重症度とは必ずしも一致しないことには注意を要する．

なお，この重症度分類での軽瞬，速瞬，強瞬の異常とは表1で1点以上を示すものすべてを含んでいる．

文献
1) 日本神経眼科学会：眼瞼けいれん診療ガイドライン．日本神経眼科学会，2011
2) 若倉雅登：眼瞼けいれんと顔面けいれん．日眼会誌 109：667-680，2005
3) Tsubota K, et al：Dry eye and Meige's syndrome. Br J Ophthalmol 81：439-442, 1997

（若倉雅登）

10 眼瞼検査

2）挙筋機能検査

Ⅰ 検査の目的

1 検査対象

眼瞼下垂，あるいは瞼裂幅に左右差を認めるものを対象とする．

2 目標と限界

挙筋能は眼瞼下垂の原因，手術方法などの決定に重要である．片眼の眼瞼下垂で受診した症例が反対眼の上眼瞼後退症であったり，筋無力症による易疲労性の眼瞼下垂であったり，まずは正しく眼瞼下垂を診断する必要がある（図1）．眼瞼下垂，偽眼瞼下垂をきたす疾患を表1に示した．

Ⅱ 検査法と検査機器

1 測定原理

開瞼は主として上眼瞼挙筋によりなされるものであるが，挙筋能が減弱しているものでは前頭筋で代用して上眼瞼を挙上している（図1b）．この場合，額に深い皺が認められる．上眼瞼皮膚弛緩症が高度な症例では挙筋能は正常であるが，眼瞼下垂があるように見え，顎上げの頭位異常を呈しているものもある．挙筋能の検査は，前頭筋や皮

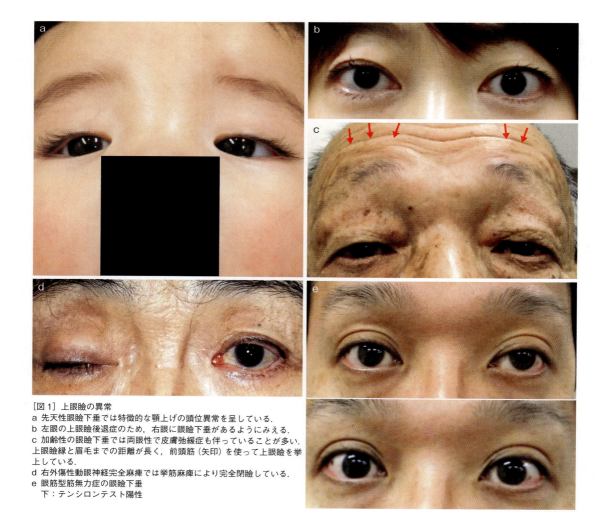

[図1] 上眼瞼の異常
a 先天性眼瞼下垂では特徴的な顎上げの頭位異常を呈している．
b 左眼の上眼瞼後退症のため，右眼に眼瞼下垂があるようにみえる．
c 加齢性の眼瞼下垂では両眼性で皮膚弛緩症も伴っていることが多い．上眼瞼縁と眉毛までの距離が長く，前頭筋（矢印）を使って上眼瞼を挙上している．
d 右外傷性動眼神経完全麻痺では挙筋麻痺により完全閉瞼している．
e 眼筋型筋無力症の眼瞼下垂
　下：テンシロンテスト陽性

2）挙筋機能検査

[表1] 眼瞼下垂と偽眼瞼下垂をきたす疾患

先天性	単純先天眼瞼下垂，瞼裂狭小症候群，総線維化症候群（外眼筋線維症），異常連合運動（Marcus-Gunn現象），先天動眼神経麻痺
後天性	老人性眼瞼下垂，腱膜性眼瞼下垂，動眼神経麻痺，重症筋無力症，進行性外眼筋麻痺，Horner症候群，機械的眼瞼下垂（霰粒腫，蜂巣炎，眼瞼浮腫）
偽眼瞼下垂	下斜視に伴うもの，小眼球，高度遠視眼，老人性皮膚弛緩症，Duane症候群（内転時の瞼裂狭小），顔面神経麻痺，半側顔面痙攣，眼瞼痙攣

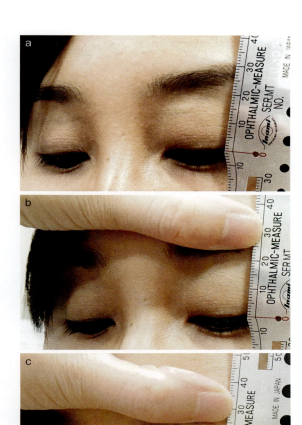

[図2] 挙筋能の測定
a 最大下方視した時の上眼瞼縁にメジャーを0に合わせる．
b 前頭筋を使わないように眉弓部を親指で押さえる．
c 最大上方視した時の上眼瞼縁をメジャーで読む．

皮膚弛緩などの要素を除外し，顔を正面にして，上眼瞼挙筋のみで上眼瞼を挙げる筋力をみるものである．

Ⅲ 検査手順

まずは正面視での瞼裂幅を測定しておく．ついで患者の頭部を正面に固定し，最大下方視させ，外眼角にメジャーを当て，上眼瞼縁にメジャーの0を合わせる．そして，前頭筋の働きを除去するため眉弓部を前頭骨に向かって親指で押さえ，最大下方視から最大上方視させたときの上眼瞼縁の移動距離を測定する（図2）．この移動した上眼瞼縁の距離（mm）を挙筋能とする．

Ⅳ 検査結果の読み方と解釈

1 正常値

正面視での瞼裂幅：7～10mm，挙筋能は通常12mm以上（正常値下限が10mm）である．

上眼瞼縁は角膜を2～3mm覆い，角膜上方の結膜は通常，露出しない．下眼瞼は角膜下縁に接している．

2 異常値とその解釈

先天眼瞼下垂では正常下限の10mmを大きく下回る．そのため，手術方法は大腿腱膜やゴアテックスなどを用いた前頭筋吊り上げ術となる．臨床診療で遭遇する眼瞼下垂は多くは腱膜性（加齢性，コンタクトレンズ性）であり，挙筋能は良好な場合が多く，上眼瞼挙筋やMüller筋縫縮術の適応となる．

重症筋無力症の眼瞼下垂は疲労現象によるものであり，測定時間により変動が見られる（日内変動）ことが多く，治療はまず内服治療となることから，安易に眼瞼下垂手術が施行されることがないように注意が必要である．

（木村亜紀子）

10 眼瞼検査

3) アイスパックテスト，テンシロンテスト（神経・筋負荷テスト）

I 検査の目的

1 検査対象

両検査ともに，重症筋無力症の診断のための検査である．眼科では眼瞼下垂・眼球運動障害の一方もしくは両方の症状を有するときに検査を試行する．眼瞼下垂・眼球運動障害ともに，朝は軽症で時間とともに重症化し，神経解剖学的に説明がつかないときに，原因として重症筋無力症を疑い両検査の試行を検討する．

2 目標と限界

両検査ともに，重症筋無力症の診断を目標としている．易疲労性や日内変動を呈する，眼瞼下垂・眼球運動障害にアイスパックテストかテンシロンテストが陽性で，他の疾患が鑑別できれば，重症筋無力症の診断となる．しかしながら，両検査の結果のみでなく，病原性自己抗体であるアセチルコリン（Ach）受容体抗体や筋特異的受容体型チロシンキナーゼ（MuSK）抗体の検査結果，筋電図検査の結果も考慮し総合的に診断を行う必要がある．また，経過が長期化した重症筋無力症は外眼筋が萎縮し，両検査とも陰性となることがある．

II 検査法

1 検査原理

テンシロンテスト：重症筋無力症は，主として神経筋接合部のシナプス後膜上にある Ach 受容体を標的とした自己抗体の作用により，神経筋接合部の刺激伝達が障害され生じる自己免疫疾患である．Ach はその分解酵素であるコリンエステラーゼで分解・不活化される．抗コリンエステラーゼ剤はコリンエステラーゼの活性を阻害し Ach の分解を阻害することで，神経末端の Ach 濃度を上昇させ，重症筋無力症による筋収縮不良の改善を促す．テンシロン（商品名：アンチレックス®，一般名：エドロホニウム塩化物）は抗コリンエステラーゼ剤の一つであり，効果発現が最も早く 1 分以内，作用時間は 5 分程度の検査用の薬剤である．

アイスパックテスト：コリンエステラーゼは，温度が低くなると活性が低下し Ach の分解が抑制される．そのため，神経末端の Ach 濃度が上昇し，筋への作用が増強するため，重症筋無力症の症状が緩和される．

2 感度

両検査とも感度は 90％以上といわれているが，病期によって反応が異なる．経過が長い症例では，外眼筋の変性を伴っているため，検査への反応が悪くなり感度が低下する．また，アイスパックテストの特異度は 25～100％[1~3]であり，報告によってばらつきがあることに注意が必要である．

III 検査手順

1 検査の流れ

テンシロンテスト：アンチレックス®を静脈内に注入し，眼瞼下垂や眼球運動障害の改善を確認する．その検査方法は過去にさまざまな方法が紹介されている．ここでは筆者の実践している方法を紹介する．1 ml のアンチレックス®を生理食塩水 9 ml で希釈し，10 ml シリンジで用意する．静脈を確保し点滴をつなぐ．点滴ルートの途中に三方活栓をつけ，そこから薬液を注入する．検査の前に，三方活栓から，希釈したアンチレックス®を極少量注入し，点滴の滴下を速め，顔色，発汗，呼吸状態など被検者の状態を確認し，アナフィラキシー症状を確認する．被検者に異常がなければ検査を開始する．三方活栓から希釈したアンチレックス®を 3 ml 注入する．副作用出現のリスクを考え，一度に全量を投与せず，分割して投与を行う．ここでも同様に被検者の観察を怠らないようにする．注入後 1 分で，眼瞼下垂・眼球運動障害の改善を観察する．改善を認めないときは，さらに希釈したアンチレックス®を 3 ml 注入する．2 回目投与後も同様に 1 分後に観察をし，症状の改善を確認する．判断に悩む場合は，3 回目の投与を行うが，反応がないときは 2 回目の投与で検査を終了し，被検者の体調を確認する．点

滴は検査終了後30分までキープし，被検者の体調に異常がないことを確認ののち，抜針する．

アイスパックテスト：アイスパックを2分間，閉瞼している眼瞼の上から当て冷却する．2分間で2mmの眼瞼挙上が認められれば陽性と判断する（図1）．

2 機器の使い方

両検査とも，施行前後での写真を撮影すると診断精度が向上する．瞼裂幅の程度は顎の高さに影響を受けるため，顎まで顔全体を入れて撮影すると判断しやすい．また可能であれば動画も一緒に撮影するとさらに診断が容易となる．眼球運動障害は，視標を用いて確認する．眼球運動障害が強い方向で複視の状態を被検者に記憶してもらう．この際，光視標と赤ガラスを用いると複視の状態はさらに確認しやすくなる．眼瞼下垂と同様に，写真や動画の撮影も有用である．また，Hessチャートにて，眼球運動障害が一番強い部位の検査後に，アンチレックス®を投与し1分以内に同一部位を再検査するテンシロンHess赤緑試験は，検査精度が高く有用である．

3 検査のコツと注意点

アンチレックス®投与前にプラセボ薬として生理食塩水を投与することで，詐病や心因性による偽陽性を鑑別することができる．アンチレックス®の副作用として，ムスカリン作用である徐脈，血圧低下，顔面蒼白，嘔吐，腹痛，発汗，流涙などが出現することがある．副作用出現の際は，速やかにアトロピンを静脈注射する．アトロピンはいつでも投与できるようにアンチレックス®と一緒に準備し検査を施行する．アトロピンはプリセットのものが便利である．一方，アイスパックテストはテンシロンテストのような全身的な侵襲がないが，プラセボが使えないため，詐病や心因性の患者による偽陽性を鑑別することが困難である．

IV 検査結果の読み方

テンシロンテスト：眼瞼下垂，眼球運動障害の改善を認めれば，陽性と判断する．段階的にアンチレックス®を投与し，いずれの段階でも改善を

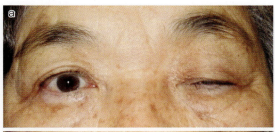

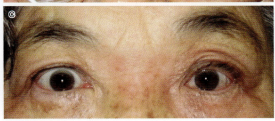

［図1］アイスパックテスト
a 冷却前，b 冷却中，c 冷却後

認めれば陽性と判断する．写真や動画による判断の他，眼瞼の開けやすさ，複視の程度を確認することでも判断することができる．

アイスパックテスト：2分間の冷却で眼瞼下垂の改善を確認する．眼球運動障害の改善を確認するためにはさらに長時間の冷却が必要となる．

文献
1) Golnik KC, et al：An ice test for the diagnosis of myasthenia gravis. Ophthalmology 106：1282-1286, 1999
2) Chatzistefanou KI, et al：The ice pack test in the differential diagnosis of myasthenic diplopia. Ophthalmology 116：2236-2243, 2009
3) Mittal MK, et al：Ocular myasthenia gravis in an academic neuro-ophthalmology clinic：clinical features and therapeutic response. J Clin Neuromuscul Dis 13：26-52, 2011
4) 重症筋無力症ガイドライン作成委員会編：I．総論．重症筋無力症診療ガイドライン2014，日本神経学会監修，南江堂，東京，2014

（後関利明）

4) ネオシネジン点眼負荷検査 （Müller 筋試験）

I 検査の目的

1 検査対象
眼瞼下垂の患者

2 目標と限界
眼瞼下垂の原因としての，Müller 筋の関与の程度を判定する．

眼瞼下垂手術術式の選択に用いられる．

ヒトの Müller 筋には a_2 受容体のほうが多いため，a_1 受容体を刺激するフェニレフリンより a_2 受容体を刺激するアプラクロニジンのほうがふさわしいという意見もある．

II 検査法と検査機器

1 測定原理
アルファアドレナリン作動薬であるフェニレフリンが，交感神経支配された Müller 筋を刺激し，その収縮具合をみることで Müller 筋短縮術の効果を術前に予測できる．

III 検査手順

1 検査の流れおよびコツ
オリジナルは 10％フェニレフリンを用いるが，日本では市販されている散瞳薬のトロピカミド＋5％フェニレフリン混合点眼や 5％フェニレフリン点眼が用いられる．

① 点眼前に，写真と，上眼瞼から瞳孔中心のペンライトの光の反射光までの距離，margin to reflex distance1（MRD1）を測定する．
② 上眼瞼を挙上し，眼球を下方視させる．
③ 上方角膜輪部へ 1 滴点眼する．
④ 5 分後に写真と，MRD1 を測定し，点眼前と比較する．

[図 1] フェニレフリン点眼試験陽性例（右眼）
a 点眼前
b 点眼後．フェニレフリン点眼により 1.5 mm の改善がみられた．

IV 検査結果の読み方

点眼後の MRD1 と点眼前の MRD1 の差（△MRD1）で評価する．

△MRD1 ＝ 0
0.5 mm ≧ △MRD1 ≧ 1 mm
1.5 mm ≧ △MRD1 ≧ 2 mm
△MRD1 ≧ 2 mm

に分類される．

差が 1.5 mm 以上あれば軽度の眼瞼下垂に対する経結膜 Müller 筋短縮術のよい適応と考えられる（図 1）．

文献
1) Putterman AM, et al：Muller muscle-conjunctiva resection. Technique for treatment of blepharoptosis. Arch Ophthalmol 93：619-624, 1975
2) Lee GN, et al：Response to phenylephrine testing in upper eyelids with ptosis. Digital journal of Ophthalmology. Doi：10.5693/djo.01.2015.001
3) 矢部比呂夫：ミュラー筋短縮術を主体とした眼瞼下垂手術．MB OCULI 12：59-69, 2014

（中馬秀樹）

11 涙液・涙道検査

1）マイボグラフィー検査

I 検査の目的

1 検査対象
マイボグラフィー検査を行う対象は，マイボーム腺関連疾患が疑われる患者．症状では眼不快感，眼乾燥感，眼灼熱感などに代表される不定愁訴を訴える患者．疾患別ではドライアイ，マイボーム腺機能不全，霰粒腫など．

2 目標と限界
目標は，マイボーム腺の腺構造を非侵襲的に生体内で撮影し，マイボーム腺の形態変化を把握し，機能との関連づけを行うこと．

限界は，結膜に浮腫や炎症があると白黒のコントラストが悪くなり，撮影しづらくなる．また，機種によっては画素数や解像度の問題がある．

II 検査法と検査機器

1 測定原理・測定範囲
可視光線よりも深部到達度の高い赤外線は，瞼板を透過し，正常な質のマイボーム腺脂（マイバム）により反射される．マイボグラフィー画像の白い部分はマイバムの自発蛍光を反映していると考えられている．正常では，ブドウの房状の腺房が白く観察される[1]（図1）．黒い部分はマイバムがないところであり，腺構造が破壊されたマイボーム腺の脱落（drop-out）と，角化物の堆積やマイバムが変性・減少した部分と考えられる[1]（図2）．測定範囲は上下左右すべてのマイボーム腺が撮影可能である．

2 機器の構造
赤外光を結膜側に照射し，赤外線カメラでその画像を観察する[1]．多種多彩なマイボグラフィーが入手可能となっているが，原理は同じである．

3 感度と特異度
感度は88.9%，特異度は87.5%．

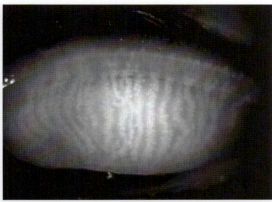
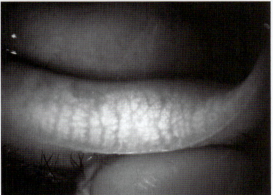

[図1] 正常眼のマイボグラフィー

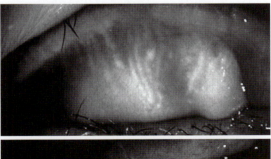
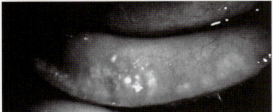

[図2] マイボーム腺機能不全（MGD）のマイボグラフィー

337

11. 涙液・涙道検査

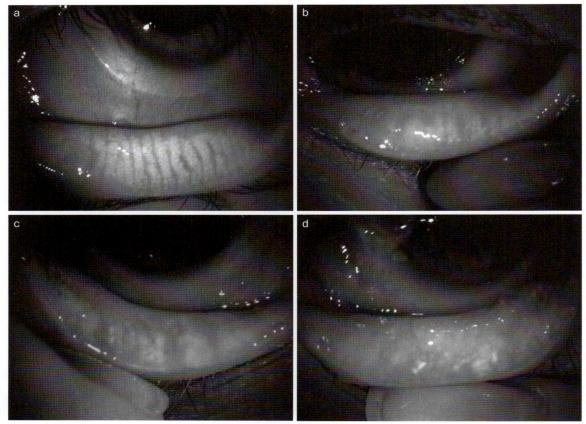

[図3] マイボスコア
マイボーム腺の眼瞼に対する消失面積によって分類されたグレーディング．
a マイボーム腺の消失面積なし．
b マイボーム腺の消失面積が全体の瞼の1/3以下．
c マイボーム腺の消失面積が瞼の1/3以上2/3以下．
d マイボーム腺の消失面積が瞼の2/3以上．

III 検査手順

1 検査の流れと機器の使い方

スリットランプ付属式マイボグラフィーでは，まずマイボーム腺開口部周辺や眼瞼縁の状態をスリットランプの散乱光を用いて観察，フルオレセイン染色後，角結膜上皮障害の有無，涙液破綻時間（BUT）の計測を行う．その後，さらにフィルターを赤外線透過フィルターにし，患者の上下眼瞼の瞼結膜を翻転しながら，観察用モニターでマイボーム腺を観察，評価する．

専用の機器では，マイボグラフィー撮影時には上下眼瞼結膜を翻転してマイボグラフィーモードで撮影する．

2 検査のコツと注意点

いずれの機器も赤外光を用いているため，暗室での検査が望ましい（明室でも観察は可能）．局所麻酔は使用しない．下眼瞼結膜を翻転するときは，下に皮膚を引っ張るのでなく，眼窩の骨に沿って親指を横に挿入し，下眼瞼を顔の皮膚と平行にするように心がける．

反射によりマイボーム腺が見にくい場合は，患者の顔の向きや光の入り方を左右に動かすなどの工夫をすると観察しやすい．

IV 検査結果の読み方

1 正常結果

正常なマイボーム腺は上下ともに直線的で白く

映る（図1）．上のマイボーム腺のほうが下よりも細くて長い．マイボーム腺の消失面積に従ったグレード分類がある（マイボスコア：0〜6）[1]（図3）．上下合わせてマイボスコア2以下であれば正常範囲内の変化と考えられる[1]．

2 異常所見とその解釈

本来であれば白く映るはずの腺構造が消失した場合，マイボグラフィーでは黒く映る[1]（図2）．

a．脱落（drop-out）

マイボグラフィーの所見で最も診断的価値の高い所見．マイボーム腺開口部から完全にマイボーム腺が消失した状態で写真では黒く抜ける[2]．脱落の所見を呈する疾患はマイボーム腺機能不全（MGD）[2]が代表的である．加齢も大きなリスクファクターである．

b．短縮（shortening）

マイボグラフィーの所見のなかで最も頻度が高い所見．先天的に約10％の人は，マイボーム腺が短縮している．短縮すると予備能力が低下するので，経過観察を要する．特にこの所見を呈しやすいのはコンタクトレンズ装用者である[3]．

c．屈曲（distortion）

マイボグラフィーの所見のなかで特異度が高い所見．屈曲所見を見たらアレルギー性結膜炎を強く疑う[4]．

3 アーチファクト

光の反射によりマイボーム腺が撮影できない部分がある．

文献
1) Arita R, et al：Noncontact infrared meibography to document age-related changes of the meibomian glands in a normal population. Ophthalmology 115：911-915, 2008
2) Arita R, et al：Proposed diagnostic criteria for obstructive meibomian gland dysfunction. Ophthalmology 116：2058-2063. e2051, 2009
3) Arita R, et al：Contact lens wear is associated with decrease of meibomian glands. Ophthalmology 116：379-384, 2009
4) Arita R, et al：Meibomian gland duct distortion in patients with perennial allergic conjunctivitis. Cornea 29：858-860, 2010

（有田玲子）

2）涙液量検査

I 検査の目的

涙液検査には，量と質の視点があり，量の視点の検査として，涙液量の検査がある．そして，涙液量の検査としては，涙液の貯留量の検査と分泌量の検査があり，分泌量は，さらに，反射性分泌量と基礎分泌量に分けられる．ここに，分泌量と呼ぶ場合，一定時間に分泌される量を指す．涙液の基礎分泌量は，涙液貯留量に反映されるが，涙液貯留量は，導涙系の影響も受け，導涙系に通過障害があると，涙液貯留量は増加しうる．さらに，反射性涙液分泌量は，三叉神経（角膜知覚神経）→顔面神経（中間神経）→涙腺神経（副交感神経）からなる神経系のreflex loopと涙腺の機能が関係する．反射性涙液分泌の検査には，眼表面の自己修復システムの機能検査としての意義がある．涙液量の検査は，一般にドライアイの検査として行われるが，治療の適応や効果判定など，涙道疾患や眼瞼疾患の領域でも徐々に評価の必要性が増してきている[1]．

1 検査対象

一般にドライアイが対象，他に眼表面疾患，涙道疾患，眼瞼疾患が検査対象となる．

2 目標と限界

眼表面の涙液は，結膜嚢，上・下の涙液メニスカス，瞼裂部の眼表面に涙液層として分布するが，これらの各部位において，正確な涙液貯留量の絶対量を知ることは困難である．そこで，涙液貯留量は，一般に，眼表面の75〜90％の涙液が貯留するとされる涙液メニスカスの評価（図1）で代用される．ここに涙液メニスカスから得られる指標のうち，ドライアイと健常眼をスクリーニングする上で役立つ指標は，「高さ」と「曲率半径」とされる[2]．一方，涙液メニスカスの曲率半径と眼表面全体の貯留涙液量は一次相関することが知られ[3]，曲率半径と高さの間にも有意な相関がある[4]ため，高さと曲率半径が涙液貯留量の評

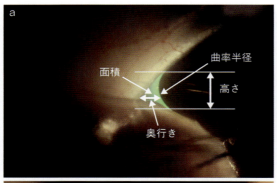
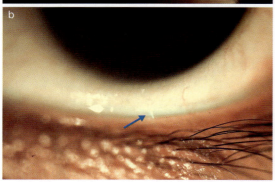

[図1] 下眼瞼中央の涙液メニスカスの断面（フルオレセイン染色像）および正面
断面からは，高さ，奥行き，曲率半径，断面積といった測定値が得られる（a）．フルオレセイン染色を用いなければ，結膜が背景である場合に計測が難しい場合がある（b 矢印）．

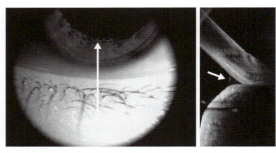

[図2] 前眼部光干渉断層計による下眼瞼中央におけるメニスカスの断面（右図矢印）

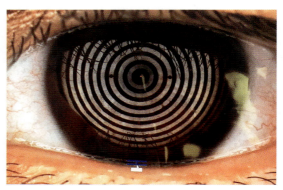

[図3] Keratograph® 5M による涙液メニスカスの高さの測定
カーソルを用いて，高さを計測する．

価の良い指標といえる．

涙液の反射性分泌量は Schirmer テスト I 法が最も一般的であるが，基礎分泌量の測定は，フルオロフォトメトリー法によってなされる[5]．

II 検査法と検査機器

1 測定原理，測定範囲

涙液メニスカスの高さは，細隙灯顕微鏡で撮影したイメージをキャプチャーし，画像解析ソフトを用いて計測するのが簡便であるが，コントラストを上げるには，フルオレセインによる涙液の可視化を必要とする（図1）．低侵襲的な涙液メニスカスの高さの評価法としては，細隙灯顕微鏡以外に，前眼部光干渉断層計（anterior segment optical coherence tomography：AS-OCT）[6]（図2），Keratograph® 5M（OCULUS）の内蔵ソフトによる方法[7]（図3）などがあり，曲率半径の計測には，ビデオメニスコメトリー法がある[8,9]（図4）．ビデオメニスコメトリー法では，専用機器であるビデオメニスコメーターを用い，白色光を用いて水平縞のターゲットを涙液メニスカスの凹面に投影し，その鏡面反射像の線幅とターゲットの線幅を凹面鏡の光学式にあてはめて，メニスカスの曲率半径を得る[9]．また，涙液メニスカスの貯留涙液量を評価する，他の方法として，専用のSM Tube® を用いたストリップメニスコメトリー[10]（図5）がある．本法では，SM Tube® の先を涙液メニスカスに触れることで，涙液がチューブ内に吸引され，吸引された涙液量を青い線を指標として計測する．

反射性涙液分泌量は，一般に Schirmer テスト I 法で検査され，専用の Schirmer 試験紙を下眼瞼外側 1/3 に挿入し，自然瞬目下で 5 分間の結膜表面刺激による涙液分泌量を試験紙の折り目を 0mm として計測する．

2 感度と特異度

カットオフをそれぞれ，＜高さ0.3mm，＜曲率半径0.25mm，＜吸引涙液量4mmとしたときの前眼部OCT，メニスコメトリー，ストリップメニスコメトリーによる下方涙液メニスカスの測定結果に基づくドライアイ診断の感度・特異度は，それぞれ，67%・81%[6]，88.9%・77.8%[8]，83.5%と58.2%[10]との報告がある．

III 検査手順

1 検査のコツと注意点

涙液量の検査の一般的なコツとしては，低侵襲の検査は，他の涙液および眼表面検査の先に行い，最も侵襲のあるSchirmerテストI法は，他の検査の最後に10分以上時間をあけて行うことが望ましい．Schirmer試験紙の挿入時には，斜め上を見させて，角膜に試験紙があたらないように挿入するのがコツであり，特に，瞼裂が狭い場合に注意を要する（**図6**）．Keratograph® 5Mでは，非侵襲的涙液層破壊時間（NIKBUT）の測定と涙液メニスカスの高さの測定を一台の装置で行うことができるが，メニスカスの計測を先に行わないとNIKBUTにおける開瞼維持が反射性の涙液分泌を促し，メニスカスの計測値を高めてしまうことが指摘されている[7]．

IV 検査結果の読み方と解釈

1 正常値と異常値

検査対象の年齢や性別にも依存するが，メニスカスの高さや曲率半径の正常値は，0.2〜0.3mmの値となり[4,7,8]，異常値は，比較対象に依存して，それ以下あるいはそれを越える場合となる．

2 アーチファクト

涙液貯留量の評価には，一般に下眼瞼中央のメニスカスの「高さ」あるいは「曲率半径」が用いられるが，眼瞼縁には，マイボーム腺開口部が分布し，瞼縁に貯留した油脂がメニスカスの形状に影響を与えることがあり，注意を要する．また，下方のメニスカスには結膜弛緩症が高率に合併するため，それが涙液の流れを阻み，涙液を貯留させてしまっていることがあるため，一度しっかり閉

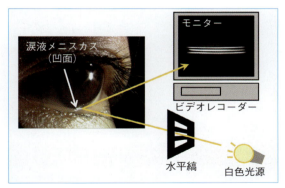

[図4] ビデオメニスコメトリーの基本原理
涙液メニスカスに水平縞を投影し，得られた像からパソコンを用い，凹面鏡の光学式に基づいて曲率半径を算出する．

[図5] ストリップメニスコメトリーにおける専用のSM Tube®（上図）と，涙液の吸引結果（下図）

[図6] SchirmerテストI法

瞼した後，メニスカスの計測を行う必要がある（**図7**）．また，開瞼維持による涙液層の破壊が反射性の涙液分泌を生じうることへの注意（図7）や，瞼裂の狭い対象では，Schirmer試験紙が角膜に当たりやすく，通常の結膜刺激とは異なる結果が得られる場合があることに注意が必要である．

文献

1) Watanabe A, et al：Long-term tear volume changes after blepharoptosis surgery and blepharoplasty. Invest Ophthalmol Vis Sci 56：54-58, 2014

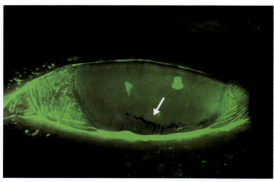

[図7] メニスカスの計測
結膜弛緩症では、涙液が溜まり気味になっている場合があること、涙液層の安定性が悪い例（矢印）では、開瞼維持が反射性涙液分泌を生じてメニスカスの値を高めてしまう危険があることに注意が必要である。

3) BUT 検査

I 検査の目的

ドライアイのコア・メカニズムの1つは、涙液層と上皮の異常連関であり、それは、角膜表面に涙液層の安定性の低下を表現し、健常眼と大きく異なる可視化できる異常である。したがって、開瞼とその維持による涙液層の安定性の低下の検査、すなわち、涙液層の破壊時間（breakup time (BUT) of tear film）の検査は、ドライアイの本質的検査となる。涙液検査には、量と質の視点があるが、涙液の中身を評価できる有用なバイオマーカーが存在しない現在、BUT は、今なお、最も有用な涙液の質の検査、ドライアイの検査の1つとして位置づけられる。

一方、近年、眼表面の層別診断法 tear film oriented diagnosis（TFOD）の考え方が登場し、そのための検査として、涙液層の破壊パターン breakup pattern（BUP）検査が注目されている。BUP 検査は、1）眼表面の不足成分の看破、2）ドライアイのサブタイプ分類、3）眼表面の層別治療（tear film oriented diagnosis：TFOT）のための眼局所治療の提案の3つを可能とする検査法である[1]。

1 検査対象

涙液層の液層、あるいは、全層を検査対象とし、疾患としては、ドライアイを検査対象とする。

2 目標と限界

角膜上の涙液層は、表面の油層とその直下の液層とからなり、破壊が一気に起こることもあるが、一般には、液層が菲薄化しながら全層の破壊に至る。したがって、フルオレセインを用いて液層を染色し、その菲薄化の指標である dark spot（図1）の出現までの時間を細隙灯顕微鏡を用いて観察しながら測定するフルオレセイン BUT (F-BUT) 検査は、最も感度の高い BUT 検査といえる。しかし、この検査は、涙液層の全層破壊を見ていない点、フルオレセインを用いるため、

2) Mainstone JC, et al：Tear meniscus measurement in the diagnosis of dry eye. Curr Eye Res 15：653-661, 1996
3) Yokoi N, et al：Relationship between tear volume and tear meniscus curvature. Arch Ophthalmol 122：1265-1269, 2004
4) Oguz H, et al：The height and radius of the tear meniscus and methods for examining these parameters. Cornea 19：497-500, 2000
5) 清水章代ほか：フルオロフォトメトリーを用いた健常眼の涙液量、涙液 turnover rate の測定．日眼会誌 97：1047-1052, 1993
6) Ibrahim OM, et al：Application of visante optical coherence tomography tear meniscus height measurement in the diagnosis of dry eye disease. Ophthalmology 117：1923-1929, 2010
7) Koh S, et al：Effect of non-invasive tear stability assessment on tear meniscus height. Acta Ophthalmol 93：e135-139, 2015
8) Yokoi N, et al：Non-invasive methods of assessing the tear film. Exp Eye Res 78：399-407, 2004
9) 横井則彦：涙液メニスカス曲率半径．眼科プラクティス 25．眼のバイオメトリー—眼を正確に測定する—　大鹿哲郎編，文光堂，東京，48-52, 2009
10) Ibrahim OM, et al：The efficacy, sensitivity, and specificity of strip meniscometry in conjunction with tear function tests in the assessment of tear meniscus. Invest Ophthalmol Vis Sci 52：2194-2198, 2011

（横井則彦）

3) BUT 検査

その侵襲性がアーティファクトを生みうる点を理解しておく必要がある．

一方，ビデオインターフェロメーター，DR-1™（あるいは，DR-1α™）を用いて涙液表面から油層を直接観察しながら，涙液層の全層破壊の出現（図2）までの時間（以下，DR-1-BUT）を測定する方法[2,3]や，ビデオトポグラファーを用いて涙液表面からプラチドリング像の乱れが出現（図3）するまでの時間（以下，Topo-BUT）を測定する方法[4~6]によって得られるBUTは，非侵襲的涙液層破壊時間（non-invasive breakup time：NI-BUT）と呼ばれ，F-BUTと区別される．DR-1-BUTは，直接観察によるため，NI-BUTの絶対値を与える測定法であり[2,3]，Topo-BUTは，全層破壊をリングの乱れで評価する間接的なNI-BUTの測定法であるため，DR-1-BUTより長く，F-BUT＜DR-1-BUT＜Topo-BUTの関係があり（図4），Topo-BUTでは，リングの数が少ないと感度が悪い．

フルオレセインBUP（F-BUP）検査では，ドライアイのサブタイプ分類，すなわち，涙液減少型（重症と中等症までを区別），水濡れ性低下型，蒸発亢進型の分類を目標とする．ただし，検者の知識，経験，ラーニングカーブに依存して，診断結果に違いが生じうる．

Ⅱ 検査法と検査機器

検査法として，F-BUT検査，DR-1-BUT検査，Topo-BUT検査に大別できるが，最も一般的な検査は，F-BUT検査である．Topo-BUT検査は，既存のトポグラファーに組み込まれたTSAS（tear film stability analysis system），その進化形としてのRing-BUT[4]（図5），Keratograph® 5M（OCULUS, Inc.）によるNI-BUTの計測[6]（図6）などがある．

1 測定原理，測定機器，測定範囲

F-BUT検査では，開瞼維持に伴う水分蒸発に基づく涙液層の液層の菲薄化によるフルオレセインの蛍光強度の低下を観察することでBUTを測定し，DR-1-BUT検査では，涙液油層の表面と裏面における反射光の干渉現象を観察すること

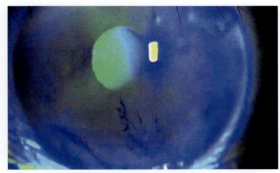

［図1］F-BUT測定時にみられるdark spot（液層の菲薄化領域）

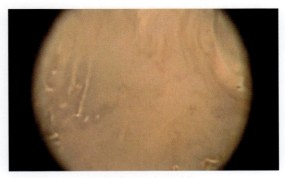

［図2］DR-1-BUT測定時の涙液層の全層破壊像

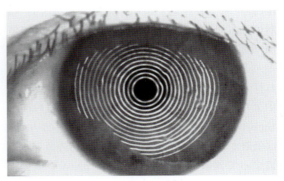

［図3］Topo-BUT測定時のプラチドリング像の乱れ

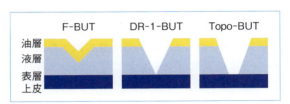

［図4］F-BUT，DR-1-BUT，Topo-BUT測定時の涙液層のプロファイル
F-BUTは液層の菲薄化を，DR-1-BUTは真の涙液層の全層破壊を反映する．

で，涙液層の全層破壊を直接観察しながら，NI-BUTを測定する[2]．TSAS[4]，Ring BUT[4]，およびKeratograph® 5MによるNI-BUTの測定[6]は，装置に依存したプログラムでリングの乱れを自動検出し，NI-BUTが測定される．リングの乱れは観察できる乱れと関係するが，どの程度の乱れが検出されているかは公開されていない．フルオレセインでは，瞼裂部の角膜の全範囲で，DR-1™（DR-1α™）では，角膜上，縦7.2mm×横8.0mmの矩形領域（低倍モード）でBUTが測定され，トポグラファーでは，装置に依存したプラチドリングの投影領域（観察範囲は角膜形状にも関係するが，Ring BUTでは6mm，Keratograph® 5Mでは10mmとされる）でBUTが測定される．

一方，F-BUP検査は，角膜全面で行う．涙液層の水分は，開瞼時に角膜表面に塗りつけられ，開瞼後の油層の上方伸展に伴って，液層の上方移動が生じ，その静止により，角膜上に涙液層が形成される．したがって，重症の涙液減少（水分減少）では，角膜に塗りつける水分がなくなり（area break：重症涙液減少型），角膜表面の水濡れ性が悪いと，開瞼直後に涙液層の破壊（spot break：水濡れ性低下型）がみられる．一方，油層の上方伸展時には，伸展する油層の先進縁で液層が菲薄化するため，角膜表面の水濡れが悪いと，その部で涙液層の破壊（dimple break：水濡れ性低下型）が生じる．また，涙液の水分減少が中等度までの場合は，角膜下方で涙液層の破壊（line break：中等症までの涙液減少型）が生じ，涙液層が形成された後は，開瞼維持時の蒸発亢進によって涙液層の破壊（random break：蒸発亢進型）が生じる（図7）．

2 感度と特異度

ドライアイにおける涙液異常には，涙液量の減少と涙液層の安定性の低下の二つの異常があり，涙液量の減少は，涙液層の安定性の低下を招くため，涙液減少型ドライアイでは，BUTは短い．しかし，涙液量が正常でも，BUTが短いドライアイ（BUT短縮型ドライアイ）が存在するため，基本的に，それを見落とさない検査法が必要である．特に，開瞼直後に涙液層の破壊が生じる涙液

［図5］Ring-BUT測定画面

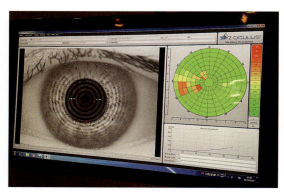

［図6］Keratograph® 5MにおけるNI-BUTの測定画面

層の破壊パターン（図8）（F-BUT＝DR-1-BUT＝Topo-BUT＝0秒）の見落としに注意が必要である[7]．一方，ドライアイのサブタイプには，好発する涙液層の破壊部位が存在し[7]，フルオレセインでは，角膜全域が評価できるために感度が高いが，角膜周辺の涙液層の破壊が拾えない検査法では，涙液減少型ドライアイのBUT計測がうまくできない可能性がある．また，角膜上皮障害が強くなると，トポグラファーでは，測定が難しい．Ring BUTでは，カットオフを＜5秒とした場合，2006年度のドライアイ診断基準では，感度79.4％，特異度78.6％とされ[4]，中等度から重度のドライアイ診断における，F-BUT・NI-BUT（Topo-BUT）のそれぞれの感度・特異度は，68％・72％，57％・52％という報告がある[5]．

一方，F-BUP検査では，3回の検査で，少な

3) BUT 検査

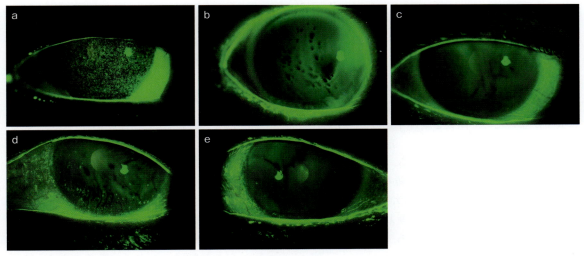

[図7] F-BUP (fluorescein breakup pattern) の基本パターン
a area break, b spot break, c random break, d line break, e Dimple break

くとも2回以上同じBUPがみられる場合をその
BUPとする.

III 検査手順

1 検査の流れ

　涙液検査では，先の検査が後の検査に影響を与えることや，開瞼維持が反射性涙液分泌を招きうるため，NI-BUTとF-BUTの検査を行う場合は，この順に検査を行う．筆者は，10分以上の間隔を置いて検査を行うようにしており，NI-BUTは，F-BUTより長い開瞼維持を要し，反射性涙液分泌を招きやすいため，測定を1回としている．

2 検査のコツと注意点

　F-BUT検査では，BUTの延長を避けるため，フルオレセイン染色時に余分な水分を眼表面に加えないことが重要である．検査は3回行い，平均値を求める．筆者は，フルオレセイン試験紙に水分を2滴滴下し，試験紙をよく振り切った後，試験紙の中央だけを下眼瞼の中央に触れる要領で染色を行い，自然瞬目の後，軽く閉瞼させた後，開瞼維持を指示し，測定の開始時点が明確になるようにしている．F-BUTの測定は，電子メトロノームを用いて行い（ストップウォッチでも可能），DR-1-BUT，Topo-BUTの測定において

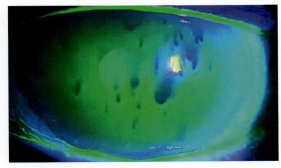

[図8] 開瞼直後にみられる涙液層破壊 (spot break)
一般に，全層破壊となる破壊部分があり，F-BUT＝DR-1-BUT＝Topo-BUT＝0秒となる．既存のTopo-BUT測定装置では測定は困難である．
(文献7) より引用)

も，指示と測定は同様に行っている．
　一方，F-BUP検査では，F-BUTと同じ要領で涙液を染色した後，「軽くつぶって，パッとあけて，あけたまま」という声掛けを3度行って，F-BUPの分類と再現性の確認を行う．

IV 検査結果の読み方と解釈

1 正常結果

　一般に，F-BUTが10秒を超えれば，正常と判断される．一般にNI-BUTは，F-BUTに比べて長いが，開瞼維持は，反射性涙液分泌を招き，

BUTを延長させるため，筆者は，BUTが10秒を超える場合は，BUT＝10秒として，F-BUTにおいても1回測定としている．

2 異常所見とその解釈

一般に，BUTが短いと開瞼維持が困難であるが，特にBUT短縮型ドライアイでは，涙液分泌に異常がないため，開瞼を維持させると，反射性涙液分泌を招いて，結果として，BUTが延長し，正確なBUTの測定が困難となる．涙液減少型ドライアイもBUTが短く，開瞼維持が難しいが，反射性涙液分泌が生じにくいため測定値の再現性は高い．日本のドライアイの診断基準では，一般にBUTは，5秒以下を異常とする．一方，F-BUP検査では，正常は，random break（ただし，開瞼後5秒を超えて出現）であり，他のF-BUPはすべて異常である（測定原理参照）．

3 アーチファクト

瞼裂の狭い例，瞬目異常例，指示通りに開瞼できない例では，いずれの測定法においてもアーチファクトを生じやすい．また，涙液減少型ドライアイの重症例で上皮障害の高度な例では，DR-1-BUTのみ正確な測定を行うことができるが，Topo-BUTは，装置の制限を受け，測定が困難である場合が多い．F-BUTも上皮障害の影響のために，測定が難しい場合がある．

文献
1) 横井則彦：ドライアイ診療のパラダイムシフト─TFOD and TFOT Expert Lecture．メディカルレビュー社，東京，2020
2) Yokoi N, et al：Non-invasive methods of assessing the tear film. Exp Eye Res 78：399-407, 2004
3) Ishibashi T, et al：Comparison of the short-term effects on the human corneal surface of topical timolol maleate with and without benzalkonium chloride. J Glaucoma 12：486-490, 2003
4) 山口昌彦：涙液安定性．眼科プラクティス25．眼のバイオメトリー─眼を正確に測定する─，大鹿哲郎編，文光堂，東京，60-65，2009
5) Yeh TN, et al：Relationships among tear film stability, osmolarity, and dryness symptoms. Optom Vis Sci 92：e264-272, 2015
6) Lan W, et al：Automatic noninvasive tear breakup time (TBUT) and conventional fluorescent TBUT. Optom Vis Sci 91：1412-1418, 2014
7) 横井則彦ほか：涙液層動態と画像診断　現状と課題．日本の眼科 86：456-461, 2015

（横井則彦）

4）涙管通水試験と涙管ブジー法

涙管通水試験

I 検査の目的

涙管通水試験は，鼻涙管狭窄を診断する最も簡便で基礎的な検査である．洗浄水の注入量による観察から，涙小管閉塞および鼻涙管狭窄の有無などが推測できる．

1 検査対象

流涙症および疑いの患者が対象の中心となるが，流涙症がない正常人も清潔洗浄目的で施行する場合がある．

2 目標と限界

涙管通水試験は，鼻涙管狭窄の有無を確認することが目標である．しかし，鼻涙管閉塞の詳細部位までは確認できず，ここがこの試験の限界である．この限界を超えるのは涙道内視鏡であり，内蔵カメラにて閉塞部を確認できる．

II 検査法と検査機器

1 測定原理

生理食塩水を用いて注水するのが一般的である．注水したときの抵抗感や逆流の有無，被検者の嚥下現象の有無をみて通水の状況を確認する．

2 機器の構造

通常，二段針，一段針と呼ばれる（図1）．
二段針の太さは27G注射針の太さで，一段針の太さは23Gの太さであるが，22Gも販売されている．涙洗針の先端には"直"と"曲"がある（図1）．

3 検査の判定

生理食塩水を注入し，迅速な嚥下現象がみられたら涙道閉塞はないと診断する．

III 検査手順

1 検査の流れ

まず，点眼麻酔をする．涙点が小さい患者もいるので，涙道狭窄の有無を確認するだけなら二段

針で十分である．二段針の曲の涙洗針を涙小管垂直部から水平部へと進め，総涙小管手前もしくは涙嚢内で注水する．慢性涙嚢炎や，涙管チューブ抜去後の鼻涙管洗浄では一段針が有効である．姿勢としては，拡大鏡を用いる方法，手術用マイクロ顕微鏡を用いる方法，細隙灯顕微鏡を用いる方法などがある．

2 検査機器の使い方とコツ

正常な鼻涙管の注水量は0.1〜0.5 mlあれば十分である．よって，涙洗針に装着するシリンジはロックつき2.5 ml量のシリンジを推奨する．5.0 mlや10.0 mlシリンジのように内径が大きいと涙洗針にかかる圧力も強くなる．時にシリンジと針がはずれて，生理食塩水が飛散することもある．ロックつきだと飛散はまずない．また手の動きも重要である．右側下涙点側の涙洗施行時，左手は母指で下眼瞼を外側に引くような感じで外反し涙点をしっかり露出，残る指で紙やガーゼを支える（図2）．右手は小指を患者の額部に固定し，そこを支点としてシリンジを保持し，涙洗針を優しく涙点に挿入し，生理食塩水を注入する．

IV 検査結果の読み方と解釈

1 正常値

正常な鼻涙管での注水量は，0.5 ml程度の量で涙点から鼻腔内へ到達する．

2 異常値とその解釈（異常所見の読み方）

注入した生理食塩水の流れを観察する．
1) 瞬時に逆流：涙小管閉塞を疑う．
2) 膿が逆流：涙嚢炎を疑う．
3) 生食を1.0 ml以上注入し，ゆっくり嚥下症状を認める場合：鼻涙管狭窄を疑う．
4) 生食は溢れ出し，嚥下症状を全く認めない場合：鼻涙管閉塞を疑う．

3 アーチファクト

特記なし．

涙管ブジー法

I 検査の目的

涙管ブジーは，鼻涙管閉塞の開放を目的として

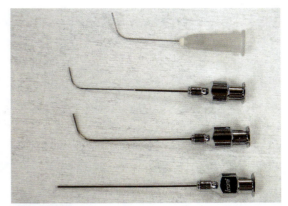

[図1] 各種涙洗針
上からディスポーザブル27Gの曲，二段の曲，一段の曲，一段の直針

[図2] 右側下涙点側の涙洗施行時の手の動き
左手は母指で下眼瞼を外反し，残る指で紙やガーゼを支える．右手は小指を額部に固定し，支点としてシリンジを保持する（赤丸）．

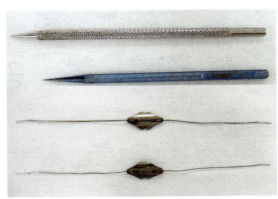

[図3] 涙小管拡張針と各種ブジー
上段から涙管拡張針の太と細，ブジー1-2と0-00サイズ．

使用され[1]，先天性鼻涙管閉塞の開通目的にも多く使用されている[2〜4]．そして外傷性涙小管断裂

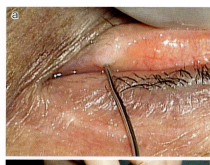
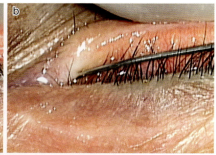
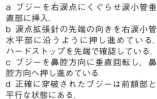
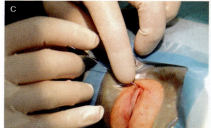
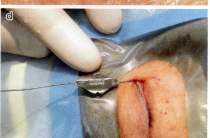

[図4] プロービング（a, b：surgeon's view）
a ブジーを右涙点にくぐらせ涙小管垂直部に挿入．
b 涙点拡張針の先端の向きを右涙小管水平部に沿うように押し進めている．ハードストップを先端で確認している．
c ブジーを鼻腔方向に垂直回転し，鼻腔方向へ押し進めている
d 正確に穿破されたブジーは前額部と平行な状態にある．

の有無を確認する際にも使用する[5]．

涙管ブジーを用いて穿破する手技を，プロービングという呼称で表現する．

1 検査対象

すべての流涙症患者が対象．

2 目標と限界

涙管ブジーの目標は，鼻涙管狭窄の拡大と開通である．しかし，涙管ブジーでの永続的な鼻涙管の開通は難しく，ここがこの手技の限界である．

II 検査法と検査機器

1 測定原理

銀製もしくはステンレス製の金属棒を，涙点から涙小管および鼻涙管に沿って鼻腔内へ通過，穿破させる．

2 機器の構造

涙点を拡張するにはヴィルダーの涙点拡張針が代表的で，細中太の3種類ある（図3）．

また直径のサイズで番号つけがされており，番号が大きくなるとともに直径が太くなる．

3 感度と特異度

ブジー先端があたる感覚が指に伝わり，鼻涙管内の閉塞を感じながら穿破する．ある程度の経験がないと，非直視下であるために仮道形成をしたことにも気づかない時がある．正常な鼻涙管は何の抵抗もなく鼻涙管を通り鼻腔内に到達する．しかし閉塞部が部分的で薄いときは1枚の紙を破るような感覚であるが，慢性涙嚢炎のように涙嚢鼻涙管移行部の閉塞が厚く，鼻涙管の全長に閉塞をきたしているときは力を要する．このときに仮道を形成することが多いので注意する．

III 検査手順

1 検査の流れ

点眼麻酔，涙洗麻酔を施行するが，滑車下神経麻酔も追加したほうが疼痛を抑えられる．最初に上涙点からの挿入のほうが容易である．上涙点，上涙小管経由のプロービングは，総涙小管まで屈曲部がなく涙嚢内まで到達しやすいからである．涙点を拡張する際は涙点拡張針を用いる．涙点に対して垂直に拡張針を挿入し，先端が涙小管垂直部の端に達したら，先端の向きを涙小管水平部に沿うように水平方向に変え，総涙小管の方向へ押し込む．次にブジーを涙点拡張針と同様の手技で挿入する（図4a, b）．涙小管閉塞を認めた時は，ブジー先端に柔らかい抵抗がありソフトストップと表現される．涙小管閉塞を認めない時は涙嚢壁までブジーを進められるので，骨の固さからハー

ドストップと表現する．最後に水平に挿入したブジーを鼻腔方向に垂直回転し，鼻涙管内をくぐらせながら，鼻腔方向へ押し進める（図4c, d）．

2 検査機器の使い方とコツ

ブジー先端から10mmくらいのところを曲げて彎曲させると鼻涙管内を損傷しにくく，挿入しやすくなる．小児の場合は細いブジーの全体を緩く彎曲させて，回転させながらゆっくり挿入すると，単にまっすぐ挿入するより閉塞部位を拡大する効果がある[1]．

IV 検査結果の読み方と解釈

1 正常値

正確に穿破できたかの指標は，図のようにブジーが前額部と平行に挿入できている状態である（図4c, d）．

2 異常値とその解釈（異常所見の読み方）

ブジーに抵抗を認めたり，鮮紅の出血を認めたりした場合は誤道形成の可能性が高い．無理せず中止し，涙道内視鏡下での加療にコンバートするのが望ましい．

3 アーチファクト

特記なし．

文献
1) 永原　幸：涙小管・涙道閉塞の治療．眼科 52：1007-1018, 2010
2) Young JD, et al：Managing congenital lacrimal obstruction in general practice. Brit Med J 315：293-296, 1997
3) Takahashi Y, et al：Management of congenital nasolacrimal duct obstruction. Acta Ophthalmol 88：506-513, 2010
4) Young JD, et al：Congenital nasolacrimal duct obstruction in the second year of life：a multicentre trial of management. Eye (Lond) 10：485-491, 1996
5) 根間千秋ほか：当科における涙小管断裂の手術．臨眼 58：355-358, 2004

（今野公士）

5）涙道造影検査

I 検査の目的

涙道造影検査（以下，本法）は涙道に注入された造影剤の陰影形態やそのクリアランスを観察することで閉塞/狭窄の部位や程度を判定するものである．

1 検査対象

1．涙道疾患疑い例．涙道狭窄や閉塞，涙道腫瘍および涙石など，涙道疎通性が不良で眼脂/流涙があり，狭窄や腫瘍の部位，程度の評価を行いたい場合．

2．涙道手術後の再狭窄/閉塞例の原因と部位特定．

2 目標と限界

本法の目標は狭窄/閉塞の部位と程度判定を行うことである．

1．単純X線撮影による本法は造影剤で間接的に涙道を観察するものであり，立体である涙道を平面的に観察している．また涙小管や軽度の鼻涙管狭窄では造影剤を充填保持することが困難であるために，それらの病変を安定して検出することが困難という欠点も持つ．

2．急性涙囊炎やヨードアレルギーでは禁忌である．ヨードによる副作用は軽症例も入れると数％に生ずる．

3．多くの場合涙道内視鏡でも検査可能なので両者の得失を考慮して施行する（涙道内視鏡検査の項（352頁）参照）．

II 検査法と検査機器

1 測定原理

本法は造影剤を涙道内に注入することによって管腔組織である涙道を描出する．ヨード造影剤は油性と水溶性に大別される．油性造影剤は涙道内で球状になる点などから本法には不適である．水溶性造影剤はイオン性造影剤（アミドトリゾ酸ナトリウムメグルミン，ウログラフィン®）と非イ

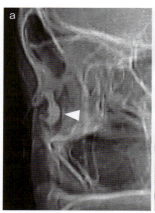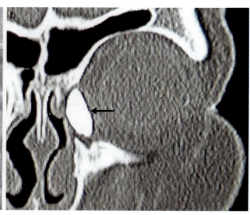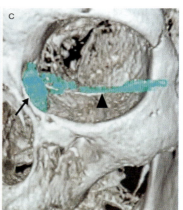

[図1] 単純撮影とCTによる鼻涙管閉塞の涙道造影検査
a 涙嚢の淡い陰影を認める（矢頭）．
b aと同一症例．明瞭な涙嚢の陰影を認める（矢印）．
c CTによる左側涙道仮想立体再構成像．造影剤は青色に染色してある．涙嚢鼻涙管の陰影（矢印）および結膜嚢に残留した造影剤（矢頭）を認める．

オン性（イオパミドール，イオパミロン®など）がある．非イオン性造影剤は浸透圧がイオン性造影剤に比べて低くなり，血管造影や涙道外に漏れた場合などに副作用発現頻度が低いと考えられている．

CTを用いた本法[1]はヨード造影剤を点眼あるいは涙道に注入し撮影するものである．CTはダイナミックレンジが広く，点眼投与でも陰影が観察可能であるが（図1），被曝のリスクを考慮する．MRIとガドリニウム造影剤を用いた涙道造影もあるが，適応例は腫瘍などになり狭い．

2 感度と特異度

涙嚢より遠位の狭窄/閉塞では感度特異度とも高いが，涙小管系の狭窄/閉塞では感度が低い．涙小管系の閉塞を疑う場合には涙道内視鏡など他の検査法も併用する．

III 検査手順

1 検査の流れ（単純X線撮影による方法）

本法のみで涙道疾患を診断することは困難であり，マクロ観察，細隙灯顕微鏡検査および涙管通水検査などと併用し非侵襲的な検査から行う．実際には涙管通水検査の後で涙道内視鏡検査より前に行う．

1）ヨードアレルギーの有無を問診．
2）点眼麻酔後涙点拡張．生理食塩水で涙管通水し涙道内容物を除去．
3）涙管洗浄針の先端をなるべく涙嚢内まで挿入し，造影剤（イオパミロン®注300）0.5〜1mlを注入する．反対の涙点より造影剤が排出されたら反対涙点より造影剤を再注入．
4）結膜嚢や瞼縁よりあふれた造影剤は生理食塩水で洗い流す．
5）注入後は閉瞼，仰臥位のまま後頭前額位（Caldwell's view），側頭位（両側の場合は斜位），座位で同様に撮影．15分後に再撮影．

その他の撮影法としてdigital subtraction法やCTによる本法がある（図1c）．前者は血管造影に用いられる方法を適用したものである．

2 検査機器の使い方とコツ

造影剤を十分充填することがポイントである．造影剤注入前に涙管通水を行い涙道内の分泌物や膿を除き，上下涙点から涙洗針の先端の向きを鼻涙管方向に向けて注入すること（図2a）がコツである．

IV 検査結果の読み方と解釈

注入直後と15分後のX線写真で涙嚢鼻涙管と咽頭の陰影の確認をする．涙嚢鼻涙管の陰影がある場合には涙嚢の大きさ，閉塞部の位置，陰影の部分的欠損（涙嚢内腫瘍や涙石の存在を示す）あるいは拡大などに留意する．

5) 涙道造影検査

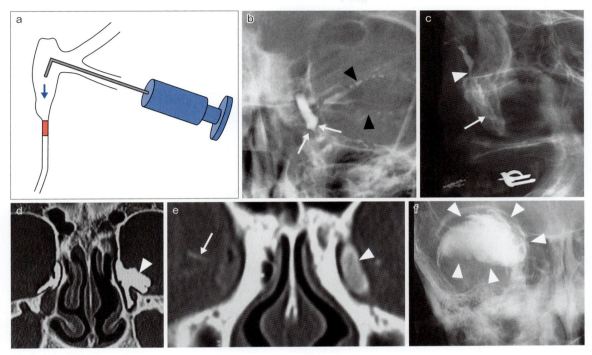

[図2]
a 造影剤の注入方向.
b 涙石と鼻涙管閉塞例の造影所見. 涙石による充盈欠損（矢印）が認められる. 欠損が涙石によるものかは涙囊鼻腔吻合術後に確認できる. 瞼裂に残留した造影剤（黒矢頭）も認める. （富山西総合病院眼科, 長田裕子先生より提供）
c 涙囊鼻涙管移行部狭窄（矢頭）と下部鼻涙管閉塞（矢印）.
d pyocele による涙囊の眼窩内への拡張（矢頭）を認める.
e 右急性涙囊炎と左の鼻涙管狭窄（矢頭）. 涙小管狭窄のため右側は造影剤が涙囊まで充填されず涙小管のみ造影される（矢印）. 左側の鼻涙管狭窄は涙道内視鏡で診断.
f 皮下に拡散した造影剤（矢頭）.

1 正常所見

疎通性のある涙道の場合には造影されず，ときに咽頭に造影剤を認める.

2 異常所見とその解釈

1) 涙囊のみあるいは涙小管と涙囊が造影される場合には鼻涙管狭窄/閉塞が疑われる. 涙囊の陰影に欠損がある場合には涙石あるいは涙囊腫瘍が疑われる（図2b）.

2) 涙囊鼻涙管移行部での狭窄と下部鼻涙管までの造影剤陰影がある場合，下部鼻涙管閉塞と涙囊鼻涙管移行部狭窄が疑われる（図2c）.

3) 眼窩内にヘルニア状に拡張した涙囊がある場合（図2d）には pyocele が疑われる.

4) 涙小管のみが造影される場合（図2e）には総涙小管閉塞，涙囊摘出後あるいは急性涙囊炎の寛解状態が疑われる.

5) 涙道粘膜を損傷し造影剤を皮下に漏らした場合，境界不明瞭な陰影を認める（図2f）.

3 アーチファクト

結膜囊に残留する造影剤が観察されること（図2b）がある.

文献
1) Ashenhurst M, et al : Combined computed tomography and dacryocystography for complex lacrimal problems. Can J Ophthalmol 26 : 27-31, 1991

（佐々木次壽・繰納　勉）

11 涙液・涙道検査

6) 涙道内視鏡検査

I 検査の目的

涙道内視鏡（以下，涙内）検査の目的は，画像による定量的評価，涙内直接プロービングによる閉塞の評価および内視鏡下治療である[1,2]．

1 検査対象

1. 涙道疾患疑い例．涙管通水検査で疎通性がない，または疎通性を示すが，膿粘液性あるいは生理食塩水の逆流があり狭窄や閉塞が疑われる場合．
2. 涙道手術を行う場合．閉塞の硬さや開放すべき部位を求めたい場合に用いる．

2 目標と限界

涙内検査の目標は他臓器の内視鏡と同様に病変の検査/治療を低侵襲に行うことである．

1. 観察可能な範囲は涙道粘膜の表層のみである．涙内の画角は 60°であり，ポリープの谷間，涙嚢頭部や屈曲した下部鼻涙管などの観察困難部位がある．また涙道閉塞部以降の状態も穿破しない限り観察できない．
2. 出血や膿がある場合には視認性が低下する．
3. 内視鏡共通の問題点として，先端を対象物に近づけると極端に大きく見えるため観察対象の大きさは対照物を置かないと測定できない．

II 検査法と検査機器

1 涙内の原理

現在用いられている涙内の原理は撓性内視鏡に似る．対物レンズで捉えた画像を光ファイバー束で涙内本体に伝送し，本体内での画像センサーで電気信号に変換される（図1）．

2 機器の構造

涙内装置は涙内ハンドピース，涙内ハンドピースからの画像を電気信号に変換する装置本体と照明，モニターおよび画像記録装置，鼻内視鏡と画像を切り替えるスイッチなどからなる（図2）．

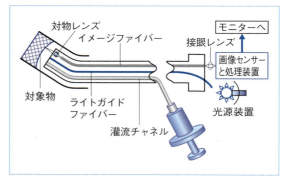

[図1] 涙道内視鏡（涙内）の原理と模式図：涙内ハンドピースの対物レンズで捉えた映像を光ファイバー束で接眼レンズに伝送し，涙内本体で電気信号に変換する．

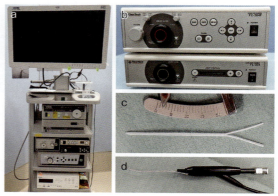

[図2] 涙内と鼻内視鏡のシステム
a 上からモニター，鼻内視鏡装置，切り替えスイッチ，光源装置，町田製作所製涙内本体，および記録装置
b ファイバーテック FC304，FL301 画像ファイバーの天地合わせが必要な点は共通である．
c シース．涙道内残留予防のためラジオペークストライプ付きカテーテル長 64 mm の 18 G サーフロー留置針のカテーテル部を根元から切断して使用．根元側の一部を縦に切り，持ち手とする．
d 涙内ハンドピースに装着したシース．涙内シャフト基部はわずかに太いので根元までシースをかぶせないほうが扱いやすい．

3 感度と特異度

感度と特異度は習熟度に大きく依存するので，学会の講習会などで技術を習得するのが早道である．

III 検査手順

1 検査の流れ

1) 機械のセットアップと準備（図2）

涙内装置本体（ファイバーテック FC304，FL301，町田製作所 MVH-2010A，図2）に涙内

6）涙道内視鏡検査

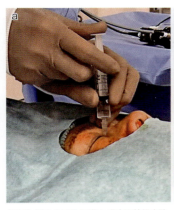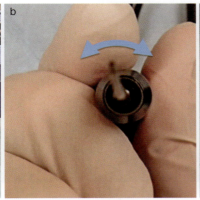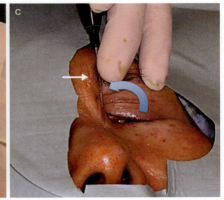

[図3] 涙内の回転/回旋と滑車下神経麻酔
a 滑車下神経麻酔の実際．顔が水平になっていることを確認し，垂直に針を刺入する．
b 涙内を回旋させることで涙道の隆起や屈曲を回避する（矢印）．
c 鼻涙管方向に回転する場合には指を金属シャフト基部にあてがい支えながら涙内先端を支点に回転（矢印）．涙内の金属シャフトが眉毛に当たるまで寝かされていることに注意（白矢印）．

ハンドピースからのライドガイドプラグと画像ファイバープラグを接続し，画像ファイバーの天地合わせ，ピント合わせおよび位置合わせをする．デッキが涙内に干渉しないようにデッキの穴は眉毛と鼻孔が露出するまで拡大する（図3a）．

2）麻酔

麻酔は涙小管までの観察ならば1%リドカイン注射液エピレナミン含有®（キシロカインE）などによる涙洗麻酔でも可能であるが，検者または被検者が検査に不慣れ，鼻涙管まで観察したい場合あるいは治療の際には同剤で滑車下神経麻酔を行う．滑車下神経麻酔の手技は，患者の顔が水平になっていることを確認し，内眼角直上5mmより19mm針長の27G針でベベルを眼球側に向け垂直に針の根元まで刺入，血液の逆流がないことを確認し同剤を約2ml注入する（図3）．

3）涙内挿入と観察

涙点拡張針で涙点を径2mmまで拡張する．拡張困難な場合には涙点を約2mm耳側切開し拡張する．バンガーター氏涙管洗浄針などで涙管通水し分泌物を除去する．

バンガーター氏涙管洗浄針を涙囊まで入れる要領で涙内を上涙点から挿入する．下涙点より挿入してもよいが，鼻涙管方向に涙内を回転（図3）させる際に涙内の根元にストレスが加わる．涙小管垂直部，水平部半ばまで先端を挿入したら灌流を開始し，以後灌流下で観察する．眼瞼を耳側に引いて涙小管を直線化させ，画像の中心に涙小管腔が見えるように涙内の位置と向きを調節する．画像全体が白いときは光が強すぎるか，涙内先端が管壁に当たっている．光を弱めて涙内を数mm引くと内腔が見える．それでも見えないときは，モニターから目を離し患者の顔面と涙内の位置関係を確認する．

成人の場合には涙囊鼻涙管移行部までは涙内の屈曲は図2dのように腹側に向ける．正常な涙小管内壁は無血管で，さらに進めると有血管性の赤みを帯びた涙囊内壁が見える（図4）．指を涙内ハンドピースの金属シャフト基部にあてがい基部への負担を避け，涙囊内壁を見ながら涙内先端を支点にして鼻涙管方向にゆっくり回転させる．金属シャフトを眼窩上縁に当たるまで寝かせると涙囊鼻涙管移行部が見える．

疎通性良好な涙囊鼻涙管壁は凹凸を持ち，鼻涙管腔は縦長のスリット状に見える（図4）．加齢に伴い凹凸は減少する．内視鏡を進めると水と空気の境界が見え鼻腔とわかる．涙内は引くときのほうが観察しやすいのでゆっくり引いて観察する．

2 検査機器と使い方のコツ

光量調整は重要であり，涙小管観察時には弱め，涙囊鼻涙管ではやや強めにする．

鼻涙管の屈曲が強い場合などには涙内先端が背

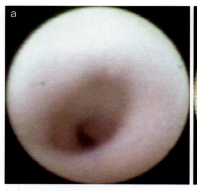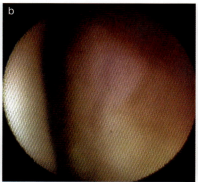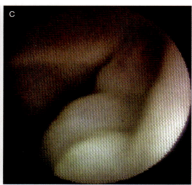

[図4] 正常涙道所見：以下すべて図の上が腹側
a 涙小管．無血管性の円形構造を持つ．
b 疎通性のある鼻涙管．縦長のスリット状を示す．
c 壮年（57歳男性）の鼻涙管．凹凸のあるスリット状管腔を示す．

側の粘膜に当たることが多い．その場合には，涙内を20°程度回旋し（**図3b**）先端を振りながら進めて障害を避ける．シース（図2）を伸ばして屈曲を回避する．涙道内にキシロカインEを注入し数分待って内腔を拡張させるなどの方法をとる．逆に鼻涙管腹側に涙内先端が当たる場合には涙内を鼻側に回旋させて屈曲を回避する．

後片付け：灌流チャネルは詰まりやすく洗浄はきわめて重要であり，各メーカーの使用マニュアルにしたがって行う．

灌流チャネルの詰まりはほとんどが先端部での詰まりであり，同日中の詰まりなら1mlのシリンジに蒸留水を入れて涙内ハンドピース尾部に直接接続しフラッシュすると解消することが多い．

IV 検査結果の読み方と解釈

1 正常所見

正常涙小管．無血管性の（楕）円形断面を持つ（図4）．

正常涙嚢/鼻涙管内腔．涙嚢鼻涙管は年齢によって正常所見が異なる．小児や若年の場合には凹凸があり，加齢とともに凹凸が減少する．

2 異常所見とその解釈

図5と解説を参照．

3 アーチファクト

画像のシミは多くの場合，イメージガイドのプラグ側に付着した汚れなので，一旦本体から抜去し，蒸留水を少量しみ込ませたガーゼで拭き取り乾燥させる．

文献
1) 佐々木次壽：涙道内視鏡所見による涙道形態の観察と涙道内視鏡併用シリコーンチューブ挿入術．眼科 41：1587-1591, 1999

（佐々木次壽）

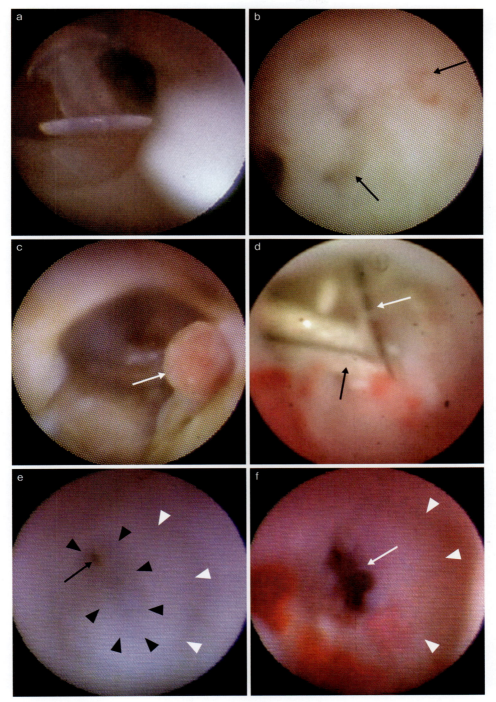

[図5] 涙道の異常所見
a 疎通性を認めるが間欠的流涙がある例．涙点プラグが総涙小管で斜めに残留している．
b 粗造な鼻涙管閉塞部．閉塞した鼻涙管の複数個の陥凹（矢印）．本来の開口部は不明．
c 長期涙管チューブ留置後に生じた総涙小管内の肉芽（白矢印）．
d 総涙小管に刺入した睫毛（白矢印）とそれを把持しようとする鉗子（黒矢印）．
e 総涙小管狭窄例．狭窄した総涙小管（黒矢印）と膜様閉塞部（黒矢頭）およびその周囲の陥凹部（白矢頭）．
f eと同一症例の涙小管切開後．拡大された総涙小管（白矢印）と陥凹部（白矢頭）．陥凹部の大きさがeとfでほぼ同じであることより，ほぼ同じ拡大率であることがわかる．

12. 角膜・結膜・水晶体検査
13. 瞳孔検査
14. 眼内レンズ度数計測

12 角膜・結膜・水晶体検査

1）細隙灯顕微鏡検査

I 検査の目的

1 検査対象

　細隙灯顕微鏡検査は，眼科における最も基本的な検査方法であり，検査対象は眼球および付属器全般である．基本的に外眼部および前眼部（眼瞼，瞼結膜，球結膜，角膜，強膜，前房，虹彩，水晶体，前部硝子体）の観察を単独で観察でき，前置レンズ等の器具を用いれば，隅角や後部硝子体，網膜，視神経乳頭の観察も可能である．
　細隙灯顕微鏡検査は細い光（スリット光）を透明な組織に照射することで，透明組織を断面的に観察することが可能である．また，双眼を用いることで立体的に対象物を観察することが可能となり，病変部位を三次元的に把握することができる．
　本項では角膜および水晶体検査に焦点を当てて解説する．細隙灯顕微鏡を用いた前房・隅角検査（460頁）や網膜硝子体観察（490頁），フルオレセイン染色による角結膜の観察（364頁）や涙液の観察（339頁）については他項を参照していただきたい．

2 目標と限界

　細隙灯顕微鏡検査では，さまざまな観察法を用いることで非常に多くの情報を得ることができる．ただ，大切なこと（目標）は，「見たいもの（見るべきもの）にしっかりと焦点を当てて観察する」ことであり，「常に解剖や病態を考えながら観察する」ことである．例えば，角膜に混濁のある患者の診察の場合，角膜混濁を平面で診るのではなく，その混濁が存在するのが角膜のどの深さなのか（上皮下なのか，実質浅層なのか，深層なのか，内皮面なのか）を考えながら観察し，所見をとることが重要である．また，点状表層角膜症上皮欠損がみられた場合，その原因がドライアイなのか，結膜異物なのか，など鑑別疾患を考えながら観察することが重要である．もし，眼瞼結

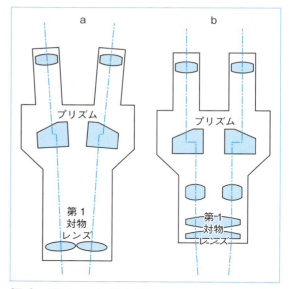

[図1] a グリノー型，b ガリレオ型
（本田紀彦ほか：眼科検査ガイド，第2版，p370 より改変）

膜の異物を疑う場合は眼瞼を翻転して異物の有無を観察しに行かない限り診断をつけることはできない．つまり，細隙灯顕微鏡検査は（検査員が行うのではなく），眼科医が自分自身で行う最も基本的な検査であり，最も検者の技量の差が出る検査といっても過言ではない．
　今後，人工知能 artificial intelligence（AI）の発達で，前眼部写真などの画像から角結膜疾患の診断を行う時代がくると思われる．しかしながら我々は，眼球組織の解剖や疾患における病態，細隙灯顕微鏡を用いたさまざまな観察方法についての知識および技術をしっかりと身につけることによって，常に迅速かつ正確に細隙灯顕微鏡検査を行っていけるように努力する必要がある．

II 検査法と検査機器

1 測定原理・測定範囲

　一般的に顕微鏡の観察系としては，グリノー型とガリレオ型の2種類がある（図1）．
　グリノー型は，双眼鏡のように接眼レンズから対物レンズまでのすべての光路および光軸が左右眼で完全に独立している．構造がシンプルなので，コンパクトに設計をしやすいという利点がある（図2）．一方，ガリレオ型は，接眼レンズか

1) 細隙灯顕微鏡検査

[図2] グリノー型細隙灯顕微鏡 タカギセイコー 30 GL

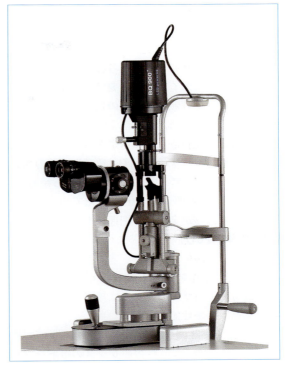

[図3] ガリレオ型細隙灯顕微鏡 Haag-Streit BQ 900 LED

ら対物レンズに至るまでの光学系の光軸が平行になる（図1）．このため，この部分にフィルターや写真撮影のための三眼鏡筒（ビームスプリッタ）など，さまざまな機能を付加することが容易となる（図3）．

　左右の眼の観察および眼球を立体的に観察するために，細隙灯顕微鏡は上下左右前後にスライドできるようになっているが，スライド部の可動範囲は，各機種とも上下が約30 mm，左右が100〜110 mm，前後が80〜90 mmとなっている．

2 機器の構造

　細隙灯顕微鏡の光源は，機械の最上部にある機種と最下部にある機種があり，プリズムやミラーで方向を変えて眼球に投影される．光源は，従来はハロゲンが用いられていたが，近年はLED（light emitting diode：発光ダイオード）光源を採用する機種が増えている．LEDはいわゆる球切れが起こらず，明るいという特長があるが，それまでハロゲンの色調とは異なるため，検者の違和感が生じないような工夫がされている．

　細隙灯顕微鏡はスリットランプとも呼ばれ，光の幅を細くして（スリット光），透明な組織の断面を観察することができる．スリット光の幅はダイヤルを回すことで0 mmから連続で太くすることができるが，最大幅は8〜14 mmと機種によって異なっている．スリット光はその上下の長さも調節することが可能であり，連続または段階的に変えることができる．通常は最も長い状態で観察するが，前房の炎症細胞やフレア，硝子体の炎症細胞等の観察には短いスリット光を用いる．

III 検査手順

1 検査の流れ

　細隙灯顕微鏡検査では前述のように，何を観察するべきなのかをしっかりと考えながら検査を進めていく必要がある．そのためには，診察室に入ってきた患者に対していきなり検査をするのではなく，まずは十分に問診を行い，眼周囲や顔の視診を行って診るべき部位をある程度考えて検査を始めていくことが重要である．

また，手際よく検査をするためには，実際の検査前に，視度調整や瞳孔間距離の調整，部屋の電気のスイッチの位置の把握，被検者（患者）の椅子の位置，検査時に使用する各種点眼やガーゼ類の準備を行っておくことが重要である（後述）．

基本的な細隙灯顕微鏡検査の進め方は，まずは低倍率で眼瞼を含めた前眼部全体の観察から開始し，主病変を見つけた後に倍率を上げていく．拡散板（ディフューザー）が付いている機種の場合は，拡散照明法（ディフューザー法）から始めて，その後に光束照明法（スリット光での観察）に移っていくほうが全体像を把握しやすい（後述）．

2 機器の使い方

1）検査前の準備

①視度調整：スリット光を細くしてそのエッジが最もシャープになるように接眼レンズの視度調節部を回転させて調節する．

②瞳孔間距離調整：スリット光が両眼で観察して1本に見えるように接眼レンズの距離を調整する．

③高さ調整：細隙灯顕微鏡のジョイスティックを回転し，顕微鏡の高さを中間位置に合わせる．

④細隙灯顕微鏡検査に使用するフルオレセイン試験紙（フルオレセイン溶液），点眼麻酔薬，抗菌薬点眼，生理食塩水の点眼，綿棒やガーゼ類を準備する．

⑤被検者（患者）の椅子の位置，部屋の電気のスイッチの位置を確認しておく．

2）被検者（患者）側の設定

①被検者には顎を顎台にのせてもらい，前頭部を額当てにしっかりと接触させてもらう．その際，被検者が楽に検査を受けられるように，細隙灯顕微鏡台の高さ，顎台の高さ，椅子の高さを調節する．

②外眼角部が顎台の側方支持枠に記されているマーク（黒線）の高さに合うように顎台の高さを調節すると，顕微鏡のワーキングレンジが最も大きくなるため，検査の際に有用である．

3）機器の操作法

①左右眼に合わせてジョイスティックを動かす．観察軸（接眼レンズの向き）は，眼球に垂直に（まっすぐに）位置させ，光軸（スリット光）は観察軸に対して30〜45°程度振った位置に設定する．スリット光は左右いずれの方向に振っても良いが，左右に振り分ける際は患者の顔や鼻に当たらないように注意する．

②前述のように，まずは低倍率で眼瞼を含めた前眼部全体の観察から開始し，主病変を詳しく観察する際に倍率を上げていく．

3 検査のコツと注意点

以下に実際の観察方法・照明方法について述べる．それぞれの病変に合った方法をその都度選択することが重要である．

1）直接法

直接法とは，観察光学の焦点部分に直接照明光を当てる方法である．基本的に細隙灯顕微鏡は，観察系と照明系の焦点が一致するようになっているため，容易に観察が可能となる．細隙灯顕微鏡検査における最も基本的な観察法である．

a．拡散照明法（ディフューザー法）（図4, 5）

光束は広く（最大）にして拡散板（ディフューザー）を使用し，低倍率で全体像を捉えることを目的とする．病変の立体的な観察には劣るが，最初にこれで大まかに異常所見を捉えることが重要である．記録として残す場合も，拡散照明法での画像が少なくとも1枚あったほうが良いと思われる．

b．広光束照明法（広い幅のスリット光）（図6, 7）

光束の幅および光量を対象物に応じて自由に変化をさせて観察する．さまざまな対象に応じて観察することが可能であり，スポットライトで病変を証明するような効果を狙う．

c．光学的切片法（細い幅のスリット光）（図8, 9）

文字通り「細隙灯＝スリット光」の能力が最も発揮される観察方法の1つであり，スリット幅を細くすることで角膜や前房，水晶体などの透明組織の断面を観察することができる．光量はできるだけ上げたほうが良い．角膜実質内の混濁の深さを把握したり，円錐角膜眼などの角膜形状異常を捉えたりすることができる．また，背景照明装置が付いている場合は，背景照明（バックグラン

1）細隙灯顕微鏡検査

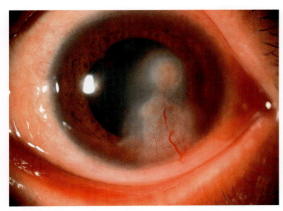

［図4］拡散照明法（ディフューザー法）　真菌性角膜炎

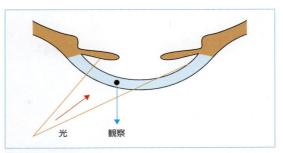

［図5］拡散照明法（ディフューザー法）
（西田幸二：眼科学，第2版，p921）

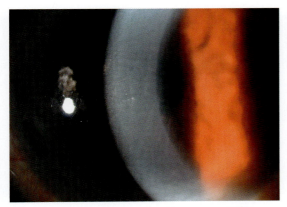

［図6］広光束照明法（広い幅のスリット光）　Descemet膜皺襞

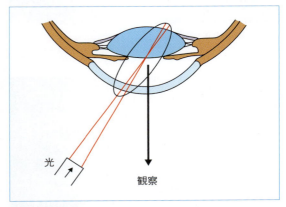

［図7］広光束照明法
（本田紀彦ほか：眼科検査ガイド，第2版，p373）

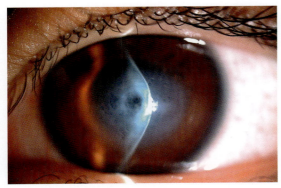

［図8］光学的切片法（細い幅のスリット光）　円錐角膜の急性水腫

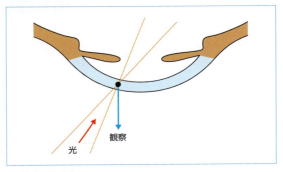

［図9］光学的切片法
（西田幸二：眼科学，第2版，p921）

ド）を入れると所見の全体からの位置関係がわかりやすくなる．

d．鏡面反射法（**図10，11**）

　主に角膜内皮細胞や滴状角膜の状態を観察するのに用いられる．入射光と反射光の位置関係を意識してスリット光の角度を設定する．照明系と観察系の間に30〜40°の角度をとり，スリット幅を少し広くすると，内皮面の鏡面反射を観察できるようになる．観察系の倍率は25〜40倍まで上げるほうがよい．

361

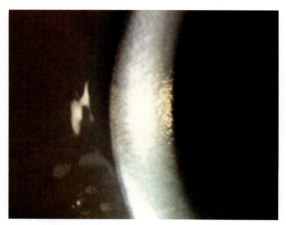

[図10] 鏡面反射法　滴状角膜

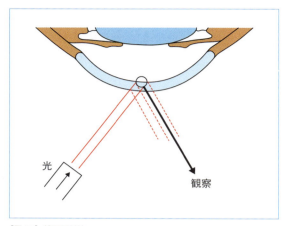

[図11] 鏡面反射法
(本田紀彦ほか：眼科検査ガイド，第2版，p374)

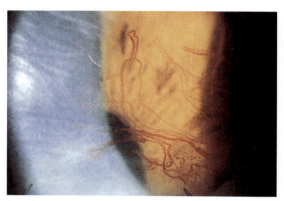

[図12] 間接照明法（虹彩反帰法）角膜実質内の新生血管
(西田幸二：眼科学，第2版，p922)

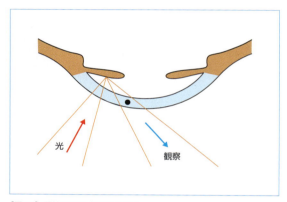

[図13] 間接照明法（虹彩反帰法）
(西田幸二：眼科学，第2版，p922)

2）間接法

a. 間接照明法（虹彩反帰法）（図12，13）

　角膜血管侵入やパンヌスなどの観察は，虹彩や水晶体に当たって反射した照明光を用いて観察すると，浮かび上がるように見える．観察軸を斜めに角度をつけるのがよい．

b. 強膜散乱法（スクレラルスキャッター法）（図14，15）

　照明系と観察系の同軸を解除し，強角膜接合部にやや幅のあるスリット光を照射すると，光が角膜の内部を光ファイバーのように伝播し，反対側に到達する．そのときに角膜内に存在する所見が淡い混濁として浮かび上がる．写真撮影でデータを残す際には非常に有用な方法であるため，マスターしたい．

c. 徹照法（レトロイルミネーション法）（図16，17）

　散瞳された眼球内に光を照射し，網膜で反射された反帰光で角膜や水晶体の病変を観察する方法である．照明系と観察系の向きを一致させる．

3）その他

　実際の診察において細隙灯顕微鏡検査を行う際は，フルオレセイン等を用いて染色を行ったり，前置レンズを用いて網膜や隅角検査を行ったりするが，それらの解説はそれぞれの担当の項に譲る．

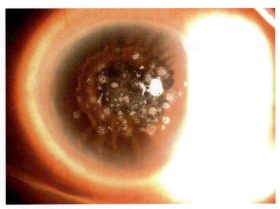

[図14] 強膜散乱法（スクレラルスキャッター法） 顆粒状角膜ジストロフィ

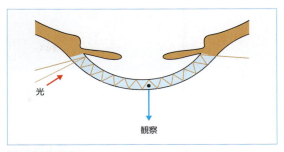

[図15] 強膜散乱法
（西田幸二：眼科学，第2版，p922）

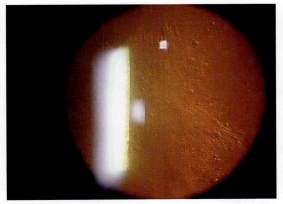

[図16] 徹照法　後嚢下白内障
（本田紀彦ほか：眼科検査ガイド，第2版，p377）

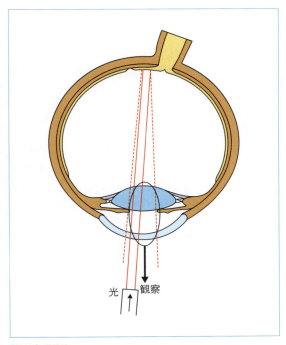

[図17] 徹照法
（本田紀彦ほか：眼科検査ガイド，第2版，p377）

IV　検査結果の読み方

1　正常所見

　外眼部，角結膜，水晶体ともにその解剖を理解し，正常所見を知っていくことは重要である．前述したが，まずは低倍率で広く観察し，異常所見を見逃さないことが大切である．そのために観察する部位の順番を決めておくのがよい．

2　異常所見とその解釈

　角膜は透明組織であり，混濁があるとそれは異常所見である．角膜混濁の原因には，浮腫，浸潤，瘢痕，沈着，異常組織（結膜侵入や異形成）が考えられる．問診を含めて総合的に判断し，角膜混濁の原因を考えながら観察することが重要である．

3　アーチファクト

　スリット光の反射が角膜に映ったり，瞼や指の影が映ったりすることがある．また，接眼レンズの視度がずれていたりすると，ピントがぼやけて異常所見と思ってしまうことがある．診察前の視度調整は毎回必ず行っておくべきである．

（堀　裕一）

2）角結膜染色法

I 検査の目的

1 検査対象

　生体染色は，眼表面疾患，特に角結膜上皮病変を明瞭化させ，診断に有用な方法の1つである．眼科臨床で生体染色材料として一般診療で最もよく用いられるのはフルオレセイン染色であり，その他にもローズベンガル染色，リサミングリーン染色も適宜使用されている．

II 各種検査

■ フルオレセイン試験

1 検査法

　フルオレセイン fluorescein は帯黄赤色の化合物で分子量376.27である．フルオレセインナトリウム化合物1%溶液として用いられ，アルカリ溶液中に強い蛍光発光を示し，青色光を吸収し，約490 nm の波長でピーク吸収および励起が生じる．蛍光発光は約530 nm の黄緑色の波長で生じる．フルオレセイン染色では，スリットランプの光源からコバルト励起フィルターに通して得られる青色光を当てて，励起された緑色の蛍光発光を観察している．フルオレセイン染色の観察を530 nm 付近の緑色光を選択的に透過させるフィルター（ブルーフリーフィルター：BFF）を通して行うことで，より鮮明な像が得られる．

　外眼部・前眼部および涙器疾患の検査，さらには眼圧測定・ハードコンタクトレンズ装着検査などに用いられるが，特に角膜上皮欠損など角膜疾患の検出に有効であることはよく知られている．これは，フルオレセインは角膜上皮では隣り合った上皮細胞同士は互いにタイトジャンクションで結びついているため，正常ではフルオレセインは上皮細胞の隙間には入り込めないようになっているが，角膜上皮欠損部ではその部位には上皮細胞の隙間に入り込むことによりその部分が染色される．

　またフルオレセイン染色は涙液を染色することで可視化し，涙液の分布，量，安定性を調べることも可能である．涙の安定性に関しては，フルオレセインを点眼し，開瞼してから何秒で涙液層が破壊されるかを観察する涙液層破壊時間 tear film breakup time（BUT）測定が有用であり，涙の量は涙液メニスカスの高さの測定が有用である．

2 検査手順

1）検査の流れ・使い方

　試験紙1枚あたりフルオレセインナトリウム0.7 mgが付着しており，生理食塩水1滴を試験紙の薬剤含有部に滴下し，一度水滴を落としてから下眼瞼に塗布する．

2）検査のコツと注意点

　滴下した生理食塩水が多すぎると，涙液メニスカスの上昇や，下方の点状表層角膜炎を見過ごす可能性もあり，しっかり水滴を落としてから下眼瞼に塗布する．

3 検査結果の読み方

1）正常所見

　正常ではフルオレセイン染色はみられない．

2）異常所見

（1）眼表面

a．角結膜上皮障害

　角膜上皮障害［一般に点状表層角膜症 superficial punctate keratopathy（SPK）］の分布

　①上方主体の角膜上皮障害：角膜上方に分布するSPKでは，上眼瞼が疾患の主座である場合が多い．瞬目時の上眼瞼・角膜間の摩擦に起因する疾患群である異物，上輪部角結膜炎 super limbic keratoconjunctivitis（SLK），lid-wiper epitheliopathy（LWE），春季カタル，アトピー性角結膜炎が代表的な疾患である（図1）．

　②中央主体の角膜上皮障害：角膜中央部の原因として神経麻痺性角膜症（図2），マイボーム腺機能不全 meibomian gland dysfunction（MGD），薬剤性角膜上皮障害，ブドウ球菌性眼瞼結膜炎，Thygeson点状表層角膜炎，眼瞼内反症，睫毛乱生症，ハードコンタクトレンズ装用が代表的な疾患である．

2）角結膜染色法

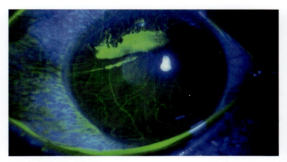

［図1］結膜異物の症例

［図2］神経麻痺性角膜症（BBF使用）
三叉神経麻痺患者に生じた角膜上皮障害．

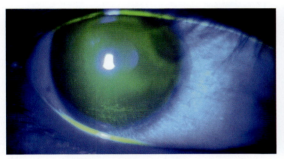

［図3］ドライアイによる下方の角膜上皮障害

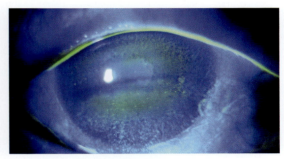

［図4］TS-1® による全面の角膜上皮障害

③下方主体の角膜上皮障害：角膜下方の原因として涙液減少型ドライアイ，眼類天疱瘡，Stevens-Johnson症候群，移植片対宿主病 graft versus host disease（GVHG）などの重症型ドライアイ（図3），結膜弛緩症，閉瞼不全，兎眼，ソフトコンタクトレンズ装用が代表的な疾患である．
＊フルオレセイン染色の点状病変についての重症度判定には角膜全体の範囲を Area の A，点状障害の密度を Density の D の2要素で AD 分類として表す施設も多く，A0：なし，A1：角膜全体の1/3以下，A2：角膜全体の2/3以下，A3：角膜全体の2/3以上，D0：なし，D1：疎，D2：中間，D3：密．例えば A2D3 のように表記する．

④全面の角膜上皮障害：全面の角膜上皮障害の原因として薬剤性角膜上皮障害，重症型ドライアイ，経口抗腫瘍薬 TS-1®（テガフール，ギメラシル，オテラシルカリウム）に伴う角膜上皮障害などが代表的な疾患である（図4）．

［図5］薬剤性角膜症（BBF使用）

b．上皮欠損を伴わないバリア機能の低下
　点状表層角膜炎はないが，フルオレセイン染色5分後に角膜全体にびまん性にフルオレセインが染まっていく delayed staining がみられる．delayed staining は薬剤毒性による角膜上皮障害が代表的である（図5）．

365

c. 皮膚，結膜，粘膜の異なる上皮の抽出

原因として CIS (carcinoma in situ)，結膜侵入，偽翼状片（図6）などが代表的な疾患である．

(2) 涙液の可視化

a. 涙液貯留量の把握

涙液メニスカスを観察し，涙液層の安定性（BUT）の測定が可能である．

b. 涙液安定性の検査

フルオレセイン染色後，開瞼の持続によって角膜上にスポットが出現するまでの時間を BUT といい，正常では 10 秒以上で，5 秒以下は異常とされている．BUT は涙液の安定化の指標であり，近年 BUT が短縮する BUT 短縮型ドライアイが注目されている．

その他のフルオレセイン染色が有用な疾患を表1に示した．

■ ローズベンガル染色

1 検査法

ローズベンガルは，赤褐色の粉末で，水溶性で紫赤色を示し，分子量は 1,017.64 である．1933年に Sjögren が報告[1)]，ローズベンガルはムチンで被覆されていない角結膜上皮を染色する．Sjögren 症候群やドライアイ（図7）の診断基準記載のある検査である．

2 検査手順

1) 検査の流れ，手順

点眼麻酔後，1%ローズベンガル液を用いる．ローズベンガル液をガラス棒につけ，下眼瞼結膜に入れる．

2) 検査のコツと注意点

刺激性があるため点眼麻酔の併用や光毒性があるため，使用後はよく洗眼しないと角結膜上皮障害を生じることもある．

3 検査結果

1) 正常所見

正常ではローズベンガル染色はみられない．

2) 異常所見

Sjögren 症候群の診断基準では，

1. Schirmer テストで 5 分間に 5 mm 以下で，かつローズベンガル試験（van Bijsterveld スコア）で 3 以上

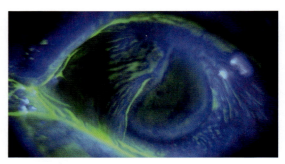

[図6] 偽翼状片

[表1] その他のフルオレセイン染色が有用な疾患

角膜びらん	単純性角膜びらん，神経麻痺性角膜症，再発性上皮びらん
感染性角膜炎	感染性角膜潰瘍，樹枝状角膜炎，偽樹枝状角膜炎
周辺角膜潰瘍	関節リウマチによる潰瘍，Mooren 潰瘍，カタル性潰瘍，Terrien 角膜辺縁変性
角膜浮腫	水疱性角膜症
結膜関連	結膜異物に伴う上皮障害，結膜フリクテン，アレルギー性結膜炎，アトピー性角結膜炎，春季カタル
眼瞼縁関連	ブドウ球菌性眼瞼縁炎，マイボーム腺炎，角膜上皮症

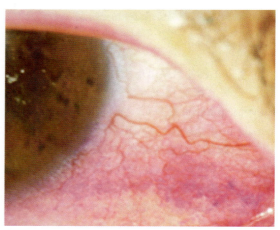

[図7] ドライアイ
ローズベンガル染色による結膜染色像．

2. Schirmer テストで 5 分間に 5 mm 以下で，かつ蛍光色素試験で陽性

のいずれかを認めることとなっている．

van Bijsterveld スコアリング方法は耳側結膜，角膜，鼻側結膜それぞれの染色が，病変なしがスコア 0，1/3 の部位の上皮が染色されるものがス

コア1, 2/3をスコア2, 全体に染色されるものをスコア3として判断され, 満点は9点である.

■リサミングリーン染色

1 検査法

リサミングリーンは緑色の粉末で, 分子量は576.62の酸性の合成色素である. 1973年Nornによって化学的には構造は異なるが, ローズベンガルとほぼ同様に角結膜上皮が1%溶液で染色させると報告[2], 米国FDAにおいて食料品, 薬品, 化粧品などの着色料として認可されており, 安全性は確立されている. リサミングリーンは変性した上皮を染色される像が得られる. ローズベンガルに比べ, リサミングリーンは点眼時の刺激が少なく, 緑色に染色されることよりローズベンガルに代わる色素として注目されている(図8). リサミングリーン染色もローズベンガル同様, ドライアイの診断基準に用いられている.

2 検査手順

リサミングリーン液をガラス棒につけ, 下眼瞼結膜に入れる. ローズベンガル染色は眼刺激感が強いため点眼麻酔を用いるが, リサミングリーン染色は刺激感なく点眼麻酔を用いずに使用できる.

3 検査結果

1) 正常所見

正常ではリサミングリーン染色はみられない.

2) 異常所見

角結膜上皮障害スコアリングを行い耳側球結膜, 角膜, 鼻側球結膜における染色の程度を各々3点満点で判定し, これを合算して9点満点として計算する. またlid-wiper epitheliopathy(LWE)の診断(図9), マイボーム腺開口部近傍の蛍光色素ライン(Marx's line)の不整, 特に染色される結膜が上眼瞼鼻側で前方移動はマイボーム腺機能不全の評価に役立つ.

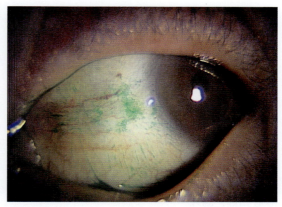

[図8] ドライアイ
リサミングリーン染色による結膜染色像.

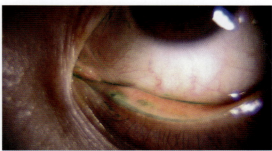

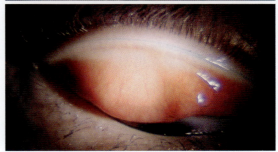

[図9] lid-wiper epitheliopathy(LWE)

文献
1) Sjögren H: Zur kenntnis der Keratoconjunctivitis sicca (keratitis filiformis bei hypofunction der Tranendrusen). Acta Ophthalmol, suppl 2: 1-151, 1933
2) Norn MS: Lissamine green.Vital staining of cornea and conjunctiva. Acta Ophthalmol 65: 19-22, 1973

(岡島行伸・堀　裕一)

12 角膜・結膜・水晶体検査

3）前眼部写真の撮影法

Ⅰ 検査の目的

1 検査対象

細隙灯顕微鏡検査を行う対象と同じである。主として前眼部，中間透光体の病変，異常所見を画像として記録するために用いられる。

2 目標と限界

細隙灯顕微鏡検査は眼科診療の基本となる検査の1つであり，さまざまな観察法や生体染色を駆使することで非常に多くの生体情報を得ることができる。

現在の前眼部写真撮影は細隙灯顕微鏡にマウントしたCCDカメラからデジタル画像を取り込む形で行われる。しかし，細隙灯顕微鏡で観察できる所見をすべて記録できるわけではない。CCDカメラはヒトの眼に比べてダイナミックレンジが狭く，ヒトの脳のようなコントラスト処理やスリット像の再構築など視覚情報処理ができないためである。

Ⅱ 検査法と検査機器

細隙灯顕微鏡に取り付けたCCDカメラ，コントローラー，モニターで構成される。撮影された画像，動画は電子カルテや画像ファイリングシステムに取り込まれるのが一般的である。

どのタイプの細隙灯顕微鏡でも使用できるが，撮影のためにはディフューザーや背景照明，ブルーフリーフィルターが備えられていると便利である。また，コントローラーには絞り，明るさ，色調の調節以外にフルオレセイン強調モードが付いている機器もある。

Ⅲ 検査手順

1 検査の流れ

細隙灯顕微鏡検査と同じである。検査中に記録したい病変，部位を必要に応じて撮影する。取り込んだ画像をその場で確認しながら，明るさや

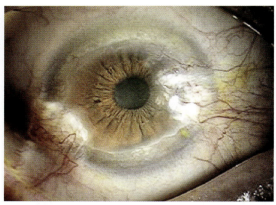

[図1] 偽翼状片
前眼部疾患，特に角結膜病変はディフューザーを用いると病変全体を記録しやすい。

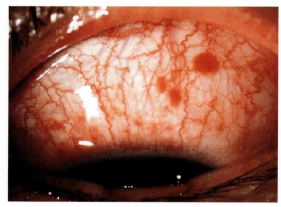

[図2] 流行性角結膜炎
結膜病変は露出オーバーになりやすいので，光量に注意する。

フォーカスを調整する。

2 写真の撮り方とコツ

細隙灯顕微鏡検査では直接照明法が観察の基本であるが，光学切片だけを用いた写真撮影はうまくいかないことが多い。光学切片だけでは周囲が暗くて全体の情報が得られないためである。ディフューザーを用いた撮影のほうが前眼部全体の情報を1枚に収めやすい（図1）。ディフューザーがない場合には，フィルターで光量を下げ，スリット幅を拡げて撮影する。いずれの場合でも，結膜や眼瞼の病変を撮影する場合には照度を下げる必要がある。通常の条件では結膜，皮膚は反射光のため露出オーバーになりやすいので，モニターで確認しながら光量を調整するようにする（図2）。

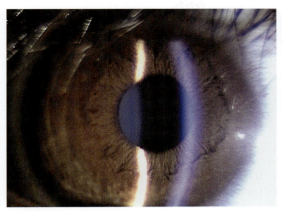

[図3] 正常者
光学切片を記録したい場合には背景照明を入れると周辺との関係がわかりやすくなる．

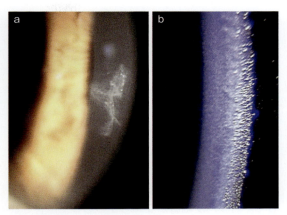

[図4] 角膜混濁と角膜内皮病変
a 淡い角膜混濁では広汎照明法が用いられる．
b 滴状角膜など角膜内皮病変には鏡面反射法が用いられる．

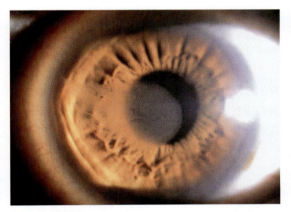

[図5] 上皮異形成
角膜表層の淡い混濁全体を描出するには強膜散乱法が適している．

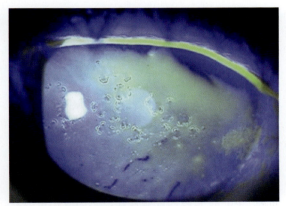

[図6] Landolt環様の多発性上皮下浸潤
フルオレセイン強調モードによって明瞭な画像が記録できる．

　光学切片は観察対象となる組織の厚みや奥行き，形状などの情報を与えてくれる．直接観察法による光学切片を記録する場合には背景照明を入れて撮影すると周辺組織との関係がわかりやすくなる（図3）．なお，前房の細胞やflareを前眼部写真に記録することは困難である．

　反帰光線法，鏡面反射法，広汎照明法などを用いて病変を描出する場合には背景照明は用いない．淡い角膜混濁や角膜新生血管などは広汎照明法や反帰光線法が病変の記録に有用なことがあり，角膜内皮の病変には鏡面反射法が威力を発揮する（図4）．強膜散乱法も淡い角膜混濁，特に角膜上皮や実質浅層の病変を描出するのに有力な手段である（図5）．ただし，ダイナミックレンジの問題できれいな画像を記録するのは意外に難しい．モニターを見ながら，照明の強さや位置，角度を調整して最良の画像が得られるように調節する．

　フルオレセインによる生体染色も前眼部写真撮影では難しいものの1つである．フルオレセインは蛍光色素であり，ブルーフィルターで励起すると緑色の蛍光を発する．蛍光の強度とCCDカメラのダイナミックレンジの問題で眼では見えているのにうまく写らないことが少なくない．コントローラーのフルオレセイン強調モード（図6）を使用するか，観察系にブルーフリーフィルターを入れると蛍光の観察効率がかなり向上する．

（山田昌和）

12 角膜・結膜・水晶体検査

4) スペキュラーマイクロスコピー

I 検査の目的

　角膜内皮は角膜の再内層に位置する単層の細胞層である．角膜内皮細胞の重要な役割は角膜の含水率を一定に保ち透明性を維持することにある．また，ヒトでは角膜内皮細胞の増殖能が極めて乏しく，角膜内皮細胞がなんらかの影響で障害された場合，内皮細胞の増殖ではなく障害部周囲の内皮細胞の拡大，進展により代償されるという特徴がある．角膜内皮細胞の密度という「量」的観点と，形態異常の割合という「質」的観点から，組織としての角膜内皮の機能を推測するのがスペキュラーマイクロスコピーである．

1 検査対象

　現在は，①眼内手術，角膜手術の前後，②円錐角膜または水疱性角膜症の角膜状態の評価，が保険算定で認められている．

2 目標と限界

　スペキュラーマイクロスコピーでは，1) 滴状角膜，Fuchs 角膜内皮変性症などの原疾患の有無，2) アルゴンレーザー虹彩切開術後による影響，3) ぶどう膜炎や外傷による影響，4) 長年のコンタクトレンズ装用による影響，5) 角膜移植術や緑内障手術後の経年変化などの評価が検査の目標になる．

　近年は機器の発展により，撮影範囲の拡大や複数個所の撮影が可能になっているが，それでも，得られる情報は角膜全体のうち限られたサンプルであることに注意が必要である．

II 検査法と検査機器

1 測定原理

　スペキュラーマイクロスコピーとは，鏡面反射の原理を用いて，主に角膜内皮を観察する顕微鏡検査である．現在臨床の現場で使われているスペキュラーマイクロスコープは角膜内皮面の観察用にデザインされている物がほとんどであるが，原

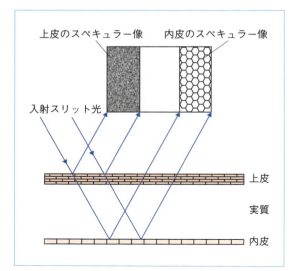

[図1] スペキュラーマイクロスコピー撮影原理の概念図
臨床で用いられる機器では角膜内皮像のみを取得するようにデザインされている．

理的には，角膜内皮面だけでなく，角膜上皮や実質の観察も可能である（図1）．1918 年に Vogt がこの原理を用いて初めて角膜内皮面の観察を行い，1968 年になって Maurice が最初のスペキュラーマイクロスコープの試作機を発表したとされる[1]．その後，Laing，Bourne，Kaufman らによって改良がなされ[1]，今日のように日常診療で角膜内皮の写真が，非接触・非侵襲的・容易に撮影できるようになり，広く普及している．

2 機器の構造

　図1に示すように，鏡面反射の原理を用いて，入射スリット光が角膜内皮面と前房水との境界で反射し，その像を捉えて撮影する構造になっている．鏡面反射で観察する際，スリット光の幅が広いと実質や上皮からの散乱光が強くなってしまい，角膜内皮のコントラストが低下して観察しにくくなってしまう．そのため，初期のスペキュラーマイクロスコピーでは，狭いスリット光を用いて撮影がなされていた．この方式では内皮面の撮影範囲が狭くなってしまい，初期のころの解析はせいぜい角膜内皮細胞密度くらいに限られていた[2]．最近は光の干渉を抑え解像度を上げる技術の進歩とともに，より広範囲の角膜内皮面の観察が可能となり，解析できるパラメーターも増えて

3 測定範囲と機器のハイスペック化

以前は，撮影範囲は角膜中央部に限局していたため，得られる画像は角膜内皮全体のうち中央のごく一部にすぎず，少ない情報から全体を推測するしかなかったが，近年，各メーカーによる機器のハイスペック化に伴い，パノラマ撮影による撮影範囲の拡大（トプコン社，SP-1P®）や，傍中心領域の複数個所の撮影（ニデック社，CEM-530 PARACENTRAL®，レグザム社，SPM-700®など）が可能となり，さらにはさまざまな角膜層の観察に対応したもの（コーナン・メディカル社，CellCheckC®）も登場している（図2）．

III 検査手順

現在では非接触型が主流となっており，ほとんどの場合は患者の顔と眼位を固定すれば自動的に撮影が可能である．

IV 検査結果の読み方と解釈

1 正常所見とアーチファクト

スペキュラーマイクロスコピーでの正常角膜内皮所見を図3a, bに示す．ときに，撮影像で片側に黒いバンドが現れ，その反対側の輝度が高い場合があるが，黒いバンドは角膜内皮と前房水との境界面によるもの，輝度の高い部分は実質と角膜内皮の境界面の散乱光によるアーチファクトである．I．で説明したスリット光での鏡面反射という観察方法上，特に狭いスリット光で起こりやすい現象である（図3b）[1]．

2 異常所見とその解釈

Fuchs角膜内皮変性症における滴状角膜（guttata cornea）では大きく斑上に散在するdark areaとして観察される（図4）．虹彩炎で侵潤した白血球が，細胞と細胞の間隙に，サイズが小さく暗い構造物として観察される場合もあるが，大きさと形状から鑑別は可能である．

パラメーターとして臨床で用いられる主なものについて以下に概説しておく．

1) 角膜内皮細胞密度・平均細胞面積

角膜内皮を内皮細胞数という「量」的観点から評価するパラメーターである．単位面積あたり，密度が減れば当然ながら個々の細胞の面積は増えるという逆数の関係になっている．角膜内皮細胞密度は出生時において5,500 cells/mm^{2}以上あるが，生後1～2歳までの間に，眼球の成長に伴う角膜径の増加とともに細胞密度は急激に減少する．3～4歳以降からは減少率はゆるやかになり，健常者でおおむね0.56%/year程度の減少率で年齢とともに漸減するといわれている[4]．成人健常者の内皮細胞密度は2,000 cells/mm^{2}以上が正常とされる．日本眼科学会における角膜内皮障害の重症度分類を表1に示す[5]．

2) 変動係数

正常機能を有する角膜内皮細胞は総じて均一なサイズと形状を有している．角膜内皮細胞になんらかのストレスが加わると，形状の恒常性維持ができなくなり，細胞の大きさと形状は不均一さを呈してくる[2]．変動係数 coefficient variation（CV）とは統計学的用語でCV=（標準偏差）/（平均）であり，スペキュラーマイクロスコピーの場合「角膜内皮細胞面積の標準偏差」を「内皮細胞面積の平均値」で割ったものである．正常の角膜内皮での変動係数は約0.25である．変動係数の上昇は細胞サイズのばらつきが多いことを意味し，polymegathismと表現される[1,2]．変動係数は角膜内皮細胞の「質」的観点から評価するパラメーターであり，細胞数の減少が大きくない時期でも変動係数の増大として角膜内皮障害の存在の可能性を示すことがある．

3) 六角細胞出現率

これも角膜内皮細胞の「質」的観点から評価するパラメーターである．角膜内皮細胞は，安定した状態では六角形の形状でモザイク状に配列している．六角形細胞出現率の減少は，角膜内皮にストレスが加わる，あるいは脱落した細胞が増えることによって，変形した角膜内皮細胞が増えてきていることを意味し，pleomorphismと表現される[1,2]．健常な角膜では六角細胞出現率は55%以上あることが多く，特に健常若年者では70～80%程度である[2]．

白内障手術など内眼手術の術前にスペキュラー

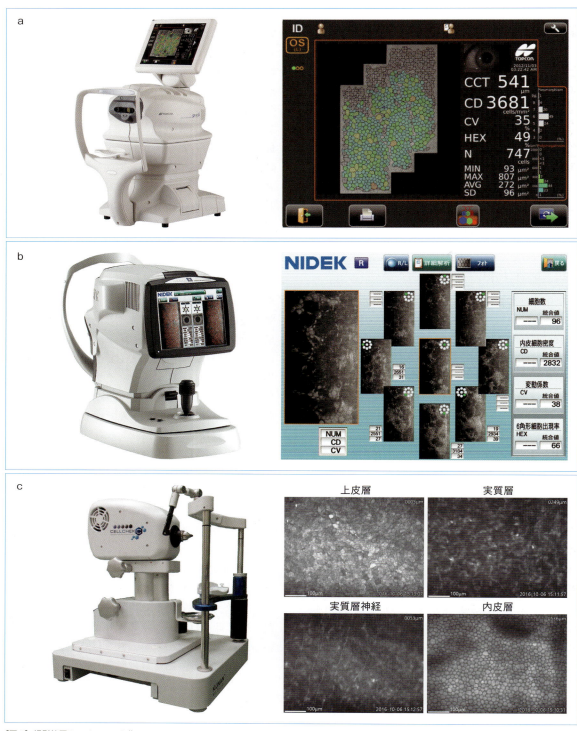

[図2] 撮影範囲のハイスペック化
a（株）トプコン SP-1P® と，同機種による中心パノラマ撮影．（株）トプコンより許可を得て転載．
b（株）ニデック CEM-530 PARACENTRAL® と，同機種による中心部および傍中心領域8点撮影．（株）ニデックより許可を得て転載．
c（株）コーナン・メディカル CellCheckC® と，同機種による上皮層，実質層，実質層の神経，内皮層の撮影像．（株）コーナン・メディカルより許可を得て転載．

4) スペキュラーマイクロスコピー

[図3] スペキュラーマイクロスコピー撮影像
a 正常角膜内皮スペキュラーマイクロスコピー像所見
b このスペキュラーマイクロスコピー像も正常であるが，撮影条件によっては片側に暗いバンドが出現し（黒矢印），もう片側の輝度が高くなる（白矢印）．
CD：細胞密度 [cells/mm^2]
SD：細胞面積の標準偏差 [μm^2]
CV：細胞面積の変動係数 [%]
6A：六角細胞出現率 [%]
AVE：平均細胞面積 [μm^2]
MAX：最大細胞面積 [μm^2]
MIN：最小細胞面積 [μm^2]
NUM：解析した細胞数

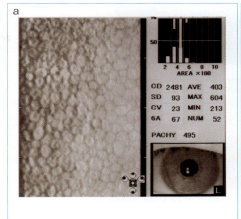

黒いバンドが出現　　輝度が高い

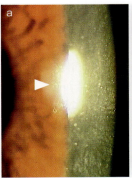
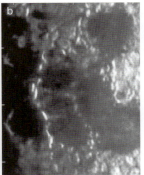

[図4] Fuchs角膜内皮変性症
a 細隙灯顕微鏡検査の鏡面反射法で観察したFuchs角膜内皮変性症のguttata cornea（a：白矢頭）
b スペキュラーマイクロスコピーで観察されるdark area

表1 日本角膜学会：角膜内皮障害の重症度分類

正　常：	角膜内皮細胞密度2,000 cells/mm^{2}以上．
Grade1：	角膜内皮細胞密度1,000 cells/mm^{2}以上2,000 cells/mm^{2}未満．正常の角膜における生理機能を逸脱しつつある状態．
Grade2：	角膜内皮細胞密度500 cells/mm^{2}以上1,000 cells/mm^{2}未満．角膜の透明性を維持するうえで危険な状態．わずかな侵襲が引き金となって水疱性角膜症に至る可能性がある．
Grade3：	角膜内皮細胞密度500 cells/mm^{2}未満で角膜浮腫を伴っていない状態．
Grade4：	水疱性角膜症．角膜が浮腫とともに混濁した状態．

マイクロスコピーを実施する場合，手術侵襲によって角膜内皮細胞数が減少したときに，水疱性角膜症に至るリスクを予測するのが目的なので，角膜内皮細胞密度が一番重要な指標となる．表1の重症度分類Grade 2以上の症例は手術侵襲が引き金となって水疱性角膜症に至る可能性があるので注意が必要であり，術前に患者によく説明しておくべきである．変動係数と六角細胞出現率にも注意を払い，変動係数0.4以上，あるいは六角細胞出現率50％以下は，内眼手術による内皮細胞数減少が高くなるリスクがあるとされる[1]．

文献
1) Phillips C, et al：Specular microscopy. Cornea. 2nd ed, Krachmer JH, et al eds, Elsevier Mosby, London, 260-274, 2005
2) Edelhauser HF, et al：Cornea and sclera. Adler's Physiology of the Eye. 10th ed, Kaufman PL, eds, Elsevier Mosby, London, 47-116, 2002
3) Koester C：Comparison of optical sectioning methods. The scanning slit confocal microscope. The Handbook of Biological Confocal Microscopy, Pawley J, ed, IMR Press, Madison, 189-194, 1989
4) Murphy C, et al：Prenatal and postnatal cellularity of the human corneal endothelium. A quantitative histologic study. Invest Ophthalmol Vis Sci 25：312-322, 1984
5) 日本眼科学会：角膜内皮障害の重症度分類（nichigan.or.jp）

（羽藤　晋）

12 角膜・結膜・水晶体検査

5）共焦点顕微鏡検査

I 検査の目的

　生体共焦点顕微鏡（コンフォーカルマイクロスコピー）はヒトの組織や器官を非侵襲的にしかも高解像度に観察できる有用な検査機器であり，さまざまな領域で使用されている．眼科領域では特に，角膜の組織学的観察を組織固定なく in vivo で非侵襲的に行うことが可能であり，in vivo biopsy とも呼ばれている[1]．共焦点顕微鏡検査により，角膜上皮表層細胞，上皮基底細胞，Bowman 層，角膜実質細胞，実質内神経，角膜内皮細胞など角膜の全層を一連の操作で前額断にて観察することが可能である．さらに，結膜上皮，マイボーム腺，涙腺組織などの生体観察も行うことができる[2,3]．本検査は，短時間で非侵襲的にしかも繰り返して経時的な観察を行うことが可能であり，角膜に病変を来たす疾患すべてにおいて有用な検査であるが，アカントアメーバ角膜炎や角膜真菌症の診断や治療効果の判定には特に有用である[3]．

II 検査法と検査機器

　共焦点光学系とは，対物レンズと観察対象との間にピンホールを設置することで，焦点面からの光（画像）のみを対物レンズで捉え，焦点面以外からの光（画像）を排除することにより，焦点の合った高い空間解像度を有する画像を得ることができる光学系である（図1）．この共焦点原理を利用した眼科専用生体共焦点顕微鏡として，波長670nm のダイオードレーザーを光源とした HRT3 ロストック角膜モジュール®（図2）が，現在臨床的に使用されている．

III 検査手順

　まず，患者に点眼麻酔を行い，開瞼器を用いて角膜を露出させる．対物レンズの先端にジェルをつけ，専用のカバーで覆った後に，カバー先端部を患者の角膜中央部に接触させる．次にモニター上で焦点を専用カバーの接触面に合わせて，少しずつ対物レンズの焦点を奥のほうに進めていく．このとき患者にはしっかり固視をさせることが重要である．

IV 検査結果の読み方

1 正常所見

　HRT2 ロストック角膜モジュール® を用いて角

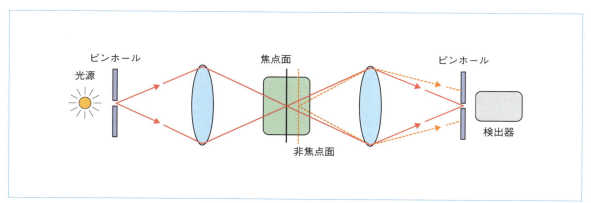

［図1］共焦点原理
光源・対物レンズの焦点・ピンホールの3か所が光学的に共役な位置にある．光源と観察路の焦点深度を同期させて同時に余分な反射光を除外することで任意の観察部位での像が得られる．すなわち，光源からピンホールを通った光で角膜内を投影し焦点面からの反射光が検出器の前のピンホールを通過し画像が得られる．しかしながら，焦点面以外からの反射光はカットされる．
（文献1）より引用改変）

5) 共焦点顕微鏡検査

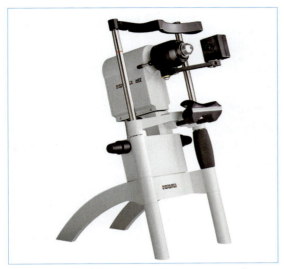

[図2] 生体共焦点顕微鏡（HRT 2 ロストック角膜モジュール®）
ロストック角膜モジュール対物レンズの先端部光学レンズ部分は使い捨ての PMMA 製滅菌カバー（トモキャップ）で覆われている．

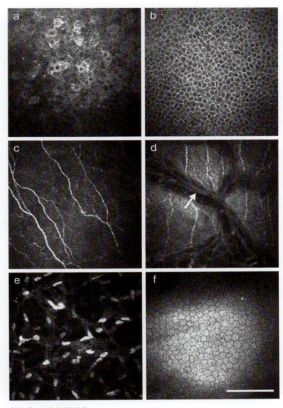

[図3] 正常角膜所見
a 角膜上皮最表層
b 角膜上皮基底細胞層
c Bowman 層．角膜上皮下神経叢が認められる．
d Bowman 層と角膜実質の境界面領域には角膜実質のコラーゲン線維の終末部と考えられる構造（矢印）(K-structure) が観察される（文献 3）参照）．
e 角膜実質．多くの実質細胞の核が観察される．
f 角膜内皮層 (bar=100μm)

膜中心部を観察すると，最表層から順に角膜表層細胞層（図3a），翼状細胞層，基底細胞層（図3b），Bowman 層（図3c，d），角膜実質細胞層（図3e），角膜内皮細胞層（図3f）が観察される．表層細胞は直径 50μm 程度の高輝度の細胞質をもつ多角形細胞として観察され，周囲に低輝度のハローを伴う高輝度の核も観察される（図3a）．翼状細胞層は表層細胞に比較してやや小さめ（直径 20μm 程度）で，低輝度の細胞質，高輝度の細胞境界により比較的均一なモザイク状に観察される．基底細胞層はさらに小さいモザイク状の細胞（直径 8〜10μm 程度）として観察される（図3b）．上皮細胞層の直下に位置する Bowman 層はそれ自体としては同定は難しいが，上皮下神経叢のレベルとして確認可能である（図3c）．Bowman 層と角膜実質の境界面領域には角膜実質のコラーゲン線維の終末部と考えられる構造（Kobayashi (K)-structure）が観察され，フルオレセイン角膜モザイクと密接に関係し，臨床的には Bowman 層の健常性の指標となる（図3d，矢印）[3]．角膜実質では，卵型をした高輝度の細胞核が観察される（図3e）．角膜内皮細胞層はスペキュラーマイクロスコープで観察されるものと類似の所見

が得られる（図3f）．さらに，従来の白色光源生体共焦点顕微鏡では観察が困難，あるいは不可能であった球・瞼結膜，角膜輪部，Vogt 柵 (Palisade of Vogt)，杯細胞，Langerhans 細胞，マイボーム腺，睫毛（根部）の高解像度での生体観察が可能である[4]．

2 病的所見

現在，共焦点顕微鏡を用いて，さまざまな病的角・結膜の解析が行われている（図4）．臨床的に特に有用な疾患として，アカントアメーバ角膜炎と角膜真菌症が挙げられる．アカントアメーバ角膜炎では，アカントアメーバシストが直径 10〜20μm の高輝度円形物質として主に上皮のレベル

に観察される(図4a). 角膜真菌症では,菌糸を確認することができ,診断の補助として有用である(図4b). また,各種角膜ジストロフィにおいては,それぞれに特徴的な所見が観察される. Meesmann角膜上皮ジストロフィでは,角膜上皮内に囊胞が多数認められ(図4c), Fuchs角膜内皮ジストロフィでは角膜内皮にguttataが数多く観察される(図4d). 代表的なBowman層ジストロフィのThiel-Behnke角膜ジストロフィ(*TGFBI* R555Q)では,Bowman層レベルに中輝度・非顆粒状陰影を認める(図4e). 一方Reis-Bücklers角膜ジストロフィ(*TGFBI* R124L)では,Bowman層レベルに高輝度・顆粒状陰影を認め,類似の角膜病変との鑑別診断の際に参考になる(図4f)[6].

その他の臨床的応用として,糖尿病における上皮基底膜や上皮下神経の異常の検出,重症ドライアイや輪部機能不全角膜の観察,角膜への沈着物の観察(アミオダロン,鉄,銅,刺青,異物),濾過胞結膜の観察,角膜後面沈着物の観察,結膜の腫瘍性病変の観察,マイボーム腺や涙腺,角膜移植後拒絶反応の観察(図4g),角膜パーツ移植Descemet stripping automated endothelial keratoplasty (DSAEK)(図4h)や屈折矯正手術,角膜クロスリンキング術後角膜の観察など,さまざまな試みがなされている.

文献

1) 近間泰一郎:角結膜がみえてくる 生体共焦点顕微鏡検査—In vivo Biopsy, メジカルビュー社, 東京, 2010
2) Zhivov A, et al: In vivo confocal microscopy of the ocular surface. The Ocular Surface 4: 81-93, 2006
3) Kobayashi A, et al: In vivo confocal microscopy of Bowman's layer of the cornea. Ophthalmology 113: 2203-2208, 2006
4) Kobayashi A, et al: In vivo findings of the bulbar/palpebral conjunctiva and presumed meibomian glands by laser scanning confocal microscopy. Cornea 24: 985-988, 2005
5) Kobayashi A, et al: In vivo and ex vivo laser confocal microscopy findings in patients with early-stage acanthamoeba keratitis. Cornea 27: 439-445, 2008
6) Kobayashi A, et al: In vivo laser confocal microscopy findings for Bowman's layer dystrophies (Thiel-Behnke and Reis-Bücklers corneal dystrophies). Ophthalmology 114: 69-75, 2007

〔小林　顕〕

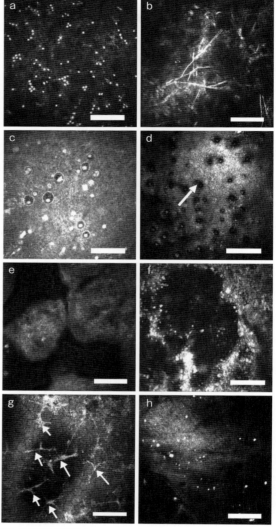

[図4] 病的角膜所見 (Bar=100μm)
a アカントアメーバ角膜炎. 上皮からBowman層のレベルに多数のアカントアメーバシスト(直径10〜20μm)が認められる.
b 角膜真菌症の1例. レーザー共焦点顕微鏡では,多くの菌糸が確認された. 鏡検にても同様の菌糸が確認され,アスペルギルスによる感染と考えられた.
c Meesmann角膜上皮ジストロフィ. 角膜上皮内に囊胞が多数認められる.
d Fuchs角膜内皮ジストロフィ. 角膜内皮に多くのguttataが観察される.
e Thiel-Behnke角膜ジストロフィ(*TGFBI* R555Q). Bowman層レベルに認める中輝度・非顆粒状陰影.
f Reis-Bücklers角膜ジストロフィ(*TGFBI* R124L). Bowman層レベルに認める高輝度・顆粒状陰影.
g 全層角膜移植後に発症した内皮型拒絶反応の共焦点顕微鏡所見. 角膜内皮層レベルでは,多数のLangerhans様細胞が認められる(矢印).
h DSAEK術後角膜における特徴的な共焦点顕微鏡所見. ドナーホスト層間に混濁と高輝度点状沈着物が認められる.

12 角膜・結膜・水晶体検査

6) ケラトメーター

I 検査の目的

ケラトメーターは，角膜曲率半径を測定することで，角膜の強主経線・弱主経線，およびその平均の屈折力を算出する．日常診療において，角膜乱視の程度から翼状片や円錐角膜などの角膜疾患を疑うきっかけになったり，角膜屈折力の値から円錐角膜や角膜レーザー屈折矯正術後などの角膜の状態を鑑別に挙げる手がかりになる．ケラトメーターの角膜乱視とオートレフの全眼球乱視を比べると，乱視がどこ由来かを推測できる．また，ケラトメーターの結果は，白内障手術における眼内レンズ度数決定，コンタクトレンズ処方の際の角膜曲率には必須であり，日常診療で非常に重要な検査である[1]．

1 検査対象

近視や遠視の屈折異常，円錐角膜・翼状片などの角膜形状疾患，白内障手術前後，コンタクトレンズ処方，屈折矯正術前後の形状評価，前眼部疾患・角膜/水晶体疾患で受診するすべての患者が対象となる．

2 目標と限界

ケラトメーターの目標は角膜曲率半径から屈折力を算出することである．検査光を角膜前面に投影し，その形状から曲率半径を算出するが，測定は傍中心（中央3mm）の4点（6点にしている機種もある）をトーリック面に近似して算出するため，不正乱視の強い症例，非対称性の形状を持つ症例では正確な値とならない．角膜移植後など高度な不正乱視がある症例ではエラーとなる．近年は，非対称成分KAIや不正乱視成分KRI表示を搭載する機種も出てきている．

II 検査法と検査機器

1 測定原理

ケラトメーターによるケラト値は，数個の点光源Vを角膜に投影しPurkinje-Sanson第1像（V'）

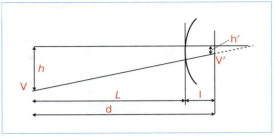

[図1] ケラトメーターの原理
V：点光源，V'：VのPurkinje L像
h, h'：それぞれの光軸からの距離，r
d：VとV'の距離

から角膜前面の曲率半径rを算出する．

図1で

$$\frac{1}{l} + \frac{1}{L} = \frac{2}{r} \quad ①$$

拡大率 m は

$$m = \frac{h'}{h} = \frac{l}{L}$$

①より

$$L = (m-1)r/2m$$

同様に

$$l = (m-m^2)r/2m$$

となるため

$$d = L + l = (1-m^2)r/2m$$

$$r = \frac{2dm}{1-m^2} \approx 2dm \approx 2d\frac{h'}{h}$$

となる（mは0.03～0.04でm²は非常に小さいため）．

さらに角膜中央3mmの直交する2方向について，測定された各経線の屈折力を最小二乗法で楕円近似し，弱主経線と強主経線のrを求める．

角膜上のある点での角膜前面曲率半径をr_A，角膜後面曲率半径をr_B，角膜厚をゼロとすると，その位置での屈折力 P（D）は前面屈折力と後面屈折力の和となり，

$$P = \frac{n_2 - n_1}{r_A} + \frac{n_3 - n_2}{r_B}$$

n_1：空気の屈折率（1.000），n_2：角膜屈折率（1.376），n_3：前房水屈折率（1.336）

で表される．しかしケラトメーターでは角膜前面の曲率半径r_Aのみが得られるので（角膜後面の曲率半径r_Bはケラトメーターではわからない），

[図2] ケラトメーターの外観と表示画面

実際には，「角膜前面・後面の曲率半径比が一定であり角膜厚がゼロである」という仮定のもとで，角膜換算屈折率 n_4：keratometric index（多くは 1.3375）を用いて，

$$P = \frac{n_4 - n_1}{r_A}$$

で計算している．ここでは $n_4 - n_1 = 0.3375$ となるため，ケラトメーターで得た r_A から角膜の屈折力 P が算出される．

したがって，この前提は厳密には正常角膜のみで成立し，角膜厚が薄くなる円錐角膜や角膜前面・後面の曲率半径の割合が変わる屈折矯正術後，角膜実質浮腫をきたす高眼圧や水疱性角膜症（角膜含水量で屈折率が変化）では成り立たない．このずれが臨床上問題になるのは屈折矯正手術眼や円錐角膜に対し白内障手術を行うような場合である．屈折矯正術後の白内障手術の眼内レンズ度数計算にケラトメーターの読みをそのまま使用すると白内障手術後に予想外の遠視になることが知られており，円錐角膜の進行例（特に Amsler-Krumeich 分類 3 以上）で大きな度数ずれが起きる原因として報告されている．角膜疾患や屈折矯正術後の白内障手術の眼内レンズ度数決定には度数ずれに注意が必要である．この問題に対しては，角膜トポグラフィや光線追跡法を用いた新しい屈折力計算法が検討されている[2〜4]．

2 機器の構造

マニュアルのケラトメーターでは2つの検査光を投影し，検者が反射像を観察しつつレバー・ダイアルの操作でそれを重ね合わせることで角膜曲率半径を決定する．オートケラトメータでは，4つの点光源を角膜前面に投影できる構造で，その4つの光源をCCDデバイスで取り込み，位置を測定して，その4点を通る最小二乗法で楕円近似をして，強主経線・弱主経線の方向と曲率半径を決定する（図2）．

3 感度と特異度

測定範囲は機種によって異なるが，ケラト値は約 25〜65 D，乱視は約 12 D まで測定できるとされるが，測定限界に近い値では誤差が大きくなるため，角膜形状解析装置など専用の器械を用いるほうが望ましい．

III 検査手順

1 検査の流れ

オートケラトメータの測定では，角膜トポグラフィなどと同様に，顎台に被検者の頭部をしっかり固定してもらい，軽い瞬目と瞬目後に大きく眼を開けてもらうように促した後に素早く計測する．センタリング・フォーカスのあと測定ボタンを押すだけで測定が完了する．なお，モニターに映る前眼部からドライアイ，不正乱視，瞳孔径や偏位などの情報も得ることができるため，モニ

ターの観察を同時に行うことも重要である．多くの機種では自動連続撮影モードがあり，1回の測定で4～5回計測を行い，結果と平均値がプリントアウトされる．測定時の固視不良，眼瞼挙上による眼球圧迫，強制的な長時間の開瞼，検査前の接触式眼軸長や眼圧測定は測定誤差につながるため，注意を要する．

2 検査機器の使い方

1) 角膜形状異常眼のスクリーニングとして

ケラトメーターは普及しており，初診の患者で視力検査をする際にほぼ必ず測定されるデータであり，ケラトメーターの結果に異常があるかどうかをまずチェックすることが，角膜形状異常眼を疑うきっかけとなる．正常値は40～46Dで，乱視は3D以下が多いため，これから逸脱したデータのある患者では，円錐角膜，翼状片，過去の角膜疾患の既往を疑って診察するとよい．また，白内障術前で，ケラトメーターの乱視が小さいが，全眼球の乱視が多く，患者自身が自分の乱視は強いと思っている人には通常の眼内レンズを用いた白内障手術で乱視が少なくなることを伝えると喜ばれることが多い．

2) コンタクトレンズ処方

コンタクトレンズ処方では，ケラトメーターで得られた曲率半径がベースカーブ（BC）を決める参考になる．曲率半径の平均値 average K を参考値としてこれに近いBCのトライアルレンズからトライアル装用を開始して，診察しながらコンタクトレンズの動きや装用感，フルオレセイン染色液の貯留パターンなどから微調整を行い最適なBCのコンタクトレンズを決定する．

3) 眼内レンズ度数決定

白内障手術の際の眼内レンズ度数（P）は経験式のSRKⅡ式，理論式のSRK/T式などを主に用いて計算されてきたが，現在ではBarret True K式やHolladay式などが精度により優れるためよく使われる．SRK式やSRKⅡ式を覚えておくと，角膜屈折力が1D変わると眼内レンズパワーが0.9D変化し，眼軸長が1mm増えるとIOL度数が2.5D少なくなることがわかる．器械がIOL度数を計算してくれるので眼軸長やケラト値について深く考えずに眼内レンズ度数を決めてしまいがちだが，臨床的にこの感覚は重要で，SRKⅡ式を覚えておくと役に立つこともある．

3 検査のコツと注意点

簡便で再現性の高い検査の1つといえるが，どの検査にも共通するが，顔の位置の安定，固視，開瞼幅，瞬目による均一な涙液は正確な測定に重要である．角膜混濁や角膜移植後など不正乱視の強い例では，検査結果は過大解釈せず参考程度とする．

Ⅳ 検査結果の読み方と解釈

1 正常値

成人の角膜曲率半径の正常値は$7.85±0.25$mm，角膜屈折力の正常値は$43.0±1.5$Dである．したがって，ケラトメーターのK値は40～46Dで，乱視は3D以下と覚え，結果をみるとよいスクリーニングの指標となる．

2 異常値とその解釈

ケラトメーターで把握できるのは角膜中央部の形状異常の有無のみなので，異常値が出た場合は角膜トポグラフィやビデオケラトスコープなど角膜形状の精密検査が必要になる．

また，ケラトメーターの値が正常値で，矯正視力良好例で細隙灯顕微鏡で明らかな所見がなくても，以下の特徴がみられた場合は円錐角膜疑いの可能性を考慮する必要がある．

①K値に左右差がある，②片眼性の乱視，③若年者の斜乱視，④HCL装用した場合3点接触になったり，下方が浮いたりしてフィッティングが悪い．

文献
1) 五藤智子ほか：角膜形状解析/オートレフラクトメータとフォトケラトスコープ．角膜トポグラファーと波面センサー ―解読のポイント―．前田直之ほか編，メジカルビュー社，東京，8-25，2002
2) 前田直之：屈折検査：ケラトメータ．眼科検査法ハンドブック，丸尾敏夫ほか編，第3版，医学書院，東京，52-53，2003
3) 山下牧子：他覚的屈折検査．理解を深めよう視力検査 屈折検査，松本富美子ほか編，金原出版，東京，36-39，2009
4) 眼科ケア編集委員会編：屈折・調節検査．眼科検査ナビゲーションブック（眼科ケア2012年夏季増刊），メディカ出版，東京，2012

（明田直彦・山口剛史）

7) 角膜形状解析
① プラチド円板

I 検査の目的

プラチド円板は，円錐角膜や不正乱視，強い正乱視を見分けるために用いる．角膜全体の形状異常を検出する方法として1882年ごろA. Placido da Costaにより考案され，現在のフォトケラトやビデオケラトスコープなどプラチド型角膜形状解析装置はプラチド円板の原理が元となっている（図1）．

1 検査対象

角膜形状異常全般が対象となるが，軽度の形状異常の検出は困難である．近年ではビデオケラトスコープや角膜トポグラフィが普及したため，プラチド円板を実際の医療機関でみることが少なくなった．同様の原理を利用した器械は白内障手術や角膜移植手術の術中に角膜形状を確認する目的で使われ，術中の乱視軽減に有用である．

2 目標と限界

最初のプラチド角膜計は，定性的に角膜の形状異常を検出するもので定量性はなく，記録装置を持たないため同一患者の経時的な観察や，他疾患のデータとの比較も困難であった．その後，フォトケラトスコープ，ビデオケラトスコープ，角膜トポグラフィにより改良が重ねられ，プラチド円板の原理は幅広く応用・普及している．

II 検査法と検査機器

1 測定原理と機器の構造

プラチド円板には白黒の同心円が描かれており，被検者にその中央を見てもらい，検者は円板中心部の孔から被検者の角膜を観察すると，検者の視線，被検者の角膜中心，同心円の中心が直線状に位置する状態となる．この状態で円板の同心円の角膜反射を観察すると，角膜表面に同心円の反射像（＝マイヤー像）が見られる．角膜の乱視や形状異常があると，マイヤー像の形状に異常をきたす．

[図1] プラチド円板

III 検査手順

1 検査機器の使い方とコツ

角膜に正しくプラチド円板の同心円を投影するには，プラチド円板を患者の視軸に垂直に保ちながら，角膜中央に反射の中心がくるようにする必要がある．同時に，検者の視線，被検者の視線とプラチド円板の同心円の中心が同軸になることも重要である．

IV 検査結果の読み方と解釈

マイヤー像の読み方と解釈はフォトケラトスコープと同一であるため，次項を参照されたい．

文献
1) 大鹿哲郎：角膜形状解析の歴史と現状．眼科診療プラクティス89．角膜形状解析の基礎と臨床，大鹿哲郎編，文光堂，東京，2-4，2002
2) 二宮さゆり：プラチド型装置．カラーコードマップの読み方．眼科診療プラクティス89．角膜形状解析の基礎と臨床，大鹿哲郎編，文光堂，東京，6-12，2002

（明田直彦・山口剛史）

12 角膜・結膜・水晶体検査

7）角膜形状解析
② フォトケラトスコープ

I 検査の目的

フォトケラトとは，プラチド円板を改良して，角膜（＝Kerato）前面に投影したマイヤー像を写真（＝photo）として記録できるようにしたものである．フォトケラトの登場で，マイヤー像の形から角膜不正乱視の有無の判定や，疾患ごとの角膜不正乱視のパターン化・重症度を評価できるようになり，記録を照らし合わせることで，同一症例の進行や，他症例との比較が可能となった．1979年に市販された最初のフォトケラトスコープ（PKS-1000，サンコンタクトレンズ，**図1**）はプラチドディスクの投影装置とポラロイドカメラを組み合わせたもので，その後改良が重ねられコンピュータによる画像解析と自動化がなされ，定量的な分析が行えるようになった．

現在市販されている機種はすべてCCDデバイスからデジタルデータとしてマイヤー像データをコンピュータに保存し，形状解析も行われるため，現在のフォトケラトの後継機はビデオケラトスコープというべきものになっている．フォトケラトの原理は角膜トポグラフィや一部の波面収差測定装置に搭載されている．マイヤー像を実際に見て，フォトケラトでどの疾患でどのような所見が出るかを熟知しておくことは，重要である．

1 検査対象
円錐角膜，翼状片，角膜移植後，その他角膜形状異常全般．解析機能のある機種ではコンタクトレンズ処方時のベースカーブ決定に使用される．

2 目標と限界
フォトケラトはマイヤー像のパターンから角膜形状異常の特徴を把握する．ビデオケラトスコープと比較すると，定量というよりも定性診断の要素が大きいため，わずかな差の検出（円錐角膜のわずかな進行など）や，軽度の形状異常眼の診断にはあまり向かない．強い角膜形状異常眼ではマイヤー像が乱れうまく撮影できず，しばしば評価

[図1] PKS-1000

が難しい．また円錐角膜疑いの症例や，検眼鏡的な異常を認めないようなごく軽度の円錐角膜では，マイヤー像の定性的な評価だけでは異常を検出できない．

II 検査法と検査機器

ここでは最も単純なフォトケラトの例としてPKS-1000（図1）を取り上げる．

1 測定原理
リング状照明を角膜に投影してその反射を撮影し，リング形状を解析する．

2 機器の構造
フォトケラトは照明つきプラチドリングとカメラ（CCD）からなる．手持ちのプラチドリングと異なる点として，フォトケラトでは患者の頭部が顎台に固定され，被検眼から検出器（＝フィルム）までの距離が一定になり，再現性が向上した．

3 感度と特異度
マイヤー像の歪みから不正乱視を検出するが，定量性は前眼部OCTなどの角膜形状解析装置などに劣る．また，マイヤー像は涙液の影響を受けるため，結果の解釈に注意を要する．

III 検査手順

1 検査の流れ
暗室にて，被検者の頭部を顎台に固定し，視標を固視してもらう．ファインダーを覗きつつ，マ

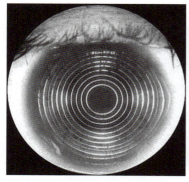
[図2] 正常眼

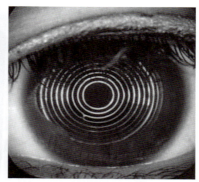
[図3] 正乱視

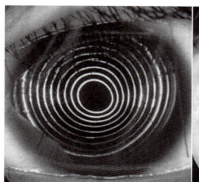
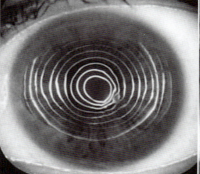
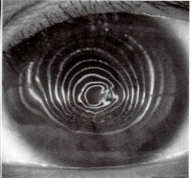
[図4] 円錐角膜（左：軽度，中央：中程度，右：重度）
（サンコンタクトレンズ提供）

イヤー像に焦点を合わせ，撮影前に何度か瞬目の後に大きく開瞼するように指示し撮影する．

2 検査機器の使い方とコツ

被検者の頭部の固定と視標の固視，涙液の影響を減らすことが撮影の際重要な要素となる．撮影する瞬間の涙液層の破綻は，マイヤー像の局所的な乱れやにじみにつながるため，特にドライアイ患者では瞬目後の涙液の安定した瞬間に撮影することが勧められる．瞼裂の狭い例では瞼や涙液メニスカスの影響を受けるため，検者は眼球を圧迫しないように気を付けながら上下眼瞼を指で軽く開瞼するようにして撮影する．

Ⅳ 検査結果の読み方と解釈

正常，異常所見にかかわらず，マイヤー像が等高線であることをイメージするとわかりやすい．

1 正常所見

正常眼ではマイヤー像が周辺まではっきり写り（図2），同心円上で，リング間の間隔はほぼ一定である．各マイヤー像は正円に近く歪みがない．正乱視（図3）では各マイヤー像が対称的な楕円形となり，リング間の間隔は一定でマイヤー像の歪みはなく同心円となる．

2 異常値とその解釈

マイヤー像に，正円・楕円形でない歪みのある場合や，同心円状でない場合には角膜不正乱視があることを示唆する．角膜曲率が扁平化している際には，マイヤー像の間隔が開く．逆に円錐角膜など角膜曲率が急峻な場合にはマイヤー像同士の間隔が詰まっている部分が形成される．リング自体も，扁平化した部位では太く，急峻な部分では細くなり，この所見は診断に有用である．

1）円錐角膜（図4）

円錐角膜では① マイヤー像の中心が角膜突出部の方向に偏る，② マイヤー像が楕円形から滴状になる，③ マイヤー像の間隔が乱れる，④ マイヤー像が途切れたり，隣のマイヤー像と融合する，などの所見が現れる．

2）円錐角膜疑い

円錐角膜疑いはフォトケラトスコープでも異常の診断は難しい．ビデオケラトスコープや角膜トポグラフィで異常パターンを検出する．

3）屈折矯正手術後 RK/LASIK/PRK

近視矯正屈折矯正術後には，角膜中央部が扁平化するため中央のマイヤー像は間隔が広くなり，逆に角膜周辺部では若干急峻化するため周辺部のマイヤー像の間隔は若干狭くなる．また，RK術後にはRKの放射状切開とマイヤー像の交点でマイヤー像が折れ曲がったり，マイヤー像同士の相似形の同心の多角形様の形状となる．

4）角膜移植後

全層角膜移植や表層角膜移植後にはグラフト自体の角膜形状や縫合糸の不均等な張力，グラフト-ホスト角膜接合部の微妙な隆起による涙液の不均等分布の影響で，グラフト内のマイヤー像は大きく歪み，同心円とならないことが多い．角膜移植後のような不正乱視の強い症例では不正乱視が高度にあるということがわかる点が有用であるが，定量性はない．

3 アーチファクト

涙液の影響がアーチファクトとなることがあるため，注意を要する．

文献
1) 五藤 智ほか：オートレフラクトメータとフォトケラトスコープ．角膜トポグラファーと波面センサー―解読のポイント―，前田直之ほか編，メジカルビュー社，東京，12-19，2002
2) 俊野敦子：フォトケラトスコープの結果の読み方．角膜トポグラファーと波面センサー―解読のポイント―，前田直之ほか編，メジカルビュー社，東京，26-34，2002

（明田直彦・山口剛史）

12 角膜・結膜・水晶体検査

7) 角膜形状解析
③ 角膜トポグラフィ（Pentacam, Orbscan 含む）

I 検査の目的

角膜トポグラフィの検査の目的は，一見正常と思われる角膜の形状異常を，詳細により高感度に検出することである．従来，角膜前面の形状を観察する際，ケラトメーターで角膜中央の定量的測定，フォトケラトスコープで角膜のより広い範囲の定性的測定を行っていた．1984年にTopographic Modeling System（TMS）に代表されるビデオケラトスコープが登場した結果，角膜形状データ処理量が飛躍的に増大し，角膜全体の数千点に及ぶ定量的測定を行うことが可能となった．トポグラフィとは本来「地勢図」を意味しており，角膜トポグラフィの大きな特徴として，局所的な角膜屈折力を定量した解析結果を地勢図のようなカラーコードマップで表示し，角膜疾患それぞれの形状の特徴を一目で容易に診断できるようになった．

本項ではTMS（TOMEY，図1），スリットスキャン型角膜形状解析装置の例としてOrbscanⅡz（Bausch & Lomb），Scheimpflugタイプの例としてPentacam（Oculus，図2）について述べる．

1 検査対象

円錐角膜，角膜移植前後，角膜疾患を疑う白内障手術前後，屈折矯正手術の前後，コンタクトレンズのフィッティング，角膜形状異常全般が対象となる．

2 目標と限界

各検査機器の特徴を表1に示す．

従来のTMSが表示する角膜屈折力は角膜前面のデータから算出されるため，ケラトメーターと同様，「角膜後面の曲率半径比は一定である」という前提が存在し，それに基づいてkeratometric indexを角膜屈折率の補正値として使用する．OrbscanⅡzではkeratometric indexを用いた解析モードに加え，角膜後面曲率を考慮して屈折力

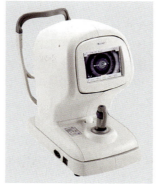

[図1] TMS5

[図2] Pentacam

[表1] 各検査機器の特徴

TMS4（従来のTMS）プラチド型角膜トポグラファー	OrbscanⅡz スリットスキャン型角膜トポグラファー	Pentacam Scheimpflug型トポグラファー
TMS5 プラチド型角膜トポグラファーおよびScheimpflug型角膜トポグラファー		
角膜前面（涙液層前面）のみが測定対象で，それ以外の部位は測定できない	角膜前後面，虹彩・水晶体前面の計測が可能で，角膜厚，前房深度の情報も得られる	角膜前後面，虹彩・水晶体前後面の計測が可能で，角膜厚，前房深度，隅角の情報も得られる
リングコーンを用いた"リングトポモード"とスリットコーンを用いた"スリットモード"の2種類の測定が可能	1.4秒 瞬目，眼の動き，角膜表面の乾燥などの影響を受ける→プラチドディスクを搭載して併用することで対応	1.5〜2秒 解析時間が短く測定範囲も広い マイヤー像の解析ではないため，角膜上皮や涙液の影響を受けにくい

計算を行うモードが搭載され，より本質に近い結果が得られる．PentacamではK値を測定するためのHolladay Reportや角膜前面・後面の屈折力を考慮して算出したTrue Net Powerが計算可能であり，屈折矯正術後の白内障手術におけるIOL計算にも応用できる．屈折矯正手術が盛んになった今日では，後面解析の可能なOrbscanⅡzやPentacamによる解析が重要となっており，TMS4の上位機種であるTMS5では，角膜後面の解析も可能となっている．

II 検査法と検査機器

1 測定原理

リングトポモード測定（従来のTMS）では，リング状照明の角膜前涙液層表面における反射像

7) 角膜形状解析

（マイヤーリング）をCCDカメラから読み込み，各リングにつき256点の位置情報から角膜屈折力などの局所データを合計6,400ポイントについて計算し，屈折力分布をカラーコードマップとして表示する．ケラトメーターと同様，「検出器（CCDデバイス）と角膜表面との距離が既知」という前提で計算を行うため，被検者のアライメント（焦点位置合わせ）が重要となる．

スリットスキャン測定（Orbscan）では，細隙灯顕微鏡と同様に角膜に対してスリット光を投射し，スリット光の位置を変えることによって角膜前後面と角膜厚をスキャンしたデータを得る方式である（Orbscanでは左右45°方向から2つのスリット光を1.4秒程度で左右同時に動かし，1スリットの断面上240点の角膜前後面の高さのデータを得る）．なお，スリットスキャン測定に加え，マイヤー像の撮影も行われる（OrbscanⅡzでは，撮影中の涙液層のブレークアップを考慮して先にマイヤー像の撮影が行われる）．ここでも，「検出器と対象眼までの距離が一定である」という前提で位置の計算が行われる．

Scheimpflug測定（Pentacum，TMS5）は，スリット光を回転照射することで得られた前眼部断面画像であるScheimpflug像から角膜前後面の形状解析を行うものである．通常のレンズではレンズ面とフィルム面（ここではCCD）が平行にあるため，一定距離のみで焦点の合う像が得られる．

Scheimpflugの原理とは，レンズ面とフィルム面を平行でない状態にすると，近距離にあるものと遠距離にあるものに焦点が同時に合った像が得られるというものである．瞳孔と固視状態を確認する中央のカメラと，波長475nmの青色LED光を使用して角膜を斜めから撮影する回転式Scheimpflug cameraが搭載されており，得られたScheimpflug像から角膜前後面の形状が解析できる．Pentacumでは，BFS解析※に加え，3Dの前房解析や，角膜の各部位における角膜厚および，そこから導かれる眼圧の補正式，また角膜前面形状のパラメータを基にした円錐角膜の自動診断プログラム，角膜の収差解析プログラム，475nmでの光の反射量を定量化するDensitometryも付属している．回転式Scheimpflug cameraの大きな特徴として従来のTMSやOrbscanと比べて角膜中央のデータ量が多いということが挙げられる[1]．

2 機器の構造

TMS・OrbscanⅡzに共通する構造としてプラチドディスクとCCDデバイス，解析のためのコンピュータがある．TMSのプラチドディスクはリングコーン型で，OrbscanⅡzでは彎曲した平面型である．OrbscanⅡzはさらにスリットスキャンのためのムービングスリット2基を備える．PentacamやTMS5では，回転式のScheimpflug camera 1基と前眼部撮影用camera 1基を備える．

3 感度と特異度

TMSとPentacamはそれぞれ円錐角膜の自動診断プログラムを数種搭載している（**図3**）．TMSにはKlyce/Smolek法，Maeda/Klyce法が搭載されており，ともに複数の角膜形状指数の組み合わせから総合判定を行い，異常値を色分け表示し高い感度と特異度で円錐角膜を検出する（TMS5では後面の形状解析が可能となり，ニューラルネットワークを応用したSmolek/Klyce法が搭載されて精度が向上した）．Pentacamは角膜形状に加え，角膜厚の変化パターンや各種パラメータを使い，高い感度と特異度で円錐角膜を検出する．

円錐角膜は屈折矯正手術の禁忌疾患であり，術前スクリーニングとしてこのプログラムの結果は

※BFS（best fit sphere）とは，角膜前後面の形状（高さ）を単純なマップ（true elevation）で表示したものであり，TMS5，Orbscan，Pentacumに搭載された機能である．True elevationとは，測定した角膜形状測定面に対して最もフィットする近似球面（BFS）を最小二乗法で算出し，BFSから実測の角膜形状測定面に対する高低差を表示したもので，単純な高さのマップと比べてデータの分布幅が狭く，スケールを細かく設定できるため微小変化を把握しやすい．ただし，同一眼でもデータの状態によりBFSの径が変化しマップの様相が変化することがあり，また一見同様のマップでもBFSの径が異なると意味合いが変わってしまうことがあり，比較する際にはこのBFSの半径に注意が必要である[2]．

重要だが，正常角膜と円錐角膜パターンにはっきりした境界はなく，円錐角膜と判定できない例（偽陰性）や非円錐角膜を円錐角膜と判定してしまう例（偽陽性）が必ず存在する．そのため，複数の角膜トポグラフィのマップを確認した上で，他の眼科検査と併せて総合的に円錐角膜を診断することが重要である．

Ⅲ 検査手順

1 検査の流れ

コンタクトレンズ装用者では装用の影響を回避するため，測定前に装用を中止してもらう（HCLでは1〜2週間，SCLでは1〜2日）．検査当日は，本検査前には接触式眼軸長測定やGoldmann眼圧計など眼球を圧迫するような検査は控えるように，検査当日の検査の順序を考慮することが望ましい．測定台の額帯に額をしっかりつけてもらい，顎台の高さを調節して測定眼を検査視標の高さに合わせ，固視標を注視してもらう．モニター上でセンタリング・測定面を調節し，測定ボタンを押すとスキャンが行われる．

被検者の頭部が測定台の顎台と額帯にしっかり固定されていることが正確な再現性のある測定に重要なポイントとなる．視線の向きや計測中の眼球運動は角膜面の測定データに大きな影響を与える．特にOrbscanⅡzやPentacamではデータ取得に1〜2秒の時間を要するため，測定時間内の視線に動きがなかったか，正しい向きを保てたかは，検査結果に大きく影響する．データ取得後にすぐにトポグラフィの結果を確認して，角膜形状異常眼では複数回のデータ取得をし，データに再現性があるかを確認することは正しいデータを蓄積していくために重要なポイントとなる．特に屈折矯正手術前であれば，以上の5点（CLの中止，当日の検査順序，頭部の固定，測定時の固視，データの再現性の確認と複数回検査）を念入りに確認しておくべきである．

2 検査機器の使い方

スキャン後の確認画面で，フォーカスが合っており全周のマイヤー像が正しく認識されていること（緑の点でマイヤー像が自動的にトレースされ

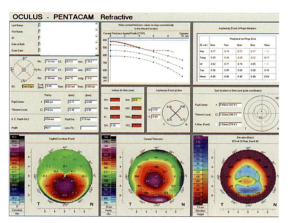

[図3] Pentacamの円錐角膜スクリーニング
Belin/Ambrossio enhanced ectasia screening．画面中央に円錐角膜の重症度をTKC（topographical keratoconus classification）として判定してくれる．

るが，途中でトレースが途絶えたり，隣のリングに乗り換えが起こっていないか，図5）を確認する．その後画像処理が始まり，カラーコードマップが表示される．OrbscanⅡzでは測定中大きな眼の動きがあった場合処理を中止するメッセージが出る．どの検査機器でも再現性を見ることが重要で，1回の測定あたり最低2回は撮影してカラーコードマップに大きな違いがないことを確認するとよい．

3 検査のコツと注意点

どの検査にも共通するが，顔の位置の安定，固視，開瞼幅，瞬目による均一な涙液は正確な測定に重要である．できるだけ大きく開瞼してもらい撮影を行う．特に上眼瞼や下眼瞼が角膜を上下に覆い有効な測定面積を確保できない場合があるため，自然開瞼で測定して垂直スキャン部分を確認し，眼瞼が大きく影響する瞼裂の狭い例などでは測定者は指を軽く添えて極力眼球を圧迫しないよう注意しながら再検するようにする．TMS・OrbscanⅡzの撮影時には，特にドライアイ患者の場合は開瞼から撮影までの間に涙液層が破綻しやすく，マイヤー像の経時的な歪みとして観測されるため，瞬目指示後に測定を速やかに行い，涙液の影響がなかったかカラーコードマップの再現性を確認する必要がある．近年，電子カルテが普及しトポグラフィマップが画像として診療録に転

送・保存されマイヤー像の生データを実際に確認しないこともある．測定が困難な症例や診断に影響を及ぼす所見のある症例では，検者は測定時に変わった状況があればそれを診療録に記載しておくことは画像診断に重要である．Pentacamではマイヤー像解析がないため涙液や角膜上皮障害の影響は受けにくいが，角膜頂点を示すイエローサークルが映らないような症例では手動での測定が必要となる．

IV 検査結果の読み方と解釈

TMS，OrbscanIIz，Pentacamの表示画面は任意で選択・設定できるようになっているが，角膜形状解析としてのトポグラフィとしてみる場合には，従来のTMSではaxial power map，OrbscanIIzやTMS5では角膜前面・後面のelevation mapとpachymetry，keratometric axialとのマルチプルマップ（quadmap）を表示するようにしている．PentacamではScheimpflug画像とaxial power map，角膜厚マップを基本画像として用いたり，円錐角膜診断表示やZernike収差解析，3次元画像，densitometerなど選択肢が多い．

トポグラフィのカラーコードマップを読影する際には，カラーコードマップとそのパターンタイプを知る必要がある．まず，カラーコードマップではパワーが大きいほど暖色で，小さいほど寒色で表示される．どの測定機器でもカラーコードマップのスケールの設定を自由に行えるため，特に他施設からの情報としてカラーコードマップを読む際にはスケールを確認し間違いのないように注意を要する．また，正常眼を正常に，異常眼をカラーコードマップではっきり区別できるようなスケールを設定することも重要で，それを一貫して使い続けることで，症例間の比較ができ，読み間違いを避けることができる．カラーコードマップの表示パターンにはaxial power mapとtangential (instantaneous) power map，refractive power map，pachymetry mapなどさまざまなものがある．axial power mapで表示されるaxial powerとは任意の点の垂線から測定軸上の長さを曲率半径として計算する値であり，最も標準的

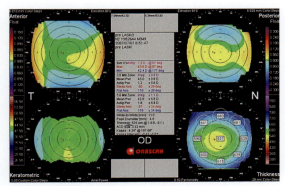

[図4] 正常眼とカラーコードマップのスケール
OrbscanIIzのquadmap；角膜前画・後面のelevation map（上左右），屈折力（keratometric axial：下左），角膜厚（pachymetry：下右）

でノイズの少ないマップである．tangential (instantaneous) power mapは任意の点における局所の曲率に合わせた円の半径から計算する値で，局所の変化を反映するが局所の変化への感度が高くノイズが大きいとされる．refractive power mapはSnellの法則から角膜の各部位で光がどのように屈折するかを表したマップで，屈折矯正術前後で比較するとどれくらい矯正できたかを確認できる．詳しくは成書を参照されたい．

1 正常値

通常，TMSではaxial power表示で1.5DステップのKlyce/Wilsonスケール表示（常に決まった色が決まったジオプターを表す）が用いられる．OrbscanIIzやTMS5ではquadmapで角膜前面，後面のelevation map，屈折力（keratometric axial），角膜厚（pachymetry）の4つを，それぞれ絶対表示で10μm，20μm，10D，20μmのスケールとして用いる（図4）．

正常眼では角膜屈折力39～48D（中央部40～46D）で，周辺ほど角膜が扁平になり屈折力が低くなる．

正乱視，倒乱視はaxial power mapでそれぞれ縦・横の蝶ネクタイのパターンを示し，上下左右に角膜中心に対して対称なカラーコードマップとなる（図5）．不正乱視では非対称で暖色・寒色が混じり合うカラーコードとなる（図6）．

2 異常値とその解釈

局所的な色変化の強い例，上下左右に非対称な

パターンは何らかの異常を疑う必要がある．カラーコードマップのパターンは疾患特異性があるため，パターンを熟知すると，診断の助けとなる．

1) 円錐角膜（図7）

円錐角膜は角膜が局所的に菲薄化し前方突出する進行性の非炎症性疾患であり，多くは下方角膜が突出し，進行例では46D以上の高屈折力領域が出現する．中央3mm領域のカラーコードも3色以上になり，上下左右に非対称なパターンとなる．突出した領域の下方が上方より急峻になるため，axial power mapの暖色系領域はelevation mapの突出部より下方に分布することが多い．また，角膜の菲薄化を伴い，pachymetry mapで最薄点が中央から偏心する．

2) 円錐角膜疑い（図8）

円錐角膜疑いとは，「矯正視力良好（1.0以上）で細隙灯顕微鏡検査では円錐角膜の所見はみられないが，角膜形状解析で円錐角膜様の異常をきたすもの」である．

円錐角膜および円錐角膜疑い例では，レーザー角膜屈折矯正手術をすると術後にkeratoectasiaとなってしまう恐れがあるため，同手術は禁忌である．進行した円錐角膜例は矯正視力低下や細隙灯顕微鏡検査での異常所見から容易に除外できるが，角膜形状解析以外で異常を示さない円錐角膜疑いは発見が難しく，術前検査の際注意が必要となる．axial power mapでは円錐角膜に比べ色の変化域は狭いものの，上下に対称性が悪く暖色系領域の軸が曲線になっている．細隙灯顕微鏡やフォトケラトでは異常を検出することは困難だが，カラーコードマップでは明瞭に判定できる[3,4]．

3) 屈折矯正手術後（図9）

近視矯正であればPRK，LASIKとも同様のパターンとなる．axial power mapでは，一般的なレーザーの照射領域である直径6mmあたりから照射の中心へ向かい寒色系に変化していくパターンをとる．elevation mapでは，エッジ部分の切除が非常に少ないため境界がわかりにくいが，やはり中央へ向かって寒色系となるcentral sea パ

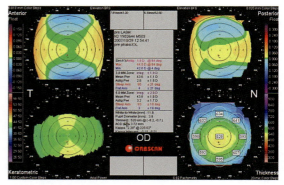

[図5] 正乱視パターン（OrbscanⅡz）

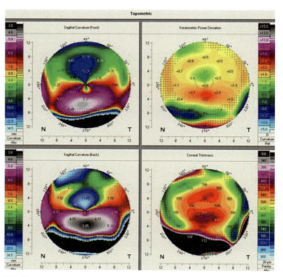

[図6] 不正乱視パターン（Pentacam）
不規則な角膜屈折力の分布と角膜厚の菲薄化がみられる．

ターンをとる．pachymetry mapでは角膜の切除に応じた菲薄化を示す（薄いほうが暖色系で表示される）．これも顕微鏡的観察やフォトケラトスコープでは検出が難しいが，トポグラフィが役に立つ例である．

4) 角膜移植後（図10）

縫合の張力の局所的な変化により高屈折力領域と低屈折力領域が入り混じる不定形のパターンとなる．術直後など角膜表面の不整が大きいときは，TMSではエラーでカラーコードの表示されない範囲が多くなるため，Pentacamや前眼部OCTのほうが有用であることも多い．

7) 角膜形状解析

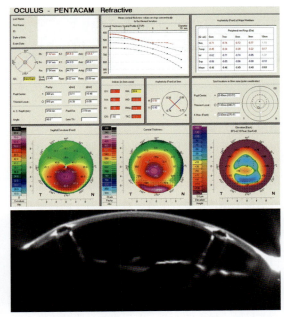

[図7] 円錐角膜（右：Pentacam，左：角膜内リング術後のScheimpflug画像）
中央の角膜厚が薄くなり，Scheimpflug像で左右に2つの角膜内リングが観察される．

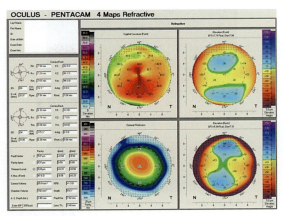

[図8] 円錐角膜疑い
中央の角膜厚が薄くなり，中央やや下方の屈折力が増加している．

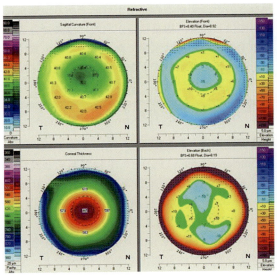

[図9] 屈折矯正手術後（LASIK）Pentacam
角膜中央の角膜厚が薄くなっており，中央が平坦化し屈折力が小さくなりカラーコードマップで緑色になっている．

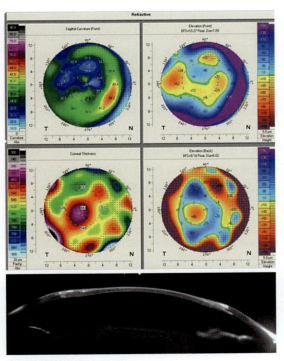

[図10] 角膜移植後 Pentacam
角膜移植特有のグラフトの不正乱視とグラフト-ホスト接合部に沿った不正乱視がある．

5）感染性角膜炎後などの瘢痕性疾患（図11）

感染性角膜炎（ヘルペスや細菌，真菌が角膜感染を起こす疾患），角膜穿孔，Stevens-Johnson症候群などの治癒後には炎症のあった部位に瘢痕形成が起きる．この瘢痕形成後のカラーコードマップのパターンにも特徴がある．急性期では，実質浮腫が原因で，カラーコードマップで赤く表示（曲率がsteep）される．その後，瘢痕化すると相対的に組織が硬くなるせいで青く表示（曲率

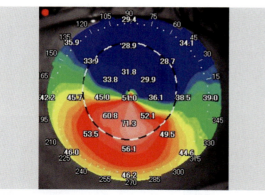

[図11] 感染性角膜炎後
感染性角膜炎後は感染の部位や重症度でいろいろなカラーコードマップパターンを示すが，このように赤と青が対称になるパターンは少なくない．

がflat）され，感染などの炎症を免れた正常な部分は相対的に組織が柔らかいせいで赤く表示（曲率がsteep）される．典型的な症例を図11に示す．このようにaxial power mapで赤/青のパターンを示す例が多いが，角膜中央が突出するパターンや全体が扁平化するパターンもあり，感染の部位や重症度によって多様なパターンを示す．瘢痕化した後の視力をある程度，反映するため治療経過中に検査することは有用と思われる．

文献
1) 湖崎 亮ほか：角膜形状解析検査．理解を深めよう視力検査屈折検査，松本富美子ほか編，金原出版，116-120，2009
2) 古田照宏ほか：スリットスキャン式角膜形状解析装置．角膜トポグラファーと波面センサー─解読のポイント─，前田直之ほか編，メジカルビュー社，東京，70-87，2002
3) 湖崎 亮：身につく角膜トポグラフィーの検査と読み方，金原出版，1-27，2012
4) 別所建一郎ほか：Computer-assisted corneal topography. 眼科検査ガイド，眼科診療プラクティス編集委員編，文光堂，東京，430-436，2004

（明田直彦・山口剛史）

8) 前眼部OCT（前眼部3次元画像解析）

I 検査の目的

1 検査対象

角膜，前房，隅角，強膜など前眼部疾患の診療に用いる．2020年度診療報酬改定により急性緑内障発作を疑う狭隅角眼，角膜移植術後に加えて外傷後毛様体剝離の患者に対して月1回に限り算定することが可能となった．保険適用外となるが，円錐角膜を代表とする角膜形状異常の検出，白内障や屈折矯正手術の術前後の検査，緑内障における隅角や濾過胞の評価に有用である．

2 目標と限界

非接触式検査であり，非侵襲的に眼球組織の断面像を得ることが可能である．前眼部OCTは近赤外光を使用するため組織侵達性が良く，細隙灯顕微鏡では内部構造の観察が困難な角膜混濁や強膜などの不透明組織の描出が可能である．隅角においては強膜岬，線維柱帯が明瞭に認識できるものの毛様体の観察は困難であり，隅角の色素沈着や新生血管の評価ができないため超音波生体顕微鏡や隅角鏡と比較すると限界がある．

II 検査法と検査機器

1 測定原理・測定範囲

Fourier-domain (FD)-OCTは参照光と測定光を分光し，スペクトル領域で干渉信号を計測しフーリエ換算して組織の断層情報を得る．Swept-source (SS)方式とSpectral-domain (SD)方式があり，SS-OCTは光源の波長を高速で変化させ分光して波長変化を時間的に計測し，SD-OCTは参照光と測定光を分光器でスペクトル分解し，それぞれスペクトル干渉信号を取得する．

代表的な機器を表1に示す．SS-OCTのCASIA（TOMEY）は前後方向の測定範囲が狭いため水晶体の評価には不向きという欠点があったが，後継機種であるCASIA2は前後方向の測定範囲の拡大，スキャン速度の向上，測定点の増加

8) 前眼部OCT(前眼部3次元画像解析)

[表1] 前眼部OCTの特徴

	CASIA (TOMEY)	CASIA2 (TOMEY)	RTVue-XR Avanti (Optovue)
測定原理	Swept-source (SS)	Swept-source (SS)	Spectral-domain (SD)
波長 (nm)	1,310	1,310	840
解像度　横×縦 (μm)	30×8	30×10	15×5
スキャン速度 (A scans/sec)	30,000	50,000	70,000
スキャン範囲 横×深さ (mm)	16×6	16×13	12×3
測定方法	非接触・座位	非接触・座位	非接触・座位 前眼部接眼レンズが必要

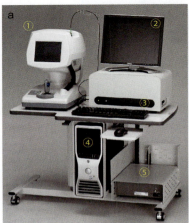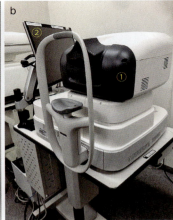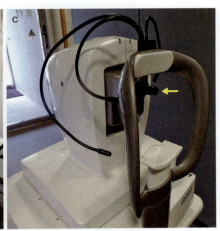

[図1] 機器の構造
a CASIA
b CASIA2
①測定装置，②パソコンモニター，③光源ユニット，④パソコン本体，⑤トランス
c RTVue-XR. 矢印：cornea/anterior module-long (CAM-L)

により水晶体後面を含む画像化が可能となり，主流となっている．SD-OCTのRTVue-XR Avanti（Optovue社）は前眼部OCTとして使用する際は前眼部接眼レンズを接続する必要があり，角膜屈折力および角膜上皮厚マップは有償オプションとなっている．

2 機器の構造

CASIA（図1a）：①測定装置，②パソコンモニター，③光源ユニット，④パソコン本体，⑤トランス，から成り，基本操作は測定装置のタッチパネルとパソコンモニター上で行う．

CASIA2（図1b）：①測定装置と②パソコンモニターから成り，基本操作はパソコンモニター上で行う．

3 感度と特異度

羞明を伴わず，撮影時間が短いため幼児から高齢者まで幅広い年齢層で検査が可能であるが，十分な開瞼や座位の姿勢を取れないと測定できない．

III 検査手順

1 検査の流れ

適切な姿勢が取れるように顎台の高さを調整し，固視灯を見るように指示する．

2 機器の使い方

CASIA：目的に合ったスキャンタイプを選ぶ．器械が自動で測定位置まで移動し，「Scan」ボタンを押すとモニターにライブ画像が表示される．

391

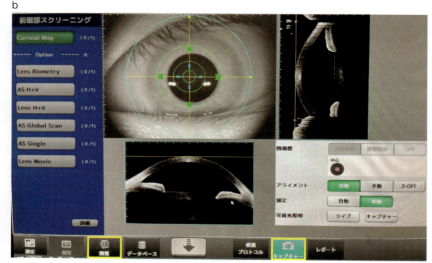
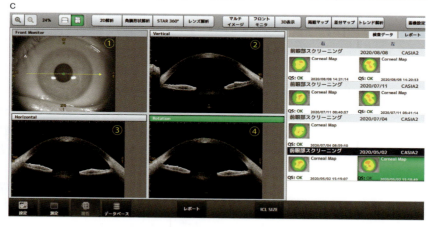

[図2] CASIA2
a スキャンタイプの選択
b 測定開始時のタッチパネル画面
c 基本解析画像．①CCD画像，②垂直断層像，③水平断層像，④ラジアル断層像．2D解析では隅角や前房深度など各種前眼部解析が行える．角膜形状解析ではフーリエ解析，エクタジアスクリーニングなどが行える．

任意の部位を測定する場合は「Auto Alignment」を「off」にする．位置合わせと開瞼が十分できていることを確認して「Start」ボタンを押すと測定を開始する．データを保存すると基本解析画像で幅16mm，深度6mmの範囲で角膜，隅角，水晶体前面までを含む全体像が得られる．角膜形状解析用の『Corneal Map』モードと前房隅角解析用の『Anterior Segment』モードを使い分ける必要がある．

CASIA2：検査プロトコルから目的となるス

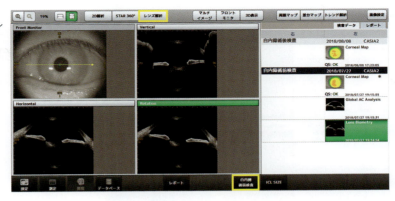

[図3] CASIA2 Lens Biometry 解析画像
角膜から水晶体後面を含む全体像が得られる．レンズ解析や白内障術前検査に用いる．

キャンタイプを選択する（図2a）．モニターに被検眼を映し，アライメントを合わせた後に大きく開瞼するように指示し，「キャプチャー」を押す（図2b）．前眼部スクリーニングの『Corneal Map』モードで角膜形状解析と同時に前房隅角の情報も得られる．保存したデータは「閲覧」で確認する．基本解析画像はCASIAと同様であり，目的の解析を選択する（図2c）．

白内障術前検査では『Lens Biometry』→『Corneal Map』の順に撮影する（図3）．

3 検査のコツと注意点

開瞼が不十分だと縦方向の所見が不十分となり，過度に開瞼しようとして眼球を圧迫すると角膜形状が変化する．

CASIA2は測定中の固視不良や瞬目を検出する．信頼性はQS（quality statement）で表示され，「NG」の場合は再測定する．

IV 検査結果の読み方と解釈

CASIA2の結果を用いて解説する．

1 正常結果

① Corneal Map モードで撮影したデータを用いた角膜形状解析の標準表示は4マップである．①角膜前面屈折力，②角膜後面屈折力，③角膜前後面屈折力と④角膜厚が表示される（図4a）．

②エクタジアスクリーニングでは角膜前後面の情報を評価して円錐角膜やペルーシド辺縁角膜変性などのエクタジアパターンを検出する．判定結果は緑・黄・赤で表示され，緑（正常判定：0〜4％）はエクタジアの疑いは弱いと判定する（図4b）．

③『Global AC Analysis』を用いて隅角の開放状態がわかる．隅角全周を観察するために128枚のOCT像を取得しており，任意の方向のOCT像で各種パラメータが自動表示される（図5）．

④『Lens Biometry』モード（図3）を用いた水晶体解析では，水晶体前後面の曲率半径，厚み，偏心，傾斜の自動測定が可能である．水晶体の赤道部は虹彩裏にあるため描出できないが，前後面のトレースを延長して交わった点を赤道部としてシミュレーションされている（図6）．

⑤有水晶体眼内レンズ（ICL）は屈折矯正目的に毛様溝に固定される後房型眼内レンズである．サイズを決める計算式はN-K式とKS式があり，表示される術後予想vault（ICL後面と水晶体前面の距離）を参考に決定する（図7）．レンズサイズが相対的に大きいと虹彩が押し上げられ狭隅角となり，相対的に小さいと水晶体に近く，白内障を発症するリスクが高くなる．理想的なvaultは0.25mm以上1.0mm以下である．本症例は術後717μmであり適切なサイズであると判断する（図8）．

⑥CASIA2は新たに白内障向けアプリケーションCICS（CASIA IOL Cataract Surgery）が搭載されている．眼内レンズ（IOL）スクリーニング画面では①角膜トポグラフィ，②前眼部OCT，③角膜形状の基本情報，④IOL選択の基本情報，⑤前房の基本情報，⑥前眼部画像，が表

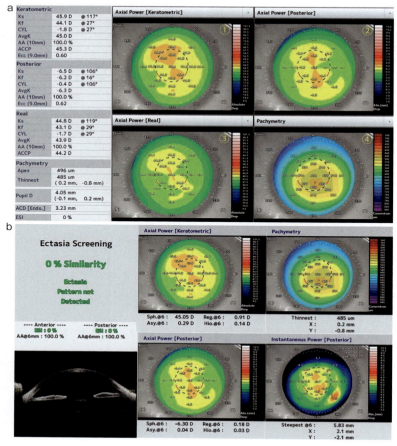

[図4] CASIA2
a 正常眼の角膜形状解析（4マップ）．①角膜前面マップ，②角膜後面マップ，③角膜前後面マップ，④角膜厚マップ．
b CASIA2付属のエクタジアスクリーニングプログラム（正常眼）．角膜前後面を評価し，左上の数値が緑色で表示されると変形の疑いが少ないことを示す．

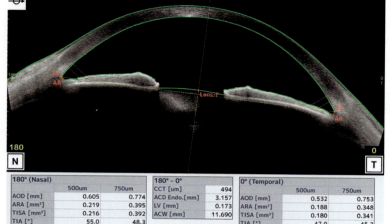

[図5] 隅角詳細検査『Global AC Analysis』
任意の方向のOCT像で各種パラメータが自動表示される．
SSから500 nm，750 nm角膜寄りの位置における解析結果が表示されている．
AR：自動指定された隅角底
SS：強膜岬
AOD：隅角開放の距離
ARA：隅角部の面積
TISA：前房の面積
TIA：角膜後面と虹彩前面の隅角角度
ACD [Endo]：角膜後面から水晶体前面までの前房深度
LV：ACWの垂直2等分線の水晶体前面までの距離
ACW：SS間の距離

示され，被検者に適したIOLを検討するための角膜球面収差（SA），角膜全高次収差（HOAs）などの数値が表示される（図9）．CASIA2で測定した角膜形状情報に眼軸長測定装置の値を用いて被検眼に適したIOLの球面度数計算が行われる．角膜屈折矯正術後眼にも対応しており，Toric

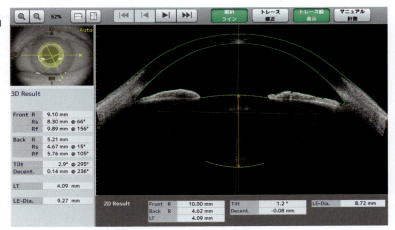

[図6] CASIA2　Lens Biometry　解析結果
水晶体前後面の曲率半径，厚み，偏心，傾斜が自動測定される．

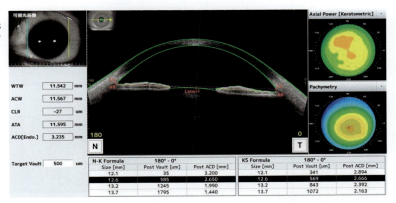

[図7] 有水晶体眼内レンズ（ICL）の術前
レンズのサイズを決める計算式は N-K 式と KS 式があり，術後予想 vault が表示されるので参考にする．

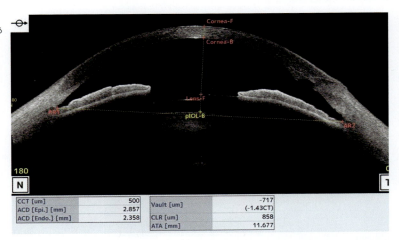

[図8] ICL 挿入術後
隅角狭小を伴わない．術後 vault は 717 μm であり，水晶体前面と ICL の距離は適切である．

IOL カリキュレーターも搭載されている．

2　異常所見とその解釈

①円錐角膜疑い：2D 解析では角膜中央部の菲薄化，前方突出は目立たない．角膜屈折力の非対称性があり，エクタジアスクリーニングは黄色（疑い判定：5〜20％）で疑いと判定される（図10）．角膜屈折矯正手術は禁忌となり，今後進行がないか注意深く観察する．

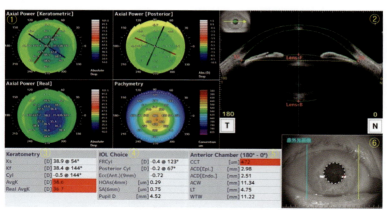

[図9] 眼内レンズ（IOL）スクリーニング画面（レーシック術後眼）
①角膜トポグラフィ，②前眼部OCT，③角膜形状の基本情報，④IOL選択の基本情報，⑤前房の基本情報，⑥前眼部画像
レーシック術後眼であり，角膜形状がフラットであり，角膜厚が薄いことがわかる．

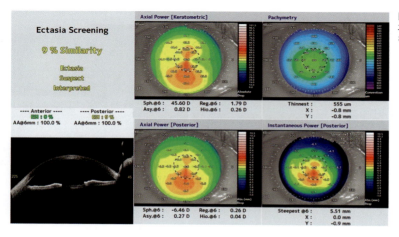

[図10] 円錐角膜疑い
エクタジアスクリーニングで黄色（疑い）と判定されている．角膜屈折力は上下非対称を示す．

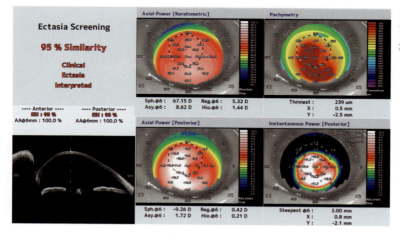

[図11] 進行した円錐角膜
エクタジアスクリーニングで赤色（異常）と判定されている．
角膜中央から下方の菲薄，前方突出を認める．

②円錐角膜（進行例）：2D解析で明らかな角膜中央から下方の菲薄化，前方突出を認める．エクタジアスクリーニングは赤色（以上判定：30〜90％）で異常と判定される（図11）．ハードコンタクトレンズの装用も困難な進行例では全層角膜移植を検討する．

8）前眼部OCT（前眼部3次元画像解析）

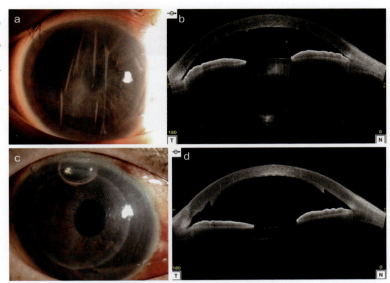

[図12] 水疱性角膜症に対する角膜内皮移植
a 鉗子分娩後の水疱性角膜症：垂直方向に多数のDescemet膜破裂と浮腫を認める．
b 術前OCT：角膜後面にDescemet膜破裂後の皺を認める．
c 角膜内皮術後：角膜透明化が得られている．上方に空気が残存している．
d 術後OCT：移植片の接着は良好である．

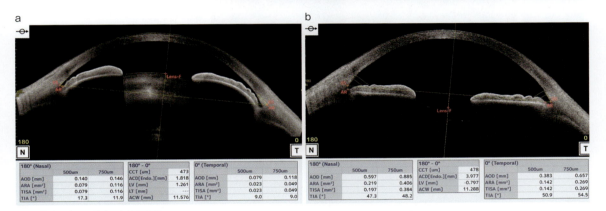

[図13] 狭隅角眼に対する白内障手術
a 緑内障発作のリスクがある狭隅角眼．膨隆した水晶体により虹彩が押し上げられ，前房が全体的に狭くなり，狭隅角を認める．
b 白内障術後．眼内レンズが挿入され，前房は深くなり，隅角が開大している．

③ヘルペス性角膜実質炎後の角膜穿孔：前房が消失し，鼻側虹彩前癒着を認める．全層角膜移植により良好な前房形成が得られた．

④鉗子分娩後水疱性角膜症：垂直方向に多数のDescemet膜破裂と浮腫を認め，白内障による周辺浅前房も認める（図12a, b）．白内障手術および角膜内皮移植術（DSAEK）後に前房内空気がほぼ吸収された状態でグラフトの良好な接着が得られている（図12c, d）．

⑤狭隅角：膨隆した水晶体により虹彩が押し上げられ，前房が全体的に狭くなり，狭隅角を認める（図13a）．緑内障発作のリスクが高く，白内障手術の適応となる．白内障術後は前房が全体的に深くなり，隅角が開大している（図13b）．

⑥慢性閉塞隅角緑内障：STAR360°隅角解析にて虹彩-線維柱帯接触（ITC）を認める（図14）．ただし前眼部OCTでは機能的隅角閉塞と器質的隅角閉塞の鑑別はできない．本症例は圧迫隅角検査にて器質的な周辺虹彩前癒着（PAS）を認め，隅角癒着解離術を行った．

3 アーチファクト

開瞼が不十分であると縦方向，特に上方が描出されず解析が行えない（図15）．

（張　佑子・稗田　牧）

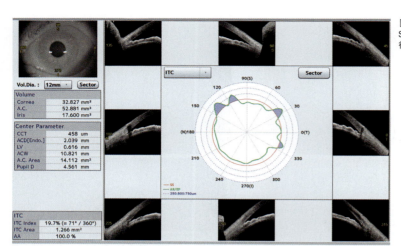

[図14] 慢性閉塞隅角緑内障の全周隅角解析
STAR360°により自動的に強膜岬（SS）の同定が行われ，虹彩-線維柱帯接触（ITC）が表示される．

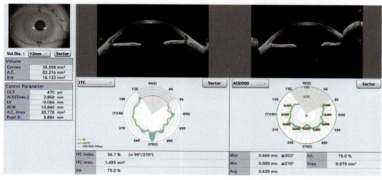

[図15] アーチファクト
眼瞼がかかると，その部分の隅角が描出されず，解析が行えない．
ITC：虹彩-線維柱帯接触
AOD500：強膜岬（SS）から500nmの位置における隅角開大度

9) 角膜知覚測定

Ⅰ 検査の目的

角膜知覚の低下は，さまざまな原因[1]で三叉神経が障害を受けることによって生じる．角膜知覚測定は，診断の補助だけでなく治療効果判定にも有用である．

Ⅱ 検査法と検査機器

1 測定原理・測定範囲

Cochet-Bonnet角膜知覚計（図1）は，角膜にナイロン糸を加えたときの弾性率（ヤング率），長さ，断面積および慣性モーメントから先端部にかかる力を測定している[2]．

Ⅲ 検査手順

1 検査の流れと使い方

①ナイロン糸の先端をアルコールなどで消毒する．

②検者の片手で角膜知覚計を持ち，測定したい角膜の部位にナイロン糸が垂直になるように接触させ，わずかに屈曲する（たわむ）程度の圧力を加える．

③ナイロン糸の長さは60mmとし，被検者からの応答がなければ5mmずつ短くして自覚的な応答を得るまで繰り返す．

2 検査のコツと注意点

［コツ］角膜に対して一定の刺激を加えるため，操作は緩徐かつ刺激速度を一定にして行う．なお測定中は角膜が乾燥しないように適度に瞬目させる．

[図1] Cochet-Bonnet角膜知覚計

［注意点］角膜中央部を測定するとき，被検者はナイロン糸を視覚的に捉えて機械的刺激と誤認して応答する場合があるため，「触れた感触」を確認しながら行う．応答に矛盾がある場合は再検査を行う．

Ⅳ 検査結果の読み方と解釈

1 正常結果

明確な境界値はなく，角膜知覚は表1にあるように年齢によって正常値が異なる[3]．

2 異常所見とその解釈

角膜知覚は，前述のように明確な境界値がないため，両眼測定し左右差の有無を確認する．正常者はナイロン糸の長さが60mmで感知できる．ナイロン糸の長さが40mm以下でも接触を感知できない場合は，角膜知覚低下と判断する．

3 アーチファクト

ナイロン糸が角膜面を滑走した場合や眼球がわずかでも動いた場合の応答は，不正確であるため再度測定を行う．

文献
1) Bonini S, et al：Neurotrophic keratitis. Eye 17：989-995, 2003
2) 室本圭子：前眼部検査 E，角膜知覚検査．眼科検査法ハンドブック，第4版，医学書院，東京，246-248，2009
3) Norn MS：Measurement of sensitivity. External eye. Methods of Examination, Norn MS eds, Munksgard International Publisher Ltd, Copenhagen, 133-141, 1974

（吉富寿々・近間泰一郎）

[表1] 角膜や結膜などの知覚の正常値

年齢（歳）		<40	40～49	50～59	60～69	≧70
糸長(mm)	角膜	45～>60	45～>60	45～>60	40～>60	40～>60
	眼瞼縁	30～40	25～35	20～30	15～25	15～30
	涙丘	25～35	20～30	20～30	15～25	15～25
	結膜	15～30	15～25	15～25	10～25	15～25

（文献3）より引用改変）

10）角膜厚測定の活用

I　検査の目的

　角膜厚の測定の目的は，角膜内皮細胞の機能評価や屈折矯正手術術前における適応決定などで行われる．測定原理も複数存在し，標準的な光学式や超音波式に加え，近年では角膜形状解析装置も使用され，中心角膜厚のみならず角膜全域をマップとして表示することが可能になった．本来の角膜厚測定は，角膜乱視に対する角膜切開術である astigmatic keratotomy（AK）や limbal relaxing incision（LRI）における切開部位の切開深度決定，屈折矯正手術 Laser-Assisted in situ keratomileusis（LASIK）術前における適応決定，円錐角膜における角膜実質の菲薄化の証明や重症度分類，緑内障の診断などに用いられている．とりわけ緑内障診療においては，角膜厚と眼圧値の関係では角膜厚が 25 μm 異なると測定値に 1 mmHg の誤差が生じる[1]と報告され，角膜厚と眼圧に関しては，高眼圧症において有意に角膜厚は厚く，正常眼圧緑内障では有意に角膜厚が薄いことが報告されている[2]．したがって，高眼圧症や正常眼圧緑内障の診断において角膜厚を評価しておくことは大変重要である．

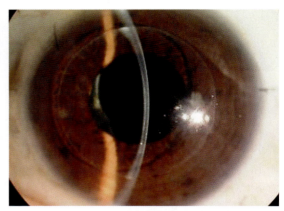

[図1] Fuchs 角膜内皮ジストロフィに対する角膜内皮移植後の前眼部スリット写真
ホスト，グラフトともに角膜厚の異常は認めない．

II　測定方法と検査機器

　測定方法として角膜に触れるか否かで接触式と非接触式に大別され，測定原理の違いにより複数の装置が存在する．下記に代表的な検査機器を列挙する．

1　接触式

　超音波測定法は音波を利用するため混濁した角膜でも測定可能な点，プローブの接触部位を変化させることで任意の部位での測定が可能な点，被検者の体位に依存することなく測定が可能であるなどの利点があるが，プローブが角膜に対して垂直でないと結果が不正確になることや原理としてプローブから照射された超音波が角膜内皮で反射し再びプローブに戻るまでの時間に角膜組織内の音波を乗じて角膜厚を算出しているため，含水率の高い水疱性角膜症などでは結果にばらつきが生じる可能性がある．またプローブが大きいため，測定部位を特定することが難しい．

2　非接触式

1）Mishima-Hedbys 法

　光学式として最も歴史ある測定装置で，特定のスリットランプに設置し測定する．具体的には，角膜の光学的断面をプリズムにて2分割した像の上皮面と内皮面が合致するようにプリズムスケールを調整し，その数値と角膜曲率半径から換算表を用いて算出する．スリットにて部位を確認しながら計測できるため，再現性が高い反面，角膜曲率半径が正常より逸脱する場合不正確になる可能性がある．

2）スペキュラー法

　角膜内皮細胞解析と同時に角膜厚が測定される．撮影光の角膜前面反射像と後面反射像をラインセンサーで取り込み，得られた像間隔から角膜厚を算出する．角膜実質浮腫や混濁があると散乱により後面反射像が得られず不正確になる可能性がある．

III　角膜形状解析装置による角膜厚測定

　角膜全域の角膜厚をマップとして表示すること

10）角膜厚測定の活用

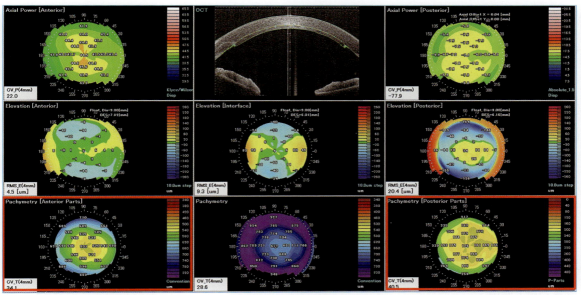

[図2] 図1を基にCASIAを用いて作成したマップ（解析径4mm領域）
上段に光学特性であるaxial power map，中段に形状把握のelevation map，下段に角膜厚分布pachymetry mapを表示している．上段の中央は，水平断における角膜断面像が表示されている．ホストの角膜厚マップ（左下赤枠）と，グラフトの角膜厚マップ（右下赤枠）を分離して表示しており，それぞれ角膜厚が均一であることが見て取れる．（文献5）より許可を得て転載）

に加え，角膜前後面の解析ができる．シャインプルーフ式（Pentacam：Oculus社），OCT式（CASIA：トーメーコーポレーション，iVue-100：OptoVue社）などがある．シャインプルーフ式では可視光を利用するため角膜混濁があると散乱で角膜後面の検出が不正確になる可能性がある．一方でOCT式は不透明な組織の可視化に優位性があり，角膜混濁を有する症例でも後面の検出に優れる．超音波の値とOCTの値は同一ではなく，互換性がないことに注意が必要である．超音波式は，OCTによる中心角膜厚と比較して10〜20μm大きく，OCT式では角膜前涙液層を含めて測定することが影響している[3]．近年，角膜内皮移植（DSAEK）をはじめとした角膜パーツ移植の普及に伴い光学的特性の評価が重要視[4,5]されている（図1，2）．

式に加え角膜形状解析装置でも行われるようになった．検査機器によって測定値の誤差が生じ，正常な角膜形状でも超音波が大きく測定される傾向がある．さらに角膜形状異常があるとその誤差は大きくなる．角膜厚測定は，複数の機器での検査結果を比較し，評価することが重要である．

文献
1) Doughty MJ, et al：Human corneal thickness and its impact on intraocular pressure measures：a review and meta-analysis approach. Surv Ophthalmol 44：367-408, 2000
2) Copt RP, et al：Corneal thickness in ocular hypertension, primary open-angle glaucoma, and normal tension glaucoma. Arch phthalmol 117：14-16, 1999
3) Yan Li, et al：Corneal Pachymetry Mapping with High-speed Optical Coherence Tomography. Opthalmology 113：792-799, 2006
4) Maeda N：Optical coherence tomography for corneal diseases. Eye Contact Lens 36：254-259, 2010
5) Higashiura R, et al：Corneal topographic analysis by 3-dimensional anterior segment optical coherence tomography after endothelial keratoplasty. IOVS 53：3286-3295, 2012

おわりに

角膜厚測定は，Golden standardである超音波

（戸田良太郎・近間泰一郎）

11）角膜ヒステリシス測定

Ⅰ 検査の目的

角膜ヒステリシス corneal hysteresis（CH）は，外力変化に対して本来の角膜形状に回復する過程で生じる時間的な遅れを指し，従来評価困難であった角膜生体力学特性を表す指標の1つとなる．

1 検査対象

円錐角膜，ペルーシド辺縁角膜変性，角膜拡張症，角膜屈折矯正手術後，正常眼圧緑内障など，角膜生体力学特性が低下する症例が対象となる．

2 目標と限界

角膜生体力学特性を表す指標の1つであるが，現状では角膜中央部のみにおける測定結果であり，その他の部位の角膜生体力学特性を評価するものではない．年齢，角膜厚，眼圧などさまざまな因子の影響を受けるため，正常眼や疾患群においてCHがオーバーラップすることも多い．したがって，あくまで診断補助という位置付けとなっている．

Ⅱ 検査法と検査機器

1 測定原理

角膜組織は粘弾性体構造をとり，外力変化に対して本来の形状に回復する過程で時間的な遅れを生じる．この遅れはCHとされ，バイオメカニクスを表す指標の1つである．CHは，年齢，角膜厚，眼圧などの影響を受ける．円錐角膜，角膜拡張症，角膜屈折矯正手術後，正常眼圧緑内障などの疾患では，角膜ヒステリシスは低下し，些細な病状の進行や重症度の指標にもなる．レーシックなどの角膜屈折矯正手術後も低下し，手術自体の安全性や予測性にも影響を及ぼす．正常眼圧緑内障でも低下し，視野の進行リスクとも相関しており，病態解明や診断精度の向上だけでなく，緑内障の予後予測にも役立つ．

[図1] Ocular Response Analyzer™（ORA G3, Reichert社）の外観
両方向性の動的な圧平過程を通じて，角膜ヒステリシスおよび眼圧を計測する．

2 機器の構造

Ocular Response Analyzer™（Reichert社）は，両方向性の動的な圧平過程を通じて，角膜生体力学特性および眼圧を計測する装置である（図1）．空気の噴流によって角膜を変形させるという圧平式原理は，現状の非接触式空気眼圧計と同様である．本装置では，角膜が平坦化するだけでなく陥凹するまで加圧し，その後減圧することにより，角膜が再び平坦化するまでの経時的な測定を行う．角膜中央部3mmを約20msec電気光学的にモニターすることにより，内向きおよび外向きに平坦化する時間を正確に測定し，その時点での空気圧を算出する．角膜組織は粘弾性体としての構造をとるため，外力変化に対して本来の形状に回復する過程で時間的な遅れを生じるが，この内向きの圧（P1）と外向きの圧（P2）の差をCHと定義する（図2）[1]．このCHは，角膜固有の粘性ダンピング，つまり角膜組織がエネルギーを吸収し，分散する能力を示すと考えられている．

3 感度と特異度

前述のように，疾患の診断としては，感度・特異度が高いわけではないので，結果の解釈には注意が必要である．

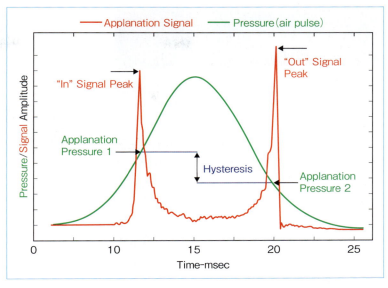

[図2] Ocular Response Analyzer™ の測定波形
角膜生体力学特性による影響で，内向きおよび外向きに平坦化する過程に遅れが生じるが，この内向きの圧と外向きの圧の差を角膜ヒステリシスとする．

Ⅲ 検査の手順

1 検査の流れ

基本的な測定自体は，通常のノンコンタクトトノメータと同様である．患者の頭部をヘッドレストと顎台で固定し，患者に内部固視灯を見てもらう．スタートボタンを押すと，エアノズルが角膜頂点を認識し，自動でトラッキングを開始し，検査が行われる．

2 検査機器の使い方とコツ

アイモニターが検者側にないので，患者の横に立って瞼裂・睫毛の影響や赤外線の角膜反射等に応じて，眼の位置調整や眼瞼の挙上を行うことが望ましい．

Ⅳ 検査結果の読み方と解釈

1 正常値と正常波形

Reichert社の臨床データからは，正常眼のCHの平均値は11mmHg前後と報告されている．しかしながら，年齢や人種によっても変化する．自験例による日本人における検討では，CHが10.2±1.3mmHg（平均±標準偏差）とわずかに低値を示した[2]．

2 異常値とその解釈

前述した疾患群では，CHが低下しやすい．角膜厚が薄く，眼圧が高い症例ほど，CHは低下する[2]．また，加齢に伴いCHは低下傾向を認めるため，年齢の影響も考慮する必要がある[3]．

文献
1) Luce DA：Determining in vivo biomechanical properties of the cornea with an ocular response analyzer. J Cataract Refract Surg 31：156-162, 2005
2) Kamiya K, et al：Factors affecting corneal hysteresis in normal eyes. Graefes Arch Clin Exp Ophthalmol 246：1491-1494, 2008
3) Kamiya K, et al：Effect of aging on corneal biomechanical parameters using the ocular response analyzer. J Refract Surg 25：888-893, 2009

〔神谷和孝〕

13 瞳孔検査

1) 瞳孔径計測

I 検査の目的

1 検査対象
自律神経異常や瞳孔の求心路・遠心路障害の診断.
多焦点眼内レンズや屈折矯正手術の適応の評価.

2 目標と限界
瞳孔の大きさ（横径）と左右差（瞳孔不同）の評価. 高精度の瞳孔径計測や左右差の有無, 瞳孔異常の経過観察や治療の効果判定には赤外線瞳孔計（詳細は赤外線瞳孔計の項）が必要.

II 検査法と検査機器

1 測定原理, 測定範囲
瞳孔の大きさは横径を計測するが, 瞳孔径を診るときは単に"散瞳（縮瞳）している"では有用な診断とはいえない. 明所・暗所, 遠方視・近方視, いずれの条件で散瞳（縮瞳）しているのかを規定することが重要である. mm単位で読み取るが, 赤外線瞳孔計による機器計測でも小数点1位までの数値で十分である.

2 機器の構造
Haab・三田式瞳孔計（はんだや）は金属板に1.5～8.0mmまで0.5mm間隔で円形が描かれている. Colvard pupillometer（Oasis Medical）も目盛が0.5mm間隔である.
赤外線瞳孔計は, 開放型と閉鎖型, 両眼視（両眼開放）と単眼視, 覗き式とゴーグル式がある.

3 感度と特異度
片眼性の瞳孔異常は容易に診断できるが, 両眼性かつ軽度の異常は診断が困難となる.

III 検査手順

1 検査の流れ
瞳孔径は, 輻湊反応（近見縮瞳）の混入を避けるため, 患者には2m以上の遠方視をさせた状態で計測する. 視線を妨げないようにHaab・三田

[図1] Haab・三田式瞳孔計による瞳孔径の計測

式瞳孔計を眼前に持っていき, 瞳孔と同大の円形を求める（図1）. Colvard pupillometerは非測定眼で視標を見させるが, 覗き式のため検者が測定眼に接近して内部の目盛を読み取る.
赤外線瞳孔計では測定条件を統一し, 瞳孔が有する変動性から, 一定時間（5秒ほど）にて複数回測定の平均値を算出することが, 正確な評価のためには重要である. 計測中は瞬目を我慢させ, 記録された動画や画像を見ながら安定した数値を採用する.

2 検査のコツと注意点
Haab・三田式瞳孔計やColvard pupillometerなどの目視によるものは, 計測自体は簡便であるが, 0.5mm間隔と大まかな評価であり, 検者が接近するために輻湊反応や心理的要因の影響が懸念される.
赤外線瞳孔計は高い精度を有するが, 開放型と閉鎖型, 両眼視（両眼開放）と単眼視, 覗き式とゴーグル式など, 機器特有の原理や測定条件によって数値が異なる. 閉鎖型では開放型と比較して眼が覆われている分, わずかに瞳孔径は散大した数値となり, 両眼視とでは単眼視のほうが明所で約1.0mm, 暗所で約0.2mm大きくなる. また, 角膜屈折率や入射瞳（実瞳孔に対して13%の拡大率）として数値が補正されているか否かによっても変わるため注意する.

IV 検査結果の読み方と解釈

1 正常結果
瞳孔径は2～8mmの範囲にあれば正常とする

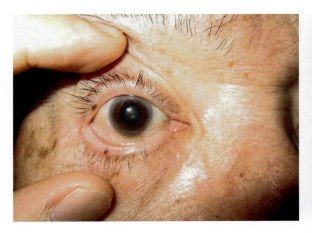
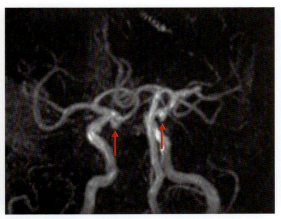
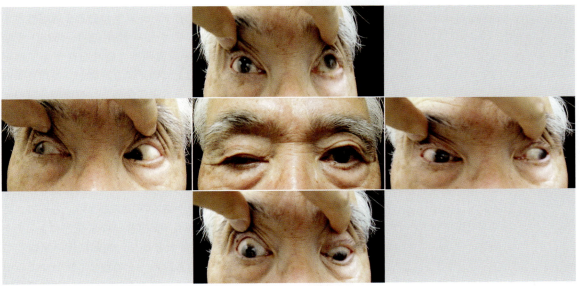

[図2] 脳動脈瘤（矢印）に伴う動眼神経麻痺
右眼の瞳孔散大とともに対光反射の消失がみられる．外転のみ可能な眼球運動障害や瞳孔領を覆うほど（重度）の眼瞼下垂も認められる．糖尿病などの虚血性病変によるものは瞳孔障害がみられないことが多い．
（文献3）より）

が，明所・暗所，遠方視・近方視などの条件を規定しておく．左右の大きさの違い（左右差）は1mm以下であり，明所・暗所での差はなく，瞳孔反応である対光反射と輻湊反応（詳細は瞳孔反応検査の項）は正常である（生理的瞳孔不同）．

2 異常所見とその解釈

神経眼科領域からみた異常は，瞳孔径8mm以上の正常より大きい散瞳と，瞳孔径2mm以下の正常より小さい縮瞳である．

散瞳を呈する病態には，中脳背側病変のParinaud症候群，脳動脈瘤（特に内頸動脈-後交通動脈分岐部では瞳孔線維を圧迫）に伴う動眼神経麻痺（図2），瞳孔緊張症（Adie症候群），眼球打撲（外傷）や急性緑内障発作による瞳孔括約筋麻痺がある．

縮瞳を呈する病態には，急性橋障害（図3），Horner症候群，Argyll Robertson瞳孔（図4），サリンなどの有機リンやモルヒネ，農薬など薬剤の中毒，ぶどう膜炎や角膜異物などの三叉神経刺激，斜位近視や近見反応痙攣など，調節性輻湊の

[図3] 橋性縮瞳
脳幹出血により救急搬送時に高度意識障害を認めた．橋性縮瞳とともに右眼には瞳孔偏位がみられる．
(石川 均：眼科診療プラクティス これならわかる神経眼科，p285)

[表1] 瞳孔に影響する要因

疲労・眠気による縮瞳（中枢神経系）	性別
情動（恐怖では散瞳・快適感では縮瞳）	年齢
驚愕・痛覚による散瞳（毛様脊髄反射）	屈折値（近視）
角膜知覚による縮瞳（三叉神経）	調節力
虹彩平滑筋（自律神経系の二重神経支配）	日内変動
ホルモン	計測時間
ペプチド	検査距離（遠方・近方）
カフェイン（コーヒー）	環境照度（明所・暗所）
ニコチン（タバコ）	音
アルコール	色（赤・青）
ヒスタミン（かぜ薬）	生理的な変動・動揺（hippus・pupillary unrest）

（浅川 賢ほか：眼科学，第2版，p591）

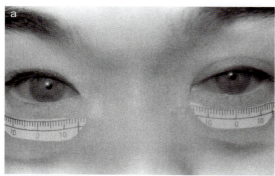

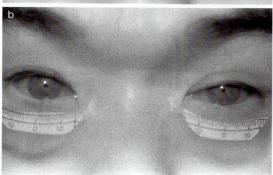

[図4] Argyll Robertson 瞳孔
a 瞳孔の不正円と両眼性縮瞳を認める．
b 対光反射は消失するが輻湊反応（近見縮瞳）は保存される．

代償によるものがある．

瞳孔径の左右差が1mm以上に及ぶものを瞳孔不同 anisocoria と称する．病的なものとして，動眼神経麻痺や瞳孔緊張症（Adie 症候群），外傷性散瞳などの瞳孔の遠心路障害では明所にて著明となり，Horner 症候群は暗所にて著明な瞳孔不同をきたす．そのため，瞳孔径計測は明所と暗所の両方（明室・暗室の両条件）にて行うことで，瞳孔異常に隠れた重大な全身疾患を発見できる．

眼科手術領域における多焦点眼内レンズの適応としては，レンズの種類によって若干異なるものの，概して瞳孔径3mm以下の患者を適応外とすることが多い．しかし，明所（300～450lx）や暗所（0.5～5lx）の環境照度，原理を踏まえて測定条件を統一した上での正確な評価が，多焦点眼内レンズの特性を最大限に発揮し，視機能の質の向上につながる．

3 アーチファクト

瞳孔径は一定の環境照度や定常状態であっても，hippus や pupillary unrest と称される瞳孔の変動や動揺がみられる．また，日内変動も存在しており，日中は小さく深夜に大きい．さらに，乳幼児の小さい瞳孔（交感神経の未発達による）から20歳前後で最大となり，加齢に伴い縮瞳していく年齢差もみられる．その他にも疲労による中枢性の縮瞳や驚愕・痛みなどに伴う精神知覚散瞳（毛様脊髄反射）など，さまざまな要因により変動する（表1）．

文献
1) Loewenfeld IE：The Pupil：Anatomy, Physiology and Clinical Applications, Butterworth-Heinemann, Boston, 1, 1999
2) 張 冰潔ほか：日常視時における瞳孔径の年齢変化．神経眼科 25：266-270, 2008
3) 石川 均ほか：瞳孔の神経眼科入門②．神経眼科 27：189-196, 2010
4) Ikeda T, et al：Pupillary size and light reflex in premature infants. Neuro-Ophthalmol 39：175-179, 2015
5) Asakawa K, et al：Why do melanopsin-containing retinal ganglion cells have the greatest sensitivity to blue light? Acta Ophthalmol 93：308-309, 2015

（浅川　賢・石川　均）

13 瞳孔検査

2) 瞳孔反応検査

I 検査の目的

1 検査対象
瞳孔反応（対光反射・輻湊反応）の経路の評価．自律神経異常や瞳孔の求心路・遠心路障害の診断．

2 目標と限界
瞳孔反応である対光反射と輻湊反応の評価．微小な瞳孔反応の記録，瞳孔異常の経過観察や治療の効果判定には赤外線瞳孔計が必要．

II 検査法と検査機器

1 測定原理，測定範囲
瞳孔反応には，光刺激に対する"対光反射"と近見刺激に対する"輻湊反応"とがある．そのため，測定では光や近方視に際して生じる反応をみる．反応が迅速 prompt か遅鈍 sluggish，程度が十分 complete か不十分 incomplete かを観察する．加えて輻湊反応では緊張性 tonic（"ゆっくり"反応）の有無をみる．

2 機器の構造
対光反射はペンライトや倒像鏡の光源，輻湊反応は固視標があれば十分である．

3 感度と特異度
片眼性の瞳孔異常は容易に診断できるが，両眼性かつ軽度の異常は診断が困難となる．

III 検査手順

1 検査の流れ

1) 対光反射
a. 視診による方法
半暗室にてペンライトの光を一眼に照射して照射眼の縮瞳（直接反応）・非照射眼の縮瞳（間接反応）を確認し，同時に反応が迅速か遅鈍，程度が十分か不十分かを観察する．

b. 交互点滅対光反射試験（swinging flashlight test）
瞳孔の求心路障害，特に視神経疾患において，対光反射の左右差がある場合の他覚的評価法で，左右眼の交互光刺激による瞳孔の大きさを観察し，相対的な求心路の左右差を検出する．ペンライトのみで特殊な機器を使用せず，短時間で簡便，正確しかも診断価値の高い検査法である．

2) 輻湊反応
a. 視診による方法
近見刺激に対する輻湊反応（近見縮瞳）は，固視標を患者の眼前に接近させて，輻湊 convergence とともに縮瞳を確認し，同時に反応が迅速か遅鈍か緊張性か，程度が十分か不十分かを観察する．続いて遠方視をさせて，開散 divergence とともに瞳孔が瞬時に元の大きさに戻るか否か（散瞳相の遅延）も確認する．これは，緊張性を調べる（実際は近方視にて確認するが判別困難なことが多い）のに有用である．

3) 対光-近見反応解離（light-near dissociation）
対光反射は消失するも，輻湊反応が保存されている状態である．

4) 絶対性瞳孔強直
対光反射と輻湊反応の両者が消失する状態である．

2 検査のコツと注意点
対光反射は，正常者での反応を日頃から観察しておくことが重要であるが，微小な減弱や遅延，左右差の評価には赤外線瞳孔計や細隙灯顕微鏡（光の強弱を繰り返しながら左右眼を比較）が有用である．

交互点滅対光反射試験は，対光反射の経路（図1）を踏まえて求心路・遠心路の障害に伴う所見（求心路では限界フリッカ値の低下や視野異常など，遠心路では眼瞼下垂や眼球運動障害，明所にて著明な瞳孔不同など）を理解しておくことが重要である．

対光反射は潜伏時間（潜時）200 msec ほどの皮質中枢を介さない単なる反射であり，その経路は網膜（視細胞）から視神経を通り，外側膝状体の前で視覚伝導路から分岐し，中脳の視蓋前域や同側の Edinger-Westphal（E-W）核，一部は後交連で交叉して対側の E-W 核へ至る．その後は節前線維の動眼神経として走行し，毛様体神経節に

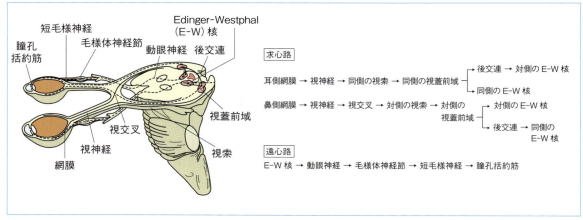

[図1] 対光反射の経路

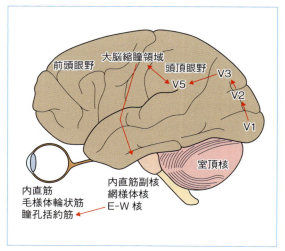

[図2] 輻湊反応の経路
網膜 → 視神経 → 視交叉 → 視索 → 外側膝状体 → 視放線 → 後頭葉（第1次視覚野：V1）→ 第5次視覚野（V5）→ 大脳縮瞳領域 → E-W核 → 動眼神経 → 毛様体神経節 → 短毛様神経 → 瞳孔括約筋

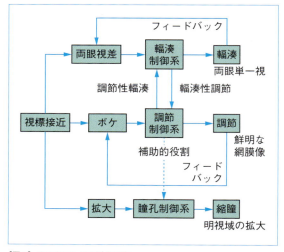

[図3] クロスリンクと近見反応
輻湊反応（近見縮瞳）は輻湊と調節のクロスリンクがあり，各々の制御系は近見反応として共存している．
（浅川 賢ほか：自律神経機能検査，第5版，p437）

てシナプスを変え，節後線維の短毛様神経となり，瞳孔括約筋に分布する．

輻湊反応は皮質中枢の複雑な経路（図2）を介した後にE-W核に至るため，潜時や反応速度が対光反射とは全く異なり，単純に処理できない．また，輻湊反応の障害は瞳孔異常として単独に生じることは少ない．近見反応と称されるように，調節と輻湊のクロスリンク（図3）があるため，調節（輻湊）麻痺や調節（輻湊）痙攣，開散麻痺などの病態も考慮しなければならず，診断には経験を必要とする．

近見反応の経路をまとめると，視標の接近に伴う両眼視差やボケ，拡大の情報が，第1次視覚野（V1）から頭頂眼野を含む第5次視覚野（V5）や大脳縮瞳領域を経て入力される．その後は前頭眼野と中脳に信号が伝達されて，内直筋副核や網様体核，E-W核に至り，輻湊と調節，近見縮瞳が誘発される（潜時：輻湊160 msec・調節360 msec・近見縮瞳500 msec）．さらには小脳（室頂核）にも信号が伝達されて，運動情報の微調整が行われる．

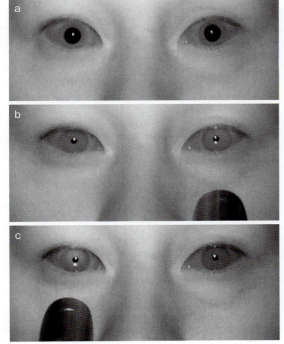
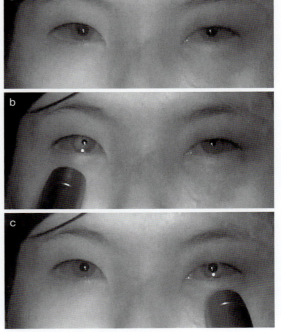

[図4] 交互点滅対光反射試験の所見
図4-①　正常者
半暗室にて暗順応後（a），左眼に光を照射すると，直接反応・間接反応により両眼同時に縮瞳する（b）．右眼に光を照射すると，縮瞳は維持される（c）．
（浅川　賢ほか：眼科学，第2版，p591）

図4-②　求心路障害（左眼外傷性視神経症）
半暗室にて暗順応後（a），右眼に光を照射すると，直接反応・間接反応により両眼同時に縮瞳する（b）．左眼に光を照射しても，求心路障害のため直接反応・間接反応とも縮瞳せず，散瞳してくる（c）．
（文献4）より）

Ⅳ　検査結果の読み方と解釈

1　正常結果

交互点滅対光反射試験においては，半暗室にてペンライトの光を一眼に照射すると，正常者では直接反応・間接反応により両眼とも十分に縮瞳する．約2秒の照射後，他眼に素早く光を移動 swing させると，同様の反応が起こる（図4-①）．

2　異常所見とその解釈

視神経疾患では求心路が障害されているため，健眼に光を照射すると両眼とも十分に縮瞳するが，患眼に素早く光を移動させると，対光反射は起こらず両眼とも散瞳してくる．このような所見を相対的瞳孔求心路障害 relative afferent pupillary defect（RAPD）陽性あるいは Marcus Gunn 瞳孔と称する（図4-②）．動眼神経麻痺や外傷性散瞳などは遠心路が障害されているため，健眼に光を照射すると直接反応は正常で縮瞳するが，患眼は変化しない．患眼に素早く光を移動させても縮瞳しないが，求心路は正常のため間接反応である健眼の縮瞳は正常に生じる（図4-③）．

輻湊反応における散瞳相の遅延は，瞳孔緊張症（Adie症候群）にてみられ，対光-近見反応解離は，中枢性では Parinaud 症候群や Argyll Robertson 瞳孔などの中脳背側病変，末梢性では瞳孔緊張症（Adie症候群）にてみられる（図5）．絶対性瞳孔強直は，外傷やぶどう炎による虹彩萎縮，動眼神経麻痺や急性緑内障発作，アトロピンなどによる瞳孔括約筋麻痺でみられる．詳細な問診，眼瞼下垂や眼球運動障害，狭隅角や浅前房などの所見と併せて鑑別する．

3　アーチファクト

瞳孔に影響する薬物を服用・点眼している患者では，正確な評価が困難となる（**表1**）．

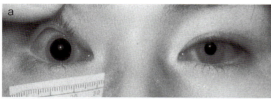
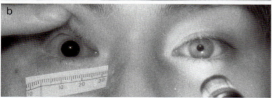
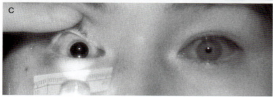

図4-③ 遠心路障害（右眼外傷性散瞳）
半暗室にて暗順応後（a），左眼に光を照射すると，直接反応は正常に縮瞳するが，間接反応は遠心路障害のため変化しない（b）．右眼に光を照射すると，右眼の求心路は正常のため間接反応は縮瞳するが，直接反応は縮瞳しない（c）．
（浅川　賢ほか：眼科学，第2版，p592）

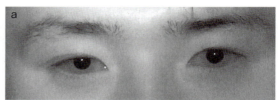

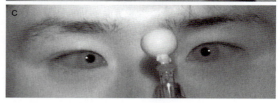

[図5] 対光-近見反応解離（Parinaud症候群）
半暗室にて暗順応後（a），対光反射による縮瞳は消失する（b）が，輻湊反応（近見縮瞳）は著明に観察される（c）．対光-近見反応解離は，両者の瞳孔反応が異なる経路を介することを裏づけるきわめて重要な所見である．
Parinaud症候群は対光-近見反応解離と垂直眼球運動障害をきたす．対光反射に関わる後交連と垂直眼球運動の核である内側縦束吻側間質核・Cajal間質核は中脳背側に位置し，その近傍に存在する松果体の腫瘍圧迫によるものと理解できる（点眼試験の項，図1（p412）参照）．
（浅川　賢ほか：眼科学，第2版，p592）

[表1] 瞳孔に影響する薬物

合成コリンエステル類	抗コリン薬
・カルバコール	・アトロピン
・ピロカルピン	・スコポラミン
可逆的コリンエステラーゼ阻害薬	・トロピカミド
・フィゾスチグミン	・ピレンゼピン
・ネオスチグミン	・プロピベリン
・ジスチグミン	・オキシブチニン
・エドロホニウム	・トリヘキシフェニジル

文献
1) 石川　哲：瞳孔検査の最近の進歩．自律神経 23：242-247，1989
2) 吉冨健志：瞳孔．日眼会誌 115：413-420，2011
3) 向野和雄ほか：対光反射，輻湊反応・調節．Clin Neurosci 31：959-962，2013
4) 浅川　賢ほか：見落とせない神経眼科疾患—必要な視機能検査．眼科グラフィック 3：477-485，2014
5) Asakawa K, et al：Crosslinking of near responses in healthy young subjects. Acta Ophthalmol 98：791-793，2020

（浅川　賢・石川　均）

3) 点眼試験（瞳孔薬物負荷テスト）

I 検査の目的

1 検査対象

Horner症候群の診断と障害部位（中枢性・末梢性（節前性・節後性））判定.
Horner症候群と瞳孔緊張症（Adie症候群）における脱神経過敏性獲得の有無.
絶対性瞳孔強直の散瞳に対する鑑別.

2 目標と限界

瞳孔異常の原因の自律神経的評価.

II 検査法と検査機器

1 測定原理，測定範囲

自律神経作用薬の薬理作用を利用し，瞳孔異常の診断や障害部位を同定する.

2 薬剤の概要

フェニレフリン塩酸塩（ネオシネジン）は1％，ピロカルピン塩酸塩（ピロカルピン）は0.125％（注：絶対性瞳孔強直の散瞳に対する鑑別では0.5％あるいは1％）を使用するため，それぞれ市販品の濃度5％，0.5％を生理食塩水で希釈する必要がある．チラミンは5％を使用する．

コカイン塩酸塩（コカイン）5％は高価な上に麻薬という管理の問題から実施困難であり，メタコリン塩化物（メコリール）2.5％も感受性に個人差（偽陰性）が多く，粉末製剤からの調剤という不便さがある．ネオシネジンのアレルギー反応や角膜透過性，希釈の必要性という点に対して，最近ではα_2受容体作用薬であるアプラクロニジン塩酸塩（アイオピジン）1％が，弱いながらα_1受容体の刺激作用もあり，ネオシネジン1％と同等の効果と期待されている．

III 検査手順

1 検査の流れ

点眼前後にて半暗室での瞳孔径を計測する．点眼方法は患者に上方視させながら，検者が指にて開瞼を保持し，下眼瞼結膜に1滴を滴下する．薬剤が行き渡るように，点眼後は1分閉瞼とともに上下左右に眼球運動をさせる．5分ごとに2回点眼するが，2回目の点眼から，ネオシネジン・ピロカルピンは60分後，チラミン・アイオピジンは45分後，コカインは90〜120分後に瞳孔径を計測する（表1）．

2 検査のコツと注意点

自律神経系（交感神経・副交感神経）の経路と薬剤の作用機序を把握しておくことである．交感神経の経路は，後部視床下部から脳幹を下降し，第8頸髄から第2胸髄にある毛様脊髄中枢（Budge中枢）や上頸部神経節に至り，節前線維のシナプスを変える．その後は節後線維として，内頸動脈の周囲で神経叢を形成して，三叉神経第1枝（眼神経）に沿って走行後，長毛様神経となり，瞳孔散大筋と瞼板筋に分布する（図1）．副交感神経の経路は，前部視床下部からE-W核に至り，節前線維の動眼神経として走行し，毛様体神経節にてシナプスを変え，節後線維の短毛様神経となり，瞳孔括約筋に分布する（瞳孔反応検査の項，図1）．コカインは交感神経末端から放出されたノルアドレナリンの交感神経末端への再吸

[表1] 点眼試験によるHorner症候群の診断と障害部位判定

		正常眼	節後障害	節前障害	中枢障害	判定時間
ネオシネジン 1％		瞳孔径 不変	瞳孔不同 逆転 （健眼より患眼が強く散瞳） 過敏性獲得（++）	瞳孔不同 逆転 （健眼より患眼が強く散瞳） 過敏性獲得（+）	瞳孔不同 不変 過敏性獲得（−）	60分後
		眼瞼 不変	眼瞼下垂 軽減	眼瞼下垂 軽減	眼瞼下垂 不変	10分後
チラミン 5％		散瞳	減弱・消失（散瞳しない）	散瞳	散瞳	45分後
コカイン 5％		散瞳	消失（散瞳しない）	消失（散瞳しない）	減弱（散瞳しない）	90〜120分後

（浅川 賢ほか：眼科学，第2版，p593）

収を抑制する．そのため，交感神経の経路に障害がなく，末端に正常量のノルアドレナリンが蓄積されることで，コカインにより正常眼では散瞳する．一方，経路のいずれかに障害があると，正常眼と比較して散瞳が減弱あるいは消失する（散瞳しない）．すなわち，コカインは交感神経の障害が経路のいずれであっても判定に有用である．チラミンは交感神経末端に蓄積されているノルアドレナリンを放出させる作用がある．そのため，障害が末端・節後線維であるほどノルアドレナリンが減少し，点眼しても散瞳しない．

Horner症候群により，瞳孔散大筋や瞼板筋の$α_1$受容体でのノルアドレナリンが減少すると，受容体は作用薬に対して過敏となる．すなわち，低濃度のノルアドレナリンでも受容体は過大に反応する脱神経過敏性獲得denervation supersensitivityを示す．これを応用して低濃度の交感神経作用薬を点眼すると，患眼のみに瞳孔散大と上眼瞼挙上が認められる．アセチルコリンに対しても過敏性を示すため，低濃度の副交感神経作用薬を点眼して瞳孔緊張症（Adie症候群）の診断にも使用される．このように，自律神経系の節後線維の障害（節後障害）で有用である．

点眼した薬剤の正常量が筋の受容体に到達することが前提である点に注意する．すなわち，薬剤の角膜透過性に影響を受け，角膜透過性が高い（低い）と反応が過大（過小）評価される．角膜に異常（外傷・炎症）がある場合，バリア機能の低下をきたす糖尿病患者や高齢者，コンタクトレンズ装用者では角膜透過性が高くなる．

Horner症候群の診断は，詳細な問診と特徴的な臨床所見（暗所での瞳孔不同・軽度の眼瞼下垂・顔面紅潮など）に加えて画像診断を行い，総合的に判断する．点眼試験のみで診断，特に障害部位判定を行うべきではない．瞳孔緊張症（Adie症候群）における脱神経過敏性獲得も過信せず，輻湊反応における緊張性の有無が重要な所見であることを強調したい．これは副交感神経に対する過敏性は動眼神経麻痺の回復期にもみられるためである．散瞳に対する鑑別診断も詳細な問診と随伴所見とを併せて評価する．

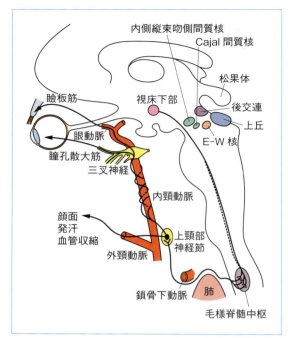

［図1］交感神経の経路
（文献5）より）

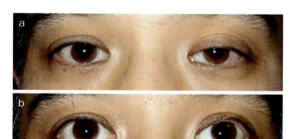

［図2］Horner症候群
a 左眼は縮瞳と瞳孔領を覆わないほど（軽度）の眼瞼下垂を認める．
b ネオシネジン1％の点眼60分後には，正常な右眼も軽度散瞳しているが，左眼の瞳孔径は明らかに大きく，眼瞼は十分に挙上している．
（浅川　賢ほか：眼科学，第2版，p594）

Ⅳ　検査結果の読み方と解釈

1　診断・障害部位判定

Horner症候群は，瞳孔不同や瞳孔領を覆わないほどの眼瞼下垂など，特徴的な臨床所見から診断は容易である（図2a）．対光反射は正常でも縮瞳後の散瞳相は長い時間を要する．赤外線瞳孔計

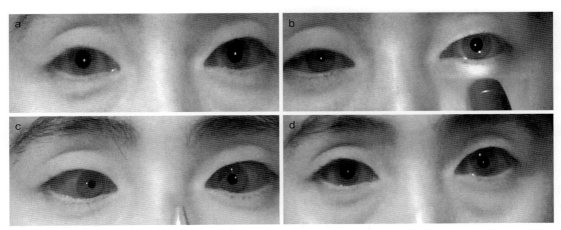

[図3] Adie症候群
a 半暗室にて瞳孔不同は著明ではない.
b 左眼は対光反射による縮瞳が欠如している.
c 近見刺激にてゆっくり（緊張性）縮瞳する.
d 左眼はピロカルピン0.125％の点眼にて脱神経過敏性獲得を示し, 瞳孔径が縮小している.
(浅川 賢ほか：眼科学, 第2版, p593)

を用いれば明らか（赤外線瞳孔計の項，図1に示すT_5の延長）であるが，細隙灯顕微鏡でも光を強弱しながら左右眼を比較すると判定しやすい．

障害部位が中枢か節前線維，節後線維かの判定も，正常眼では反応（散瞳）しないとされる低濃度の交感神経作用薬を用いる必要があるが，ネオシネジン・アイオピジン1％では正常眼も反応する可能性があり，判断が困難であることも多い．一方，瞼板筋への浸潤は比較的早期より明らかで，上眼瞼挙上は診断の一助として有用である（図2b）．

2 脱神経過敏性獲得

瞳孔緊張症（Adie症候群）はピロカルピン0.125％・メコリール2.5％などの低濃度の副交感神経作用薬に過敏性を示して縮瞳する（図3）．

3 鑑別診断

0.5％あるいは1％ピロカルピンの点眼にて動眼神経麻痺による麻痺性散瞳では縮瞳するが，瞳孔括約筋の損傷による外傷性散瞳やアトロピンによる薬剤性散瞳では縮瞳しない．しかし，薬剤性散瞳は高濃度のピロカルピンを点眼すれば縮瞳することに注意する．

4 アーチファクト

正常眼では反応しない低濃度と薬剤の角膜透過性を考慮する．

文献
1) 大野新治：薬物点眼によるHorner症候群障害部位判定法. 眼臨 69：958-959, 1975
2) Thompson HS：Adie's syndrome：some new observations. Trans Am Ophthalmol Soc 75：587-626, 1977
3) Kardon RH, et al：Critical evaluation of the cocaine test in the diagnosis of Horner's syndrome. Arch Ophthalmol 108：384-387, 1990
4) Wilhelm H, et al：Horner's syndrome：a retrospective analysis of 90 cases and recommendations for clinical handling. German J Ophthalmol 1：96-102, 1992
5) 石川 均ほか：瞳孔の神経眼科入門②. 神経眼科 27：189-196, 2010

〈浅川 賢・石川 均〉

13 瞳孔検査

4）赤外線瞳孔計

I 検査の目的

1 検査対象

　瞳孔径や対光反射は，自律神経異常や瞳孔の求心路・遠心路障害の診断，向精神薬の効果判定や精神心理状態，化学物質過敏症の他覚的評価．メラノプシン含有網膜神経節細胞を介した概日リズムの評価．多焦点眼内レンズや屈折矯正手術の適応の評価．

　輻湊反応は，白内障手術後の収差減少や焦点深度による偽調節の解明，光学的屈折矯正（眼鏡・コンタクトレンズ）の適正判定や対光-近見反応解離，IT眼症の他覚的評価．

2 目標と限界

　波形やパラメーターが得られるため，瞳孔の客観的評価にはきわめて有用であるが，機器の原理や測定条件の差異により数値が異なる．

II 検査法と検査機器

1 測定原理，測定範囲

　高精度の瞳孔径計測，微小な瞳孔反応の記録や左右差の有無，経過観察や治療の効果判定など，得られた波形やパラメーター（図1〜3）と併せることで，瞳孔の客観的評価にはきわめて有用である．一方，瞳孔は個人差が非常に大きく，その評価には多数の症例や被検者が必要になる．機器自体もさまざまな利点・欠点があり，原理や測定条件も把握しておく．

2 機器の構造

1）瞳孔径

a．FP-10000II（テイエムアイ）

　測定条件は両眼開放であるが，測定自体は片眼ずつとなる．携帯性に優れており，視標を任意に呈示しての測定が可能だが，顔の形状（奥目）によっては前後方向の位置合わせが困難である．数値は角膜屈折率が補正され，閉鎖型であることを考慮した（図4）．

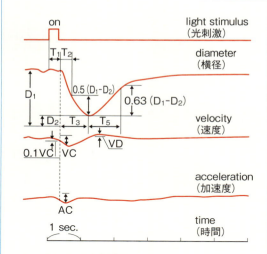

［図1］対光反射の波形・パラメーター（Iriscorder Dual C-10641による測定）
1回の測定ごとに波形と10種のパラメーターにて対光反射が解析される．CRの低下やT_1の延長は瞳孔の求心路障害でみられる．交感神経は散瞳相（T_5・VD），副交感神経は縮瞳相（T_2・T_3・VC・AC）に反映される．

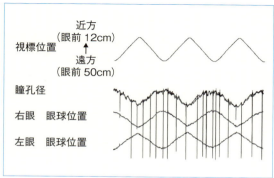

［図2］輻湊反応の典型波形（正常者21歳女性，TriIRIS C9000による測定）
正常者では外部視標の移動（近方視・遠方視）に伴う縮瞳・散瞳，輻湊・開散が同期する波形が得られる（縦のスパイク状波形は瞬目）．（文献5）より）

4）赤外線瞳孔計

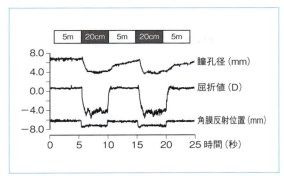

[図3] 近見反応の典型波形（正常者21歳女性，PowerRef 3による測定）
視標を5mと20cmに呈示し，5秒ごとの他覚的屈折値と瞳孔径，角膜反射位置を記録している（右眼のみ表示）．20cm注視時に屈折値は近視化（調節）し，近見縮瞳とともに，角膜反射位置が移動（輻湊）している．
（文献14）より）

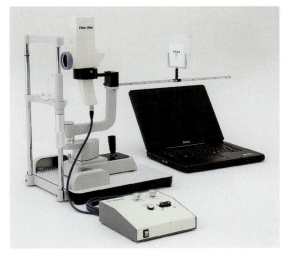

[図4] FP-10000Ⅱ

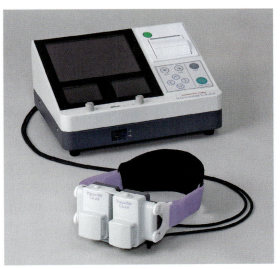

[図5] Iriscorder Dual C-10641

[図6] PLR™-3000

2）対光反射

a. Iriscorder Dual C-10641（浜松ホトニクス）

撮像部にCCD固体撮像素子を採用し，ゴーグル式であるため両眼同時に測定できる．光強度（10，100，250 cd/m²）や計測時間（1～60秒），光刺激（赤色635 nm・青色470 nm）が任意に選択でき，視細胞と網膜神経節細胞に由来する対光反射が評価可能である（図5）．

b. NPi®-200・PLR™-3000・VIP™-300（アイ・エム・アイ）

NPi®-200はベッドサイドでも簡便に対光反射の評価が可能である．PLR™-3000は神経眼科領域における瞳孔異常や視神経疾患，自律神経障害の評価に使用され，VIP™-300は眼科手術領域での多焦点眼内レンズの適応決定に使用される（図6）．

c. RAPDx™（コーナン・メディカル）

相対的瞳孔求心路障害を他覚的に評価可能であ

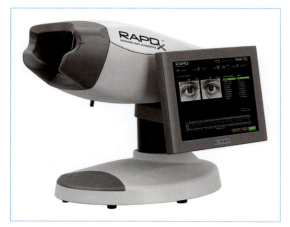

[図7] RAPDx™

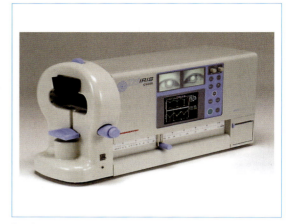

[図8] TriIRIS C9000

る．光刺激部位は全視野・黄斑部・周辺部・上鼻側・下鼻側と5種から選択でき，刺激部位ごとにパラメーターとともに，左右差の指標であるamplitude score，latency scoreが算出される（図7）．

3) 輻湊反応

a．TriIRIS® C9000（浜松ホトニクス，ワック）

赤外線瞳孔計に定屈折近点計（D'ACOMO）を組み込んだ機器で，外部視標の移動に伴う瞳孔径変化と輻湊・開散，自覚的調節近点（調節力）が測定できる．輻湊は測定開始時の瞳孔中心を基準に，近方視時での移動距離（mm）にて計測している（図8）．なお，現在は製造中止となっている．

b．両眼開放型オートレフケラトメーターWAM-5500 & WMT-2（シギヤ精機製作所）

他覚的屈折値に加えて瞳孔径の同時測定が可能である．WMT-2では調節の特性（動的・静的・準静的）を備えた視標移動システムが一体となり，1～0.2mの範囲で外部視標の移動方法（定屈折・等速度）も任意に設定できる（130頁参照）．

c．オートレフケラトメーターARK-1（ニデック）

AIアコモドメータ機能を使用することで，光学的な遠方から接近してくる内部視標に対する準静的特性による他覚的調節反応や調節安静位，調節ラグと瞳孔径が同時測定される．測定結果として経時的な波形が得られる（130頁参照）．

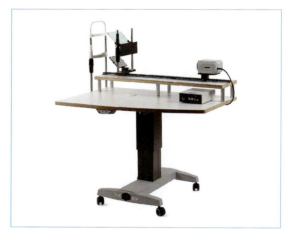

[図9] PowerRef 3

d．PowerRef 3（プラスオプティクス）

外部視標を任意に呈示し，他覚的屈折値と瞳孔径，角膜反射位置（輻湊・開散）が同時記録される．唯一の近見反応の測定機器であり，ハーフミラーによる両眼開放のため，日常視を反映した測定条件である（図9）．

3 感度と特異度

波形やパラメーターを解析することで，瞳孔の客観的評価にきわめて有用であるが，機器の原理や測定条件の差異による数値の解釈に注意する．

Ⅲ 検査手順

1 検査の流れ

瞳孔に影響する要因をすべて考慮することは困難であるが，最低でも測定時間と測定条件は施設内で統一する．測定時間は，日内変動を考慮して午前10時から午後2時の間に開始終了させるが，昼食後1時間以内の測定は避ける．その上で基礎研究では年齢差や性別，屈折値や睡眠時間，コーヒーやタバコなどの嗜好品の有無を統一すること，眼科臨床では両眼視（両眼開放）と単眼視，明所と暗所，遠方視と近方視の両条件下にて比較することが大切である．

対光反射の測定では，10〜15分の暗順応後，先に患眼に対して1秒の光刺激による縮瞳（患眼の直接反応・健眼の間接反応）を記録する．次に健眼（健眼の直接反応・患眼の間接反応）は，先の間接反応の影響を考慮し，再度5〜10分の暗順応後に同条件で記録する．光刺激直前の瞬目は瞳孔が不安定になるため，瞬目後に開瞼させ，安定したことを確認してから光刺激を行う．光刺激後は散瞳相の記録も重要で，被検者には開始終了まで6秒ほど瞬目を我慢させることになる．

輻湊反応の測定では，暗順応は不要であるが，外部視標を明視させるためにレンズ交換法により得られた完全屈折矯正レンズ（老視眼では加入度数40歳代+1.00D，50歳代+2.00D，60歳以上+3.00Dを含めて）装用にて記録する．

2 検査のコツと注意点

室内照度への順応（明順応・暗順応）は，対光反射にもPurkinje移動がみられることや，ロドプシンが完全に退色（飽和）する時間，錐体から杆体への移行であるKohlrauschの屈曲点を考慮する．よって，室内照度は明所300〜450lx，暗所0.5〜5lxとし，順応時間は明順応5分，暗順応10〜15分（瞳孔径は2分ほどで安定）が望ましい．

視標はボケを自覚しやすい*のような図形やLandolt環が良いが，視標自体の大きさや輝度，コントラストに影響される．呈示位置は遠方視では視標が明視できる距離とし，近方視は患者の調節力（年代別正常値：10歳代12D・20歳代9D・30歳代6D・40歳代4D・50歳代2D・60歳代1D）を超えないようにする．呈示方法には実空間での外部視標とBadal光学系による内部視標があるが，内部視標では近接感が得られず調節しにくい．視標の色は，暗順応に影響しにくい赤色と視認性の点から緑色や青色を採用する機器がある．しかし，緑色ではPurkinje移動による視覚感度への影響，赤色と青色はそれぞれ視細胞と網膜神経節細胞に由来する対光反射を選択的に誘発させるなど，色特性により反応する細胞の感受性が異なる．

瞼裂幅が狭く瞳孔領を覆う場合は，眼瞼挙上もやむを得ないが，得られた数値の解釈には注意を払う（瞼板筋を介して交感神経に影響）．また，測定機器の撮像部と眼球までの距離（前後方向）や視標と固視位置（左右方向）のずれも誤差を生じるため，角膜反射像や虹彩紋理が鮮明かつ正面となるように位置合わせを行う．

対光反射の測定機器は，眼球内に照射される光量が瞳孔径に左右されるため，対光反射の量（縮瞳率）や時間，速度の比較評価には初期瞳孔径の左右差（瞳孔不同・撮像部の位置ずれ）に注意する．また，光視標呈示中（光刺激中）に瞬目が混入した場合は，暗順応を含めて再測定を行うことになるが，疲労や眠気の影響が加味される．

輻湊反応の測定機器は，近方視時の輻湊により瞳孔径が過小評価されている点を考慮する．瞳孔径を正面の撮像部から計測する機器では，輻湊により内転した瞳孔を斜めから（楕円形として）記録することになり，実測値より約0.2mm小さくなる．また，近見刺激（調節刺激）が重要であるが，視標のボケは"ぼやける"の感覚が各個人で異なる．さらに，調節は自律神経系のみならず，高次レベルによっても支配されていることから，検査に対する患者の努力や集中力（協力性），検査日の心身状態なども数値に反映される．そのため，明視努力を促す検者の声かけや，実測値に影響しない程度の検査練習が必要である．このように，輻湊反応の測定条件の最適化には議論の余地がある．

[表1] Iriscorderによる瞳孔径・対光反射の年代別正常値（平均値±標準偏差）

男性	年齢	D_1	D_2	CR	T_1	T_2	T_3	T_5	VC	VD	AC
	10歳代	18.5±0.5	6.9±0.7	5.4±0.9	22±8	271±24	270±66	963±221	1,596±380	3.9±1.0	1.8±0.5	66±21
	20歳代	25.3±2.7	6.7±0.8	5.1±0.9	24±8	253±28	283±62	961±209	1,611±468	4.0±0.9	1.8±0.5	61±17
	30歳代	33.9±2.8	6.5±0.8	4.9±0.9	24±8	254±28	281±64	960±207	1,643±502	3.9±0.9	1.7±0.5	59±17
	40歳代	43.3±2.6	6.2±0.8	4.7±0.8	24±7	258±26	279±59	973±214	1,646±525	3.7±0.9	1.6±0.4	58±17
	50歳代	53.7±3.1	5.6±1.0	4.0±0.8	27±7	261±24	269±59	956±219	1,686±472	3.9±0.9	1.7±0.4	57±16
女性	年齢	D_1	D_2	CR	T_1	T_2	T_3	T_5	VC	VD	AC
	10歳代	18.6±0.5	6.9±0.6	5.4±0.8	22±7	259±19	293±74	978±210	1,637±530	4.0±1.3	1.9±0.6	64±15
	20歳代	23.9±2.5	6.6±0.7	4.9±0.8	24±7	254±28	301±78	981±219	1,624±519	4.0±1.3	1.9±0.6	62±21
	30歳代	36.2±2.5	6.1±0.8	4.6±0.9	25±9	252±30	280±79	946±228	1,614±566	3.9±1.1	1.8±0.6	62±24
	40歳代	43.9±2.6	5.8±0.8	4.4±0.8	25±7	253±24	266±59	932±208	1,616±502	3.8±0.9	1.6±0.4	60±19
	50歳代	52.8±2.3	5.5±0.8	4.0±0.7	27±6	259±24	256±56	929±214	1,605±504	3.9±0.7	1.7±0.4	59±15

（浅川　賢ほか：眼科診療プラクティス25　眼のバイオメトリー，p146）

[表2] TriIRIS C9000による輻湊反応の年代別正常値（平均値±標準偏差）

	年齢	初期瞳孔径（mm）	最小瞳孔径（mm）	縮瞳率（%）	輻湊（mm）
20歳代	24.7±1.8	5.9	4.2	29.2	1.4±0.5
30歳代	33.6±2.8	4.8	3.3	32.5	1.5±0.4
40歳代	41.3±1.4	5.0	3.6	28.7	1.6±0.2
50歳代	55.8±2.9	4.2	3.1	27.1	1.3±0.3

（浅川　賢ほか：眼科診療プラクティス25　眼のバイオメトリー，p147）

IV 検査結果の読み方と解釈

1 正常結果

瞳孔径，対光反射（表1），輻湊反応（表2）の年代別正常値を参照されたい．

2 異常所見とその解釈

Iriscorder Dual C-10641では1回ごとに10種のパラメーターにて解析される．瞳孔の求心路障害はCRの低下やT_1の延長，相対的瞳孔求心路障害がみられる．交感神経は散瞳相（T_5・VD），副交感神経は縮瞳相（T_2・T_3・VC・AC）に反映される．そのため，Horner症候群ではD_1の左右差（瞳孔不同＝障害眼の縮瞳）やT_5の延長（図10），瞳孔緊張症（Adie症候群）ではD_1の左右差（瞳孔不同＝障害眼の散瞳）やT_3の延長，対光-近見反応解離（図11），自律神経異常をきたすパーキンソン病や糖尿病，化学物質過敏症では交感神経障害あるいは副交感神経亢進に伴うD_1の著明な縮小を呈する．

輻湊反応の測定では近方視（調節負荷）時の縮瞳と遠方視時の散瞳の動態を評価する．不適切な

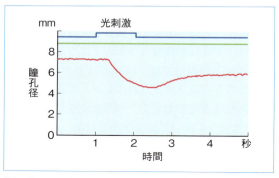

[図10] Horner症候群の対光反射（3）点眼試験　図2（p412）と同一症例）
光刺激後の瞳孔回復が延長（散瞳相が遅延）している．
（文献8）より）

屈折矯正状態やIT眼症では，視標が遠方にある時点でも縮瞳が持続し，輻湊より縮瞳が先行して誘発されるなど，皮質中枢でクロスリンクがあり，意識的に分離することができない近見反応に解離がみられ，診断の一助となる（図12）．

3 アーチファクト

対光反射は不十分な暗順応と光刺激中の瞬目，輻湊反応は不十分な近見刺激を考慮する．

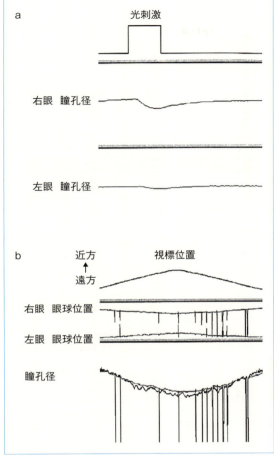

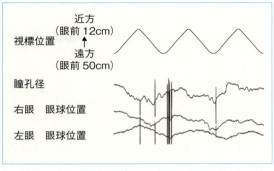

[図12] IT眼症の輻湊反応（27歳女性，TriIRIS C9000による測定）
視標が遠方にある時点でも縮瞳が持続しており，輻湊・開散も不安定である．

[図11] Adie症候群の対光反射・輻湊反応（3）点眼試験 図3（p413）と同一症例）
左眼は対光反射による縮瞳が欠如している（a）が，近見刺激にて縮瞳が残存する（b）．
（浅川 賢ほか：眼科診療プラクティス25 眼のバイオメトリー，p148）

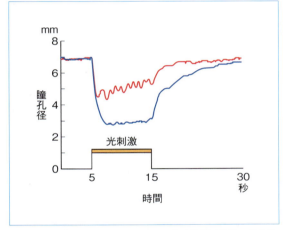

[図13] 赤・青色光刺激による対光反射の典型波形（正常者21歳女性，Iriscorder Dual C-10641による測定）
$100 cd/m^2$ の赤・青色光刺激にて10秒間の対光反射を測定している．青色光による顕著かつ持続的な瞳孔径の縮小，赤色光では hippus が著明に認められる．
（文献14）より）

4 その他

　視細胞に次ぐ新たな光受容器として，メラノプシン含有網膜神経節細胞 melanopsin-containing retinal ganglion cell（mRGC）が注目されている．光刺激に対して瞬時に過分極反応（順応）する錐体とは異なり，mRGC は脱分極性で反応までの潜伏時間（潜時）も長い．また，最大分光感度から 470 nm 付近の青色光に対して選択的に応答する特徴を持つ（図13）．われわれは，選択的応答を生じる色特性の違いを応用し，赤・青色光刺激に対する対光反射の差から網膜外層・内層疾患の鑑別を目指している（図14）．

文献
1) 内海　隆ほか：両眼同時記録赤外線電子瞳孔計による瞳孔運動の日内変動について．神経進歩 20：977-989，1976
2) Hayashi M, et al：Pharmacology of pupillary responses in diabetics. Jpn J Ophthalmol 23：65-72, 1979
3) 田淵昭雄ほか：両眼同時刺激及び片眼刺激における対光反応の pupillo-graphy．神経眼科 2：53-57，1985
4) 長谷川幸子ほか：正常対光反応の加齢による変化—新型双眼性赤外線電子瞳孔計（C-2515）を用いた検討—．日眼会誌 93：955-961，1989
5) 石川　均ほか：輻湊反応と調節．神経眼科 22：361-367，2005
6) 藤原篤之ほか：TriIRIS C9000 における正常値の検討．日

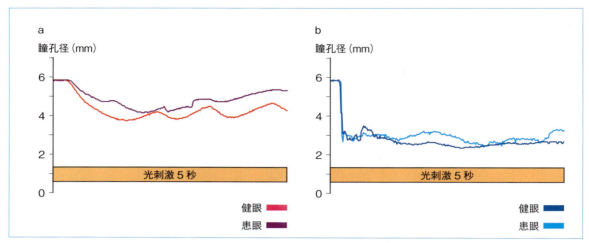

[図14] 片眼性黄斑低形成の赤・青色光刺激による対光反射（3歳男児，Iriscorder Dual C-10641による測定）
a 赤色光では縮瞳に左右差がみられる．
b 青色光では両眼ともに顕著かつ持続的な瞳孔の縮小が認められる．
（文献13）より改変）

視会誌 36：67-72，2007
7) Iida Y, et al：Influence of age on ocular wavefront aberration changes with accommodation. J Refract Surg 24：696-701，2008
8) 石川　均ほか：瞳孔の神経眼科入門②．神経眼科 27：189-196，2010
9) 原　直人：ストレス評価としての瞳孔機能．視覚の科学 33：47-51，2012
10) Ishikawa H, et al：Effects of selective-wavelength block filters on pupillary light reflex under red and blue light stimuli. Jpn J Ophthalmol 56：181-186, 2012
11) 前田史篤ほか：ヒトメラノプシン含有網膜神経節細胞の作用による対光反射の変化．自律神経 49：152-154，2012
12) 石川　均：神経眼科の進歩—瞳孔とメラノプシンによる光受容—．日眼会誌 117：246-269，2013
13) Asakawa K, et al：Electroretinography and pupillography in unilateral foveal hypoplasia. J Pediatr Ophthalmol Strabismus 53：26-28, 2016
14) 浅川　賢：近見反応—測定装置と方法—．眼科 61：253-259，2019
15) Asakawa K, et al：Adaptation time, electroretinography, and pupillography in healthy subjects. Doc Ophthalmol 139：33-44, 2019

（浅川　賢・石川　均）

14 眼内レンズ度数計測

1）眼内レンズ度数決定の理論

はじめに

　白内障手術の安全性が飛躍的に向上し，眼内レンズ（IOL）度数計算の精度が向上した現代の白内障手術は，屈折矯正手術としての側面も有する．せっかく白内障手術を上手に行っても，屈折ずれを生じて患者が不満を抱くようなことは，誰しも経験しているのではなかろうか？　患者満足度を最大限に向上するためには，安全な白内障手術の遂行だけでなく，より精度の高い屈折矯正をできるだけ目指したい．日常生活において眼鏡やコンタクトレンズから解放される恩恵は，多くの眼科医が考える以上に大きいことは強調されるべきである．医師の先入観や固定観念がこの恩恵の妨げとならないように，屈折矯正に対しても細心の注意を払い，患者の視機能・満足度を向上するためにより正確な IOL 度数計算が要求される．

　眼の屈折力は主として角膜屈折力，前房深度，眼軸長，水晶体屈折力により決定される．白内障手術における IOL 度数は，角膜屈折力，眼軸長，術後予想前房深度（IOL 固定位置）によって計算可能である（図1）．通常角膜屈折力はケラトメータ，眼軸長は光学式眼軸長測定装置，術後前房深度は眼軸長や角膜屈折力から得られる予測値を用いることが多い．通常の角膜屈折力測定は，前面曲率のみの測定であり，角膜前後面比から得られる換算屈折力 1.3375 を用いて全屈折力が算出される．術後前房深度と眼軸長や角膜屈折力の相関は強くなく，理論上の補正も困難であり，近年術後屈折誤差の最大の要因となっている[1]．特に LASIK 後の IOL 度数計算は予測性が低く，通常白内障眼と同様に SRK/T（SRK theoretical）式などで算出するとリフラクティブサプライズと呼ばれる大きな屈折誤差（多くは遠視化）を生じることとなる．本項では，正常眼における眼内レンズ度数計算決定の理論について概説したい．

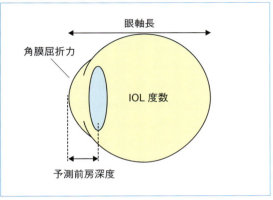

[図1] 眼内レンズ度数決定の基本
眼内レンズ度数は，角膜屈折力，眼軸長，術後予想前房深度（レンズ固定位置）によって決定される．

II　眼内レンズ度数計算の変遷

　眼内レンズ度数計算は，幾何光学の模型眼から得られる理論式と統計学的な回帰による経験式の2つに分類される．最初の理論式として Fyodrov 式，Binkhorst 式，Colenbrander 式などが提唱された．次に Sanders, Ritzlaff, Kraff らは，術後成績を統計処理して SRK 式という経験式を考案した．術後正視群の結果を基に，角膜曲率半径，眼軸長，IOL 度数を多変量解析して得られた一次式である．平均的な眼軸長では予測性は高いものの，一次線形回帰となっており，長眼軸長眼では近視ずれ，短眼軸長眼では遠視ずれを生じやすかった．SRK II 式は，眼軸長 20 mm 未満，20～21 mm，21～22 mm，24.5 mm 以上に対して段階的な補正を加えたが，それでも長・短眼軸長眼における予測性は高くなかった．そこで初期理論式に修正を加えた第3世代 SRK/T 式，Holladay 式，Hoffer Q 式などが考案された．SRK/T 式は幾何光学模型眼を基にした理論式であるが，A 定数と呼ばれる回帰式からの経験値も使用することで，SRK 式の特徴を残している[2]．予測前房深度は，角膜ドーム高と IOL 特有のオフセットの和であり，角膜ドーム高はケラト値と角膜径から算出される（図2）．また角膜径は補正眼軸長と角膜屈折力を用いた重回帰式から算出しており，眼軸長から一次回帰した網膜厚を眼軸長に加えて

いる．さらに個々の術者の前房深度変化をそれぞれの personal A 値として含めることで，経験的な補正も可能である．本邦では未だに最も頻用されている計算式であり，予測性も高いが，長眼軸長やフラットな角膜を有する眼ではわずかながら遠視化傾向を認める．Hoffer Q 式も理論式であり，前房深度の予測に personal ACD という経験値を代入する．眼軸長，IOL 度数を一定にした上で，前房深度を術後結果より回帰式から personal ACD を求める．他の計算式と比較して短眼軸長眼における予測性が比較的良好である．Holladay 式も理論式であるが，前房深度の予測に surgeon factor という術者による経験値を代入する．第4世代となる Haigis 式では，術後予測前房深度を A 定数から計算される定数と術前前房深度と眼軸長の重回帰式から算出している．その際，現在は更新されていないが User Group for Laser Interference Biometry（ULIB：http://ocusoft.de/ulib/）内の最適化 A 定数を使用するか，各自の光学式専用の最適化 A 定数を使用する必要があるが，予測性は高い．Holladay 2 式（Holladay IOL Consultant：http//www.hicsoap.com）では，年齢，性別，角膜屈折力，角膜径，前房深度，眼軸長から，術後前房深度を予測している．さらに各レンズ表面の曲率，厚み，屈折率を基に Snell の法則で通過する光線の軌跡を計算する光線追跡法も測定精度の向上が期待できる（図3）[3]．光学理論上は最も優れた方法には疑いがないが，光線追跡法 OKULIX では，最も重要な誤差因子となる術後前房深度が予測できないため，眼軸長からの回帰式で推測している．Olsen 式（PhacoOptics：http//www.phacooptics.com）では，前房深度や水晶体厚を含んだより多くの術前データを組み込んでさらなる精度向上を目指している．また，両眼白内障手術症例では，臨床経験からのフィードバックとして両眼バイオメトリーの相同性を考慮して，先行した片眼の屈折誤差の半分を今後行う僚眼の目標屈折誤差から差し引く方法も提唱されている[4]．

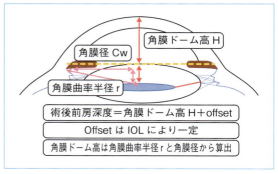

[図2] SRK/T 式の術後前房深度
予測前房深度は，角膜ドーム高と IOL 特有のオフセットの和であり，角膜ドーム高は角膜屈折力と角膜径から算出される．角膜径は補正眼軸長と角膜屈折力を用いた重回帰式をもとに計算される．

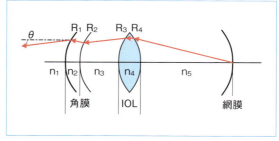

[図3] 光線追跡法の概念図

III　新たな時代を迎える眼内レンズ度数計算

近年になって Barrett Universal II 式や Hill RBF 式の有用性が数多く報告されている[5〜7]．SRK/T 式に比較して，個々の角膜形状や眼軸長の影響を受けにくいことが知られており，特別な補正も不要であることから，臨床上の汎用性が高い．

Barrett Universal II 式は，SRK/T 式に凌駕し得る計算式として，人気が高まってており，確実に普及しつつある．詳しい内容については公開されていないが，厚肉レンズ式であり，角膜後面形状を反映した前眼部と眼球形状を反映した後眼部と2つの球体で光学的にモデル化している（図4）．前房深度，水晶体厚，角膜横径など，より多くのバイオメトリーデータを用いて前眼部形状を正確に捉えることが可能である．

Hill RBF 式は，人工知能の応用として放射基

底関数 radial basis function（RBF）を使った計算式であり，Wall Hill が中心となって開発された．術前生体計測データ（眼軸長，角膜屈折力，前房深度）および術後の等価球面度数について RBF を用いて学習させ，最適な IOL 度数が出力される（図5）．既知の情報とは無関係にデータだけを基準として学習する特徴を有しており，実際の IOL 度数誤差が少なくなるように，症例数を増加させて繰り返し学習を行い，予測精度を継続的に向上していくモデルである．

さらに，最新の IOL 度数計算式として，Kane 式や Emmetropia Verifying Optical（EVO）式なども提唱されており[8,9]，さらなる精度向上が期待されている．Kane 式は，光学理論と人工知能を組み合わせた計算式であるが，多くは非公開とされている．眼軸長，角膜屈折力，前房深度以外に，性別を考慮に入れており，オプションとして，レンズ厚，中心角膜厚を加えた上で予測している．特に円錐角膜眼における精度向上が期待されている．EVO 式は厚肉レンズ式であり，眼軸長，角膜屈折力，前房深度，オプションとしてレンズ厚，中心角膜厚から予測している．いずれも非公開としている部分も多く，今後母集団の異なる多数例によるさらなる検討が待たれる．

IV 国内における眼内レンズ度数計算式の使用割合

日本白内障屈折矯正手術学会（JSCRS）による 2020 年 clinical survey（複数回答可）によると，本邦では依然 SRK/T 式が最も多く使用されているが，以下，Barrett Universal II 式，Haigis 式，Holladay 2 式，SRK II 式，OKULIX，Hoffer Q 式，Hill RBF 式と続く（図6）[13]．国内におけるトレンドとしては，SRK/T 式の使用割合が徐々に低下し，Barrett Universal II 式の使用割合が大幅に増加する一方，Hill RBF 式は未だ限定的な使用に留まっている．バイオメトリー装置内への標準搭載が多い計算式は，汎用性の観点からは有利であろう．短眼軸長，長眼軸長，スティープ角膜，フラット角膜など正常な眼球形状分布から外れる症例では，SRK/T 式より最新世代の計算

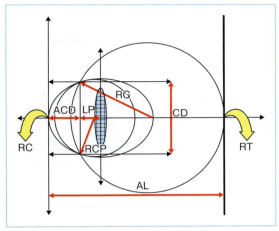

［図4］Barrett Universal II 式に想定される眼球モデル
ACD＝前房深度，LF＝眼内レンズ固有の lens factor，AL＝眼軸長，RT＝網膜厚，RG＝後眼部半径，RC＝角膜中心曲率半径，RCP＝角膜周辺部曲率半径，CD＝虹彩根部の毛様体径（文献6より改変引用）

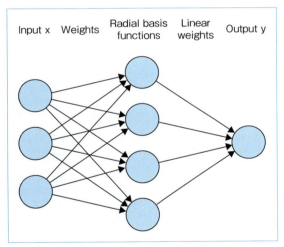

［図5］放射基底関数（RBF）ニューラルネットワークのシェーマ

式の有用性が高く，できれば複数の計算式を試して IOL 度数の一致性を確認するようにしたい．また，国内 2 施設における術前バイオメトリーデータは数多く有意差があり（図7），IOL 度数計算式の予測性も有意に異なることが報告されており（図8）[14]，これまでの自施設の臨床成績の蓄積から得られるものは少なくない．最後に，やみくもに最新の IOL 度数計算式に飛びつくのではなく，各施設における既存のデータからのフィードバックによる IOL 度数計算式の最適化の重要

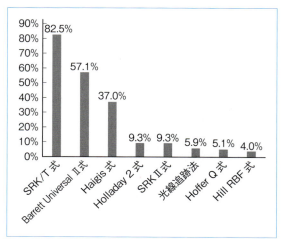

［図6］本邦におけるIOL度数計算式の使用割合（複数回答可）
SRK/T式が最も多く、以下Barrett Universal II式、Haigis式、Holladay 2式、SRK II式、光線追跡法（OKULIX）、Hoffer Q式、Hill RBF式と続く。（文献13）より改変引用）

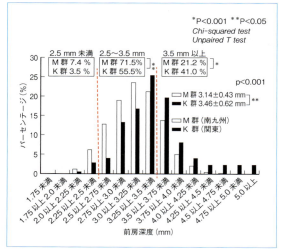

［図7］国内2施設間の前房深度の比較
2施設間の前房深度に平均約0.3mmの差異を認める。（文献14）より改変引用）

性を強調しておきたい．

文献

1) Norrby S: Sources of error in intraocular lens power calculation. J Cataract Refract Surg 34: 368-376, 2008
2) Retzlaff JA, et al: Development of the SRK/T intraocular lens implant power calculation formula. J Cataract Refract Surg 16: 333-340, 1990
3) Rabsilber TM, et al: Intraocular lens power calculation using ray tracing following excimer laser surgery. Eye (Lond) 21: 697-701, 2007
4) Covert DJ, et al: Intraocular lens power selection in the second eye of patients undergoing bilateral, sequential cataract extraction. Ophthalmology 117: 49-54, 2010
5) Barrett GD: Intraocular lens calculation formulas for new intraocular lens implants. J Cataract Refract Surg 13: 389-396, 1987
6) Barrett GD: An improved universal theoretical formula for intraocular lens power prediction. J Cataract Refract Surg 19: 713-720, 1993
7) Hill WE: IOL Power Selection by Pattern Recognition; ASCRS EyeWorld Corporate Education; ASCRS 2016
8) Kane JX, et al: Intraocular lens power formula accuracy: Comparison of 7 formulas. J Cataract Refract Surg 42: 1490-1500, 2016
9) Savini G, et al: Comparison of formula accuracy for intraocular lens power calculation based on measurements by a swept-source optical coherence tomography optical biometer. J Cataract Refract Surg 46: 27-33, 2020
10) Melles RB, et al: Accuracy of Intraocular Lens Calculation Formulas. Ophthalmology 125: 169-178, 2018
11) Melles RB, et al: Update on intraocular lens calculation formulas. Ophthalmology 126: 1334-1335, 2019
12) Darcy K, et al: Assessment of the accuracy of new and updated intraocular lens power calculation formulas in 10930 eyes from the UK National Health Service. J Cataract Refract Surg 46: 2-7, 2020
13) 佐藤正樹ほか: 2020 JSCRS Clinical Survey 34: 412-432, 2020
14) Kamiya K, et al: Regional comparison of preoperative biometry for cataract surgery between two domestic institutions. Int Ophthalmol 40: 2923-2930, 2020

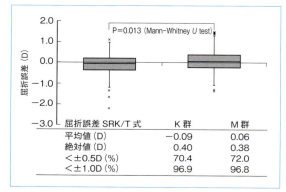

［図8］国内2施設間のSRK/T式の予測性の比較
2施設間の予測誤差に有意差を認める．（文献14）より改変引用）

（神谷和孝）

14 眼内レンズ度数計測

2) 超音波 A モード眼軸長計測

I 検査の目的

現代の白内障手術は，屈折矯正手術としての側面もあり，より正確な眼内レンズ度数の計算が必要となる．

近年術後屈折誤差の原因の中で，眼軸長測定の影響は低下しているものの約17％と報告されており[1]，眼軸長測定においても高い精度が要求されている．近年は光学式眼軸長測定の普及により，超音波 A モードの使用頻度は減っているが，光学式では測定不能症例もあり，依然として白内障術前検査として重要である．

1 検査対象

最も一般的なのは眼内レンズを挿入する患者であり，①白内障手術および眼内レンズ挿入術②無水晶体眼に対する眼内レンズ二次挿入術に分類される．

2 目標と限界

基本的にすべての症例が測定可能である一方，測定技術に左右されやすく，ばらつきも大きいため，習熟を要する．眼軸長測定を 1 mm 間違えると，約 2～3D もの屈折誤差を生じ，眼内レンズ交換など追加手術が必要になることがある．通常眼内レンズ度数は 0.5D 刻みであるので，約 0.2 mm 誤差を生じると異なるレンズ選択が必要となる．よって眼内レンズ選択の観点から誤差を 0.2 mm 以内とすることが，現実的な目標であろう．

II 検査法と検査機器

1 測定原理

プローブ内の振動子から超音波を発振すると，角膜前後面，水晶体前後面，網膜，強膜で反射するが，その反射をプローブで受ける．反射面までの距離に応じて伝搬に時間を要するので，この反射波の振幅を縦軸に，時間変化を横軸にモニター上に表示する．眼球内のそれぞれの組織において

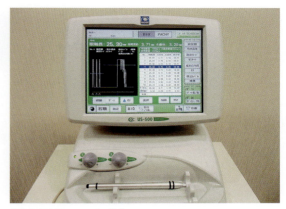

[図1] 超音波 A モードの構成

音波の伝達速度は変化するが，等価音速 1,555 m/sec が代入されている．この方法では，水晶体が柔らかい症例ではやや短めに，硬い症例ではやや長めに計測される．最近の機種では，各組織ごとに計測可能なセグメント方式も採用されている．超音波 A モードによる眼軸長は，光軸上の測定であり，角膜前面から網膜内境界膜までの距離を計測する．それぞれの反射波の形状を確認すれば，正確に測定できているかの指標となる．

2 機器の構造

本体とプローブにより構成される（図1）が，顎台のついたアプラネーション型も多い．プローブ内には振動子が内蔵されており，電気パルスを音波に変換し発振し，得られた音波を電気信号に再変換する．

3 感度と特異度

距離分解能は 0.01～0.05 mm であり，眼軸長の測定誤差は約 0.1 mm 程度とされる．

III 検査の手順

1 検査の流れ

両眼に点眼麻酔を行った後，患者に固視灯を見るように指示し，角膜を圧迫しないようにプローブを直接接触させる（図2）．オート測定ではモニター音，マニュアル測定では測定波形に留意する．通常散瞳したほうが虹彩からの反射を拾いにくいので測定しやすい．手持ち式であれば，正しい姿勢で椅子に座らせた後，アプラネーション式

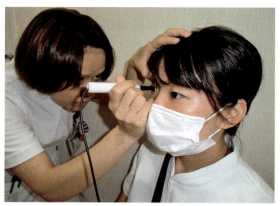

[図2] 手持ちプローブによる眼軸長計測
患者眼を左手で開瞼しながら，角膜を圧迫しないように右手に持ったプローブを接触させる．

[図3] アプラネーション方式による眼軸長計測
患者頭部を顎台にのせた後，患者眼を左手で開瞼しながら，角膜を圧迫しないように接触させる．

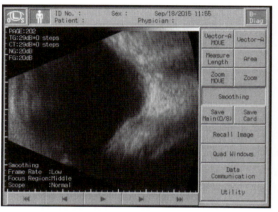

[図4] 後部ぶどう腫の超音波Bモード
後部ぶどう腫では黄斑の位置の確認が難しく，眼軸長が長めに計測されやすい．

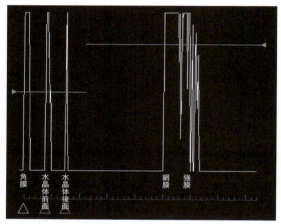

[図5] 超音波Aモードによる正常波形
正常眼では角膜，水晶体前・後面，網膜（強膜）のスパイクを有する．それぞれ高く急峻なスパイクが得られるように計測する．

であれば，患者の頭部を顎台にのせ，顎と前額を固定した後，プローブを角膜に接触させる（図3）．何度も測定する場合は，人工涙液を点眼し，角膜表面の乾燥を予防する．専用のアイカップに水やメチルセルロースを満たし，直接角膜に接触させないように行う水浸法は，測定精度が向上するが，手技が煩雑で測定に時間を要するため，使用機会は少ない．

2 検査機器の使い方とコツ

プローブが角膜を圧迫しないことや正しい方向にプローブを向けることが重要であり，急峻で高いスパイクが得られるように測定を行う．患者の固視不良，プローブの感度低下，中間透光体，硝子体混濁，黄斑疾患，後部ぶどう腫などでは十分な測定波形を得られない（図4）．後日再検するか，場合によっては検者を代えて再度計測する．

IV 検査結果の読み方と解釈

1 正常値と正常波形

正常眼から得られる波形は，角膜，水晶体前・後面，網膜，強膜の5つのスパイクを有する（図5）．超音波Aモードによる眼軸長は，角膜前面から網膜内境界膜までの距離であり，平均±標準偏差×2を正常値とすると，約22.0～25.0mmと

なる。明確な基準は存在しないが，一般的に22.0mm以下を短眼軸長眼，25.0mm以上を長眼軸長眼としている。

2 異常値とその解釈

正常と異なるスパイクを認める症例として，水晶体混濁，特に核硬化などによる多重スパイク，虹彩のスパイク，硝子体混濁などが考えられる。その際，水晶体混濁や硝子体混濁ではゲインを落とすとスパイクが低くなり，網膜からのスパイクと識別できることが多い。また得られたスパイクが低いとプローブが誤った方向に向けられている可能性が高い。網膜からのスパイクが低い場合には，プローブの方向を変えて高いスパイクが得られるように計測する。無水晶体眼や人工的無水晶体眼では，眼内の組織構成が異なるため，等価音速1,532m/secを用いる必要がある。また眼内レンズの素材によっても音速は異なる。

特に計測された眼軸長が20mm以下ないしは30mm以上では注意を要する。20mm以下では小眼球症など先天異常を疑い，30mm以上では後部ぶどう腫を疑う。また眼軸長の左右差が0.3mm以上あれば，不同視を疑う必要があり，目標屈折度数の設定には注意を要する。いずれも再度計測し，測定自体の再現性を確認することが望ましい。

文献
1) Norrby S : Sources of error in intraocular lens power calculation. J Cataract Refract Surg 34 : 368-376, 2008

（神谷和孝）

3）光学式眼軸長計測

I 検査の目的

光干渉の原理に基づく光学式眼軸長測定は，角膜に接触しない非侵襲的な測定方法であり，角膜屈折力や前房深度も測定可能であり，本装置があれば通常眼内レンズ度数計算が可能である。現在の光学式眼軸長測定装置は，IOL Master™ (Carl Zeiss Meditec社)，LENSTAR™ (Haag Streit社)，OA-2000™ (Tomey社)，AL-Scan™ (Nidek社)，ANTERION™ (Heidelberg社)等が存在するが，本項では，最も代表的な装置であるIOL Master 700™ (Carl Zeiss Meditec社) を中心に取り上げて概説する（図1）。

1 検査対象

最も一般的なのは眼内レンズを挿入する患者であり，①白内障手術および眼内レンズ挿入術，②無水晶体眼に対する眼内レンズ二次挿入術に分類される。

2 目標と限界

基本的にすべての症例が測定可能であるが，レーザー光が網膜に達しない場合測定不能となる。角膜混濁，強い水晶体混濁，硝子体出血・混濁などでレーザー光が遮られると測定不能となる。IOL Master 500では，測定不能率が約5〜10%に認められ，IOL Master 700では，測定不能率が約1〜2%とより少ない。

II 検査法と検査機器

1 測定原理

IOL Master 700では，波長1,055nmのswept-source式光干渉断層計を採用し，1秒間に2,000本，6方向をスキャンする（図2）。IOL Master 500では，波長780nmの近赤外線光を中心窩に入光し，網膜からの反射光を解析して眼軸長を計測する。実際に計測しているのは，涙液表面から網膜色素上皮までの距離であり，眼内レンズ度数決定には，角膜上皮から網膜内境界膜までの距離

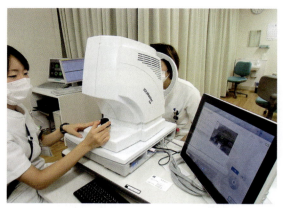

［図1］光学式眼軸長測定装置の外観（IOL Master 700）

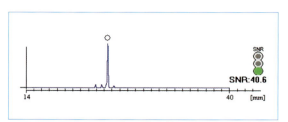

［図3］正常眼における測定波形（IOL Master 500）
中央の高い部分が網膜色素上皮を捉えたピークとなる波形を示す．SNRが10以上あり，良好な測定波形とわかる．

［図2］正常眼における全眼球断層像（IOL Master 700）
6方向のBスキャンによる眼球断層像が得られるので，水晶体の傾斜，偏心，固視不良など確認できる．

が必要なので補正される．超音波Aモードに比較して約0.1〜0.3mm長めに計測される．したがって，各メーカーが推奨する光学式A定数を使用する必要がある．

2 機器の構造

本体，顎台，プリンターから構成される．IOL Master 500では，角膜屈折力測定のためのケラトメータ（直径2.5mm相当），前房深度測定のためのスリット光も組み込まれており，眼軸長，角膜屈折力，角膜径，前房深度，瞳孔径が測定できる．IOL Master 700では，中心角膜厚，水晶体厚，角膜全屈折力が計測可能，中心部における角膜形状解析も取得できる．

3 感度と特異度

超音波式眼軸長計測に比較して測定精度は高く，IOL Master 700の測定誤差は，眼軸長±5μm，前房深度±7μm，角膜屈折力±0.09D，中心角膜厚±2.5μm，水晶体厚±6μmと向上している．

IOL Master 500の測定誤差は眼軸長±25.6μm，前房深度±33.4μm，角膜曲率±12.9μmとなっている．

III 検査の手順

1 検査の流れ

患者の頭部を顎台に固定し，左右の支柱にある赤いマーカーの位置を外眼角部位に合わせ，患者に内部固視灯を見てもらう．ジョイスティックを動かしてディスプレイの十字線，リング，固視灯の反射でピントを合わせ，リリースボタンを押し測定を開始する．0.5秒以内に5回の測定が行われる．網膜色素上皮を一番高いピークとして捉えた波形が理想的である（図3）．IOL Master 700では，ディスプレイを見ながら患者の視軸に合わせて，①WTW・瞳孔径・視軸座標，②角膜曲率半径・全眼球スキャン（眼軸長・前房深度・水晶体厚・中心角膜厚）・角膜全屈折力・中心角膜形

3) 光学式眼軸長計測

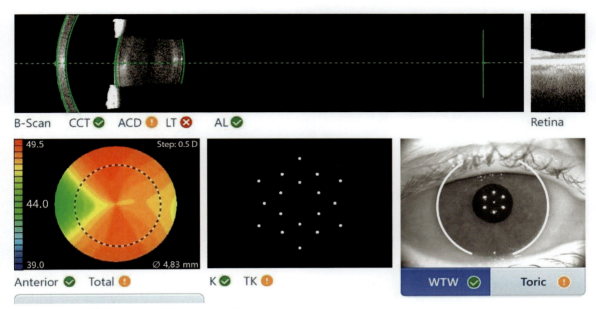

[図4] 全眼球および中心窩のOCT画像（IOL Master 700）
角膜屈折力，中心角膜厚，角膜径，前房深度，水晶体厚，眼軸長，瞳孔径，角膜全屈折力が測定可能であり，角膜形状解析も取得できる．

状・参照画像，③固視点網膜OCT画像について，それぞれ3段階のステップで取得する．IOL Master500では，ディスプレイ上の測定波形を見ながら，ノイズ比 signal to noise ratio（SNR）を確認する．SNR が2.0以上では網膜からのピークを取得できたとされる．5回以上測定を繰り返すと眼軸長の合成波形が表示され，SNR の数値から眼軸長測定の信頼性を評価する．

2 検査機器の使い方とコツ

IOL Master 700では，アライメントを正確に行い，中心窩陥凹の形態を確認することで固視状態が理解しやすい（図4）．signal quality indicatorがあり，信号の色表示（緑，黄，赤）によって信頼性が判断しやすい．IOL Master 500ではディスプレイ上の測定波形に留意し，異常な波形はSNRを見て確認する．

IV 検査結果の読み方と解釈

1 正常値

IOL Master 700では，6方向のBスキャンによる眼球断層像が得られるので，水晶体の傾斜，偏心などが理解できる．また，中心窩陥凹の形態

を確認することによって固視不良の有無がわかる（図5）．また，角膜トポグラフィーも自動的に取得可能となっており，約4～5mm内の角膜屈折力分布について定性的に表示できるため，円錐角膜やレーシック後の診断が容易である．角膜形状解析装置のない施設では，多焦点眼内レンズやトーリック眼内レンズの適応を考える上で有用性が高い．IOL Master 500では，理想的な波形ではSNR が10以上であり，中央の高い部分が網膜色素上皮を捉えたピークとなる波形を示す．また網膜色素上皮からの最大シグナルの左右約0.8mmのところに光源によるアーチファクトが認められれば，測定の信頼性が高い．

2 異常値とその解釈

IOLマスター700は signal quality indicator があり，信号の色（緑，黄，赤）で表示される．緑は信頼性が高く，黄は測定間再現性がやや劣るため注意が必要，赤は測定値が得られなかったことを意味する．IOL Master 500では，SNR が2以下であれば何らかの測定の問題を疑う必要がある．SNR 1.6～2.0では角膜混濁，透光体混濁，黄斑疾患，頭位の動きや固視ズレなどが考えら

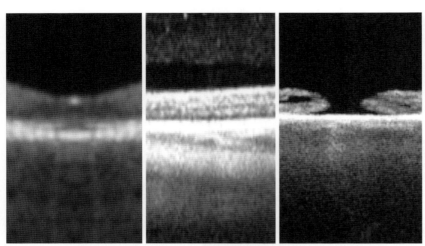

[図5] 中心窩陥凹の検出（IOL Master 700）
左：固視良好例，中央：固視不良例，右：黄斑円孔
swept-source 式 OCT によって中心窩の形態を確認することで固視状態が確認できる．

れ，SNR 1.6 以下では信頼性が低く再検を要する．また網膜内境界膜や脈絡膜の反射によって，網膜色素上皮からの波形の左右に正常と異なる波形が観察されることがある．このような場合は拡大して，正確に網膜色素上皮からの波形を確認する．

（神谷和孝）

4）乱視用眼内レンズの度数，軸の決定

I 検査の目的

1 検査対象

乱視は屈折異常の1つであり，視機能を低下させる要因である．若年者の屈折矯正手術ではもちろんのこと，近年の白内障手術においても乱視矯正の重要性は既知の事実となっており，検査機器の向上，乱視矯正眼内レンズ intraocular lens（toric IOL）の登場により臨床的には矯正視力の向上の他，裸眼視力の改善が重要となっている．乱視はどの程度から矯正すべきか，あるいはどの程度まで矯正が必要かについては，乱視をゼロに向けてしっかり矯正すべきであるという考え方と，少し残して明視域を確保するという考え方がある．後者に関しては現在のところ見解が統一されておらず，仮に乱視を残存させ明視域を確保すると仮定した場合，具体的に推奨される乱視度数が明確になっていない．したがって現時点では積極的に残余乱視を減らすほうが重要とされている．乱視の影響は瞳孔径の大きさによっても異なるが，良好な裸眼視力を得るためには川守田の光学シミュレーションでは概ね1.0D未満に乱視度数を抑える必要があると考える（**図1**）．では実際，矯正が必要な1.0D以上の角膜乱視を有する症例はどのくらいいるのか，過去に三宅らが白内障術前の角膜乱視度数割合について報告[1]している．それによると平均角膜乱視度数は1.02±0.81D，全体の乱視度数別の分布は，≦0.5D：28.1%，>0.5D,≦1D：35.6%，>1D,≦1.5D：20.9%，>1.5,≦2D：7.4%，>2D,≦2.5D：3.8%，>2.5D,≦3D：1.8%，>3D：2.4%であった（**図2**）．つまり乱視矯正が必要と考えうる1.0Dを超える症例は全体の約36%であったとしている．

2 目標と限界

前述の通り現状では術後に残余乱視を減らすことが重要とされているが，限界もある．乱視は大きく角膜乱視，水晶体乱視，網膜乱視の3つに分

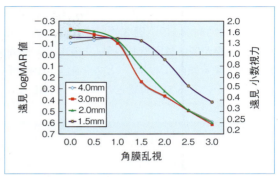

[図1] 瞳孔径と乱視度数別の視力
模擬眼を使用し，光学シミュレーションによるMTFと網膜中枢系の閾値関数から求めた推定視力を示す．
（北里大学医療衛生学部，川守田拓志先生提供）

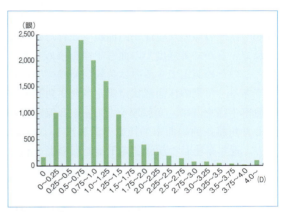

[図2] 白内障術前例における乱視量の分布
角膜乱視1.0D以上は全体の36.3%，1.5D以上は15.4%，2.0D以上は8%であった．

けられるが，白内障手術で矯正できるのは角膜・水晶体乱視のみである．また乱視には正乱視と不正乱視があるが，toric IOLで矯正可能なのは正乱視のみである．このことは円錐角膜患者のときに重要となる．円錐角膜は非炎症性に角膜中央～下方が突出する原因不明の疾患であり，病状が進行するほど正乱視に加え不正乱視が増加する．一般的な矯正方法としてハードコンタクトレンズ装用があるが，正乱視・不正乱視とともに矯正可能なハードコンタクトレンズに対して，toric IOLでは正乱視のみしか矯正ができない．そのため進行した円錐角膜症例ではtoric IOLは効果が弱く，また白内障手術後にハードコンタクトレンズ装用を希望する症例にはtoric IOLは不適となる．

他に角膜乱視は加齢に伴い，乱視軸が変化することがわかっている．図3に示すように若年者では直乱視が多い傾向であるが，加齢に伴い倒乱視が増加する傾向にあり[1]，どの年齢で白内障手術を行うかによって乱視矯正の程度を考慮しなければいけない．

II 検査法と検査機器

1 測定機器の原理と特徴

従来，角膜乱視の評価にはケラトメーターが広く用いられてきた．ケラトメーターは角膜前面を凸面鏡と仮定し，その曲率半径を求める．一般に，器械内の光源から角膜にピントを合わせることによりこの間を既存の距離として，中心からの既知の直径の像の反射像が凸面鏡でどれだけ拡大されているかで各経度での曲率半径を求めるもので，このため測定できるのは角膜前面曲率半径だけである．角膜の後面形状は測定されず角膜前面の曲率半径を基に，角膜厚を500μmと仮定することで角膜後面の曲率半径を予測算出している．一方，近年登場した前眼部光干渉断層撮影optical coherence tomography（OCT）では，角膜前面形状のみならず後面形状も実際に測定が可能となっており，この実測した角膜前後面形状から真の角膜屈折力が算出可能となっている．最新の前眼部OCTであるCASIA2（TOMEY社）はswept source方式の前眼部三次元OCTであり，1,310nmの長波長光源を使用し，解像度は10μm（組織内）である．1秒あたりのスキャン速度は50,000本で短時間測定が可能となっており，角膜形状解析モード「Corneal Mapモード」では，直径16mmのスキャン範囲で広範囲の撮影も可能となっている．測定された角膜形状マップには角膜前面屈折，後面屈折，前後面屈折力を加味したReal K値が算出される（図4）．

2 角膜前面乱視と後面乱視

前述の前眼部OCTを含め多様な前眼部解析装置の登場により，角膜後面乱視の存在が注目されるようになった．Miyakeらの報告[2]では，平均角膜前面乱視度数は1.14±0.76D，角膜後面乱視度数は0.37±0.19Dであったとしている．同報

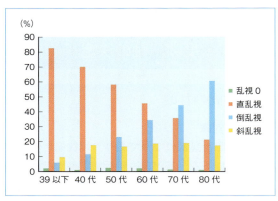

[図3] 年齢による乱視別の分布
直乱視は年齢とともに減少，倒乱視は増加し，斜乱視は横ばいであった．

における年齢別の角膜前面乱視軸の割合を図5に，角膜後面乱視軸の割合を図6に示す．角膜前面乱視は，若年者では直乱視の割合がほとんどであるが，加齢に伴い直乱視の割合は低下し倒乱視が増えている．一方で，角膜後面乱視はその大部分が倒乱視であり，加齢により若干の割合は減少するもののやはり大部分は倒乱視である．元々，角膜後面乱視度数は前面乱視度数の3〜4分の1程度とされており，角膜全乱視の加齢による傾向は角膜前面乱視に依存し直乱視から倒乱視化する傾向にある．

III 検査手順

1 検査の流れ

オートケラトメータ，前眼部OCT，眼軸長測定をそれぞれ数回ずつ測定し，角膜前面の形状解析によるkeratometric indexを用いた角膜屈折力を比較する．それぞれの角膜屈折力，角膜乱視度数，角膜乱視軸の機器内の再現性，機器間の再現性を確認し，再現性のある結果を採用する．

2 検査のコツと注意点

それぞれの機器の解析径，測定原理を理解し機器間での角膜屈折力の傾向を知る必要がある．眼表面が乾いている場合や，値が安定しない場合は人工涙液点眼を適宜用いる．機器内，機器間の乱視軸は5°以内，度数は0.25D以内であることが望ましい．

4）乱視用眼内レンズの度数, 軸の決定

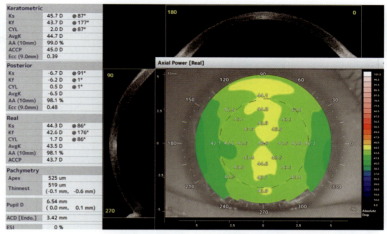

[図4] CASIA2 (TOMEY社) における角膜形状解析モード
上から順に, Keratometoric (ケラトメーターに準じ, 角膜前面屈折力から全屈折力を推定した値), Posterior (角膜後面屈折力), Real K値 (角膜前面および後面屈折力を実測し加味した全屈折力) が算出されている.

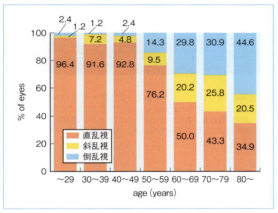

[図5] 年齢別の角膜前面乱視の割合
若年者ではほとんどが直乱視であるが, 加齢に伴い直乱視が減少し倒乱視が増加している.

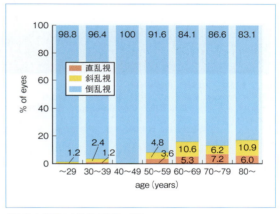

[図6] 年齢別の角膜後面乱視の割合
後面乱視はあまり加齢の影響はなく, ほとんどが倒乱視である.

IV 検査結果の読み方

1 ケラトメーターと前眼部OCTによる乱視評価

前述の通り, ケラトメーターは角膜前面形状のみを測定し後面形状は予測算出となるのに対して, 前眼部OCTでは角膜前面・後面形状とも実際に測定することができる. 角膜後面乱視度数は前面乱視度数の3～4分の1程度であり, その大半は倒乱視であることがわかっており, このことはtoric IOLの乱視度数や軸を決定する上で影響してくる. 簡易的に表現すると, 角膜前面が直乱視の場合, 後面乱視は倒乱視のため, 角膜全乱視としては前面乱視を後面乱視が打ち消すように作用する. 一方で角膜前面乱視が倒乱視の場合, 後面乱視も倒乱視であるため, 角膜全乱視としては前面乱視に後面乱視が強め合うように作用する. つまり, ケラトメーターのみで角膜乱視を評価しtoric IOLの乱視度数を決定した場合, 倒乱視例は過少評価することになり, 直乱視例は過大評価することになり誤差の原因となりうる[3].

2 角膜フーリエ解析とその解釈

最新の前眼部OCTであるCASIA2には自動で角膜フーリエ解析が行えるようになっている. フーリエ解析は角膜形状を球面成分, 正乱視成分, 非対称成分, 高次不正乱視成分の4成分に分解する手法であり, これによって角膜不正乱視の

433

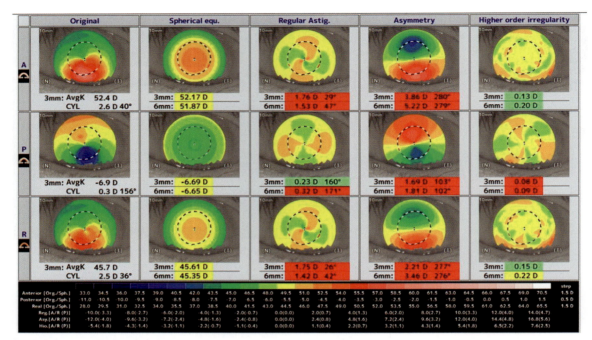

[図7] 角膜フーリエ解析（円錐角膜例）
上段：A（Anterior）前面マップ，中段：P（Posterior）後面マップ，下段：R（Real power）全屈折力マップを示す．列はそれぞれ Axial power map（Original）と各4成分の球面成分（Spherical equ.），正乱視成分（Regular Astig.），非対称成分（Asymmetry），高次不正乱視成分（Higher order irregularity）を表している．それぞれのカラーコードマップの下に3mmおよび6mm領域の各成分の数値が表され，設定された正常閾値に従って色分けされている．正常範囲が緑，異常疑いが黄，異常値が赤となっている．本症例は円錐角膜例で正乱視成分も強いが，非対称な不正乱視成分が大きいことがわかる．

程度を定量的に評価することが可能である．CASIA2で実際に撮像すると図7のように角膜前面・角膜後面・Real power 値のそれぞれのフーリエ解析結果を参照することができる．フーリエ解析結果はカラーコードマップとして表示され，各成分について正常角膜の平均値と標準偏差に基づいて正常閾値が設定されており，測定結果は正常値・異常疑い・異常値の3つの段階で色分けして表示されるため，一目で異常の有無を判別できる[4]．白内障手術において toric IOL を挿入する際，Real power 値のフーリエ解析を参考にして，不正乱視の程度を評価すると適応を判別することに大変役に立つだろう．

文献
1) 三宅俊之ほか：白内障手術前の角膜乱視．日眼会誌 115：447-453, 2011
2) Miyake T, et al：Distribution of posterior corneal astigmatism according to axis orientation of anterior corneal astigmatism. PLoS One. Jan 27：10（1）：e0117194, 2015
3) Zhang L, et al：Effect of posterior corneal astigmatism on refractive outcomes after toric intraocular lens implantation. J Cataract Refract Surg 41：84-89, 2015.
4) 上野勇太ほか：角膜の形態解析．あたらしい眼科 30：15-23, 2013

（五十嵐章史）

14 眼内レンズ度数計測

5）多焦点眼内レンズの度数決定

Ⅰ 検査の目的

1 検査対象

　白内障手術患者，または，白内障手術完了後の屈折矯正手術希望患者がすべて対象となる．主として術後の屈折値を目的の値にするために行われる．特に本項ではプレミアム眼内レンズ（IOL），多焦点 IOL 希望患者を対象とする．また，初回白内障手術の患者はもちろんであるが，白内障手術が完了し，IOL が挿入された状態での，レンズの入れ替えやさらに IOL を挿入する Add on レンズ手術も想定した患者が対象となる．

　さらには，近年有水晶体 IOL に多焦点 IOL が登場し，屈折矯正かつ老視矯正希望患者も検査の対象となってくる．術前検査のみならず，術後の IOL，眼屈折環境のチェックも大変重要であるために，術後患者も対象となる．

　白内障手術は 30～80 歳くらいと幅広い患者が対象となっているが，有水晶体多焦点 IOL では 40～60 歳くらいと対象年齢も狭くなる．

2 目標と限界

　通常白内障手術とほぼ同じ手法，目的にて検査を行う．術後の屈折値を目標の値にすることが目的となるが，特に多焦点 IOL などのプレミアムレンズについては患者の期待も高いため，屈折エラーは最小限にとどめなくてはならない．現状最新世代 IOL 計算式は Barrett UniversalⅡや Kane 式となるが，0.5 D 以内のズレに 100％おさめることは不可能となっている．また，輸入レンズに関しては，独自のカリキュレーターを用いてそちらの使用を推奨されていることもあり，それらの入力方法も理解する必要がある．

　遠見度数のレンズ度数決定とほぼ同じではあるが，多焦点の場合は近方加入量を決定する必要がある．近方加入量や焦点数が増えれば増えるほど近方生活については満足度が増すかもしれないが，遠方エネルギーの減少などにより遠方不満足が発生する．屈折型多焦点と回折型多焦点とがあり，さらには加入度数が異なり，それぞれによって，術後の見え方が大きく異なってくるため，それを患者に理解してもらうことに重きを置く必要がある．術前のコントラスト感度や視機能の程度，グレアの程度，そして，術後の許容されるグレアの程度，予測される視機能，ライフスタイルなどより，多焦点 IOL タイプ，近方加入度数の決定を行う．

　しかし，術後の見え方を完全に理解することは不可能である．「眼内レンズ度数決定の理論」の項で述べられている点とオーバーラップする部分は極力割愛する．

Ⅱ 検査法と検査機器

　IOL master などの検査結果を基に各レンズメーカーのウェブページより入力する．また，術前の患者の視機能を評価するためにコントラスト感度，視収差測定を行う．術前のグレアや，白内障症状の把握のために Glare & Halo simulator（Eyeland Design Network GmbH, Verden, Germany）を使用し，術前の白内障の程度把握や，術後のグレアについて説明する．また，術中のレンズ屈折値を測定する方法として ORA（ORA™ System, Alcon）を使用する方法がある．

1 測定原理・測定範囲

　コントラスト感度は，グレースケールの白・黒の判別が可能かという単純なものである．ただし，その濃淡が変化し，かつ，濃淡の周期が変化することで二次元的にコントラスト感度を算出する．CGT2000 を代表例としてみると，縦軸が視標の濃淡を表し，上方ほど視標コントラストは低くなり，区別がつく場合は，上方ほどコントラストは高いことになる．また，横軸は視標サイズ，周波数を意味し，右に行くほど視標は小さく，細かくなり，区別がつきにくくなるためコントラストは低くなっていく傾向になる（図1）．視標が○であり，それが見えるか見えないかという単純な返答形式となり認知機能の影響を受けにくい．

1）Glare & Halo simulator

　Glare & Halo simulator では，白内障によるコ

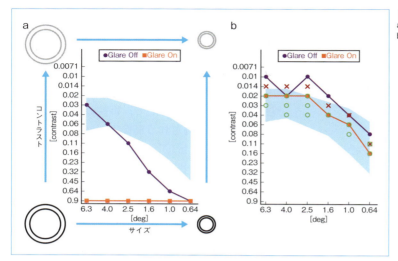

[図1] CGT2000 によるコントラスト感度
a コントラスト感度の低い患者
b コントラスト感度の高い患者

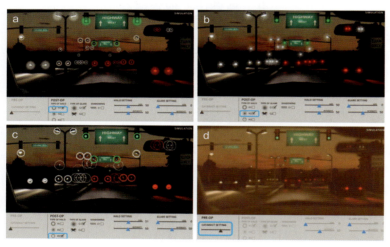

[図2] Glare & Halo simulator
a〜c ハロータイプ別のシミュレーション映像
d 白内障症状のシミュレーション

ントラスト低下の見え方のシミュレーション映像，夜間のグレア・ハローのシミュレーション映像が作成できる．グレア・ハローの定量化が困難である理由は，個人の感じ方により大げさもしくは過小に表現されること，また，明確な数値化が困難であるということ，グレア・ハローなどの症状を患者に明確に説明して理解してもらうことが困難なことなどが挙げられる．このシミュレーターはパソコンベースで動かすことのできるソフトで，グレア・ハロー映像を加工しながら患者本人が夜間感じた映像に近づけていくことで患者の実際に見ている映像を作ることができる．かつ，その数値を0〜100で選択するためにその値を

もって定量的に評価することができる（図2）．

2）全距離視力検査

　遠方視力（5m）から，1m，70cm，50cm，40cm，30cmと視力検査を行う方法である．裸眼で行う方法と遠方矯正下で測定する2種類がある．日常の視力をみる場合には，裸眼での視力を確認する．逆に，レンズ機能をみる場合には遠方矯正下の全距離視力をみる．視標の距離がそれぞれの距離にあるために，日常に近い視機能の他にも，5mの視標を固定して，眼鏡の球面度数を変更して視力を測定し，デフォーカスカーブを求める方法もある．こちらもレンズ機能をみるために用いられる．

2 機器の構造

CGT2000は，遠方矯正状態での眼鏡を装用した状態で検査できるようにレンズ装着部があり，そこから患者が視標を覗き込むような構造である（図3）．患者は外界と視野的に隔絶されるため，外界の影響を受けにくい．

Glare & Halo simulatorはパソコンのソフトデバイスで，Windows，Mac両方にインストール可能である．ソフトを起動させ，ウィンドウ上でクリックして症状を確定していく．

全距離視力は5mは通常各病院で用いている視力表を用いる．距離別の視力表が必要で，それぞれの距離で視力表を読んでもらう（図4）．距離が近くなるほど視力表のLandolt環のサイズは小さくなる．視標と眼球との距離を保ちやすくするために，それぞれの距離のひもが備え付けられている．

3 感度と特異度

コントラスト感度計は通常の遠方視力検査よりも，感度よく患者の視機能低下を検出しやすい．全距離視力では遠方視力低下を検出する感度はコントラスト感度には劣るが，近方視力の低下は調節力の低下を非常に感度よく検出できる．コントラスト感度，視力検査ともにレンズ起因の低下を特異的に検出するものではなく，網膜疾患などがあっても同様に低下するため注意が必要である．

Glare & Halo simulatorではグレアの検出感度は比較的高く，患者の訴えを反映しやすい．角膜疾患とレンズ起因についてのグレアは特異度が高い．多焦点IOLの加入度数別，レンズタイプ別でのコントラスト，グレア・ハローのシミュレーション映像，全距離視力がある程度特徴があるため，術前の状態などから術後の状態と比較することで患者理解も広がり，加入度数の決定や，IOLモデルの決定の素材となる．

III 検査手順

視力検査とコントラスト感度は前述のため割愛する．

有水晶体多焦点IOLの加入度数決定（図5）と白内障による多焦点IOLの加入度数決定（図6）

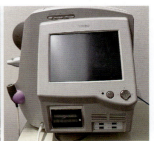

[図3] CGT2000の外観
矯正レンズ装着の上，被検者は覗き込むような形で検査を行う．

の大まかな手順を以下に示す．参考にしてもらい，各クリニックでさらにアレンジしていくと良い．

1 検査の流れ

Glare & Halo simulatorでは，まずハローであるが，3種類のハローを作ることができる．H1～3を選択して，そのsize，intensityを設定することになる．ハローの種類を決定したら，その強度について調整を行う．グレアに関しても同様に，タイプを選択したあとに，sizeとintensityを決定する．実際にグレアまで付加した映像を作ると，ハローのsize，intensityがまた修正が必要となってくる可能性が高く，再度患者には映像を確認することが必要となる．最後に単眼複視の程度を定量する．この順が義務ではないが，各施設で順を決めておくのがよい．図7の①～⑩の順で当院では行っている．

2 機器の使い方

光眼軸長装置，前眼部解析装置を用いたのちに，その値を使用して，各社のウェブカリキュレーターを用いて度数計算などを行う．

3 検査のコツと注意点

Glare & Halo simulatorは，施行に先立って夜間の見え方を覚えておいていただき，その上で後日施行すると検査がスムーズになりやすい．

コントラスト感度は認知力なども影響するため，特に空間周波数にて求めるコントラスト感時計を使用する場合はその影響がないかにも注意する．

全距離視力の際に，頭位の変化などで距離が変わってしまうことがあるため，距離用のひもはピ

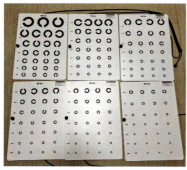
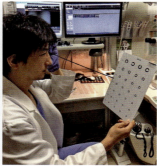

[図4] 全距離視力表
a 1m～30cm それぞれの視力表
b 実際の視力検査．眼と視力表の距離を備え付けのひもで保ちながら視力検査を行う．

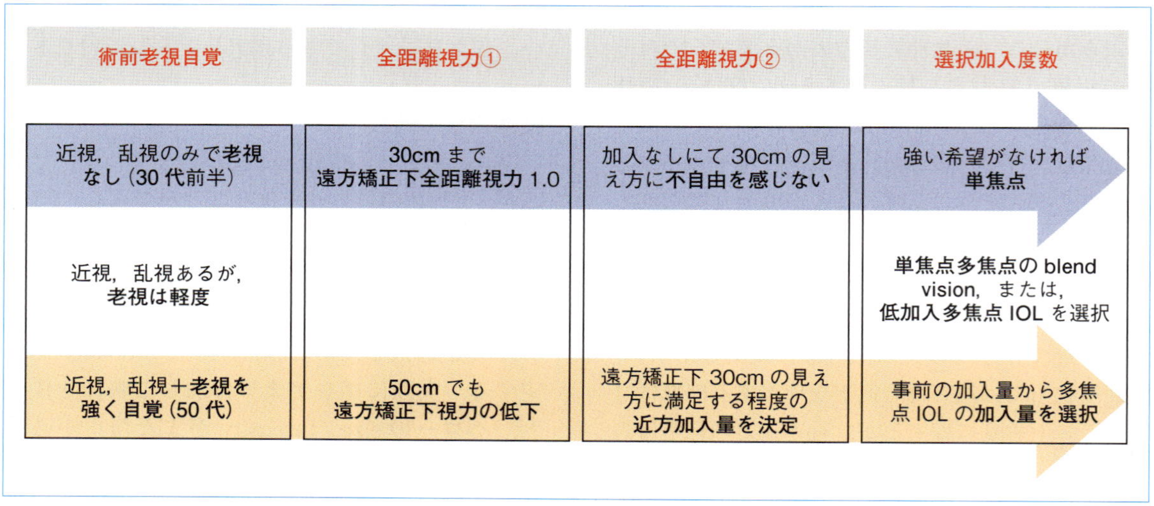

術前老視自覚	全距離視力①	全距離視力②	選択加入度数
近視，乱視のみで老視なし（30代前半）	30cmまで遠方矯正下全距離視力1.0	加入なしにて30cmの見え方に不自由を感じない	強い希望がなければ単焦点
近視，乱視あるが，老視は軽度			単焦点多焦点のblend vision，または，低加入多焦点IOLを選択
近視，乱視＋老視を強く自覚（50代）	50cmでも遠方矯正下視力の低下	遠方矯正下30cmの見え方に満足する程度の近方加入量を決定	事前の加入量から多焦点IOLの加入量を選択

[図5] 有水晶体多焦点IOLの加入度数決定
老視症状の程度と患者の好む加入度数を探し，それに見合った加入度数を決定する．

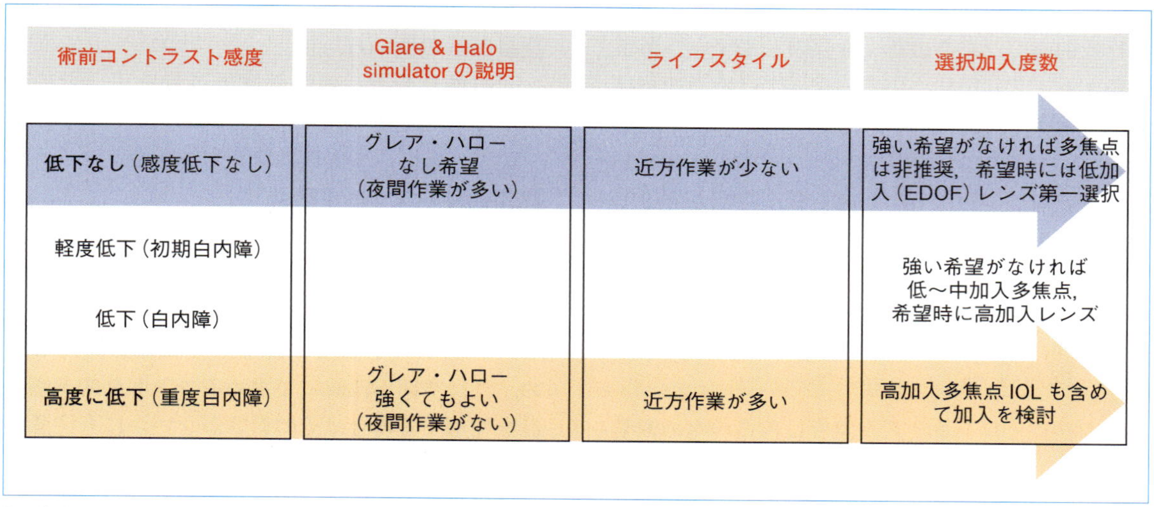

術前コントラスト感度	Glare & Halo simulatorの説明	ライフスタイル	選択加入度数
低下なし（感度低下なし）	グレア・ハローなし希望（夜間作業が多い）	近方作業が少ない	強い希望がなければ多焦点は非推奨，希望時には低加入（EDOF）レンズ第一選択
軽度低下（初期白内障）			強い希望がなければ低〜中加入多焦点，希望時に高加入レンズ
低下（白内障）			
高度に低下（重度白内障）	グレア・ハロー強くてもよい（夜間作業がない）	近方作業が多い	高加入多焦点IOLも含めて加入を検討

[図6] 多焦点IOLの加入度数決定
コントラスト感度，simulator，ライフスタイルから，加入度数を低加入〜高加入まで決定する．

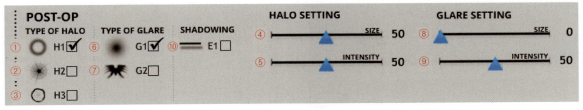

[図7] Glare & Halo simulator のパラメーター

ンと張った状態にて測定する．

IV 検査結果の読み方

1 正常結果

Glare & Halo simulator ではすべてが 0 になるような映像が正常といえるかもしれないが，グレアが全く発生しないということはない．しかし，明らかなハローが発生している図2cのような映像は異常であろう．

コントラスト感度においては，青の色のついている範囲にある場合は正常と判断できる．

全距離視力においても，logMAR で 0 以下であれば正常で，特に近方視力も 0 近くあれば老視のない，調節力のある眼であると判断できる．

2 異常所見とその解釈

Glare & Halo simulator にてハローなどが認められた際には，角膜疾患や，水晶体などに白内障の悪化などの可能性が考えられる．

コントラスト感度は，白内障，角膜疾患，網膜疾患などさまざまな疾患で低下する．

全距離視力における視力低下は，白内障，網膜疾患はもちろん，老視が悪化することによっても低下する．近方視力が低下している場合，有水晶

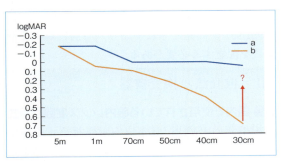

[図8] 遠方矯正下全距離視力
a 調節力のある眼の視力曲線
b 調節力の低い眼の視力曲線．30cm を基準にどの程度加入すれば満足するか調べる．

体 IOL を移植すると老視症状が顕著化する．遠方矯正下での 30cm 視標を見てもらい，そこから近方加入を行い，患者自身が満足する最低近方加入度数を調べる．その度数を基に加入度数を決定する（図8）．

3 アーチファクト

グレア・ハローの悪化，コントラスト感度の悪化は水晶体のみならず，角膜疾患にても出現する．IOL による症状などと判断したものの実際は角膜疾患の影響であることもまれではない．

（野口三太朗）

6）レーシック眼の眼内レンズ度数決定

I 検査の目的

レーシック眼の白内障手術では，従来のSRK-T式をはじめとする第3世代の眼内レンズ度数計算式では大きな遠視ズレを生じること（refractive surprise）が問題とされており，特別に用いる計算式を配慮する必要がある．

II 検査法と検査機器

1 国内で使用されている眼内レンズ度数計算式

2020年のJSCRS（日本白内障屈折矯正手術学会）のclinical survey[1]では，通常の白内障手術における眼内レンズ度数計算にはJSCRS会員医師の82.5％がSRK-T式を用いていると回答した．一方でレーシック眼においては，Barrett True-K式（50.6％），Haigis-L式（41.5％）の順で度数計算式が用いられていることがわかった．

2 SRK-T式におけるrefractive surpriseの原因

前述の通り，すでに国内ではレーシック眼においてはSRK-T式は用いられない傾向になっている．SRK-T式を用いたときに生じるrefractive surpriseの原因は大きく分けて以下の2つがある．

3 不正確なELPの予測

SRK-T式ではELPは角膜ドームの高さ（実際には角膜曲率半径）から予測算出されている．レーシック眼では角膜がフラットになっており，これにより実際の眼球のELPよりも浅く誤算出されてしまう．

4 角膜屈折力の過大評価

通常白内障術前検査で用いるケラトメータは，角膜の前面のみの曲率半径を測定し，前面と後面の比率を一定と仮定して，前面の角膜曲率半径から角膜換算屈折率1.3375を用いて，角膜全屈折力（K値）を求めている．しかし，レーシック眼では角膜前面形状のみが変化しており，同じ換算屈折率を用いるとK値は過大評価される．

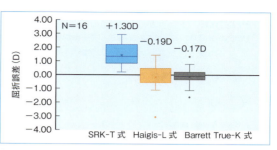

[図1] レーシック眼における計算式別の術後屈折誤差
SRK-T式，Haigis-L式，Barrett True-K式における術後1か月の屈折誤差を示す．グラフの数値は中央値を表示している．対象は16例16眼で，レーシック術前データがない症例にて検討した．術後1か月の屈折誤差はSRK-T式で+1.39±0.81 D（平均値±標準偏差），Haigis-L式で-0.19±1.01 D，Barrett True-K式で-0.17±0.70 Dと後者2式はいずれも従来のSRK-T式と比較して良好な屈折誤差であったが，Barrett True-K式のほうがよりバラツキも小さい結果であった．

III 検査手順と結果の読み方

レーシック眼における白内障術後の屈折誤差については，図1に示すようにBarrett True-K式が現状では最も良好な予測性を示している．Barrett True-K式の内容は非公開となっており詳細は不明であるが，計算に必要なパラメータは，眼軸長，K値，前房深度が必須であり，水晶体厚，角膜横径は任意である．IOL定数はlens factor（以下，LF）と呼ばれる独自の定数を用いており，レーシック術前データがなくても計算が可能である．また，ASCRSのPost Refractive IOL Calculator（https://iolcalc.ascrs.org/）やAPACRSのweb calculator（https://calc.apacrs.org/Barrett_True_K_Universal_2105/）でも無償で計算が可能となっている．これら計算式の登場で予測精度は向上しているが健常眼と比較するとレーシック眼は屈折誤差が生じやすい結果は変わらない．事前に患者への十分な説明と理解が未だ重要であると考える．

文献
1) 佐藤正樹ほか：2020 JSCRS Clinical Survey. IOL&RS 34：412-432, 2020
2) Barrett GD：An improved universal theoretical formula for intraocular lens power prediction. J Cataract Refract Surg 19：713-720, 1993

（五十嵐章史）

15. 眼圧検査
16. 前房・隅角検査
17. 眼底検査

15 眼圧検査

1) 眼圧測定法

I 検査の目的

1 検査対象

初診患者はほぼ全員対象となる．乳幼児は年齢的に測定できないことも多いので，必要時のみとする．緑内障患者では眼圧による管理が必須なので，毎回測定する．

2 目標と限界

眼圧測定にはいくつかの方法があるが，いずれの眼圧計も眼球外部から眼球の内部の圧力を推定しているにすぎない．Goldmann眼圧計（Goldmann applanation tonomerter, GAT）がゴールドスタンダードの方法であり，緑内障診療では欠かせない．眼圧値はGATで測定された値が標準値とされており，他の眼圧計の精度はGATとの比較によって評価される．いずれの機器でも眼球を圧迫してしまうと高く測定されてしまうため，無理のない開瞼が得られているかを測定時に確認する．特に緑内障患者のなかには眼瞼が硬く，瞼裂幅が狭い患者もいるので注意が必要である．被検者の力が入っても高めに算出される．

II 検査機器

1 Goldmann 圧平眼圧計（図1a）

1) 測定原理

最もスタンダードかつ精度が高いとされる眼圧測定方法である．圧平眼圧計とは，角膜に一定の変形を生じさせるために必要な力または時間を測定するもので，Goldmann圧平眼圧計では角膜面を直径3.06 mm（圧平面積15.09 mm^2）圧平する圧力を測定する．角膜に圧平に抵抗する力（眼球壁硬性）が影響するが，圧平面積を上記にすることで，涙液の表面張力と角膜の抵抗力が打ち消し合うとされる．角膜厚が0.55 mmから大幅にずれるときは圧平される角膜内皮側の面積も大きく変わるため，角膜厚の影響を受けるとされる．

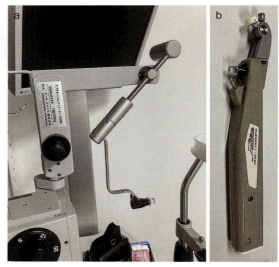

[図1] Goldmann applanation（a）とPerkins眼圧計（b）

[図2] Goldmann applanationでのプリズムのセッティング
a 通常のセッティング，b 角膜乱視が強い場合のセッティング

2) 検査手順

圧平プリズムをプリズム支持枠にはめる．プリズムの目盛り0°を支持枠の白線に一致させる（トノセーフ®では目盛りはない）（図2a）．±3D以上の角膜乱視がある場合，乱視の弱主経線の角度を支持枠の赤線に合わせる（図2b）．トノセーフ®ではプリズム内の水平線を弱主経線に合わせる．圧平プリズムには2つのプリズムが先端を合わせて入っており，上下の視野が3.06 mmずれるように作られている．接触による患者間感染が懸念されるため，圧平プリズムは測定毎に清拭ないしは，交換が必要である．清拭は70％アルコール綿花，もしくは0.05％ヒビテン液綿花で拭いた後，よく乾燥させる．トノセーフ®は滅菌済シングルユースのディスポーザブル製品であり，そのような懸念はない．

患者にベノキシールによる点眼麻酔を行い，フルオレセイン紙で涙液層を染める．涙液層が多い

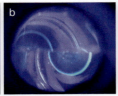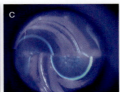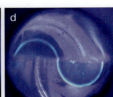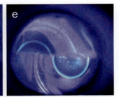

[図3] Goldmann 圧平眼圧測定中のプリズム所見
a, b 実際の眼圧より圧平力が強い状態
c 実際の眼圧と平衡状態となった圧平力時
d, e 実際の眼圧より圧平力が弱い状態
(画像提供：中村 誠)

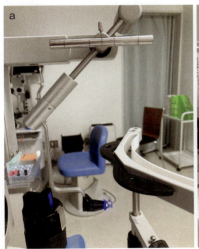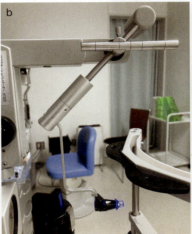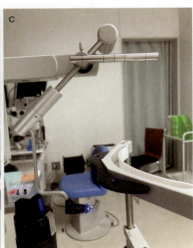

[図4] Goldmann applanation のキャリブレーションバー
a 0mmHg, b 20mmHg, c 60mmHg

と測りづらいので，あふれた涙液をティッシュペーパーなどで拭いてもらう．細隙灯顕微鏡はブルーフィルターを入れ，最大光源にする．圧平プリズムを横から見ながら角膜中央に近づける．十分角膜に近づいたら細隙灯から観察する．圧平プリズムの先端が角膜に触れた瞬間に上下の緑色の半円が見えるので（図3），上下の半円の大きさが等しくなるように微調整する．加圧ノブを回し，上下の半円の内縁が接するようにする．その目盛りの10倍が眼圧値(mmHg)となる．半円が拍動しているときは動きの中間値をとる．

同じ原理を用いた手持ち式の眼圧計（パーキンス，図1b）もあり，寝たきりや乳幼児に有用である．

3) 注意点

十分に開瞼しないと測定できないが，そのために眼球を指で圧迫してしまうと正確な値とならない．特にプロスタグランジン関連点眼を使用している高齢者では眼瞼が硬く，瞼裂が狭いので，圧平眼圧計を使用できないこともある．

定期的なキャリブレーションも必要である．そのためのバランス棒があり，バランス棒の中央の印が0mmHgで（図4a），中央に近い印が20mmHg（図4b），外側が60mmHgである（図4c）．まず，バランス棒の中央の印で支持台に固定し，眼圧計の0mmHgの目盛りで圧平アームが前後に動くことを確認する．次に20mmHg・60mmHgの印で固定し，同様の確認を行う．

2 ノンコンタクトトノメーター（NCT）（図5）

1) 機器の構造

非接触型眼圧測定器であり，さまざまなメーカーから販売されている．最近はレフラクトメー

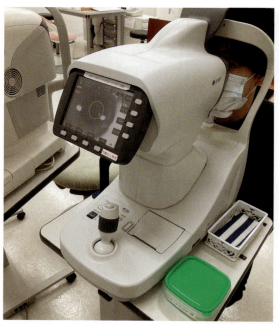

[図5] ノンコンタクトトノメーター（トーメーコーポレーション FT-01）

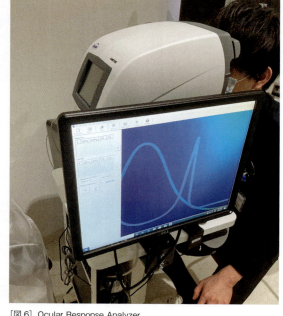

[図6] Ocular Response Analyzer

タと一体型になっているものもある．空気を噴射することで，角膜を圧平する圧平式眼圧計の1つである．圧平に要した時間と眼圧の間には直線関係があるので，角膜を圧平するのに要する時間を，もしくは噴射の内圧から眼圧値を換算する．赤外線で角膜は観察し，角膜が一定面積に圧平されたときに反射光量が最大となり，その状態を検知する．測定時間が短く，ある瞬間の眼圧のみが測定されるため，脈圧の影響を受ける．通常3回以上の測定値の平均値をとって眼圧値とする．

正常眼圧付近での精度が良いが，眼圧が低い（10 mmHg以下）や高い（25 mmHg以上）眼では誤差が大きくなることが知られている[1]．また，NCTはトノペンやGAT，後述のiCare®よりも角膜厚の影響を受けるので，緑内障診療には適さないと考えられる[2,3]．最近のNCTの機種では角膜厚を同時測定できるようになり，角膜厚補正後の眼圧値を表示できる機器もある．余談ではあるが，角膜厚も測定方法（NCT，光眼軸測定器，前眼部光干渉断層計，超音波式など）によって異なることを留意したい．

角膜生体力学的特性を計測できるNCTも登場した．Ocular Response Analyzer (Reichert technologies, USA) は角膜ヒステリシスを測ることができる新しいNCTである（図6）．空気圧加入時の角膜の内陥運動と，最大陥凹から元に戻るときの戻り運動の速度を赤外光で観察することでCHを測定する．弾性ヒステリシスとは物理特性の一種であり，粘性の程度を表す．一般的にヒステリシスが高い場合は与えられたエネルギーの多くを吸収できると考えてよい．Corvis® ST (Oculus, Germany) は，赤外線ではなく高速シャインプルーフカメラを用い，角膜の変形を観察することでさまざまなパラメータが算出される．これらの機器による新しいデータと緑内障病態の関連についての報告が増えているが，これらの機器の臨床的役割には議論を要する．

2) 測定手順

NCT機器のモニター上で角膜の位置合わせをする．最近の機種は顎台で顔と目の位置を合わせると自動測定を行い，反対眼も自動的に測定することができるので非常に簡便である．特に若年者

では噴射される空気を嫌がり，力が入ると変動が大きく，また眼圧が高く計測されてしまうこともある．

3 電子電圧計（図7）

角膜圧平面積が小さくてすむため，乳幼児や瞼裂の狭い眼，角膜表面が不整な眼などによく用いる．座位でも仰臥位でも測定可能であるが，脈圧の影響を受ける．TONOPEN™ センサー部は直径1mmの内筒と3mmの外筒からできており，両者を角膜に接触するときにかけた圧の差によって眼圧値が決まる．TONOPEN® XLでは最低4回の眼圧測定による平均値とその誤差率が表示される（図7a）．新しい機種である TONOPEN AVIA®（図7b）は10回の平均値と測定値の信頼性が示される．持ちやすく，キャリブレーションが不要となった．使い捨てのラテックスカバー（OCU-FILM®）をかぶせて用いるため，消毒は不要である．

測定値はほぼGATと同じ値を取ることが多いが，20mmHg以上の高眼圧例では低めに測定するとされる．一般的にGATよりも精度が低く，ばらつきがでやすい．角膜厚に関しては，GATよりも影響が少ないという報告[4]もあれば，同等であるという報告もある[2]が，NCTよりは影響を受けにくいとされている．涙液の影響は受けない．

4 リバウンドトノメーター

プローブを角膜に発射し，角膜に当たって跳ね返る際に生じる磁場変化を電気信号に変換し，眼圧値を算出する．

点眼麻酔が不要であり，乳幼児でも測定できる．小動物の眼圧測定も可能である．コストがかかるが，使い捨てプローブを用いて使用するので，感染のリスクはない．2021年現在，3種類のiCare®が販売されている．それぞれの特徴を述べる．

1) iCare IC100（図8）

従来のiCare®の後継品である．従来のiCare®は最初に発売されたリバウンドトノメーターであり，乳幼児や車椅子の患者で簡単に眼圧が測定できるようになった．GATに比べやや高めに眼圧が測定される．従来のものでは，プローブが水平

[図7] TONOPEN
a TONOPEN® XL, b TONOPEN AVIA®

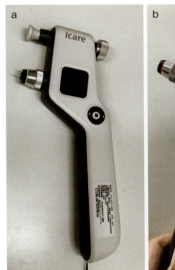

[図8] iCare IC100
a 測定可能，b 測定不可能

ではなく斜めになっていても眼圧測定できたが，ばらつきが多かった．iCare IC100になり，プローブがある程度水平の場合は緑色サインが点灯すると測定が可能となる．できるだけプローブを水平にして角膜中央にプローブが当たるように測定する．斜めの場合は，赤色サインが出て測定そのものができないので，精度が上がった．シングル・連続測定を選ぶことができ，連続測定の場合は自動的にプローブが発射されるので，手ぶれが

[図9] iCare HOME
a iCare HOME 外観, b 表示部, c iCare Link

2) iCare IC200

iCare PROの後継機である．iCare PROは下に向けてもプローブが落ちないため，仰臥位での測定が可能である．眼圧値はGATとほぼ同様であるが，10歳代後半以上の眼圧ではGATよりもやや低めに測定される[5]．PROとIC200の違いは上記のIC100と同様である．

3) iCare HOME（図9）

iCare ONEとして，自己測定用眼圧計として2010年頃に販売された．測定された眼圧値は11段階のアバウトな表示機能でなされ，正確な値はパソコンで読み込むことで確認できた．被検者本人が自宅でもいつでも測定できる点で画期的であったが，使用に際し，十分な練習と機器操作の理解が必要であり，高齢者ではGATに比べ眼圧値が低めに算出されるので注意が必要である[6]．iCare HOMEはONEの後継機であり，IC100と同様の改善および，測定眼の左右認識機能がついたので，自己測定がしやすくなった．GATに比べiCare HOMEでは低めの眼圧値はより低めに，高めの眼圧値はより高めに算出される[7]．被検者がその場で確認できるのは測定値の信頼性であり，良ければ"DONE"，信頼性が悪ければ"REPEAT"と表示されることだけである（図9b）．眼圧値は専用のソフト（iCare Link）を用い，パソコンに取り込むことで把握することができる（図9c）．6回測定の平均値が表示されるが，これを正確な値として採用してよいかは疑問が残る．自験例であるが，同じ測定時間帯で3回の自己測定を行ったデータでは，±1～3mmHgの変動も多くみられる[8]．GATでは確実な眼圧値は1

つであるが，1回のiCare眼圧値を採用するのは不正確と思われる．そのため，当院では6回測定の平均値を3セット計測し，その平均の値を採用している．iCare HOMEによる自己眼圧測定の適切な運用にはさらなる検討が必要（眼圧値の採用方法や，眼圧測定の時間間隔，何日施行するかなど）である．ただ，侵襲なく自己測定により眼圧日内変動を測れるのは現在ではこの機種のみであり，今後の発展が期待される．最新機種ではBluetoothを内蔵しており，測定した眼圧値をスマートフォンに自動転送することができ，クラウド上でクリニックのパソコンで自己測定した眼圧を表示することが可能である．

文献

1) Tonnu PA, et al：A comparison of four methods of tonometry：method agreement and interobserver variability. Br J Ophthalmol 89：847-850, 2005
2) Tonnu PA, et al：The influence of central corneal thickness and age on intraocular pressure measured by pneumotonometry, non-contact tonometry, the Tono-Pen XL, and Goldmann applanation tonometry. Br J Ophthalmol 89：851-854, 2005
3) Chen M, et al：Comparability of three intraocular pressure measurement：iCare pro rebound, non-contact and Goldmann applanation tonometry in different IOP group. BMC Ophthalmol 19：225, 2019
4) Bhan A, et al：Effect of corneal thickness on intraocular pressure measurements with the pneumotonometer, Goldmann applanation tonometer, and Tono-Pen. Invest Ophthalmol Vis Sci 43：1389-1392, 2002
5) Nakakura S, et al：Intradevice and Interdevice Agreement Between a Rebound Tonometer, Icare PRO, and the Tonopen XL and Kowa Hand-held Applanation Tonometer When Used in the Sitting and Supine Position. J Glaucoma 24：515-521, 2015
6) Sakamoto M, et al：Assessment of IcareONE rebound tonometer for self-measuring intraocular pressure. Acta Ophthalmol 92：243-248, 2014
7) Liu J, et al：Icare Home Tonometer：A Review of Characteristics and Clinical Utility. Clin Ophthalmol 23：4031-4045, 2020
8) 坂本麻里ほか：icare®HOMEを用いた眼圧のホームモニタリングおよび日内変動の検討．日眼会誌 121：366-372, 2017

（金森章泰）

2）眼圧日内変動

I 検査の目的

　眼圧日内変動測定の目的は，外来診療では知り得ない個々の患者の眼圧の特性を把握し，最終的には"眼圧を24時間低く安定化"させる治療に役立てることである．眼圧は常に一定ではなく，24時間変動している[1,2]．緑内障患者では，眼圧は無治療時に座位で測定された場合，一般に昼間高く夜間低い変動をする（図1, 2）が，生活姿勢（昼間は座位，睡眠時間帯は仰臥位）に合わせて測定すると睡眠時間帯の眼圧の方が昼間より高くなる[3]（図3）．また，薬物治療中は座位測定でも最高眼圧は診察時間外にきたしやすくなる[2,4]（図4）．よって，外来診察時間帯のみの眼圧測定では，個々の患者の眼圧コントロールの良否を十分に評価できていない可能性が高い．より緻密な眼圧下降治療を行うためには眼圧日内変動測定が不可欠となる．

1 検査対象

　すべての緑内障患者が対象となる．

　従来は，主に21mmHgを境界とした正常眼圧緑内障と原発開放隅角緑内障の鑑別のために測定されることが多かったが，現在ではその鑑別の意義は少ない．しかしながら，特に，無治療時・治療時ともに外来眼圧が比較的低い症例が良い適応といえる[1]．

2 目標と限界

1）目標

　理想的には，無治療時・治療時の両方の眼圧日内変動を測定し，治療効果を評価することが望ましい．以前は，測定には入院が必要であり，時間的問題・コスト・労力において負担が大きく，複数回のみならず単回の入院でも困難であった．最近では，自宅で測定可能なデバイスも発売され，日内変動を複数回測定することも比較的容易となった．

2）限界

眼圧日内変動には不明な点が多い．まず，眼圧日内変動パターンが個々の症例において常に一定かについてすら不明である．また，特に夜間睡眠時間帯で得られた最高眼圧（座位，仰臥位測定ともに）が果たして病態にどの程度関与しているかについても明らかではない．

II 検査法と検査手順

1日での測定回数が多いほど，より詳細な眼圧変動を把握できる．一般的には2～4時間ごとに測定する．

また，測定時に血圧測定も併せて行うことが望ましい．低い血圧および眼灌流圧（血圧と眼圧の差），大きい24時間眼灌流圧変動は視野障害進行に影響することが報告されている[5]．実際，眼圧は終日低くても視野障害が進行する症例の中に，夜間に著しい低血圧をきたすものがある．

1 入院による測定

従来は，主にGoldmann圧平式眼圧計を用いて座位で24時間（または睡眠時間帯を除いた日中のみ）測定されてきた．近年は，夜間睡眠時は生活姿勢を考慮して，仰臥位で測定することも多く，仰臥位で測定可能なPerkins眼圧計，pneumatonometer，非接触眼圧計，Tono-pen，iCare PRO tonometer icare ic200 tonometerなどが使用されている．これらのデバイスによる測定の場合は，Goldmann圧平式眼圧計との一致性をみるため，日中の座位測定時の少なくとも1回はGoldmann圧平眼圧計でも眼圧測定しておく（図5）．

2 家庭での自己測定

自己測定可能なデバイスを貸し出し測定してもらう．現時点では自己測定用に開発されたiCare HOME（図6）が使用しやすい．ただし，座位での測定のみ可能であるため，夜間仰臥位測定はできない．この場合も，Goldmann圧平式眼圧計との一致性をみるため，貸し出し日にデバイスとGoldmann圧平式眼圧計の両方で眼圧測定し，記録しておく．

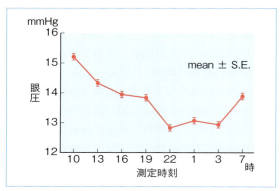

[図1] 無治療時の座位測定眼圧日内変動
正常眼圧緑内障患者243例486眼．全対象の眼圧平均値は10時に最高値を，夜間の22時に最低値を示している．

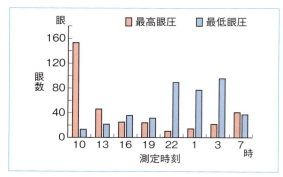

[図2] 無治療時座位測定眼圧日内変動の最高眼圧・最低眼圧時刻
正常眼圧緑内障243例243眼（右眼）．昼間に眼圧が高い症例が多いが，実際には，複数の時刻で最高眼圧をきたす症例も多い．

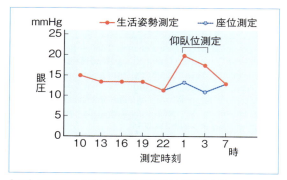

[図3] 生活姿勢を考慮した無治療時眼圧日内変動の1例
正常眼圧緑内障患者（46歳男性）．仰臥位で測定された睡眠時間帯の眼圧の方が昼間の座位測定時より高い．

3 その他の方法による測定

簡便な方法として，外来来院時刻を変えて眼圧を数日にわたり測定し，1日を通した眼圧日内変動に代用する方法がある[7]．

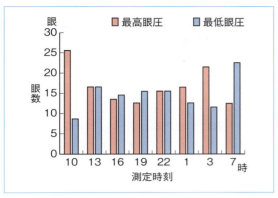

[図4] 3剤併用治療中眼圧日内変動の最高眼圧・最低眼圧時刻
広義の原発開放隅角緑内障58例58眼．座位測定．深夜に最高眼圧を示す症例も少なくない．

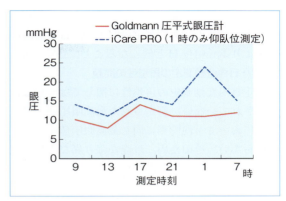

[図5] 2種類の眼圧計による治療中眼圧日内変動の1例
Goldmann圧平式眼圧計（実線），iCare PRO（点線）で測定された眼圧変動パターンは座位では同様であるが，測定値間に一定の差があった．

III 検査結果の読み方と解釈

1 正常値

　眼圧は，座位測定では1日を通して3〜6mmHg変動する．緑内障患者では正常人より変動幅が大きくなる[8]．最高眼圧は午前中に多いとされている．座位から仰臥位に体位変換すると，眼圧は正常人で0.3〜6mmHg上昇することが知られているが[8]，睡眠時仰臥位で測定すると，睡眠時間帯の眼圧のほうが昼間より高くなる．屈折により異なり，強度近視眼より遠視眼の方が眼圧変動幅は小さくなる．若年健常人で，眼圧変動幅は，遠視眼12.8±3.4mmHg，正視眼9.1±3.0mmHg，近視眼8.3±2.8mmHgであったという報告がある[9]．座位測定とは逆に，睡眠時仰臥位で測定された眼圧変動幅は，正常人より緑内障患者のほうが小さくなる．

2 異常値とその解釈

　1日平均眼圧，最高眼圧，眼圧変動幅が大きいほど，視野障害が進行しやすいことが報告されている．最高眼圧に関しては，眼圧が正常範囲にある緑内障患者の日内変動で，22mmHgを超える眼圧を示すピークの頻度が高いほど進行しやすく，また，最高眼圧が外来診察時間帯の眼圧より6mmHg以上高いと進行しやすいという報告もある[10]．ただし，これらの報告は，座位での眼圧日内変動測定によるもので，しかも，睡眠時間帯の

[図6] iCare HOME
自己測定のために開発された眼圧計．眼圧値は表示されず，測定時刻とともに眼圧計内に保存される．

眼圧は測定していないものが多い．睡眠時間帯の座位測定および仰臥位測定で得られた高眼圧が視野障害進行にどの程度関与しているかについては未だ明らかでない．しかしながら，特に外来診察時間帯の眼圧が低く良好にコントロールされている症例では，これらの高い眼圧あるいは大きい眼圧変動幅が視野障害進行に関与している可能性が高いと考え，この眼圧をターゲットに眼圧下降治療を強化する．

3 アーチファクト

1) 夜間就寝時の眼圧測定は非生理的

　夜間就寝時の眼圧測定は入院測定，家庭での自己測定ともに，覚醒して行わなければならないた

め，真の生理的な値ではないことを念頭におく必要がある．また，入院測定の眼圧は，日常診療の眼圧より1mmHgほど低くなることに留意する．

2) 眼圧日内変動測定の再現性の問題

眼圧日内変動測定の再現性に関しては十分な検討がされていない．測定された最高眼圧が，異なる日においても同時刻に同じ最高眼圧値を示すとは限らない．そのため，可能な限り異なる日で複数回の測定を行うことが望ましい．

文献
1) 中元兼二：眼圧日内変動への影響．あたらしい眼科 25：783-788，2008
2) 安田典子：より質の高い緑内障治療を目指して．あたらしい眼科 28：1115-1123，2011
3) Liu JH, et al：Twenty-four-hour pattern of intraocular pressure in the aging population. Invest Ophthalmol Vis Sci 40：2912-2917, 1999
4) Nakakura S, et al：Relation between office intraocular pressure and 24-hour intraocular pressure in patients with primary open-angle glaucoma treated with a combination of topical antiglaucoma eye drops. J Glaucoma 16：201-204, 2007
5) Choi J, et al：Circadian fluctuation of mean ocular perfusion pressure is a consistent risk factor for normal-tension glaucoma. Invest Ophthalmol Vis Sci 48：104-111, 2007
6) Mansouri K, et al：Continuous intraocular pressure monitoring with a wireless ocular telemetry sensor：Initial clinical experience in patients with open angle glaucoma. Br J Ophthalmol 95：627-629, 2011
7) Magacho L, et al：Comparing the measurement of diurnal fluctuations in intraocular pressure in the same day versus over different days in glaucoma. Eur J Ophthalmol 20：542-545, 2010
8) 中元兼二ほか：眼圧に影響する諸因子．眼科プラクティス 11．緑内障診療の進めかた，根木 昭編，文光堂，東京，136，2006
9) Loewen NA, et al：Increased 24-hour variation of human intraocular pressure with short axial length. Invest Ophthalmol Vis Sci 51：933-937, 2010
10) Zeimer RC, et al：Association between intraocular pressure peaks and progression of visual field loss. Ophthalmology 98：64-69, 1991

（中元兼二・白鳥　宙）

3) 誘発試験

I 検査の目的

眼圧の異常が疑われる症例を，意図的に眼圧が上がりやすい状況下に置き，その変化を評価するものである．

1 検査対象

開放隅角緑内障に対する飲水試験等も知られているが，臨床的に行われる機会は少ない．閉塞隅角緑内障では，隅角形態の変化に伴い眼圧が大きく変動し得るため，実臨床でもその有用性が高く，本項ではこれを対象とする．

2 目標と限界

房水動態異常による眼圧上昇の確認が目標であるが，これのみで診断することはできない．隅角鏡検査，超音波生体顕微鏡検査（UBM）や前眼部OCT等と併せることにより，診断精度を高めなければならない．

II 検査法と検査機器

1 測定原理

隅角閉塞には生理的に可逆的な虹彩周辺部と線維柱帯の接触（機能的閉塞）と，不可逆的な周辺虹彩前癒着（器質的閉塞）がある．広範囲の器質的閉塞による眼圧上昇は持続的で検出しやすいが，機能的閉塞は散瞳や水晶体の位置などの生理的条件変化により変動し，形態学的には評価が難しいことが少なからずある．この判定のため，一般的に4つある機能的隅角閉塞のメカニズム（瞳孔ブロック，プラトー虹彩，水晶体因子，水晶体後方因子（毛様体因子））のうちの一部を，下記のような特定条件下におくことで増強し，眼圧上昇を誘発するものである．

1) 散瞳試験，暗室試験

散瞳試験では点眼により，暗室試験では暗所での生理的な瞳孔反応により，ともに散瞳状態を持続させることで眼圧上昇を誘発するものである．瞳孔ブロックとプラトー虹彩の因子が増強される

(図1).

2) うつむき試験
　顔を下に向け持続させることで，重力の影響で水晶体が瞳孔縁を押さえ瞳孔ブロックが増強すると同時に，水晶体の前方移動により水晶体因子を増強し，眼圧上昇を誘発する．

3) 暗室うつむき試験
　上記2つを組み合わせることにより効果を相加し，検出力を高めている．

2 感度と特異度
　一般に感度は低いが，特異度は高いとされている．当科において散瞳試験と暗室うつむき試験の両方を施行した，レーザー虹彩切開術，周辺虹彩切除術，水晶体再建術などの外科的治療既往のない，原発閉塞隅角症疑い，原発閉塞隅角症，原発閉塞隅角緑内障の70眼についての検討では，散瞳試験陽性7眼，疑陽性3眼，暗室うつむき試験陽性10眼，疑陽性7眼と，暗室うつむき試験のほうが陽性，疑陽性率ともに高かった．また両試験とも陽性または疑陽性であったものは5眼であったが，重複していない症例もあり[1]，両試験を行えば，偽陰性の可能性をより低くすることができる．

Ⅲ 検査手順

1 検査の流れ
　すべての誘発試験において，眼圧が大きく上昇するリスクがあり，その説明を被検者にしっかりとしておく必要がある．また，試験前に眼圧，視神経，視野の評価を行い，眼圧が非常に高い場合や，末期緑内障等，眼圧上昇による緑内障性視神経症の進行リスクが懸念される場合は，誘発試験を避けるべきである．

1) 散瞳試験
　試験前に基準となる眼圧を測定し，トロピカミド（ミドリン®M点眼液0.4％等）を点眼した後，眼圧測定を30〜60分ごとに施行する．

2) 暗室うつむき試験
　試験前に基準となる眼圧を測定し，暗室にて座位で上腕に額をのせて眼球を圧迫しないよううつむき姿勢を維持する．1時間後眼圧を測定する．

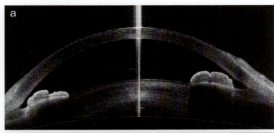

[図1] 散瞳試験と暗室試験の前眼部OCT画像
a 散瞳試験．散瞳薬（トロピカミド）点眼により瞳孔径が拡大している．
b 暗室試験．暗所における生理的な散瞳は認めるが，aと比較すると瞳孔径は小さい．

2 検査のコツと注意点

1) 散瞳試験
　散瞳薬には副交感神経遮断薬のトロピカミド以外にも交感神経刺激薬であるフェニレフリン（ネオシネジン5％点眼液）や，その2剤の配合剤（ミドリン®P点眼液0.5％等）がある．万が一検査中に急性原発閉塞隅角症を起こしたとしても，トロピカミドであれば副交感神経刺激薬であるピロカルピン点眼（サンピロ®点眼液2％等）で拮抗し解除しやすいが，フェニレフリンは瞳孔散大筋に直接作用するため解除が難しく，トロピカミド点眼の使用が推奨される．
　また，眼圧が最も上昇するのは，最大散瞳時よりも少し縮小しはじめて瞳孔ブロックが増強した中等度散瞳時が多い．眼圧値がピークアウトし，対光反応が確認できるまで数時間の経過観察が必要である．陽性確認時は，その時点でピロカルピン点眼をし，十分な縮瞳と眼圧下降を必ず確認しなければならない．

2) 暗室うつむき試験
　睡眠中は副交感神経優位となり縮瞳していることが多いため，被検者が眠らないよう定期的な声掛けが推奨される．

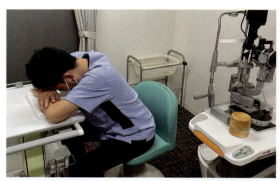

[図2] (暗室) うつむき試験の姿勢
座位で，下にバスタオル等を入れ圧迫を軽減した上腕に額をのせる．空いている診察室の椅子の横に高さが調節できる台を置いて行うと，移動の必要もなく安全かつ速やかに眼圧測定が可能である．

　負荷後に被検者が診察室まで移動する際には，うつむきと閉瞼を持続しながらスタッフが誘導し（車椅子のままうつむき，移動すると安全である），眼圧測定の直前に顔を上げて開瞼し，できるだけ素早く眼圧測定を行わなければ，眼圧の変化が戻ってしまう（図2）．

　万が一著しい眼圧上昇をきたした場合も，明室で仰向けになり開瞼すればほとんどの場合回復する．眼圧下降が不十分であればピロカルピン点眼にて十分な縮瞳と眼圧下降を確認して終了する．

Ⅳ 検査結果の読み方

　負荷による8mmHg以上の眼圧上昇を陽性，6〜7mmHgを疑陽性，5mmHg以下の上昇を陰性と判定する．

　同じ陽性でも8mmHgと20mmHgの上昇では後者のほうが治療の緊急性が高く，同じ8mmHgの上昇でも上昇後の眼圧が正常範囲内と25mmHg以上では後者のほうが治療の必要性が高い．

　UBMや前眼部OCT等の機器は限られた施設にしかないが，負荷試験は特別な機器は必要とせず，隅角鏡検査と併せて，治療の必要性を判断する際の大きな指針となりうる．

文献
1) Yamada R, et al : Comparison of Mydriatic Provocative and Dark Room Prone Provocative Tests for Anterior Chamber Angle Configuration. J Glaucoma 25 : 482-486, 2016

（藤原雅史）

4) トリガーフィッシュ

Ⅰ 検査の目的

1 検査対象

　眼圧の日内変動が，視野障害の進行にかかわると思われる緑内障患者．現在，保険収載のない高度管理医療機器としての販売であり，コンタクトレンズ型の眼圧センサーと皮膚に貼るアンテナが消耗品で，定価ベースで合わせて1回の検査に約6万円のコストがかかるため，臨床の現場での対象は限られるだろう（実勢価格はもう少し安価とも聞いているので，国内の販売を行っている株式会社シードに問い合わせるとよい）．

2 目標と限界

　トリガーフィッシュシステムは，日常生活に近い状態での眼圧変動を連続記録することを目標としており，装用したまま眠ることもできる．しかし激しい運動など，汗で皮膚のアンテナが剝がれるような状況では使用できない．また後述するように測定した眼圧をmmHgに換算して求めることはできない．

Ⅱ 検査法と検査機器

　検査機器の構成を図1に示す．シリコーン製ソフトコンタクトレンズに圧センサーと信号処理用マイクロチップ，アンテナ②が包埋されており（図1b），周辺角膜の伸びを検知，眼周囲に貼ったアンテナを通じてレコーダー（図1c）に信号を送る．センサーの記録は5分毎に30秒間行われ，マイクロチップを動作させる電流は，眼周囲のアンテナ①（図1a）を通して無線で供給される．他にWindows搭載の記録解析用パソコン（PC）も必要である（図1d）．

　実際の記録波形を図2に示す．

Ⅲ 検査手順

1 準備

　レコーダーを充電しておく．専用ソフトをイン

4) トリガーフィッシュ

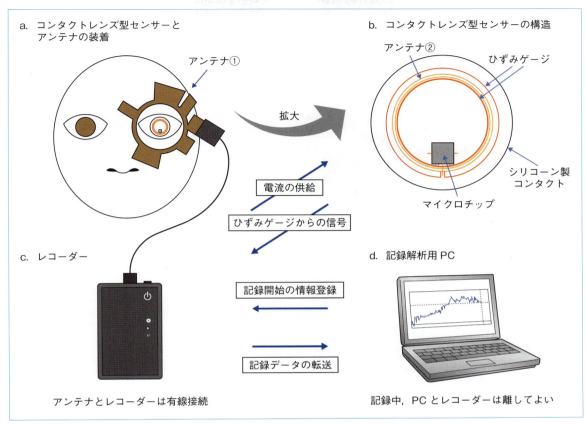

[図1] トリガーフィッシュシステムの構成と仕組み
a コンタクトレンズ型センサーと眼周囲に貼るアンテナ①
b コンタクトレンズ型センサーの拡大図
c 携帯用レコーダー
d 記録解析用PC
コンタクトレンズ型センサーと皮膚アンテナ，レコーダーとPCはそれぞれ無線で接続

ストールして，レコーダーとBluetoothで接続したPCに，患者情報やセンサーIDを入力する．

角膜曲率半径を基にセンサーを3サイズ（ベースカーブ8.4, 8.7, 9.0）から選び，装用に問題がないか前眼部をチェックする．装用後には角膜が完全に覆われてしまうため，アプラネーション等を用いる通常の眼圧測定は，その前に行う必要がある．

■2 トリガーフィッシュシステムの装着と記録

測定眼にセンサーを装用し，皮膚にアンテナを貼る．アンテナには，右眼用と左眼用の2種類がある．アンテナとレコーダーをケーブルで接続し，身に着けてもらう．その後，自動的に記録が開始され，24時間経過すると終了する．

■3 トリガーフィッシュシステムの取り外しとデータの転送

記録終了後，装置類を外し，レコーダーをPCと通信し，データを転送する．角膜上のセンサーを外す際は，点眼麻酔をして鑷子で掴むとよい．

■4 検査の注意点

接続ケーブルにトラブルがあると記録ができない．コンタクトレンズ型センサーは厚みがあり剛性がある分，装着後に一時的に角膜が変形し屈折が変わるので，検査後1日程度見えにくさが続くことを伝えておく．

Ⅳ 検査結果の読み方

PCに転送した後，専用ソフト上で，測定結果

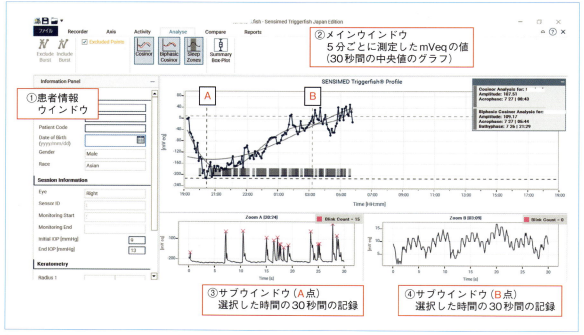

[図2] 記録用解析ソフト（Software for SENSIMED Trigerfish）の画面
記録データは①患者情報ウインドウ，②メインウインドウ：5分ごとに30秒間測定したmVeqの値に加えて，任意の2点（A，B）について30秒間の波形を表示することができる（③④）．A点の赤×は瞬目を示す．B点では瞬目がみられず，前者は覚醒中の記録，後者は睡眠中の記録であることがわかる．この記録は，夜7時に開始し，翌朝6時まで行っている．

は5分間に記録された30秒間の中央値としてグラフに表示され，眼圧日内変動が可視化される．ソフトには波形の比較や，最小二乗回帰モデルを求めるなどの解析ツールも含まれる．

　トリガーフィッシュシステムは眼圧変動を独自の単位mVeqで表すが，従来の眼圧測定に用いられるmmHgと互換性がなく，未だ正常値というものがない．そのため，今のところ基準点に対しての眼圧変化を知ることはできるが，それが異常値であるか直接判断することはできない．

〔新明康弘〕

15 眼圧検査

5）コルビス

I 検査の目的

1 検査対象
　視力と眼圧は眼科診療の基本的なバイタルサインである．コルビスは空気式の非接触型の眼圧計であり，眼科の診察を受ける多くの人を対象とすることができる．

2 目標と限界
　コルビスは空気式眼圧計に高速シャインプルーフカメラを搭載した機器である．被検眼に空気噴流を当てて，眼圧を測定する様子を高速カメラで撮影する．眼球の変形する様子から数多くの眼球剛性パラメータを抽出する．現在利用可能な眼圧計はすべて角膜厚や角膜曲率半径など眼球の剛性の影響を受ける．高速カメラで得られた眼球剛性パラメータを用いて眼圧測定値を補正し，真の眼圧値を求めることを目標としている．近年はソフトウエアが拡充され円錐角膜，角膜拡張症のスクリーニング，正常眼圧緑内障か否かの予測もできるプログラムが搭載されている．

II 検査法と検査機器

1 測定原理・測定範囲
　非接触型の空気式眼圧計は角膜正面から空気の噴流を角膜正面に吹き付ける．その圧力は60 mmHg程度である．空気噴流で角膜が変形し，前方に凸型をした角膜表面は押し込まれて，あるところで平坦になる．空気噴流と同時に斜め前方から赤外線が角膜表面に照射されている．角膜表面が平坦になると赤外線が照射部の対側に設置されている赤外線感知装置に向かって光が強く反射する．空気噴流を吹き付けた時から，角膜表面が平坦になるまでの時間は眼圧値と強く相関するため，この時間を眼圧値に換算する．コルビスでは角膜表面が平坦になるタイミングを高速シャインプルーフカメラで感知する．シャインプルーフカメラであるため，角膜表面が陥凹してもその画像を撮影することができる．コルビスに搭載されたシャインプルーフカメラは水平方向8.5 mmの範囲を毎秒4,330フレームの速度で31ミリ秒の間撮影する（図1）．

2 機器の構造
　シャインプルーフ画像の動画をaudio video interleave（AVI）形式でエクスポートすることも，実測値をcomma separated values（CSV）形式でエクスポートすることもできる．

3 感度と特異度
　得られるパラメータの再現性は角膜表面に対して垂直方向（縦）方向のパラメータで高く，横方向（変位部分の長さ）のパラメータでは高くない[1]．眼圧測定値の再現性は高い．

III 検査手順
　検査の流れ，機器の使い方，検査のコツと注意点については通常の非接触型の空気式眼圧計と同じである．

IV 検査結果の読み方

1 眼圧測定値
　IOP-Corvis：得られたままの眼圧値．
　bIOP-Corvis：角膜剛性のパラメータで補正した眼圧値である．計算式はかなり複雑であるため文献を参考にしていただきたい[2]．
　IOP-CorvisもbIOP-CorvisもGoldmann圧平式眼圧計で得られた値よりも低く出る[2]．

2 眼球剛性，角膜変形のパラメータ
　角膜の変形に応じたステージごとに得られる（図2）．

各ステージで得られるパラメータ
　Initial state（図2, 3）：中心角膜厚．

Applanation 1の時点で得られるパラメータ（図2, 4）
　Time [ms]：Applanation 1になるまでに要した時間
　Velocity [m/s]：Applanation 1の時点での角膜頂点が陥凹する速度
　Deformation Amp. [mm]：角膜頂点の垂直方向の移動量

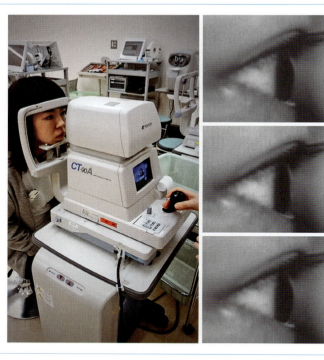

[図1] ノンコンタクトトノメータによる眼圧測定の原理
空気を噴出して角膜が扁平になるまでの時間は眼圧値と相関する．通常の空気式眼圧計では赤外線の反射を使って角膜表面が扁平になったことを検出する．コルビスは高速シャインプルーフカメラで角膜が扁平になったことを知る．

Deflection Amp. [mm]：眼球自体の移動を相殺し，角膜の移動のみを考慮した量

Deflection Length [mm]：偏移長．角膜の偏移した2点の水平距離

Deflection Area [mm^2]：偏移領域面積

dArc Length [mm]：デルタ弧長．角膜頂点から鼻側および耳側に水平方向にそれぞれ3.5mm）における弧長

Highest Concavity の時点で得られるパラメータ（図2, 5）

Time [ms]：最大変位量を得るまでの時間

Deformation Amp. [mm]：角膜頂点の最大変位量

Deflection Amp. [mm]：眼球自体の移動を相殺し，角膜の移動のみを考慮した最大変位量

Deflection Length [mm]：最も変形したときの偏移長．角膜の偏移した2点の水平距離

Deflection Area [mm^2]：最も変形したときの偏移領域面積

dArc Length [mm]：デルタ弧長．角膜頂点から鼻側および耳側に水平方向にそれぞれ3.5mm）における弧長

Applanation 2 の時点で得られるパラメータ（図2, 6）

Time [ms]：Applanation 2になるまでに要した時間

Velocity [m/s]：Applanation 2の時点での角膜頂点が元の形に戻ろうとする速度

Deformation Amp. [mm]：角膜頂点の垂直方向の移動量

Deflection Amp. [mm]：眼球自体の移動を相殺し，角膜の移動のみを考慮した量

Deflection Length [mm]：偏移長．角膜の偏移した2点の水平距離

Deflection Area [mm^2]：偏移領域面積

dArc Length [mm]：デルタ弧長．角膜頂点から鼻側および耳側に水平方向にそれぞれ3.5mm）における弧長

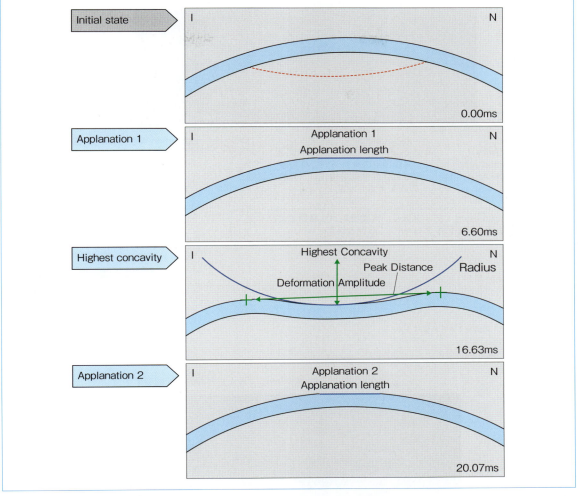

[図2] Corvis ST の4つのステージ
Initial state：空気噴射前の状態.
Applanation 1：空気が噴射されて直径3.06 mm の角膜中央部が扁平になった状態.
Highest Concavity：角膜が最大陥凹した状態.
Applanation 2：角膜が最大陥凹から元の状態に戻るときに角膜中央部が再び扁平になる状態.

そのほか円錐角膜，角膜拡張症をスクリーニングするための vinciguerra screening report や，生体力学特性から検出した正常眼圧緑内障のリスクを数値化した指標として biomechanical glaucoma factor の表示も可能である．それらに関連したパラメータが示される（図7）．

3 異常所見とその解釈およびアーチファクト

得られた画像の信頼性が乏しいときは解析ソフトが作動しない．

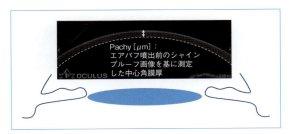

[図3] Initial state で得られるパラメータ

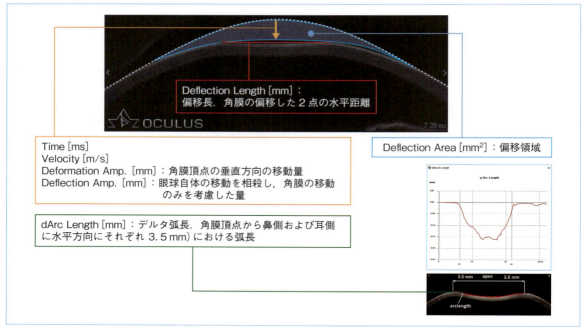

[図4] Applanation 1 の時点で得られるパラメータ

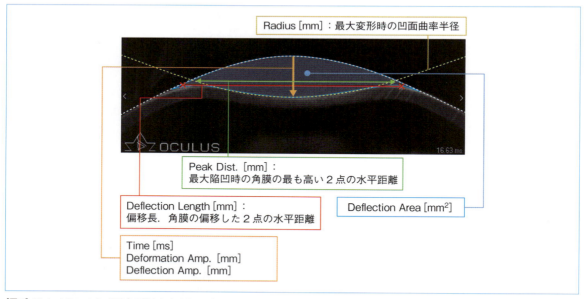

[図5] Highest Concavity の時点で得られるパラメータ

文献
1) Asaoka R, et al：The Relationship between Corvis ST Tonometry Measured Corneal Parameters and Intraocular Pressure, Corneal Thickness and Corneal Curvature. PLoS One. 2015 Oct 20；10（10）：e0140385. doi：10.1371/journal.pone.0140385. eCollection 2015.
2) Nakao Y, et al：Evaluation of biomechanically corrected intraocular pressure using Corvis ST and comparison of the Corvis ST, noncontact tonometer, and Goldmann applanation tonometer in patients with glaucoma. PLoS One. 2020 Sep 23；15（9）：e0238395. doi：10.1371/journal.pone.0238395. eCollection 2020.

（木内良明）

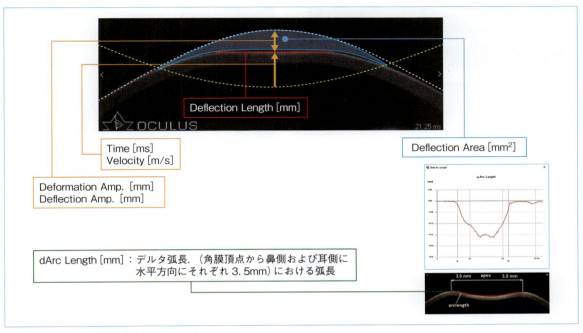

[図6] Applanation 2 の時点で得られるパラメータ

- PachySlope：角膜厚の中心部と周辺部の差分（μm）
- ARTh：角膜最薄部の厚みと角膜厚推移指標の比．1 以上の値：周辺に向けて角膜厚の増加量が正常眼よりも大きい/1 未満の値：周辺に向けて角膜厚が厚くなる変化量が正常眼よりも少ない．
- SP A1：剛性パラメーター
- CBI：角膜拡張症を検出するスクリーニングパラメーター．＜0.25 でリスクが低く，0.25～0.5 で中程度，＞0.5 で高い．
- DA Ratio Max（2mm/1mm）
  角膜頂点の Deformation Amplitude と角膜頂点から 2mm 地点における Deformation Amplitude の比．
  角膜が柔らかい場合は中心部のみで変形が起こり，角膜が硬い場合は全体的に変形する．DA ratio は柔らかい角膜では硬い角膜に比べて大きくなり，硬い角膜では柔らかい角膜に比べて小さくなる．
- Integrated Radius [mm^{-1}]
  陥凹半径の逆数からなる曲線下の面積．柔らかい角膜では曲率半径が小さくなるため，硬い角膜に比べこの値は大きくなる．

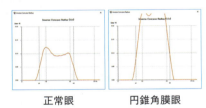

- Whole Eye Movement Max [mm]/[ms]
  角膜周辺部（角膜頂点から水平方向にそれぞれ 4mm 離れた地点）から算出された眼球の移動を表す．
- Def. Ratio
- dArcLengthMax [mm]
- Max InverseRadius [mm^{-1}]

[図7] その他のパラメータ

16 前房・隅角検査

1) 細隙灯顕微鏡検査
① 前眼部所見

I 検査の目的

1 検査対象
細隙灯検査は眼科医にとって基本的な診察行為であり，すべての眼疾患に必要である．非緑内障眼であっても，緑内障の所見がないかを必ず確認する習慣をつける必要がある．

2 目標と限界
隅角と硝子体後方は細隙灯顕微鏡のみでは観察できない．隅角鏡やスリーミラーの使用により隅角や毛様体の観察が可能になるが，虹彩裏面の詳細は困難であり，この部位に関しては超音波生体顕微鏡が必要になる．

II 検査法と検査機器

1 測定原理
細隙を通した細い照明光と観察光の光軸をずらすことにより，透光体の中でも奥行き方向の分解能に優れた顕微鏡である．

2 機器の構造
可動光源部，生体顕微鏡とも同一軸上を回転可能であり，任意の方向に固定できる．照明は明るさ，細隙幅と高さおよび向き，フィルターの追加などさまざまな調整が可能であり，よく習熟するべきである．直接・間接観察法のみならず，鏡面法，徹照法およびスクレラル・スキャタリングなどの観察法を用いるとよい場合もある．

III 検査手順

1 検査の流れ
被検者は下顎と前額部を観察台上に固定する．緑内障眼の検査であっても，外眼部や角結膜の表面の所見を見逃さないように努めたい．症状のある眼・部位に注目しがちであるが，右眼から左眼，角膜上皮，実質，内皮を経て前房といった，観察のルーチンを守り，もれなく所見を記録することを習慣づけておくことが好ましい．

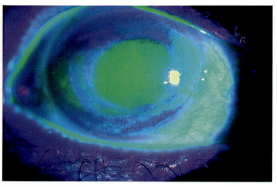

[図1] 薬剤性角膜炎
緑内障点眼治療中の患者の診察に際しては，角膜上皮障害を常に確認する必要がある．

2 検査機器の使い方とコツ
患者の協力が重要であり，不用意に額や顎を台から離さないように説明を十分に行う必要がある．患者の椅子の高さ，台の高さおよび検者の椅子の高さが調節可能である．患者の椅子の高さを調整できると検者の身体的な負担が軽減できるが，患者の椅子と診察代の高さは必ず被検者の苦痛がないように合わせる必要がある．被検者にとってはまぶしい苦痛な検査であるため，細隙光を細く，縦の長さを最低限にするなどの工夫をすることが望ましい．

IV 検査結果の読み方
緑内障診療で常に念頭に置くべき所見としては，角結膜の薬剤障害（図1），角膜上皮浮腫，LASIK 後のフラップ，Harb 線，Krukenberg 紡錘，角膜後面沈着物（図2），前房細胞ならびに前房フレア，瞳孔ブロック，逆瞳孔ブロック（図3），虹彩新生血管，虹彩異色（萎縮），落屑物質（図4），Glaukomflecken および水晶体の解剖学的異常などが挙げられる．LASIK は問診で手術歴が得られないこともあり，眼圧の過小評価につながるため注意を要する．前房周辺部は必ずチェックし，狭い印象が少しでもあれば次項のvan Herick 法を行い，隅角検査の必要性を評価する．眼圧上昇眼においては，炎症所見，落屑症候群および閉塞隅角を強く疑って診る必要があり，これらが否定された上ではじめて他の病型と

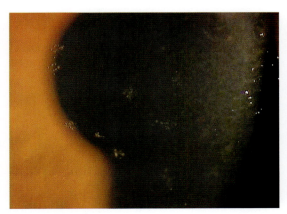

[図2] 角膜後面沈着物
サイトメガロウイルス前部ぶどう膜炎における角膜後面沈着物の1例.

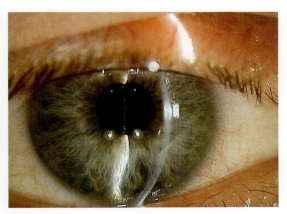

[図3] 逆瞳孔ブロック
瞳孔における虹彩と水晶体の接触に注目する．虹彩は水晶体前面の形状に沿って後彎している．瞳孔より散布された虹彩色素は角膜中央よりやや下方の縦長の範囲の角膜後面に沈着する（Krukenberg 紡錘）．

[図4] 予後不良で注意するべき落屑物質
a 無散瞳状態だと水晶体前面，瞳孔縁にある落屑物質を認識することは難しい．
b 散瞳すると比較的容易に観察できるので，閉塞隅角でない限り必ず散瞳して水晶体前面を観察する．

[表1] 前房細胞の評価

グレード	1視野*にみられる細胞数
0	<1（1個未満）
0.5+	1〜5
1+	6〜15
2+	16〜25
3+	26〜50
4+	>50（51個以上）

*1視野＝細隙灯顕微鏡を用いスリット光1mm×1mmの大きさの視野．
（文献2）より）

[表2] 前房フレアの評価

グレード	記述
0	none（なし）
1+	faint（軽度）
2+	moderate（中等度）虹彩および水晶体の詳細は明瞭
3+	marked（高度）虹彩および水晶体の詳細は不明瞭
4+	intense（著明）線維素あるいはプラスティック前房水

（文献2）より）

の診断を考慮する．前房内細胞，前房フレアを観察するにはスリット光長を短くして角度をつけて照明し，拡大率を上げて観察する．炎症所見の階級評価には日本眼炎症学会のぶどう膜炎診療ガイドラインに準じた記載が好ましい（表1, 2）．

緑内障手術後では，術式に特異な所見にも注意する．線維柱帯切除後なら，濾過胞壁の厚みや丈，濾過胞の広がりおよび血管の状態を詳細に観察する（図5）．さらに，フルオレセインを点入し，Seidel現象（図6）の有無で房水漏出の有無を調べるほか，角膜の低眼圧による縦じわ（hypotonic strie）や濾過胞で涙液メニスカスが乱

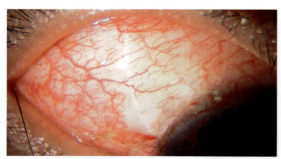

[図5] 濾過胞の細隙灯顕微鏡像
房水漏出の有無，房水が貯留する範囲，強膜表面からの高さ（丈），および濾過胞壁の状況（厚みや血管）などを観察・記録する．

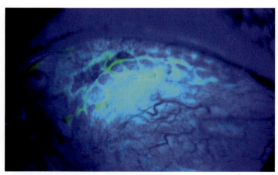

[図6] Seidel 現象
連続縫合で整復している円蓋部の結膜切開部位から漏出した房水がフルオレセインを後方に押し流している．

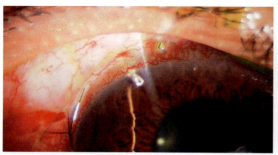

[図7] チューブシャント手術後（図5と同一症例）
前房内のチューブシャントと虹彩および角膜内皮との位置関係に注意する．

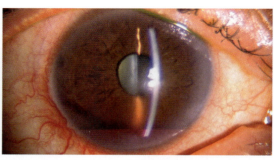

[図8] トラベクロトミー術後の前房出血
ニボー形成がない場合も，赤血球の細胞が多い場合は，下方隅角に出血がたまっていることがある．

れて生じた dellen なども注意するべき対象である．チューブシャント手術であれば，強膜上のチューブやプレートの位置のみならず，眼内のチューブと角膜内皮や虹彩との位置関係にも注意する必要がある（図7）．トラベクロトミーであれば術後の細隙灯検査では，隅角の損傷や前房出血に注意する必要がある（図8）．

文献
1) 眞鍋禮三ほか：角膜クリニック，第2版．医学書院，東京，2003
2) 眼炎症学会ぶどう膜炎診療ガイドライン作成委員会：ぶどう膜炎診療ガイドライン．日本眼炎症学会，東京，2019

〔芝　大介〕

16 前房・隅角検査

1）細隙灯顕微鏡検査
② van Herick法

I 検査の目的

隅角の広さを確認することは，散瞳検査や抗コリン作用をもつ薬剤の使用の可否を判断する上で必須であるが，日常診療においてすべての患者に隅角鏡検査を行うことは実際的ではない．van Herick法は，隅角鏡を使わずに細隙灯顕微鏡で，周辺前房深度から隅角の広さを推定する方法である[1]．

1 検査対象
散瞳前のほぼすべての患者が対象である．

2 目標と限界
隅角閉塞のリスクの有無を判定することが目的である．本法では，広隅角眼および高度の狭隅角眼の同定には有用であるが，Grade 2前後の症例では，隅角鏡による隅角所見と必ずしも一致せず，注意を要する[2]．Grade 2以下の症例では，隅角鏡検査を行う．また，プラトー虹彩では，前房中央部の深度がほぼ正常にもかかわらず狭隅角や隅角閉塞がみられるため，その診断には，本法による前房深度の評価のみでは不十分であり，隅角鏡検査が必須である[3]．緑内障の診療においては隅角鏡検査が必須である．

II 検査方法

1 手順（図1）
① 細隙灯顕微鏡で，被検者に正面を注視させる．
② スリット光束を耳側あるいは鼻側の角膜輪部に垂直に当てる．
③ スリット光束との角度が60°になる方向から観察する．
④ スリット照明上で，角膜厚と，角膜後面〜虹彩表面の距離との比を判定する．

2 注意点
スリットの光束はできるだけ細くし，判定は角

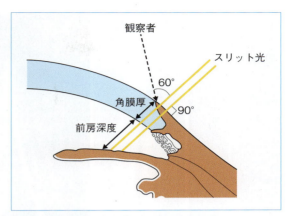

[図1] van Herick法による周辺前房深度の評価
細隙灯顕微鏡で被検者に正面視させ，スリット光束を耳側あるいは鼻側の角膜輪部に垂直に当てる．スリット光束との角度が60°になる方向から観察し，角膜厚と角膜後面〜虹彩表面の距離との比を判定する．

[表1] van Herick法

判定		角膜厚に対する周辺前房深度
Grade 1	狭隅角	1/4未満（隅角閉塞を生じやすい）
Grade 2	狭隅角	1/4（隅角閉塞を生じる可能性がある）
Grade 3	開放隅角	1/4〜1/2（隅角閉塞しにくい）
Grade 4	開放隅角	1以上（隅角閉塞を生じない）

膜の最周辺部で行う．

III 検査結果

周辺前房深度が角膜厚と同じあるいはそれ以上であればGrade 4の開放隅角である．周辺前房深度が角膜厚の1/2〜1/4であればGrade 3，1/4であればGrade 2，1/4未満であればGrade 1（表1，図2，3）と判定する．

文献
1) van Herick W, et al：Estimation of width of angle of anterior chamber. Incidence and significance of the narrow angle. Am J Ophthalmol 68：626-629, 1969
2) Johnson TV, et al：Low Sensitivity of the Van Herick Method for Detecting Gonioscopic Angle Closure Independent of Observer Expertise. Am J Ophthalmol 195：63-71, 2018
3) 日本緑内障学会緑内障診療ガイドライン作成委員会：緑内障診療ガイドライン（第4版）．日眼会誌 122：5-53, 2018

（坂本麻里）

16. 前房・隅角検査

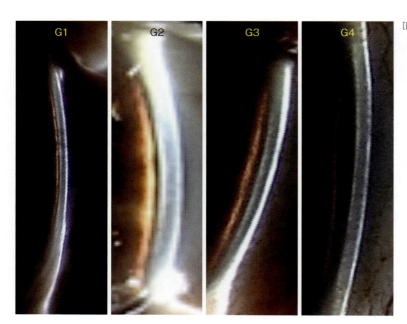

[図2] van Herick 法による周辺前房深度分類

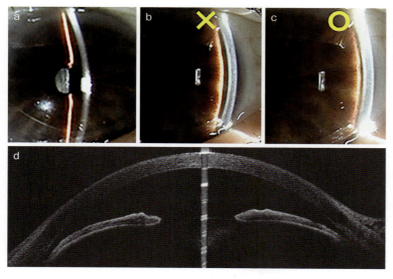

[図3] 狭隅角眼
中央前房深度が浅く（a），狭隅角が疑われるが，観察部位が角膜輪部から中央にずれると前房深度は深く見える（b）ため，Van Herick 法の判定は，必ず角膜の最周辺部で行う（c）．周辺前房深度は角膜厚の 1/4 未満であり，Grade 1 の狭隅角である（c）．同患者の前眼部 OCT でも狭隅角であることがわかる（d）．

2) トノグラフィー

I 検査の目的

トノグラフィーは，Schiötz眼圧計を角膜上に一定時間（4分間）乗せて，負荷をかけ続けた状態で眼圧を連続測定し，この間の眼圧の変化から房水流出率を求める検査法である．緑内障診断・管理において重要な，房水流出率を臨床的に求める方法である．その臨床的有用性については疑問も多く今日の臨床ではほぼ用いられていないが，緑内障眼における房水動態の理解や緑内障点眼薬の機序解明においては非常に有用な検査法である．

1 検査対象

眼圧は眼外へ排出される房水流出量と毛様体での房水産生量とのバランスのうえに成り立っている．房水流出経路には2つあり，線維柱帯からSchlemm管に入る経Schlemm管流出路（conventionalあるいはtrabecular outflow）と，毛様体筋束間を経て上脈絡膜に入る経ぶどう膜強膜流出路（uveoscleral outflow）が存在している．経Schlemm管流出路は全房水流出の約90％を占め，眼圧上昇に比例して房水流出は増加する．一方で，経ぶどう膜強膜流出路は全房水流出の約10％とされ，房水流出は眼圧上昇によってもあまり影響を受けない．経Schlemm管流出路の流出抵抗が大きい原発開放隅角緑内障眼や，周辺虹彩前癒着の進行に伴い房水流出が阻害される慢性閉塞隅角緑内障では，正常者と比べて眼球圧迫後の眼圧の下降幅は小さく，房水流出率は低下する．したがって，臨床的には房水流出抵抗の増大が予測される緑内障眼が従来から検査の対象とされてきた．

2 目標と限界

トノグラフィーは房水動態研究に重用されてきた．トノグラフィーは同一眼であれば再現性が高く，摘出眼球による実験データやフルオロフォトメトリーの結果と合致することもわかっている．したがって，薬物や手術による眼圧下降作用が経Schlemm管流出路による流出促進によるものか否かを検討するのに欠かせない検査手段であり続けている．

一方で，トノグラフィーの緑内障診療における意義は少ない．トノグラフィーは通常の眼圧測定に比べて格段に手間がかかる検査であるにもかかわらず，眼圧値を上回る診療上の意義は未だに見出されていない．さらに緑内障の進行は眼圧レベルだけではなく，視神経自身の脆弱性に個体差があることが大きく関係していることが明らかになるにつれて，その臨床的な重要性は減った．

II 検査法と測定機器

1 測定装置

Schiötz電気眼圧計とニューマトノメーターを用いたもの（ニューマトノグラフィー）がある．Schiötz型トノグラフィーは現在のところ販売中止されており新たな入手はできない．特殊な装置を使わなくてもSchiötz型眼圧計を4分間，眼球の上に乗せておき最初と4分後のメモリを読み取り房水流出率を求めても良い．その場合測定中のデータの信頼性を見ることはできない．

2 測定原理

Schiötz眼圧計を角膜上に4分間乗せ（ニューマトノグラフィーでは2分間），この間の眼圧の変化を測定する．検査開始時，眼圧は眼圧計の重みにより一時的に上昇する．このため房水流出率が上昇することで眼圧は低下し始めるが，一定時間の後，房水の排出と産生が平衡状態となり，眼圧計の重みの下で眼圧値は一定となる．眼圧下降は房水が眼球内から排除された結果であり，排除された房水量（ΔV）は，時間（t）と与えられた圧力に比例することより，房水流出率（C；房水流出抵抗の逆数）は，その時間内の眼圧下降をΔPとすると下記の式で与えられる．

$$C = \Delta V/(\Delta P \times t)$$

算定されたトノグラフィー値には房水流出率だけでなく，下記のようなさまざまの因子が影響することを，診断評価の前に知っておく必要がある．

(1) 房水産生は検査開始直後の眼圧上昇時には減少するはずである．この減少率は房水流出率が

見かけ上増加したとして算定されてしまう（pseudofacility）．算定される房水流出率の20％はこの値である可能性がある．

（2）トノグラフィー検査での房水流出率算定には平均の眼球壁硬性値である0.0125が採用されているが，この値が平均から大きく異なる眼球での測定値は信頼性に乏しい．例えば強度近視眼などの剛性の低い眼ではSchiötz眼圧計自体が眼圧を低く算定するためC値は低く算定される．

（3）脈絡膜血流の脈圧は検査中変動し，房水流出率算定に影響する可能性が高い．

3 感度と特異度

C値は正常者と緑内障患者での値のオーバーラップが大きく，C値だけでは感度，特異度ともに優れた方法ではないことが明らかとなっている．そのため正常人と緑内障患者を区別するためにP_0/Cが考案された（P_0：ベースライン眼圧）．Beckerらの報告では，P_0/Cが100以上なのは緑内障患者では71％あるが，正常人では2％に過ぎなかった．それでもなおある程度のオーバーラップはある．

III 検査手順

1 検査の流れ

両眼ともに点眼麻酔を行い，被検者はベッド上に仰臥位で安静に休んでもらう．プローブを検眼角膜中央に垂直に当たり続けるようにする（図1）．開瞼器を使用するが，眼球や眼窩を圧迫しないように注意する．

2 測定機器の使い方とコツ

（1）検査中，持続した眼圧脈動が描けない場合は眼圧計の洗浄，掃除が不十分のことが多い．眼圧計の掃除は，分解後に水洗による塩分の除去，アルコールによる消毒を基本とする．

（2）眼圧変動が急峻で，緩やかなカーブが描けない場合は，眼球に検者の手による無理な圧迫が加わっている可能性がある．

（3）両眼の検査を行うときは，少なくとも30分以上の時間を空けることが望ましい．

（4）角膜径の異常，角膜表面の不整など，通常の圧入式眼圧計での眼圧測定に支障がある例では

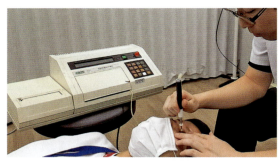

[図1] ニューマトノグラフィによる測定
眼瞼の圧迫を避け，プローブを角膜に垂直な状態を維持して測定する．

当然，トノグラフィー検査値も精度が低い．

IV 検査結果の読み方と解釈

測定状況が良好なら，脈波が徐々にかつ滑らかに下降するスロープが得られる．そして呼吸や血圧の変動に伴う緩やかな変動も観察されるはずである．データの解釈のためには，主にC値とP_0/C値が用いられる．自動的に計算結果がプリントアウトされて出力される機器もあるが，多くのトノグラフィーでは記録紙の眼圧曲線から初圧と終圧を読み取り，Moses and Beckerの換算表からC値を決定する．トノグラフィーには多くの仮定や誤差要因が含まれている．日常臨床ではあくまで参考データと解釈すべきである．

1 正常値

1）C値

房水流出率（C値）の正常値は平均$0.28 \pm 0.05\,\mu l$/min/mmHgである．正常眼の95％は$0.16\,\mu l$/min/mmHgを超えるとされている．

2）P_0/C値

P_0/C値は，眼球剛性による影響を軽減することを目的にBeckerらにより考案された．100以下を正常とする．

文献
1) Grant WM：Tonographic method for measuring the facility and rate of aqueous flow in human eyes. Arch Ophthal 44：204-214, 1950
2) Becker B：Tonography in the diagnosis of simple (open angle) glaucoma. Trans Am Acad Ophthalmol Otolaryngol 65：156-162, 1961

（沖本聡志・木内良明）

16 前房・隅角検査

3）隅角鏡・圧迫隅角鏡

I 検査の目的

房水流出路である隅角を観察する検査であり，緑内障病型診断や治療方針決定，手術後の房水流出路の評価など緑内障の日常診療に必要不可欠な検査である．また緑内障以外の疾患でも隅角に異常所見が出現する疾患も多く，眼科基本検査の1つであるといえる．近年は手術用隅角鏡下に房水流出路を再建する低侵襲緑内障手術（MIGS）が行われるようになり，術前の隅角評価がより重要となってきている．

1 検査対象

緑内障・高眼圧症・閉塞隅角眼のみならず，隅角に異常をきたしうるすべての眼疾患が対象となる．

2 目標と限界

隅角検査では隅角の解剖学的構造の確認，隅角開大度/色素沈着の評価，病的異常所見の有無が検査の目標となる．ミラーもしくはプリズムを介して直接顕微鏡下に観察する検査であるため，所見の取得は経験に左右され，定性的な検査で定量化が困難である点に限界がある．

II 検査法と検査機器

1 測定原理

通常，隅角からの光線は角膜曲率ならびに角膜と空気の屈折率差のために全反射し眼外へ到達しない（図1a）．したがって隅角検査では角膜上に接触型レンズを装着し，光路を変更させて観察する（図1b～d）．

2 機器の構造（図2）

隅角検査はレンズの特性から直接型隅角検査法（直接法）と間接型隅角検査法（間接法）がある．観察光の経路により直接型隅角鏡（Koeppe型，Barkan型，Swan-Jacob型など）による直接検査法（図1c, 2a, b）と間接型隅角鏡（Goldmann隅角鏡，Zeiss四面鏡，Sussman型など）による間

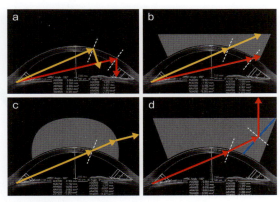

[図1] 隅角検査の測定原理
隅角からの光線（赤・黄矢印）とミラー（青線）を示す．空気中では光線は全反射してしまう（a）が，角膜上にレンズを載せることで眼外へ導く（b）ことができる．直接型では斜め上方から（c），間接型ではミラーによって反射させることで上方から（d）観察可能．

接検査法（図1d, 2c, d）に分類され，さらに隅角底の観察が困難な狭隅角眼の場合には静的隅角検査に引き続いて動的隅角検査，圧迫隅角検査を用いる．間接型隅角鏡ではミラーの角度・位置・高さにより見える範囲や深さが変わる（図3）ので，普段から使い慣れた隅角鏡を決めておき，その隅角鏡での健常眼の見え方を把握しておく必要がある．

III 検査手順

1 検査の流れ

点眼麻酔後にエチルセルロース（スコピゾル®）を接眼部に滴下した隅角鏡を角膜に乗せ，細隙灯顕微鏡（間接型）もしくは手持ち細隙灯顕微鏡や手術用顕微鏡（直接型）にて観察を行う．Sussman型やZeiss型隅角鏡では角膜との接触面積が小さく，ツバなしとなっているためにエチルセルロースが不要であるが，角膜上皮が脆弱な場合には使用したほうがよい．

1) 静的隅角検査 static gonioscopy

暗室下で細隙灯顕微鏡の光量を極力下げ，瞳孔領に光を入れず眼球を圧迫しない状態で，第一眼位（正面視）における自然瞳孔下での隅角開大度を評価する．使用する隅角鏡の種類によってミラーの角度/高さ/位置が異なり隅角底の見え方に差が出るため，分類はある程度検者の技量に左右

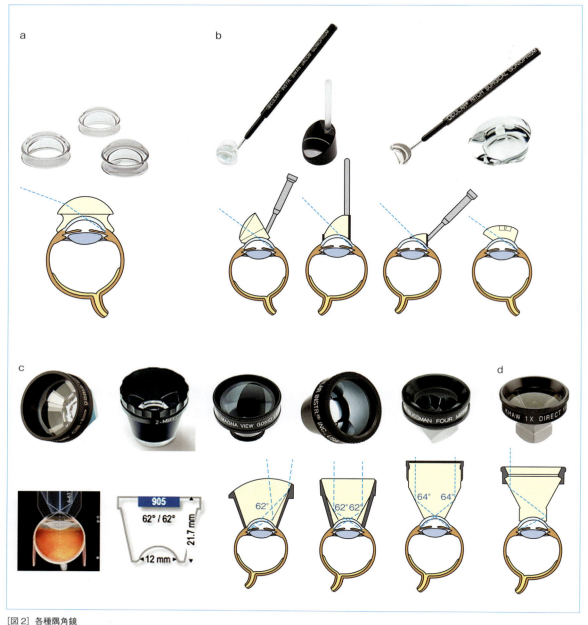

[図2] 各種隅角鏡
a 診断用 直接型隅角鏡 (Koeppe型)，b 手術用 直接型隅角鏡 (左から Swan-Jacob型，Thorpe型，Hill型，Hoskins-Barkan型)，c 間接型隅角鏡 (左から4ミラー型 [G-4 Gonio]，2ミラー型，MagnaView型，4ミラー型 [mini gonio]，Sussman型)，d ダブルミラー型隅角鏡 (Khaw型)

され，主観的な検査となる．また，たとえ隅角が閉塞しているように見えても静的隅角検査では機能的隅角閉塞と器質的隅角閉塞を鑑別することはできない．

2) 動的隅角検査 dynamic gonioscopy

静的隅角鏡検査に引き続き施行する．細隙灯顕微鏡の光量を上げたり瞳孔領に光を入れたりして瞳孔を縮瞳させ，隅角鏡または眼球を傾斜させて軽度の圧迫を加えることにより隅角を開大させ隅角底を観察する．器質的隅角閉塞の有無や範囲に加えて，隅角結節，新生血管など異常所見の有無を診断する．

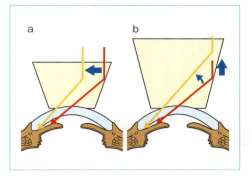

[図3] 隅角鏡の角度と位置
a ミラーの位置が角膜中央に近いほど隅角底の奥まで見える．
b ミラーの位置が高く，角度がついているほど隅角底の奥まで見える．

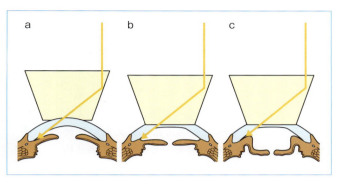

[図4] 機能的閉塞と器質的閉塞
a 圧迫前，b 機能的閉塞，c 器質的閉塞

3) 圧迫隅角検査 indentation gonioscopy

動的隅角検査の一種である．Sussman 型や Zeiss 型のような角膜との接触面積が小さなレンズを使用し，隅角鏡で角膜を圧迫して眼球を変形させることによって房水を移動させ，周辺部虹彩を後方に押し下げて隅角底を観察する．圧迫隅角検査を用いることによってのみ，虹彩と線維柱帯の単なる接触である機能的閉塞と周辺虹彩前癒着（PAS）のような器質的閉塞を鑑別することができる（図4）．

2 機器の使い方とコツ（表1）

通常，直接検査法は乳幼児の隅角検査や MIGS のような手術時に仰臥位にて行う．また間接検査法では隅角の鏡面像を観察しているために得られる所見がミラーイメージであることに注意する．特に四面鏡のように複数のミラーがある場合には，隣り合うミラーの所見が連続しないことに留意すべきである（図5）．上方ミラーでは右から左にかけて下方5〜7時の隅角が投影し，右方ミラーでは上から下にかけて左側10〜8時の隅角が映っている．したがって隣り合う上方ミラー右端（5時）と右方ミラー上端（10時）では所見が連続しない．また隅角鏡を回転して所見を追いかける場合には診たい方向とは逆の方向に回転させる必要がある．近年では間接型の欠点を補うために内蔵のミラーを2つにしたダブルミラー型の隅角鏡も開発されており，隣接するミラーの所見が連続するために所見が取りやすい利点がある．また手術用隅角鏡としてもダブルミラー型が開発されて

[表1] 各種隅角鏡の比較

	直接型	間接型	ダブルミラー型
イメージ	直像	鏡像	直像
測定体位	仰臥位/手持ちスリット 手術用顕微鏡	座位/細隙灯顕微鏡	座位 仰臥位/細隙灯顕微鏡 手術用顕微鏡
利点	視野が広い	簡便 高倍/光量調節可	簡便 高倍/光量調節可
圧迫	技術必要	容易	容易
主な用途	手術/小児診察	診察/レーザー	診察/手術

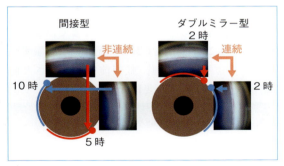

[図5] ミラーとイメージの関係
間接型では上方ミラー右端には5時方向の隅角（赤丸）が透影（赤矢印）され，右側方ミラー上端には10時方向の隅角（青丸）が透影（青矢印）されるため，両者の所見は連続しない．ダブルミラー型では上方ミラー右端に2時方向の隅角（赤丸），右方ミラー上端にも同じく2時方向の隅角（青丸）が透影され，所見が連続する．

いる．

隅角検査でも細隙光を利用すれば数多くの利点がある．角膜前面と後面の細隙光が交わる部位から角膜内皮と線維柱帯の境界である Schwalbe 線を同定（図6），さらにスリット幅調節による光量変化から対光反応に伴う隅角形状の動的変化を捉えることもできる．またサージカルスリットと

同様に表面の乱反射を低減させることで，多少の角膜混濁があったとしても隅角所見が取れる．角膜が濁っているから隅角は見えないものと最初から諦めてしまわずに一度は試みるべきである．

動的隅角検査では「診たいほうのミラーを見てもらう（みみみの法則）」ことで隅角底が見やすくなる（図7）が，それでも隅角底が見えない症例はやはり圧迫隅角検査が必要となる．圧迫隅角検査では隅角鏡を「見ているミラー側に押してみる（みみおの法則）」ことにより隅角が開放する．つまり上方ミラーを使っている場合ならば，上方に軽く傾けると隅角は開かれる（図8）．ただし過度に圧迫するとDescemet膜皺襞によって視認性が落ちるのみならず，隅角を変形させてしまうことになり器質的閉塞と誤認することがある．

また隅角の異常所見の中には隅角結節や新生血管のように，十分に拡大して初めて確認できるものも多い．怪しいと思ったら所見を見落とさないためにも四面鏡よりも拡大率の高い隅角一面鏡（MagnaView型など）を用いて，回転させながらしっかりと全周にわたって異常所見を探すことが大切である．

所見の記載にあたっては，慣れるまではまとめて記載することは困難である．記載は1象限ずつ行い，異常所見の有無，虹彩前癒着の高さと範囲，圧迫による所見の変化も記載しておく．

Ⅳ 検査結果の読み方

1 正常隅角の構造（図6）

正常な隅角底の構造は後方（虹彩側）から前方（角膜側）に向かって，虹彩根部（茶色）・毛様体帯（強膜岬と虹彩根部の間に位置する灰色領域）・強膜岬（毛様体帯の前方に位置する白色帯）・線維柱帯（強膜岬とSchwalbe線の間，帯状に色素沈着した色素帯を形成）・Schwalbe線（角膜Descemet膜の後端．強角膜移行部の角膜後端と角膜内面の細隙光が一致する部位）の順となる．通常，Schlemm管は隅角検査では確認できないが，上強膜静脈圧が上昇した場合には静脈血が逆流し，線維柱帯を通して赤色の帯状構造として視認される．

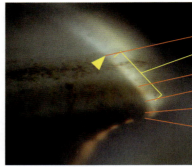

［図6］正常隅角の構造

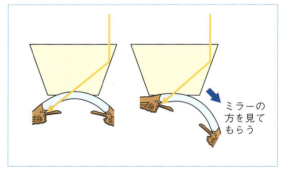

［図7］みみみの法則

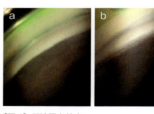

［図8］圧迫隅角検査
a 圧迫前，b 圧迫後，c 圧迫し過ぎ

隅角の広さ判定のためには前方（角膜側）から茶（線維柱帯）を探し，前後の色からどこまでが見えているかを把握する．

2 隅角開大度

表2参照．Shaffer分類（広さ；図9a），Scheie分類（深さ；図9b），Spaeth分類（隅角形状；図9c）がある．

3 色素沈着

Scheie分類（図10a）で判定する．部位によって程度が異なり，通常は下方で強い．

[表2] 隅角開大度の分類

	van Herick法	Shaffer分類		Scheie分類
Grade 0		隅角閉塞の存在（隅角角度0°）		
Slit	危険なほど狭隅角	隅角閉塞の可能性大（slit状）	Ⅳ	Schwalbe線も見えない
Grade 1	角膜厚の1/4未満	隅角閉塞の可能性大（10°以下）	Ⅲ	線維柱帯の半分が見えない
Grade 2	角膜厚の1/4	隅角閉塞の可能性（20°）	Ⅱ	隅角底が見えない
Grade 3	角膜厚の1/4～1/2	隅角閉塞は起こり得ない（20～35°）	Ⅰ	毛様体帯の一部が見えない
Grade 4	角膜厚以上	隅角閉塞は起こり得ない（35～45°）	wide	毛様体帯までしっかりと見える

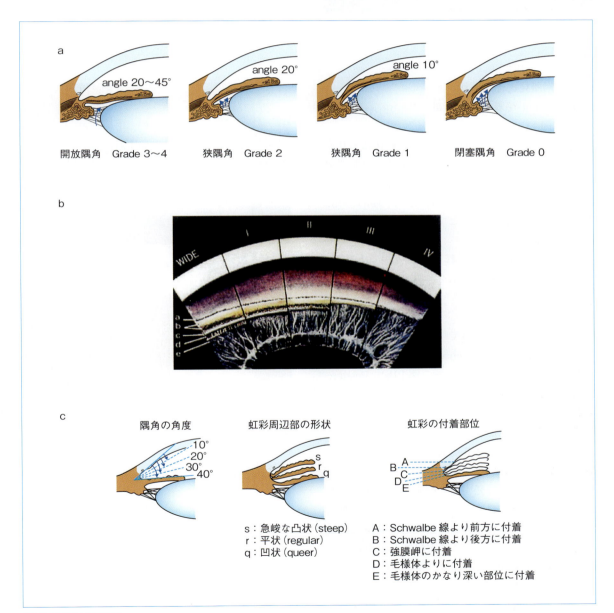

[図9] 隅角開大度の分類
a Shaffer分類，b Scheie分類，c Spaeth分類

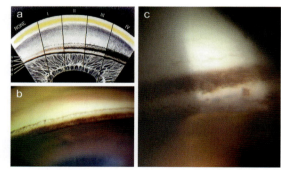

[図10] 色素沈着の分類
a Scheie 分類, b Sampaolesi 線, c Scheie 分類 Grade Ⅳ

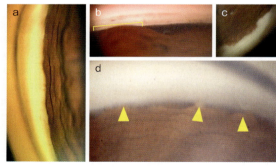

[図11] 異常所見1
a テント状 PAS, b 虹彩嚢腫による PAS, c 台形 PAS, d 隅角結節による PAS

4 異常所見とその解釈

1) 周辺虹彩前癒着 peripheral anterior synechia (PAS)（図11）

隅角部と周辺虹彩の癒着であり，形状によりテント状，台形，広範な癒着などがある．原発閉塞隅角症／緑内障のほか，血管新生緑内障，ぶどう膜炎，ICE（虹彩角膜内皮）症候群，鈍的外傷，レーザーや内眼手術後などでも形成される．

2) 隅角結節（図11d）

虹彩や隅角部に観察される白色塊状の小結節．サルコイドーシスなどの肉芽腫性ぶどう膜炎で形成される．

3) 色素異常（図10）

正常者でも加齢に伴って増加する．落屑緑内障では色素沈着が強く，Schwalbe 線を超えて存在することがある（Sampaolesi 線，図10b）．Posner-Schlossman 症候群では患眼隅角の脱色素が認められる．

4) 隅角後退（図12b）

鈍的外傷の程度により範囲や幅が異なる．

5) 新生血管（図13）

眼虚血性病変に続発する．虹彩根部より立ち上がり細かい枝分かれを形成する．十分に倍率を上げて探すことが重要である．生理的な隅角血管は比較的太く短く，分枝することはまれである．

6) 隅角形成不全（図12a, c）

発達緑内障では虹彩高位付着を呈する．Axenfeld-Rieger 症候群では索状ぶどう膜遺残や Schwalbe 線の肥厚（posterior embryotoxon，後

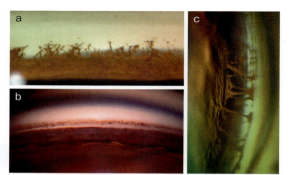

[図12] 異常所見2
a 虹彩高位付着（虹彩突起），b 隅角後退，c 索状ぶどう膜遺残

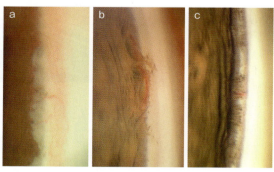

[図13] 隅角新生血管と生理的血管
a 隅角新生血管，b, c 隅角血管

部胎生環）を認める．

文献
1) Alward WLM, et al：Color Atlas of Gonioscopy, The Foundation of the American Academy of Ophthalmology, San Francisco, 2001

（森　和彦）

16 前房・隅角検査

4) 前眼部蛍光造影検査

I 検査の目的

慢性の虚血や炎症がある眼には虹彩や隅角に新生血管が生じることがあり,放置した場合には難治性の緑内障である血管新生緑内障へと進展することが多い.したがって,虹彩・隅角新生血管の有無は病状の把握とその後の治療方針の決定に際してきわめて重要な情報である.しかしながら,アジア人では虹彩の色素含有量が多く,白人と異なり検眼鏡的に虹彩・隅角新生血管がわかりにくいことがある.このようなケースでは虹彩および隅角の新生血管の検出に優れる前眼部蛍光造影検査が有用である.前眼部蛍光造影検査は1969年にBruun-Jensenによって初めて報告され[1],その後の撮影機器の進歩によって鮮明な虹彩・隅角新生血管の画像が取得できるようになっている[2~4].血管新生緑内障の治療については開放隅角期であれば抗血管内皮増殖因子 vascular endothelial growth factor (VEGF) 薬の硝子体注射や汎網膜光凝固のみで眼圧下降が得られるケースも多いため,虹彩・隅角新生血管の存在が疑われる眼では積極的に前眼部蛍光造影検査を行い早期治療につなげたいところである.

1 対象疾患

虹彩・隅角に新生血管を生じる疾患である[5].眼虚血が関与する疾患として,増殖糖尿病網膜症,網膜静脈閉塞症,眼虚血症候群(内頸動脈閉塞をしばしば合併),放射線網膜症などがある.眼炎症が関与する疾患としてぶどう膜炎,眼内腫瘍などがあげられる.

2 目標と限界

虹彩・隅角新生血管の有無の判定をすることが第一の目標となる.新生血管が認められた際には,その範囲と蛍光漏出の程度が病変の活動性の評価に有用である.

II 検査法と検査機器

1 測定原理

フルオレセイン蛍光眼底造影検査と同様に血管内に注入されたフルオレセイン色素を励起光(中心波長485~500 nm)で励起し,生じた蛍光(中心波長525~530 nm)を撮影する.

2 機器の構造

蛍光眼底造影撮影対応の眼底カメラ(励起光を作成するための励起フィルターと眼底から反射した励起光をカットし蛍光のみを分離する濾過フィルターが内蔵されている),モニター,記録・保存装置で構成される.

3 感度と特異度

最近の眼底カメラは高画質デジタル画像の取得が可能であり動画撮影にも対応している.したがって,適切に撮影を行えば新生血管の形態や走行を詳細に把握することが可能である.後述する正常眼の所見やアーチファクトの影響を理解しておけば感度・特異度ともに高い検査であると考えられる.

III 検査手順

1 検査の流れ

検査の前に撮影の目的を明らかにしておく.前眼部のみの撮影であれば,散瞳薬が交感神経刺激作用を有し血管が収縮することから無散瞳下での検査が望ましい.同時に眼底の撮影も行う場合は散瞳下での検査となるが,その場合は前眼部の新生血管を過小評価することになる.また,隅角鏡の使用の際にはスコピゾル®を使用するためその後の撮影に影響を与えることになる.したがって,隅角鏡をどのタイミングで使用するかについても検査前に確認しておきたい.ここでは虹彩・隅角新生血管と眼底の撮影を同時に行う場合を想定して手順を述べる.

散瞳後,ベノキシール点眼液®で表面麻酔し隅角鏡を角膜上にのせる(当院では隅角の詳細が観察できるオキュラー社の Ocular 1.5x Magna View Gonio Lens® を用いている(図1)).撮影開始前に隅角部にしっかりと焦点を合わせておき

[図1] Ocular 1.5x Magna View Gonio Lens®
拡大倍率が高く隅角の詳細が観察できる.

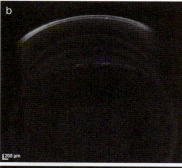

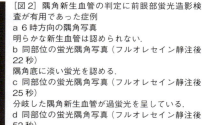

[図2] 隅角新生血管の判定に前眼部蛍光造影検査が有用であった症例
a 6時方向の隅角写真
明らかな新生血管は認められない.
b 同部位の蛍光隅角写真（フルオレセイン静注後22秒）
隅角底に淡い蛍光を認める.
c 同部位の蛍光隅角写真（フルオレセイン静注後25秒）
分岐した隅角新生血管が過蛍光を呈している.
d 同部位の蛍光隅角写真（フルオレセイン静注後52秒）
隅角新生血管および虹彩新生血管からの蛍光色素漏出を認める.

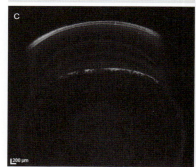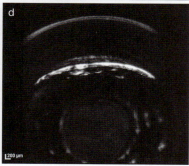

（眼底カメラによっては前眼部モードへの切り替えが必要な場合がある），蛍光眼底造影撮影の際と同様にフルオレセインナトリウム（5ml）を肘静脈から静注する．20～30秒後に隅角新生血管が造影されることから，この一連の造影過程を動画モードで撮影しておく．すばやく隅角鏡を回転させ360°全周の撮影を造影早期に終了させる．Ocular 1.5x Magna View Gonio Lens® を用いると隅角・虹彩新生血管を同時に撮影することができ便利である（図2d）．前眼部の初期撮影が終了した段階で隅角鏡を外して洗眼し眼表面のスコピゾルを洗い流す．その後，通常の蛍光眼底造影撮影を行う．虹彩・隅角新生血管からの蛍光漏出を評価する目的で再び隅角鏡をのせて後期相での撮影を行う．

2 検査機器の使い方とコツ

活動性の高い虹彩・隅角新生血管では旺盛な蛍光漏出が認められるため造影後期では鮮明な画像が得られないことが多い．すなわち，造影早期で虹彩・隅角新生血管の形態や走行をすばやく撮影することが必要となる．当院では習熟した医師が隅角鏡を操作し，視能訓練士が画像取得を担当するという共同作業で前眼部隅角検査を行っている．検査前に入念に打ち合わせをすることがスムーズな検査を行う上で重要である．

Ⅳ 検査結果の読み方と解釈

1 正常所見

正常眼では虹彩・隅角新生血管は描出されないが，生理的隅角血管や加齢に伴う虹彩からの色素漏出が認められることがある．また，隅角部蛍光検査では結膜血管からの過蛍光が入り込むため隅角観察の際の目印として使用できる．

2 異常所見

正常な虹彩・隅角血管はそのバリア機能によってフルオレセインの蛍光漏出を伴わない．一方，未熟な新生血管はバリア機能が十分に発達しておらず蛍光漏出を呈する．前眼部蛍光造影検査では検眼鏡的にはわかりにくい虹彩・隅角新生血管が検出できることが最大のメリットである（図2）．前眼部に新生血管が生じている状態では眼内のVEGF産生が著しく亢進していると推測される．

3 アーチファクト

検査前に角膜上皮障害や眼圧測定にフルオレセイン染色を行うと隅角観察がやや困難になるので，やむを得ず行う場合には検査前に十分に洗眼をしておく．また，眼脂やアイメイクも検査の妨げになることがあるので事前にできるだけ除去しておくことが望ましい．

文献

1) Bruun-Jensen J：Fluorescein angiography of the anterior segment. Am J Ophthalmol 67：842-845, 1969
2) Ohnishi Y, et al：Fluorescein gonioangiography in diabetic neovascularization. Graefe's Arch Clin Exp Ophthalmol 232：199-204, 1994
3) Hamanaka T, et al：Pathological study of cases with secondary open-angle glaucoma due to sarcoidosis. Am J Ophthalmol 134：17-26, 2002
4) Hamanaka T, et al：Retinal ischemia and angle neovascularization in proliferative diabetic retinopathy. Am J Ophthalmol 132：648-658, 2001
5) Hayreh, SS：Neovascular glaucoma. Prog Retin Eye Res 26：470-485, 2007

〈楠原仙太郎〉

5) 超音波生体顕微鏡・UBM・前眼部OCT

Ⅰ 検査の目的

■超音波生体顕微鏡 ultrasound biomicroscope（UBM）

1 検査対象

閉塞隅角，緑内障，眼外傷，ぶどう膜炎，脈絡膜剝離，周辺部網膜剝離，水晶体脱臼・亜脱臼，低眼圧，濾過手術術後．

2 目標と限界

目標：隅角閉塞の有無，隅角閉塞機序の鑑別，毛様体解離，毛様体炎膜，毛様体脈絡膜剝離，周辺部網膜剝離，水晶体亜脱臼などの有無，程度，範囲などを診断する．

限界：接触検査であり，穿孔性の眼外傷や術後早期の施行は困難．解像度は前眼部OCTに劣る．

■UBM・前眼部OCT

1 検査対象

狭隅角，閉塞隅角，急性緑内障発作，円錐角膜，角膜乱視，水疱性角膜症，角膜移植術後，屈折矯正手術の術前・術後評価，水晶体亜脱臼，毛様体脈絡膜剝離，眼外傷，ぶどう膜炎，低眼圧，濾過手術術後．

2 目標と限界

目標：隅角閉塞の有無，隅角閉塞の程度，角膜形状，角膜移植片，移植角膜内皮の前房内位置，水晶体形状と偏位，前房蓄膿，濾過胞形状などを評価する．

限界：虹彩後面，毛様体突起は描出されない．

Ⅱ 検査機器

■UBM

1 測定原理

通常のBモードエコー（振動子周波数：15MHz）より高い周波数の振動子（30MHz〜100MMz）を用いることにより詳細な前眼部構造の断層像を描出する．縦方向の解像度はおよそ50μm．

2 機器の構造

超音波診断装置に高周波プローブを接続しBモードエコーと切り替えて使用する.

■ 前眼部OCT
1 測定原理

眼底検査に用いるOCT装置より長波長（1,310±10nm）の近赤外線を使用することにより隅角を画像化する. 後眼部用OCTでもアタッチメントをつけることにより前眼部撮影が可能であるが, 撮像範囲が狭い.

2 機器の構造

前眼部OCTとして現在本邦で販売されているのはトーメー社のCASIA2である. スウェプトソース方式でスキャンスピードは50,000Aスキャン/秒と高速である. 解像度は縦方向10μm以下, 横方向30μm以下で走査深度は13mmである.

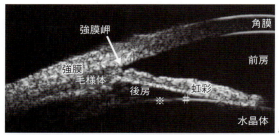
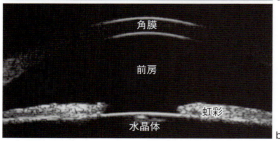

[図1] 正常所見（UBM）
a 隅角部の矢状断
　角膜, 強膜, 強膜岬, 毛様体, 虹彩, 水晶体の一部, 前房, 後房が描出される. 毛様小帯（※）および水晶体前嚢（#）も観察可能である.
b 瞳孔領の矢状断
　角膜, 前房, 虹彩, 水晶体（前嚢）が描出される. 中心前房深度を測定可能である.

III 検査手順

■ UBM
1 検査の流れ

接触検査であるので点眼麻酔をする. 仰臥位で検査することが多い. アイカップを使用する場合には, 被検眼に装着しアイカップ内にメチルセルロース製剤（スコピゾール）と生理食塩水による水浸法またはメチルセルロースを塗布し直接撮影する. 撮影したい場所と反対側を見てもらうよう指示し（上方隅角なら下方視）, 上方, 下方, 耳側, 鼻側の4方向および中心を撮影する.

2 検査機器の使い方とコツ

プローブを眼球に対して垂直に当てることが重要である. 水泡があるとエコーが減弱する. 隅角閉塞の診断では暗室で行い, 固視標なども使用しない. 対光反応や調節による縮瞳を避けるためである. 照明下での隅角状態も診断する必要があるので暗室→明室の順に検査を行う.

■ 前眼部OCT
1 検査の流れ

座位で行い, 機械の顎台と額当てにしっかり顔を付けてもらう. 非接触なので特殊な前処置は必要ない. 内部固視灯があるので固視灯を見てもらい眼を動かさないように指示する. 撮影は数秒で完了する.

2 検査機器の使い方とコツ

使い方に難しい点はない. 眼瞼がかからないように目を大きく開けるよう指示する. 特に, 上方隅角は撮影されにくいので必要であれば検者が開瞼する. 固視灯による縮瞳と隅角の開放を避けるため, 隅角閉塞診断では固視灯を消灯して撮影することも可能である.

IV 検査結果の読み方と解釈

■ UBM
1 正常所見（図1）

角膜, 強膜, 虹彩, 毛様体, 水晶体（前嚢）, 毛様小帯などが描出され, 隅角, 前房, 後房などが判定可能.

2 異常所見の読み方

隅角閉塞：瞳孔ブロック（図2）やプラトー虹彩（図3）, 毛様体脈絡膜剥離（図3）など原発閉塞隅角病の隅角閉塞機序の診断. 水晶体亜脱臼による続発性（図4）, 外傷性毛様体脈絡膜剥離に

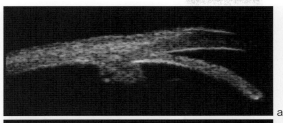
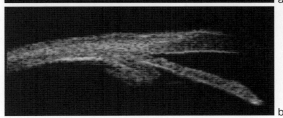

[図2] 瞳孔ブロック，レーザー虹彩切開術前後（UBM）
a 前方に彎曲した虹彩による隅角閉塞が観察され，瞳孔ブロックによる隅角閉塞と診断される．
b レーザー虹彩切開後．瞳孔ブロックの解除により虹彩は平坦化して隅角閉塞が解除され開放している．

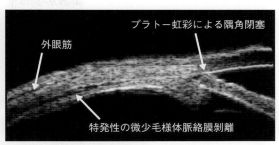

[図3] 毛様体脈絡膜剥離を伴うプラトー虹彩（UBM）
虹彩は平坦で，前方に位置する毛様体に持ち上げられるように隅角が閉塞しておりプラトー虹彩と診断される．強膜と毛様体扁平部および脈絡膜との間には低エコーで示される毛様体脈絡膜剥離も存在する．強膜の表層側の低エコーは外眼筋である．

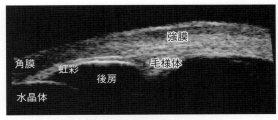

[図4] 水晶体亜脱臼による続発閉塞隅角緑内障（UBM）
虹彩は前方に彎曲し，後房容積が増大しており瞳孔ブロックによる隅角閉塞である．水晶体が毛様体から離れており，毛様小帯の脆弱による水晶体亜脱臼である．水晶体亜脱臼により水晶体が前方に移動し瞳孔ブロックを増強したと考えられる．

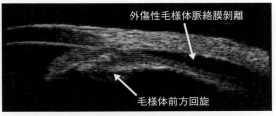

[図5] 外傷性毛様体脈絡膜剥離による続発閉塞隅角緑内障（UBM）
強膜と毛様体扁平部の間に低エコー域で描出される外傷性毛様体脈絡膜剥離があり，毛様体が前方回旋し隅角は閉塞している．

よる続発性閉塞（図5）の鑑別．

3 アーチファクト

粘弾性物質や生食に泡が入ると画像に影が生じる．プローブが垂直に当たっていないと隅角角度や距離の測定が不正確になる．アイカップで眼球を圧迫すると隅角は広く撮影される．

■ 前眼部OCT

1 正常所見（図6）

角膜全面，両方の隅角が描出される．虹彩はほとんど裏面まで描出される．毛様体突起は描出されない．水晶体は散瞳下では水晶体後面まで描出され傾きを含めた形状解析が可能である．隅角の開放，閉塞が診断できる．高解像度モードでは強膜岬，Schlemn管が描出されることもある．中心角膜厚，中心前房深度，隅角間距離，水晶体膨隆度なども測定できる．

2 異常所見の読み方

浅前房眼における開放隅角，狭隅角，閉塞隅角（図7）を診断する．手術の効果の判定にも有用である．原発閉塞隅角病の水晶体再建術後に大きく開放した隅角（図8）や，線維柱帯切除術後の濾過胞や強膜フラップ（図9）も描出される．

3 アーチファクト

暗室で撮影しても被検眼への固視灯の光，調節，反対眼で機械を見ることによる調節などによりわずかに縮瞳する．縮瞳により隅角は開放する

16. 前房・隅角検査

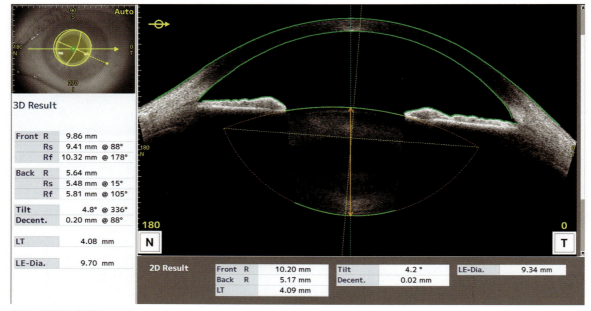

[図6] 正常所見（前眼部OCT：CASIA2）
正面視で撮影した前房隅角．両側の隅角が描出される．正常開放隅角である．水晶体位置の解析も可能である．

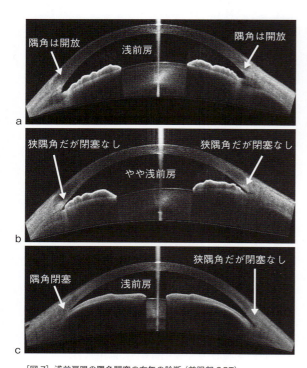

[図7] 浅前房眼の隅角閉塞の有無の診断（前眼部OCT）
a 前房は浅いが隅角は両側とも開放している．
b 前房はaよりは深いがやや浅い．両側とも狭隅角だが隅角閉塞はない．
c 前房はaよりも浅い．左（鼻側）の隅角は閉塞している．右（耳側）は狭いが閉塞はない．虹彩がa, bと比べて薄いのは治療に使用したピロカルピンによる縮瞳の影響である．

[図8] 水晶体再建術後の隅角開放効果（前眼部OCT）
原発閉塞隅角症に対する水晶体再建術後．眼内レンズは薄いため虹彩が後方に移動し隅角は広く開放している．

のでUBMと比べると隅角は広く[1,2]撮影される（図10）．外部固視灯を用いる高解像度モードでは影響が大きい．

文献
1) Radhakrishnan S, et al：Comparison of optical coherence tomography and ultrasound biomicroscopy for detection of narrow anterior chamber angles. Arch Ophthalmol 123：1053-1059, 2005
2) Wang D, et al：Comparison of different modes in optical coherence tomography and ultrasound biomicroscopy in anterior chamber angle assessment. J Glaucoma 18：472-478, 2009

（酒井　寛）

6) レーザーフレアメータ

[図9] 線維柱帯切除術後の濾過胞（前眼部OCT）
良好に機能している濾過胞．濾過胞壁に厚みがあり，濾過胞の内部はエコー輝度が低く房水が貯留していると判断できる．強膜半層切開にて作成した強膜フラップが描出されており，強膜フラップ下には低エコーで前房から濾過胞へと続く房水の流出路が描出されている．

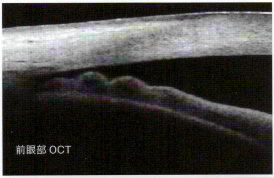

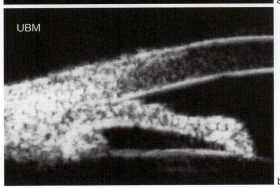

[図10] 原発閉塞隅角症眼の前眼部OCTとUBMの比較（同一眼，同一部位の隅角）
a 前眼部OCTでは隅角は狭いが閉塞（虹彩と線維柱帯の接触）はない．
b UBMでは幅の広い隅角閉塞＝虹彩線維柱帯接触を認める．
前眼部OCTでは暗室で撮影しても固視灯を使用しているために，光および調節により縮瞳し隅角閉塞を見逃してしまう可能性がある．UBM撮影では光や固視灯を使用しないので，暗室，散瞳下での隅角評価が可能である．

I 検査の目的

1 検査対象

前眼部における眼血液柵の破綻をきたしうる疾患が対象となる．ぶどう膜炎に加えて，眼虚血症候群，内眼手術後，薬剤の副作用評価などが含まれる．

2 目標と限界

前房内の房水蛋白濃度を定量化して記録することが目標である．小瞳孔，浅前房，角膜混濁，過熟白内障などを伴う場合は正確な測定が困難となる．

II 検査法と検査機器

1 測定原理

前房内に赤色半導体レーザー光を照射した際に生じる房水中蛋白による微弱な散乱光を光電子増倍管で検出し解析する．前房内に縦0.3mm，横0.5mmの測定ウィンドウを設定し，測定ウィンドウを含む0.6mmの領域を下から上にレーザーで走査する．測定ウィンドウ内の光信号（SIG）から測定ウィンドウ外（バックグラウンド）の光信号（BG）を差し引きすることによって房水中の蛋白による散乱光強度（フレア値）を算出する（図1）．

2 機器の構造

走査レーザー，集光レンズ，受光レンズ，受光素子，モニター，記録・保存装置，プリンタで構成される（図2）．

3 感度と特異度

いくつかのぶどう膜炎で感度の高い検査であることが報告されている．房水中蛋白濃度が上昇する疾患は限られているので臨床所見と併せて用いれば特異度についても高い検査であると考えられる．

III 検査手順

1 検査の流れ

暗室における散瞳下での測定を原則とする．散

16. 前房・隅角検査

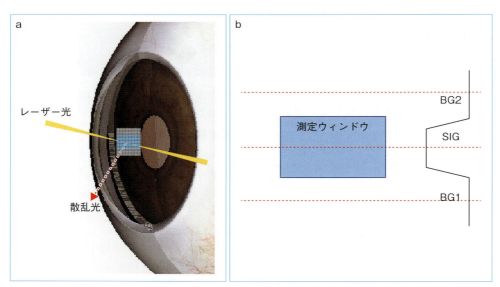

[図1] レーザーフレアメータの測定原理
a 前房内にレーザー光を照射した際に生じる測定ウィンドウ（縦0.3mm，横0.5mm）および測定ウィンドウ外に存在する蛋白からの微弱な散乱光を光電子増倍管で検出し解析する．
b 測定ウィンドウを含む0.6mmの領域を下から上にレーザーで走査し，測定ウィンドウ内の光信号（SIG）から測定ウィンドウ外（バックグラウンド）の光信号（BG）を差し引きすることによってフレア値（SIG−[BG1＋BG2]/2）を算出する．

[図2] レーザーフレアメータ外観（コーワ FM-600）
a 顎台・額当て（オレンジ）と測定系（黒）が確認できる．
b モニター，ジョイスティック，各種ボタン，プリンタ，校正器（黒）がコンパクトに配置されている．

瞳状態と散瞳薬の両方がフレア値に影響を及ぼすことから，散瞳薬点眼後30〜60分での測定を心がける．患者の顎と額が顎台と額当てにそれぞれ正しく位置していることを確認した後に，緑色の内部固視灯を凝視するように指示する．その状態でアライメント（作動距離合わせと測定部位置合わせ）を行い，BGスキャン，フレア測定へと進める．測定を5回行った後に集計データを確認し保存と出力を行う．

2 検査機器の使い方

コーワ FM-700 では細隙灯顕微鏡下でのアライメントが必要となるため顕微鏡操作が必要となる．一方，コーワ FM-600 ではモニターアライメントとなるためジョイスティックと測定ボタンのみの操作で測定が可能である．

3 検査のコツと注意点

患者の協力が必要であるため患者が疲れないうちに手早く測定を終えることが大事である．アライメントに時間を要することが多いので練習を重ねて習熟しておくとよい．

IV 検査結果の読み方と解釈

1 正常結果

正常眼では BG レベルが揃い SIG が凸となる測定波形を示し，フレア値は 10 フォトンカウント (pc)/ms 未満となる．

2 異常所見とその解釈

正常な測定波形を示しフレア値が 10 フォトンカウント (pc)/ms 以上であれば，眼内炎症などで前房内蛋白濃度が上昇していると考えて良い．レーザーフレアメータでは細隙灯顕微鏡検査では判別できないほどのわずかな蛋白濃度上昇を検出することが可能である（図 3）．

3 アーチファクト

測定ポイントを正しく設定しないと BG レベルが揃わず測定結果が不正確となる．フレア測定中にセル等が混入するとデータ不良の原因となることもある．安定した測定を行うために，定期的なキャリブレーションは必須である．

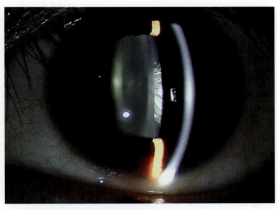

[図3] Behçet 病（寛解期）の前眼部写真
細隙灯顕微鏡検査では前眼部に明らかな炎症所見は認められなかったが，レーザーフレアメータで測定したフレア値は 34.9 pc/ms と異常高値を示していた．

文献
1) Guex-Crosier Y, et al：Sensitivity of laser flare photometry to monitor inflammation in uveitis of the posterior segment. Ophthalmology 102：613-621, 1995
2) Ladas JG, et al：Laser flare-cell photometry：methodology and clinical applications. Surv Ophthalmol 50：27-47, 2005
3) Lu X, et al：Non-invasive instrument-based tests for quantifying anterior chamber flare in uveitis：a systematic review. Ocul Immunol Inflamm 2021（online ahead of print）

〈楠原仙太郎〉

17 眼底検査

1）直像鏡（固視検査も含めて）

I 検査の目的

1 検査対象

像の拡大率が15倍と高く，解像力にも優れているため，視神経乳頭や眼底後極部の詳細な観察に適している．また固視の検査にも使用可能である．

2 目標と限界

視野範囲が狭く，立体観察ができない．眼科医の診療における使用機会は少ないが，技術の習得が容易であることから医学生や眼科医以外の医師に使用されることがある．

II 検査法と検査機器

1 測定原理

検者，被検者がともに正視眼で無調節の状態であれば，被検者の網膜面から発した光線は眼外で平行な光束となり，その光束が検者の瞳孔に入ると検者の網膜上に結像する（**図1**）．直像鏡はこの原理を応用し，下記の構造を備えたものであり，これにより得られる像は約15倍に拡大された虚像正立像となる．

2 機器の構造

主に被検者の眼底に光を送るための光源，プリズム，そして検者，被検者の屈折異常を矯正するための補正レンズからなる（**図2**）．そのほか照射野を調節する絞り，レッドフリーフィルター，固視標などが付属されている．

III 検査手順

検者，被検者の両方を正視，無調節の状態にするために補正レンズを調節する（検者と被検者の屈折率の和に相当するレンズが必要，また調節力がある場合は−2D程度のレンズを追加する）．被検者に遠くの1点を固視させる．検者は，直像鏡の光源から出る光を被検者の瞳孔内に入れ，眼底を観察する．被検者の右眼を観察する場合は，検者は右手に直像鏡を持って右眼で観察孔をのぞ

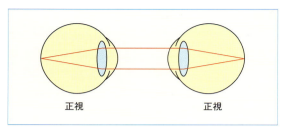

[図1] 直像鏡の原理
検者および被検者がともに正視眼で調節をしていない状態では，被検者の網膜面から発した光は瞳孔を通り角膜を出ると平行線となり，その平行線が検者の角膜に入ると瞳孔を通過して検者の網膜面に像を結ぶ．
（堀尾直市：眼科検査ガイド，第1版，p536）

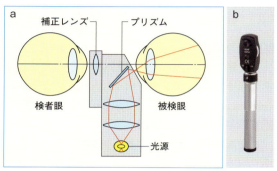

[図2] 直像鏡の構造（a）およびHEINE社製アルファ直像鏡（b）
光源から出た観察光は，プリズムで反射して被検眼の眼底に到達する．補正レンズにより，検者眼と非検眼との屈折を補正することにより，図1の原理を利用して眼底観察を行う．
（堀尾直市：眼科検査ガイド，第1版，p536）

く．瞳孔領からの眼底の反射を確認し，その反射をはずさないようにしながら被検眼に近づいていくと眼底が見えてくる．まず視神経乳頭を探し，その後網膜血管の状態や黄斑の観察を行う．このとき眼底がぼやけて見えるようなら補正レンズを調節する．補助レンズの3Dの差が1mmに相当するため，うっ血乳頭や眼底の隆起性病変を認める場合，その差を測定することで突出の程度をおおまかにとらえることができる．

固視の検査に使用する際には，被検者の片眼を遮閉し，被検者の眼底を観察しながら固視標の中心を固視するように指示し，このときの指標中心と被検者の中心窩との位置関係，注視の安定性から中心窩固視を判定する．

（森實祐基）

17 眼底検査

2）単眼倒像鏡

I 検査の目的

1 検査対象

直像鏡に比べて視野が広く，眼底の周辺部までの観察が可能である．また，双眼倒像鏡と比べると扱いが簡便で，小瞳孔でも観察しやすい．そのため，日常診療において眼底の連続した病変の全体像を観察することができ，網膜剝離，網膜出血，網膜変性などの範囲や位置などの把握が容易に行える．

2 目標と限界

操作が簡便なため日常診療における眼底検査のスクリーニングに適している．

一方で単眼視であるため立体観察ができず，また両手を使用しているため強膜圧迫を併用した眼底最周辺部の観察はできない．

II 検査法と検査機器

1 測定原理

眼底を照射する検眼鏡と集光レンズを用いて，集光レンズの手前に結像する倒立実像を観察する（図1）．

2 機器の構造

検眼鏡には光源，プリズムのほか，絞りと各種フィルタが内蔵されている（図2, 3）．集光レンズは＋14D，＋20D，＋28Dなどが使用される（図4）．数字が大きくなると視野が広がり周辺部が観察しやすくなるが，暗くなり，拡大率は落ちる．また，検眼鏡の絞りにより照明光の大きさを変えたり，フィルターで光量を変えたりすることができるようになっている．倍率は眼球の屈折力/集光レンズの屈折力で求められるため，被検眼の眼球の屈折力を＋60Dとすれば，＋14Dの集光レンズでは，60D/14D＝約4倍，＋20Dの集光レンズでは，60D/20D＝約3倍となる．観察視野は＋14Dレンズで約35°，＋20Dレンズでは約45°，＋28Dレンズが約55°である．

III 検査手順

検者は利き手に検眼鏡を持ち，同側の眼で観察する．検眼鏡の上部を眼窩下縁部に置き，他方の手で持った集光レンズを照明光に直角になるように被検者眼のすぐ前に置く．集光レンズは母指と示指で持ち，薬指，もしくは小指を被検者の眼窩上縁に当てレンズを固定させる．被検者眼から腕の長さほど離れた距離から検眼鏡の照明光で被検者の瞳孔内を照らす．検者は光軸とできるだけ平行に被検者の瞳孔内を見るようにし，眼内からの

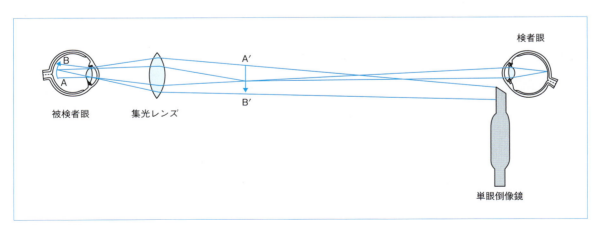

［図1］倒像鏡検査の原理
集光レンズの手前に眼底A-Bの倒立実像A'-B'を結像するので，検者はこれを観察する．
（吉村長久：眼科診療プラクティス2, p106）

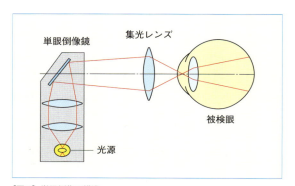

[図2] 単眼倒像の構造
単眼倒像鏡から出た観察光は，集光レンズにより眼底に投射される．
（堀尾直市：眼科検査ガイド，第1版，p538）

[図3] NEITZ社製単眼倒像鏡（ブライトスコープ）
（堀尾直市：眼科検査ガイド，第1版，p538）

[図4] Ocular社製集光レンズ
（堀尾直市：眼科検査ガイド，第1版，p539）

[図5] 単眼倒像鏡による眼底検査の実際

反射を確認する．散瞳が不十分な場合は，照明光の光束を絞る．瞳孔を中心に維持しながらレンズを遠ざけていけば眼底が見えてくる．

眼底周辺部を観察するときは，被検者に上下左右を指示し，見てもらう．上方を観察する場合は被検者に上方視をさせ，下方を観察する場合は下方視をさせる．

このとき被検者には顔を動かさずに眼球のみを動かしてもらったほうが観察しやすい．さらに周辺部を観察したいときは，（上方を観察する場合には）検者が倒像鏡と一体となって下方に移動し，下方から覗き込むようにする．周辺部を観察するときも検者眼，照明光，集光レンズ，被検者眼の位置関係が崩れないように注意する．検者に見えている眼底像は，実際とは上下左右が逆となるので，その点に注意して位置関係を把握する必要がある（**図5**）．

集光レンズは通常＋20Dレンズもしくは＋14Dレンズが用いられるが，小瞳孔例や未熟児網膜症では＋28Dが使用されることが多い．

（森實祐基）

3) 双眼倒像鏡（強膜圧迫法）

I 検査の目的

1 検査対象

　単眼倒像鏡を主に使用している眼科医の中には，細隙灯顕微鏡と前置レンズによる立体的な眼底検査ができるので，双眼倒像鏡の必要性をあまり認識していない人が多いように思うが，それは間違いだと筆者は思っている．細隙灯顕微鏡と前置レンズによる立体的な眼底検査では，観察できる範囲が限局されがちとなり，広いなだらかな眼底の隆起性病変をしばしば見落とす危険がある．筆者は，過去にベテラン眼科医が，初期の脈絡膜血管腫などの腫瘍性病変を見落としていた例に数多く遭遇している．また，非常に扁平な網膜剥離を見落としたり，逆にwhite without pressureを網膜剥離と誤診したりする例は後を絶たない．後部ぶどう腫内の限局性の牽引性網膜剥離にしてもしかりである．これらは双眼倒像鏡による眼底検査に普段から習熟していれば，診断を間違うことはきわめて少なくなると思われる．

　また，双眼倒像鏡を使用する最大の利点は，立体視が可能であることに加えて，強膜圧迫法を用いて単眼倒像鏡では見ることのできない眼底最周辺部〜鋸状縁〜毛様体にかけての病変を観察できることである．特に鋸状縁断裂や毛様体に裂孔を生じるアトピー性網膜剥離などでは，本検査は必須である．また，増殖糖尿病網膜症の硝子体手術後に生じる前部硝子体線維血管性増殖 anterior hyaloid fibrovascular proliferationや強膜創血管新生，周辺性ぶどう膜炎などの診断にもきわめて有用である．硝子体手術を専門にしている眼科医は，術中に強膜圧迫をすることで，いろいろな病変をみることができるが，一般の眼科医は双眼倒像鏡を使用しないと見ることができない．眼底最周辺部には，実に多彩な病変がある（表1）[1]．もちろん強膜圧迫子付きの三面鏡である程度は観察することができるが，全周を短時間にスクリーニングするのは双眼倒像鏡にかなわない．

　双眼倒像鏡による眼底検査では片手が自由に使えるので，強膜バックリング手術時の経強膜冷凍凝固や裂孔の位置決めにきわめて有利である．単眼倒像鏡を使用した強膜バックリング手術では，助手に冷凍凝固プローブを持たせることになり，術者との呼吸が合わないと眼球に過度の侵襲を加えることになる．その結果，術後の硝子体腔内へのタバコダストの散布量が多くなり，続発黄斑上膜の原因にもなる．双眼倒像鏡を使えるかどうかで，強膜バックリング手術の技量は大きく違ってくる．網膜剥離に対しては，強膜バックリング手

[表1] 眼底最周辺部の病変

1. 発育異常によるもの
- meridional fold（鋸状縁の歯状突起あるいは彎の中央部から後極に向かって放射状に伸びる堤防状の隆起）
- meridional complex（meridional foldと毛様突起が同一子午線上にあるもの）
- enclosed ora bay（毛様体扁平部が鋸状縁よりわずか後極寄りに円形の島状に周辺部網膜に取り囲まれている病変）
- peripheral retinal excavation（円形の小さな周辺部網膜の陥凹が，meridional foldあるいはmeridional complexと同一子午線上に鋸状縁より後極寄りに存在する）
- deep bay（普通のものよりoraの間隔が2〜4倍広い．鼻側に多い）
- giant tooth（歯の先端が毛様体扁平部の中間を越えて毛様体皺襞部まで及ぶ）
- forked tooth（歯の先端がフォーク状に分かれている）
- ring tooth（隣り合った2つの歯で輪を作った状態）
- bridging tooth（歯が橋状になって毛様体扁平部の中央に届いているもの）

2. 変性
- 周辺部網膜の定型的嚢状変性（網膜中層に発生し，互いに融合して空胞を形成する）
- 周辺部網膜の網状嚢状変性（網膜血管に沿って線状あるいは網目状の外観を呈する）
- 定型的変性網膜分離症（円形あるいは楕円形の網膜内層の平滑な紡錘形隆起）
- 網状変性網膜分離（円形あるいは楕円形の網膜内層が水胞状に隆起し，外層も不規則な厚みを増す）

3. 牽引性変性
- noncystic retinal tuft（網膜組織の硝子体側への短く薄い突起として生じ，硝子体基底部の中に存在する）
- cystic retinal tuft（noncystic retinal tuftより大型で，先端には硝子体が接着している）
- zonular-tractional retinal tuft（網膜表面がZinn小帯によって前方に牽引されている）
- 網膜分層裂隙（Zinn小帯あるいは硝子体牽引によって生じる網膜の分層裂隙）
- 網膜部全層裂隙（上記の変化により網膜の全層に裂隙を生じる）

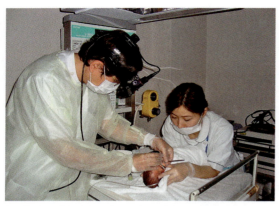

[図1] 双眼倒像鏡による未熟児網膜症の診察
未熟児鉤を用いて検者のコントロール下に短時間で眼底周辺部まで観察できる.

[図2] 双眼倒像鏡による小児の診察
空いている手を用いることで頭部の固定や開瞼がしやすくなるなどの利点がある.

術と硝子体手術の両方の技量を高め, 症例によって適宜使い分けるべきである.

未熟児網膜症や小児の診察にも双眼倒像鏡は威力を発揮する. 未熟児網膜症では未熟児鉤を用いて検者のコントロール下に短時間で眼底周辺部まで観察可能となり, レーザー光凝固を施行する際にも強膜圧迫をしながら最周辺部まで確実に凝固することが可能となる (図1). 小児の眼底検査に際しても, 空いている手を用いることで頭部の固定や開瞼がしやすくなるなどの利点がある (図2).

2 目標と限界

双眼倒像鏡は上記のように優れた検査機器であるにも関わらず, 残念ながら本邦では十分に普及しているとは言い難い. これは, 本邦の眼科初期トレーニングにおいて単眼倒像鏡を主体に教育する施設が多いことに起因している. 筆者は研修医の時に双眼倒像鏡で眼底を観察する教育を受けたが, 初期段階で双眼倒像鏡を使用すれば, その後も特に抵抗なく使用し続けられるものである. いったん単眼倒像鏡に慣れてしまうと, 双眼倒像鏡の種々の操作が煩わしくなるので, 若い眼科医はぜひ最初から双眼倒像鏡の使用に慣れてほしい.

II 検査法と検査機器

1 双眼倒像鏡の構造と原理

双眼倒像鏡はレンズに写った眼底像を左右眼で分けて見ることで立体視を得ることができるが, 内蔵されているプリズムはノブによって前後に移動させることができる. プリズムを後方に移動させると, 検者の両眼の視線が接近するので, 小瞳孔でも観察しやすくなる. 逆に散瞳眼ではプリズムを前方に移動させることで視線が開大し, 良好な立体視を得ることができる (図3)[2].

2 機器の種類

最近は非常に軽量で明るい双眼倒像鏡が各社から市販されており, LED照明を使用した機種も出ている. また, バッテリー付きのコードレス (充電式) の機種 (図4) が普及しており, 使用時にコードのもつれなどに煩わされることもなく快適に使用できる. 特に, 強膜バックリング手術時には有用性が高い.

III 検査手順

1 検査の流れ

まず十分に散瞳した後, 後極部を観察し, その後9方向の眼底周辺部を観察する. 周辺部を観察するためには, 通常被検者を仰臥位にしたほうが見やすい. わが国では立位で眼底検査を行う施設が多いが, 強膜圧迫法を用いた眼底最周辺部の観察には仰臥位が必須なので, 即座に対応できるベッド (あるいは電動椅子: 図5) を用意しておくと便利である.

強膜圧迫法による眼底検査に際しては, 点眼麻

3) 双眼倒像鏡（強膜圧迫法）

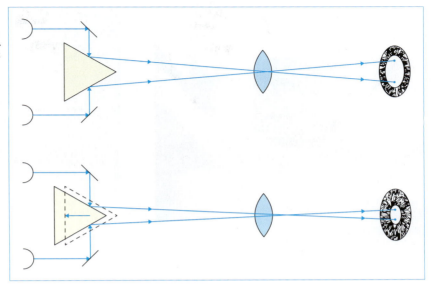

[図3] 双眼倒像鏡の原理
上：散瞳眼，下：無散瞳眼
内蔵されているプリズムはノブによって前後に移動させることができる．小瞳孔では後方に移動させ，散瞳眼では前方に移動させる．
（文献2）より引用）

[図4] バッテリー付きのコードレス（充電式）の双眼倒像鏡
使用時にコードのもつれなどに煩わされることもなく，強膜バックリング手術時には有用性が高い．

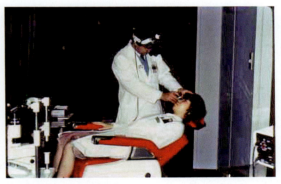

[図5] 仰臥位による眼底検査
強膜圧迫法を用いた眼底最周辺部の観察には仰臥位が必須である．

酔をした後，強膜圧迫子で眼瞼皮膚上から眼球を圧迫する．圧迫子には種々のものがあり，指に装着するSchepense型や棒状のものがある．筆者は強膜バックリング手術時の経強膜冷凍凝固を想定して，棒状の圧迫子を好んで用いている．通常，鼻側を除いてこの方法で十分に眼底最周辺部の観察が可能である．鼻側を観察するときには必要に応じて強膜圧迫子を結膜囊に挿入して観察することもある．眼底最周辺部観察のコツは，眼球を観察する方向に過度に傾けすぎないことである．赤道部を観察するつもりで，あとは強膜内陥によって観察する部位を視界の中に持ってくるようにする（図6）．強膜圧迫法は慣れないと被検者に苦痛を与えることになるので，まずはウェットラボで使用する豚眼を利用して，強膜圧迫法の練習をすればよい（図7）．この手技により，強膜圧迫法のコツが修得できるだけでなく，経強膜冷凍凝固の練習にも応用できる（図8）[3]．

2 眼底検査の記録

眼底検査は細隙灯顕微鏡と並んで眼科診療の基本であるという認識をもう一度しっかり持って，眼底検査のトレーニング時には，正確な眼底チャートを書く習慣を身につけるべきである．眼底チャートは，American Academy of Ophthalmology の定めた規則（図9）に従って記載するのが一般的である．筆者らの施設では，慶大式簡易

[図6] 強膜圧迫法のコツ
眼球を観察する方向に過度に傾け過ぎることなく，強膜内陥によって観察する部位を視界の中に持ってくるようにする．

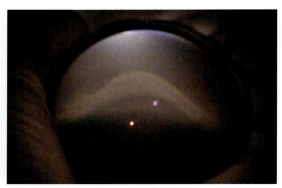

[図7] 豚眼を用いた強膜圧迫法の練習
鋸状縁部や毛様体扁平部を観察することで，強膜圧迫法のコツを掴む．
（文献3）より引用）

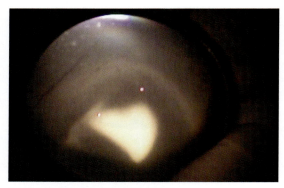

[図8] 豚眼を用いた経強膜冷凍凝固の練習
豚眼は経強膜冷凍凝固の練習にも有用である．
（文献3）より引用）

型の記載法を好んで使っている（**図10**）[4]．近年の電子カルテの普及により，詳細な眼底チャートを記載するトレーニングを施行する機会は減少しているものと思われるが，若いレジデント教育には必須である．

文献
1) 出田秀尚：眼底スケッチの準備と基礎知識．正常眼底―検眼鏡の所見―．眼科診療プラクティス 2．眼底の描き方，本田孔士編，文光堂，東京，13-23，1992
2) 三宅養三：双眼倒像鏡の構造と扱い方．眼科診療プラクティス 2．眼底の描き方，本田孔士編，文光堂，東京，96-99，1992
3) 池田恒彦：強膜バックリング手術のウェットラボ．日本の眼科 86：160-164，2015
4) 桂　弘：眼底所見のとり方．眼科手術 1：333-342，1988

（池田恒彦）

3）双眼倒像鏡（強膜圧迫法）

[図9] American Academy of Ophthalmology が推奨する眼底チャート記載法
各病変を記載する際のルールがある．

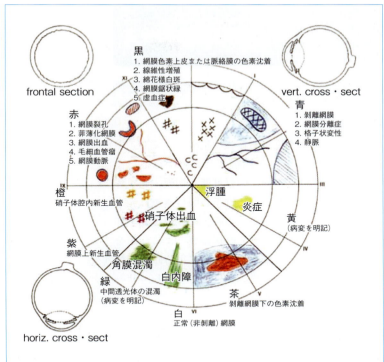

[図10] 慶大式簡易型眼底チャート記載法
1. retinal vein（blue）
2. retinal artery（red）
3. attached retina（red）
4. detached retina（blue）
5. retinal break（red outlined with blue）
6. rolled edge of retinal break（blue hatching outlined with blue）
7. peripheral cystoid degeneration（blue）
8. lattice degeneration（blue cross outlined with blue）
9. white without pressure（blue hatching）
10. retinal hemorrhage（red）
11. pigmentation（black）
12. retinoschisis（blue hatching outlined with blue）
13. chorioretinal atrophy, thin retina（red hatching outlined with black）
14. choroidal detachment（brown）
15. preretinal fibrosis（green）
16. vitreous opacity（green）
17. buckle（black hatching outlined with black）
18. area obstructed with iris or others（brown hatching outlined with brown）
19. subretinal fibrosis（brown）
20. fixed fold（blue）
（文献4）より引用）

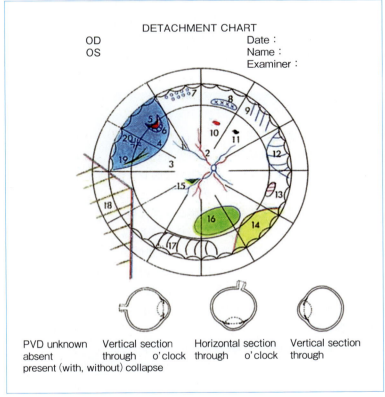

489

17 眼底検査

4) 網膜硝子体の細隙灯顕微鏡検査

I 検査の目的

1 検査対象

検眼鏡で眼底所見がある程度把握できても，さらに詳細に眼底所見を観察したい時が適応となる．検査対象は光学的に観察可能な網膜・硝子体疾患のほぼすべてとなる．近年の眼科診療は光干渉断層計の進歩で網膜硝子体疾患の観察は光干渉断層計に移行しているが，直接観察による診断を忘れてはいけない．細隙灯顕微鏡による眼底観察法は，診断のみならず眼底疾患に対するレーザー治療法にも応用されている．

2 目標と限界

細隙灯顕微鏡を用いて病変の詳細な観察，眼底周辺部の観察，硝子体や網膜，その境界面の評価を目標とする．中間透光体の混濁が高度の場合は，混濁部位より後方の観察は困難となる．前置レンズおよび眼球光学系の瞳孔形状，角膜や水晶体の収差と混濁，その他の中間透光体の光学条件により，観察可能な範囲と観察像は影響を受ける．

II 検査法と検査機器

1 測定原理・測定範囲

立体眼底検査の基本原理は，入射光束が眼底を照明し，眼底から反射されて左右眼の接眼レンズに至る光束から眼底を立体的に観察することにある（図1）．入射光束と左右眼の接眼レンズに至る光束を，それぞれ異なり重なり合わせないように瞳孔を通過させる．細隙灯顕微鏡では眼底像が，左右の顕微鏡観察系それぞれで拡大されて観察される．測定範囲は瞳孔や水晶体などの中間透光体を入射光束と反射光束が通過できる範囲となる．

2 機器の構造

細隙灯顕微鏡は前眼部の観察用にデザインされているため眼底の観察には眼球そのものの屈折を打ち消す必要がある．細隙灯顕微鏡の基本構造

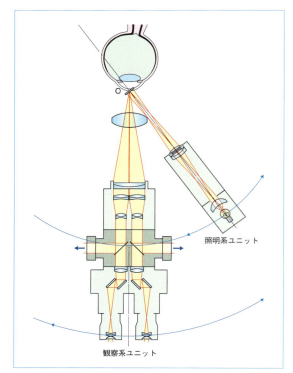

[図1] 細隙灯顕微鏡の観察系ユニットと照明系ユニット
スリット照明系と双眼実体顕微鏡観察系とが同軸に連動して回転，もしくは傾斜する．

は，スリット照明系と双眼実体顕微鏡観察系とが同軸に連動して回転，もしくは傾斜することにより，観察系の焦点位置にさまざまな幅のスリット光の角度から照明させ眼底観察する仕組みとなっている（図1）．そのため，幅広の光束による直接照明による平面的観察のほか，網膜や網膜硝子体境界面を斜めから入射される極細のスリット光束（スリットナイフ）による網膜硝子体境界面を光学断面で観察することが可能となる．水平方向の照明角度の調整は，照明系を回転させることにより行う．垂直方向の照明角の調整はHAAG-STREIT型とZEISS型で異なる．HAAG-STREIT型では照明系全体を前傾させ（図2），ZEISS型では照明系プリズムミラーを上下させて照明角を調整する（図3, 4）．またHAAG-STREIT Goldmann 900 BQ型では，左右の視路角を13°（標準）から4.5°まで調整できる機能（ステレオバリエーター）が付加できる．これにより両眼視に影響する観察範囲の観察深度を調整する（図5, 6）．

4) 網膜硝子体の細隙灯顕微鏡検査

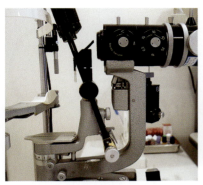

[図2] HAAG-STREIT型での照明角度の調整
HAAG-STREIT型では照明系全体を前傾させる．

[図3] ZEISS型での照明角度の調整
ZEISS型では照明系プリズムミラーを（左図）上限から（右図）下限まで上下させて照明角を調整する．

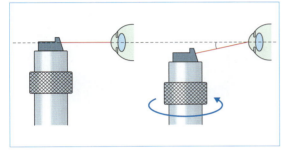

[図4] ZEISS型での照明角度の調整
ZEISS型では照明筒を回転させて照明系プリズムミラーを上下する．

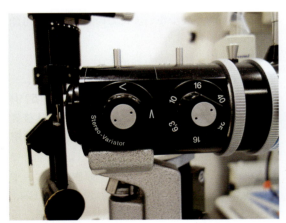

[図5] ステレオバリエーター
HAAG-STREIT Goldmann 900BQ型では，左右の視路角が調整できるステレオバリエーターが内蔵されている．

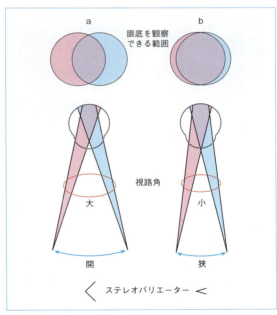

[図6] ステレオバリエーターでの視路角の変化
a 開いた場合，b 狭めた場合

眼底観察には被検眼の総屈折力を打ち消す必要がある．総屈折力は角膜40Dと水晶体20Dを合計した約+60Dである．そこで眼底観察には，−60Dの凹レンズを前置して正立虚像を観察する方法と，凸レンズを前置して眼底の倒立実像を眼前に結像させて観察する方法がある（図7）．高屈折凸レンズを前置することによって，眼底像を眼前に形成し（倒立実像）それを細隙灯顕微鏡で観察する．したがって倒像観察系での観察位置は，角膜よりも顕微鏡寄りとなる．倒像観察系は観察視野が広く，小瞳孔や中間透光体の混濁などの障害に強い．前置するレンズの屈折力によって眼前に形成される倒立眼底像の特性（倍率や視野）が変わることを理解しておく必要がある．

[図7] 直像観察型レンズと倒像観察型レンズ
直像観察型レンズでは−60Dの凹レンズを前置して正立虚像を観察する．倒像観察型レンズでは凸レンズを前置して眼底の倒立実像を眼前に結像させて観察する．

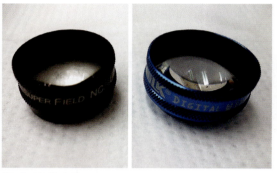

[図8] 非接触の倒像観察型の前置レンズ
Super Field NC®（左）やDigital Wide Field®（約90Dの凸レンズ）（右）では一般的な眼底観察が可能である．

[図9] 直像観察型レンズと倒像観察型レンズ
直像観察型レンズであるGoldmann三面鏡（右）と倒像観察型レンズであるQuadrAsheric®レンズ（左）

　直像観察型の凹レンズと倒像観察型の凸レンズのそれぞれに接触型，非接触型がある．非接触型は眼表面への接触がないため手軽で安全な点が利点であり，接触型は角膜反射や涙液層の影響を受けにくい安定した観察が利点となる．

1) 非接触型

a. 直像観察型レンズ：Hrubyレンズ

　Hrubyレンズは凹レンズ（−58.6D）であり，非接触的に直像で眼底が観察される．中心固定型と可動型があるが，可動型ではレンズのプリズム効果によりある程度周辺での観察が可能である．しかし，うまく使用できるようになるには熟練が必要であり，最近は高屈折倒像型のレンズの普及によりあまり使われない．

b. 倒像観察型レンズ

　Super Field NC®やDigital Wide Field®（約90Dの凸レンズ）など（図8），60～130Dの高屈折凸レンズを用いる．高屈折素材による非球面レンズデザインが収差の少ない広角での眼底観察を可能とする．

2) 接触型

a. 直像観察型レンズ：Goldmann三面鏡

　Goldmann三面鏡（約−60Dの凹レンズ，図9）を前置すると，眼底像（正立虚像）が水晶体後囊付近に観察される．観察条件が良ければ，最も解像度の良い眼底観察が可能（倍率：ほぼ1倍）である．一方で視野は狭く，瞳孔，眼内レンズ，中間透光体の混濁による影響を受けやすい．Goldmann三面鏡型レンズには，内部に角度の異なる鏡が内蔵されている（図10）．中心部では後極部，鏡面は，赤道部用，最周辺部用，隅角用に設計されている．

b. 倒像観察型レンズ：QuadrAsheric®など

　多くは2組の高屈折非球面レンズを組み合わせており，そのうち1枚を接眼部レンズと共用する（図7,9）．接眼部レンズとは別に2組の高屈折非

球面レンズで構成する3ピース設計のものもある．

3 感度と特異度

眼底像の感度は観察倍率と観察視野に影響される．

1）観察倍率

a．眼底観察像の大きさ（横倍率）

観察倍率（実際の眼底像と前置レンズによる空中像による大きさの比）は，眼の全屈折力（約60D）と前置レンズの屈折力の比でほぼ決定される．

　　像の倍率（横倍率）＝眼の全屈折力／前置レンズの屈折力

60Dレンズでは眼球の全屈折力の比が60/60で横倍率はほぼ等倍である．それ以上のパワーレンズを前置すると像が縮小され，90Dレンズでは，60/90＝約2/3倍となる．同時に高屈折のため焦点距離が短くなる．観察される眼底像の倍率は，前置レンズにより作られる空中像の倍率と細隙灯顕微鏡での観察倍率を掛け合わせたものであるが，低倍率の前置レンズの所見を細隙灯顕微鏡で拡大するには限界がある．これは低倍率の前置レンズによる解像度の低下を細隙灯顕微鏡の倍率拡大では代償できないためである．

b．眼底観察像の奥行き（縦倍率）

眼底の隆起度や陥凹度など，観察方向の倍率（縦倍率）は，横倍率の2乗に比例する．したがって60D以上のパワーのレンズ（横倍率＜1.0）では，眼底の陥凹，隆起は横倍率の差以上に観察しにくくなる．90Dレンズ，SuperFieldレンズ（横倍率→×0.72）では，縦倍率は$(0.72)^2=0.52$倍で，眼底の高低差は実際（等倍での観察像）の約1/2倍として観察され，さらに，QuadrAsphericレンズ，SuperFieldレンズでは，横倍率が約1/4倍以下の平面的な像となる．つまり広角観察の代償として立体観察ができにくくなる（**表1, 2**）．

2）観察視野

眼底の観察視野は，前置レンズの焦点距離（前置レンズと患者眼との距離）とレンズ口径に依存する．前置レンズの観察視野は，屈折力が高いほど，口径が大きいほど広がる．また，観察眼の屈折度数（主には水晶体の度数）と眼軸長の影響を受け，遠視眼では狭く，近視眼では広くなる．例

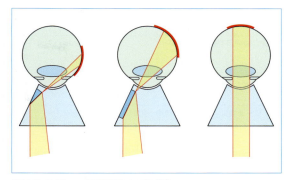

[図10] Goldmann三面鏡型レンズの構造
Goldmann三面鏡型レンズの内部には角度の異なる鏡が内蔵され，中心部では後極部，鏡面は，赤道部用，最周辺部用，隅角用に設計されている．

えばMainsterレンズでは，正視眼に比べて＋3Dの遠視眼ではそれぞれ18％，21％観察視野が狭くなる．観察視野は瞳孔径によっても左右される．眼底観察視野は一般的に正面視をしてもらっている時の観察視野（静的視野）であるが，眼球を動かしてもらうとさらに観察視野が広くなる（動的視野，表2）．しかし動的視野では眼球の収差によって観察像が影響される．

III 検査手順

1 検査の流れ

1）散瞳

通常瞳孔でもある程度の眼底観察は可能であるが，詳細な観察は十分に散瞳して行う．

2）観察対象と観察条件に合わせた前置レンズの選択

最も一般的な眼底観察に適したレンズは90Dクラスである（**図11**）．しかし，黄斑部の詳細な観察などには，60Dクラスのレンズを用いる．同じ観察倍率の前置レンズを用いた場合，良好な観察条件（散瞳良好，中間透光体の混濁がないなど）ではGoldmannタイプの正立観察像が優れているが，観察条件に障害がある場合は，前眼部で観察光束が交差する倒像観察型高屈折レンズが観察しやすい．例えば角膜や水晶体の部分混濁がある場合でも，高屈折レンズでは残存する透明な部分を通して広い観察野が得られる．さらに容易に広い視野を深い焦点深度で観察を行いたい場合，観察条件が厳しい眼の場合（小瞳孔，中間透光体

[表1] 直像型前置レンズ

使用用途	前置レンズ		横倍率
正確な観察用（横倍率＝1倍）	Ocular	Fundus Diagnostic	0.93x
	Ocular	Yannuzzi Fundus	0.93x
	Volk	Centralis Direct Laser	0.9x
後極部拡大観察用（横倍率＞1倍）	Volk	Fundus Laser	1.25x
	Volk	Fundus 20mm Laser	1.44x
3ミラーまたは4ミラー（横倍率＝1倍）	Ocular	3 Mirror Universal	0.93x
	Ocular	3 Mirror 10mm Gonio	0.93x
	Ocular	Karickhoff Diagnostic（4 mirror）	0.93x
	Ocular	High Definition 3 mirror	0.65x
	Volk	3 mirror	1.06x
	Volk	G3 Goniofundus	1.06x
	Volk	4 mirror	1.0x

[表2] 倒像型前置レンズ

使用用途	非接触型前置レンズ		横倍率	静的観察視野（°）	接触型前置レンズ		横倍率	静的観察視野（°）
小瞳孔・周辺部観察	Volk	Super Pupil XL NC	0.45x	103	Volk	Equator Plus	0.44x	114
	Ocular	Ultra View Small Pupil	0.45x	99	Ocular	Proretina 120 PB	0.50x	120
広視野観察用 （横倍率＝1/2倍，縦倍率＝1/4）	Ocular	Maxfield 120D	0.50x	120	Volk	Super Quad 160	0.50x	160
	Volk	Super VitreoFundus	0.57x	103	Ocular	Minister PRP 165	0.51x	165
					Ocular	Raichel-Mainster	0.50x	117
					Volk	Quadr Aspheric	0.51x	120
					Volk	Quadra Pediatric	0.55x	100
					Volk	HR Wide field	0.5x	160
標準観察用 （横倍率＝2/3倍，縦倍率＝1/2倍）	Ocular	Maxfield 100D	0.60x	110	Volk	TransEquator	0.7x	110
	Ocular	Maxfield 84D	0.71x	105	Ocular	Mainster Wide Field	0.68x	118
	Volk	Digital Wide Field	0.72x	103				
	Volk	Super Field NC	0.76x	95				
	Volk	90D	0.76x	74				
	Ocular	Maxlight Standard 90	0.75x	94				
	Ocular	Osher maxfield 78D	0.77x	98				
正確な観察用 （横倍率＝1倍，縦倍率＝1倍）	Volk	Digital 1.0x Image	1.0x	60	Volk	Area Centralis	1.06x	70
	Volk	Super 66 Streofundus	1.0x	80	Ocular	Mainster（Standard）Focal/Grid	0.96x	90
	Ocular	Maxfield High Mag 78D	0.98x	88				
	Ocular	Maxfield 60D	1.00x	85	Ocular	Raichel-Mainster1 x Retina	0.95x	102
	Volk	60D	1.15x	68	Volk	HR Centralis	1.06x	74
	Ocular	Maxlight Ultra Mag 60	1.15x	76				
	Ocular	Maxfield 54D	1.10x	86				
後極部拡大超立体観察用 （横倍率＞1倍，縦倍率＝1.5〜2倍）	Volk	Digital High Mag	1.30x	57	Ocular	Mainster High Magnification	1.25x	75
					Volk	SUPER MACULA 2.2	1.49x	60

の混濁など）は，120Dクラスの超高屈折レンズを選択するが，立体感に乏しい平面的な観察となることに留意する．

3）散瞳できない場合，小瞳孔

120Dクラスの超高屈折レンズを選択する．通常瞳孔であってもある程度の視野で広角眼底観察が可能である．SuperPupil®のような高屈折レンズがこれに相当し，小瞳孔でも広角で眼底観察ができるが，散瞳下では最周辺部の観察にも優れている．

2 機器の使い方

1）前置レンズのセットアップ

a．非接触型前置レンズ

細隙灯顕微鏡の操作ジョイスティックに片手をかけながら，もう片手で被検眼の眼前で前置レンズを保持して眼底観察を行う．例えばレンズは親指と人差し指で保持し，被検眼の上眼瞼を薬指で挙上（もしくは中指と薬指の2本で開瞼）する（図

12).前置レンズを保持した手が不安定になるため，肘置きで肘固定したほうが良い．

感染予防で患者がマスクを装着している場合には患者の呼気で前置レンズの対物面が曇りやすい．前置レンズを支えていない薬指で患者のマスクの上端を押さえて呼気が上方にもれないように観察するか，曇ったら前置レンズを一度マスクから遠ざけて曇りを消してから観察する．

b．接触型前置レンズ

点眼麻酔を行い，前置レンズの接触面にメチルセルロース（スコピゾル®）を少量塗布して角膜に接着させ，眼底観察を行う（スコピゾル®が不要なタイプもある）．患者がマスクを装着していてもレンズが曇りにくい．

3 検査のコツと注意点

1) 細隙灯顕微鏡の照明光束のセットアップ

瞳孔の形状と大きさに応じて，最も観察しやすいように照明光束の形状と反射光束の角度を適切に設定する．入射光と反射光の角度を広く取りすぎると眼底からの反射光が瞳孔を通過できなくなり，逆に狭すぎると前置レンズの表面からの眩しい反射光が邪魔をして観察できない．

2) 後極部から上下周辺部の観察

眼底後極部から上方および上下周辺部は，通常通り縦長のスリット光で観察できる．その際，より周辺部を観察すると，観察視野が上下に狭くなる．さらに周辺部の観察では，反射光束の一方が瞳孔径などでけられて片眼でしか観察できなくなる．ステレオバリエーターを用いれば左右眼の観察視路の角度（視路角）を狭めることができ，立体的に観察できる範囲を拡大できる．

3) 耳側および鼻側周辺部の眼底の観察

耳側および鼻側周辺部眼底の観察では，周辺の観察を行うほど，瞳孔面の形状は縦長に絞られていく．これに伴いスリット照明光束を絞り，左右の観察光束を狭めていくが，やがて同時には瞳孔を通過できなくなる．そこでスリット光束を縦長から横長に変更するが，横長に広がるスリット光束はそのままで照明系の入射させる角度を観察平面から上下に調整して入射光と反射光の角度を上下にずらす．例えばGoldmann型では照明系ラ

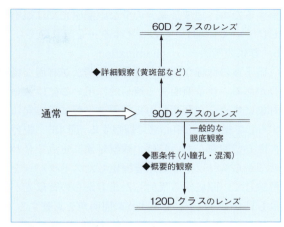

[図11] 前置レンズ選択の流れ
用途に応じて前置レンズを選択する．

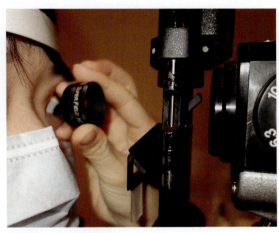

[図12] 前置レンズの保持
前置レンズは親指と人差し指で保持し，被検眼の上眼瞼を薬指で挙上する．

ンプハウスを前傾させる．ZEISS型では照明光プリズムの位置を上下にずらすことに相当する（図2〜4）．

4) 細隙灯顕微鏡照明法

a．直接照明法 direct illumination

幅広のスリット光を網膜に直接当てて照明された網膜面を観察する．照明光束は中間透光体で散光しやすい短波長成分（青）が少ない照明光が適している（短波長カット型：イエロー系のフィルターを用いる）．ごく細いスリット光束を用いればスリットナイフによる光学断面により硝子体，網膜面，網膜硝子体境界面が観察される．スリットナイフの通過する光学断面に生じる散乱光を観

察するため，短波長成分の少ない照明光では観察しにくい（イエロー系のフィルターを取り除く）．

b. 背景照明法 retro-illumination

硝子体の微細な観察には背景照明法が有用な場合がある．背景照明法を簡易的に用いるには観察対象に焦点を合わせてから鏡頭を平行に横方向にずらして視野の傍中心部で観察する（**図 13**）．視野の中心で観察したい時は，観察対象に焦点を合わせてからスリット照明系を固定したストッパーを解除して，眼底から反射した後方からの背景光が最も見やすい位置にくるように照明角を調整する．

c. 眼底最周辺部の圧迫観察法（鏡面内蔵型凹レンズ（Goldmann 三面鏡）を用いた観察法）

眼底周辺部の観察位置に適した角度の鏡を選択して観察する．さらに周辺部の網膜鋸状縁部から毛様体までの観察は，強膜圧入法を併用する．周辺部の観察は鏡面像で行うこと，後極部，赤道部，最周辺部を非連続的に観察する必要があることから熟練を要するが，眼科医として習得しておかなくてはならない基本技術である．外国製のGoldmann 三面鏡用強膜圧迫子は瞼裂の狭い日本人の眼にはあまり適さず，眼球接触面がより小型の一面鏡が使いやすい（**図 14**）．

Goldmann 三面鏡に代わって，連続した眼底像が観察される広角倒像型レンズが使用されることが多くなっている．高屈折倒像観察系は，前眼部で強い集光光束となるため，周辺部眼底観察に適している．眼底周辺部の観察は，前置レンズを観察方向と逆方向に少し移動させ（必要に応じて被検者に観察方向に眼球を向けてもらい），観察像が最も鮮明になるようにレンズの傾斜角を調整して観察する．レンズの接眼部を強膜にやや圧入させること（接眼レンズの縁で眼球を圧迫する）により，さらに最周辺部までの観察が可能となり，強膜圧迫子を用いた眼底観察に近い検査ができる．

眼内レンズ挿入眼では，散瞳が良好で眼内レンズより周辺部の水晶体嚢組織が清明であれば，ほぼ無水晶体眼と同様の毛様体までの観察が可能である．散瞳が不十分または周辺の水晶体嚢に混濁がある後発白内障が存在する場合は，眼内レンズ

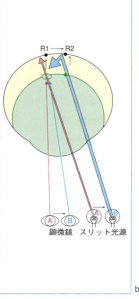

[図 13] 背景照明法
a 観察所見
上：楕円形の Weiss ring の観察されている．
下：接線方向に近い状態での観察となっている．
b 観察対象に焦点を合わせてから鏡頭を平行に横方向にずらして（A → B に R1 → R2 の光路へ）視野の傍中心部で観察する．

[図 14] 強膜圧迫子つき一面鏡
突出部分で強膜を圧迫して最周辺部を観察する．

を通した観察となる．その場合には大きな収差が生じるため，Goldmann 三面鏡よりも高屈折倒像レンズによる眼底観察が適している．特に周辺部眼底観察においては，眼内レンズ自体の収差（コマ収差，非点収差）が強く観察像が修飾されていることに留意する．

Ⅳ　検査結果の読み方と解釈

1　正常結果

1) 網膜の観察

　黄斑部から最周辺部網膜まで細隙灯顕微鏡を用いると詳細な観察ができる．特にスリットナイフを用いると網膜硝子体界面が細部にわたって観察できる．

2) 硝子体の観察

　高屈折倒像型前置レンズが適している．最大照度によるスリットナイフで観察する．被検者に眼球を動かしてもらい，硝子体の動きを動的に観察する．後部硝子体剝離の有無は単なる硝子体分離と混同されやすいため，必ず Weiss リングの存在を確認する．後部硝子体面の観察には背景照明法 retro illumination が有用な場合がある．

2　異常所見とその解釈

　上記の適切な観察を熟知することにより，さまざまな病態の正確な観察が可能となる．黄斑前膜，黄斑円孔や硝子体黄斑牽引症候群などの網膜硝子体界面の異常，また周辺部網膜裂孔を牽引する硝子体線維などを観察する．

3　アーチファクト

1) レンズ表面での反射光

　前置レンズの高屈折率化は表面反射を著しく増大させるため，90～130Dに及ぶレンズには反射防止の多層コーティングがされている．コーティング面が損なわれると，強い表面反射光が観察を妨げる．特に眼底のレーザー治療を行う際にはレーザー光を浴びてしまう可能性がある．したがって，レンズ面には極力触れないように気をつけ，汚れた場合には必ず専用のクロスで清掃するようにする．レンズ表面が汚れていても眼底に影を落としてアーチファクトの原因となる．

〔井上　真・野田　徹〕

18. 光干渉断層計

2) 後眼部OCT（眼底3次元画像解析）
① 原理と種類

I 後眼部OCTの歴史

光干渉断層計 optical coherence tomography（OCT）は近赤外域の光波を用いて生体などの高散乱体の内部構造をミクロンオーダで非侵襲的に可視化する断層画像化技術である．OCTは1990年に山形大学の丹野直弘らが最初に考案し[1]，翌年1991年にマサチューセッツ工科大学のFujimotoらのグループが in vitro 眼底観察例をScience誌に発表した[2]．1997年には米Humphrey社（現在：Carl Zeiss Meditec社）から眼底観察用装置が製品化された．初期のOCTは十分な分解能をもっていなかったが，これまで観察できなかった眼底の断層画像を in vivo 取得できることから大きく注目を集めた．当初は time-domain と呼ばれる方式で撮影され，主に黄斑円孔や網膜剥離などの黄斑疾患の解明に役立った[3]．

2000年頃より第二世代の spectral-domain OCTの技術開発が精力的に進められ，2006年に複数の医療機器メーカーにより市販されるようになった．最も大きな改良はビデオレートでの画像取得である．この高速化により3次元での撮影が可能になったほか，画像の重ね合わせにより画質が向上し臨床に受け入れられるようになった．臨床の先生方の精力的な洞察と技術者による開発が奏功しOCTは確定診断を行うために必要不可欠な装置となった．その主な理由は，無散瞳で非侵襲撮影が可能であること，臨床的に十分な解像度と時間で断層画像が得られること，コンピュータによる網膜層構造の定量化が可能であるためである．OCT画像の定量化により，治療の経過観察や治療効果の判定に有効であるのみならず，異なる施設間での臨床的な議論も可能となり，治験での活用も進められた．

II OCTの種類と原理

1 time-domain OCT (TD-OCT)

超音波を用いたBモード画像（エコー）では，眼底からの反射光の時間遅延量とその強度から深さ方向の反射分布を求める．さらに，プローブビームを横方向に走査することで断層画像を取得する．光波を用いることで同様の断層画像が得られると期待されるが，光波は超音波に比べて高速であるため電気回路を用いて直接検出することができない．そのため光の干渉を利用して深さ方向の断層情報を取得する．図1aに示すように，干渉計の一方の腕に参照鏡といわれる基準となる鏡を用意し，この鏡からの相対的な距離とその反射強度を算出する．光源として可干渉距離の長いレーザー光を用いた場合，干渉する深さ範囲が長く，どの深さからの反射信号であるのか特定できない．一方，可干渉距離の短い広帯域光源を用いることで，干渉は限られた深さでのみ発生する．異なる深さの反射信号を求めるためには，図1aの点線枠のように，参照鏡を深さ方向に順次走査することでA-line信号が求められる．また，光ビームを眼底に対して横方向（x-）に走査することで断層画像を取得する（図2）．TD-OCTで高速に撮影するためには，Zスキャンの高速化が技術的なキーであり，市販された装置では400Hzが限界であった．

2 spectral-domain OCT (SD-OCT)

2002年にWojtkowskiらによりZスキャンの不必要なフーリエドメインOCTによる in vivo 眼底画像が発表されると，OCTの実用化研究が革新的に進んだ．図1bにSD-OCTの干渉計の構成を示す．TD-OCTとの違いは，参照鏡のZスキャンをなくし固定したままで，光検出器を分光器に変更して干渉スペクトル信号を取得する．Zスキャンが不必要になったため，計測時間は分光器，つまりラインカメラの出力速度に依存することになった．当時のラインカメラは18,000〜27,000Hzのものを用いており，従来のTD-OCTに比べて約50倍の高速化が可能となった．高速化により，2次元断層画像から3次元ボリューム

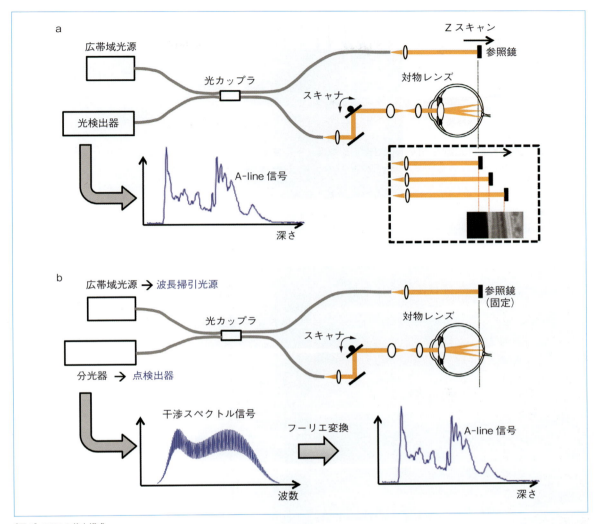

[図1] OCTの基本構成
a time-domain OCT, b spectral-domain OCT・swept-source OCT

の撮影も可能になり，同時に画質の改善も行われた．OCT画像はスペックル雑音が支配的であり，取得した画像には顆粒状のノイズが目立っていた（図3a）．これを抑制するために，複数回撮影されたOCT画像を重ね合わせる（加算平均）ことによりランダムなスペックル雑音を低減することに成功した．図3b, cに示すように，重ね合わせの枚数が増えるにつれ，ノイズが低減され組織の層構造がより明瞭に描出されていることがわかる．

ここで簡単に原理の概念について述べる．SD-OCTは分光器で干渉スペクトル信号を計測する．ここでは便宜的に参照鏡を硝子体側に配置したとする．図4aに示すように干渉信号がない場合は分光器で光源のスペクトル分布がそのまま観測される．一方，参照鏡に対して光路長が近い（浅い）ところからの干渉信号は低周波数の変調信号が観測され（図4b），遠い（深い）ところからの干渉信号は高い周波数の信号が観測される（図4c）．この周波数が反射信号の深さ方向の位置に相当し，干渉信号の大きさが反射強度に相当するため，得られた干渉スペクトル信号をフーリエ変換することでA-line信号が得られる．実際には異なる深さからの情報が入り混じった信号として検出されるため，複数の周波数成分が同時に検出

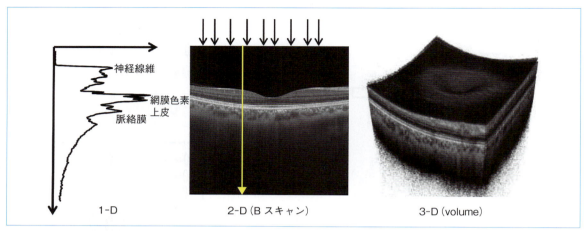

[図2] OCTのデータ取得方法

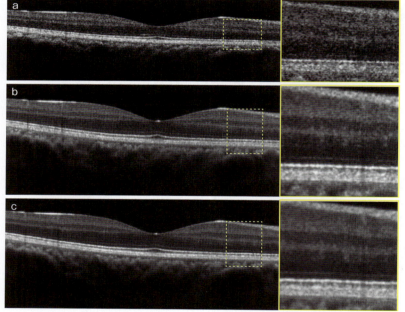

[図3] 重ね合わせによるスペックルノイズの低減例
a 重ね合わせなし
b 重ね合わせ16回
c 重ね合わせ50回

された干渉信号となる．**図4d**に一般的な信号処理手順を示す．フーリエ変換前の固定パターンノイズ（FPN）除去，波長から波数へのリスケーリングが大事な信号処理要素である．**図5b, c**は6mmのスキャンサイズで**図5a**に示す黄斑および視神経乳頭部を別々に撮影した例，**図5d**は走査幅12mmの疾患眼の画像化例である．TD-OCTでは層構造の分離検出は困難であったが，高速化によるモーションアーチファクト除去と画像の重ね合わせにより組織内構造が明瞭に観察で

きるようになった．

SD-OCTでは分光器の各画素が有限の幅の波長分解能を持つため，基準となる参照鏡からの距離，つまり深くなるにつれ検出感度の低下が発生する．例えば参照鏡を硝子体側に配置すると，硝子体や網膜部は信号が強いが，深い領域である脈絡膜部の信号感度は必然的に低下してしまう．OCT画像は基準となる参照鏡からの相対距離を画像化するため，参照鏡を硝子体側ではなく，逆に脈絡膜側の深い位置にセットすることで，画像

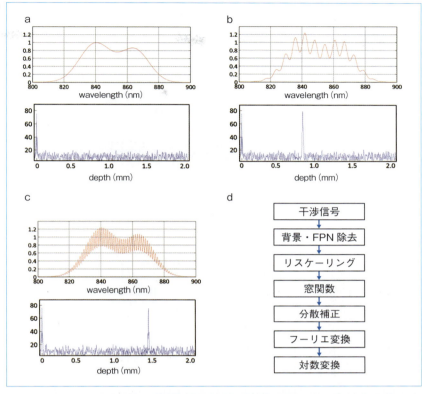

[図4] spectral-domain OCT の分光器出力例と信号処理の手順
a 反射信号なし
b 浅い位置に反射信号がある場合
c 深い位置に反射信号がある場合
d OCT 信号処理の例

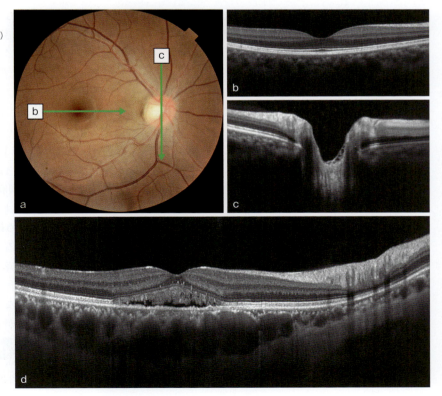

[図5] OCT 画像撮影例
a 眼底写真
b, c OCT 画像（スキャンサイズ6mm）
d OCT 画像（同12mm）

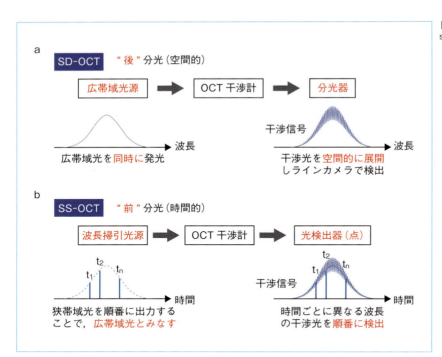

[図 6] spectral-domain OCT と swept-source OCT の違いの概念図

の深部に感度が最大になるように設定することができる．これが enhanced depth imaging（EDI）や脈絡膜モードと呼ばれる測定原理である．この方法は脈絡膜の可視化および厚さ計測を行う際に効力を発揮した[4]．

3 swept-source OCT (SS-OCT)

図1bの広帯域光源を波長掃引光源に，分光器を点検出器に変更したものが SS-OCT の基本構成となる．SS-OCT の性能は使用する波長掃引光源に依存するところが大きい．SD-OCT と SS-OCT はどちらもフーリエドメイン OCT である．その理由は，測定するのはスペクトル干渉信号であり，演算方法がほぼ同じであるからである．図6にSD-OCT と SS-OCT の比較概念図を示す．SD-OCT は広帯域光が同時に発光され，分光器を用いて空間的に展開された干渉信号をラインカメラで撮影する．一方，SS-OCT は波長幅が狭い光を広い波長範囲に渡り時間的に順番に出力し，光検出器で一点ごと順次検出するのである．つまり SD-OCT は干渉計の出力後に分光して検出しているのに対し，SS-OCT は干渉計に入れる前に分光した光を入射していることに相当

し，得られるスペクトル干渉信号は等価である．

図7aに示すように，眼球は直径約24mmの水を多く含む成分からなり，眼底を観察する際は硝子体などの影響を大きく受ける．図7bは波長ごとの水の吸収を示したものであり，波長が1.1μmを超えると急激に水の吸収が大きくなることがわかる．一方，波長帯域1μmのところに水の吸収の谷がある．SS-OCTでは水の吸収の問題と光源の入手しやすさから，眼底検査用SS-OCT装置は波長帯域1μmのもので実装されている．波長帯域1μmは従来の波長0.8μm帯のOCTと比べると，網膜色素上皮での光の吸収と散乱が少ないため光は減衰せず深くまで侵達する（図7c）．このため硝子体から脈絡膜まで眼底の全体像を描出できる特徴を持つ．図8に健常眼の撮影例を示す．眼底深部の脈絡膜の可視化ばかりか，硝子体の可視化も可能である．一般に白内障や出血の影響が少なく，不可視光であるため撮影中に被験者の固視が安定する特徴を持つ．

III OCT の分解能・感度・広角化

計測装置の性能を決定する重要なパラメータは

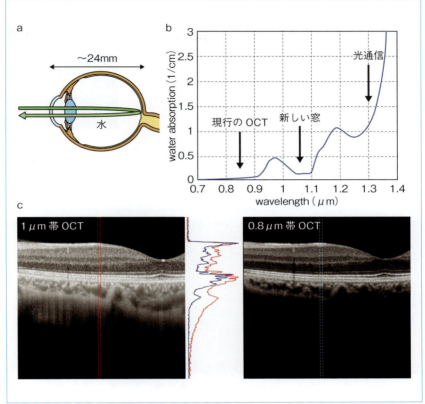

[図7] 波長帯域1μmを用いたOCT
a 眼球モデル
b 水の吸収特性
c 波長帯域1μmおよび0.8μm帯のOCTを用いて測定したOCT画像とその反射プロファイル

空間分解能，時間分解能，検出感度である．OCTの深さ分解能は，光源の中心波長と波長幅で決まり，横分解能は用いた光学系，具体的にはビーム径によって決定される．前者は5〜8μmであり，後者は約15〜20μmが現在の装置の性能である．深さ分解能を向上させるためには，より波長幅の広い光源を採用する必要があり，横分解能を向上させるためには，ビーム径を大きくする必要がある．しかしながら，ビーム径を大きくすることで焦点深度が浅くなり，深さ方向に対して画像のボケを生じてしまう．また，眼球に内在する収差の影響を受けやすく，さらなるボケが生じてしまうため横分解能15〜20μmが適度な性能であると言える．時間分解能はTD-OCTの場合は参照鏡のZスキャン速度に依存するため画像繰り返し1Hz程度と低速であったが，SD/SS-OCTの場合は高速なラインカメラ・SS光源を用いることでビデオレートを超える画像化速度が可

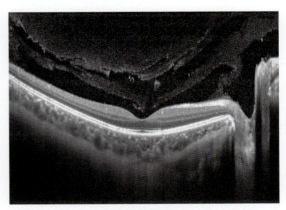

[図8] 波長帯域1μmのSS-OCT画像撮影例（横12mm×深さ2.6mm）

能である．多くの装置は100kHz程度のAスキャン繰り返しレートである．検出感度については−90〜−100dBを実現しており，眼底に入射可能な光量は国際規格で制限されるため，検出感度はほぼ理論限界まで到達しているといえる．一方，

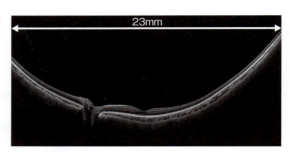

[図9] 広角OCT画像の例（キヤノン社のWebページより）
https://mts.medical.canon/ophthalmic/lineup/oct-s1.html

[表1] 市販されている眼底用OCT装置の概略仕様

（アルファベット順）	キヤノン	カールツァイス	ハイデルベルグエンジニアリング	ニデック	ニコン	オプトビュー	トプコン	トプコン
機種名	Xephilio OCT-S1	Cirrus 6000	Spectralis OCT	Mirante	Silverstone	SOLIX	3D OCT-1 Maestro	DRI OCT Triton
OCTのタイプ	SS	SD	SD	SD	SS	SD	SD	SS
中心光源波長	1,050 nm	840 nm	880 nm	880 nm	1,050 nm	840 nm	840 nm	1,050 nm
Aスキャン速度（scan/秒）	100,000	100,000	85,000	85,000	100,000	120,000	50,000	100,000
深さ方向分解能	8 μm	5 μm	7 μm	7 μm	7 μm	5 μm	5 μm	8 μm
横方向分解能	30 μm	15 μm	14 μm	20 μm	20 μm	15 μm	20 μm	20 μm
ラインスキャン最大画角	23 mm	12 mm	9 mm	16.5 mm	23 mm	16 mm	12 mm	12 mm

従来の装置のOCT画像は横方向の最大スキャン幅が12 mmであったが，近年，広角化装置の開発が進みつつある．図9の画像例に示すように23 mmのスキャンも達成できるようになり，一度のスキャンで広範囲の断層像を取得できるようになった．これにより黄斑部のみならず網膜周辺部の観察を可能とし，疾患の理解がさらに進んだ．表1に現在市販されているOCT装置の仕様をまとめる．

おわりに

OCT装置はこの10年で進化を遂げつつも，成熟してきた分野である．2016年にはOCTの原理発明から25年を記念してOCT特集号が刊行され，70本を超える論文が掲載された（Investigative Ophthalmology & Visual Science, Vol 57）．OCT技術は，医師が瞬時に異変を見つけるレポート出力のみならず，眼球の3次元構造の理解を助ける可視化技術など，光学や電気回路などの専門分野を超え，ソフトウェアや統計処理まで1つの装置に搭載されている．より速く，より広く，より深く，より美しく（高解像度化）へと未だに進化中の装置である．簡便に全自動での計測が可能なOCT装置や在宅で使用するOCTの開発も進められている．現在は眼球の形態計測が主であるが，OCTアンギオグラフィによる毛細血管の可視化，複屈折や血流計測などの機能計測への応用研究も進められている．SD-OCTが市販されて15年が経過しているが，進化の途中の装置であり，今後の臨床応用が楽しみである．

文献
1) 丹野直弘：光コヒーレンストモグラフィーの進化．O plus E 37：797-801, 2015
2) Huang D, et al：Optical coherence tomography. Science 254：1178-1181, 1991
3) 岸　章治：OCT眼底診断学，第3版，エルゼビア・ジャパン，東京，2014
4) Spaide RF, et al：Enhanced depth imaging spectral-domain optical coherence tomography. Am J Ophthalmol 146：496-500, 2008

（秋葉正博）

2) 後眼部OCT（眼底3次元画像解析）
② 正常所見とアーチファクト

はじめに

光干渉断層計（optical coherence tomography：OCT）は，近赤外光を用いて，眼内からの反射波とコントロール波の干渉現象によって反射波の時間的遅れと振幅を検出し，その情報をもとに画像化する．1997年にtime-domain OCTが日本に導入され，その後，spectral-domain OCTからswept-source OCTへと新しい機種が市販化され，分解能やスキャンスピードが格段に向上した．分解能の向上によって組織標本の顕微鏡所見により近い網膜層構造の描出が可能となり，スキャンスピードの向上によって広範囲の3D画像の取得が容易になった．またspectral-domain OCTを用いたenhanced depth imaging（EDI）や1,050 nmの長波長光源を用いたswept-source OCTの登場によって脈絡膜および強膜まで描出できるようになっている．swept-source OCTの技術は，網膜後方の脈絡膜・強膜の画像だけでなく，前方にある硝子体まで同時に撮影することができる．OCTによって非侵襲的に詳細な画像データを得ることが可能となったが，所見を読影し診療に役立てるためには，まず基本的な正常所見を理解する必要がある．

Ⅰ 正常所見

1 硝子体

ヒト眼の硝子体には，黄斑前に生理的な液化腔（後部硝子体皮質前ポケット）があることが知られている[1]．後部硝子体皮質前ポケットの後壁をなす後部硝子体皮質が黄斑部を牽引することで，さまざまな黄斑疾患に関与していることがOCTによって明らかにされた．さらにswept-source OCTの登場によって硝子体皮質前ポケットも鮮明に描出可能となり，詳細な形態が解明されてきている（硝子体については，後述する④硝子体と硝子体牽引の項で詳述）．

2 網膜

OCTの深さ分解能の向上によって，組織標本と同じような網膜層構造を示す画像が得られるようになったが，OCTは光の干渉現象をもとに画像化しているため，実際の組織標本と同一ではない点に注意する必要がある．細胞体から構成されている層（神経節細胞層，内顆粒層，外顆粒層）は組織標本では濃染されるが，OCTでは反射波の発生が少なく，低反射層として描出される．一方，神経線維成分が多い層（神経線維層，内網状層，外網状層）は組織標本では淡染されるが，OCTでは反射波が大量に発生するため高反射層として描出される（図1）．

1) 神経線維層

OCTで神経線維層（nerve fiber layer：NFL）は高反射に描出される．中心窩を通る水平断OCTでは，NFLは中心窩鼻側では乳頭黄斑線維束のために厚く，耳側では耳側縫線のためにNFLが存在しない．垂直断OCTでは中心窩の上方，下方のRNFL厚が対称（図2）となる．このため緑内障などでNFL厚の評価を行う際には，垂直断で評価するのが好ましい．

2) 神経節細胞層・内網状層

神経節細胞層（ganglion cell layer：GCL）は細胞体の集合であり，OCTでは低反射となる．内網状層（inner plexiform layer：IPL）は神経節細胞の樹状突起，双極細胞の軸索，そしてアマクリン細胞の神経突起が絡み合っており，OCTでは高反射に描出される．NFL＋GCL＋IPLは神経節細胞複合体（ganglion cell complex：GCC）と呼ばれ，緑内障の判定に用いられる．

3) 内顆粒層

内顆粒層（inner nuclear layer：INL）の主体は双極細胞であるが，アマクリン細胞も存在している．OCTでは低反射として描出される．網膜毛細血管網は神経線維層，神経節細胞層に分布する表層毛細血管網とINLの内側と外側に分布する深層毛細血管網に大きく分けられる．深層毛細血管網に限局した虚血は中心窩周囲に生じやすくparacentral acute middle maculopathy（PAMM）と呼ばれ，INLを中心とした細胞壊死を生じ，

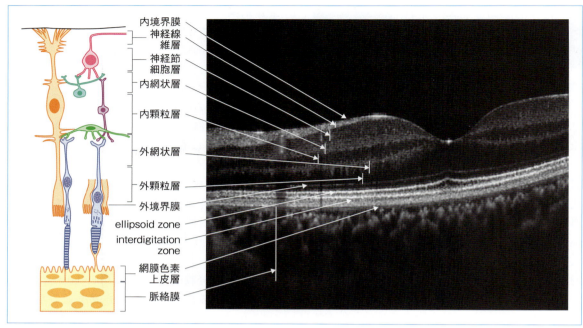

[図1] 網膜神経細胞の構成図と OCT

OCT では INL 付近に限局した高反射となって描出される[2,3]（図3）．

4) 外網状層・外顆粒層

外網状層（outer plexiform layer：OPL）は視細胞の軸索と双極細胞の樹状突起，そして水平細胞の神経突起からなり，OCT では高反射として描出される．一方，中心窩周囲では OPL の外側部分は低反射として描出される．これは中心窩で密集した視細胞の軸索である Henle 線維が，中心窩から遠心性に傾斜して走行しているためである．測定光は Henle 線維走行に対して斜めに入るため，反射光は減弱して低反射として描出され，同じく低反射の外顆粒層（outer nuclear layer：ONL）に埋もれて区別がつかなくなる．しかし，瞳孔の端から測定光を入れ，Henle 線維に対して垂直になると，反射が強まり高反射層として描出することができる[4]（図4）．網膜剥離によって網膜面が傾斜した場合も同様に描出される．一般的に ONL と思われている低反射層には Henle 線維層が含まれているため，ONL は見かけより薄く，中心窩外で OPL 厚や ONL 厚を評価する際には注意する必要がある．ONL は視細胞の細胞体か

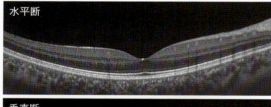
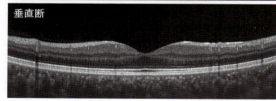

[図2] 水平断と垂直断
水平断では黄斑乳頭線維側のために中心窩鼻側で神経線維が厚い．垂直断では上下の網膜層構造が対称であり，また網膜血管の断面も比較的対称になっている．

らなり，OCT では低反射に描出される．ONL は，中心窩では最も厚く，ほぼ網膜全層を占める．

5) 網膜外層の高反射ライン

網膜外層には 4 本の高反射ラインが存在する．内側から外境界膜（external limiting membrane：ELM），ellipsoid zone，interdigitation zone，網膜色素上皮（retinal pigment epithelium：RPE）・

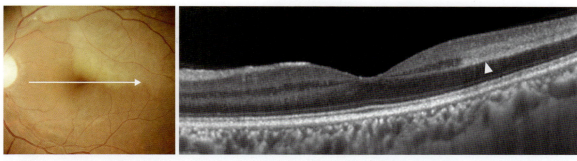

[図3] paracentral acute middle maculopathy
網膜動脈分枝閉塞症：網膜白濁部位と正常網膜の境界付近では深層毛細血管網の灌流障害を表す内顆粒層に限局した高反射像がみられる（矢頭）．

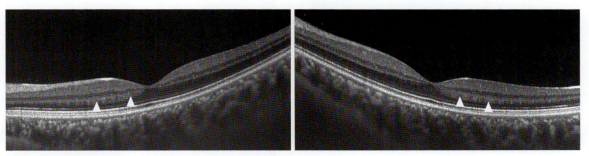

[図4] Henle線維の可視化
Henle線維の走行に対して垂直になるように測定光を入れると，Henle線維が可視化される（矢頭）．

Bruch膜となる．

　OCTの深さ分解能の向上とともに，網膜外層の高反射ラインとそれに対応する組織学上の構造に対する考え方は変遷してきた．time-domain OCT誕生当初は，網膜外層には1本の高反射ラインしか描出できなかったが，その後 spectral-domain OCTが登場すると4本のラインが描出されるようになり，内側からELM，視細胞内節外節接合部（IS/OS），錐体外節先端部（COST），RPE・Bruch膜に相当すると考えられ，広く普及していった．しかし，その後の研究によって，従来IS/OSと呼ばれていた部位は視細胞内節の ellipsoid zoneに相当し，COSTはRPE微絨毛が錐体外節の先端を包み込んでいる部分（interdigitation zone）に相当すると考えられるようになり，現在に至っている[5,6]．ELMは視細胞内節とMüller細胞の接合部に相当し，光学顕微鏡では膜のように見える．ellipsoid zoneは視細胞内節の遠位側にあるミトコンドリアが密集した部位であり，OCT画像ではこのラインの健常性がさまざまな網膜疾患の視機能と強く相関することが知られている．RPEは厚みをもった高反射ラインであり，Bruch膜はその外側に隣接する．RPEとBruch膜は通常は分離してみえないが，網膜色素上皮剥離が存在すると別々の層として描出される．

　OCTで正常眼のellipsoid zoneは中心窩で隆起する形状（foveal bulge）を呈している（図5）．ヒト網膜は，発達とともに中心窩に向かって求心性に錐体細胞が集まり（cone packing），網膜内層は遠心性に移動して中心窩が形成される．それとともに中心窩錐体内節は幅が細く，外節は細長い形態となり，中心窩に錐体が密集するのに適した形態となる．一方，中心窩外の錐体内節は幅が太い錐体型をしている．中心窩錐体細胞の高密度と中心窩錐体外節の長さのためにfoveal bulgeを呈すると考えられ[7,8]，さらに多くのOCT画像は縦方向に比して横方向を圧縮して表示するために

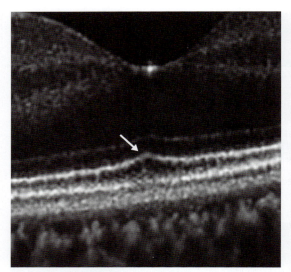

[図5] foveal bulge（矢印）

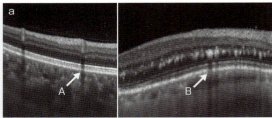

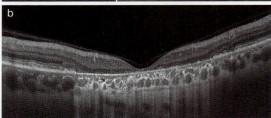

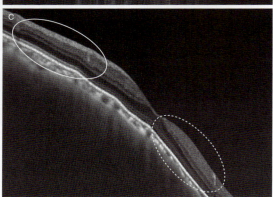

[図6] アーチファクト
a 網膜血管（矢印A）や硬性白斑（矢印B）の後方は組織が欠損しているかのように低反射となる．
b 網膜外層，RPE萎縮部位の脈絡膜組織は通常より高反射となる．
c 中心窩上方は神経線維やellipsoid zoneが高反射として描出される（実線）が，中心窩下方では明瞭に描出されない（点線）．

bulgeの程度がより強調される．

3 脈絡膜と強膜

従来，脈絡膜の評価方法はインドシアニングリーン蛍光眼底造影のみであり，その評価は二次元的なものであった．しかし，spectral-domain OCTを用いたEDI-OCTやswept-source OCTによって深さ方向の情報を得ることが可能となり，脈絡膜厚を数値化して客観的な評価を行うことができるようになった[9]．RPE・Bruch膜の外側は厚さ数μmの脈絡膜毛細血管板（choriocapillaris）が存在する．choriocapillarisの外側は血管に富んだ部位で，中血管層（Sattler層）と大血管層（Haller層）とに分けられる．

脈絡膜が菲薄化している強度近視眼などでは，さらに後方にある強膜まで観察することが可能である（脈絡膜・強膜については，後述する⑩脈絡膜の項で詳述）．

Ⅱ アーチファクト

OCTは光によるエコー断層装置であるため，光の特性に関係したアーチファクトや撮影限界がある．

1 測定光のブロック

網膜血管や硬性白斑，網膜出血などがあると測定光がブロックされるため，その後方は組織が欠損しているかのように低反射となる（図6a）．

2 測定光の過剰透過による高反射化

感覚網膜やRPEの萎縮があると，測定光の深達度がよくなるために脈絡膜組織が高反射として描出される（図6b）．

3 傾斜による反射の低下

眼軸長が長い強度近視眼や丈の高い網膜剥離眼のように網膜が彎曲している部分では，実際より低反射に描出される（図6c）．測定光が組織に垂直に入射しないため，同軸方向に戻る反射光が減弱するためである．先述のHenle線維層は斜めに走行するため，測定光がHenle線維層に垂直になるように入射角度を変えるとHenle線維層

が明瞭に描出される（図4）．

4 焦点不良や中間透光体の混濁による低反射
白内障や硝子体出血・混濁があると測定光や反射光が減弱するので，OCT画像が全体的に低反射になる．

5 固視不良
固視が悪いとOCTが波打った画像になる．

文献
1) Kishi S, et al：Posterior precortical vitreous pocket. Arch Ophthalmol 108：979-982, 1990
2) Sarraf D, et al：Paracentral acute middle maculopathy：a new variant of acute macular neuroretinopathy associated with retinal capillary ischemia. JAMA Ophthalmol 131：1275-1287, 2013
3) Chen X, et al：spectrum of retinal vascular diseases associated with paracentral acute middle maculopathy. Am J Ophthalmol 160：26-34, 2015
4) Otani T, et al：Improved visualization of Henle fiber layer by changing the measurement beam angle on optical coherence tomography. Retina 31：497-501, 2011
5) Spaide RF, et al：Anatomical correlates to the bands seen in the outer retina by optical coherence tomography：literature review and model. Retina 31：1609-1619, 2011
6) Staurenghi G, et al：Proposed lexicon for anatomic landmarks in normal posterior segment spectral-domain optical coherence tomography：the IN・OCT consensus. Ophthalmology 121：1572-1578, 2014
7) Hasegawa T, et al：Presence of foveal bulge in optical coherence tomographic images in eyes with macular edema associated with branch retinal vein occlusion. Am J Ophthalmol 157：390-396, 2014
8) Hasegawa T, et al：Relationship between presence of foveal bulge in optical coherence tomographic images and visual acuity after rhegmatogenous retinal detachment repair. Retina 34：1848-1853, 2014
9) Spaide RF, et al：Enhanced depth imaging spectral-domain optical coherence tomography. Am J Ophthalmol 146：496-500, 2008

（長谷川泰司）

2）後眼部OCT（眼底3次元画像解析）
③ 撮影の基本

はじめに

後眼部OCT（optical coherence tomography）撮影の基本は，眼底病変を的確に捉えた鮮明な断層画像を得ることである．鮮明な断層画像を得るには，眼内にできるだけ多くの測定光を入れ，眼底から綺麗な反射を得ることを意識しながら撮影することが重要である．

ここでは普及機種である，Cirrus™ HD-OCT（Carl Zeiss Meditec）の実際の測定画面と結果を用いて，撮影の基本テクニックとアーチファクトについて解説する．

I 撮影の基本

1 撮影前の準備
患者情報の入力．生年月日は正常眼データベースから比較するため，正確に入力する必要がある．また，前回の撮影部位と異常所見を確認し，同一部位の撮影ができるようイメージすることが重要である．

2 撮影プログラムの選択
ライン撮影には，1ライン，5ライン，21ラインと選択が可能である．ラインの本数は機種により異なる．図1下の1ラインは加算処理を行うため画質が向上する．しかし，1ラインでは病変を含む断層画像を得られているか問題になる．そこで検査に慣れない間や病変が点在する場合には，やや画質は低下するが，図1上の5ラインを選択しライン間隔を調整しながら撮影する．

図2の5クロスライン撮影は，縦・横それぞれ5ラインを一度に撮影可能でスクリーニングに適している．

図3のラジアルライン撮影は，中心窩を中心として放射状にライン撮影を行うため，黄斑部の病変が広範囲に及ぶ場合に選択する．

EDI（enhanced depth imaging）モードは，脈絡膜の描出が可能であるため，加齢黄斑変性や中心

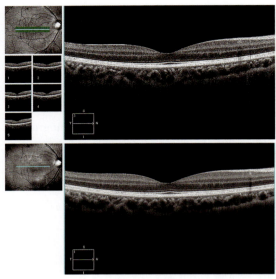

[図1] 上の5ラインより，下の1ラインの断層画像がノイズが少なく，網膜各層が鮮明である．

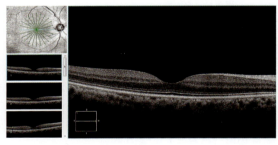

[図3] ラジアルライン撮影

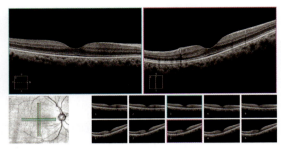

[図2] クロスライン撮影

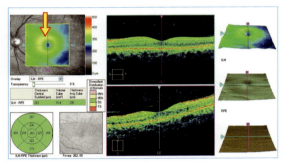

[図4] 黄斑マップ撮影によるマップ表示

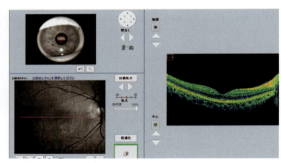

[図5] 測定画面．左上が瞳孔表示ウィンドウ，左下が，眼底表示ウィンドウ，右が断層画像．

性漿液性脈絡網膜症などの脈絡膜疾患で使用する．

図4の黄斑マップ撮影（macular thickness）は，黄斑部6×6mmの範囲（機種により範囲が異なる）で横ライン512本を連続撮影した結果から，黄斑部網膜厚の分布を表示させるもので，黄斑浮腫の経過観察などに使用する．網膜厚（内境界膜から網膜色素上皮層まで）が厚い部分は暖色，薄い部分は寒色で表示される．

3 撮影画面のチェックポイント

a．Cirrus™ HD-OCTの撮影は，測定画面上のウィンドウやアイコンをマウス操作のみで行う．

初めに測定画面左上の瞳孔表示ウィンドウ（Iris Viewport）で，測定光の入射位置の決定と虹彩のピント合わせを行う．次に測定画面左下の眼底表示ウィンドウ（Fundus Viewport）にてSLO眼底画像のピント合わせを行う（図5）．

眼底のピントが合っていない場合は，断層画像も不鮮明になるばかりか，患者が見ている固視目標もボヤケるため，固視不良の原因にもなるので注意が必要である（図6）．

次に測定画面右の断層画像の高さを調整する．断層画像の高さは図7上のように，画面上方であるほど各層からの反射が強くなり断層画像が鮮明になる．しかし断層画像が画面上方であれば，硝子体が写らないため，黄斑円孔や黄斑前膜といった網膜硝子体界面疾患では断層画像を画面中

2)後眼部OCT(眼底3次元画像解析)

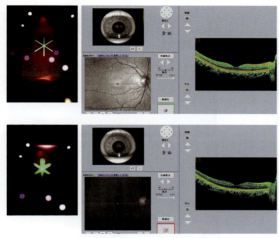

[図6] 下のように、眼底表示ウィンドウのピントが合っていないと断層画像も不鮮明で、固視目標もボヤける.

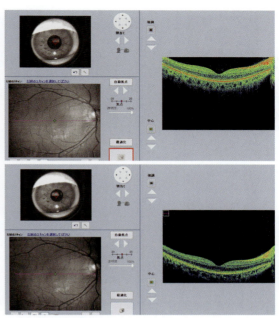

[図7] 断層画像を上方に調整すると各層からの反射が強くなり、断層画像が鮮明になる.

間位置に調整する.そして必要に応じて上方へ調整して各層の鮮明な断層画像を追加する.
＊瞳孔のピント合わせ、測定光の入射位置の調整、眼底のピント合わせ、断層画像の高さ調整,この4つの調整は、どの機種においても基本は同じである.

　b.　上眼瞼が瞳孔にかかると、測定光が眼内に十分入らず、眼底からの反射が弱くなり、鮮明な断層画像を得ることができない.この場合は上眼瞼を挙上して、多くの測定光を眼内へ入れることが重要である(**図8**).

　c.　測定光の瞳孔への入射位置は、瞳孔の中心が基本であり、眼底に対して垂直に測定光が入ることで、眼底各層から多くの反射が得られるため、鮮明な断層を得ることができる.**図9下**のように、入射位置を瞳孔中心外へ設定すると、断層画像が傾き、各層が不鮮明になる.

　d.　中心窩を通る横ラインを撮影すると、正常であれば図10上の矢印のように乳頭黄斑間だけに、網膜神経線維層の高反射が写り、この眼底は右眼であることもわかる.

　e.　中心窩を通る縦ラインを撮影すると、正常であれば図10下の矢印のように、中心窩陥凹の両側に対称性を維持した網膜神経線維層の高反射が写る.

　f.　横・縦ライン撮影だけでは、病巣の断層画

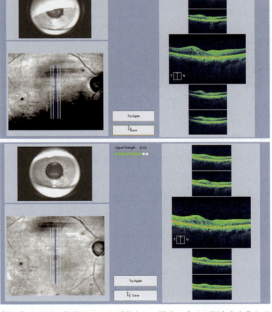

[図8] 上眼瞼は瞳孔にかかれば挙上し、眼内へ多くの測定光を入れることで断層画像がより鮮明になる.

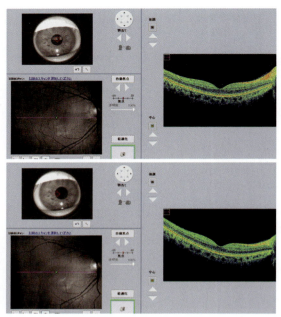

[図9] 下のように，測定光の入射位置を中心外から入れると，断層画像は傾き不鮮明になる．

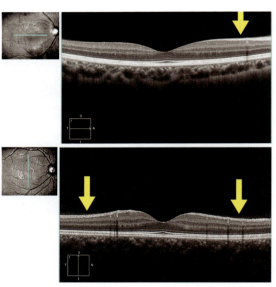

[図10] 正常眼では，上の横ラインでは矢印の部分に網膜神経線維層が確認できる．下の縦ラインでは中心窩上下が確認できる．

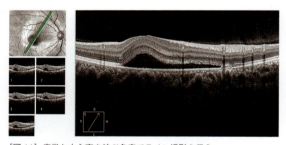

[図11] 病巣と中心窩を結ぶ角度でライン撮影を行う．

像が得られない場合は，図11のように病巣と中心窩を結ぶ角度でライン撮影を行う必要がある．

　g．ライン撮影は1秒以下で固視不良の影響を受けないが，黄斑マップ撮影は数秒必要であるため固視不良患者では，オートトラッキング機能を適宜使用して負担の少ないスムーズな検査を行うことが重要である．

4 アーチファクトとその対処方法

　a．角膜上の脂分や眼脂による測定光の減衰により，断層画像が不鮮明になった場合には，生理食塩水で洗眼すると，図12のように綺麗な断層画像を撮影できる．

　b．白内障は，混濁を避けて測定光を眼内に入

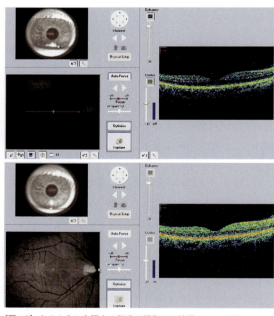

[図12] 上のように角膜上の脂分や眼脂は，洗眼により，下のように綺麗な断層画像が撮影できる．

れ，可能であれば散瞳して，鮮明な断層画像が撮影できる入射位置を探す（図13）．

　c．硝子体混濁は，上下または左右に眼球運動を促し，硝子体混濁が測定光路上から外れた瞬間にタイミングを合わせて撮影すると，より鮮明な

2）後眼部OCT（眼底3次元画像解析）

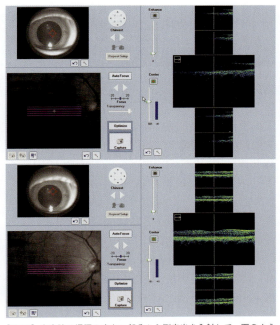

[図13] 白内障は混濁の少ない部分から測定光を入射して、下のように鮮明な断層画像を撮影する。

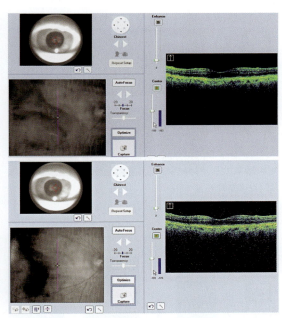

[図14] 硝子体混濁は混濁が移動するように眼球運動を促し、下のように鮮明な断層画像を撮影する。

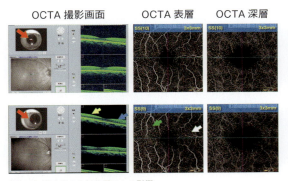

[図15] 測定光の入射位置による影響

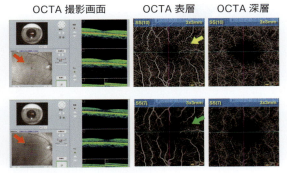

[図16] 眼底のピントによる影響

断層画像を撮影できる（図14）。

Ⅱ OCTAへの応用

OCTアンギオグラフィ optical coherence tomography angiography（OCTA）は、通常のOCT撮影より繊細な撮影が必要である。特に撮影結果を判定する指標である信号強度 signal strength（SS）を可能な限り最高値（SS10）に近づける工夫が必要である。図15下のように測定光の入射位置が瞳孔中心からズレている場合には、断層画像が傾きOCTA画像はSS（9）となり、白矢印（断層画像の青矢印に対応）の網膜血管が緑矢印部分（断層画像の黄矢印に対応）に比較して不鮮明になっている。図15上の断層画像は傾きがないためOCTA画像はSS（10）で網膜血管も全体的に鮮明である。図16下のように測定光の入射位置は瞳孔中心で眼底のピントが合っていない場合には、断層画像は水平にもかかわらずOCTA画像はSS（7）となり、緑矢印部分は図16上SS（10）黄矢印部分に比較して網膜血管が不鮮明になっている。図17下のように測定光は瞳孔中心で眼底のピントも合っており断層画像が画面

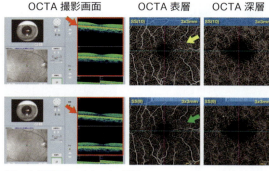

[図17] 断層画像の高さによる影響

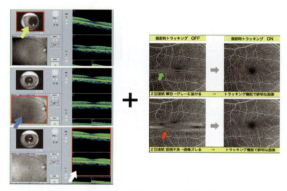

[図18] 測定光の入射位置，眼底のピント，断層画像の高さの調整に加え，トラッキング ON にすることで綺麗な OCTA 画像となる．

下方にある場合には，OCTA 画像は SS（9）となり緑矢印部分は**図17上** SS（10）黄矢印部分に比較して網膜血管がやや不鮮明になっている．つまり，**図18左**のようにこれら3つの条件（測定光の入射位置・眼底のピント・断層画像の高さ）をすべて適切に調整し，さらに**図18右**のようにトラッキング機能を ON にして画像の抜けやズレをなくすことが大切である．

文献
1) 白神史雄ほか編：OCT 読影トレーニング，メジカルビュー社，東京，16-18，2013
2) 丸尾敏夫ほか編：光干渉断層計 OCT. 眼科検査ガイド，第1版，眼科診療プラクティス編集委員編，文光堂，東京，576-582，2004
3) 高橋寛二ほか編：特集 光干渉断層計（OCT）はこう読む！．あたらしい眼科 26，メディカル葵出版，東京，2009
4) 大谷倫裕：身につく OCT の取り方と所見の読み方，金原出版，東京，2013

（後藤禎久）

2）後眼部 OCT（眼底3次元画像解析）

④ 硝子体と硝子体牽引

I 異常所見の考え方

硝子体牽引とは後部硝子体皮質が黄斑部の網膜表面に面上に接着していて，その周囲に後部硝子体剝離 posterior vitreous detachment（PVD）が生じると（この状態を perifoveal PVD と呼ぶ），黄斑部がテント上に牽引され，網膜肥厚，網膜内嚢胞，中心窩剝離を生じる状態である．このような状態の代表的な疾患が硝子体黄斑牽引症候群 vitreomacular traction syndrome（VMTS）であり，さらに牽引が続くあるいは強くなると，黄斑円孔 macular hole（MH）を生じる．中心窩の PVD が自然に形成されれば，嚢胞や中心窩剝離は軽減消失するが，その頻度は約10％と報告されている[1]．VMTS の診断には，コンタクトレンズ，あるいは前置レンズを用いた細隙灯顕微鏡による眼底検査で肥厚した後部硝子体膜が網膜前方に観察され，黄斑部を牽引していることがわかれば診断はできるが，硝子体膜が透明なこともあり診断しにくいこともある．近年では，光干渉断層計 optical coherence tomography（OCT）の発達により後部硝子体膜も容易に観察されるようになり，硝子体牽引の診断にとても有効な検査になっている．

II 鑑別診断

1 正常な硝子体の見え方（図1）

PVD がない症例では，後部硝子体皮質（矢頭）が網膜面上に観察できることがあり，さらに画像の輝度を変えることにより，硝子体ポケット（矢印）やクロケット管（＊）も観察できる．

2 後部硝子体剝離

加齢とともに PVD ができるが，その進行過程はポケットの後壁が黄斑周囲から剝離し（paramacular PVD）（図2），やがて傍中心窩に剝離が及び（perifoveal PVD）（図3）そしてポケットごと中心窩から離れると（vitreofoveal sepa-

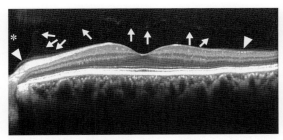

[図1] 41歳男性　左眼正常硝子体
後部硝子体皮質（矢頭），硝子体ポケット（矢印）そしてクロケット管（＊）が観察できる．

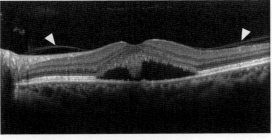

[図2] 64歳女性　左眼中心性漿液性脈絡網膜症
ポケットの後壁が黄斑周囲から剥離する paramacular PVD の状態である．

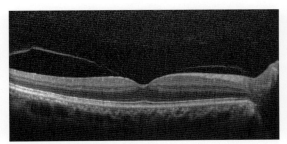

[図3] 69歳男性　右眼
ポケットの後壁が傍中心窩に及ぶ perifoveal PVD の状態である．

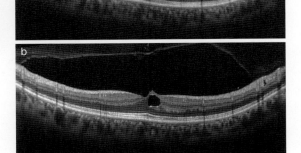

[図4] 58歳男性　右眼：VMTS
a 初診時，RV＝(0.5)，VMTS の状態で中心窩に囊胞を認める．
b 2か月後，自然経過にて中心窩に PVD ができる．囊胞はやや縮小し，視力も RV＝(0.9) へ改善した．

ration），最後に視神経乳頭から剥離して完全 PVD（complete PVD）となる[2]．

3 硝子体黄斑牽引症候群

加齢により perifoveal PVD が生じ，中心窩が前方方向に牽引された状態である．網膜内に囊胞（図4）や中心窩剥離を生じる（図5）．MH stage 1 に類似した focal なタイプと，黄斑上膜 epiretinal membrane（ERM）などを伴い広い範囲で接着する broad なタイプがある[3]．自然に中心窩に PVD が起きて，牽引が解除されることもあるが（図4），そうでない場合は，治療は硝子体手術の適応になる．

4 黄斑円孔

後部硝子体膜の接線方向の牽引により，中心窩に円孔を生じる疾患で，VMTS と同じスペクトルと考えられる．MH の病期は stage 1〜4 に分類される[4,5]．

stage 1（図6, 7）：perifoveal PVD により中心窩の形態異常が生じた状態である．全層円孔前の状態で，視細胞層離開前が 1A，離開後が 1B と分類される．

stage 2（図7, 8）：囊胞様腔の前壁に裂隙を生じ全層円孔となる．弁（flap）を形成し，後部硝子体皮質が牽引する状態．

stage 3（図9）：弁が中心窩からはずれ蓋（operculum）が形成される．

stage 4（図10）：PVD が完成した状態．

stage 1 や 2 の場合，中心窩の PVD が自然にできれば円孔は改善（閉鎖）することもある（図6）．自然閉鎖がなければ治療は硝子体手術の適応になる．

5 偽黄斑円孔（図11）

ERM の亜型で，ERM により求心性前方牽引により中心窩外の網膜の肥厚がみられ，相対的に中

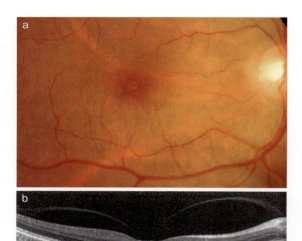

[図5] 60歳女性　右眼：VMTS
a 初診時，カラー眼底写真，中心窩に黄色輪を認める．視力はRV=(0.6)．
b OCTで，perifoveal PVDを認め中心窩剝離を認める．VMTSと診断できる．

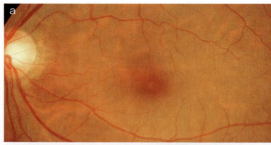

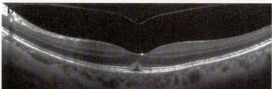

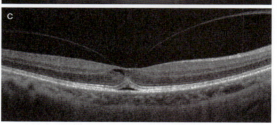

[図6] 60歳女性（図5と同一症例）　左眼：MH stage 1
a 図5と同一症例の左眼の初診時カラー眼底写真．中心窩に黄色輪を認める．視力はLV=(0.5)．
b OCTで，視細胞層の欠損(macular microhole)を認める(MH stage 1)．中心窩にはPVDを認める．
c 9日前の前医初診時：中心窩にPVDはないMH stage 1の状態．

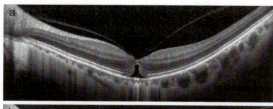

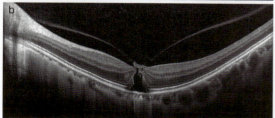

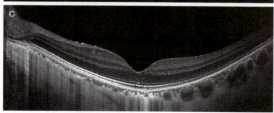

[図7] 56歳男性　左眼OCT：MH stage 1→2
a 初診時，視力はLV=(0.9)．中心窩にPVDはなく，MH stage 1の状態．
b 約4か月後，MH stage 2へと進行し，視力はLV=(0.7)へ低下．硝子体手術の適応となる．
c 硝子体手術後12か月．MHの閉鎖は得られ，視力はLV=(1.0)．

 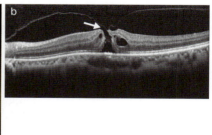

[図8] 68歳　女性　左眼：MH stage 2
a 初診時，左眼前置レンズを用いた細隙灯顕微鏡によるスリット眼底写真．中心窩に黄色輪を認め，一部裂隙を認める(矢印)．視力はLV=(0.3)．中心窩にPVDはなく，MH stage 1の状態．
b OCTでは，中心窩前壁がはずれ(矢印)，MH stage 2の状態．視力はLV=(0.3)で硝子体手術の適応となる．

心窩がUあるいはV字型を呈する．遠心性前方牽引により起こる層状黄斑円孔 lamellar macular hole (**図12**) とは機序が異なる．

2) 後眼部OCT（眼底3次元画像解析）

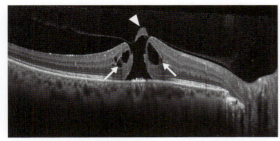

[図9] 65歳女性　右眼：MH stage 3
後部硝子体皮質の牽引により弁が中心窩からはずれ，蓋 (operculum) が形成されている（矢頭）．円孔周囲には Henle 線維層の嚢胞様腔がみられる（矢印）．視力は RV＝(0.1)．

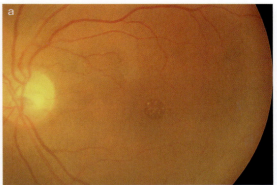

[図10] 68歳女性　右眼：MH stage 4
a 初診時，カラー眼底写真：中心窩に約 1/2 乳頭径大のやや大きな円孔を認める．視力は LV＝(0.1)．
b OCT：後部硝子体皮質に蓋はなく視細胞層が挙上されている．

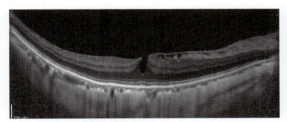

[図11] 69歳女性　右眼：偽黄斑円孔
ERM を認め，中心窩が U 字型を呈する．視力は RV＝(0.5)．

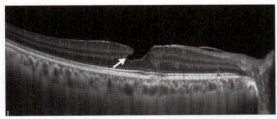

[図12] 63歳男性　右眼：層状黄斑円孔 (lamellar MH)
Henle 線維層の裂隙がみられる（矢印）．視力は RV＝(1.2)．

6 加齢黄斑変性

滲出型加齢黄斑変性 age-related macular degeneration (AMD) で，硝子体牽引があることがしばしばある（図13）．近年，抗血管内皮増殖因子 vascular endothelial growth factor (VEGF) 薬の硝子体内注射が広く行われているが，抗 VEGF 薬注射後にまれに MH を生じることが報告されている[6]．

7 糖尿病網膜症

糖尿病網膜症 diabetic retinopathy (DR) では PVD がないことによる VMTS での黄斑浮腫がよくみられる（図14）．抗 VEGF 療法が無効なこと

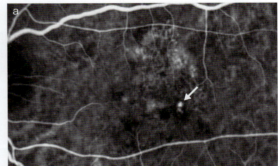
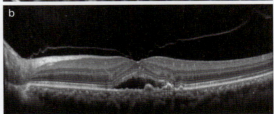

[図13] 67歳男性　左眼：ポリープ状脈絡膜血管症 (PCV)
a 初診時，インドシアニングリーン蛍光眼底造影検査でポリープ状病巣を認める（矢印）．視力は LV＝(0.6)．
b OCT で，PCV による漿液性網膜剥離を認める．中心窩に PVD はなく，硝子体癒着がある状態．

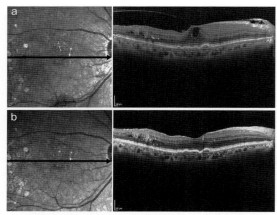

[図14] 73歳男性　右眼：増殖糖尿病網膜症
a 初診時，OCTで中心窩にPVDはなく，硝子体牽引の状態．視力はRV=(0.5)．
b 網膜症の悪化で硝子体手術を施行後6か月．黄斑部の嚢胞は消失し，視力はRV=(0.8)へ改善．

された．網膜分離，黄斑部網膜剝離が生じ，黄斑円孔さらには黄斑円孔網膜剝離macular hole retinal detachment(MHRD)へと進展する．後部硝子体皮質の牽引，動脈血管による牽引，後部硝子体皮質の血管への牽引などが報告されている(図15)．

文献
1) Hikichi T, et al：Course of vitreomacular traction syndrome. Am J Ophthalmol 119：55-61, 1995
2) Itakura H, et al：Evolution of vitreomacular detachment in healthy subjects. JAMA Ophthalmol 131：1348-1352, 2013
3) Koizumi H, et al：Three-dimensional evaluation of vitreomacular traction and epiretinal membrane using spectral-domain optical coherence tomography. Am J Ophthalmol 145：509-517, 2008
4) Gass JD：Idiopathic senile macular hole. Its early stages and pathogenesis. Arch Ophthalmol 106：629-639, 1988
5) Hangai M, et al：Three-dimensional imaging of macular holes with high-speed optical coherence tomography. Ophthalmology 114：763-773, 2007
6) Querques G, et al：Macular hole following intravitreal ranibizumab injection for choroidal neovascular membrane caused by age-related macular degeneration. Acta Ophthalmol 87：235-237, 2009

（齋藤昌晃）

もあり，そのような場合には硝子体手術の適応になる．

8 近視性牽引黄斑症

強度近視眼にみられる牽引に伴った黄斑部網膜の障害で，OCTの発達とともに疾患概念が確立

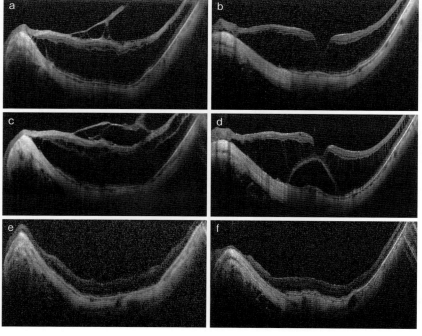

[図15] 78歳女性　強度近視眼：左眼（右眼はMHRD術後で光覚なし）
a, b 2014.9月，視力はLV=(0.4)．黄斑部には後部硝子体皮質による牽引がある(a)．中心窩は網膜分離の状態(b)．
c, d 約12か月後，後部硝子体皮質による黄斑部の牽引により，網膜分離は進行し(c)，黄斑部網膜剝離を認める(d)．視力はLV=(0.3)．
e, f；硝子体手術（内境界膜剝離）後7か月には，牽引は解除され(e)，黄斑部網膜剝離も消失した(f)．視力はLV=(0.3)．

2) 後眼部OCT（眼底3次元画像解析）
⑤ 網膜肥厚

I 網膜肥厚について

OCTで網膜厚が正常範囲を超えて増加している状態を網膜肥厚と定義すると，その様態として考えられるのは網膜組織自体の厚みが増している場合と，網膜の内側あるいは外側に別のコンポーネントが付着している場合，または上記が混在している場合が考えられる．また，網膜肥厚の位置や範囲も診断の上で重要な情報となる．それぞれのパターンにおいてOCT所見の特徴を捉えることで，病態の考察および疾患鑑別に大きなヒントが得られる．

II 網膜肥厚の見つけ方

網膜におけるスクリーニング的OCT検査では一般に中心窩を通る水平断および垂直断の画像を観察することが多い．なかにはこれら2つの断層像による評価で鑑別診断が可能な場合もあるが，局所的な病変では後極部の連続撮影によるマップ表示が肥厚病変のスクリーニングに有用である（図1）．機種によっては撮像時間が長くなるため全症例への適用は困難としても，初診時と病変の明らかな変化が疑われる場合には是非とも行うべきである．ただ，OCTのマップ表示では一般的に網膜最表面から網膜色素上皮の正常（想定）ラインまでの厚みを計測，表示することが多いため，マップにおける肥厚部位には網膜自体の肥厚に加えて網膜下液や網膜色素上皮剥離も含まれている可能性がある．これらを見分けるためには肥厚部位の断層像を一つひとつ観察し，その構造変化を確認することが必要となるが，網膜下液や網膜色素上皮剥離については別項で詳しく述べられるため，ここでは網膜組織の肥厚に絞って解説する．

III 網膜肥厚の成因

網膜肥厚の成因としては大きく2つに分けられる．1つは浮腫，出血，滲出物の貯留による網膜組織自体の肥厚であり，もう1つは網膜前膜の牽引などによる網膜の変形に伴う肥厚である．以下にそれぞれのOCT所見について記載する．

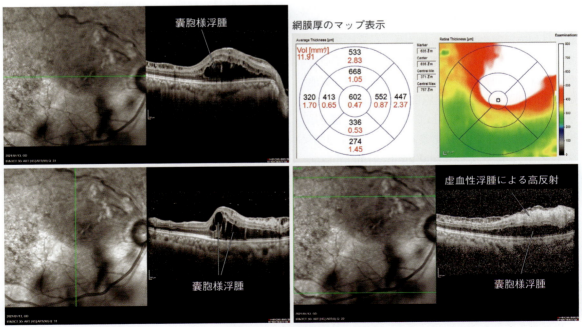

[図1] 中心窩を通る水平断と垂直断およびマップ表示（網膜静脈分枝閉塞症の症例）

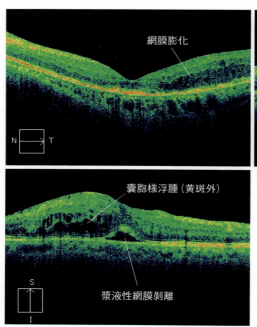

[図2] さまざまな網膜肥厚のパターン（糖尿病網膜症の症例）

IV 網膜組織自体の肥厚

　浮腫の代表的所見は糖尿病網膜症や網膜静脈閉塞症でよくみられる網膜膨化（スポンジ状浮腫）と囊胞様変化（囊胞様浮腫）である．これらの所見は複合してみられることもしばしばある．網膜膨化は網膜浮腫の初期から起こり，最も高頻度にみられる所見である．毛細血管瘤や網膜毛細血管からの漏出で網膜にびまん性の浮腫が生じた状態を指す．OCT所見では細胞間隙への液貯留に伴う外網状層の低信号域として観察される（図2）．視細胞の健常性を反映する ellipsoid zone（EZ）ラインや外境界膜 external limiting membrane（ELM）ラインの不明瞭化を伴う場合は視力低下につながることがある[1]．

　網膜のなかでも中心窩およびその近傍の外網状層は Henle 線維層と呼ばれ，神経線維が放射状かつ斜めに走行するが，この部位に形成される囊胞腔に漏出液が貯留すると菊花状を呈する囊胞様浮腫が生じやすい．一方，黄斑部以外の網膜では外網状層の神経線維が垂直に走行するためハニカム状の囊胞様浮腫が生じる．OCT所見では囊胞様変化は境界鮮明な低信号域が隔壁によって区分されて見える点で網膜膨化と異なる（図2）．また，囊胞様変化は内顆粒層，内網状層，神経節細胞層にも生じ得る．高度な，あるいは遷延する囊胞様変化は細胞間隙への漏出液貯留のみならず神経細胞の破壊を示唆するものであり，浮腫が消退した後も視力への影響が残る場合が多い．

　網膜浮腫のなかでも網膜動脈閉塞のような虚血性変化が強い場合は細胞膜の透過性破綻をきたし，ナトリウムイオンと水の流入による神経細胞と軸索およびグリア細胞の膨化を伴う壊死性浮腫が生じるため[2]，OCTでは低信号ではなく，びまん性の高信号を呈する（図3）．特に網膜循環の支配領域である網膜内層に変化を認め，網膜の層構造は不明瞭となる．網膜動脈閉塞症の新鮮例ではOCTのマップ表示で網膜肥厚部位がよく識別されるが，発症後に時間が経過すると組織壊死による網膜内層の菲薄化が進行するためマップ表示では肥厚部位の認識が困難となる．このような場合も個別のOCT断層像では網膜内層の高信号が確認できれば診断は可能である（図4）．

　出血による網膜肥厚は網膜細動脈瘤破裂などに

2) 後眼部OCT（眼底3次元画像解析）

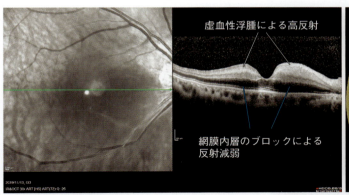
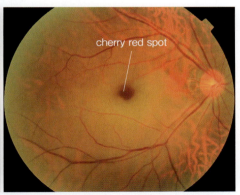

[図3] 網膜の虚血性浮腫（網膜中心動脈閉塞症の症例）

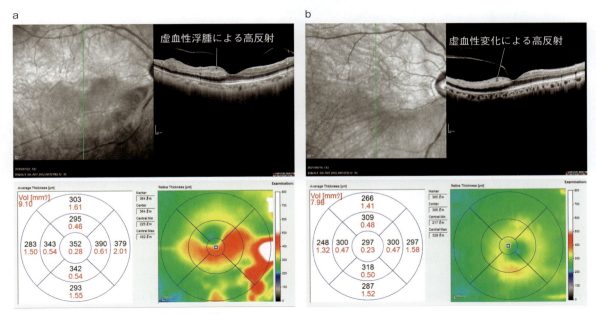

[図4] 網膜の虚血性浮腫（網膜動脈分枝閉塞症の症例）
a 発症3日後の症例
b 発症10日後の症例
発症から10日後のBRAO症例ではマップ表示にて著明な網膜肥厚はみられないが，断層像で明らかな網膜内層の高輝度を認めることから診断できる．

よる網膜出血に代表される．眼底後極の血管アーケードを形成する，あるいはその内側を走行する動脈の血管瘤が破裂することによって網膜浅層に血腫を形成するが，その範囲はしばしば中心窩に及ぶ．血腫の存在自体は通常の眼底検査で容易に確認できるが，逆に血腫に阻まれて網膜の状態が把握できない．OCTでは内境界膜のライン下に高信号の血腫が観察されることが多く，垂直断ではニボーの形成が観察される場合もある（図5）．

肥厚網膜（血腫）内を走行する網膜細動脈部に焦点を当てると，ときに出血原因となった細動脈瘤の断層像が捉えられることがある．また，血腫の大きさ，濃度によってはOCTでも網膜の状態を観察することが困難な場合もあるが，血腫部全体を連続的に断層撮影することによって網膜下への出血進展の有無や網膜色素上皮剝離の有無などがおおよそ把握できれば鑑別診断や緊急性の判断にも役立つ．

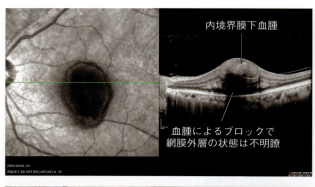
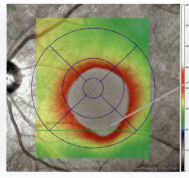
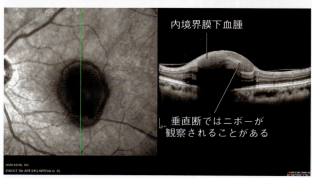
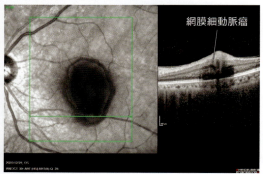

[図5] 網膜（内境界膜下）出血（網膜細動脈瘤の症例）

V 網膜付着組織による肥厚

　硝子体は加齢とともに変性し，後部硝子体剝離などの変化を起こすが，なかには後部硝子体膜の一部が網膜表面に残存し，線維性増殖を伴うことで網膜前膜という病態を生じる場合がある．OCTでは網膜前膜自体は網膜表面の高反射物として認識されるが，網膜前膜の収縮に伴って中心窩陥凹の消失，網膜の肥厚，変形が観察されることがある（**図6**）．特に網膜前膜の収縮が強い場合は網膜内層の変形が高度となり，中心窩のヘルニア様膨隆[3]や disorganization of the retinal inner layers（DRIL）と呼ばれる網膜内層の構造異常がみられることがあり，DRILは視機能予後不良因子の1つとされている[4]．また網膜前膜で肥厚した網膜内層が円筒状の中心窩陥凹を形成することによって検眼鏡的に黄斑円孔様に見えることがある．この病態を一般に黄斑偽円孔と呼ぶが，通常は中心窩外側の視細胞層は障害されないため視力は良好であることが多い．

　網膜前膜に伴う別の病態として分層黄斑円孔があり，牽引型と変性型に分けられる（**図7**）．牽引型では高反射の網膜前膜と中心窩近傍の網膜解離（分層）所見が特徴であるが，中心窩外層の構造は保たれていることが多く，解離部の断端が鋭角である場合が多い．一方，変性型では網膜前膜の牽引所見に比して分層の程度が大きく，断端が丸みを帯びていることが認められ，しばしば中心窩外層の菲薄化やEZの途絶が見られる．また，円孔辺縁の網膜表面に低反射の lamellar hole-associated epiretinal proliferation（LHEP）と呼ばれる膜状物が観察されることも多い[5]．これは組織学的にはMüller細胞を主体とした構造物とされている．

　網膜前膜を手術で除去した場合，網膜の構造異常は不可逆的変化が生じていない限り相応の改善に向かうが，術前の病状によって改善までの期間が長期に及ぶ場合もあれば（**図8**），比較的早くに手術の効果が観察できることもある（**図9**）．

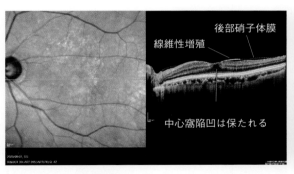
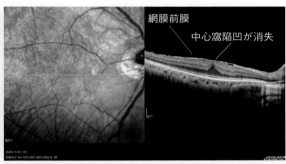

[図6] 網膜前膜のさまざまなパターン
DRIL：disorganization of the retinal inner layers

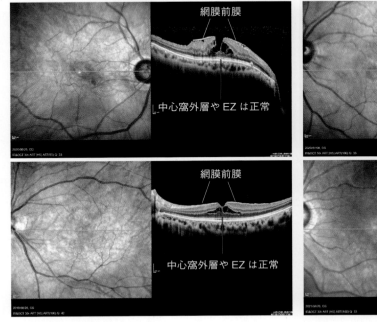
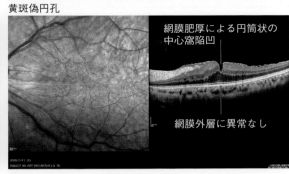

[図7] 分層円孔の種類
LHEP：lamellar hole-associated epiretinal proliferation

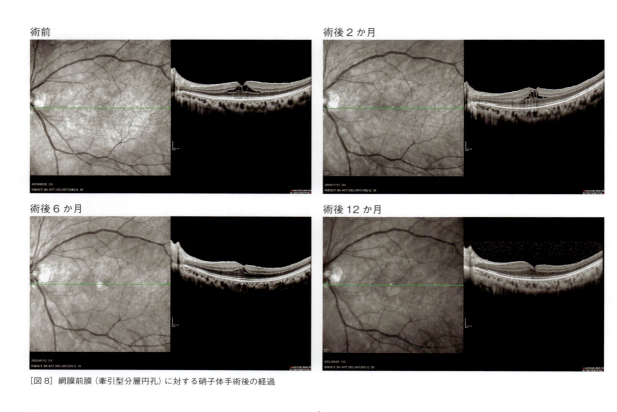

[図8] 網膜前膜（牽引型分層円孔）に対する硝子体手術後の経過

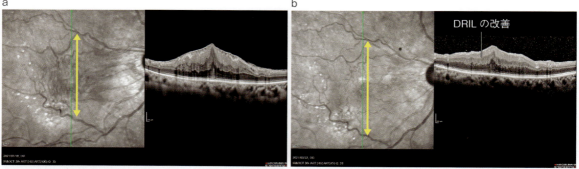

[図9] 網膜前膜に対する硝子体手術後の経過
a 術前
b 術後1か月
牽引の解除によるアーケード血管の間隔拡大およびDRILの改善がみられる．

文献
1) Shin HJ, et al：Association between photoreceptor integrity and visual outcome in diabetic macular edema. Graefes Arch Clin Exp Ophthalmol 250：61-70, 2012
2) Love S, et al（eds）：Greenfield's Neuropathology, 9th edition. CRC Press Taylor & Francis Group：FL. 2015
3) Ozdemir H, et al：Epiretinal Membrane With Foveal Herniation. Retina 37：e71-e72, 2017
4) Zur D, et al：Disorganization of Retinal Inner Layers as a Biomarker for Idiopathic Epiretinal Membrane After Macular Surgery-The DREAM Study. Am J Ophthalmol 196：129-135, 2018
5) Pang CE, et al：Epiretinal proliferation seen in association with lamellar macular holes：a distinct clinical entity. Retina 34：1513-1523, 2014

（本田　茂）

18 光干渉断層計

2) 後眼部OCT（眼底3次元画像解析）
⑥ 網膜菲薄

I 異常所見の考え方

網膜の菲薄化には，緑内障や遺伝性網膜変性症のように細胞が変性，萎縮した結果生じる一次的な菲薄化と，糖尿病網膜症や加齢黄斑変性のように炎症や浮腫により網膜が肥厚したのち，陳旧期になって萎縮性変化が生じる二次的な菲薄化がある．

網膜の各層で上記の菲薄化は観察されるため（図1），病的変化がOCTのどの層でみられるかによって疾患の本質的な病態を明らかにすることができる[1-4]．また，緑内障やAZOOR（acute zonal occult outer retinopathy）などでは，OCTの菲薄化が視機能の障害部位（視野異常の部位）に対応して観察されるため，OCTは確定診断に用いられるばかりでなく，疾患の進行を客観的に評価するために用いることができる．

II 鑑別診断

1 網膜内層の菲薄化

視神経の萎縮や虚血によって，網膜内層の菲薄化がみられる．特に黄斑部周囲の神経線維層および神経節細胞層の菲薄化は，緑内障の初期変化を反映するばかりでなく視機能の異常部位と一致するため，segmentationによるマップ解析が広く用いられている（図2）．

1) 視神経疾患

緑内障[5]（図2），視神経萎縮，遺伝性視神経疾患（Leber視神経症，常染色体優性視神経萎縮症[6]）（図3），先天性視神経低形成など．

上記は外側膝状体よりも遠位の視神経障害であるが，後頭葉病変においても視神経変性が外側膝状体のシナプスを乗り越えることによって，OCTで網膜内層の同名萎縮が観察されることが知られている．

2) 網膜血管病変

網膜動静脈閉塞症（陳旧性）[7]（図4），糖尿病網膜症や加齢黄斑変性の萎縮期など．

2 網膜外層の菲薄化

網膜外層疾患においても，OCTで検知される微細な構造異常は機能的異常と密接に結びついている．特に視細胞外層のellipsoid zone（EZ）や，interdigitation zone（IZ）は視細胞機能をよく反映しており，これらを注意深く観察することで視細胞の障害を早期から検出することができる．

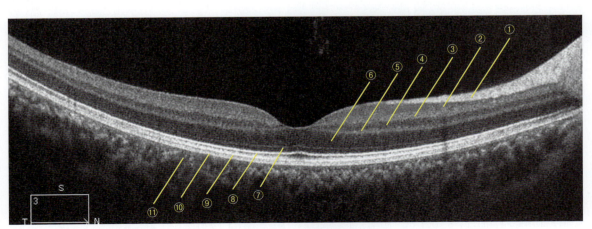

［図1］ 正常網膜のOCT所見（Cirrus™ HD-OCT, version 6.5；Carl Zeiss Meditec, Dublin, CA）
ラインスキャンOCTで観察される網膜各層．正確な診断のためには，グレースケールでの表示，十分な光量，網膜面が水平（レーザー光軸に対して垂直）であることが重要である．
① 神経線維層，② 神経節細胞層，③ 内網状層，④ 内顆粒層，⑤ 外網状層，⑥ Henle層および外顆粒層，⑦ 外境界膜，⑧ ellipsoid zone（EZ），⑨ interdigitation zone（IZ），⑩ 網膜色素上皮層/Bruch膜，⑪ 脈絡膜

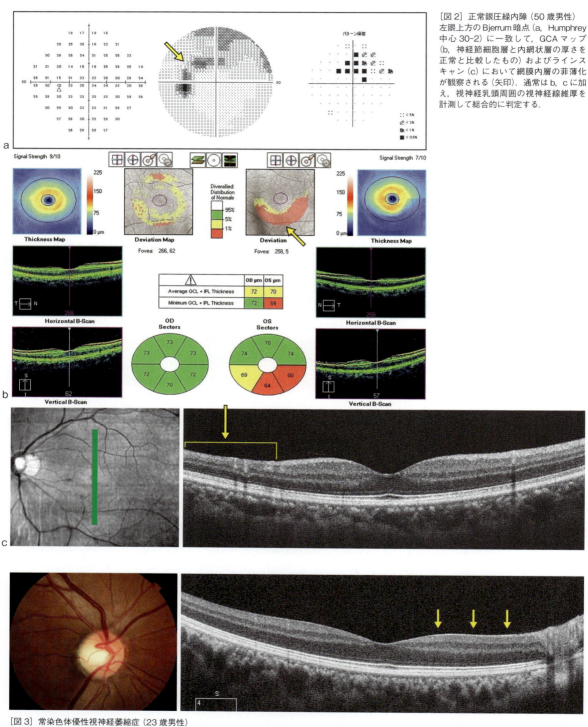

[図2] 正常眼圧緑内障（50歳男性）
左眼上方のBjerrum暗点（a, Humphrey中心30-2）に一致して，GCAマップ（b, 神経節細胞層と内網状層の厚さを正常と比較したもの）およびラインスキャン（c）において網膜内層の菲薄化が観察される（矢印）．通常はb, cに加え，視神経乳頭周囲の視神経線維厚を計測して総合的に判定する．

[図3] 常染色体優性視神経萎縮症（23歳男性）
視神経乳頭の耳側が蒼白化している．OCTでは，視神経乳頭-黄斑間において神経線維層および神経節細胞層が著明に菲薄化している（矢印）．長期罹患例では網膜内層にmicro cystがみられることがある．

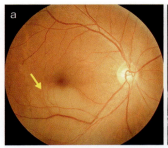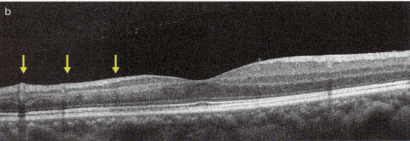

[図4] 網膜動脈分枝閉塞症（陳旧性，52歳女性）
a 発症直後の眼底写真．中心窩下方に生じた動脈分枝閉塞．発症直後には網膜浮腫による内層の肥厚がみられた．
b 発症1か月後のOCTでは，神経節細胞層から内顆粒層にかけての網膜内層が菲薄化している（矢印）．

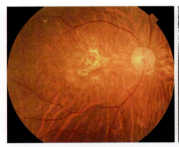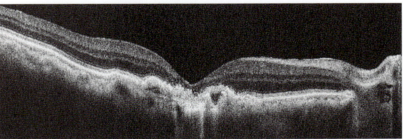

[図5] 滲出型加齢黄斑変性（萎縮期，85歳女性）
抗VEGF抗体の硝子体注射を合計40回施行されている．出血や網膜下液は消失しているものの，網膜外層の一部が瘢痕化し，中心窩網膜厚はきわめて菲薄化している．

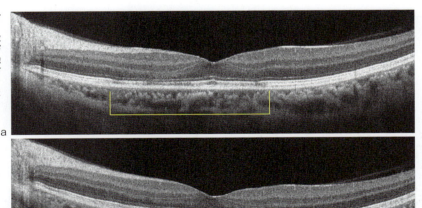

[図6] AZOOR（acute zonal occult outer retinopathy，44歳女性）
a 発症時のOCTでは，視野欠損部に一致して interdigitation zone の欠損および ellipsoid zone の分断が観察され，視細胞外節長（EZと網膜色素上皮層の距離）が菲薄化している（黄色枠内）．
b 発症2年後のOCTでは，上記の異常はほぼみられなくなっている．

1) 網膜血管病変

糖尿病網膜症，網膜動静脈閉塞症などの萎縮期，萎縮型加齢黄斑変性，滲出型加齢黄斑変性の萎縮期（図5）など．

2) 炎症性疾患・外傷

ぶどう膜炎（続発性網膜変性）の萎縮期，AZOOR類縁疾患[8,9]（AZOOR（図6），MEWDS（multiple evanescent white dot syndrome），

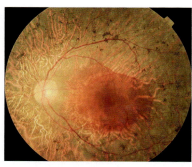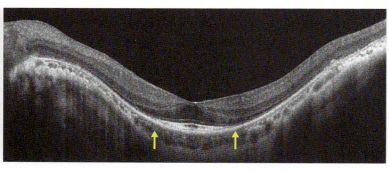

[図7] 網膜色素変性症（41歳男性）
中心視野が10°まで狭窄している常染色体優性遺伝家系の網膜色素変性症．矯正視力は1.2．黄斑部の視細胞構造は矢印間でほぼ正常に保たれているが，その周辺では視細胞層が菲薄化し消失している（矢印）．

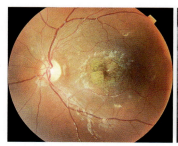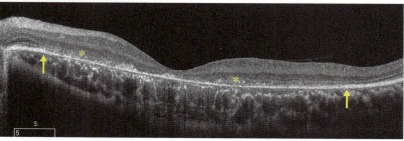

[図8] 黄斑ジストロフィ（Stargardt病，14歳女性）
黄斑変性が後極全体に広がったStargardt病．視細胞層は矢印間の広範囲で萎縮しており，所々に網膜色素上皮が萎縮しBruch膜が観察される（＊）．矢印の外側では，視細胞構造の障害は比較的軽度である．

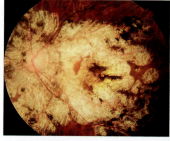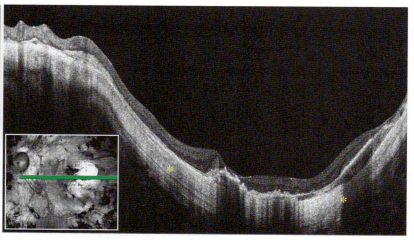

[図9] 近視性網脈絡膜萎縮（80歳女性）
眼底写真では後極部に強い網脈絡膜萎縮がみられる．OCTでは眼球後壁が黄斑部を中心に深く陥凹している．網膜外層および脈絡膜の菲薄化が顕著なため，通常の撮影モードでも強膜（＊）が明瞭に観察される．

Mariotte盲点拡大症候群，多巣性脈絡膜炎など），特発性漿液性網脈絡膜症の萎縮期，外傷後の瘢痕など．

3) 遺伝性網脈絡膜疾患

網膜色素変性[10]（図7），黄斑ジストロフィ[11]（図8）など．

4) 近視性網脈絡膜萎縮[12]（図9）

豹紋状眼底，びまん性萎縮，限局性萎縮，黄斑萎縮など．

III OCTを用いた診断にあたっての注意

網膜各層の構造を明瞭に区別するために，ラインスキャンの際には必ずグレースケール表示を用いる．疑似カラー表示は層別の診断が困難になるため勧められない．

また網膜外層の一部では，細胞の層構造が正常であってもOCTで描出されない「false negative」の所見が出やすいため注意が必要である．特に問題となるのは，光量不足と網膜面の傾きである．白内障や網膜浮腫などによって網膜外層に到達する光量が十分でないと，interdigitation zoneのような微細な視細胞構造は描出されなくなる．また，OCTの干渉信号は入射角による影響を受けるため，光軸と網膜面が垂直でないと信号は減衰する[13]（図10）．interdigitation zoneは特にこの影響を受けやすく，レーザー光が網膜面に垂直に当たらず網膜面が水平から傾いている場合には，健常者でも消失して見えることを知っておくべきである．

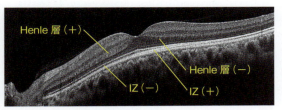

[図10] レーザー入射角によって消失するIZ，および出現するHenle層
網膜面が水平から傾いている場合や，光量が不足している場合には，正常眼底でもIZ（interdigitation zone）が消失しているように見えるため注意が必要である．逆に網膜面が傾いているところでは，通常は観察されないHenle層が高輝度領域として外顆粒層の上方に観察される．

文献

1) Staurenghi G, et al：Proposed lexicon for anatomic landmarks in normal posterior segment spectral-domain optical coherence tomography：the IN* OCT consensus. Ophthalmology 121：1572-1578, 2014
2) Srinivasan VJ, et al：Characterization of outer retinal morphology with high-speed, ultrahigh-resolution optical coherence tomography. Invest Ophthalmol Vis Sci 49：1571-1579, 2008
3) Spaide RF, et al：Anatomical correlates to the bands seen in the outer retina by optical coherence tomography：literature review and model. Retina 31：1609-1619, 2011
4) Fernandez EJ, et al：Ultrahigh resolution optical coherence tomography and pancorrection for cellular imaging of the living human retina. Opt Express 16：11083-11094, 2008
5) Mwanza JC, et al：Macular ganglion cell-inner plexiform layer：automated detection and thickness reproducibility with spectral domain-optical coherence tomography in glaucoma. Invest Ophthalmol Vis Sci 52：8323-8329, 2011
6) Ronnback C, et al：Imaging of the macula indicates early completion of structural deficit in autosomal-dominant optic atrophy. Ophthalmology 120：2672-2677, 2013
7) Takahashi H, et al：Sectoral thinning of the retina after branch retinal artery occlusion. Jpn J Ophthalmol 53：494-500, 2009
8) Li D, et al：Loss of photoreceptor outer segment in acute zonal occult outer retinopathy. Arch Ophthalmol 125：1194-1200, 2007
9) Tsunoda K, et al：Selective abnormality of cone outer segment tip line in acute zonal occult outer retinopathy as observed by spectral-domain optical coherence tomography. Arch Ophthalmol 129：1099-1101, 2011
10) Hood DC, et al：Thickness of receptor and post-receptor retinal layers in patients with retinitis pigmentosa measured with frequency-domain optical coherence tomography. Invest Ophthalmol Vis Sci 50：2328-2336, 2009
11) Tsunoda K, et al：Clinical Characteristics of occult macular dystrophy in family with mutation of Rp1l1 gene. Retina 32：1135-1147, 2012
12) Maruko I, et al：Morphologic analysis in pathologic myopia using high-penetration optical coherence tomography. Invest Ophthalmol Vis Sci 53：3834-3838, 2012
13) Lujan BJ, et al：Revealing Henle's fiber layer using spectral domain optical coherence tomography. Invest Ophthalmol Vis Sci 52：1486-1492, 2011

〈角田和繁〉

2）後眼部OCT（眼底3次元画像解析）
⑦ 網膜内嚢胞・網膜分離

網膜内嚢胞

I 異常所見の考え方

網膜内嚢胞はOCTで網膜内部の低輝度領域として描出される所見であり，網膜の各層で大小さまざまな嚢胞腔を示しうる．網膜内嚢胞の原因としては網膜硝子体界面病変に伴う機械的牽引，内外網膜血管関門破綻による水分貯留に加え，網膜変性に伴うものなどが挙げられる．

II 鑑別診断

1 網膜硝子体界面病変

（特発性黄斑円孔，硝子体黄斑牽引症候群，黄斑上膜など）

網膜表面に付着する硝子体，あるいは線維性増殖組織の機械的牽引により，網膜の層構造に嚢胞腔が生じる．特発性黄斑円孔ではまだ円孔の形成されていない病初期に中心窩に嚢胞様変化を生じ（図1）[1]，全層円孔が形成された後でも円孔周囲に嚢胞様変化がみられる（図2）．硝子体牽引症候群，黄斑上膜などでも硝子体あるいは膜組織の付着範囲や癒着の程度，罹病期間などにも影響されるが，さまざまな程度で網膜内に嚢胞様変化を生じることがある．

2 網膜血管病変

（糖尿病網膜症，網膜中心静脈閉塞症，網膜静脈分枝閉塞症，type 1黄斑部毛細血管拡張症など）

網膜内嚢胞を生じる最も代表的な病態である．網膜血管から漏出した血漿成分が網膜内に貯留する．このような網膜血管病変で生じる黄斑浮腫の代表的OCT所見としては網膜内嚢胞に加えて，網膜膨化，網膜剝離があり，これらの1つあるいは組み合わせにより表現される（図3）[2]．type 1 黄斑部毛細血管拡張症ではフルオレセイン蛍光眼底造影（FA）で観察される，中心窩周囲の拡張した網膜毛細血管と血管瘤からの水分漏出により嚢

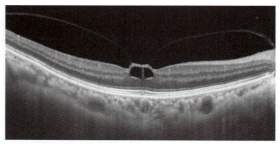

［図1］特発性黄斑円孔（stage 1）
中心窩に付着した後部硝子体膜の牽引により網膜浅層に嚢胞様変化を生じている．

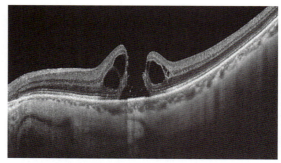

［図2］特発性黄斑円孔（stage 4）
全層黄斑円孔を生じており硝子体牽引はみられない．円孔周囲に大小さまざまな網膜内嚢胞がみられる．

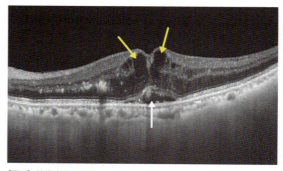

［図3］糖尿病黄斑浮腫
網膜内嚢胞（黄矢印）に加え網膜剝離（白矢印）がみられる．

胞様変化を生じる（図4）．

3 炎症性疾患

（ぶどう膜炎，Irvine-Gass症候群など）

サルコイドーシスなどのぶどう膜炎でみられる黄斑浮腫においても網膜内嚢胞が観察される．Irvine-Gass症候群は白内障手術後の炎症により惹起される黄斑浮腫のことであり，同様に網膜内嚢胞が観察される（図5）．

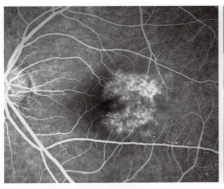
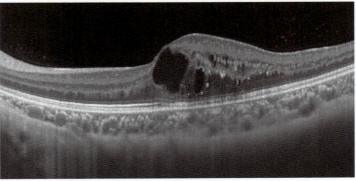

[図4] type1 黄斑部毛細血管拡張症
FA（左）で中心窩耳側を中心に網膜毛細血管拡張と多数の血管瘤，囊胞様黄斑浮腫を認める．OCT（右）でも大小さまざまな網膜内囊胞がみられる．

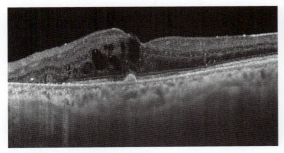

[図5] Irvine-Gass 症候群
合併症を生じていない超音波水晶体乳化吸引術後に生じた網膜内囊胞．その後，非ステロイド系抗炎症薬点眼にて黄斑浮腫は消失した．

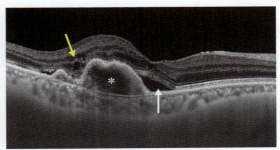

[図6] 滲出型 AMD（典型 AMD，type 1 MNV）
RPE 下の MNV に一致した中輝度反射（＊）の周囲に網膜内囊胞（黄矢印）と網膜剝離（白矢印）がみられる．

4 脈絡膜新生血管（CNV）を生じる疾患

（滲出型加齢黄斑変性（AMD），近視性 CNV，特発性 CNV など）

滲出型 AMD は脈絡膜血管由来の新生血管を生じる典型 AMD，ポリープ状脈絡膜血管症（PCV），そして網膜血管由来の新生血管を生じる網膜血管腫状増殖（RAP）という3つのサブタイプに分類される．黄斑部新生血管（MNV）由来の血漿成分漏出の結果，網膜内囊胞を生じうる．典型 AMD，PCV でみられる MNV は解剖学的局在により，網膜色素上皮（RPE）下にとどまる type 1 MNV，RPE を超えて網膜下まで進展すると type 2 MNV と呼ばれるが，一般には黄斑部の限局性の網膜剝離の所見が先行し，網膜内囊胞はやや経過が遷延したケースに合併することが多い（図6）．最近では type 3 MNV とも呼ばれる RAP は網膜血管由来の新生血管を特徴とし，病期の進行とともに網

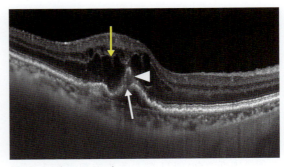

[図7] RAP（Type 3 MNV）
網膜内新生血管（矢頭）により著明な網膜内囊胞がみられる（黄矢印）．新生血管は網膜下に進展し，RPE の断裂所見もみられる（白矢印）．

膜下に進展し，最終的に併発した CNV と吻合する[3]．そのため，RAP は滲出型 AMD の中で最も網膜内囊胞を示しやすいサブタイプである（図7）．特に病初期の RAP では RPE に病的な隆起性変化がみられないことも多く，糖尿病網膜症など他の

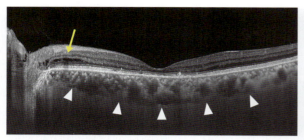
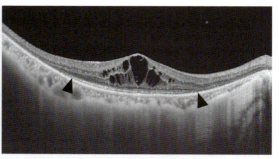

[図8] peripapillary pachychoroid syndrome
網膜剝離はみられないが，視神経乳頭近傍に網膜内嚢胞（黄矢印）がみられる．中心窩網膜は菲薄化している．矢頭は脈絡膜強膜境界部．

[図10] 網膜色素変性
中心窩とその周囲に大小さまざまの網膜内嚢胞がみられる．ellipsoid zone は黄斑部では保たれているが（矢頭間），それより外側では消失している．

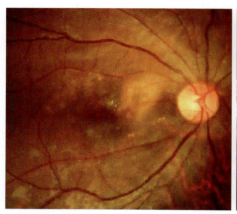
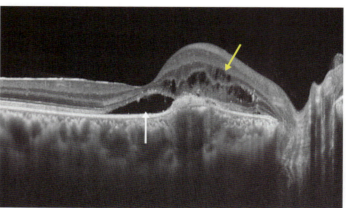

[図9] 脈絡膜骨腫
カラー写真（左）で乳頭黄斑間に黄白色石灰化病変を認める．OCT（右）では網膜剝離（白矢印）に加えて網膜内嚢胞がみられる（黄矢印）．

網膜血管病変と誤診しやすいため注意が必要である．近視性 CNV，特発性 CNV でも網膜内嚢胞を生じうるが，CNV のサイズが小さく滲出性変化も限局的であるため，所見がないことも多い．

5 pachychoroid 関連疾患

近年，脈絡膜の肥厚や大血管拡張，透過性亢進といった共通の所見を有する疾患群は pachychoroid 関連疾患と称され注目されている[4]．その代表的疾患である中心性漿液性脈絡網膜症（CSC）では脈絡膜血管透過性亢進に由来する漏出液が RPE を通過し，網膜下に貯留する．通常は網膜剝離のみがみられ，網膜内嚢胞は生じない．しかし，長期間慢性的に経過した CSC では網膜組織の変性の結果，不可逆性の網膜内嚢胞を生じ，cystoid macular degeneration とも呼ばれる．また，同じく pachychoroid 関連疾患で主に傍乳頭に病的所見を生じる peripapillary pachychoroid syndrome と呼ばれる病態では脈絡膜から網膜内への水分漏出により網膜内嚢胞を生じやすい（図8）．

6 脈絡膜腫瘍

脈絡膜血管腫，脈絡膜悪性黒色腫，転移性脈絡膜腫瘍，脈絡膜骨腫（図9）などでは網膜剝離とともに網膜内嚢胞がみられることがある．

7 網膜変性に伴うもの

（網膜色素変性，type 2 黄斑部毛細血管拡張症，outer retinal tubulation，薬剤毒性など）

網膜色素変性では杆体変性が錐体変性に先行するため，黄斑部周囲の ellipsoid zone の消失をはじめとした網膜外層の菲薄化が進行する．中心窩の網膜外層は末期まで保たれることが多いが，黄

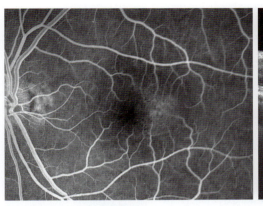
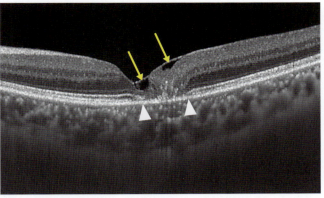

[図11] type 2 黄斑部毛細血管拡張症
FA（左）で中心窩周囲の網膜毛細血管拡張が耳側を中心にみられる．OCT（右）では内境界膜直下の網膜内に嚢胞腔が存在している（黄矢印）．type 1 黄斑部毛細血管拡張症とは異なり網膜はやや菲薄化し，ellipsoid zone の消失もみられる．

斑部の嚢胞様変化を生じることがある（図10）．type 2 黄斑部毛細血管拡張症は前述の type 1 とは異なり，Müller 細胞を主体とした網膜変性がベースとなり，二次的に網膜内嚢胞を伴う萎縮性変化を生じる（図11）[5]．したがって type 2 黄斑部毛細血管拡張症の網膜内嚢胞は FA での蛍光漏出と必ずしも一致しない．OCT でも中心窩陥凹は保持され，網膜厚はむしろ減少することが多い．outer retinal tubulation は変性した視細胞が網膜外層で管状の形態を示す所見である（図12）[6]．ellipsoid zone の消失など視細胞の変性が進行したケースでみられることが多く，正常の網膜外層所見を示す部位との境界領域に存在することが多い．outer retinal tubulation は滲出性変化の遷延した AMD や網膜色素変性をはじめとした網膜変性疾患でしばしば観察される．滲出型 AMD でみられる MNV からの水分貯留と見誤らないよう注意が必要である．また，乳癌の治療薬であるタモキシフェンなどでは副作用として網膜内嚢胞を生じうる．

網膜分離

I 異常所見の考え方

網膜分離は網膜の層間あるいは層内で一様に生じる網膜前後方向の解離性変化と考えることができる．ただし，網膜内嚢胞との差が必ずしも明確

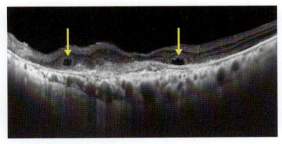

[図12] outer retinal tubulation
網膜外層に管状構造をとる網膜内嚢胞がみられる（黄矢印）．

でない場合や合併して生じるケースもある．

II 鑑別診断

1 強度近視

眼軸の延長に伴い網膜が後方に牽引されると網膜組織の分離が生じる[7]．網膜分離の間には柱状の Müller 細胞とされる構造がみられる（図13）．分離が進行すると難治性の強度近視黄斑円孔を生じるため注意が必要である．

2 裂孔原性網膜剝離

剝離した網膜では外層が分離していることがあり，ときに分離した外層網膜が波打ったような所見を示すことがある（図14）[8]．

3 若年性網膜分離

遺伝形式が X 染色体劣勢遺伝であるため，通常男性に発症する．OCT では中心窩に嚢胞を伴う場合と伴わない場合がある（図15）[9]．

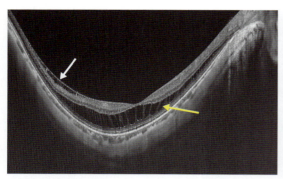

[図13] 強度近視
網膜分離が外網状層（黄矢印），内境界膜と神経線維層の間（白矢印）で生じている．多数の柱状組織は Müller 細胞とされる．

4 ピット黄斑症候群

視神経乳頭の発生異常による乳頭小窩（ピット）がみられ，黄斑に網膜分離に加え，網膜剝離や外層円孔がみられる（図16)[10]．

文献

1) Haouchine B, et al：Foveal pseudocyst as the first step in macular hole formation：a prospective study by optical coherence tomography. Ophthalmology 108：15-22, 2001
2) Otani T, et al：Patterns of diabetic macular edema with optical coherence tomography. Am J Ophthalmol 127：688-693, 1999
3) Spaide RF, et al：Consensus Nomenclature for Reporting Neovascular Age-Related Macular Degeneration Data：Consensus on Neovascular Age-Related Macular Degeneration Nomenclature Study Group. Ophthalmology 127：616-636, 2020
4) Cheung CMG, et al：Pachychoroid disease. Eye 33：14-33, 2019
5) Koizumi H, et al：Morphologic features of group 2A idiopathic juxtafoveolar retinal telangiectasis in three-dimensional optical coherence tomography. Am J Ophthalmol 142：340-343, 2006
6) Zweifel SA, et al：Outer retinal tubulation：a novel optical coherence tomography finding. Arch Ophthalmol 127：1596-1602, 2009
7) Takano M, et al：Foveal retinoschisis and retinal detachment in severely myopic eyes with posterior staphyloma. Am J Ophthalmol 128：472-476, 1999
8) Hagimura N, et al：Optical coherence tomography of the neurosensory retina in rhegmatogenous retinal detachment. Am J Ophthalmol 129：186-190, 2000
9) Brucker AJ, et al：Optical coherence tomography of X-linked retinoschisis. Retina 24：151-152, 2004
10) Imamura Y, et al：High-resolution optical coherence tomography findings in optic pit maculopathy. Retina 30：1104-1112, 2010

〈古泉英貴〉

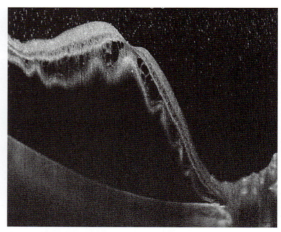

[図14] 裂孔原性網膜剝離
網膜外層は波打ったように変形し，外網状層の浮腫状の分離がみられる．硝子体腔の多数の高輝度点は散布された RPE 細胞と考えられる．

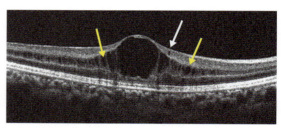

[図15] 若年性網膜分離
中心窩に大きな囊胞があり，その周囲の内顆粒層と外網状層に網膜分離が生じている（黄矢印）．神経節細胞層にも網膜内囊胞がみられる（白矢印）．

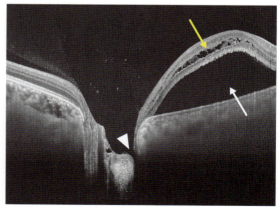

[図16] ピット黄斑症候群
黄斑部に外網状層での網膜分離（黄矢印）と網膜剝離（白矢印）がみられる．ピット（矢頭）は乳頭後方に侵入している．

2) 後眼部OCT（眼底3次元画像解析）
⑧ 網膜剝離

I　異常所見の解釈

　正常では神経網膜は網膜色素上皮に密着している．神経網膜が網膜色素上皮から剥離すると，OCTでは網膜下腔は無～低輝度を示す．網膜剥離の検出感度という点では後眼部OCTであれば最近のタイムドメインOCT，スペクトラルドメインOCT，スウェプトソースOCTのいずれの機器でも感度は十分である．人間の目で判断するよりは信頼性は格段に高い．

II　鑑別診断

1　裂孔原性網膜剥離

　裂孔原性網膜剥離の診断にはOCTは一般に不要であるが，網膜剥離が中心窩に及んでいるかどうかの判定には極めて有用である．わずかな網膜剥離では中心窩に剥離が及んでいても良好な視力を保っていることもある．中心窩に網膜剥離が及んでいる場合には早急な手術加療が必要であり，中心窩近傍まで網膜剥離が及んでいる場合には術中に中心窩に網膜剥離が及ばないようなケアが必要である．また，裂孔原性網膜剥離では剥離した網膜外層の浮腫・波打ったような所見が特徴的であり，漿液性網膜剥離，牽引性網膜剥離との鑑別に有用である[1]（図1）．

　裂孔原性網膜剥離の術後に，中心窩下に限局した網膜剥離が残存することがある．このような網膜剥離はもはや裂孔原性とはいえないであろう．検眼鏡的に判定できない程度であってもOCTでは鋭敏に捉えることができる．

2　牽引性網膜剥離

　増殖糖尿病網膜症，増殖性硝子体網膜症などの増殖性疾患において，増殖膜による牽引により神経網膜が網膜色素上皮から剥離した状態である．OCTでは剥離網膜の近傍に神経網膜上に増殖膜を確認できる．剥離した神経網膜はピンと張っており，裂孔原性網膜剥離にみられるような網膜外層の浮腫・波打ったような所見はみられない（図2）．網膜の視細胞外節が消失したり，菲薄化したりしているのは網膜剥離が長期間継続している所見である．

　牽引性網膜剥離でも剥離が黄斑部に及ぶかどうかが治療決定する上で重要である．中心窩に及んでいる場合には硝子体手術を行うことが多いが，中心窩に及ぶ前に手術を行う方が予後は良好である．その判定にもOCTが非常に有用である．

3　漿液性網膜剥離

　中心性漿液性脈絡網膜症のように脈絡膜からの滲出や，網膜細動脈瘤などのように網膜血管からの滲出により網膜下腔に滲出液が貯留した状態である．OCTでは急性期には網膜下液は無輝度であるが，遷延すると低輝度を示してくるようになる．疾患にもよるが，一般的に漿液性網膜剥離は後極部に好発し，硝子体側に凸な形状をとりやすい（図3）．

1) 中心性漿液性脈絡網膜症

　脈絡膜の透過性亢進に伴い，網膜色素上皮を通して漏出液が網膜下に貯留して漿液性網膜剥離を形成する．網膜剥離は後極部に好発するが，眼球下方に広がっていることもある．漏出点の網膜色素上皮は bulge を形成し，小さく盛り上がっていることが多い（図4）．時に小型の漿液性網膜色素上皮剥離に一致していることもある．網膜下液は無～非常に低輝度であることが多いが，フィブリンが沈着すると中輝度を示す．

　剥離した網膜の視細胞外節は網膜色素上皮による貪食をうけなくなるため，発症から時間が経過してくると外節が伸びてくる[2]（図5）．また，中心窩に網膜剥離が遷延すると徐々に中心窩の網膜が菲薄化してくる．中心性漿液性脈絡網膜症では脈絡膜が肥厚しているのが特徴であり，OCTによるこの所見は診断に有用である．

　中心性漿液性脈絡網膜症の診断・治療にはOCTは必須である．若年者の中心性漿液性脈絡網膜症では診断に迷うことは少ないが，治療効果の判定・わずかな網膜剥離が残存しているかどうかの判定はOCTなしでは難しい．一方，高齢者の中心性漿液性脈絡網膜症では加齢黄斑変性との

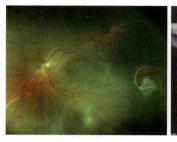
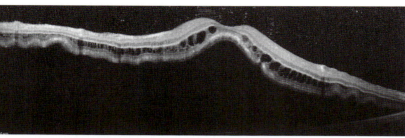

[図1] 裂孔原性網膜剝離
剝離した網膜の外層に浮腫を認め，波打っている．

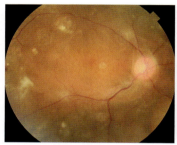
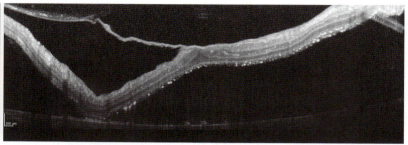

[図2] 牽引性網膜剝離
増殖膜による牽引により剝離した神経網膜はピンと張っており，裂孔原性網膜剝離にみられるような網膜外層の浮腫・波打ったような所見はみられない．

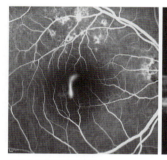
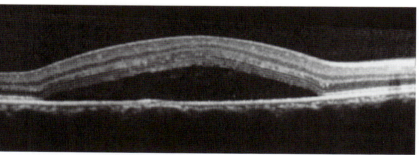

[図3] 漿液性網膜剝離
硝子体側に凸な形状をとっており，網膜外層の浮腫・波打ったような所見はみられない．

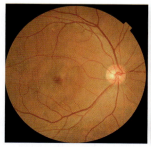
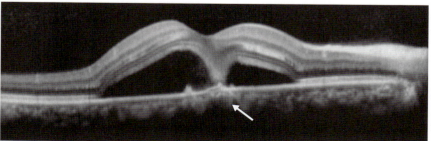

[図4] 中心性漿液性脈絡網膜症
漏出点の網膜色素上皮は bulge を形成し，小さく盛り上がっている（矢印）．

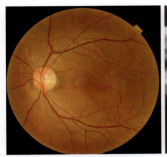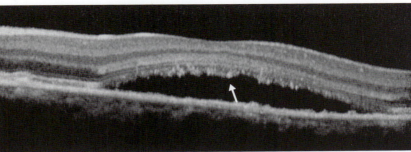

[図5] 中心性漿液性脈絡網膜症
剥離網膜の視細胞外節が伸びている（矢印）.

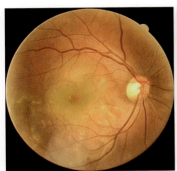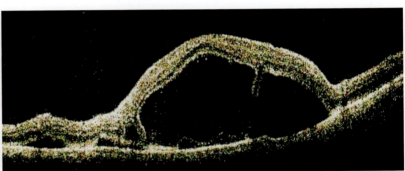

[図6] 原田病
多房性の網膜剥離は網膜下腔にフィブリン膜の隔壁ができているものと，フィブリン膜により視細胞外節が内節から引きちぎられることにより神経網膜内に滲出液が貯留しているものとの両者が混在している.

鑑別が重要であり，脈絡膜新生血管の有無を判断するには細かなスライス幅でのOCTの撮影が必要である.

2) 原田病

原田病はメラニンに対する自己免疫疾患である．後眼部では高度の炎症が脈絡膜に生じ，両眼性に後極部に多房性の漿液性網膜剥離を生じる．多房性の網膜剥離は網膜下腔にフィブリン膜の隔壁ができているものと，フィブリン膜により視細胞外節が内節から引きちぎられることにより神経網膜内に滲出液が貯留しているものとの両者が混在していると報告されている[3]（図6）.

原田病にはステロイド治療を行う．治療が奏効すると，網膜色素上皮上に高反射物質が散在したようにみえ，これは視細胞内節から脱落した外節であるといわれている．治療効果判定，網膜剥離の再発の検出にもOCTが極めて有効である.

また，原田病では高度な脈絡膜炎症により，脈絡膜は高度に肥厚し，内部構造が描出されなくなるなどの特徴的なOCT所見がみられる[4]．また，再発時には網膜剥離が発症する前から脈絡膜の肥厚がみられるため，OCTはマネージメントする上でも有用である.

3) 加齢黄斑変性

活動性のある加齢黄斑変性は漿液性網膜剥離，網膜下出血，フィブリンなどの網膜下滲出物を伴っている．限局性の漿液性網膜剥離はOCTを用いないと検出は困難である．OCTでは網膜下液は無輝度のことも多いが，出血やフィブリンなどの滲出物が混ざっていると低～中輝度を示す．脈絡膜新生血管の活動性が消失すると，漿液性網膜剥離や黄斑浮腫も消失する．現在，標準治療として行われている抗VEGF治療の治療効果判定にはOCTは必須であり，特に，網膜剥離・黄斑浮腫は脈絡膜新生血管の活動性の判定，再治療の要否判定には最も有用である（図7）.

4) 糖尿病黄斑症

糖尿病黄斑症は囊胞様腔を形成していることが

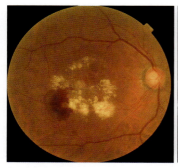
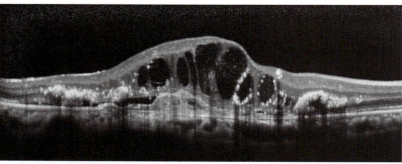

[図7] 加齢黄斑変性
脈絡膜新生血管の活動性の判定，再治療の要否判定には最も有用である．

多いが，しばしば中心窩下に漿液性網膜剥離を伴っている[5]（図8）．網膜剥離は通常円形で中心窩下にドーム状の形態を示す．OCTでは網膜下腔は無〜低輝度のことが多いが，hyperreflective fociといわれる高輝度点をしばしば伴っている．hyperreflective fociは硬性白斑の前駆病変と考えられており，網膜剥離内にhyperreflective fociが散在している場合，治療により網膜剥離が消失した際に中心窩下に硬性白斑の沈着を伴いやすい[6]．糖尿病黄斑症に伴う漿液性網膜剥離はOCTがないと検出・評価することは難しい．

5）網膜静脈閉塞症

網膜静脈閉塞症に伴う急性期の黄斑浮腫は中心窩下に小さな網膜剥離を伴っていることが多い[7]（図9）．OCTでは網膜剥離は無輝度であるが，網膜静脈閉塞症では網膜下出血もしばしば伴っているため中〜高輝度を示すことも多い．黄斑浮腫が慢性化すると中心窩下の網膜剥離は消失する．網膜静脈閉塞症に伴う漿液性網膜剥離はOCTがないと検出は難しい．

血管アーケード外に発症した網膜静脈分枝閉塞症は自覚症状を伴わないことが多いが，時に軽度視力低下，中心暗点を自覚することがある．このような場合には中心窩下に限局性の漿液性網膜剥離を伴っている[8]（図10）．網膜静脈分枝閉塞症によって循環障害を生じた血管からの滲出液が外網状層を伝わり中心窩下に漿液性網膜剥離を形成している．眼底検査でも網膜剥離が確認できることもあるが，OCTが判定にはきわめて有効である．

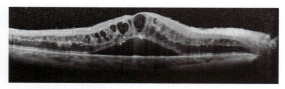

[図8] 糖尿病黄斑症
後極部網膜は多数の囊胞様腔を認め，中心窩下に漿液性網膜剥離を伴っている．

6）網膜細動脈瘤

網膜細動脈瘤は第3分枝以内の網膜動脈に生じる血管瘤を指す．高齢女性に多く，全身疾患を伴う場合が多い．網膜細動脈瘤はそれ自体では自覚症状を伴わないが，急激な出血を生じて視力障害を生じることがある．硝子体出血，網膜前出血，内境界膜下出血，網膜出血，網膜下出血など，種々のタイプの出血を伴うが，特に内境界膜下出血は特徴的である．内境界膜下出血，網膜下出血の両者を伴う場合には，まず，網膜細動脈瘤と考えて良い．しかし，網膜色素上皮剥離などの色素上皮下の病変は伴わない．

大きな出血を生じなくても，動脈瘤からの滲出性変化によって視機能障害を生じることがある．滲出液により広範囲に漿液性網膜剥離を生じることもあるが，動脈瘤が中心窩から離れて存在していても，中心窩下に限局性の網膜剥離を形成することもある[9]（図11）．そのような場合には動脈瘤から後極部にかけて，網膜の外層が肥厚している所見がみられる．いずれの場合にも動脈瘤に対する直接レーザー光凝固が有効である．網膜剥離の検出・治療効果判定にはOCTが必須である．ま

2) 後眼部OCT（眼底3次元画像解析）

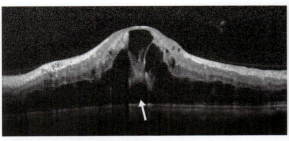
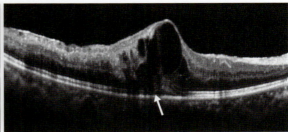

［図9］網膜中心静脈閉塞症と網膜静脈分枝閉塞症
急性期の黄斑浮腫は中心窩下に小さな網膜剝離を伴っている（矢印）．

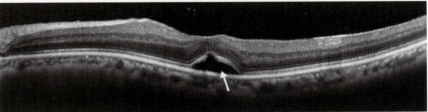

［図10］網膜静脈分枝閉塞症
中心窩下に限局性の網膜剝離を形成している（矢印）．

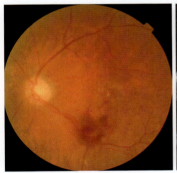
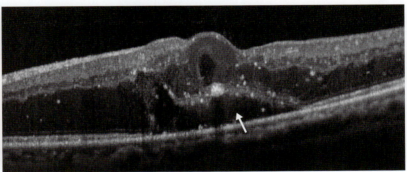

［図11］網膜細動脈瘤
中心窩下に限局性の網膜剝離を形成している（矢印）．

た．滲出性変化が慢性化すると硬性白斑を伴うようになり，OCTでもhyperreflective fociが認められる．そのような状態に至る前に治療を行うのが望ましい．

7）近視性脈絡膜新生血管

　近視性脈絡膜新生血管は広範囲の網膜剝離を伴うことはまずない．OCTでは活動性が高いと，新生血管の辺縁に小さな限局した網膜剝離を認めることがある．網膜剝離や黄斑浮腫は新生血管の活動性を示す所見であり，治療効果判定にもOCTは必須である（図12）．

8）強度近視に伴う網膜分離症

　強度近視眼では眼軸の延長に伴い，後極部に網膜分離を伴うことがある．さらに進行すると中心窩下に限局性の網膜剝離を伴うようになることがある[10]（図13）．網膜分離だけでは手術適応があるかどうかは意見が分かれるが，中心窩下に網膜剝離を伴うようになると手術を行うことが多い．広範囲に網膜分離・網膜剝離がある場合には検眼鏡でも判定できるが，網膜分離・網膜剝離が限局している場合や，その鑑別にはOCTが必須である．さらに，網膜分離・網膜剝離から黄斑円孔に

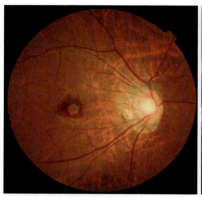
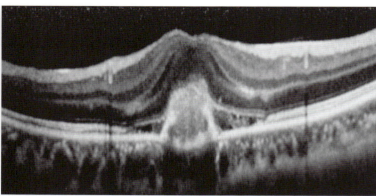

[図12] 近視性脈絡膜新生血管
近視性脈絡膜新生血管の周囲にわずかな網膜剝離を認める.

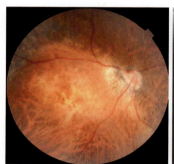
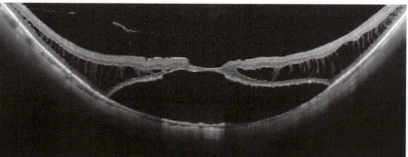

[図13] 強度近視に伴う網膜分離
後極部に網膜分離を認め,中心窩下に限局性の網膜剝離を伴っている.

至ることもあり,その判定にも OCT は極めて有用である.

9) uveal effusion

強膜の肥厚した小眼球症に発症しやすい滲出性網膜剝離.胞状の網膜剝離を下方網膜に認めることが多いが,体位により網膜剝離の可動性があることが特徴的である.強膜開窓術が有効であることが多い.

文献

1) Nakanishi H, et al：Spectral-domain optical coherence tomography imaging of the detached macula in rhegmatogenous retinal detachment. Retina 29：232-242, 2009
2) Ojima Y, et al：Three-dimensional imaging of the foveal photoreceptor layer in central serous chorioretinopathy using high-speed optical coherence tomography. Ophthalmology 114：2197-2207, 2007
3) Ishihara K, et al：Acute Vogt-Koyanagi-Harada disease in enhanced spectral-domain optical coherence tomography. Ophthalmology 116：1799-1807, 2009
4) Maruko I, et al：Subfoveal choroidal thickness after treatment of Vogt-Koyanagi-Harada disease. Retina 31：510-517, 2011
5) Otani T, et al：Patterns of diabetic macular edema with optical coherence tomography. Am J Ophthalmol 127：688-693, 1999
6) Ota M, et al：Optical coherence tomographic evaluation of foveal hard exudates in patients with diabetic maculopathy accompanying macular detachment. Ophthalmology 117：1996-2002, 2010
7) Tsujikawa A, et al：Serous retinal detachment associated with retinal vein occlusion. Am J Ophthalmol 149：291-301, 2010
8) Ota T, et al：Subfoveal serous retinal detachment associated with extramacular branch retinal vein occlusion. Clin Ophthalmol 7：237-241, 2013
9) Tsujikawa A, et al：Retinal structural changes associated with retinal arterial macroaneurysm examined with optical coherence tomography. Retina 29：782-792, 2009
10) Shimada N, et al：Progression from macular retinoschisis to retinal detachment in highly myopic eyes is associated with outer lamellar hole formation. Br J Ophthalmol 92：762-764, 2008

〈辻川明孝〉

18 光干渉断層計

2）後眼部OCT（眼底3次元画像解析）
⑨ 網膜色素上皮隆起

I 検査の目的

光干渉断層計（OCT）は今や眼科疾患の診断治療には欠かせない機器となり，さらに日々進歩している．特に後眼部疾患，黄斑部疾患の診断治療に特に有用であることは良く知られている．time-domain OCT から spectral-domain OCT へ進化し，撮影時間の短縮，高解像度化が実現している．近年では swept source OCT や enhanced depth image（EDI）法による撮影などが登場し，さらに網膜深層までの詳細な撮影が可能になってきている．

本項においては，網膜色素上皮隆起病変の所見について述べる．

1 検査対象

網膜色素上皮（RPE）を隆起させる疾患すべてが対象となるが，具体的に対象を下に示す．

加齢黄斑変性（脈絡膜新生血管，漿液性色素上皮剥離，出血性色素上皮剥離，線維性瘢痕，線維血管性網膜色素上皮剥離），近視性脈絡膜新生血管，中心性漿液性脈絡膜網膜症，特発性脈絡膜新生血管や脈絡膜新生血管を発症する疾患，脈絡膜血管腫，悪性黒色腫，脈絡膜骨腫，転移性脈絡膜腫瘍などの脈絡膜腫瘍，dome shaped macula などの形態異常である．

2 目標と限界

隆起している部分およびその周囲を広く撮影することが目標となる．色素上皮の部分ができるだけ高信号となるように撮影することが大切である．しかし，脈絡膜腫瘍など色素上皮隆起が大きなものは測定限界域を超える場合がある．

II 検査結果の読み方と解釈

1 正常所見

網膜色素上皮は網膜の深層に高反射で描出される．中心窩を通るラインで切断した画像では，外境界膜，ellipsoid zone，interdigitation zone の後

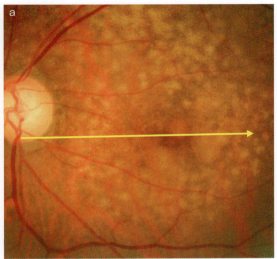
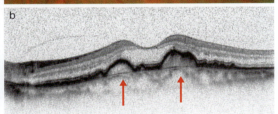

［図1］加齢黄斑変性，ドルーゼン
a 眼底写真
b OCT 水平断
検眼鏡的には黄白色調の隆起の軟性ドルーゼンが認められる．OCT では同部位に一致して色素上皮の隆起が認められる（赤矢印）．

方に位置する．正常では高反射の連続したラインとして描出される．

2 異常所見と読み方

1）ドルーゼン

ドルーゼンは RPE と Bruch 膜の間に蓄積した沈着物で，小さな黄白色を呈する．軟性ドルーゼンと硬性ドルーゼンがあるが，軟性ドルーゼンが加齢黄斑変性への進行と関連があり，前駆病変であると定義されている．OCT では網膜色素上皮の隆起として描出される（図1）．

2）網膜色素上皮剥離

網膜色素上皮剥離（PED）は，RPE が Bruch 膜から剥離し，ドーム状に隆起し，その中に漿液または出血が貯留したもの．検眼鏡的には PED の境界は鮮明で円形または楕円形で黄褐色を呈する．OCT ではドーム状の隆起を呈し，RPE のラインは比較的スムーズである（図2）．

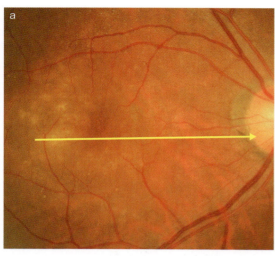
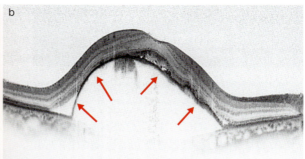

[図2] 加齢黄斑変性，漿液性色素上皮剥離
a 眼底写真
b OCT 水平断
Bruch膜からドーム状に隆起したRPEが認められる（赤矢印）．

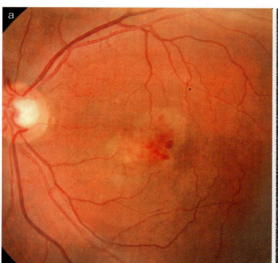
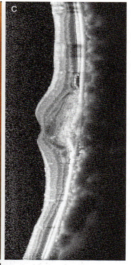
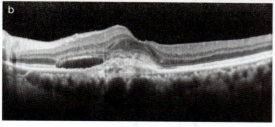

[図3] 加齢黄斑変性，脈絡膜新生血管
a 眼底写真
b OCT 水平断
c OCT 矢状断
中心窩下RPE下からRPEを穿破したCNVと眼底写真では網膜下出血を認める．CNV部は一部RPEが隆起し，CNVが神経網膜下に達している．漿液性網膜剥離も認める．

3）脈絡膜新生血管

脈絡膜新生血管（CNV）の原因疾患は加齢黄斑変性，近視性脈絡膜新生血管に代表される種々の原因で発症する．その OCT 所見は Gass 分類に従って考える[1]．いわゆる type 2 CNV では RPE の断裂部位から RPE の上に CNV の高反射塊として検出される（図3）．type 1 CNV は RPE 下に CNV が存在するために直接描出するのは難しいが，前述の色素上皮剥離のような二次的変化として描出される．

4）線維血管網膜色素上皮剥離

線維血管網膜色素上皮剥離（fibrovasuclar PED）は type 1 CNV の進行期で RPE と Bruch 膜の間に血管や線維成分が詰まっている色素上皮剥離である．OCT では RPE の不整なドーム状隆起を認め，PED 内部に不均一な中等度反射を呈する（図4）．

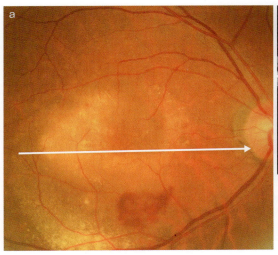
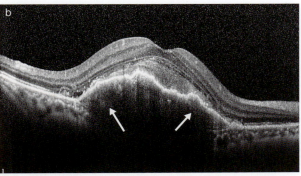

[図4] 加齢黄斑変性，線維血管網膜色素上皮剥離（fibrovasuclar PED）
a 眼底写真
b OCT水平断
RPEの不整なドーム状隆起を認める．PED内は線維血管成分がつまっている．type 1 CNVの進行期．

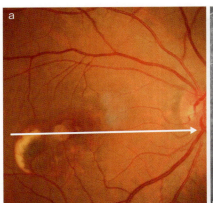
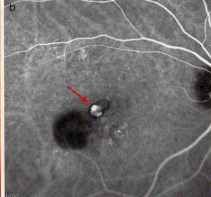
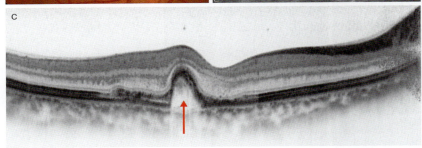

[図5] 加齢黄斑変性，PCV
a 眼底写真．灰白色隆起性病変を認める．
b インドシアニングリーン蛍光眼底造影．ポリープ状病巣を認める（赤矢印）．
c OCT．同部位に急峻な色素上皮の隆起を認める（赤矢印）．

5）ポリープ状脈絡膜血管症

ポリープ状脈絡膜血管症（PCV）は脈絡膜の異常血管網とその先端のポリープ状病巣からなる病態である．OCTではポリープ状病巣に一致して急峻なRPEの立ち上がりをもつ隆起所見を認める（図5）．異常血管網は，不整なRPEの隆起像がみられる．

6）網膜下線維性瘢痕

網膜下線維性瘢痕は加齢黄斑変性や脈絡膜新生血管の終末期の病態で網膜下の白色の増殖組織として観察される．OCTでは不整に隆起した色素上皮下に高反射域が認められる（図6）．

7）脈絡膜腫瘍

脈絡膜腫瘍には良性腫瘍とし脈絡膜血管腫や脈

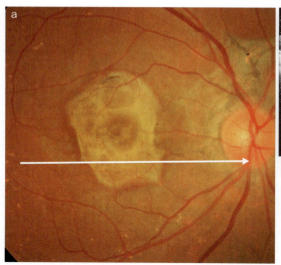

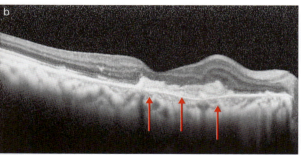

[図6] 網膜色素線条，網膜下増殖組織
a 眼底写真
b OCT 水平断
脈絡膜新生血管の終末期の病態．網膜下に白色の増殖組織を認め，OCT では同部位に不整に隆起した RPE 下の高反射域が認められる．

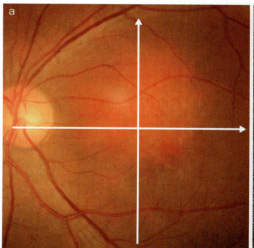

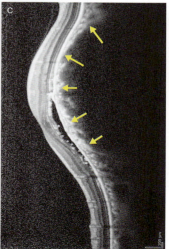

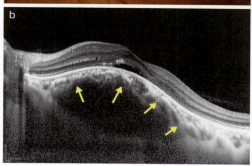

[図7] 脈絡膜血管腫
a 眼底写真
b OCT 水平断
c OCT 矢状断
眼底写真では赤色調の隆起性病変が認められる．OCT では網膜色素上皮下に脈絡膜腫瘍を認める（黄色矢印）．また，本症例では腫瘍の直上，もしくは周囲に続発性に生じたと考えられる漿液性網膜剥離が観察される．

絡膜骨腫などがあり，悪性腫瘍としては脈絡膜悪性黒色腫，転移性脈絡膜腫瘍などに代表される．脈絡膜腫瘍は脈絡膜から発生する腫瘍で，OCT では，腫瘍の増大に伴い，腫瘍の突出によって圧迫されて隆起した RPE が認められる．続発性に漿液性網膜剥離が認められることもある．脈絡膜血管腫は検眼鏡的にやや黄色味がかった赤色調の表面が平滑な隆起性病変が特徴である．OCT では腫瘍による圧迫によって色素上皮の隆起と続発的に発症した漿液性網膜剥離が認められる（図7）．脈絡膜骨腫や無色素性脈絡膜悪性黒色腫との鑑別が必要となる．

8) dome shaped macula

強度近視眼でみられる dome shaped macula

2) 後眼部OCT（眼底3次元画像解析）
⑩ 脈絡膜

I 検査の目的

　眼底疾患，特に黄斑部疾患を診ていく上で光干渉断層計（OCT）はなくてはならない．現在では高解像度化・高速化し，単純に水平断や垂直断といった1枚の断層像だけでなく3次元画像を取得することも可能となっている．一方，脈絡膜は血管に富む組織である上に，その血流量は全眼球の約8割を占めるとされ，視機能に直接的または間接的に少なからず影響を与えることは間違いない．しかし，これまでインドシアニングリーン蛍光眼底造影（IA）以外に直接的に脈絡膜を評価する方法はなかった．近年，OCTによる脈絡膜観察が可能となった．2008年にSpaideら[1)]は市販のOCT装置，いわゆるspectral-domain（SD）OCTを用いて脈絡膜を観察する方法を報告し，近視眼や中心性漿液性脈絡網膜症などのさまざまな疾患で脈絡膜の評価を行った．現在では1,050nm帯の長波長光源を用いたswept-source（SS）方式による高侵達OCTが市販されており，脈絡膜は未知の組織ではなく，観察・評価していくものとなっている．また，最近では光干渉断層血管撮影（OCT angiography）が登場し，非侵襲的に網膜血流が描出可能となり，脈絡膜レベルでの血流評価も注目されている．

1 検査対象
　脈絡膜が起源と考えられるすべての網膜疾患・黄斑疾患が対象となる．よく用いられる疾患としては，中心性漿液性脈絡網膜症，Vogt-小柳-原田病，強度近視，加齢黄斑変性（pachychoroid関連疾患を含む）などが挙げられる．

2 目標と限界
　脈絡膜は厚みのある組織であるが，これまでのIAによる脈絡膜の評価は2次元的なものであり，客観的なものというよりは評価者の主観によって所見の有無が決定されることもあった．これに対して脈絡膜OCTは深さ方向の情報があることで

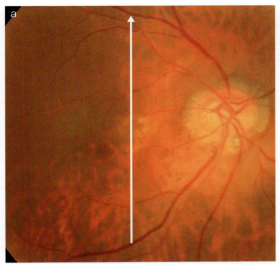
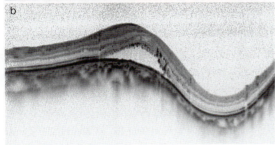

[図8] dome shaped macula
a 眼底写真
b OCT矢状断
OCTでは，ぶどう腫内にドーム状に色素上皮の突出が認められ，漿液性網膜剥離がみられる．

は，Gaucherら[2)]によって報告され，後部ぶどう腫内の黄斑部強膜の局所的な肥厚に原因があるといわれている[3)]．OCTでは，まさしくぶどう腫内にドーム状に色素上皮の突出が認められ，しばしば漿液性網膜剥離を合併している（図8）．

文献
1) Gass JD：Biomicroscopic and histopathologic considerations regarding the feasibility of surgical excision of subfoveal neovascular membranes. Am J Ophthalmol 118：285-298, 1994
2) Gaucher D, et al：Dome-shaped macula in eyes with myopic posterior staphyloma. Am J Ophthalmol 145：909-914, 2008
3) Imamura Y, et al：Enhanced depth imaging optical coherence tomography of the sclera in dome-shaped macula. Am J Ophthalmol 151：297-302, 2011

（大島裕司）

[表1] 脈絡膜観察が可能なOCT装置一覧

機種	Spectralis OCT2	Cirrus HD 6000	Cirrus HD 5000	RTVue	RS3000 ad2	OCT-A1	DRI-OCT/ Triton	Elite9000	OCT-S1
メーカー	Hedelberg	Zeiss	Zeiss	Optovue	ニデック	キヤノン	トプコン	Zeiss	キヤノン
販売	JFC	Zeiss	Zeiss	アキュラ	ニデック	キヤノン	トプコン	Zeiss	キヤノン
方式	spectral-domain (SD)						swept-source (SS)		
光源　中心波長	870nm	840nm	840nm	840nm	880nm	855nm	1,050nm	1,050nm	1,060nm
Aスキャン	85,000	100,000	27,000〜68,000	70,000	85,000	70,000	100,000	200,000	100,000
脈絡膜観察	EDI						SS (EDI)		
OCTA	○	○	○	○	○	○	○	○	○

厚いか，薄いかを単純に数値化できるため客観的な評価を行うことができる．これによって脈絡膜が正常よりも厚いのか，治療経過によって変化しているかなど有益な情報を得ることができるようになった．

ただし，脈絡膜は加齢，屈折，眼軸長の影響を受けることに加え，後述するように正常眼でも個体差があり，脈絡膜の厚みだけで診断や治療効果判定をすることは困難である．

また先述のように脈絡膜は血管に富む組織であり，その厚みだけでは血流の状態や間質の状態を正確に評価することには限界がある．最近では，脈絡膜内部構造解析や脈絡膜血管そのものを評価することが試みられている．

Ⅱ　検査法と検査機器

1 測定原理・測定範囲

現状では脈絡膜観察のために用いられるOCT装置には850nm帯の光源を用いた一般的なSD-OCTを使用するもの（enhanced depth imaging OCT；後述）と1,050nm帯のより長波長の光源を用いたSS-OCTがある．どちらもOCT光源から出た光を参照光と信号光に分け，信号光に対する眼底からの反射光と参照光の合波を検出し解析することで画像として描出される．基本的には脈絡膜OCTの撮影は通常の眼底のOCT撮影における検査モードの1つであり，特殊な準備の必要はない．現在のOCT装置には脈絡膜撮影モード（またはEDIモード）があるので，それを選択すれば撮影可能である．ただ脈絡膜は網膜色素上皮による光減衰の影響を受けているため描出には限界があり，実際には同時に多数枚の画像を撮影し加算平均処理を行うことで画質を向上させている．中心窩付近の撮影においては前眼部および中間透光体に大きな異常がなければ散瞳も必ずしも必要ない．ただし，中心窩以外の部位を撮影する場合やボリュームスキャンを行う場合には散瞳しておいたほうが良い．

また，先述の通り近年のOCTはボリュームスキャンを行うことで網脈絡膜を3次元的に観察可能だが，現在は網膜色素上皮等の特定の層で画像を平坦化すること（en face像）で脈絡膜血管をより正確に評価できる．

表1に，現在一般に用いられている脈絡膜が観察可能なOCT装置の一覧を示す．

1) enhanced depth imaging (EDI) OCT

EDI-OCTは前述したように2008年にSpaideらが市販機OCTによる簡便な脈絡膜観察法として報告したものである．通常のSD-OCTでは，光源の至適距離に近いほど高画質な画像が得られるが，光源から遠ざかるほど得られる画像は低画質になる．つまり通常OCTの撮影時には上方に硝子体・網膜側を，下方に脈絡膜側を表示するため脈絡膜側よりも網膜側で高画質な画像が得られることになる．この特性を考慮して，最も高画質に画像が取得できるOCT光源からの至適距離をより後方の脈絡膜側に移動させることで脈絡膜に焦点の合った画像を取得できる．この際，モニター上では上方に脈絡膜側，下方に硝子体・網膜側が表示されることになる．実際にはOCT装置を通常撮影から被検眼にさらに近接させ，上下逆転した画像が得られれば，このとき脈絡膜が通常

[図1] 正常眼
a EDI-OCT (Spectralis OCT), b SS-OCT (DRI-OCT)

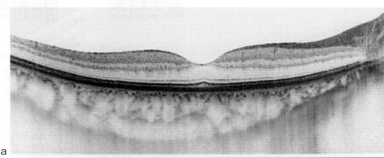
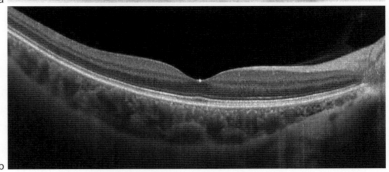

撮影よりも鮮明に映し出されている（**図1a**）．Heidelberg 社の Spectralis OCT においては，アイトラッキング機能と加算平均処理を組み合わせることで，鮮明な脈絡膜像が取得できる．上下逆転した画像だと見慣れないため，現在ではモニター上に EDI ボタンがあり，マウスでクリックするだけで脈絡膜に焦点の合った画像が取得できる．なお，現在ではほとんどの SD-OCT 装置でも脈絡膜に焦点の合った脈絡膜撮影モードでの撮影が可能となっている．

2) swept-source (SS) OCT

swept-source は現在主流である spectral-domain 方式と並ぶもう1つの最も進化した光干渉によって物体を計測する方法である．swept-source 方式の OCT 光源は光波長を狭い範囲で変化させながら撮影し，変化する波長ごとの光干渉強度を経時的に計測することで画像化する方法である．この中心となる光波長に従来の840～850 nm 帯よりも長波長である1,050 nm を採用したことで長波長光源を用いた swept-source OCT が誕生した．1,050 nm の長波長を用いたことにより少し前まで，high penetration（高侵達）OCT と混同されていたが，正式には高侵達性のある長波長光源を用いた swept-source OCT であることから，本項では SS-OCT と呼称する．現在 SS-OCT はトプコン社，Zeiss 社，キヤノン社から販売されている．SS-OCT でも多数枚の画像を同時撮影して加算平均処理を行うことで画質向上を図っている（**図1b**）．

2 機器の構造

上記の通り，OCT の機種によって測定原理が異なるが，OCT そのものは光を照射し，その反射で得られたさまざまな波長を含んだ情報をコンピュータで解析することでそのものの断層像を表示する装置である．もちろん光を透過できない物体の断層は不可能である．脈絡膜に関しては先述の通り網膜色素上皮による光減衰の影響があるものの，OCT 装置そのものの構造は変わらない．詳細に関しては2) 後眼部 OCT ①原理と種類（500頁）を参照．

3 感度と特異度

厚みに関しては正常眼ではどの装置を使用してもほぼ同等の数値が得られる．疾患眼，特に脈絡膜が肥厚する疾患においては脈絡膜全層の描出が不可能な場合もある．疾患でも加算平均処理により単純な断層像においては問題ないことが多いが，広範囲を撮影するボリュームスキャンでは加

算枚数が少ないため限界がある．なお，OCT画像は基本的に深さ情報をわかりやすく表示するため横方向に対して縦（深さ）方向は3〜4倍（OCT装置または設定によって異なる）に引き伸ばして表示しているので読影には注意が必要である．

III 検査手順

1 検査の流れ

脈絡膜の観察方法は基本的には通常のOCTと同じであるが，先述の通り脈絡膜撮影モードに切り替える必要がある．

2 機器の使い方

これも基本的に通常のOCTと同じであるが，機種ごとの違いがある．

3 検査のコツと注意点

ここでは検査自体ではなく，撮影された画像の解析方法について述べる．

1) 脈絡膜厚測定

剖検眼による脈絡膜の組織所見では，正常眼における厚みは黄斑部で0.2mm（220μm）程度との報告がある．ただし，病理標本となった組織の厚みが生体における厚みと一致しているとはいえず，実際の厚みは不明であった．近年OCTで脈絡膜を観察し，正常眼の脈絡膜厚を測定した報告がなされており，多くは250〜300μm程度である．自検例では正常眼177眼の平均中心窩下脈絡膜厚は250μmであった[2]．

2) 脈絡膜内部構造解析（図2）

一方で，脈絡膜の血管層は組織学的に中血管層（Sattler層），大血管層（Haller層）に分けることができる．OCTでも徐々に脈絡膜内の血管構造に注目する報告がなされるようになった．背景（バックグラウンド）が黒の場合，OCTで正常眼の脈絡膜をみてみるとおおよそ管腔は黒，間質は白と考えられることから（背景が白の場合はその反対であるが，本項では背景が黒として説明する），脈絡膜内は浅層から深層にかけて血管径が徐々に大きくなり，解剖学的所見と同様に大血管は中間より下方に位置していることがわかる．

層別解析として脈絡膜を白黒で二階調化し，管腔領域と間質領域に分類する方法がある．

[図2] 脈絡膜内部構造解析
図1bをImageJで2階調化．黄色で囲まれた部位の管腔領域の割合は75.9％．

Sonodaら[3]はImageJを用いて脈絡膜のOCT断層像を二階調化し管腔領域（Luminal area），間質領域（Stromal area）に分離し管腔・間質の割合を数字で表す方法を報告している．

3) en face OCT

前述の方法は単純な脈絡膜厚の測定を含めてOCT断層像を解析したものであるが，それでは脈絡膜の一部を見ているだけに過ぎないことから，より立体的な評価のためにen face OCTが注目されるようになった．現行のOCTは高速化・高解像度化しており単純に水平断・垂直断を撮影するだけでなく，ある一定の範囲を撮影し，3次元的に網脈絡膜を描出することも可能である．ただ，眼球はカーブしていることから単純に3次元化しても形態的な評価にとどまっていた．en face OCTは，取得した3次元データ解析に際して，網膜色素上皮や脈絡膜などの特定の層で画像を平坦化する事で眼底を正面からみて評価する技術であり，これを用いることで脈絡膜中大血管の血管密度や血管走行なども評価できる（図3）．

4) OCT angiography

OCT angiographyは，連続的に網脈絡膜のOCT撮影を繰り返すことで得られる複数枚の画像間にあるシグナル変化（位相変化または信号強度変化，もしくはその両者）を血流情報として抽出することで血管像を構築し，造影検査の様にen face画像として表示させる技術である．得られた画像は当然造影検査で得られる画像とは原理的に異なるものの，無灌流領域や脈絡膜新生血管（CNV）などの病変検出率は同等であるとされ，非侵襲的で検査時間が短く副作用がない利点も報

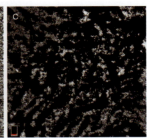

[図3] en face OCT（12×12mm）
脈絡膜血管像

[図4] OCT angiography（6×6mm）網膜全層と脈絡膜
a 網膜全層．血流情報が白く描出．
b 脈絡毛細血管板．血流情報が網目状に描出
c 脈絡膜血管は黒く（無信号）描出．

告されている[4]．ただし，撮影範囲が狭いこと，特有のアーチファクトが存在することなどの問題点もある．もう1つ本項との関連として問題点となるのが，市販されているOCT angiographyでは脈絡膜血流は正確には描出できないことである．現状，脈絡毛細血管板付近ではある程度血流を反映していると考えて良いが，それより深層の脈絡膜の中大血管内は無信号として描出される（図4）．

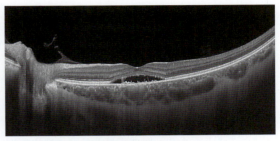

[図5] 中心性漿液性脈絡網膜症（SS-OCT（DRI-OCT））
中心窩に漿液性網膜剥離．中心窩下脈絡膜厚 363μm．

IV 検査結果の読み方

1 正常所見

脈絡膜は解剖学的には脈絡膜はBruch膜・脈絡膜毛細血管板・実質（血管層）・上脈絡膜からなり，網膜と強膜の間に位置する組織である．正常眼の脈絡膜は中心窩で最も厚く，鼻側より耳側が，下方より上方の脈絡膜のほうがより厚いとされる．また脈絡膜厚は加齢により減少することや，眼軸が長ければ長いほど屈折度が近視側に傾くほど薄くなることが知られている．一方，若年者でも脈絡膜が菲薄化している例や近視眼でも肥厚している例はしばしば観察され個体差が大きい．

2 異常所見とその解釈

上記の通り，近年の研究で正常眼の脈絡膜厚や血管構造が明らかになってきたが，その一方で極端に厚い例や薄い例，脈絡膜血管が拡張しているまたは狭細化している例でも感覚網膜に影響が出ていなければ視力は保たれている．つまり，脈絡膜だけを観察しても病状を完全に把握することは困難であり，その他の所見と組み合わせて病態を考えていくことが重要であり，脈絡膜が関与する疾患を知っておく必要がある．

3 代表疾患

1）中心性漿液性脈絡網膜症（図5）

中心性漿液性脈絡網膜症は30～40歳代の中年男性に多くみられ，典型例では中心窩を含む黄斑部に漿液性網膜剥離が生じ，視機能異常をきたす疾患である．以前は網膜色素上皮細胞の機能不全がその病気の主体と考えられてきたが，1990年以降のIAを用いた研究により，正常眼と比較して脈絡膜の静脈拡張，充盈遅延，造影中～後期の異常組織染などの脈絡膜血管異常が示され，脈絡膜が本症の一次的原因と考えられるようになった．中心性漿液性脈絡網膜症の脈絡膜血管に透過性亢進があることから肥厚していることが予想されていたが，これまではそれを証明することは困難であった．Imamuraら[5]は，EDI-OCTの手法を用いてCSC症例19例28眼の脈絡膜を観察し，その平均中心窩脈絡膜厚は505μmと肥厚してい

ることを初めて報告した．また前述の脈絡膜内部構造解析によってCSCのOCT断層像において脈絡膜管腔領域の割合が正常眼よりも有意に高いことも示されている．さらにen face OCTでより広範囲の脈絡膜中大血管を観察すると正常眼と比較して，脈絡膜血管拡張のため血管密度が高いこともわかってきた．

2) Vogt-小柳-原田病（図6）

原田病は本邦における3大ぶどう膜炎の1つであり，前眼部炎症だけでなく，後眼部へもその炎症が波及していることで知られている．現在では全身のメラノサイトに対する自己免疫疾患であると考えられており，病理組織学的検討でも脈絡膜へのリンパ球の浸潤が証明されている．このため治療はステロイドパルス療法による免疫抑制および抗炎症治療が選択される．

急性期の前眼部所見では，前房細胞や角膜後面沈着物が観察され，ときには浅前房や高眼圧が生じていることもある．眼底所見としては滲出性網膜剥離が観察される．急性期のOCTでは両眼性に滲出性網膜剥離が観察できるが，その形状は中心性漿液性脈絡網膜症などの漿液性網膜剥離とは異なり，網膜剥離が隔壁で区画分けされていることが多い．また網膜色素上皮ラインが波打っているように不整となっている．脈絡膜を観察してみると，網膜色素上皮の下の脈絡膜が肥厚しているのが確認できる．ステロイド治療を行うと，速やかに脈絡膜厚は減少し，滲出性網膜剥離も消失する．我々の8例16眼の報告では中心窩下脈絡膜厚は治療前805μmから治療2週間後には341μmにまで減少していた[6]．

以上は急性期の変化であるが，原田病の夕焼け状眼底を呈した慢性期原田病の脈絡膜は菲薄化している．

3) 強度近視（図7）

上記の2つの疾患が脈絡膜肥厚症例の代表であるとすれば，強度近視眼（眼軸26.5mm以上または-8D以上）は脈絡膜が薄くなっている症例の代表である．SS-OCTを用いた自検例では強度近視眼の平均中心窩下脈絡膜厚は52μmであった[7]．強度近視眼では正常眼と比較して脈絡膜は

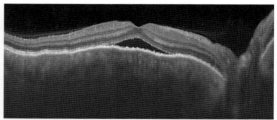
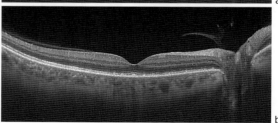

[図6] Vogt-小柳-原田病（SS-OCT（DRI-OCT））
a 治療前．滲出性網膜剥離と網膜色素上皮の不整．中心窩下脈絡膜厚は1,000μm超で測定不可．
b ステロイド治療後．中心窩下脈絡膜厚は343μmに減少し，網膜剥離は消失．

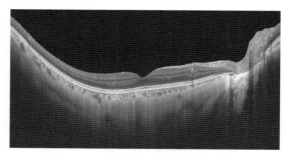

[図7] 強度近視（SS-OCT（DRI-OCT））
脈絡膜が極端に薄く強膜が描出される．中心窩下脈絡膜厚は108μm．

著しく薄くなっており，近視性の脈絡膜新生血管などが発生する素地になっている可能性がある．また今回の本筋とは異なるが，EDI-OCTやSS-OCTでは，通常のSD-OCTよりも深部まで観察可能であることから，強度近視眼では強膜の菲薄化が観察できる．

4) 加齢黄斑変性

加齢黄斑変性は現在，典型加齢黄斑変性（tAMD），ポリープ状脈絡膜血管症（PCV），網膜血管腫状増殖（RAP）の3つの病型に分類される．脈絡膜の厚みからみると一般的にPCV＞tAMD＞RAPの順に薄くなるとされている．ただし，年齢や病態によって差が大きいため脈絡膜の厚みだけでは病型を特定することは困難である．近年，

加齢黄斑変性に対し最も実施されている抗VEGF薬の治療で脈絡膜が変化することが報告されており，注目されている[8]．

一方で，これまでPCVやtAMDと診断されてきた症例の一部には拡張した脈絡膜血管とそれによって脈絡膜内層が圧迫されることでRPE障害が生じる特徴を持つ疾患が含まれており，これらはpachychoroid関連疾患と呼称されている（図8）．特にこれらの疾患でCNVを有しているものをpachychoroid neovasculopathy（PNV）と呼び従来のAMDと区別する考え方もある[9]．

4 アーチファクト

脈絡膜OCTといっても通常のOCTと原理自体は同様であり，対象にある程度の光透過性がないと撮影困難となる．すなわち，前眼部・中間透光体に異常があれば脈絡膜自体が描出されないこともある．さらに，脈絡膜は網膜の後方にある組織であるため網膜に浮腫や出血などがあってもその描出に影響が出る可能性がある．現在のOCT装置では自動的に脈絡膜強膜境界ラインを引いてくれるものもあるが，網膜よりも信号強度が小さいために，誤差が生じやすく，マニュアルで引き直すことが必要になる場合がある．また，脈絡膜の厚みをマニュアル測定する場合には，先述の通り縦方向に引き伸ばしているためOCT画像上の距離と実際の縮尺での距離で誤差が生じることを考慮する必要がある．誤差を少しでも減らすためには，厚みを測定する場合には斜めに距離を測定するのではなく必ず垂直方向に測定する必要がある．このときOCT画像自体が斜めに撮影されている場合には測定困難な場合があることを当然考慮しなければならない．

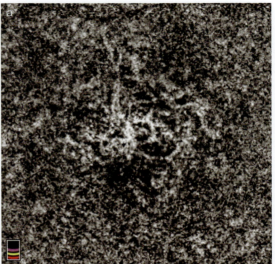
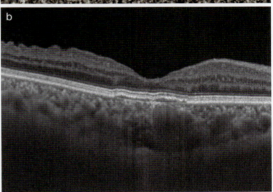

[図8] pachychoroid neovasculopathy
a OCT angiographyでCNV．
b 中心窩下に拡張した脈絡膜血管があり，その直上に丈の低い網膜色素上皮剥離．

文献

1) Spaide RF, et al：Enhanced depth imaging spectral-domain optical coherence tomography. Am J Ophthalmol 146：496-500, 2008
2) Maruko I, et al：Subfoveal choroidal thickness in fellow eyes of patients with central serous chorioretinopathy. Retina 31：1603-1608, 2011
3) Sonoda S, et al：Choroidal structure in normal eyes and after photodynamic therapy determined by binarization of optical coherence tomographic images. Invest Ophthalmol Vis Sci 55：3893-3899, 2014
4) 野崎実穂ほか：網脈絡膜疾患における光干渉断層血管撮影と蛍光眼底造影との有用性の比較．臨眼 71：651-659, 2017
5) Imamura Y, et al：Enhanced depth imaging optical coherence tomography of the choroid in central serous chorioretinopathy. Retina 29：1469-1473, 2009
6) Maruko I, et al：Subfoveal choroidal thickness following treatment of Vogt-Koyanagi-Harada disease. Retina 31：510-517, 2011
7) Maruko I, et al：Morphologic Analysis in Pathologic Myopia Using High-Penetration Optical Coherence Tomography. Invest Ophthalmol Vis Sci 53：3834-3838, 2012
8) Koizumi H, et al：Subfoveal Choroidal Thickness During Aflibercept Therapy for Neovascular Age-related Macular Degeneration：12-Month Results. Ophthalmology 123：617-624, 2016
9) Pang CE, et al：Pachychoroid neovasculopathy. Retina 35：1-9, 2015

（丸子一朗）

2) 後眼部OCT（眼底3次元画像解析）
⑪ 緑内障

I 検査の目的（目標と限界）

　緑内障においては，視神経乳頭の篩状板付近において網膜神経節細胞の軸索である網膜神経線維が障害され，軸索輸送障害が起こるために網膜神経節細胞障害が生じるとされている．その結果，網膜神経線維が脱落して，緑内障に特徴的な視神経乳頭陥凹拡大やリムの菲薄化および網膜神経線維層欠損などの緑内障性視神経症を生じる．光干渉断層計 optical coherence tomography（OCT）では，乳頭周囲網膜神経線維層厚，黄斑部の網膜各層厚および視神経乳頭の立体的形状を解析評価可能である．研究目的では，篩状板や脈絡膜も解析されている．OCTを駆使することにより主観的な判断を補助する有用な情報を得ることができ，眼底読影において診断が難しいとされる視神経乳頭の小さい症例，紋理状眼底で網膜神経線維層欠損がみにくい症例などにおいても診断が容易になった．しかし，OCTだけで緑内障の診断ができるわけではなく，視神経乳頭および網膜といった眼底所見を読影することが重要である．現時点で，OCTはあくまでも補助的に用いられるべきものであることを忘れてはいけない．

II OCTによる撮影部位と異常所見の考え方（図1～9）

　緑内障では，視神経乳頭，乳頭周囲および黄斑部がOCTの解析対象となっている（図1a～c）．緑内障補助診断は，主に各機器に搭載される正常眼データベースを参考に判定を行うことが主流となっているが，定性的な評価も行われている．

1 視神経乳頭および乳頭周囲

　緑内障において最も臨床的に認識されている構造的な変化は全体的または局所的なリムの菲薄化と乳頭陥凹の3次元的な拡大である．したがって緑内障を検出し，その経過観察を行うためには，視神経乳頭とその周囲の網膜神経線維層を検査することは重要であると考えられている．特に網膜神経線維層の菲薄化は乳頭陥凹の拡大や視野障害に先行するとされている[1]ので，網膜神経線維層の菲薄化を検出することは，早期緑内障を検出するために有用と思われる．

　乳頭周囲網膜神経線維層厚の測定方法には，タイムドメイン time-domain（TD）OCTの時代には，サークル（円周）スキャンだけであったが（図2），スペクトラルドメインOCT（spectral-domain OCT：SD-OCT）になり撮影速度が向上したことにより乳頭周囲を3次元で撮影し，後から約3.4 mmの円周の網膜神経線維層厚を切り出して測定する方法も行われている（図6c, d, 7）．単純なサークルスキャンの場合，乳頭中心をはずれて測定した場合，網膜神経線維層厚の測定結果に影響を及ぼすが，一定範囲を測定して後から目的のサークルを計算する方法では，撮影時に乳頭中心で測定できなくても解析に影響しないという利点と再現性の向上が期待される．さらに3次元情報として撮影されているので，厚みマップとして評価可能である．またSD-OCTによるサークルスキャンでは高速化のメリットを活かして，加算平均を行うことによってスペックルノイズを除去し，非常に細い網膜神経線維層欠損を検出することが可能になった[2]．

1) 乳頭周囲網膜神経線維層厚（図2, 6c, d, 7）

　TD-OCTの時代から，OCTによる緑内障診断において用いられている撮影方法である．乳頭周囲の直径約3.4 mmの円周の網膜神経線維層厚を測定する．

a. TSNITグラフ（図2）

　円周の網膜神経線維層厚を耳側（T）→上方（S）→鼻側（N）→下方（I）→耳側（T）で表示したグラフである．正常では上方，下方が厚く，耳側，鼻側が薄く，グラフは二峰性を呈する．グラフに正常範囲が緑色，正常の5%未満1%以上は黄色，正常の1%未満は赤色の領域として表示される．TSNITグラフでは，グラフの二峰性が崩れている場合やグラフが黄色や，赤色にある場合は異常が疑われる．緑内障では，進行した症例では全体的に菲薄化するが，上耳側や下耳側に菲薄化がみ

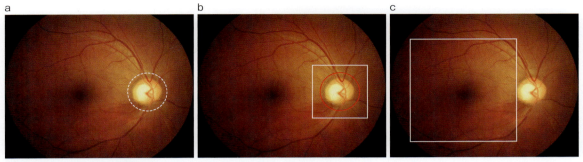

[図1] 緑内障に対するOCTの撮影部位
a 乳頭周囲サークルスキャン．乳頭中心を中心とした乳頭周囲を，直径約3.4mmでサークル（円周）スキャンし，乳頭周囲網膜神経層厚を測定．
b 乳頭マップ．乳頭周囲を3次元で撮影し，後から約3.4mmの円周の網膜神経線維層厚を切り出して測定可能．3次元情報から乳頭周囲網膜神経線維層厚を厚みマップとして表示や乳頭の3次元解析が可能である．
c 黄斑マップ．黄斑部を3次元で撮影．

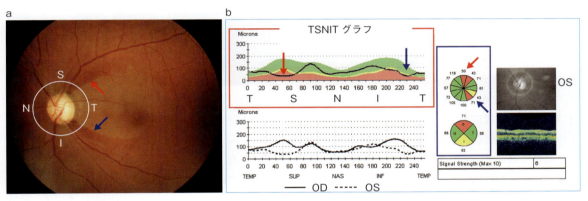

[図2] 左緑内障眼（59歳女性）
a 眼底写真．上耳側（11～1時）および下耳側（5時）の乳頭辺縁部（リム）の菲薄化がみられ，対応する網膜神経線維層欠損が認められる（赤および青矢印）．
b OCT-3000（Carl Zeiss Meditec社）のFast RNFL Thickbess 3.4のプリントアウト（左眼のみ抜粋）．TSNITグラフ（赤枠内）は，正常人データベースが内蔵されていて，正常（緑色），境界域（黄色），異常（赤色）に色分けされている．上耳側と下耳側の網膜神経線維層欠損に対応する網膜神経線維層の菲薄化がみられる（上耳側：赤矢印，下耳側：青矢印）．12分割や4分割した平均網膜神経線維層厚（T：青枠内）でも，眼底写真と対応する12～1時と4～5時の位置で正常人データベースと比較し菲薄化がみられる（上耳側：赤矢印，下耳側：青矢印）．

られることが多い．

b．平均網膜神経線維層厚

円周の平均網膜神経線維層厚と4分割や12分割した網膜神経線維層厚の平均値（メーカによっては2，6，16，36分割した平均値）や各パラメータが表示され，それぞれ正常人データベースと比較され，正常の5％未満1％以上の危険率は黄色，正常の1％未満の危険率は赤色に表示される．正常眼と比較し，菲薄化している場合は異常が疑われる．緑内障では，進行した症例では全体的に菲薄化するが，上耳側や下耳側にセクターに菲薄化がみられることが多い．平均網膜神経線維層厚の緑内障眼と正常眼を鑑別する能力は一般に分割を細かくすれば感度は良好になるが，特異度が低下する．

c．乳頭周囲網膜神経線維層厚マップ

3次元情報から乳頭周囲網膜神経線維層厚を厚みマップとして表示し，それぞれの部位が正常人データベースと比較され，正常の5％未満1％以上の危険率は黄色，正常の1％未満の危険率は赤色に表示される．視神経乳頭につながる神経線維層の走行に一致する異常が見られた場合は，緑内障が疑われる．マップのほうが，TSNITグラフや平均網膜神経線維層厚より，網膜神経線維層欠損の検出感度が高いとされている[3]．

2）視神経乳頭

OCTでは，乳頭解析も可能であり，各種パラメータが表示される．

従来臨床的視神経乳頭縁の定義は，視神経乳頭の神経組織の外縁と定義されてきたが，眼底写真を用いた臨床的視神経乳頭とOCTを対比してみると眼底写真で定義される乳頭縁は，OCTでは①Bruch's membrane opening（BMO），②Elschnigの境界組織および③①と②の組み合わせの3種があることが明らかにされ，OCTで定義する視神経乳頭縁をBMOで決定するという意見が提唱されてきている[4]．

3）篩状板部（図3, 4）

緑内障性視神経障害は，篩状板部で軸索流が停滞することによると考えられており，篩状板部は緑内障の発症に重要な役割を担っている．enhanced depth imaging（EDI）法と呼ばれる深部撮影に適した撮像方法や組織深達性の高い中心波長1,050 nm帯のスウェプト・ソース（SS）-OCTで，篩状板も観察が可能になっている．OCTを用いて，Bruch膜開口部ラインから篩状板前面までの距離（篩状板前面深度）が緑内障眼では正常眼に比べて大きく，篩状板厚が緑内障眼では正常眼に比べて薄いことなどが報告されている．緑内障眼および近視眼に篩状板部分欠損がみられることがある．篩状板部分欠損は，篩状板前面の曲線を乱す大きな篩状板の孔，または篩状板・強膜接合部の解離である（図4）．篩状板部分欠損は，緑内障眼では乳頭の耳側から耳下側の周辺部に多くみられるとされており，緑内障の構造および機能障害の位置に対応している．一方，近視眼においても，緑内障が生じていなくても，乳頭耳側縁の篩状板と強膜の間に小さな解離が複数生じていることもある．OCTによる篩状板観察により緑内障の病態解明が進みつつある．ただし，現在市販のOCTでは，血管より後方の観察は不可能である．また篩状板後部境界は不明瞭になる症例も多いが，en face画像を用いて篩状板孔の後面を同定し，篩状板の厚みを測定する方法が試みられている．

2 乳頭周囲脈絡網膜萎縮（図5）

検眼鏡的には乳頭周囲脈絡網膜萎縮 parapapillary atrophy（PPA）は視神経乳頭に近いβ領域と，その周辺にあるα領域の2つの領域に分類さ

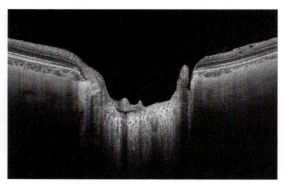

[図3] 右緑内障眼（55歳男性）
DRI OCT Triton（Topcon社）による篩状板を含む視神経乳頭の断面図．

 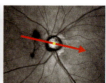

[図4] RS 3000 advance（NIDEK社）による左緑内障眼の篩状板を含む視神経乳頭の断面図
緑内障眼における篩状板部分欠損（青矢印）

れていた．OCTで，これまで検眼鏡的に観察されてきたβ領域は，視神経乳頭縁からBruch膜端Bruch's membrane opening（BMO）までのγ領域とBMOから網膜色素上皮端までのβ領域に組織学的に分類可能である．γ領域にはBruch膜は存在せず，従来の組織学的に報告されていた近視性コーヌスに相当し，純粋なOCTのβ領域にはBruch膜が存在し，従来のβ領域に対応するものと思われる．

3 黄斑部（図6〜10）

黄斑部には網膜神経節細胞の50％が集中しており，黄斑部測定による緑内障診断が行われてきたが，TD-OCTの時代では，その診断力は乳頭周囲網膜神経線維層厚には及ばないとされてきた．しかし，SD-OCTになり網膜神経節細胞複合体をはじめとした網膜内層の測定が可能になり，その診断力は乳頭周囲網膜神経線維層厚と同等であり，互いに相補的であるとされている．

網膜神経節細胞層は黄斑部の中心付近では重層化しているものの，周辺に向かうに従って単層化しており，網膜神経節細胞層を厚みで評価できる領域は限られている[5]こと，構造と機能の関係を

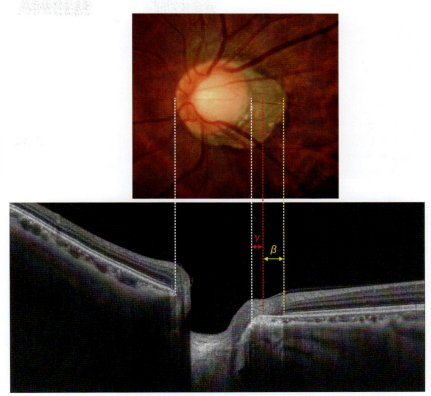

[図5] 光干渉断層計で分類した乳頭周囲脈絡網膜萎縮（PPA）
眼底写真のPPAの各領域と視神経乳頭水平断のOCT画像を示す．
白点線：臨床的乳頭縁，赤点線：BMO，黄色点線：網膜色素上皮端．本症例は，視神経乳頭の鼻側においては，臨床的乳頭縁，BMO，網膜色素上皮端はほぼ同じ部位である．
β領域：BMOから網膜色素上皮端までの領域．網膜色素上皮が存在せず，Bruch膜が存在する領域．γ領域：臨床的乳頭縁からBMOまでの領域．網膜色素上皮，Bruch膜が存在しない領域．検眼鏡的にはβ域との鑑別が困難なことが多い．

考える際には，中心窩近くでは解剖学的に視細胞と網膜神経節細胞が位置ずれをきたしていること（retinal ganglion cell displacement：RGC displacement）[6]を念頭に置く必要がある．

1）網膜神経節細胞層とganglion cell complex (GCC)と網膜神経節細胞層＋内網状層（図9）

生体において網膜神経節細胞を観察し網膜神経節細胞の数を直接計測することが可能となれば緑内障の構造と機能を解析する上で理想であるが，現在のところ困難である．OCTは網膜神経節細胞に関連した各層の厚みを計測することにより網膜神経節細胞の数を推定あるいは代用することにより，緑内障の診断および程度判定を行っている．SD-OCTになり層描出コントラストが向上したため，各層のセグメンテーションが可能になってきているが，2014年まで市販ソフトで網膜神経節細胞層のみをセグメンテーションすることは困難であった．RTVue-100（Optovue社）では内網状層外縁をセグメンテーションし，網膜神経線維層，網膜神経節細胞層，網膜内網状層の3層を合わせてganglion cell complex (GCC) として測定し，緑内障評価に活用されている[7]．メーカによって詳細は異なるがGCC厚マップや，正常人データベースに基づくdeviation mapやsignificance mapが表示され，その中で正常の5%未満1%以上の危険率は黄色，正常の1%未満の危険率は赤色に表示される（図6c）．

また，その後網膜神経線維層は測定部位以外の網膜神経節細胞を起源としていること，神経線維層のばらつきが大きいことなどから，GCCから網膜神経線維層を除いた網膜神経節細胞層＋内網状層の厚みが検討されている．Topcon社3D OCT-2000ではGCL＋（図6e），Carl Zeiss Meditec社のCirrus™ HD-OCTでは，GCA (ganglion cell analysis)（図8）として解析されている．2014年にSpectralis®（Heidelberg Engineering社）では新しい緑内障のソフトウェア（Glaucoma Module Premium Edition）がリリースされ，網膜の10層

18. 光干渉断層計

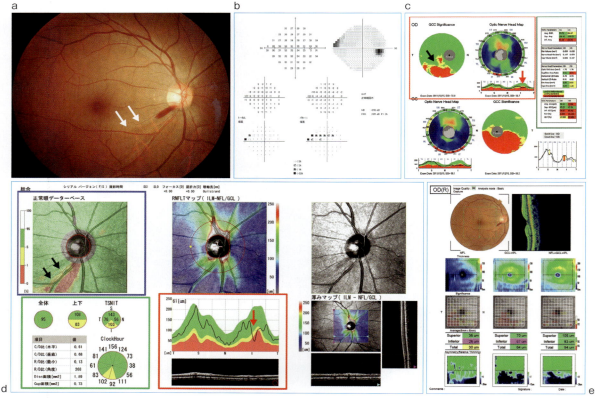

[図6] 右緑内障眼（48歳女性）
a 眼底写真．7～8時の位置に乳頭出血がみられ，その部位の乳頭辺縁部（リム）の菲薄化がみられ，対応する網膜神経線維層欠損が認められる（白矢印）．
b Humphrey視野24-2 SITA standard．眼底所見に対応する上方の視野障害がみられる．
c RTVue-100（Optovue社）のONH（Optic Nerve Head）とGCCプログラムの両眼プリントアウト．右に両眼のパラメータ（緑枠内）が表示され，右眼は上方（赤枠内）に，左眼は下方に表示される．赤枠内で，ONHの結果は右に，GCCの結果は左に，TSNITグラフが下方に表示される．ONHでは，直径4.9mmの範囲の網膜神経線維層厚のマップが表示され，円の真ん中には，OCTにて計測した視神経乳頭が表示され，薄い灰色が陥凹部である．円の周辺には16分割した平均網膜神経線維層厚が表示され，データベースと比較し菲薄化している部位は，赤色または黄色に表示される．下耳側が菲薄化している．右眼の下方にGCCが菲薄している部位が赤色に表示されている（黒矢印）．TSNITグラフでも下耳側に菲薄化がみられる（赤矢印）．
d RS-3000 advance（Nidek社）による乳頭マップ（乳頭周囲6×6mmの範囲を512×128で撮影）のプリントアウト．乳頭サークル同様TSNITグラフ（赤枠内）が表示され，内蔵正常人データベースと比較され，正常（緑色），境界域（黄色），異常（赤色）に色分けされている．下耳側に網膜神経線維層欠損に対応する菲薄化部位がみられる（赤矢印）．網膜神経線維層厚および乳頭パラメータが表示される（緑枠内）．正常眼データベースと比較されたマップ（青枠内）では，眼底写真の網膜神経線維層欠損に対応する部位が赤色で表示され網膜神経線維層が菲薄化していることがわかる（黒矢印）．
e OCT-2000（Topcon社）の黄斑部解析のプリントアウト．上段の左に眼底写真，右に断層像が表示され，その下に左から神経線維層厚（NFL Thickness），神経節細胞層＋内網状層（GCL＋），網膜神経線維層＋神経節細胞層＋内網状層（GCL＋＋：ganglion cell complexに相当）が表示される．それぞれ，上段から厚みマップ，正常眼データベースと比較が表示される．その下に上方，下方および全体の平均の各層の厚みが表示される．これらの数字も正常眼データベースと比較される．一番下段に上下の比較マップが表示される．ごく早期の緑内障では，データベースとの比較では正常範囲内であるが，上下の対称性が保たれていないことがある．

の自動セグメンテーションが可能となり，網膜神経節細胞層の厚みも自動で算出し，日本人の正常眼データベースとの比較も可能になった（図9，10c）．

a．平均網膜厚

解析範囲の上下2分割などの平均網膜厚（メーカによって分割数はさまざま．グリッド状に解析できるメーカもある）の平均値や各パラメータが表示され，それぞれ正常人データベースと比較され，正常の5%未満1%以上の危険率は黄色，正常の1%未満の危険率は赤色に表示される．正常眼と比較し，菲薄化している場合は異常が疑われる．

b．網膜神経節細胞関連層厚マップ

計測したデータが厚みのマップとして表示され，正常眼データベースと比較され，正常の5%未満1%以上の危険率は黄色（ボーダーライン），正常の1%未満の危険率は赤色（異常）に表示される．例えば，網膜神経節細胞関連層厚の平均値

2) 後眼部OCT（眼底3次元画像解析）

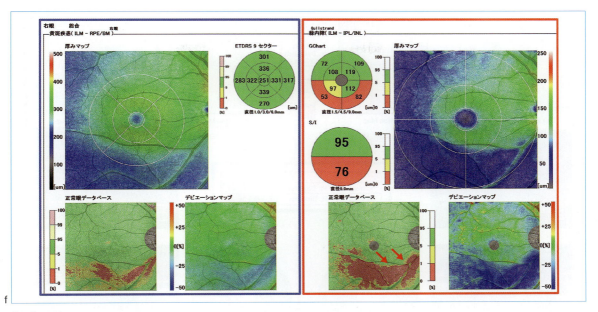

[図6] つづき
f RS-3000 advance（Nidek社）の黄斑マップ（9×9mmの範囲を512×128で撮影）の総合プリントアウト．左側に網膜全層厚マップ（青枠内），右側に網膜内層厚マップ（内境界膜から内網状層と内顆粒層の境界まで＝網膜神経線維層＋網膜神経節細胞層＋内網状層：ganglion cell complexに相当）（赤枠内）が表示される．それぞれに厚みマップ，正常眼データベース，デビエーションマップが表示される．網膜内層厚マップでは，いずれにおいても眼底写真（a）の網膜神経線維層欠損に対応する乳頭につながる異常がみられる（赤矢印）．網膜全層厚マップは，網膜内層厚マップより異常の程度が軽い．

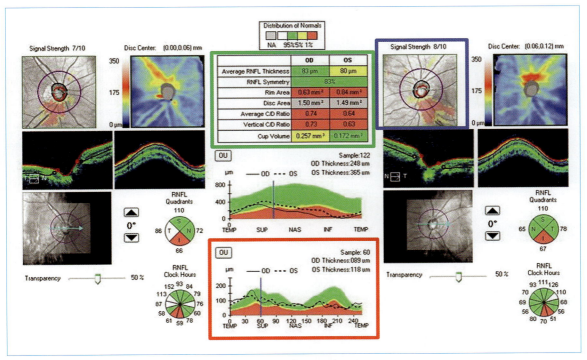

[図7] Cirrus™ HD-OCT（Carl Zeiss Meditec社）の Optic Disc Cube のプリントアウト
正常眼データベースと比較されたマップ（青枠内）では，網膜神経線維層欠損に対応する部位が赤色で表示され網膜神経線維層が菲薄化していることがわかる．TSNIT グラフ（赤枠内）が表示され，内蔵正常人データベースと比較され，正常（緑色），境界域（黄色），異常（赤色）に色分けされている．下耳側に菲薄化部位がみられる．網膜神経線維厚および乳頭パラメータが表示される（緑枠内）．

559

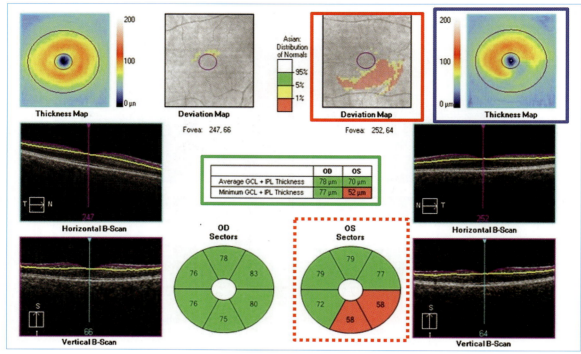

[図8] Cirrus™ HD-OCT（Carl Zeiss Meditec 社）の Macula Cube の GCA（ganglion cell analysis）のプリントアウト
左側に右眼，右側に左眼が両眼1枚に表示される．Thickness Map（青枠内）には，黄斑部における神経節細胞層＋内網状層の厚みのマップが表示される．厚い部位は暖色系に，薄い部位は寒色系の色で表示される．Deviation Map（赤枠内）は，神経節細胞層＋内網状層の厚みを正常眼データベースと比較し，正常の5%未満1%以上の危険率は黄色，正常の1%未満の危険率は赤色に表示する．パラメータ表示（緑枠内）では，平均の厚みと最も薄い部位の厚みが表示される．楕円内のセクターごとの神経節細胞層＋内網状層の厚みの平均値を表示（赤点線枠内）．
（Carl Zeiss Meditec 社 社内資料より改変）

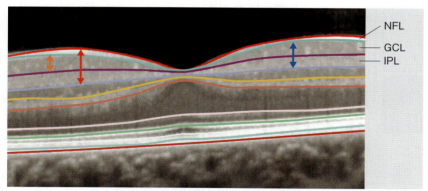

[図9] 正常な黄斑部のOCTの断面図
上の層から，神経線維層（NFL），神経節細胞層（GCL），内網状層（IPL）．緑内障眼の黄斑部評価では，NFL，GCL，IPLの3層（赤矢印）をまとめて「ganglion cell complex（GCC）」もしくは GCL＋＋，GCL と IPL の2層（青矢印）を「GCA」もしくは「GCL＋」，GCL（橙矢印）として評価される．

が赤色に表示されていれば，正常眼に比べて網膜神経節細胞関連層厚が薄く異常が疑われることになる．メーカにより異なるが厚みのマップや正常眼データベースを基にした厚みの偏差を表示するデビエーションマップが表示されるメーカもあるが，いずれのメーカにおいても正常眼データベースと比較して正常範囲が緑色，正常の5%未満1%以上は黄色，正常の1%未満は赤色の領域として表示される（メーカにより名称が異なるが，RTVue-100 では significance map）．

マップをみる際には，単純にその値が正常か異常かを判断する他のパラメータと違い，マップを読影する必要がある．ある一定の範囲の厚みが正常か異常か判別されるので，撮影範囲のすべてに

2) 後眼部OCT（眼底3次元画像解析）

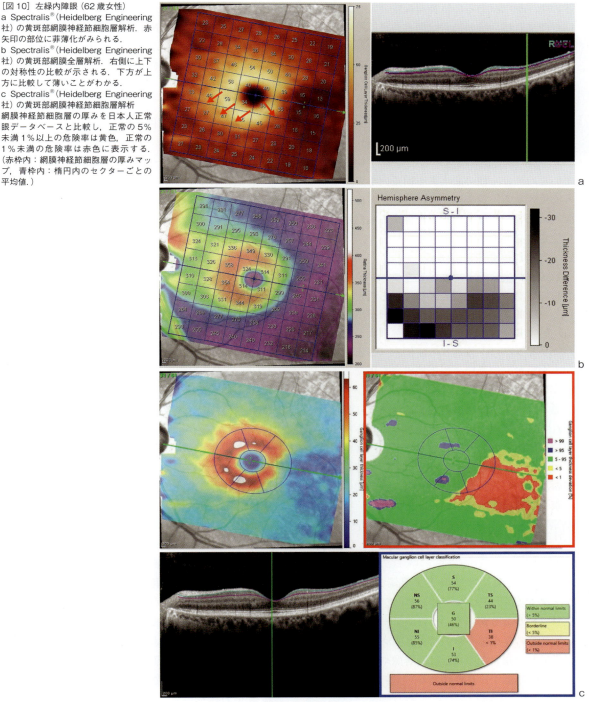

[図10] 左緑内障眼（62歳女性）
a Spectralis®（Heidelberg Engineering社）の黄斑部網膜神経節細胞層解析．赤矢印の部位に菲薄化がみられる．
b Spectralis®（Heidelberg Engineering社）の黄斑部網膜全層解析．右側に上下の対称性の比較が示される．下方が上方に比較して薄いことがわかる．
c Spectralis®（Heidelberg Engineering社）の黄斑部網膜神経節細胞層解析
網膜神経節細胞層の厚みを日本人正常眼データベースと比較し，正常の5％未満1％以上の危険率は黄色，正常の1％未満の危険率は赤色に表示する．
（赤枠内：網膜神経節細胞層の厚みマップ，青枠内：楕円内のセクターごとの平均値．）

異常がなければ問題ないが，所々異常を示唆する赤色の部位がある場合，それは緑内障性の変化なのか，それとも他の異常なのか，それともアーチファクトなのかを判断する必要がある．網膜神経節細胞関連層厚は網膜神経節細胞およびその軸索などからなる網膜神経節細胞に関連する厚みであ

561

るので，緑内障あるいは神経線維の走行に沿った病変であれば，その異常は網膜神経線維の走行に沿った異常を呈するはずである．網膜神経節細胞関連層厚のマップの異常部位と眼底写真の網膜神経線維層欠損が一致するならば，その異常が視野と対応するかを確認する必要がある．マップを上下反転すれば，視野に対応させることができる．通常緑内障であれば，視野の感度低下部位がGCCの菲薄化部位に対応している．もし対応していなければ，他の眼疾患や頭蓋内疾患などを疑う必要がある．黄斑部は黄斑前膜や黄斑浮腫など厚みに影響を及ぼす疾患を合併する頻度が高いので注意が必要である．

2）網膜神経線維層厚（図 6e）

黄斑部の網膜神経線維層をカラーマップでみると眼底写真で網膜神経線維層欠損を判定するように，定性的に網膜神経線維層欠損を検出可能である．特に黄斑部の3次元の黄斑部網膜神経線維層厚マッピングは，紋理状の症例や，びまん性に広がる網膜神経線維層欠損の検出に有用である．

3）網膜全層厚（図 6f）

通常緑内障では網膜の外層にはあまり変化がみられず，網膜の内層に菲薄化がみられるため，網膜全層厚測定の緑内障診断力は網膜内層厚に比べて劣るとされる[8]．そのため，GCCなどの網膜内層の評価が可能になってからは，緑内障の評価に網膜全層厚はあまり用いられていない．

III　アーチファクトとセグメンテーションエラー（図 11）

OCTの画像には，硝子体混濁によるアーチファクト（図 11）やセグメンテーションエラーが生じていることがある．正常眼データベースとの比較結果のみを鵜呑みにせず，眼底所見などの臨床所見と一致しない場合は断層像やセグメンテーションを確認する必要がある．

IV　鑑別診断

データベースとの比較を考える際に正常眼の厚みの幅が非常に広く，正常眼と初期緑内障眼の厚みの分布がオーバーラップしてしまうので，厚みのデータのみで両者を完全に区別することは不可能である．緑内障では早期から上下の対称性が崩れる[9]ことが報告されており，上下の対称性を検討するソフトを搭載しているメーカもある（図 6e, 10b）．

1　近視眼（図 12）

近視では，乳頭周囲網膜神経線維厚のTSNITグラフでの通常上下に厚い二峰性のピークが耳側に偏移し，正常眼データベースと比較すると異常と判定されることがある．乳頭周囲の網膜神経線維層厚のマップでも，ピークのずれの影響で異常と判定されることがある．通常の正常眼データベースには−6Dを超える近視眼のデータは含まれていないため，臨床的に緑内障との鑑別が困難な−6Dを超える近視眼のデータベースとの比較は問題があり，近視眼の黄斑部内層厚のマップでは，正常眼と思われる症例でも正常の1%未満の危険率の赤色に表示されることがある．

特に長眼軸眼での拡大率効果 magnificance effectによる撮影範囲のずれが臨床的な問題点となることが指摘されている．通常OCTの撮影範囲は，長さではなく，角度で規定されている．乳頭周囲の網膜神経線維層厚の撮影を，乳頭を中心に直径約3.4mmで測定する機器では，一定の眼軸長の場合の角度で測定されている．角度が同じであれば，当然眼軸長の長い眼では，直径3.45mmより大きな直径で測定されることになる．通常，乳頭から離れるほど網膜神経線維層は薄くなるので，長眼軸眼では薄い部分が測定されることになる．黄斑部の撮影においても，6×6mmや9×9mmの範囲も長眼軸眼では，より広く測定されることになり，測定範囲が異なってくる．一部の機種では眼軸長を入力し，拡大率補正を行い正しい直径および範囲を測定することが可能である．拡大率補正に加えて長眼軸長眼正常眼データベースが搭載され始めている．

2　上方視神経乳頭部分低形成 superior segmental optic disc hypoplasia (SSOH)（図 13）

SSOHは先天性の視神経乳頭形態異常である．乳頭周囲の網膜神経線維層が菲薄化し，主に下方の視野障害を呈する．しばしば，下方視野障害を

2) 後眼部OCT（眼底3次元画像解析）

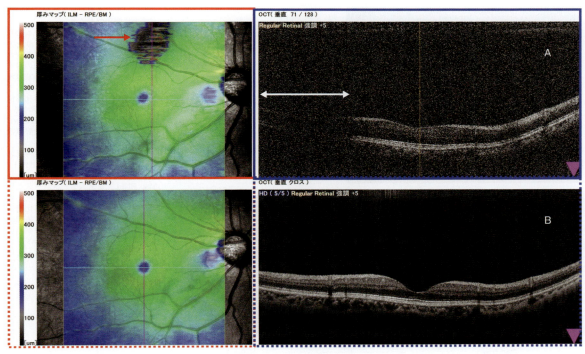

[図11] 硝子体混濁によるアーチファクト
a 網膜全層厚マップ（赤枠内）では，硝子体混濁により網膜の厚みが測定されず，その部分が黒く表示されている（赤矢印）．断面図（青枠内）では，硝子体混濁の下の部分は画像がほとんど写っていない．（白両矢印）
b 眼球を動かして硝子体混濁が入らないように撮影した画像．網膜全層厚マップ（赤点線枠内）も断面図（青点線枠内）も硝子体混濁による影響がない．

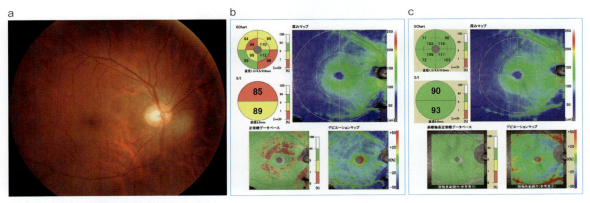

[図12] 早期緑内障の僚眼（近視）（25歳男性，右眼）
a 眼底写真．11〜12時の乳頭縁部（リム）がやや菲薄化しているが，網膜神経線維層欠損などはみられない．
b RS-3000（NIDEK社）の黄斑マップ網膜内層厚マップ（正常眼データベース）．正常眼データベースとの比較では，黄斑部網膜内層厚は赤く表示されている．
c RS-3000（NIDEK社）の黄斑マップ網膜内層厚マップ（眼軸長補正あり，長眼軸長正常眼データベース）．緑内障眼の僚眼であり一部リムも菲薄化しているが今のところ，眼軸長を補正した長眼軸長眼との比較では，網膜内層厚は正常範囲内である．

呈する緑内障と鑑別を要することがある．SSOHは①乳頭上鼻側のリムの菲薄化，② double ring sign，③鼻上方の幅広い網膜神経線維層欠損，などの特徴的乳頭所見を呈する．これらの乳頭所見が，鑑別のポイントであるが，OCTでは網膜神経線維層の上方から鼻側にかけて菲薄化してお

563

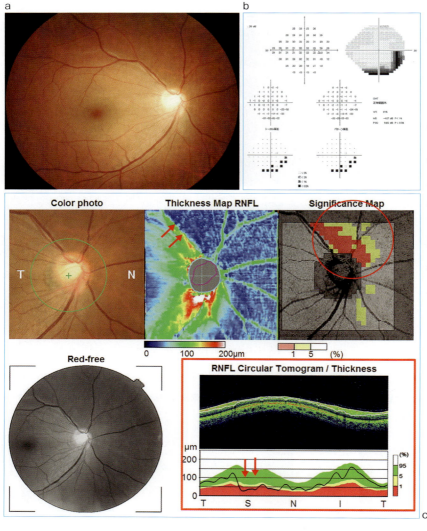

[図13] 左上方視神経乳頭部分低形成（SSOH）眼（47歳女性）
a 眼底写真. ①乳頭上鼻側のリムの菲薄化, ②double ring sign, ③鼻上方の幅広い網膜神経線維層欠損がみられる. これらの乳頭所見が, 鑑別のポイントであるが, OCTでは網膜神経線維層の上方から鼻側にかけて菲薄化しており, 早期の緑内障の主な菲薄化部位である上耳側, 下耳側とはやや異なる.
b Humphrey視野24-2 SITA standard. Mariotte盲点につながる下方視野障害がみられる.
c OCT-2000（Topcon社）の視神経乳頭の3Dスキャンのプリントアウト. 上段に左からColor photo, Thickness Map RNFL, 正常人データベースと比較したSignificance Mapが表示される. Thickness Mapでは, 菲薄化部位が濃い青い色で表示され（赤矢印）, Significance Mapではその部位が赤色で表示されている（赤丸）. TSNITグラフ（赤枠内）でも緑内障とは異なり上鼻側に菲薄化がみられる（赤矢印）.

り, 早期の緑内障の主な菲薄化部位である上耳側, 下耳側とはやや異なる. 通常の静的視野計での下方視野障害の好発部位もやや異なり, 緑内障で見られるような弓状暗点は稀で, Mariotte盲点から下方に向かう視野障害が多い[10].

3 虚血性の網膜神経線維層欠損（図14）

陳旧性の網膜分枝動静脈閉塞症でも網膜神経線維層欠損のみられることがあり, 近辺の網膜血管の狭小化, 拡張蛇行や新生血管や出血に注意する必要がある. 軟性白斑などの虚血性変化後に網膜神経線維層欠損は生じることがある. 過去に軟性白斑が生じたことがわかっていれば, 診断に困らないが軟性白斑が消失してしまった後では, 網膜神経線維層欠損が視神経乳頭につながる場合もあり, 極早期の緑内障と非常に鑑別が困難なことがある. 視神経乳頭に緑内障性の変化があるかを確認する必要がある. 診断に確信が持てない場合は, 網膜神経線維層欠損が拡大しないか経過観察することが重要である.

文献
1) Sommer A, et al：Clinical detectable nerve fiber atrophy precedes the onset of glaucomatous field loss. Arch Ophthalmol 109：77-83, 1991
2) Nukada M, et al：Detection of localized retinal nerve fiber layer defects in glaucoma using enhanced spectral-domain

2）後眼部OCT（眼底3次元画像解析）

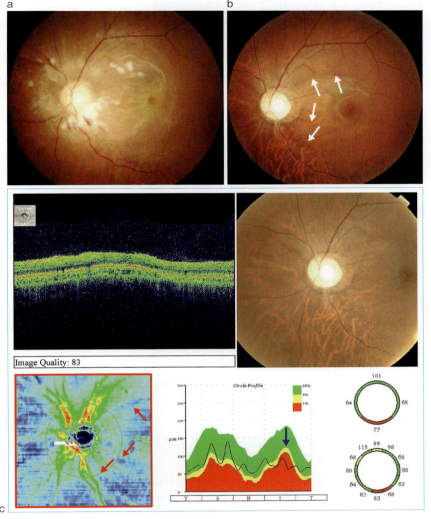

[図14] 左腎性網膜症眼（30歳男性）
a 眼底写真．軟性白斑および眼底出血がみられる．
b 透析後2年の眼底写真．複数の網膜神経線維層欠損がみられる（白矢印）．
c OCT-1000（Topcon社）のRNFL Analysis Report．網膜神経線維層の厚みマップ（赤枠内）で，眼底写真の網膜神経線維層欠損に対応する菲薄化がみられる（赤矢印）．TSNITグラフでも下耳側に菲薄化がみられる（青矢印）．

optical coherence tomography. Ophthalmology 118：1038-1048, 2011
3) Jeoung JW, et al：Comparison of Cirrus OCT and Stratus OCT on the ability to detect localized retinal nerve fiber layer defects in preperimetric glaucoma. Invest Ophthalmol Vis Sci 51：938-945, 2010
4) Reis AS, et al：Optic disc margin anatomy in patients with glaucoma and normal controls with spectral domain optical coherence tomography. Ophthalmology 119：738-747, 2012
5) Nakatani Y, et al：Influences of the inner retinal sublayers and analytical areas in macular scans by spectral-domain OCT on the diagnostic ability of early glaucoma. Invest Ophthalmol Vis Sci 55：7479-7485, 2014
6) Ohkubo S, et al：Focal relationship between structure and function within the central 10 degrees in glaucoma. Invest Ophthalmol Vis Sci 55：5269-5277, 2014
7) Tan O, et al：Detection of macular ganglion cell loss in glaucoma by Fourier-domain optical coherence tomography. Ophthalmology 116：2305-2314, 2009
8) Mori S, et al：Spectral-domain optical coherence tomography measurement of macular volume for diagnosing glaucoma. J Glaucoma 19：528-534, 2010
9) Yamada H, et al：Asymmetry analysis of macular inner retinal layers for glaucoma diagnosis. Am J Ophthalmol 158：1318-1329, 2014
10) Yamada M, et al：Differentiation by imaging of superior segmental optic hypoplasia and normal-tension glaucoma with inferior visual field defects only. Jpn J Ophthalmol 57：25-33, 2012

（大久保真司・宇田川さち子）

2）後眼部OCT（眼底3次元画像解析）
⑫ 視路疾患

I 検査の目的

1 検査対象

視神経，視交叉，視索に障害をきたす前部視路疾患，外側膝状体以降の後部視路疾患が対象となる．なお，外側膝状体単独の障害はきわめてまれである．

2 目標と限界

視路疾患のOCTでは網膜内層の構造変化を観察し，視路の障害部位の予測や鑑別診断が目標となる．視神経疾患や視交叉疾患では，視神経障害の他覚的な定量的評価や経過観察，視機能予後の把握においても活用できる．視路疾患では障害部位に対応した特異的な所見を示すが，網膜疾患や緑内障の既往があると視路疾患による変化との判別は，OCTのみでは困難となる．

II 検査法

1 測定方法

視路疾患による網膜神経節細胞 retinal ganglion cell（RGC）とその軸索障害を検出するために，乳頭周囲網膜神経線維層 circumpapillary retinal nerve fiber layer（cpRNFL）厚および黄斑部網膜内層厚を測定する．cpRNFL解析は，RGCの軸索の厚みを測定することで間接的にすべてのRGCを評価することにつながる．黄斑部網膜内層解析は，網膜神経線維層，神経節細胞層，内網状層の3層（神経節細胞複合体 ganglion cell complex：GCC）の厚みを測定するGCC解析（Optovue社）が代表的であり，その厚みから間接的にRGCの体積を評価できる．他にも，GCCのうち網膜神経線維層を除いた2層の厚みを測定する ganglion cell analysis（GCA）がある．

2 感度と特異度

黄斑部の直径4.5mm以内にはRGCの50％以上が存在するため，GCC厚測定はRGC萎縮の検出力が高い．また，検者内における測定の再現性が高く，cpRNFL厚に比べて個体差による影響も少ない．さらに，視交叉障害による異名半盲や視索障害による同名半盲において，cpRNFL解析よりも視野障害との対応を評価しやすいことが利点である．そのため，半盲パターンの菲薄化が検出されれば頭蓋内疾患の存在を予測することができ，診断的価値が高い所見となる．しかし，GCCの測定範囲外のRGC障害は検出できないため，あくまで局所的な評価であることに留意する．片眼性の視神経疾患であれば正常な健眼と比較することで，異常の検出力が高くなる．視路疾患では，OCT所見と視野，眼底所見，他の視機能検査との整合性を確かめることで，さらに特異度が高くなる．

III 検査結果の読み方と解釈

1 正常結果

cpRNFL厚およびGCC厚は，器機に内蔵されている人種別および年齢別正常眼データベースと比較した確率マップによる解析が可能である（図1）．正常領域は緑色（p>5％），正常と異常の境界領域は黄色（p<5％），異常領域は赤色（p<1％）で表示される．ただし，確率マップ解析では，正常範囲の厚みに幅があるため疾患による軽度の減少があっても正常の厚みとオーバーラップしてしまい，異常と判定されないことがある．実測値での評価も行うが，異なる機種同士での数値による比較は，データの互換性がないためできない．

2 異常所見とその解釈

外側膝状体まではRGCの軸索で構成されているため，視神経，視交叉，視索に障害を受けると逆行性に軸索変性が起こり，視神経萎縮が生じる．そのため，視路疾患におけるcpRNFL厚の減少はRGCの軸索変性，cpRNFL厚の増加は軸索輸送障害による乳頭腫脹，GCC厚の減少はRGCとその軸索の萎縮を反映した異常所見と考えることができる．

3 鑑別診断

1) 視神経疾患

視神経疾患では，炎症や外傷，循環障害，中

[図1] 正常眼における cpRNFL 厚と GCC 厚の解析結果
a cpRNFL 解析
b GCC 解析
年齢別正常眼データと比較した確率マップが表示され，緑色は正常領域，黄色は境界領域，赤色は異常領域を意味する．

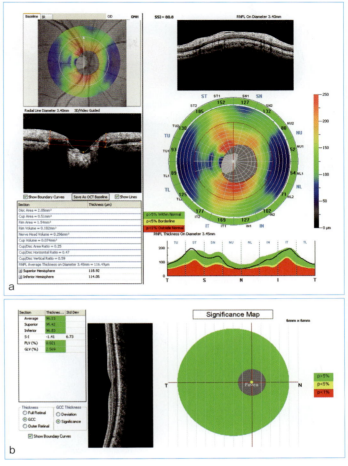

毒，遺伝，脱髄などさまざまな原因で視神経が障害される．視神経は RGC の軸索であるため，いずれの原因でも逆行性に RGC とその軸索が萎縮し，視神経萎縮を呈する．乳頭腫脹を伴う視神経炎や前部虚血性視神経症などでは，軸索輸送障害を起因とした乳頭腫脹により cpRNFL 厚が増加するため，cpRNFL 解析では急性期に軸索障害を検出することができない．一方，GCC は測定領域が黄斑部であるため乳頭腫脹の影響を受けにくく，cpRNFL よりも早期に菲薄化を鋭敏に検出できる[1]（図2）．水平下鼻側障害や水平下半盲などの視野障害を呈する前部虚血性視神経症の慢性期において，GCC 解析や cpRNFL 解析はそれらの視野障害に一致した菲薄化の観察に優れている（図3）．外傷性視神経症では，受傷後から GCC や cpRNFL が経時的に菲薄化するため，自覚的検査の信頼性が低い幼小児における他覚的評価や診断，経過観察に有用であり，弱視や心因性視覚障害との鑑別の一助にもなる[1]．

2) 視交叉疾患

視交叉疾患では，下垂体腺腫を代表とする腫瘍性病変，視神経膠腫，下垂体膿瘍，外傷，炎症などの原因により，視交叉で両眼の交叉線維（鼻側神経線維）が障害されることで両耳側半盲が起こる．初期には視神経乳頭に明らかな変化はみられないが，経過とともに耳側と鼻側の水平象限に限局した帯状萎縮 band atrophy（BA）または蝶ネクタイ状萎縮 bow-tie-atrophy を呈する．GCC 解析では，両眼ともに中心窩垂直経線を境に主に鼻側領域の選択的な菲薄化を呈する（図4）[2]．し

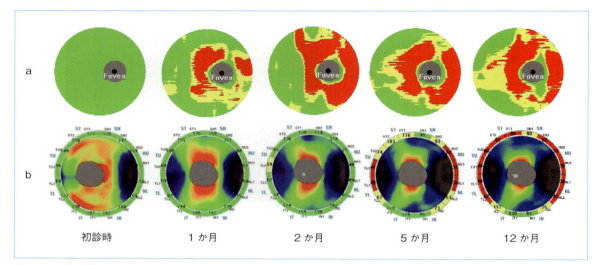

[図2] 右眼視神経乳頭炎における OCT 所見の経過
a GCC 解析，b cpRNFL 解析
初診時および1か月では，cpRNFL は乳頭腫脹に伴い肥厚しているが，GCC は1か月ですでに菲薄化している．

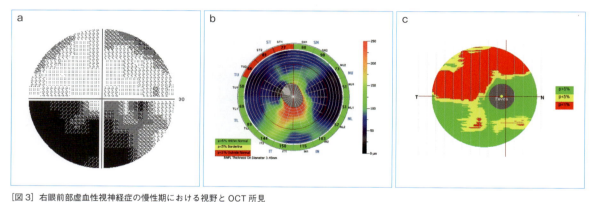

[図3] 右眼前部虚血性視神経症の慢性期における視野と OCT 所見
a Humphrey 中心 30-2 視野，b cpRNFL 解析，c GCC 解析
cpRNFL 解析では耳上側領域が減少，GCC 解析では水平経線を境に上半側の菲薄化がみられ，水平下鼻側視野障害と一致している．

かし，障害の程度が強く，非交叉線維（耳側神経線維）も障害されると耳側領域にも菲薄化が及ぶ．

3）視索症候群

片眼の視索症候群では，腫瘍や動脈瘤による占拠性病変，循環障害，外傷などの原因により，視索で病変と同側眼の非交叉線維と対側眼の交叉線維が障害されることで同名半盲が起こる．視神経乳頭は初期に明らかな変化がなく，経過とともに両眼に半盲性視神経萎縮を呈するが，検眼鏡的にはこれらの変化が明らかでないことも少なくない．

視索病変の同側眼では，非交叉線維が障害されるため耳側を含めた主に上下象限での砂時計様萎縮を，対側眼では交叉線維の障害により帯状萎縮を呈する．GCC 解析では，中心窩垂直経線を基準として同側眼で耳側領域，対側眼で鼻側領域の選択的な菲薄化がみられる（図5）．同名半盲に対応する領域の菲薄化パターンは，視索症候群に特異的な変化であるため診断の一助として有用であり，cpRNFL 解析よりも GCC 解析のほうが半盲性変化を容易に捉えることができる[3]．

4）外側膝状体より後方の視路障害

外側膝状体以降の視路障害では，神経線維が

[図4] 両耳側半盲を伴う下垂体腺腫のOCT所見
GCC解析では両眼ともに鼻側領域の選択的な菲薄化が，cpRNFL解析では右眼で耳側領域，左眼で水平象限の菲薄化がみられる．

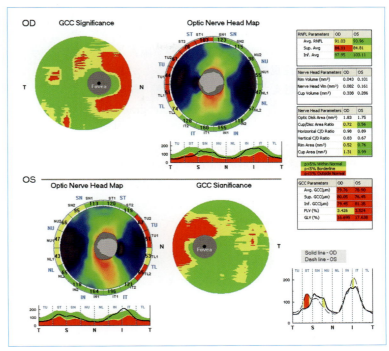

[図5] 右同名半盲を伴う左視索症候群のOCT所見
GCC解析では右眼（対側眼）で鼻側領域，左眼（同側眼）で耳側領域の選択的な菲薄化が，cpRNFL解析では右眼で帯状萎縮，左眼で砂時計様萎縮がみられる．

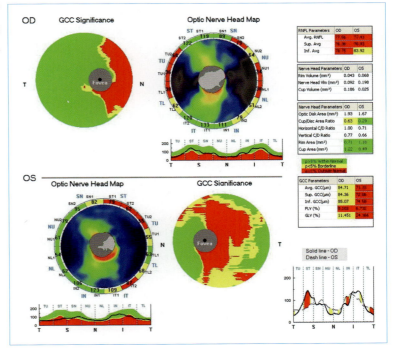

RGCの軸索とは異なっているため，通常はシナプスを越えてRGCの萎縮はきたさない．しかし，先天性や長期化した後頭葉疾患では，視索障害と同じような半盲性視神経萎縮を呈することがあり，シナプスを越えた逆行性のRGC萎縮（経シナプス逆行性変性 trans-synaptic retrograde degeneration：TRD）の可能性が示唆されている．近年では，後天性の同名半盲患者においても，半盲側に対応する領域のGCCとcpRNFLの菲薄化が報告されているが，TRDによる影響あるいは外側膝状体障害の合併による直接的な逆行性変性の影響であるかは明らかとなっていない．しかし，病変が後頭葉後極に限局している同名半盲患者の網膜厚を長期的に観察すると，発症後早期にはみられなかった菲薄化が経過とともに出現することが確認されている[4,5]．

4 アーチファクト

視神経乳頭の腫脹を伴う視神経疾患では，cpRNFL解析において乳頭腫脹の影響で正確なセグメンテーションが困難となり，解析エラーが生じやすくなる．一方，GCC解析では測定領域である黄斑部に黄斑浮腫があると解析エラーが起こりやすくなる．

文献

1) 後藤克聡ほか：視神経疾患におけるOCTの有用性．神経眼科 31：158-174, 2014
2) Monteiro ML, et al：Evaluation of inner retinal layers in eyes with temporal hemianopic visual loss from chiasmal compression using optical coherence tomography. Invest Ophthalmol Vis Sci 55：3328-3336, 2014
3) Kanamori A, et al：Spectral-domain optical coherence tomography detects optic atrophy due to optic tract syndrome. Graefes Arch Clin Exp Ophthalmol 251：591-595, 2013
4) Goto K, et al：Sectoral analysis of the retinal nerve fiber layer thinning and its association with visual field loss in homonymous hemianopia caused by post-geniculate lesions using spectral-domain optical coherence tomography. Graefes Arch Clin Exp Ophthalmol 254：745-756, 2016
5) Yamashita T, et al：Preferential atrophy of the central retinal ganglion cells in homonymous hemianopia due to acquired retrogeniculate lesions demonstrated using swept-source optical coherence tomograph. Acta ophthalmol 96：e538-e539, 2018

（後藤克聡・三木淳司）

3) OCTアンギオグラフィ（OCTA，光干渉断層血管撮影）

① 原理と撮影の基本

I 検査の原理と目的

光干渉断層血管撮影OCT angiography（OCTA）はOCTの重要な拡張技術であり，網膜，脈絡膜の毛細血管レベルの血流描出を可能とした．近年のOCT性能向上，特にAスキャンの高速化は，同一部位の複数回撮影と画像重ね合わせを可能とし，OCT画像のノイズ低減に有用であった．一方で，網膜内の血管には赤血球が流れており，連続2枚以上のOCT画像から得られた画像間の差 motion contrast からは，網膜の血流情報の抽出が可能である（図1）．つまり，連続したOCT画像から変化のない部分＝網膜組織を除去し，変化のある部分＝血流のみを抽出することで，網膜の大血管および毛細血管を描出することが，OCTAの基本原理である．実際のOCT信号には複雑な振幅 amplitude と位相 phase の情報が含まれており，OCTAの血流信号 flow signal は，amplitude，phase，もしくは両方を用いて計算され，phase-based，amplitude-based，complex-signal-basedなどと呼ばれている．現在市販されているOCTAには，amplitude-based アルゴリズムを採用する機種が多く，一部の機種ではcomplex-signal-based アルゴリズムが採用されている[1]．

このような方法により得られた血流情報を画像化する方法としては，Bスキャン画像に重ねて表示する方法，もしくは造影検査と類似した見え方が得られるen face 画像として表示することが一般的である．図2では，Bスキャン画像（下段）に赤色の血流情報 flow signal を重ねて表示しており，en face 画像（上段）では血流情報のみが白く描出される．OCTビーム径（15〜20 μm）は毛細血管径（5〜10 μm）よりも大きいため，原理的にen face 画像で描出される血管径は，解剖学的な真の血管径よりも太く描出されている．またビーム径以下の毛細血管径の変化は，OCTA画

像上の血管径変化として捉えられず，血流信号強度の増加として捉えられる[2]．例えば，糖尿病網膜症に伴い毛細血管が拡張している場合でも，OCTビーム径以下である場合は，同じ太さの，より白い毛細血管として描出される．

II 検査法

OCTAは同一部位を複数回撮影するOCTと考えることができ，撮影の基本はOCTに準ずる．通常のOCTでは，信号強度が低い場合でも，形態学的変化を捉えられるが，血流情報は，信号強度が低い場合，アーチファクトにより失われてしまうため，より慎重な撮影が求められる．

基本的な撮影は機種ごとの推奨手順を守ることが原則であり，図3に提示したように，ピント合わせ，混濁の有無，そして網膜面の高さが推奨された部分に収まることを確認することが重要である．ピントのズレは，信号強度の低下へ繋がり，4Dのズレにより血管密度の値が約20%減少するとされている[3]．

中間透光体の混濁は，影として画像に映り込み，そのような部分の血流情報は描出されない．図4の皮質混濁を伴う白内障症例では，瞳孔中心では混濁による影が出現してしまうが，画面右側の混濁が弱い部位では，全体を撮影することが可

[図1] OCTAの原理
蛇口から水が流れている写真を2枚撮影し，2枚の画像の差（motion contrast）から，流れる水（flow signal）を抽出することができる．

能である．また撮影時間が長くなり，角膜が乾燥してくると，画質は著しく低下する（図5）．そのような場合は，人工涙液などを使用することで，良好な画質が得られる．

まとめ

OCTAはOCTをベースとした技術であり，多くの原理，原則はOCTに準ずる．一方で，網膜内の血流という非常に小さな変化を捉える技術であるため，より精度の高い画像を得る必要がある．実際の臨床現場においては，撮影の難しい症例も少なくないが，一つひとつ手順に従って対応することで，良好な画像が得られる．良好な画像を撮影するためには，撮影画像から問題点を把握

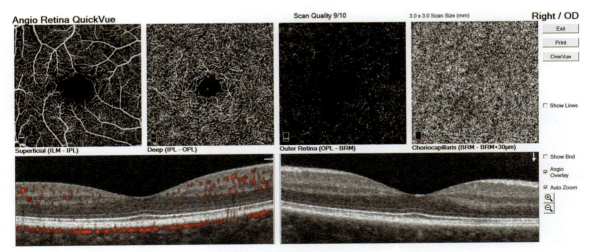

[図2] OCTAにより得られる2種類の画像（Optovue社，XRAvantiの画像）
上段はen face画像，下段左はOCT-Bスキャン画像に血流情報（赤色）を重ね合わせた画像．en face画像の信号強度（白が強く，暗い灰色は弱い）は，血流の速さや血管径が影響している．

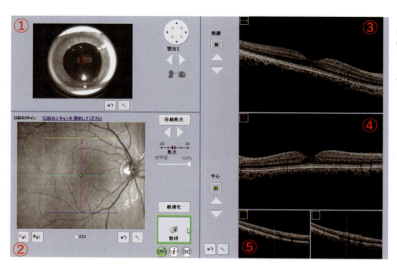

[図3] OCTA撮影の基本手順（Zeiss社，Cirrus™ HD-5000の画像）
OCTA撮影の際は，①虹彩のピント②眼底のピントおよび混濁の有無の確認，③OCTの信号強度（輝度），④網膜の高さ（フォーカス），⑤途切れや反転を確認する．

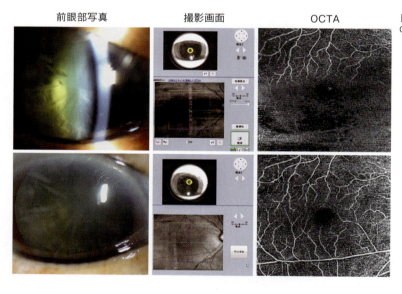

[図4] 中間透光体に混濁がある症例（Zeiss社，Cirrus™ HD-5000の画像）

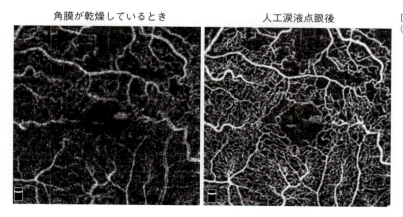

[図5] 角膜が乾燥している画像と点眼後の画像（Optovue社，XRAvantiの画像）

することが重要である．

文献
1) Hormel TT, et al：Plexus-specific retinal vascular anatomy and pathologies as seen by projection-resolved optical coherence tomographic angiography. Prog Retin Eye Res 80：100878, 2020
2) Su JP, et al：Calibration of optical coherence tomography angiography with a microfluidic chip. J Biomed Opt 21：086015, 2016
3) Yu JJ, Camino A, et al：Signal strength reduction effects in optical coherence tomographic angiography. Ophthalmol Retin 3：835-842, 2019

（坪井孝太郎）

3）OCTアンギオグラフィ（OCTA，光干渉断層血管撮影）
② 正常所見とアーチファクト

I　正常眼のOCTA

　正常眼の黄斑部OCTA（3×3mm）を図1に示す．本機種（DRI-OCT Triton, Topcon社）では網膜表層 superficial，網膜深層 deep，網膜外層 outer retina，脈絡毛細血管板 choriocapillarisの4つのスラブが自動的に表示される．黄斑部の網膜血管網は，組織解剖学的に表層，中層，深層毛細血管網（それぞれSCP，ICP，DCP）に分けられる．SCPは網膜神経線維層（RNFL）から神経節細胞層（GCL）に，ICPおよびDCPは内顆粒層（INL）を挟むように分布していると考えられている．網膜表層では，動静脈との連続性が明瞭なSCPが描出されている．網膜深層では主にDCPが描出されていると考えられ，渦状構造の密な毛細血管である．ICPが表層か深層のどちらのスラブに含まれるかはOCTAの機種ごとに異なる．網膜外層には通常血管組織がないため，no signalで真っ暗となるのが正常である．網膜色素上皮下を10〜20μm程度セグメンテーションして得られる，脈絡毛細血管板（CC）のスラブは，顆粒状パターンである．このように層ごとに分離して血管網を観察可能なmodalityはOCTAが唯一である．

II　さまざまな画角のOCTA

　機種によって性能にかなりの差異があるが，画角とスキャン密度，反復スキャン回数などは，それぞれ選択，変更して撮影することができる．最近では，特にswept-source（SS）OCTにより広画角化が進んできており，例えばXephilio OCT-S1（Canon社）では，3×3mm（スキャン密度：232×232）や6×6mm（464×464），12×12mm（464×464）のみならず，最大23×20mm（928×807）の画角まで一度にスキャン可能である（図2）．しかし，このように広く撮影できれ

デフォルトslab	superficial	deep	outer retina	choriocapillaris
en face OCTA (3×3mm)	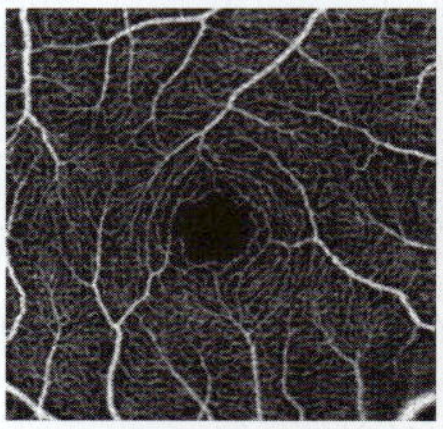	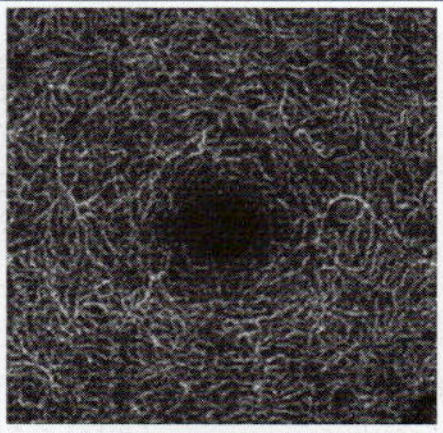		
Bスキャン(水平断)でのセグメンテーション	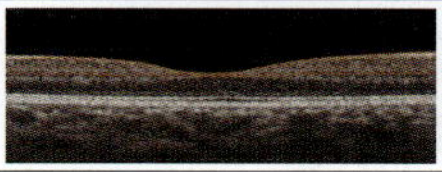	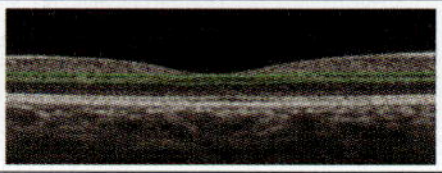	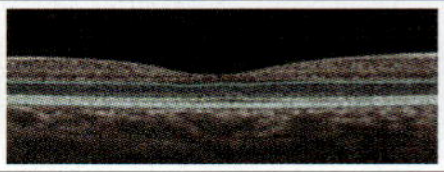	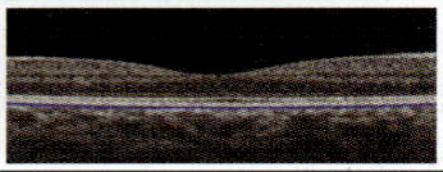
セグメンテーション上限	ILM下 2.6 μm	IPL/INL下 15.6 μm	IPL/INL下 70.2 μm	BM
セグメンテーション下限	IPL/INL下 15.6 μm	IPL/INL下 70.2 μm	BM	BM下 10.4 μm
描出される血管網	表層毛細血管網	深層毛細血管網	正常では血管組織なし	脈絡毛細血管板

[図1] 黄斑部 3×3mm の OCTA (DRI OCT Triton, Topcon 社)
ILM：内境界膜, IPL：内網状層, INL：内顆粒層, BM：Bruch膜

ば，狭画角OCTAは不要かといえば，全くそうではない．大は小を兼ねず，狭画角は高精細ゆえに，微小な血管障害の検出，黄斑疾患の診断，定量的解析には明らかに広角より優れている．また狭画角のほうが，撮影時間も短く，撮影成功率も高いため，患者の負担も少ない．一方，広角は蛍光眼底造影検査の代用としての価値が高い．疾患ごとに目的に応じて，どの画角が最適かを考えて使用すると良いだろう．

III パノラマ超広角OCTA

一例として，Xephilio OCT-S1 (Canon社)では，固視誘導を行い，23×20 mm画角で5枚を撮影し，モンタージュ合成することで33×27 mmもの広角撮影が可能となる（**図3**）．レーザー走査検眼鏡（SLO）を用いた超広角蛍光眼底造影の画角には及ばないが，従来の眼底カメラでの造影検査に匹敵する領域はカバーしている．他機種でも同様の方法で～20 mm程度の画角を撮影することができ，有用性はきわめて高いと考えられるが，撮影時間や解析時間は長い．低視力症例や固視不良症例などでの成功率は低く，検者，被検者ともに負担も大きくなる．無理な撮影は徒労に終わるため，撮影症例はあらかじめ選択すべきである．また，周辺部網膜は薄く，正確なセグメン

テーションは困難であるため，網膜全層などでの評価が無難であると考えられる．

IV OCTAでの定量的解析（図4）

3×3 mmや6×6 mmといった狭画角OCTAは高精細画像ゆえ，毛細血管網を層別に評価することができるため，定量的評価に適した画角といえる．機種によってはbuilt-inソフトウェアを用いて自動計測が可能である．計測されるパラメータとして，血管の占める面積から血管密度を計算するvessel density（VD）やperfusion density（PD），血管を線状に変換（スケルトン化）してその長さを計測したvessel length density（VLD）やskeleton desity（SD）などが主に用いられている．ただし，機種間で解析方法が異なるため，数値を単純に比較することはできない．またfoveal avascular zone（FAZ）の面積などを計測できるツールもあり，機種によっては自動測定できる．

V OCTAにおけるアーチファクト

OCTAは眼底を複数回スキャンし，シグナルの変化量を血流情報としてen face画像に再構築するため，さまざまなアーチファクトが起こりうる．読影や解析時にはアーチファクトを常に念頭に置く必要がある．定量的解析では，アーチファ

3) OCTアンギオグラフィ (OCTA, 光干渉断層血管撮影)

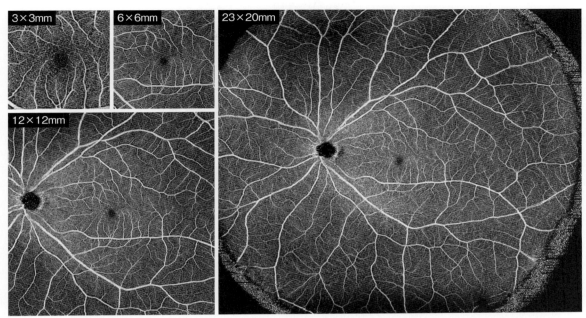

[図2] さまざまな画角のOCTA（正常左眼，網膜表層）

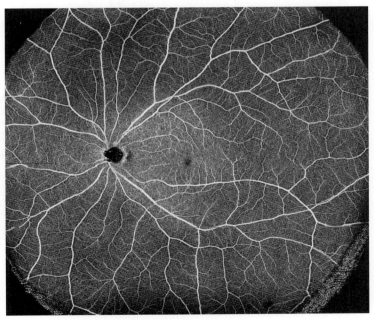

[図3] パノラマ超広角OCTA（Xephilio OCT-S1, Canon社）

クト存在下で数値化されてしまうと，大きな誤解の原因となるため，元画像の質の確認がきわめて重要である．特に（2）〜（5）のアーチファクトを見抜く上で，基本となるのは，<u>flow signalを重ねたOCT Bスキャン</u>の確認である．

(1) モーションアーチファクト（図5）：固視不良や瞬目により，アイトラッキングでのスキャン位置の自動補正の限界を超えてしまうと，画像にスジが入ってしまう．

(2) シグナル減弱（図6）：中間透光体混濁など

a 3×3mm OCTA 出力用レポート（RTVue XR Avanti, Optovue 社）

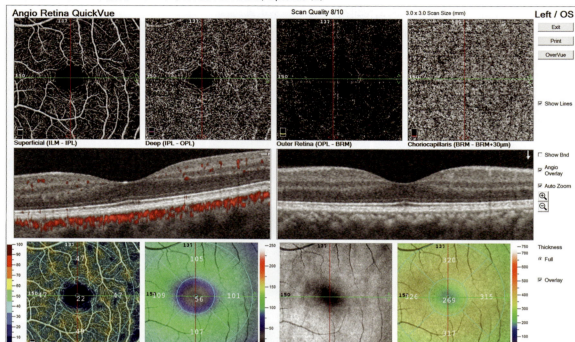

b Xephilio OCT-A1（Canon 社）における血管密度解析（網膜深層）と FAZ 解析（網膜表層）

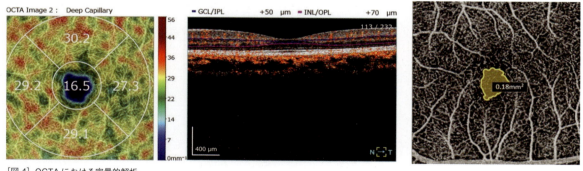

[図4] OCTA における定量的解析
a 正常眼（左眼）を RTVue XR Avanti（Optovue 社）で撮影した 3×3mmOCTA のサマリ画面（QuickVue）．各層の OCTA と，flow signal を overlay した B スキャン画像，VD カラーマップ，網膜厚マップなどが 1 画面で表示される．VD マップでは ETDRS グリッドの領域ごとの平均の血管密度（%）が表示される．
b 正常眼（左眼）の定量的解析（3×3mm，Xephilio OCT-A1，Canon 社）．網膜深層血管のスケルトン密度がカラーマップで表示されている（左）．flow-overlay B スキャン画像でセグメンテーションが正しいことも確認できる（中央）．foveal avascular zone は，本機種は自動または手動で面積を計測できる（右）．

により，シグナル変化の検出が困難な際，毛細血管の描出は不良となる．密度解析は不可．
(3) セグメンテーションエラー（図6）：シグナル減弱や網膜の隆起などにより，正しく各層を認識できず，正しい en face 画像が構築されない状態．flow signal を重ねた OCT B スキャンを確認することが重要である．
(4) プロジェクションアーチファクト（図7）：OCTA での本質的な問題であり，上層の血管が下位層にも映り込んでしまう現象．表

3) OCTアンギオグラフィ（OCTA，光干渉断層血管撮影）

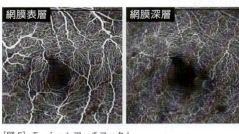
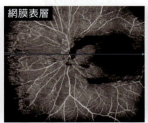

[図5] モーションアーチファクト
アイトラッキング機能で補正不能な固視不良により，画像に横スジが入ってしまっている．

[図6] シグナル減弱とセグメンテーションエラー
白内障によるシグナル減弱と網膜下硬性白斑沈着により，表層のセグメンテーションがズレてしまっている（緑矢印）．

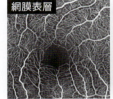
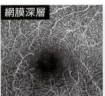

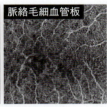
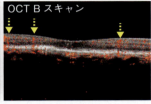

[図7] プロジェクションアーチファクトが目立つ一例
Bスキャンでは，比較的大血管の尾を引いた影にも flow signal がある（黄矢印）．網膜菲薄化，色素上皮の肥厚もあるため，表層血管が深層，外層，脈絡毛細血管板のスラブにも鮮明に映り込んでしまっている．

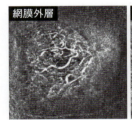
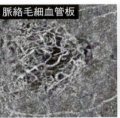
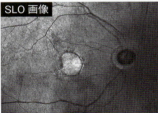
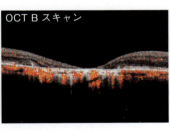

[図8] トランスミッションエフェクト
OCTAのみを見ると，脈絡膜新生血管かと思ってしまうが，SLO画像，Bスキャンを確認すると，色素上皮が萎縮していることがわかる．そのため通常では描出されない脈絡膜血管のflowが描出されている．

層にある比較的太い血管はBスキャンで下層に影を引いており，血流によるシグナル変化は，影のシグナル変化も生じさせる．そのため，影が偽の血流として描出されてしまう．特に深層スラブやCCスラブに表層血管の映り込みが散見される．各社が独自の技術でプロジェクションアーチファクトの除去を試みているが，不十分なケースもあり注意が必要である．

(5) トランスミッションエフェクト（**図8**）：
RPEに萎縮があるケースでは，OCT光源が深部にまで到達するため，通常は描出されない脈絡膜血流が描出されてしまう．描出された脈絡膜血管を脈絡膜新生血管（CNV）と誤認しないように注意する．

(石羽澤明弘)

3) OCTアンギオグラフィ（OCTA，光干渉断層血管撮影）
③ 網膜病変

I 検査の目的

1 検査対象

OCTアンギオグラフィ（OCTA）は造影剤を用いることなく，網脈絡膜の微小循環を描出できるため，基本的にはフルオレセイン蛍光眼底造影検査 fluorescein angiography（FA）を行う疾患が検査対象となる．網膜疾患としては具体的に，糖尿病網膜症（糖尿病黄斑浮腫），網膜静脈閉塞症，網膜動脈閉塞症，黄斑部毛細血管拡張症，網膜細動脈瘤などが挙げられる．しかし，最近の研究では，糖尿病網膜症が発症する以前から，OCTAで観察できる中心窩無血管域 foveal avascular zone（FAZ）が拡大していること[1]や，アルツハイマー病発症前にFAZが拡大していること[2]も報告されてきており，対象疾患は上記にとどまらない．

2 目標と限界

観察したい病変を綺麗に撮影することが目標となる．現在市販されているOCTAの多くは，撮影画角が3mmあるいは6mmと小さく，後極のアーケード血管外の新生血管の撮影や，無灌流領域の範囲など広角の情報を得るのは限界があり，一部の機種のみが広角のOCTA撮影に対応可能である．また，蛍光眼底造影では造影剤の漏出という所見が病変の活動性を評価するポイントになるが，OCTAでは漏出という所見はなく，また病変があっても血流速度が遅い場合は，OCTAでは検出できないため，その解釈は十分注意する必要がある．

II 検査結果の読み方と解釈

1 中心窩無血管域（FAZ）

網膜黄斑部の中心に錐体細胞のみが配列している中心窩が存在している．中心窩には網膜血管はなく，無血管域となっており，中心窩無血管域 foveal avascular zone（FAZ）と呼ばれる．従来

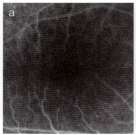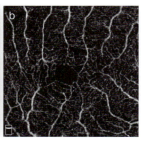

[図1] 中心窩無血管域（FAZ）
a フルオレセイン蛍光眼底造影（FA）
b OCTA（網膜表層毛細血管層）
FAでは，解像度が低くFAZの範囲は不明瞭であるが，OCTAではFAZの輪郭をたどることができる．

のFAでは蛍光漏出や解像度の低さから，FAZの輪郭をたどることは困難であったが，OCTAでは，容易にFAZ輪郭を検出できるようになり（図1），さまざまな疾患で研究が行われている．糖尿病網膜症発症前から，FAZが拡大していること[1]，FAZの拡大の程度は糖尿病網膜症重症度と相関していること，糖尿病網膜症進行予測に深層のFAZ面積拡大が関与していることが明らかになってきている．またアルツハイマー病患者でも，発症前からFAZが拡大していること[2]が明らかになっている．さらに網膜前膜患者では，歪視の程度とFAZ面積の小ささが有意に相関していること[3]も報告され，さまざまな眼疾患ばかりでなく，全身疾患の早期発見や病態解明をOCTAで観察されるFAZから解き明かすことができるのではないかと注目されている．

2 代表的な疾患

1）糖尿病網膜症（糖尿病黄斑浮腫）

a．毛細血管瘤

糖尿病網膜症（糖尿病黄斑浮腫）でみられる毛細血管瘤は，検眼鏡的には赤い小さな点として，FAでは小さな過蛍光点として観察できるが，OCTAでも囊状‐紡錘状に拡張した毛細血管として毛細血管瘤が検出される．FAとOCTAを比較すると，OCTAのほうが検出される毛細血管瘤は少ない[4]．これは，毛細血管瘤内の血流速度が遅い，乱流がある，などの原因で検出率が低いと考えられている．解像度の点から，毛細血管瘤の観察には画角3mmのほうが適している．OCTA

は網膜を層別に解析できるため，毛細血管瘤の多くが網膜深層毛細血管層に存在していることが明らかになった（図2）．FAと異なり毛細血管瘤からの造影剤漏出所見は検出できないが，FAで漏出を伴う毛細血管瘤がOCTAでも検出されやすいことから，黄斑浮腫の病態に関与している毛細血管瘤をOCTAでは検出できるのではないかと考えられている．さらに，網膜深層毛細血管層に毛細血管瘤が多い糖尿病黄斑浮腫では，抗VEGF薬にも反応が不良といわれており，治療方針の決定にも役立つバイオマーカーにもなり得る．

b. 毛細血管脱落（無灌流領域）/血管密度

OCTAはFAと異なり，造影剤の漏出という所見がないことから，網膜無灌流領域の検出に優れており，無灌流領域の面積を計測し経時的に観察することも可能である．糖尿病網膜症では，無灌流領域にレーザー網膜光凝固を行うが，OCTAではレーザー瘢痕は観察できないので注意を要する（図3）．また，血管密度を自動計測するソフトウェアも搭載された機種もあり，定量的に評価もできる．糖尿病網膜症の進行に伴い，黄斑部の血

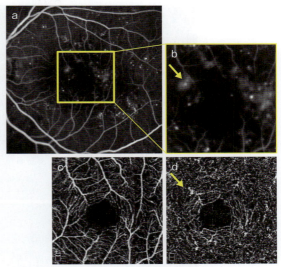

[図2] 糖尿病黄斑浮腫のFA (a, b) とOCTA (c, d)
FA（画角30°）撮影 (a) のなかから，画角3×3mmを抽出 (b)．検出される毛細血管瘤は，同じ画角でもFA (b) のほうがOCTA (c, d) よりも多い．OCTAでは網膜表層毛細血管層 (c) よりも深層毛細血管層 (d) に毛細血管瘤を多く認め，FAで漏出を伴う毛細血管瘤のほうがOCTAでも検出される傾向がある（矢印）．

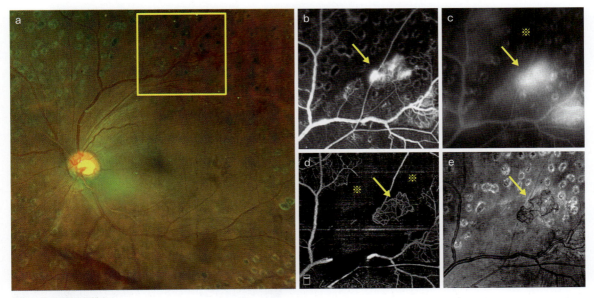

[図3] 増殖糖尿病網膜症
a カラー眼底，b, c FA（早期b，後期c），d OCTA（網膜表層毛細血管層），e SLO（走査型レーザー検眼鏡）
OCTAでは造影剤の漏出がないので，FA (b, c) と比較して新生血管（矢印）および無灌流領域（※）がはっきり描出される．FAではレーザー瘢痕が過蛍光の縁取りに，内部が低蛍光として描出されるが，OCTAでは，無灌流領域もレーザー瘢痕も区別はできず，すべて黒い領域として描出される．SLOでは造影剤漏出がないので，血管構造がよくわかり，レーザー瘢痕も観察できる (e)．

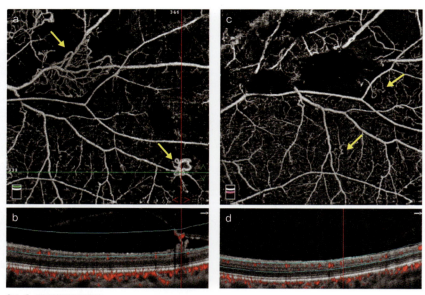

[図4] 増殖糖尿病網膜症
a, c OCTA, b, d OCTA Bスキャン
a, b 硝子体-網膜表層に slab（青線）を設定した OCTA である．ここで観察できるのは網膜から硝子体へ伸びる NVE とわかる．
c, d 網膜内に slab（青線）を設定した OCTA IRMA（矢印）が観察できる．

管密度の低下が報告されており，糖尿病網膜症の予後予測などに有用になってくるかもしれない．

c．新生血管

OCTA を用いると，造影剤漏出がないため，詳細な新生血管構造を描出することができる．糖尿病網膜症では硝子体腔内に向かって伸びる新生血管 neovascularization elsewhere（NVE）（図3）と網膜内の異常血管 intra retinal microvascular abnormalities（IRMA）が存在しており，両者を OCTA で鑑別するには，OCTA Bスキャンを観察しながらセグメンテーションを調整し，病変が網膜内にあるか硝子体腔内にあるかを確認する必要がある（図4）．また，新生血管の活動性を判定する場合，FA では造影剤漏出の程度が基準となるが，OCTA では未熟な血管が密に存在している新生血管は活動性が高く，新生血管構造が存在していても血管が疎になっていれば活動性が低くなったと判定できる．

2）網膜静脈閉塞症

網膜静脈閉塞症でも，OCTA を用いると無灌流領域を明瞭に観察できる（図5）．特に，網膜

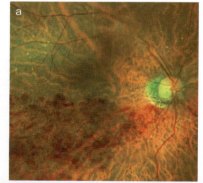

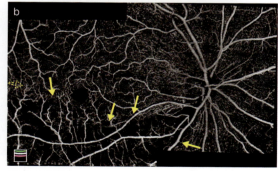

[図5] 網膜静脈分枝閉塞症
a カラー眼底写真．右眼下耳側に火炎状の網膜出血を認める．
b OCTA（網膜モンタージュ写真）．下耳側に広範囲に無灌流領域（矢印）を認め，側副血管（点線矢印）も観察される．

3) OCTアンギオグラフィ(OCTA, 光干渉断層血管撮影)

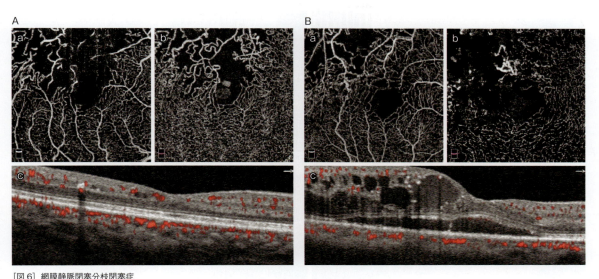

[図6] 網膜静脈閉塞分枝閉塞症
抗VEGF薬を3回注射後黄斑浮腫の再発を認めなかった症例(A)と再発を繰り返す症例(B).
a OCTA(網膜表層毛細血管層), b OCTA(網膜深層毛細血管層), c OCTA Bスキャン
Aの症例では, 網膜表層毛細血管層で毛細血管が脱落している範囲で, 網膜深層毛細血管層でも毛細血管が脱落している. Bの症例では, 網膜深層毛細血管層では広範囲に毛細血管が脱落しているが, 網膜表層毛細血管層での毛細血管の脱落範囲はそれほど広くない. このような症例では, 黄斑浮腫が遷延しやすい.

中心静脈閉塞症(CRVO)では, 虚血型か非虚血型かで予後も変わってくるため, その診断は非常に重要である. OCTAは, 造影剤を使用しないため, 外来受診のたびに頻回に撮影することも可能であることから, 広角撮影に対応しているOCTAがあれば, 無灌流領域を観察することで非虚血型から虚血型CRVOへの変化も捉えることができ有用である. また, 無灌流領域も網膜の層別に解析が可能で, 網膜表層毛細血管層の毛細血管が保たれているにもかかわらず, 網膜深層毛細血管層の毛細血管が脱落していると浮腫が遷延しやすい (図6). また, 毛細血管瘤も明瞭に観察可能で, BRVOでも糖尿病網膜症同様, 網膜表層毛細血管層よりも網膜深層毛細血管層に毛細血管瘤が多い. 拡張血管や側副血管も詳細な観察が可能[5]で(図5), 特に網膜出血はすでに消失している陳旧性のBRVOの場合でも, OCTAを用いれば網膜深層毛細血管層に拡張血管があることから比較的容易に診断をつけることができる.

3) 網膜動脈閉塞症

虚血領域も網膜層別に解析できるため, paracentral acute middle maculopathy (PAMM)の診断も容易である. PAMMは急性に傍中心暗点を自覚する疾患で, OCT Bスキャンでは網膜中間層(内顆粒層)に高輝度の帯状病変がみられ, OCTAで観察すると, 網膜深層毛細血管層の毛細血管の虚血が高輝度部位に一致して認められる. 一方, 網膜動脈閉塞症では, 通常, 網膜表層・深層毛細血管層ともに虚血を呈している(図7).

4) 黄斑部毛細血管拡張症

黄斑部毛細血管拡張症はYannuzziが提唱した黄斑疾患[6]で, 主にtype 1とtype 2がある. type 1は, 男性に多くみられ, ほとんどが片眼発症で, 中心窩周囲の毛細血管拡張と毛細血管瘤が特徴的な疾患である. 欧米ではtype 2が多いが, わが国では, type 1のほうが多いと報告されている. type 1は, OCTAでも拡張した毛細血管と毛細血管瘤を主に網膜深層毛細血管層に認め, 診断は容易である(図8). 糖尿病黄斑浮腫, 網膜静脈分枝閉塞症との鑑別を要するが, 前者とは糖尿病がない点, 後者とは耳側縫線を越える病変がある点で鑑別が可能である. type 2はOCTで虫食い状病変が特徴的で診断に有用であるが, OCTAでも, 黄斑部耳側の網膜深層毛細血管層

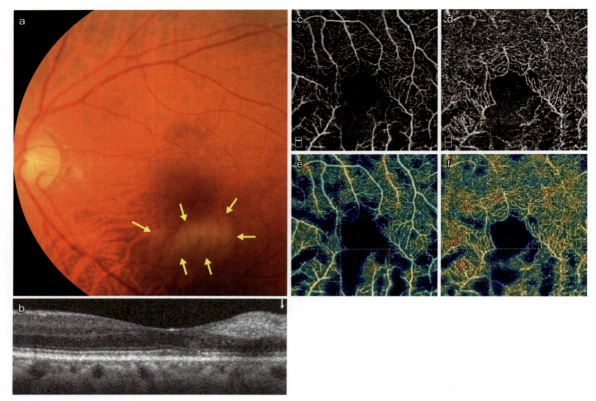

[図7] 網膜動脈分枝閉塞症（発症後1週間）
a カラー眼底，b OCT, c OCTA（網膜表層毛細血管層），d OCTA（網膜深層毛細血管層），e OCTA 血管密度（網膜表層毛細血管層），f OCTA 血管密度（網膜深層毛細血管層）
黄斑部下方に乳白色の網膜混濁を認める（a）．その部位に一致して OCT では網膜内層が高輝度になっている（b）．OCTA では網膜表層・深層毛細血管層ともに，虚血を認め（c, d），血管密度も低下している（e, f）．

に拡張した毛細血管を認め，診断の補助になりうる（図9）．

5）網膜細動脈瘤

網膜細動脈に血管瘤が生じ，そこからの透過性亢進により，網膜浮腫や硬性白斑を起こし，動脈瘤が破綻すると網膜出血をきたす疾患である．OCTA で網膜細動脈瘤を観察すると，網膜表層の動脈から突出していることがわかり診断の補助となる．さらに，レーザー光凝固治療を行った際，OCTA で観察すると，血流が消失したかどうかの判定にも有用である（図10）．

文献
1) Takase N, et al：Enlargement of foveal avascular zone in diabetic eyes evaluated by en face optical coherence tomography angiography. Retina 35：2377-2383, 2015
2) O'Bryhim BE, et al：Association of Preclinical Alzheimer Disease with Optical Coherence Tomographic

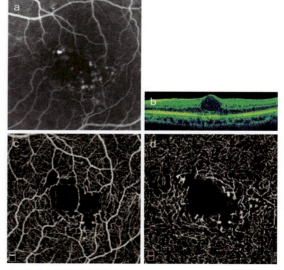

[図8] 黄斑部毛細血管拡張症 type 1
a FA, b OCT, c OCTA（網膜表層毛細血管層），d OCTA（網膜深層毛細血管層）
b 黄斑部に嚢胞様浮腫を認め，黄斑部に多数の毛細血管瘤を認め，特に網膜深層毛細血管層に毛細血管瘤を多数認める．

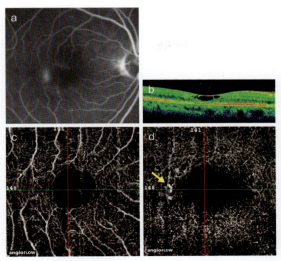

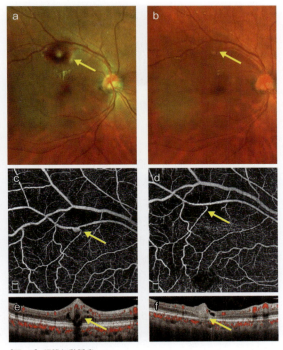

[図9] 黄斑部毛細血管拡張症　type 2
a FA，b OCT，c OCTA（網膜表層毛細血管層），d OCTA（網膜深層毛細血管層）
黄斑部に虫食い状の変化を認め（b），黄斑部耳側に淡い蛍光漏出がみられる（a）．OCTAでは，網膜深層毛細血管瘤血管層に拡張した毛細血管を認める（矢印）．

[図10] 網膜細動脈瘤
レーザー前（a, c, e）およびレーザー1か月後（b, d, f）．
a, b カラー眼底，c, d OCTA網膜表層毛細血管層，e, f OCT Bスキャン（フローシグナル）
レーザー前には細動脈瘤を認めるが，レーザー後フローシグナルも消失し，OCTAで細動脈瘤は検出されない．

Angiography Findings. JAMA Ophthalmol 136：1242-1248, 2018
3) Shiihara H, et al：Association of foveal avascular zone with the metamorphopsia in epiretinal membrane. Sci Rep 10：17092, 2020
4) 野崎実穂ほか：網脈絡膜疾患における光干渉断層血管撮影と蛍光眼底造影との有用性の比較．臨眼 71：651-659, 2017
5) Suzuki N, et al：Microvascular Abnormalities on Optical Coherence Tomography Angiography in Macular Edema Associated with Branch Retinal Vein Occlusion. Am J Ophthalmol 161：126-132, 2016
6) Yannuzzi LA, et al：Idiopathic macular telangiectasia. Arch Ophthalmol 124：450-460, 2006

（野崎実穂）

3) OCTアンギオグラフィ（OCTA，光干渉断層血管撮影）

④ 脈絡膜病変

I 検査の目的

1 検査対象

OCTAは血管形態を描出することが可能であるため，脈絡膜血管に異常をきたす種々の病態が対象となる．具体的には加齢黄斑変性（AMD）や網膜色素線条，近視，炎症性など脈絡膜新生血管（CNV）を生じる疾患，ポリープ状脈絡膜血管症（PCV），中心性漿液性脈絡網膜症（CSC）などが対象となる．

2 目標と限界

OCTAは非侵襲的かつ効率的にCNVを検出することができる．今までのBスキャンOCTでは評価できなかった病変の深さ別の血管異常をen face画像で確認することも可能であり，病変を三次元的に捉えることができる．

しかしながらOCTAは蛍光眼底造影検査で確認できる蛍光漏出や貯留などを検出できないため，病変の活動性が評価できない．またOCTAの特性として，脈絡膜の中大血管の描出は通常方法では不可能であること，また網膜血管をはじめとするさまざまなアーチファクトが脈絡膜病変側に映り込んだり，病変をマスクしてしまったりすることに注意が必要である．

II 検査法と検査機器

検査方法や検査機器は網膜病変をOCTA撮影する方法や機器と同様である．

III 検査手順

1 検査の流れ/機器の使い方

OCT検査と同じである．記録したい病変や，部位を含むように測定部位を抽出する．検査機器によって測定範囲の違いがあるが，機器に設定されている測定範囲から撮影時に使用するモードを設定し，検査を行う．

2 検査のコツと注意点

OCTAの撮影は一定範囲のBスキャン画像を連続して撮影する必要がある．そのため検査時間の短縮と撮影画像の鮮明化のために，撮影中は患者の固視を安定させることが重要になる．またAMDやPCVでは，しばしば網膜浮腫や網膜下液，出血，網膜色素上皮の不整や色素上皮剥離などがあるため，オートセグメンテーションでは正しい層別解析が難しいことが多い．そのためマニュアルでセグメンテーションの幅や位置を変更して病変を描出する必要があるが，OCTA装置での作業が必要であるため，実臨床現場においてはオートセグメンテーションの画像のみしか確認できない場合も多い．読影の際にOCTA-Bスキャン画像を併せて確認することが大切である．

IV 検査結果の読み方

1 正常所見

脈絡膜はBruch膜，脈絡毛細管板，Sattler層，Haller層，脈絡膜上層で構成されるが，OCTAで血管構造を捉えられるのは脈絡毛細管板，血管層（Sattler層，Haller層）にあたる．脈絡毛細管板は厚みが5〜10μmの密な編み目のシート状の毛細血管網であり，OCTAでも同様の所見として描出することができる．またSattler層，Haller層に関しては，OCTAでは脈絡膜中大血管の血流は描出ができないため，中大血管が低輝度として撮影されることに注意を要する（図1）．

2 異常所見とその解釈

OCTAではCNVを描出することが可能である．典型AMDにおけるCNVの描出の代表症例を図2に示す．BスキャンOCTだけでははっきりわからないCNV所見が，OCTAでは網目状に描出できており，経過中にCNVが拡大していることがわかる．同様に原田病の経過中に炎症性のCNVが描出された症例を図3に示す．通常のOCTだけでは捉えにくい新生血管が捉えることができる．またPCVでは，異常血管網は明瞭で描出されるものの，ポリープ状病巣は主としてセグメンテーションエラーにより必ずしも全例で病巣が描出されないことは知られており，また造影

3) OCTアンギオグラフィ(OCTA, 光干渉断層血管撮影)

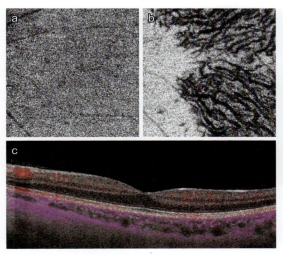

[図1] 正常眼（35歳男性）
a 網膜色素上皮直下の脈絡毛細血管板層でOCTAでも細かい網目状構造として描出できる．
b 脈絡膜毛細血管層よりもさらに脈絡膜側の層では比較的上下対称な中大血管が描出できる．中大血管は低信号のため黒く描出される．
c OCTA-Bスキャン画像で脈絡膜の血管腔の内部に血流シグナルがないことがわかる．

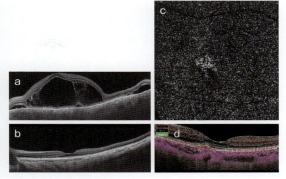

[図2] 原田病（49歳女性）
a 原田病の患者で，ステロイド全身投与にて炎症は鎮静化し滲出性変化は消失した．
b~d ステロイドの漸減をしながら外来で経過観察していたが，初期治療から約1年半後にOCTAでは黄斑部に炎症性の二次性のCNVと考えられる所見が認められた．

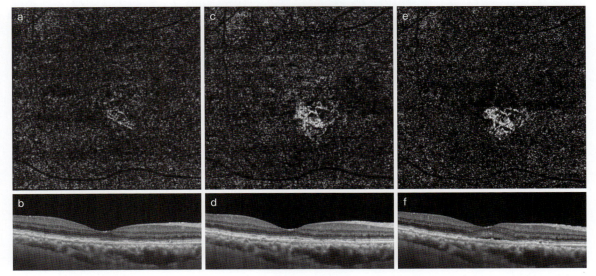

[図3] 典型AMD（1型CNV）（83歳男性）
再発を繰り返し抗VEGF薬にて治療を行っている1型CNV患者．a, b：注射直後，b, c：その1か月後，e, f：再発時のOCT-BスキャンとOCTA画像を示す．OCTAでは注射直後と比較して，1か月後，再発時にかけてouter retina層でCNVの密度が増加しているのがわかる．滲出性変化の出現に先行して新生血管の拡大を捉えることが可能である．

所見と少し異なる形態として描出される（図4）[1]．網膜血管腫状増殖（RAP）では網膜内にも異常血管網が存在するため，OCTAで捉えられることが多い．RAPは抗VEGF薬に反応するものの再燃しやすく，また僚眼にも発症しやすいため，非侵襲的に検査が可能なOCTAでの病巣の評価は有用である（図5）[2]．また従来，慢性CSCと考えられていた症例の中にOCTA検査でCNVが描出されることがわかっている．これらのpachychoroid関連疾患においては脈絡膜毛細血

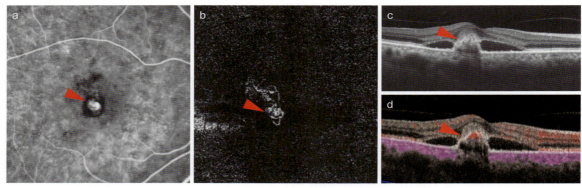

[図4] ポリープ状脈絡膜血管症（PCV）（75歳男性）
a インドシアニングリーン蛍光造影眼底（IA）でポリープ状病巣を認める．
b OCTAのouter retina層でポリープ状病巣がIA画像とはやや異なった形態として描出される．
c ポリープ状病巣に一致する部分のBスキャンOCTでPEDを認める．
d 同部位のOCTAのBスキャン画像ではPED直下にflow signalを認める．

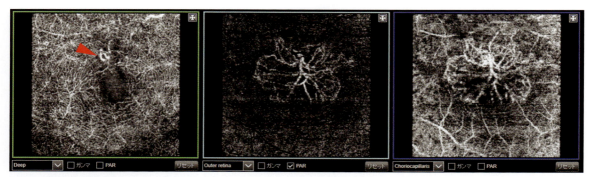

[図5] 網膜血管腫状増殖（RAP）（88歳女性）
RAP患者のOCTA画像（左：deep retina，中央：outer retina層，右：choriocapillaris層）．OCTA画像では広い範囲に脈絡膜の新生血管の広がりがみえる．網膜血管吻合と考えられる脈絡膜側から網膜側への繋がりがみえる（矢印）．

管板層の血流障害やその直下の中大血管の拡張や走行異常も知られており，脈絡膜血管形態をOCTAにて評価することが重要である[3]．

3 アーチファクト

OCTA画像読影において，セグメンテーション不良，網膜血管の映り込み，出血や滲出物等による信号減弱・ブロック，眼球運動などさまざまなアーチファクトがあることを考慮する．特にAMDやPCVではしばしばセグメンテーションエラーが生じ，en face画像では網膜側に病変が写っていることもあるため，Bスキャンの画像における血流シグナルを確認する必要がある[4]．網膜血管陰影が脈絡膜側まで映りこむプロジェクションアーチファクトもしばしば生じることから，本来の脈絡膜側の血管か確認する必要がある．

文献

1) Fukuyama H, et al：Indocyanine Green Dye Filling Time for Polypoidal Lesions in Polypoidal Choroidal Vasculopathy Affects the Visibility of the Lesions on OCT Angiography. Ophthalmol Retin 2：803-807, 2018
2) Kataoka K, et al：Characteristics and Classification of Type 3 Neovascularization With B-Scan Flow Overlay and En Face Flow Images of Optical Coherence Tomography Angiography. Retina 40：109-120, 2020
3) Rochepeau C, et al：Optical Coherence Tomography Angiography Quantitative Assessment of Choriocapillaris Blood Flow in Central Serous Chorioretinopathy. Am J Ophthalmol 194：26-34, 2018
4) Fujita A, et al：Diagnostic Characteristics of Polypoidal Choroidal Vasculopathy Based on B-Scan Swept-Source Optical Coherence Tomography Angiography and Its Interrater Agreement Compared With Indocyanine Green Angiography. Retina 2020；Publish Ah：1-8. doi：10.1097/iae.0000000000002760

〈福山　尚・五味　文〉

3) OCTアンギオグラフィ（OCTA，光干渉断層血管撮影）

⑤ 視神経乳頭

I 検査の目的

　光干渉断層血管造影 optical coherence tomography angiography（OCTA）は，造影剤の経静脈投与をせずとも眼内の血流を描出することのできる比較的新しい検査であり，市販されるようになったのは2015年のことである．緑内障は，現在は眼圧・血流・神経栄養因子・自己免疫機構等さまざまな障害メカニズムが複雑に絡み合って生じるとされているが，従来より二大病因仮説として機械障害仮説（眼圧による負荷により篩状板が変形し，それにより網膜神経節細胞の軸索が直接圧迫されることによって障害が生じるという理論）と，循環障害仮説（視神経乳頭部における微小循環障害により網膜神経節細胞の細胞死が生じるという理論）とが議論されてきた経緯があり，OCTAにより非侵襲的に視神経乳頭近傍あるいは内部の血流評価を行うことが可能になった意義は大きい．一方で，発売から20年以上が経ち実臨床においてさまざまな疾患の診断・経過観察で頻用されているOCTと比較すると，普及も知見集積もまだまだこれからであり，さらに，網膜循環障害・網膜虚血を生じる疾患や網膜新生血管・脈絡膜新生血管を生じる疾患と比べると，緑内障や視神経疾患においては日常診療で活用されているとは言い難いのが現状である．

1 検査対象

　視神経乳頭部のOCTAは，視神経乳頭近傍あるいは内部の血流に変化を生じることが知られている緑内障や虚血性視神経症などの視神経疾患が対象疾患となる．

2 目標と限界

　各機種に応じてさまざまな撮像範囲が設定されているが，視神経乳頭近傍あるいは内部を撮像するには広範囲の撮像は不要で，視神経乳頭近傍の血流評価であれば4.5×4.5mm～6×6mm程度，視神経乳頭内部に限局した血流評価であれば3×3mmでも十分である．注意点としては，特に視神経乳頭内部でかつ深部の血流を評価する際には，"projection artifact"（別項参照）による影響が強いため血流評価は症例によっては限定的であることや，OCTAは機種によっては内蔵ソフトウェアによって血管（正確に言えば描出される像は血流であって組織構造としての血管ではない）密度測定が可能であるが，血管密度はOCTによる網膜厚測定よりも検査間変動が大きいこと，そして同一箇所を繰り返し撮像する機能やOCTのような正常眼データベースがOCTAにはまだ備わっていないことなど，検査としての現状にはさまざまな限界が存在する．

II 検査法と検査機器

　OCTAにはスペクトラルドメインOCTA（spectral-domain OCTA：SD-OCTA，AngioVue™（Optovue社）やRS3000 Advance2（NIDEK社），OCT-AI（キヤノン社）など）とスウェプトソースOCTA（swept-source OCTA：SS-OCTA，PLEX® Elite 9000（Carl Zeiss社）やDRI OCT Triton（Topcon社），OCT-S1（キヤノン社）など）とがあり，表層血管（後述のRPC）についてはSD-OCTAで十分描出可能であるが，視神経乳頭内部の血流（例えば篩状板部）については深達性を考慮してSS-OCTAのほうが好ましい．

III 検査手順

　こちらについてはOCTAの別項総論を参照いただきたい．

IV 検査結果の読み方

　従来の造影剤を用いた蛍光眼底造影と，OCTAの最大の違いは，前者は網脈絡膜全層からの血流をすべて撮像してしまうが，後者（OCTA）は撮像後に任意の深さレベルの血流だけを抜き出して選択的に描出することが可能になったという点である．そのため，眼内のさまざまな組織中の，特定の血管層だけを抜き出してきて描出することが可能になった．本項の趣旨「視神経乳頭部の光干

18. 光干渉断層計

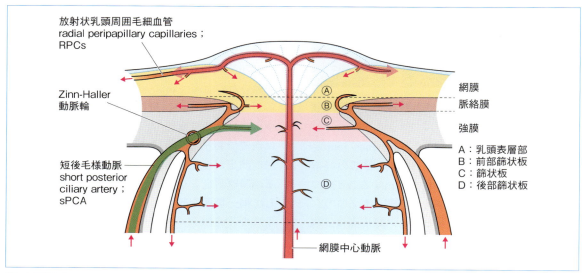

[図1] 視神経乳頭周囲組織の血管構造
視神経乳頭部は，表層から4層に分類される。最表層の乳頭表層部（表層神経線維層），前部篩状板，篩状板部，後部篩状板である。赤矢印で示されるように，放射状乳頭周囲毛細血管は，網膜中心動脈由来であり，その名前の通り放射状に視神経乳頭周囲に全方向に認め，最表層の神経線維層を栄養している。Zinn-Haller（チン-ハーラー）動脈輪は，視神経乳頭を囲むように強膜内に環状に存在する動脈であり，短後毛様動脈からの血流を受ける。緑矢印で示されるように前部篩状板以深は主にこの短後毛様動脈とZinn-Haller動脈輪からの分枝により栄養されている。

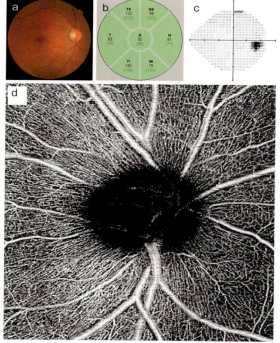

[図2] 健常眼における放射状乳頭周囲毛細血管（RPCs）血流
78歳女性，正常な右眼。視神経乳頭陥凹正常で緑内障性乳頭変化を認めず，網膜神経線維層の菲薄化もなく，視野異常も生じていない。OCTAにおいて，乳頭周囲全周に密なRPCsの血流が刷毛状に確認される。
a 眼底写真，b SD-OCT（spectralis® (Heidelberg社））による乳頭周囲網膜神経線維層厚解析結果，c Humphrey静的視野計 24-2，d OCTA（PLEX® Elite 9000（Carl Zeiss社））

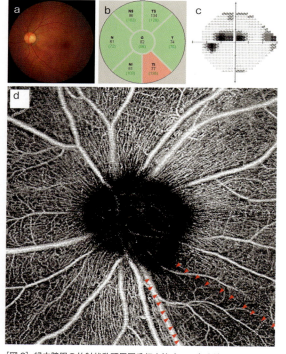

[図3] 緑内障眼の放射状乳頭周囲毛細血管（RPCs）血流
図2と同一患者の左眼。正常眼圧緑内障例。視神経乳頭耳下側に明瞭な網膜神経線維層欠損（NFLD）を認め，同象限の網膜神経線維層菲薄化，中心に強い視野障害を生じている。OCTAにおいて，耳下側のNFLDに一致してRPCsの明らかな血流低下が確認できる（矢頭）。
a 眼底写真，b SD-OCT（spectralis® (Heidelberg社））による乳頭周囲網膜神経線維層厚解析結果，c Humphrey静的視野計 24-2，d OCTA（PLEX® Elite 9000（Carl Zeiss社））

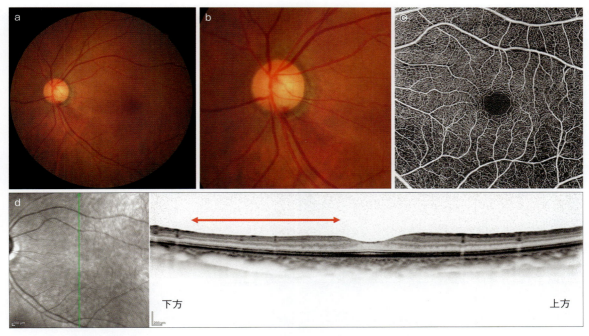

[図4] 緑内障眼の黄斑部網膜浅層血流
図2と同一症例. b 視神経乳頭耳下側に明瞭な網膜神経線維層欠損（NFLD）と乳頭出血を認める. c 黄斑部を広く撮像したOCTAにおいて，上方領域と比較してNFLDを認める下方領域の血流が低下しているのがわかる. OCTからも，血流が低下している領域で，網膜神経線維が顕著に菲薄化（赤両矢印領域）しているのがわかる.
a, b 眼底写真，c OCTA（PLEX® Elite 9000 (Carl Zeiss社)），d 中心窩における垂直Bスキャン画像（spectralis® (Heidelberg社)）

渉断層血管造影」からは逸脱するものの，視神経乳頭周囲網膜や黄斑部を含めて，緑内障において重要な3つの血管構造の血流について解説する（図1および別項を参照のこと）.

1 視神経乳頭周囲の網膜表層の血流（図2, 3）

視神経乳頭周囲の網膜最表層には，放射状乳頭周囲毛細血管 radial peripapillary capillaries（RPCs）と呼ばれる毛細血管網が存在し，表層神経線維層を栄養している．視神経乳頭周囲の網膜神経線維層内に限局して存在し，通常の毛細血管よりも長くかつ互いに吻合が少ないために眼圧上昇に対して脆弱であるといわれている．従来の蛍光眼底造影では全層の血流信号が一挙に撮像されるためRPCsのみを描出することは不可能であったが，OCTAでは任意の層の血流だけを，つまりこの場合には網膜最表層の血流だけを描出することが可能になったので，RPCsを明瞭に観察することができるようになった.

RPCsは網膜の最表層に存在するため，前述の"projection artifact"の影響を受けず，再現性の高い良好な画像を取得しやすい．RPCsは正常眼では視神経乳頭周囲に全周性に密に分布しており（図2），緑内障眼ではその進行に伴い疎になる（図3）こと，そしてOCTにより計測・解析される網膜内層厚や静的視野の検査結果など，緑内障重症度と高い相関があることがわかっている．図3において，網膜神経線維層 retinal nerve fiber layer（RNFL）欠損 nerve fiber layer defect（NFLD）の部位ではその範囲に一致した血流低下が確認できる.

2 黄斑部の網膜表層の血流（図4, 5）

黄斑部網膜における網膜内血管構造は3層に分かれており，表層から順に表層毛細血管網 superficial capillary plexus（SCP），中層毛細血管網 intermediate capillarzy plexus（ICP），深層毛細血管網 deep capillary plexus（DCP）と呼ばれ，SCPは網膜神経節細胞層に分布している．緑内障眼は健常眼と比較してSCPの密度が低下（図4）

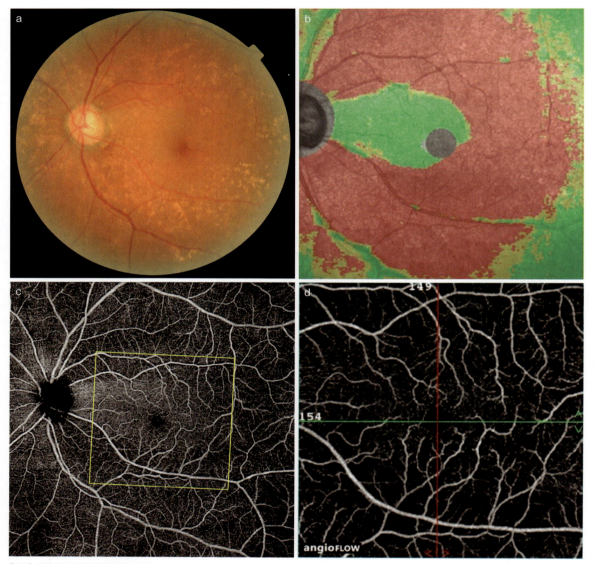

[図5] 緑内障眼の黄斑部網膜浅層血流
68歳女性，開放隅角緑内障．a 耳上側と耳下側にNFLDを認め，ドルーゼンが散在している．b OCTの黄斑部マップ解析では，黄斑部の広い領域において網膜内層厚の菲薄化を認める．c 同領域に一致してOCTAにおいて網膜浅層血流の低下を認める．cとdはそれぞれ異なる機種によるものであるが，撮像範囲はcのほうがdよりも広く，そのために血流低下領域がわかりやすい．視神経乳頭部近傍あるいは内部の血流評価と異なり，広い範囲での撮像が有効である．
a 眼底写真．b 黄斑部マップ解析（RS-3000（NIDEK社））, c OCTA（PLEX® Elite 9000（Carl Zeiss社））, d OCTA（AngioVue™（Optovue社））.
撮像範囲はCにおいて黄色枠で示した範囲に相当する．

し，さらに緑内障の進行とともに密度は低下する．網膜神経線維が最終的に視神経乳頭へ集中することから考えると当然といえることではあるが，網膜神経線維もそれを栄養する血管も視神経乳頭周囲でより密になるため，視神経乳頭周囲のRPCsと比べると黄斑部のSCPは血管密度が疎になり，そのため緑内障患者における血管密度の変化の様子もRPCsと比べるとSCPのほうが捉えづらい（図5）．

3 視神経乳頭近傍や内部の血流（図6，7）

緑内障眼において，視神経乳頭内部の血流をOCTAを用いて描出すると，一部の象限におい

3) OCTアンギオグラフィ(OCTA, 光干渉断層血管撮影)

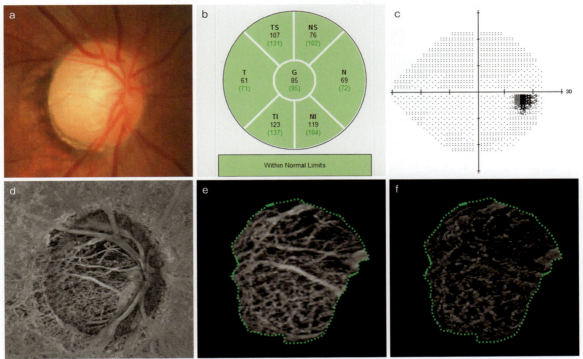

[図6] 正常眼の視神経乳頭部血流（篩状板部血流）
64歳女性，正常眼．乳頭陥凹は大きいものの，乳頭周囲網膜神経線維の菲薄化も認めず，視野異常も認めない．
視神経乳頭全層・篩状板前部（projection artifact 除去前・除去後）いずれの画像からも，特に強い血流低下領域を認めないことがわかる．
a 眼底写真，b SD-OCT (spectralis® (Heidelberg社))による乳頭周囲網膜神経線維層厚解析結果，c Humphrey静的視野計24-2，d OCTAによる視神経乳頭部全層の血流描出，e OCTAによる篩状板前部（篩状板前面から30μm）の血流描出（projection artifact 除去処理前），f OCTAによる篩状板前部（篩状板前面から30μm）の血流描出（projection artifact 除去処理後）（いずれもPLEX® Elite 9000 (Carl Zeiss社)による）．e, fにおける緑点線囲い領域は篩状板構造が明確に確認できた領域を示している．

て血流が全層において低下していることが確認できることがある．とはいえ，（実臨床において緑内障診断目的で行われることはないものの）全層で血流が低下していることはOCTAでなくとも蛍光眼底像でも確認することは可能である．OCTAの真骨頂は特定の層における血流だけを抽出して画像化することであり，視神経乳頭近傍や内部においてその特性が生かされるのは例えば乳頭周囲網脈絡膜萎縮 parapapillary chorioretinal atrophy (PPA) 領域や篩状板内部における血流の描出であるといえる．

視神経乳頭近傍あるいは内部において，緑内障の病態と関連が深く重要な所見として乳頭周囲網脈絡膜萎縮 parapapillary chorioretinal atrophy (PPA) が，重要な解剖学的部位としては篩状板が知られている．

緑内障眼において視神経乳頭近傍をOCTAで撮像すると，PPA領域において血流が抜け落ちている所見を認めることがあり，microvasculature dropout (MvD) と呼ばれている．MvDは視神経乳頭内部の血流低下と隣接し，網膜神経線維の菲薄化象限や視野障害が生じている象限に確認されることが多い．

篩状板は視神経乳頭深部に存在する強膜と連続した組織であり，網膜神経線維が視神経乳頭辺縁において直角にその走行を変えた後に通過する部位である．篩状板は多数の孔が空いた板状の組織であり，この孔の中を網膜神経線維が束になって走行する．緑内障は眼圧と密接に関係する疾患であるが，篩状板部は眼構造において明らかに内圧に対して脆弱な箇所であり，進行とともにその構造が変化していくことは過去の組織学的研究から

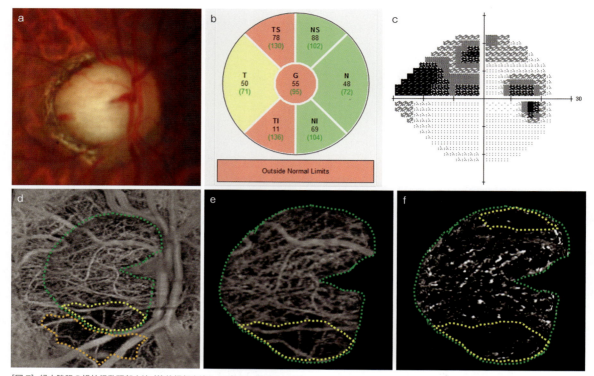

[図7] 緑内障眼の視神経乳頭部血流（篩状板部血流および PPA 領域の MvD）
70 歳女性，開放隅角緑内障．乳頭辺縁部での血管走行からも見て取れるように，乳頭陥凹は大きい．耳側（特に耳下側）で強い乳頭周囲網膜神経線維の菲薄化を認め，耳下側に対応した領域に視野異常を認める．
視神経乳頭全層の OCTA 画像からは，耳下側領域で視神経乳頭内部（黄色線囲い領域）と，それに隣接した PPA 領域内部の血流低下（オレンジ色点線囲い領域）とに強い血流低下を認める．篩状板内部に限局した血流を描出した OCTA 画像において，projection artifact 除去前のものでは耳上側の血流低下は確認できないが，projection artifact 除去後のものでは耳下側領域だけではなく耳上側領域にも血流低下が確認される．より血流低下面積が広い下方の篩状板部を通過する網膜神経線維に相当する上方視野には障害を認めるものの，血流低下面積が狭い上方の篩状板部を通過する網膜神経線維に相当する下方視野には障害を認めていないことが確認でき，興味深い所見といえる．
a 眼底写真，b SD-OCT（spectralis® (Heidelberg 社)）による乳頭周囲網膜神経線維層厚解析結果，c Humphrey 静的視野計 24-2，d OCTA による視神経乳頭部全層の血流描出，e OCTA による篩状板前部（篩状板前面から 30 μm）の血流描出（projection artifact 除去処理前），f OCTA による篩状板前部（篩状板前面から 30 μm）の血流描出（projection artifact 除去処理後）（いずれも PLEX® Elite 9000 (Carl Zeiss 社) による）．e, f における緑点線囲い領域は篩状板構造が明確に確認できた領域を示している．

よく知られている．篩状板はその前方に，血管を含む分厚い前篩状板組織（prelaminar tissue）が存在し"projection artifact"の問題が生じるために篩状板内部に限局した血流を捉えることは難しく，OCTA を用いて篩状板内の血流を評価することは容易ではない．そのため，あくまで研究レベルの内容にはなるが，SS-OCTA を用いることで，過去に組織学的研究により確認されている「篩状板孔内には血管はなく，孔を囲むように細やかな血管が存在する」という構造に非常に類似した血流が正常眼において確認され，さらにその血流が緑内障眼においては網膜神経線維が菲薄化している象限に一致して低下していることも確認されている．

篩状板内部の血流を対象にした研究は数少ないが，緑内障手術後に眼圧降下に伴って篩状板内部の血流が改善したとする報告もされており，OCTA が緑内障の診断や進行予測だけでなく，手術の短期的な効果を評価するツールとして使用できる可能性がある．

（沼　尚吾・赤木忠道）

19. 眼底写真

19 眼底写真

1）眼底撮影

① 眼底撮影

I　検査の目的

1　検査対象

網膜・硝子体・脈絡膜・視神経に病変を有するすべての疾患が対象である．また，健康診断・人間ドック時のスクリーニングのための眼底撮影など，その対象は拡大している．

2　目標と限界

目標：眼底病変を鮮明な画像として記録することは，病変を客観的に観察するために有用である．また，病変の経時的変化および治療効果判定の上でも重要である．

限界：眼底撮影によって得られる画像の質は散瞳の状態，中間透光体の状態に大きく依存している．散瞳が悪い場合や白内障などを認める場合は，画像の質が極端に落ちる．

II　検査法と検査機器

1　測定原理

撮影原理は基本的に通常のカメラと同様である．眼底カメラの最大の特徴は，照明系光路と撮影系光路が分かれている通常のカメラとは異なり，散瞳しても直径10mmにも満たない瞳孔を通して照明光を均一に入れる必要があるため，同軸照明方式をとっている点である．

2　機器の構造

機器の構造の概要は図1の通りである．照明系光路と撮影系光路が対物レンズを共有し，穴あきミラーで分岐する構造をとっている．照明系光路の照明には2種類あり，観察照明にはハロゲン電球（図1①），撮影照明にはキセノン電球（②）がそれぞれ使用されている．照明系光路を通過してきた光は穴あきミラー（③）によって反射し，対物レンズ（④）を通って角膜，水晶体，眼底（⑤）へと入射する．眼底からの光は対物レンズを再度通過し，穴あきミラー，フォーカシングレンズ（⑥）を通ってフィルム位置（⑦）へ向かう．

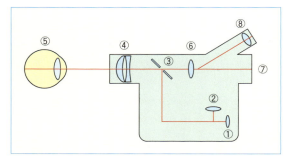

［図1］眼底カメラの構造

フォーカシングレンズはその位置を移動させることによりピント合わせが可能である．撮像部へ向かう前に光路はファインダーに向かって分岐する．撮影者は視度補正レンズ（⑧）を用いて視度調節を行う．

III　検査手順

1　検査の流れ

はじめに，散瞳や視度調整といった撮影前の準備を整える．視度調整は，接眼レンズを手前に動かし最も＋（プラス）側から−（マイナス）側に回していき，ファインダー内の十字照準線が最初に鮮明に見えたところで止める．次に，被検者に座ってもらいカメラの高さ，椅子の高さを調節する．顎および額を台に隙間なくのせて，両眼を開瞼するよう指示する．

2　検査機器の使い方とコツ

1）作動距離・光軸合わせ

対物レンズを発した照明光は，4cm前後の位置で収束してリングスリットを結ぶ．はじめは，外部から被撮影眼を観察しながらリングスリットを瞳孔領に合わせる習慣を身につけるとよい（図2）．眼底カメラを手前に引きファインダーを覗きながら瞳孔中心に向かって押し込むと，ワーキングドットが左右に2つ現れる．作動距離・光軸は，ジョイスティックを前後・上下左右に動かしワーキングドットのピントと位置を図3のように合わせる．

2）ピント合わせ

作動距離および光軸が適正となった時点で，フォーカシングターゲットがある場合はスプリ

[図2] リングスリットを瞳孔領に合わせる

[図3] ワーキングドットのピントと位置を合わせる
（参考元：TOPCON）

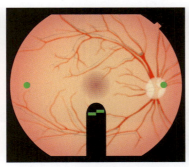

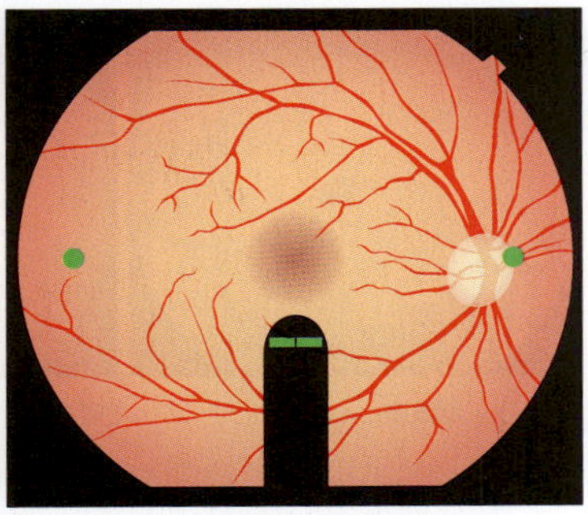

[図4] スプリット輝線を一直線にする
（参考元：TOPCON）

ト輝線を一直線にすることでピントを合わせ撮影する（図4）．しかし，強度屈折異常や中間透光体の混濁を伴う症例では，フォーカシング補助装置が役に立たない場合があるため，接眼レンズの視度を正しく合わせマニュアルで精度良くピント合わせができなくてはならない．

3) 固視誘導

撮影構図の厳密な設定には，高い精度の固視誘導が必要である．外部固視灯でほとんどの症例で問題はないが，輻湊衝動の強い若年者や，固視眼に視力や視野の障害があり誘導が困難な場合がある．その際は，被撮影眼で見える眼底カメラレンズ内の，フォーカシングバーを利用するとよい．

例えばトプコン TRC-50 AX では，フォーカシングバーの先端を被撮影眼で固視させると，ファインダー内十字照準線交点のやや下方に黄斑がくることが多い．したがって，フォーカシングバー先端の患者から見たやや鼻下側（右眼では患者にとっての左下方向，左眼では右下方向）に視線を移動させるように指示すると，黄斑部が画面中心の撮影構図が設定できる．

IV 検査結果の読み方と解釈

1 正常値

画像の明るさが一様で，コントラストもよく眼底の構造が鮮明に映し出されていることが，正常であるかどうかを検討する上で必要条件である（図5）．

2 異常値とその解釈（異常所見の読み方）

所見を読むときは，視神経→血管→黄斑部→アーケード外といったように順序よく観察する習慣を身につけるとよい．また，アーチファクトに注意が必要である．

〈代表疾患の眼底所見〉

①うっ血乳頭（図6）

視神経乳頭が充血・腫脹し，境界は不鮮明となり乳頭陥凹が消失している．血管や黄斑部には異常はみられない．

②網膜中心動脈閉塞症（図7）

視神経乳頭が浮腫し，網膜は後極部を中心に白濁がみられる．中心窩には，白濁はみられず赤色を呈する桜実紅斑 cherry red spot がみられる．

③増殖性糖尿病網膜症（図8）

視神経乳頭を含むアーケード血管上から黄斑部にかけて，新生血管と増殖膜がみられる．また，黄斑部から耳側網膜にかけてしみ状の出血と硬性白斑がみられる．

3 アーチファクト

1) 周辺に光が入る場合

作動距離や光軸のずれ，睫毛などによる光路の妨げなどが原因である．睫毛や眼瞼が妨げになると下方に反射が入る（図9〜11）．

2) 画像に斑点が写る場合

対物レンズや機器内部のミラー・レンズの汚れによって撮影された画像に白い斑点，その他に黒い中心スポットなどがみられる場合がある．対物レンズは，基本的に純度の高いアルコールをシル

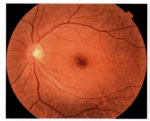 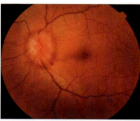 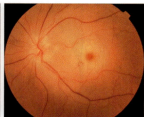 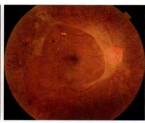

［図5］正常眼底　　［図6］うっ血乳頭　　［図7］網膜中心動脈閉塞症　　［図8］増殖性糖尿病網膜症

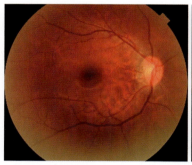 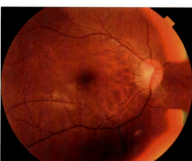 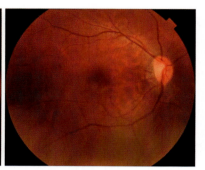

［図9］作動距離ずれ　　［図10］光軸ずれ　　［図11］開瞼が不十分

ボン紙に浸み込ませて，中心から外に向かって円を描くように拭く．内部ミラー・レンズの清掃は業者に依頼する．黒い中心スポットは，中等度〜強度近視眼撮影時にみられることが多い．

文献
1) 金上貞夫：眼底写真．眼科検査法ハンドブック，湖崎　克ほか編，医学書院，東京，427-436，1985
2) 金上貞夫：眼底カメラの特徴と扱い方．あたらしい眼科 7：1411-1417，1990
3) 金上貞夫：眼底撮影装置．眼科診療プラクティス2．眼底の描き方，本田孔士編，文光堂，東京，188-191，1992
4) 深尾隆三：撮影手順．眼科診療プラクティス2．眼底の描き方，本田孔士編，文光堂，東京，192-195，1992

（佐藤信之介・坂口裕和）

19 眼底写真

1）眼底撮影
② 無赤色眼底撮影

I 検査の目的

1 検査対象

　カラー眼底写真を観察しても網膜神経線維層のわずかな欠損には気づかないことがある．したがって，緑内障診断の精度を向上させるために，カラー分解による眼底撮影が推奨される．これまで網膜神経線維層欠損の有無の確認に無赤色光による眼底撮影が利用されてきた．網膜神経線維層欠損の検出に有用であるほかに，網膜病変や硝子体の性状について有用に観察できるが，最近のOCTの普及により，OCTでの画像解析の方が簡便でより鋭敏に検出できることが多い．

2 目標と限界

　RGB分解にて赤成分のみをoffにした無赤色眼底写真では網膜神経線維層欠損の有無を判別できないことがあるので，白黒写真に変換すると網膜神経線維層欠損の検出に有用である．さらに最近では，RGB分解が電子カルテ上でも容易に変換できるので，無赤色および無緑色の青成分のみ抽出して白黒写真に変化した眼底写真を使用すると無赤色眼底写真以上に網膜神経線維層欠損の有無や幅が明瞭に観察される（図1）．このようにRGB分解と白黒変換を組み合わせることで網膜神経線維層欠損の観察の信頼性が向上してきている．特に近視眼で豹紋状眼底を呈する症例では青成分のみ抽出して白黒写真を使用すると網膜神経線維層欠損の有無が明瞭に観察できることが多い（図2）．

II 検査法と検査機器

1 測定原理

　高解像度の白黒フィルムを使用し，無赤色光にて眼底撮影する．網膜神経線維層欠損部位に関して無赤色フィルターを使用して撮影すると，その部分が周りの網膜と比較して暗く写り，網膜神経線維層欠損の有無や幅が明瞭に観察される．さら

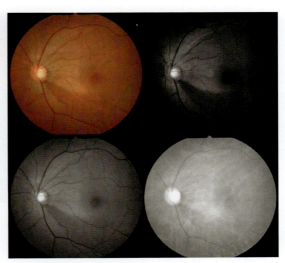

[図1] 眼底写真のRGB分解
カラー眼底写真をRGB分解した各種白黒写真で，特に右上の青成分のみを抽出し白黒写真に変換した場合に最も鮮明に網膜神経線維層欠損の領域が描出される（左下：緑成分のみを抽出し白黒に変換，右下：赤成分のみを抽出し白黒に変換）．

に無赤色眼底写真を白黒写真に変換するとよりコントラストが明瞭になり観察が容易になる．またRGB分解により無赤色および無緑色の青成分のみ抽出して白黒写真に変換することや無赤色無青色の緑成分のみを抽出した白黒写真に変換できる．

2 機器の構造

　眼底カメラに付属している無赤色フィルターを使用して眼底撮影を行う．また，RGB分解機能が搭載されている電子カルテ機器もある．

III 検査手順

1 検査の流れ

　眼底カメラに付属している無赤色フィルターを使用して眼底撮影を行う．あるいは，通常の広角カラー眼底写真を撮影し，電子カルテ上でRGB分解し，無赤色白黒写真や無赤色および無緑色の青成分のみ抽出した白黒写真に変換する．

2 検査機器の使い方とコツ

　網膜神経線維層欠損の有無などを明瞭に観察するには，広角眼底写真を乳頭上の血管がハレーションにて観察できない程度の明るさで撮影するのがコツである．

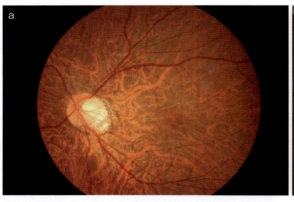
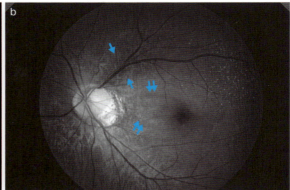

[図2] 豹紋状眼底における網膜神経線維層欠損の確認
a 豹紋状眼底の場合，カラー写真では網膜神経線維層欠損の存在が明瞭に観察できない．
b 青成分のみを抽出し白黒に変換すれば，はっきりと確認可能である．

Ⅳ 検査結果の読み方と解釈

1 正常値

網膜神経線維層欠損のない眼底では均一な色調の眼底所見が得られる．

2 異常所見の読み方

緑内障性乳頭変化の1つであるリムの狭小化やノッチの存在部位に一致して網膜神経線維層欠損が観察されることが多い．また，網膜神経線維層欠損と乳頭出血は関連性が強く，網膜神経線維層欠損の境界線の近傍に乳頭出血をきたすことが多く，乳頭出血の出現部位にさらに網膜神経線維層欠損は拡大していくことが多い．図3に網膜神経線維層欠損が出現あるいは拡大した白黒写真を示す．初診時に上下に網膜神経線維層欠損と下耳側に乳頭出血（矢印）を認め，3年後に乳頭出血出現部位の近傍の網膜神経線維層欠損は拡大し（矢頭），上方には以前から認めた網膜神経線維層欠損より黄斑側に別に網膜神経線維層欠損が出現した（矢印）．6年後には初診時とは別の部位に乳頭出血が出現し（矢頭），上方は2本の網膜神経線維層欠損が融合している（矢印）．9年後には，乳頭出血部位に新たな網膜神経線維層欠損が出現した（矢印）．このように青成分のみを抽出し白黒写真に変換した写真では網膜神経線維層欠損の変化が明瞭に観察できる（図3）．

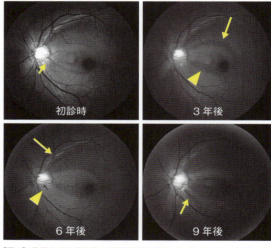

[図3] 乳頭出血出現部位で網膜神経線維層欠損が出現あるいは拡大
初診時から3年ごとに9年間の青成分のみを抽出し白黒に変換した広角眼底写真を示す．

3 アーチファクト

網膜神経線維層がびまん性に菲薄化している場合には，網膜神経線維層欠損を観察できないことがある．散瞳不良や中間透光体に混濁を認める症例の場合は，鮮明な無赤色眼底写真が得られず網膜神経線維層欠損の有無を確認できない．このような場合はカラー眼底元画像の明るさとコントラストのバランスを修正しながら白黒写真に変換すれば，網膜神経線維層欠損の有無を確認できることがある．

（新田耕治）

19 眼底写真

1）眼底撮影
③ 広角眼底撮影

I 検査の目的

カラー眼底撮影の項目の解説のように，通常の眼底カメラを用いた場合，撮影画角は最大でも60°程度である．これは視神経，黄斑といった，視機能に最も重要となる部位を観察するには十分であるが，網膜周辺部に疾患の本態が存在する場合には限界がある．例えば糖尿病網膜症の最初の変化は中間周辺部から始まるため，後極部のみの眼底写真による判定ではこの存在を見落とす可能性がある．さらに周辺部の網膜裂孔などでは，たとえ存在する位置がわかっていてもきれいな写真を撮影することは容易ではない．もちろん検眼鏡を用いれば周辺網膜は観察可能であるが，客観的な記録はむずかしい．広角眼底撮影は通常の眼底カメラより広い範囲の網膜の状態を，客観的に記録することを可能にするものである（図1）．なお用語の定義に関して，中心窩を中心とした撮影で4象限とも渦静脈膨大部までが写るものを広角眼底撮影 widefield imaging，4象限とも渦静脈膨大部より周辺側の網膜が写るものを超広角眼底撮影 ultra-widefield imaging と呼ぶことがコンセンサスとなっている[1]．

1 検査対象

眼底に異常をきたす疾患はすべて検査対象となりうる．また疾患眼に限らず，健診などでの使用も理にかなっている．眼底疾患のなかでは，未熟児網膜症，糖尿病網膜症，裂孔原性網膜剥離，網膜静脈閉塞症，網膜色素変性などで特に有用性が高い[2]．

2 目標と限界

非常に基本的なデータとなるため，すべての被検者で周辺まで鮮明な画像を得ることが目標となるが，実際には困難な場合もしばしばある．

通常の眼底写真と同様に，瞼裂狭小，中間透光体の混濁，撮影機器の前に適切な位置で頭位を固定できない場合などでは撮影は困難で，撮影でき

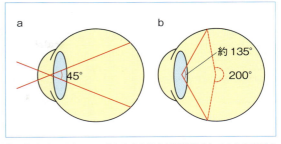

[図1] 従来の眼底カメラ（a）と広角眼底撮影機器（b）での角度表示の違い
従来の眼底カメラでは光源の広がりを角度として表示しているのに対し，広角眼底撮影機器では一般に眼球中心からの角度を表示している．単純には比較できないことに注意が必要である．

た場合でも不鮮明であったり，周辺が写っていなかったりということになりうる．機器によっては特定の波長の光源を用いており，この場合得られるのは本来のカラー写真ではなく，合成された疑似カラーの画像となることも限界の1つである．白色光や3原色の光源を使う機種でも波長により網膜での深達度が違うので，網膜表面で露光させる眼底カメラとは色味が異なる．さらに撮影機器，記録条件などにより画質が制限される場合がある．また検査の性質上，定量的な評価にはあまり向いていない．

II 検査法と検査機器

1 測定原理

基本的な原理は眼底写真の撮影と同様に，眼底に光を入射し反射光を記録するということにある．眼底カメラと異なるのは，レーザーまたはLED光源を用いて点状/線条の光を高速に動かし，眼底をなぞるように照射してその反射を記録していることである．眼底カメラのように発散する白色光のフラッシュを用いる場合，その光が入るだけの瞳孔径が必要となることに対し，小さい光源を動かして反射を記録する方法には，入射光が瞳孔の中心に収束するようにすることで，無散瞳でも撮影が可能となるというメリットもある．

現在用いられている主な機器を一覧表に示す（表1）．上記の定義によれば，合成しない画像で超広角眼底写真を撮れるのは Mirante と Optos

19. 眼底写真

[表1] 広角眼底撮影に用いられる機器の一覧

	画角*	接触・非接触	撮影の特徴
眼底カメラ	通常45°,最大60°程度	非接触	固視方向を動かすことで周辺も撮影可能
RetCam	100°	接触	接眼レンズの変更で前眼部・隅角も撮影可能
HRA2+Staurenghi lens/Ultra Widefield Module	150°/102°	接触/非接触	近赤外光,蛍光眼底造影,眼底自発蛍光のみ
Eidon	60°,合成で最大214°	非接触	白色LED光源,無散瞳可
Clarus	90°,合成で最大180°	非接触	赤緑青のLED光源,無散瞳可
Mirante	110°	非接触	赤緑青のLED光源,無散瞳可
Optos	135°	非接触	赤,緑のレーザー光源,無散瞳可

*:画角という場合従来の眼底カメラでは照射光の広がりを基準に記載しており,これがISO規格であるが,広角眼底観察システムでは,眼球中心に対してどの位置の網膜が観察できるかという角度が使われていることが多い(図1).例えばOptosの200°という記載は眼底カメラ式の記載では135°程度にあたる.

の2機種ということになる.

なお,どの機種もフルオレセイン造影検査が可能であり,さらにインドシアニングリーン蛍光眼底造影や眼底自発蛍光の記録ができる機器もある.

眼底カメラは最も多く普及しており,多くの臨床試験で今でも用いられる標準的な方法である.一方,画角が限られるため網膜周辺部を撮影するためには,検者の技術に加え,被検者側の要素として良好な散瞳と固視誘導への追従が必要となる.撮影光の入射角が水晶体に対して垂直になる状態からずれるにつれ,水晶体の周辺収差も問題となりうる.また撮影した画像をモンタージュとして保存するためには,画像を合成するソフトなどが必要である.網膜全体をカバーするにはある程度の枚数の写真が必要となるが,中心部と周辺部,それぞれの写真の明るさや色調を統一することも容易ではない.

RetCamはカメラ部分が可動性になっており,仰臥位の患者にも使えることもあって,未熟児網膜症によく用いられている.画角は広角の定義には当てはまらない.散瞳,仰臥位,抑制または全身麻酔下で,開瞼器をかけ点眼麻酔を行い,スコピゾルなどを使用してレンズを角膜に接触させ,モニターを見ながらカメラを操作する.オプション装備にはなるが,新生血管など増殖性変化の評価のための蛍光眼底造影や,レンズを交換して前眼部の撮影をすることも可能である.小児眼科,特に未熟児診療は専門家が少ない分野であり,近隣に紹介できる施設がないという状況も予想される.このような場合にも適切に記録された画像があれば,遠方の専門家の指示をあおぐことも可能となるだろう.一方,接触型であること,通常の眼底カメラに比べ高価であることなどから,成人の検査にはほとんど用いられない.

Heidelberg社のHRA2を造影に用いている施設であれば,接触レンズまたは非接触のモジュールを用いることで最大150°の撮影が可能である.しかしHRA2は基本的には造影検査を行う機器であり,眼底写真に相当する画像はmulticolorと呼ばれる疑似カラー写真になる上,現在のところ広角撮影には対応していない.蛍光眼底造影や自発蛍光の撮影では広角撮影が用いられつつある.ただし自発蛍光については広角撮影のモードできれいな加算平均画像を得ることはやや難しい.

Eidonはイタリアのパドヴァに本社があるcentervue社が開発した機種で,1枚の画角は60°であるが,無散瞳でも対応可能で,撮影がすべてオートで行われることが特徴である.複数の写真を撮って合成することも自動で行うことができる.光源には440〜650nmの波長を含む白色のLED光源を用いており,メーカーはtrue colorと呼んでいる.ただし共焦点検眼鏡であるため,上記のように波長ごとに網膜内での深達度が異なるため実際の色調は眼底カメラとは異なる.色調については赤みを調整するソフトウェアが出ている.

ClarusはZeiss社の機種で,1枚の画像の画角は90°なので,Eidon同様そのままでは広角眼底

写真の定義には当てはまらないが，複数の画像を合成することで周辺までの画像化を可能としている．赤，緑，青の3色の光源を用いており，既存の機種のなかでは一番眼底写真に近い色調の画像が取得可能である．

　MirantеはNidek社が開発した機器で，後発ではあるがOptosに次ぐ110°（眼球中心から163°）と1枚の写真で超広角眼底撮影の定義に当てはまる画角と，赤，緑，青の3色のレーザーでClarusの次に自然な色調の画像が取得可能である．同社のF10に搭載されていた，共焦点の絞りの中心外の信号を表示するレトロモードでの撮影やOCTスキャンも可能である．

　Optosは眼中心から200°の眼底を観察するという機能で，広角眼底観察の分野を開拓した機種で，今も市販機種のなかで最大の画角を持っている（図2）．なおオプトス社はNikonが買収して現在はNikonのブランドで販売されている．初期のOptos200Txと比較して，現在市販されている機種は本体が小型化され，インドシアニングリーン撮影も可能とした機種や周辺部のOCTスキャンも可能な機種も出ている．ソフト面でも画像表示時の歪みの補整や，理論値を用いた長さや面積の計測ができるようなソフトウェアも出ている．

2　機器の構造

　画角が最も広く，特徴的な光学系を持つOptosの構造を図示する．Optosは楕円ミラーを用いて仮想のスキャンポイントを瞳孔中心に位置させることで周辺までの撮影を可能にしている．図2に示すように，楕円には焦点が2つあり，そのうちの1つから発した光を楕円面で反射させると必ずもう1つの焦点を通るという性質がある．Optosはこの性質を利用し，焦点の1つに反射鏡を，もう1つの焦点に瞳孔中心が位置するように配置することで，光源の照射角度を変えるだけで眼底周辺部まで走査を可能にしているわけである．実際に機器の内側を覗いてみると，楕円面のミラーがあることはすぐにわかる．この楕円の焦点の位置に瞳孔中心を持ってくる必要があるということを知っていれば，機械の内側に顔を埋めるような形

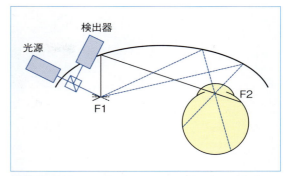

[図2] Optosが楕円ミラーを用いて広角眼底撮影を行う仕組み
2つの焦点（F1, F2）の1つに探査光を，1つに瞳孔を持ってくることで周辺までの撮影が可能となる．

にしなければ撮影できないことも理解しやすいだろう．他の機種は楕円ミラーを用いてはいないが，瞳孔の中心付近を軸にして走査光を動かすという点では共通している．

3　感度と特異度

　既知の網膜病変がある患者でOptosを撮影し，盲検で病変の有無を判定したところ，感度は赤道部より後極側で74％，それより前方（周辺）の病変では45％であり，僚眼を用いて判定した特異度は85％であったとする報告がある[3]．その他にもEarly Treatment Diabetic Retinopathy Studyのプロトコールである，散瞳下での7方向の眼底写真と比較したところ，おおむね評価が一致したという報告もあり[4]，少なくとも赤道部までの網膜に対しては，簡便である程度の信頼性がある検査といえる．一方これらの研究から，正面視での最周辺部の記録には限界があること，睫毛の影響や画像の歪みにより画質が損なわれることがあることもわかる．既知の所見を記録することが目的であれば，少し固視を誘導することで，ほとんどの場合撮影可能であるが，網膜裂孔などの検出にスクリーニング的に用いるには万能ではないことは注意する必要がある．

III　検査手順

1　検査の流れ

　Eidon，Clarus，Mirante，Optosについては散瞳は必ずしも必要ではないが，散瞳したほうが撮

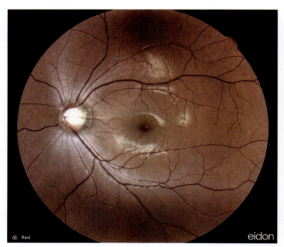

[図3] Eidonによる正常眼の眼底写真（京都大学　加登本 伸先生のご厚意による）
この画像を複数撮影し自動で合成する機能がある．

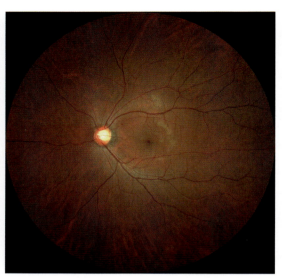

[図4] Clarusによる正常眼の眼底写真（京都大学　加登本 伸先生のご厚意による）
Eidon同様，複数の画像を合成する機能がある．

影が容易になることが多い．患者には通常の眼底写真と同様の機器であること，ただし光学的な特性上，レンズと眼の距離が近く，特にOptosでは顔を押しつけるような形にしなければ撮影できないことを説明する．機種によっては立ち上げに少し時間がかかるため，前もって起動しておくとよい．どの機種も患者情報の入力，撮影モード，左右眼の選択などから始まる．患者の顔を顎台にのせ，高さを調整する．モニター上で瞳孔の中心が適切な位置にくるよう患者の頭位，眼位，走査光の向きとフォーカスを調整する．撮影が可能な範囲には多少幅があるが，できるだけ顔が機械側に近い状態で撮影したほうが周辺まで写りやすい．Eidonのように撮影がすべて自動で行われる機種もある．ただし瞬目が多い場合，固視不良の場合などは手動での対応が必要となる．

2　検査機器の使い方とコツ

Optos撮影時のコツとしては，しっかりと機械に顔を押しつけてもらうことと，眼瞼，睫毛への対応である．この機器は図2に示したようなレーザーの入射角度の関係で睫毛の影響を受けやすい．一方，顔を押しつけたセッティングのため，うまく隙間から指を入れて眼瞼を挙上するのには少し慣れが必要となる．どうしてもきれいな画像を撮りたければ，テープや開瞼器を用いるのも一法である．ただし開瞼器などを機器の内部に落とすと，自分で取ることが困難になる場合があるので注意が必要である．

それ以外の機器も，Optos程ではないが，通常の眼底カメラやOCTと比較して，かなりレンズを顔に近づけて撮る必要がある．レンズが鼻根部に当たらないように注意すること，当たる場合は少しカメラを横に振るなどの対応が必要である．また距離が近い分，マスクをしているとレンズが曇りやすいので，その場合はテープを貼る，マスクをずらすなどの対応を考える．眼との距離が近いとレンズが汚れやすくなることにも注意が必要である．

IV　検査結果の読み方と解釈

1　正常値

図3～6に各機種による正常者の眼底写真を示す．機種にもよるが色調は通常の眼底写真と異なる．これは上記のように可視光を用いる眼底写真と異なり，2色または3色の光源のみで情報を取得していたり，走査光の波長により網膜内の深達度が異なったりすることに起因している．色調はカラーバランスで多少調整できる．また上下方向

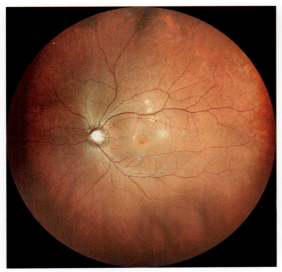

[図5] Mirante による正常眼の眼底写真 (京都大学　加登本 伸先生のご厚意による)

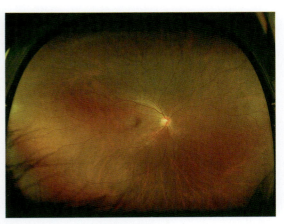

[図6] Optos による正常眼の眼底写真
赤と緑の光源による疑似カラー像であり，白色光による眼底写真とは色調がやや異なる．

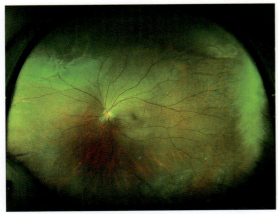

[図7] Optos による網膜裂孔の症例の広角眼底写真
10時方向に裂孔があり周囲に網膜剝離を伴っている．色調の関係で通常の眼底写真に比べ，裂孔や剝離の範囲がややわかりにくいことがある．

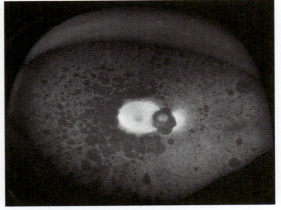

[図8] 網膜色素変性の症例の広角眼底自発蛍光
黄斑部は比較的保たれているが，周辺部では顆粒状，斑状の自発蛍光減弱を認める．

にしばしば睫毛が写り込むが，日常診療ではある程度は仕方がないと思われる．

2 異常値とその解釈（異常所見の読み方）

図7は網膜剝離を伴う網膜裂孔の写真である．10時方向に網膜裂孔が観察できる．網膜剝離の範囲，裂孔の位置が全体像として捉えられ，術前の記録として非常に有用である．一方，この写真でもその傾向があるが，Optos は上記の色調の関係で裂孔とその周囲のコントラストは検眼鏡や眼底写真ほどにははっきりしないことがある．記録が残るということは，後に見落としといったことが問題になる可能性にもつながるのでスクリーニング的に用いる場合にはここにも注意が必要である．

図8に網膜色素変性の症例の眼底自発蛍光写真を示す．検眼鏡的にも網膜色素上皮の萎縮は観察されるが，Optos で眼底自発蛍光を撮影すると病変の広がりが一目瞭然であり，説明や経過観察に有用である．また斑状病変のみられる範囲から罹病期間が長いかどうかがある程度推測できる．

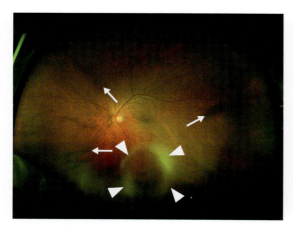

[図9] 白内障のため画質が低下している症例
画面下方の円形の影（矢頭）は核硬化，周辺の放射状の影（矢印）は皮質混濁による．

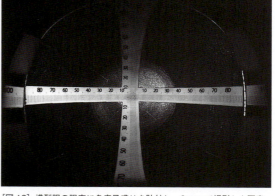

[図10] 模型眼の眼底に角度目盛りを貼付し，Optos で撮影した写真
同じ大きさの目盛りが周辺にいくにつれかなり拡大されて写っていること，上下方向では水平方向に比べ画角，コントラストがやや劣ることが理解できる．

3 アーチファクト

　アーチファクトで最も問題になるのは，眼瞼と睫毛である．また核白内障があると画像の下方に円形の影が，皮質白内障があるとその形がそのまま写り込むこともある（図9）．また球面である網膜を平面に投影するという作業上，どのようにしても歪みが生じることは避けられない．Optosの画像では中心部でも上下と左右の長さは1：1ではなく若干横長に，周辺部は最大2倍程度の長さにまで拡大されていることに注意が必要である[5]（図10）．周辺部にある病変は実際よりかなり大きく表示されていることになる．ソフトのバージョンによって，横方向への拡大を補正して表示したり，モデル眼で想定される長さや面積の測定値を出したりできる機能もある．いずれにせよ，周辺部にある病変は画面上，実際よりかなり大きく表示されていることに注意する．

文献

1) Choudhry N, et al：Classification and guidelines for widefield imaging：recommendations from the international widefield imaging study group. Ophthalmol Retina 3：843-849, 2019
2) Patel SN, et al：Ultra-widefield retinal imaging：an update on recent advances. Ther Adv Ophthalmol 12：2515841419899495. 2020
3) Mackenzie PJ, et al：Sensitivity and specificity of the optos optomap for detecting peripheral retinal lesions. Retina 27：1119-1124, 2007
4) Rasmussen ML, et al：Comparison between early treatment diabetic retinopathy study 7-field retinal photos and non-mydriatic, mydriatic and mydriatic steered widefield scanning laser ophthalmoscopy for assessment of diabetic retinopathy. J Diabetes Complications 29：99-104, 2015
5) Oishi A, et al：Quantification of the image obtained with a wide-field scanning ophthalmoscope. Invest Ophthalmol Vis Sci 55：2424-2431, 2014

〈大石明生〉

19 眼底写真

1）眼底撮影
④ 合成写真

[表1] 合成写真によるパノラマ作成が可能な主な機器

メーカー	パノラマ作成ソフト	眼底カメラ
コーワ	VK-2	VX-10i
トプコン	IMAGEnet	TRC-50DX
キヤノン	オプション設定	CX-1, CF-1
カールツァイス	FORUM	VISUCAM NM FA

I 検査の目的

1 検査対象
　網脈絡膜疾患において黄斑部のみならず，中間および周辺側までの病変の繋がりの観察を必要とする疾患が対象になる．

2 目標と限界
　通常の眼底カメラは画角が50°であり，対象疾患の病変部がこの範囲を超える場合，合成写真を用いたパノラマ撮影が全体像の把握に有用になる．合成処理には眼底カメラに付属したソフトで行うことが一般的であるが，もともと球構造の眼球内面の眼底を1枚の平面にすることになるため，周辺側になるほどに画像の歪みやずれが生じやすくなる．近年，眼底カメラの発達により画角200°の広い観察範囲が測定可能な機種もある．

II 検査法と検査機器

1 測定原理
　眼底カメラを用いて後極部および周辺部（9方向）の撮影を行う．

2 機器の構造
　眼底カメラは散瞳型，無散瞳型があるが，パノラマ作成ソフトが付属していることが前提になる（表1）．

3 感度と特異度
　周辺側を撮影した眼底写真を合成することで，病変の範囲，位置関係が一目で観察可能となる．しかし，周辺側になればピント合わせが難しくなり，そのためきれいな画像を得るには熟練を要する．まずは後極側の眼底写真をきれいに撮影するのがポイントとなる（図1）．

III 検査手順

1 検査の流れ
　眼底カメラで撮影したのち，画像ファイリングシステムのパノラマ合成ソフトを使用して作成す

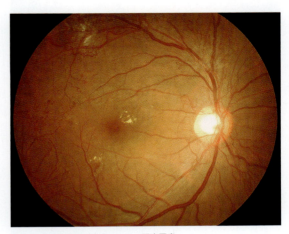

[図1] 増殖糖尿病網膜症のカラー眼底写真

る．代表的と考えられるコーワのVK-2，トプコンのIMAGEnetでは撮影した画像を選択し，ソフトを用いて自動でそれぞれの写真の回転・位置合わせをしてパノラマ画像を簡単に作成できる（図2, 3）．

2 検査機器の使い方とコツ
　きれいな眼底写真を撮ることが大事であるが，白内障などの影響を避けるには光軸をずらすことで鮮明な画像が得られることがある．被験者の観察光量も必要最低限とし，まぶしさを低減させることも重要である．また，視神経乳頭が画像の端に写るようにしておくとパノラマ作成の際の自動認識が容易になる．視神経乳頭，網膜血管がうまく写っていないためコンピューターの位置の自動認識ができない画像はいったんはじかれるが，後に手動で合成できる．また熟練を要するが，フルオレセインやインドシアニングリーン蛍光眼底造影でも合成写真を作ることができる（図4, 5）．

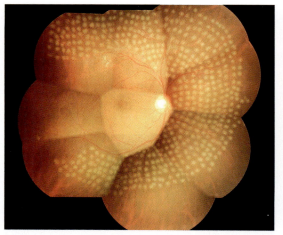

［図2］図1と同症例の網膜光凝固術直後のパノラマ合成写真

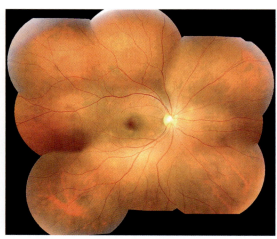

［図3］APMPPE（急性後部多発性斑状色素上皮症）例の自然寛解後のパノラマ合成写真

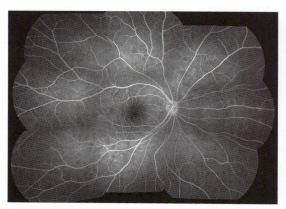

［図4］図3と同症例のフルオレセイン蛍光眼底造影のパノラマ合成写真

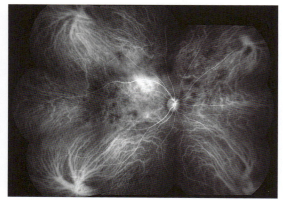

［図5］図3と同症例のインドシアニングリーン蛍光眼底造影のパノラマ合成写真

Ⅳ 検査結果の読み方と解釈

1 正常値

撮影した画像を選択し，パノラマ作成ソフトを用いる．

2 異常値とその解釈（異常所見の読み方）

周辺側は鮮明な画像を得られないことがあり，こういった画像は非選択とする．また増殖糖尿病網膜症などで網膜血管が閉塞している場合も位置合わせがむずかしくなるため，視神経乳頭が写る，あるいは特徴的な網膜前出血などが写るように撮影する．

3 アーチファクト

カメラレンズへのほこりや，涙の付着は画像へのアーチファクトとなるため，検査前に確認およびレンズの清掃が必要となる．

（齋藤昌晃）

19 眼底写真

1) 眼底撮影
⑤ 立体眼底撮影

I 検査の目的

1 検査対象
網膜疾患に立体的に眼底が観察できるので有用であったが，現在ではOCTなどのその他の画像解析の方が有用性の点で増してきている．そんな中，視神経乳頭における緑内障性変化を観察するためには立体眼底撮影は現在も有用である．

2 目標と限界
OCTにも構造変化を3次元画像で描出できる機器が存在するので，現時点では視神経乳頭の観察のみに頻用されるようになってきている．緑内障性乳頭変化には種々の所見が存在し，診断および進行判定に有用である．

II 検査法と検査機器

1 測定原理
同時立体撮影機器の場合：1つの光学系を用いて2つの光路で同時撮影し，左右の画像から全領域に対して同一点のペアを検索する．同一点の座標の差が視差量となる．2つの光軸間距離が一定であるために定量的に深さを算出できる（図1）．さらに等価球面度数と角膜曲率半径に基づいて深さの値を補正し，各乳頭パラメーターが算出される[1]．

個別撮影の機器の場合：1回目の撮影後1.25mm横に移動して2回目の撮影を行う．

2 機器の構造
KOWAのステレオ眼底カメラのみ1つの光学系を用いて2つの光路で同時撮影が可能であり，その他のメーカーの機種は個別撮影を必要とする（表1）．

3 感度と特異度
緑内障性視神経乳頭変化の有無をステレオ写真で判定する場合，緑内障の非専門医師の場合の検者間のカッパ値0.20で緑内障専門医師の0.51と比べ有意に低値であるが，ある一定の訓練を経た

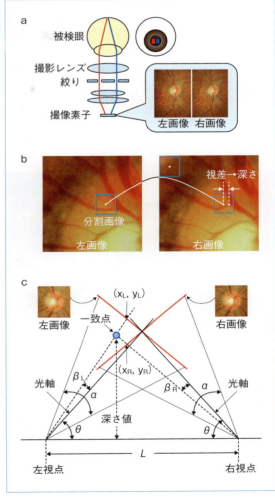

[図1] 同時立体撮影機能を有する眼底カメラの撮影原理
a ステレオ撮影機構
b 視差の抽出処理
c 深さ算出方法
1つの光学系を用いて2つの光路で同時撮影し，左右の画像から全領域に対して同一点のペアを検索し座標の差が視差である．2つの光軸間距離が一定であり深さも算出できる．

後には改善する[2]．

III 検査手順

1 検査の流れ
同時立体撮影機器の場合：通常の眼底カメラによる眼底撮影と同様に固視灯を凝視してもらいながらシャッターを押す．無散瞳でも撮影可能であるが，瞳孔が狭い場合には同時撮影が不可能である．

[表1] 立体眼底撮影機能を有する各種眼底カメラ

	KOWA WX 3D	NIDEK AFC-330	CANON CX-1	TOPCON TRC-NW400	KY Center Vue Eidon
撮影方法	同時撮影	個別撮影	個別撮影	個別撮影	個別撮影
撮影視差	7.4°	6.8°	6.3°	3.84°	5.3°
画角	34°	45°	45°	45°	60°
付属	乳頭解析ソフトあり	乳頭解析ソフトなし 乳頭面積測定可	乳頭解析ソフトなし 乳頭面積やC/D比測定可	乳頭解析ソフトなし	C/D比測定可

KOWAのステレオ眼底カメラのみ同時撮影ができ、乳頭解析ソフトが付属されている.

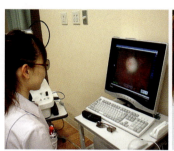

[図2] 立体眼底写真の観察方法
偏光眼鏡＋3Dモニターを使用して観察する方法（左）と、通常のモニター＋ステレオビュアーを使用して観察する方法（右）がある.

個別撮影の機器の場合（NIDEKの機器の場合）：左右のワーキングドットがはっきり観察できるように位置を合わせる．左側のワーキングドットがステレオガイドマークの中に入るように位置を修正しシャッターを押す．次に右側のワーキングドットがステレオガイドマークの中に入るように位置を修正しシャッターを押す．2枚の写真を並べて表示し平衡法や交差法にて観察する．

2 検査機器の使い方とコツ

小瞳孔症例では散瞳が必要であるが、逆に散瞳して撮影する場合には光量を抑えて撮影しなければハレーションのために乳頭上の血管が観察できなくなるので注意が必要である．

IV 検査結果の読み方と解釈

1 正常値

KOWAのステレオ眼底カメラのみ撮影した立体乳頭写真を解析して乳頭形状を解析するソフトが付属されている．その場合には、乳頭面積，陥凹容積，リム容積，偏心率，傾斜率など立体撮影によってのみ解析可能なパラメーターも存在するので意義深い．

2 異常所見の読み方

KOWAのステレオ眼底カメラの場合、撮影した立体乳頭写真を動画に編集するソフトが付属されている．過去の立体写真と直近の立体写真を比較する場合に撮影時の顔を回旋などにより全く同じ条件で撮影できなくても、大血管の位置合わせ機能を有するそのソフトを使用することで、緑内障性の乳頭形状変化を容易に比較でき、緑内障性進行変化を視覚的にとらえることができるので有用である．

3 アーチファクト

光量が多いとハレーションのために乳頭上の血管が観察できなくなり、乳頭縁や陥凹縁を線引きする際に誤差が生じやすくなるので注意が必要である．また、立体写真を観察するには、ディスプレイを3D用に設定して、偏光眼鏡で観察できるが、通常のモニターでステレオビュアーを使用して観察する平衡法が観察しやすい（図2）．ステレオビュアーがない場合には、交差法にて両者の画像を融合させて観察することも可能である．

文献
1) Nakagawa T, et al : Quantitative depth analysis of optic nerve head using stereo retinal fundus image pair. J Biomed Opt 13 : 064026, 2008
2) Breusegem C, et al : Agreement and accuracy of non-expert ophthalmologists in assessing glaucomatous changes in serial stereo optic disc photographs. Ophthalmology 118 : 742-746, 2011

（新田耕治）

1）眼底撮影
⑥ RetCam による眼底撮影

Ⅰ 検査の目的

1 検査対象
RetCam®は主として網膜疾患を持つ乳幼児の眼底撮影に使用されるほか，成人でも眼底検査が困難である場合に鎮静下で眼底の状態を撮影・記録することができるツールである．

2 目標と限界
あらゆる眼底疾患の評価のため，眼底撮影を行うことができる．超低出生体重児で瞼裂の狭い症例や散瞳不良の症例では，周辺部網膜の撮影が困難な場合がある．

Ⅱ 検査法と検査機器

RetCam®は広画角眼撮影装置で，手持ち式の接触型レンズを使用し，角膜上に直接レンズを接触させることにより，眼底撮影を行う．撮影条件によってレンズを取り換えることができ，最大130°の画角で眼底撮影を行うことができるほか，前眼部や隅角の撮影も可能である．複数の機種が販売されているが，RetCam®3では蛍光眼底造影検査を併施することができる．

Ⅲ 検査手順

眼底撮影の手順について解説する．

1 検査の流れ
RetCam®をベッドサイドまで移動させ，電源を入れる．初回撮影患者は患者登録を行う．

2 機器の使い方
① 乳幼児を覚醒下で検査する場合は，腕と体幹をタオルでくるんで固定する．レンズを角膜へ接触させるため，検査前にベノキシール®0.4％点眼液を点眼しておく．開瞼器をかけ，角膜へスコピゾル®眼科用液を十分量点眼する．ハンドピースを角膜へ垂直に接着させて後極部の画像を確認する．後極部にピントを合わせ，光量を調整して撮影する．続いてプローベを傾け，周辺部所見を確認・撮影を行う（図1a）．

② 蛍光眼底造影検査を行いたい場合は，フルオレサイト（小児の場合は0.1mg/kg）とフラッシュ用の生理食塩水等を事前に準備し，小児科医もしくは麻酔科医にルートの確保を依頼しておく．①で眼底にピントを合わせたのち，アタッチメントを外して蛍光眼底造影用のフィルターを入れる．光源を差し替え，撮影画面を眼底造影モードへ切り替える．末梢ルートからフルオレサイトを注入後，フラッシュしてもらい体内に造影剤が入ったことを確認し，レンズを角膜へ接触させて撮影の態勢へ入る．蛍光が流入したら撮影を開始する．未熟児網膜症やぶどう膜炎などで病変の活動性が高い場合，血管から造影剤が流出してすぐに画像が不鮮明となるため，撮影は所見の重篤なほうから，素早く行う必要がある（図1c，d）．

3 検査のコツと注意点
① 検者の正面に画面を置き，撮影画像が見やすいようにしておく．レンズははじめ角膜に垂直に接触させると眼底を捉えやすい．圧迫が強いと迷走神経反射を誘発するため注意する．後極部の画像が見えたら，プローベを少しずつ傾けて周辺部を撮影する．本体のボタンで介助者がピント調整・撮影を行ってもよいが，検者がフットスイッチで操作するほうがスムーズである．カルテ等に画像を移行させると実際の撮影画面よりやや暗い画像となることがあるため，事前に確認してそのような傾向があるならば，少し強めの光量で撮影するとよい．

② 年長児や成人で眼球が大きくなると眼球の動きを制御しにくくなり，プローベの先端が滑り撮影しにくいことがあるが，このような場合，筆者は患眼に対して大きめのバンガーター氏開瞼器を使用してこれを装着後に軽く押し込むようにしながら上眼瞼側へやや傾け，眼球を固定するようにして撮影している（図1b）．

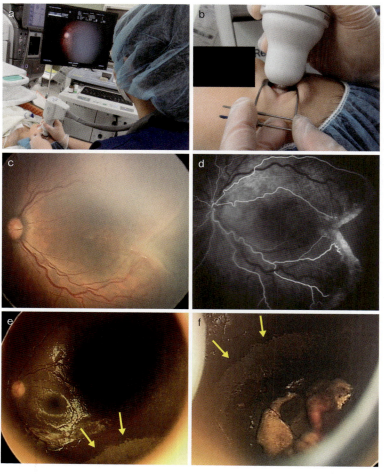

[図1]
a 通常の撮影の様子．検者が見やすいようにモニターを移動させる．撮影はフットスイッチで行っている．
b 眼球が少し大きい年長児や成人の撮影では，バンガーター氏開瞼器を用いて眼球を固定するようにすると撮影しやすい．
c 未熟児網膜症の眼底写真（zoneⅠ secondary to notch, stage3, plus sign 陽性，治療前）．
d c に蛍光眼底造影を行ったもの．造影検査を行うと，病変を詳細に捉えやすい．
e 急性リンパ性白血病が眼球に浸潤した小児の症例．初診時，眼底は出血と腫瘍細胞で混濁し，腫瘍塊が網膜へ穿破して漿液性網膜剥離（矢印）をきたしていた．硝子体手術後の眼底検査では散瞳不良のため，通常どおりプローベを接触させて撮影しても病変の全体像を捉えることができなかった．
f e で病変のある部位を未熟児鈎で圧迫し，プローベを角膜から離して光量を上げて撮影することにより，漿液性剥離のあったライン（矢印）を越えて周辺部にある病変を捉えることができた．

③スタンダードな撮影法ではないが，網膜周辺部の病変を撮影したい場合にプローベをわざと接触させず，未熟児鈎で撮影したい部位を圧迫し，光量を上げて撮影を行うと，よい画像が取得できることがある（図1e，f）．

Ⅳ 検査結果の読み方

圧迫が強い，スコピゾルが不足するなど，プローベの接触が不均一となると，特に周辺部の画像が不鮮明になりやすいことに注意する．白内障など，前眼部疾患のある場合は眼底を撮影しにくいので，解釈に注意する．

（上田香織）

19 眼底写真

1) 眼底撮影
⑦ 手持ち眼底カメラによる眼底撮影

I 検査の目的

1 検査対象
網膜，硝子体，脈絡膜，視神経に病変を有する疾患および健康診断や人間ドックでのスクリーニングが対象となる．据置き式眼底カメラの顎台に顔を安定してのせることができない患者や車椅子からの移動が困難な患者に対しては座位で，ベッドサイドでの診察を要する入院患者や睡眠下の乳幼児では仰臥位での眼底撮影が可能である．

2 目標と限界
目標：眼底病変を画像として記録し，客観的情報を保存すること．

限界：レンズ交換による光学ズームができないため，詳細な観察には据置き式眼底カメラに劣る．また，画角が狭いため，被虐待児や未熟児網膜症など経時的変化の観察や治療効果判定に周辺部網膜までの広範囲の眼底所見が必要とされる疾患では，収集できる情報量は接触式広角眼底カメラに劣る．

II 検査法と検査機器

1 測定原理・測定範囲
測定原理は通常の眼底カメラと同じである．オートフォーカス機能を有するデジタルカメラ本体と撮影用途により選択して接続する光学モジュールからなる．Optmed社Aurora®では眼底撮影に必要な最小瞳孔径は3.1mmで，眼底画像の画角は水平50°・垂直40°である（図1, 2）．

2 機器の構造
機器の構造は通常の眼底カメラと同じである．Aurora®ではカメラ本体に眼底モジュールと前眼部モジュールのいずれかを接続する．青色光での撮影が可能である．

眼底モジュールで撮影困難な病変には，即座に前眼部モジュールに交換して対応できる（図3）．また，青色光でハードコンタクトレンズのフィッ

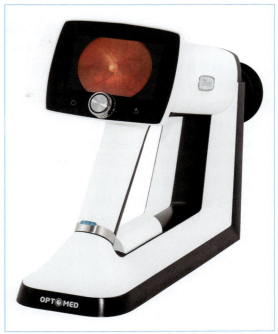

[図1] Optmed社 Aurora® の全体像
カメラ本体と眼底モジュールを接続し，充電ステーション（USBケーブルでPCに画像転送が可能）に設置した状態．

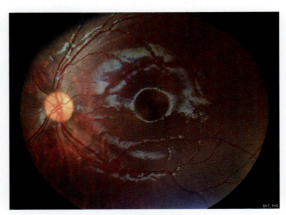

[図2] Optmed社 Aurora® で撮影した眼底写真
画角水平50°・垂直40°

ティングや角膜上皮障害を記録することも可能である（図4）．

III 検査手順

1 検査の流れ
患者または被検者を座位または仰臥位とし，部屋の照明を暗くする．Aurora®では，被検眼を

付属のアイカップで覆い遮光することができるため，もう一眼を遮閉することで十分な瞳孔径が得られれば，自然瞳孔での眼底撮影が可能である．しかし，散瞳剤を用いたほうが撮影は容易となり，良質な画像を得られる．

2 機器の使い方

検者は利き手で本体の柄を持ち，反対の手の親指と人差し指で光学モジュールを支える．被検者の瞳孔がカメラ本体のモニター中央に映る状態で，被検者の眼窩部にアイカップを密着させる．モニターで眼底像を確認しながら，光軸からずれないようにカメラを被検眼に近づける．画面いっぱいに眼底像が現れたらシャッターボタンを押して撮影する．

3 検査のコツと注意点

Aurora® ではオートフォーカス（−15〜＋10 D）はマニュアルフォーカス（−20〜＋20 D）よりも範囲が狭いので，無水晶体眼などでは先に検影法かポータブルレフラクトメータで球面屈折値を測定してマニュアル設定で視度入力を行ってから撮像しなければならない．また，前眼部モジュールを用いる際にも，オートフォーカスではカメラの焦点は眼表面に合うため，水晶体を撮影する場合はあらかじめマニュアルで視度を入力して固定した上で，カメラ本体のモニターで前眼部像を確認しながら，カメラを被検眼に接近させて撮影する．

［図3］前眼部モジュールで撮影した網膜芽細胞腫

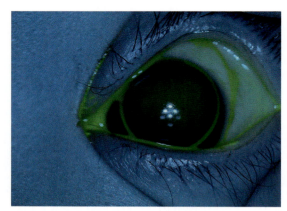

［図4］前眼部モジュール青色光で撮影した先天白内障術後のハードコンタクトレンズ装用試

Ⅳ　検査結果の読み方

通常の眼底写真と同じである．

（森　隆史）

19 眼底写真

1）眼底撮影
⑧ スマートフォンによる眼底撮影

I 検査の目的

1 検査対象

　眼底検査を行う症例はすべて対象となるが，iPhone（Apple Inc, Cupertino, CA, USA）などの携帯情報端末により簡便に画像取得が可能となるため，眼底カメラがない施設などでの使用など対象が広がる．また外来受診や移乗困難な患者，集中治療室や救急外来への往診など自由度が高い検査である．

2 目標と限界

　眼底像を記録画像として残すことは疾患の経過観察に有用である．患者の体位に依存しないため，眼底カメラを用いた従来の眼底撮影に比し柔軟な画像取得が可能となる．また画像転送によるコンサルテーションが容易となるため，遠隔医療アシストや指導に有用である．細隙灯顕微鏡と併用することで前眼部検査や90Dレンズなどによる眼底検査にも応用できる．各種アタッチメントが市販されているが自作することも可能である．

　大まかな異常は検出可能であるが微細な変化は検出困難である．また，実臨床において取得画像データは個人のスマートフォンなどに記録されるため，画像転送時のセキュリティへの配慮や転送後の元データ廃棄など個人情報の管理に留意が必要である．この対策としてiPod（Apple Inc）など院外との直接通信機能のない情報端末の使用や，セキュリティ保護されたサーバーへのデータ転送システムなどの構築が理想的であるが煩雑となるため現実的ではない．

II 検査法と検査機器

　通常の静止画撮影では画像取得困難であるため，動画モードで撮影する．光源には機器に内蔵されているフラッシュを用いる．通常の単眼倒像鏡眼底検査と同様，20Dレンズなどの非接触レンズを用いる．動画取得可能であればiPhoneのみならずアンドロイドOS機器やガラパゴス携帯であっても検査可能である．

III 検査手順

1 検査の流れ（図1）

　画像取得は散瞳下で実施している．このため検査前の前房深度の確認は必須である．単眼倒像鏡眼底検査時と同様に非接触レンズを左手で保持する．角膜とレンズ間の距離は通常検査と同様である．右手で携帯情報端末を保持するが，倒像鏡検査と異なり本体を極端に検者側へ近づける必要はない．通常の眼底検査と距離感が異なるため，多少の違和感があるが習熟は容易である．録画開始して眼底観察を行い，画面に映し出される像を見て動画取得する．フラッシュ光が強く長時間の検

[図1] iPhoneを用いた撮影の実際
a 従来の眼底検査同様に非接触レンズを用いる．光源としては機器内蔵のフラッシュライトを常時点灯させて用いる（黒矢頭）．
b 動画モードで取得する．動画取得ボタン（白矢頭）を押して録画開始後に検査を開始する．鮮明な眼底像が確認されている（矢印）．

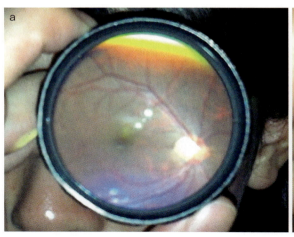 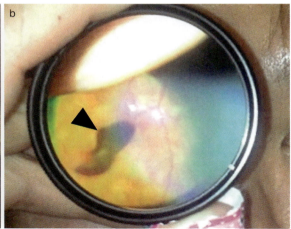

[図2] 取得眼底画像
a 正常人の眼底（正面像）を示す．
b 糖尿病網膜症の眼底を示す．眼位を変えることにより，倒像鏡検査で確認可能な周辺部位の画像取得が可能である．網膜下方の網膜前出血を認める（矢頭）．

IV 検査結果の読み方

正常眼ならびに糖尿病網膜症患者で取得した眼底画像を図2に示す．中間透光体混濁がなく通常の眼底検査ができる患者では取得が容易である．

集中治療室や救急外来では，臥位の患者の検査にも有用である．適切な距離を確保するため足台などで高さの調整を要するが，これは従来の臥位患者の診療と同様である．

図3に被虐待児症候群の眼底画像を示す．本疾患では受傷時の眼底検査結果が虐待を示唆する重要な指標となる．治療方針にも大きく影響するため，眼底スケッチやテキスト以外での眼底画像

査は負担となるため，短時間で検査を実施する．検査終了後，端末本体ないしはパソコン上で動画から必要な場面を切り出し，画像取得する．

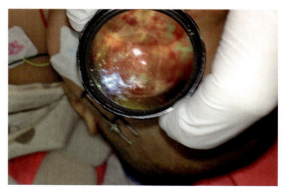

[図3] 被虐待児症候群
小児科からの緊急診察依頼で集中治療室に往診．患児は原疾患に対して気管内挿管・呼吸器管理されている．下方網膜に広範な出血を認める．

記録は小児科医・救命救急医との情報共有に有用である．

（杉本昌彦）

2) フルオレセイン蛍光眼底造影

I 検査の目的

1 検査対象

　フルオレセイン蛍光眼底造影 fluorescein angiography（FA）は眼底疾患の診断と病態の解明，治療に必要な検査である．FA の目的は，網膜・脈絡膜の循環動態と，網膜血管および網膜色素上皮が持つ血液網膜関門の状態を把握することにある．そのため FA の検査対象は広く網膜・脈絡膜循環，網膜色素上皮に異常をきたす眼底疾患すべてといえる．

2 目標と限界

　FA の目標は上に述べた疾患の確定診断，病態の理解と予後判定，治療方針決定と経過観察である．FA は，網膜循環動態，網膜血管が持つ内側血液-網膜関門の状態，網膜色素上皮が持つ外側血液-網膜関門の状態をきわめてよく反映する．一方，観察光が短波長であるため，網膜色素上皮の持つ関門機能にさえぎられて，脈絡膜の循環動態の把握には劣る．脈絡膜循環の確実な把握にはインドシアニングリーン蛍光眼底造影 indocyanine green angiography（IA）のほうが適している．

II 検査法と検査機器

1 測定原理

　造影剤として蛍光色素フルオレセイン・ナトリウム（分子量 376）を静脈内投与し，青色光（主透過波長 480 nm）を励起光として照射すると，フルオレセイン色素は波長ピーク 520 nm（495～600 nm）の蛍光を発するので，その蛍光を濾過フィルター（主透過波長 520 nm）に通して経時的に撮影する．

2 機器の構造

　FA 用の眼底撮影装置には通常の眼底カメラ型の撮影装置と走査レーザー検眼鏡（SLO）による撮影装置がある．通常の蛍光造影用眼底カメラは撮影光学系と照明光学系からなる．照明光源にはハロゲンランプが用いられ，それとともに光学系に共役な位置にキセノンフラッシュが装備されている．強い内面反射を消すために，対物レンズには非球面レンズが用いられている．現在の撮影装置は，蛍光眼底モードを選択すると自動的にそのためのフラッシュ光量が設定され，観察光源においても励起フィルターを入れると光量が自動的に上がる装置が多い．一方，SLO では光源として 490 nm の光を発するアルゴンレーザーを用いており，偽蛍光の問題などを生じず，能率よく蛍光色素を励起できるのが特徴である．

3 感度と特異度

　フルオレセイン色素は，正常の状態では網膜血管の血管内皮細胞や網膜色素上皮が持つ tight junction を透過しない（内側および外側血液-網膜関門）．フルオレセイン色素は分子量が小さいが，約 80％が血漿蛋白，主としてアルブミンに結合する．約 20％がフリーとして存在し，さまざまな病的状態において血液-網膜関門の破綻が起こると，色素は容易に組織内に漏出して蛍光が拡散した状態を示す．本検査の感度と特異度はきわめて高い．

III 検査手順

1 検査の流れ

1) 検査前処置とインフォームドコンセント

　FA ではまず撮影前の準備として十分な散瞳が必要である．被検者には，検査の目的と必要性，方法，副作用を十分に話し，了解と納得を得た上で検査準備に取りかかる．検査後 24 時間は皮膚と尿が黄染すること，また本検査では 10％程度で嘔気・嘔吐が発生すること，造影剤に対するアレルギー反応が起こりうる（最悪の場合，アナフィラキシーショックを招きうる）ことを話し，承諾を得る．この際，他の薬品や食物アレルギー，アレルギー体質などの既往の聴取は非常に重要であり，アレルギー歴がある場合は容易に検査を行わない．検査前には嘔気，嘔吐予防のため，あらかじめメトクロプラミド錠（プリンペラン®錠）2 錠の内服を行わせる．なお，皮内反応やプリックテストはアレルギー反応を必ずしも予

測できないとされているので行う必要はない．また，撮影に際しては，常にショック発生を想定し，夜間など緊急条件下では被検者と撮影者のみの状況で撮影を行わないように注意すべきである．

2) カラー眼底撮影および眼底のピント合わせ

検査開始前には，被検者の顎をカメラの顎台の上にのせ（図1），検者の視度補正をクロスマークによって行ったのち，通常の眼底撮影モードで眼底の血管にピントを合わせてカラー眼底写真を数枚撮影したのち，蛍光撮影モードにして濾過フィルターを入れておく．

3) 造影剤静注

被検者の肘静脈に留置針を挿入して血管を確保した上で，10％フルオレセインナトリウム溶液（ノバルティスファーマ社製フルオレサイト静注500 mg®）1アンプル5 mlを急速静注する．静注開始と同時にタイマーを入れ時間計測を開始する．濾過フィルターの入った状態で撮影位置の修正を行い，その後励起フィルターを入れる．撮影に慣れれば，造影剤静注は撮影者自身でも行えるが，静注後の被検者の全身状態観察のためもあって，別人が行うほうが望ましい．

4) 撮影

眼底への色素の流入を観察しつつ静注開始後8秒ごろより撮影を開始する．造影初期像の撮影を数秒間に1枚の間隔で行ったあとは，疾患に応じた間隔でタイマーを確認しつつ撮影を進める．眼底の中間周辺部〜周辺部の病巣を撮影したいときは，病巣の位置に応じて患者に眼球運動を指示して撮影場所を決めながら，的確にピントを合わせつつ撮影を進める．両眼のパノラマ造影写真が必要な場合は，いつも決まった順序で眼球運動を指示しながら，眼底全域を撮影すると良い．FAの場合，疾患によっても異なるが，標準的な造影時間は5〜10分である．疾患によっては30分の超後期像が必要な場合もある．

近年普及しつつある超広角SLO（Optosまたはウルトラワイドフィールドレンズを装着したHeidergberg Spectralis）によるFAでは，眼球運動なしで画角102°（眼底で約200°）にわたる眼底周

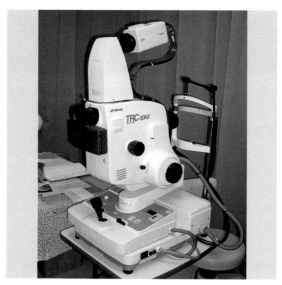

[図1] 蛍光眼底造影用カメラの外観（Topcon社TRC 50AX）
左手前に撮影者の観察部，右奥に被検者の顎のせ台がある．

辺部までの広角蛍光造影像が撮影可能である．

2 検査機器の使い方とコツ

通常眼底カメラでは検査前の十分な散瞳確認が重要である．造影早期にコントラストの良い写真を撮影するためには，造影剤の急速静注がきわめて重要である．また，眼底のピント合わせと中心合わせは，造影前のカラー眼底撮影時に十分に行っておき，どの位置でシャープな写真が撮れるかのワーキングディスタンスの確認を撮影者自身が十分に行っておくことも重要である．被検者の固視を得るためには，カメラ内の固視目標を有効に利用することが望ましい．パノラマ撮影に関しては，被検者に対して眼球運動の指導をあらかじめ行っておくことも良い方法である．また，造影時の神経原性およびアナフィラキシーショック対策に関しては，平成23年に公表された眼底血管造影実施基準（改訂版）を参考に，各施設で対策マニュアルを作成し，必要な物品を常備するとともに，万一に備えてショック発生時を想定した訓練を行っておくことが望ましい．

Heidergberg Spectralis HRA＋OCTは，共焦点レーザー走査型眼底検査装置（HRA）とspectral-domain OCTを融合させた三次元画像解析システムである．この機器では蛍光眼底造影

画像とOCT画像を同時に撮影し，蛍光眼底造影観察画像上で選択した部位と同位置のOCT画像を同時に観察することが可能である．さらに，IA画像，眼底自発蛍光，無赤色光，または赤外眼底写真などの画像にもOCT断面画像を同時にマッピング表示することができる．TruTrack™（デュアルビームアイトラッキングシステム）は，同社の血管照合技術によるリファレンススキャナーにOCTスキャナーがピンポイントで完全追尾可能であることから，このトラッキングシステムにより，絶えず動いている対象物に対しても，全く同じ位置でのOCTスキャニングが可能となり，各種画像にOCT断面画像を同時にマッピング表示することが可能である[2]．

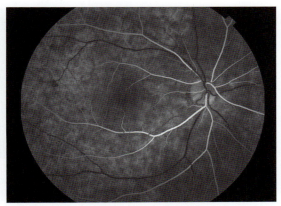

[図2] 正常眼底のフルオレセイン蛍光眼底造影，脈絡膜充盈期（造影16秒）

IV 検査結果の読み方と解釈

1 正常造影像

正常眼では以下のような順序を追って造影像が得られる（図2〜4）．

1) 初期脈絡膜蛍光 (choroidal flush, 図2)

造影剤注入後，視神経乳頭部の網膜動脈に蛍光があらわれる1〜2秒前に脈絡膜への造影剤の充盈が短後毛様動脈から始まる．脈絡膜血管への早期の充盈は，一瞬不規則，まだら状，地図状にみえることが多いが，その後すぐに全体が充盈される．

2) 毛様網膜動脈への充盈 (cilioretinal artery filling)

脈絡膜と同じ短後毛様動脈に養われる網膜動脈が視神経乳頭耳側に存在する症例では，その動脈が網膜中心動脈よりも先に充盈される．

3) 網膜動脈相 (retinal arterial phase, 図3)

視神経乳頭上の網膜中心動脈の根幹部に蛍光が現れる．造影剤静注開始からこの時期までを腕-網膜時間 arm-to-retina time といい，静脈系から心臓，大動脈弓，総頸動脈，内頸動脈，眼動脈，網膜中心動脈を造影剤が経てきた時間である．正常者では7〜14秒，一般には10〜15秒である．その後，眼底周辺部に向かって網膜動脈分枝内に急速に造影が進む．

4) 網膜毛細血管相 (retinal capillary phase)

網膜動脈相についで直ちに毛細血管に色素が充盈される．

5) 網膜静脈相 (retinal venous phase, 図3)

・早期静脈相 early（層流期 laminar flow）：静注後20秒前後でまず網膜静脈の血管壁に造影剤の層流がみられ，その後血管内全体に数層の層流がみられるようになる．

・後期静脈相 (late venous pahse)：層流が消え網膜静脈血管腔内に均一な蛍光がみられるようになる．

6) 背景蛍光 background fluorescence

脈絡膜毛細血管は血管内皮細胞に窓構造を多数持つ漏出型血管であるため，急速に色素が漏出拡散し，脈絡膜実質，強膜，Bruch膜に均質に沈着する．網膜色素上皮を通して，その蛍光が網膜の背景のびまん性の均一な蛍光として見える状態をいう（造影中期像，図4）．なお，黄斑部では網膜内キサントフィルの存在，網膜色素上皮の特殊形態（メラニン色素が多い，リポフスチン蓄積）によって蛍光がブロックされ低蛍光の領域として映る (macular dark area)．

2 異常所見の読み方

FAにおける異常所見は過蛍光と低蛍光に分けられる（表1）．

1) 過蛍光 (hyperfluorescence)

a. 蛍光漏出 (leakage)

血液網膜関門を持つ網膜血管内皮細胞および網膜色素上皮細胞に障害が生じ，そこから色素が漏

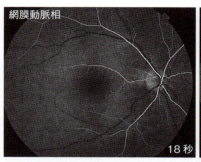 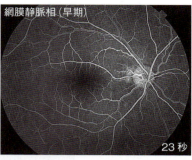 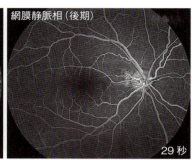

[図3] 正常眼底のフルオレセイン蛍光眼底造影，網膜血管への充盈
網膜動脈から静脈に蛍光色素が充盈されている．静脈相早期には血管内に層流がみられる．

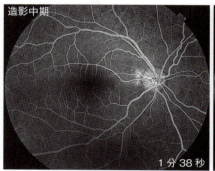 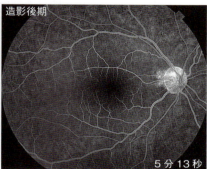

[図4] 正常眼底のフルオレセイン蛍光眼底造影中期（左），造影後期（右）
網膜血管，網膜色素上皮からの漏出はみられない．中期には背景蛍光は均一となるが，後期には脈絡膜背景蛍光は全般的に減弱し，脈絡膜血管からは色素が消失して不規則低蛍光の斑紋を示す．

れ出て強い過蛍光を呈する状態をいう．

通常，経時的に拡大する強い蛍光がみられる．網膜血管の関門破壊部や未熟な関門を持つ網膜/脈絡膜新生血管からは血管外漏出が起こり，網膜色素上皮の関門破綻部からは網膜下への漏出が起こる．例として，網膜静脈閉塞症（図5）では閉塞した網膜血管自体から，糖尿病網膜症では毛細血管瘤や閉塞血管，網膜/乳頭上新生血管から（図6），滲出型加齢黄斑変性では脈絡膜新生血管から（図7）血管外漏出がみられる．また，中心性漿液性脈絡網膜症では網膜下漏出がみられる（図8）．また，網膜色素上皮下に新生血管が発生する滲出型加齢黄斑変性のオカルト新生血管からは，顆粒状過蛍の集合部からoozingと呼ばれる緩慢な網膜下への色素漏出を生ずる．

b．蛍光貯留（pooling）

漏出した色素が網膜内，網膜下，網膜色素上皮下など，一定の腔内に貯留して強い蛍光を示す状態をいう．例として，種々の疾患で現れる嚢胞様

[表1] FAにおける異常所見（用語）

> 過蛍光
> ・蛍光漏出（leakage）
>   血管外漏出（extravascular leakage）
>   網膜下漏出（subretinal leakage）
> ・蛍光貯留（pooling）
> ・window defect
> ・組織染（tissue staining）
>
> 低蛍光
> ・蛍光遮断（blocked fluorescence）
> ・充盈遅延および充盈欠損（filling delay, filling defect）

黄斑浮腫にみられる花弁状過蛍光（図9），中心性漿液性脈絡網膜症やVogt-小柳-原田病における網膜下への蛍光漏出後（図8，10）や，漿液性網膜色素上皮剥離が示す均一な過蛍光（図11）は蛍光貯留の例である．

c．組織染（tissue staining）

一定の組織内に色素が拡散して結合し，強い蛍光を示す状態をいう．典型的な組織染は網膜静脈閉塞症や網膜血管炎の際の血管壁（図12），滲出

2）フルオレセイン蛍光眼底造影

[図5] 網膜静脈分枝閉塞症における網膜血管からの血管外漏出
閉塞静脈とその灌流領域の網膜毛細血管からの血管外漏出がみられる．内側血液網膜関門の破綻による．造影早期と後期を比較すると蛍光の拡大がある．蛍光漏出は造影後期で判定する．

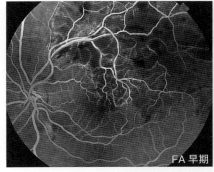
FA 早期

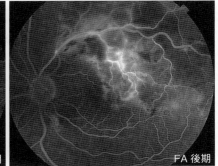
FA 後期

[図6] 増殖糖尿病網膜症における網膜新生血管，乳頭上新生血管からの血管外漏出
未熟な網膜新生血管から血管外漏出がみられる．

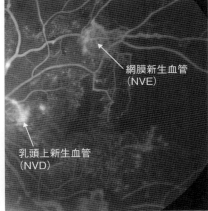
網膜新生血管（NVE）
乳頭上新生血管（NVD）

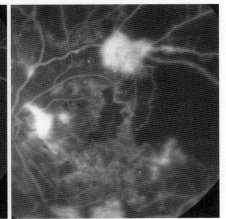

[図7] 滲出型加齢黄斑変性における網膜色素上皮下新生血管からの血管外漏出および網膜下漏出
未熟な脈絡膜新生血管から血管外漏出を起こした蛍光色素が障害された網膜色素上皮を通じて網膜下へ漏出している．網膜下出血部では蛍光遮断により終始低蛍光を示している．

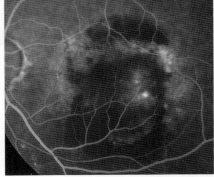

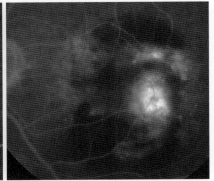

型加齢黄斑変性の網膜下の線維血管性瘢痕（**図13**）などでみられる．蛍光漏出と異なって造影後時間が経過しても蛍光が拡大しないという特徴がある．

d. window defect

網膜色素上皮はメラニン色素を含むため脈絡膜の背景蛍光をある程度遮断している．網膜色素上皮が一部欠損したり，変性萎縮を起こしてメラニン色素が消失あるいは減少すると，そこにはメラニン色素による遮断効果がなくなって背景蛍光が直接強い蛍光となってみられる．網膜色素上皮裂孔では急性期の色素上皮の欠損によって，きわめて強い均一な過蛍光がみられる（**図14**）．また，網膜色素上皮萎縮ではメラニン色素の少ない色素上皮が存在し，しかもその程度は均一ではないので顆粒状の過蛍光がみられる（**図15**）．

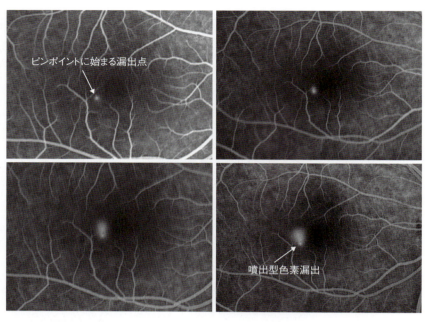

[図8] 中心性漿液性脈絡網膜症における網膜下蛍光漏出
ピンポイント型の点状過蛍光に始まり，蛍光漏出は噴出型を示し，経時的に拡大している．網膜色素上皮が持つ外側血液網膜関門の破綻による網膜下蛍光漏出を示す．

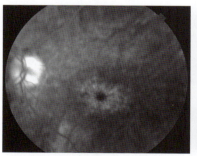

[図9] 白内障手術後の囊胞様黄斑浮腫における網膜内蛍光貯留
造影後期にHenle線維層に生じた間隙（囊胞様腔）内に蛍光色素が貯留し，花弁状の過蛍光を示している．

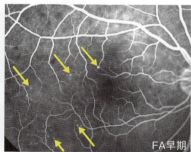

[図10] 原田病における網膜下蛍光漏出と造影後期の蛍光貯留
網膜色素上皮の障害部（矢印）に一致して造影早期に点状過蛍光がみられ，造影後期には網膜下への強い蛍光漏出と蛍光貯留がみられる．

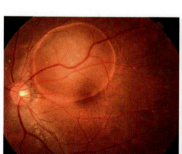

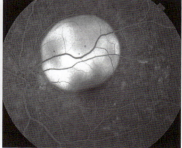

[図11] 漿液性網膜色素上皮剝離における網膜色素上皮下への蛍光貯留
網膜色素上皮剝離部に一致して，造影後期に円形な過蛍光がみられる．過蛍光の周囲への拡大はなく，剝離した網膜色素上皮下に蛍光が貯留している状態である．

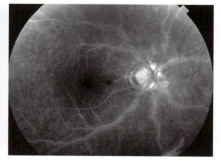

[図12] Behçet病の網膜静脈炎における血管外漏出と静脈壁の組織染
造影後期に網膜静脈壁が過蛍光を示し，周囲に軽度の蛍光漏出もみられる．組織染と蛍光漏出が併存する所見の例である．

[図13] 滲出型加齢黄斑変性における網膜下線維血管性瘢痕への組織染
造影早期から過蛍光を示し，後期では瘢痕の大きさに一致して境界鮮明で均一な過蛍光を示している．過蛍光の増大がないことから蛍光漏出と鑑別できる．

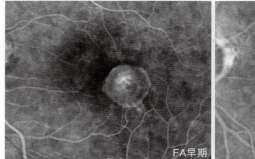
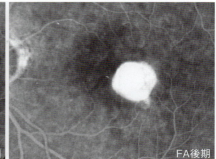

[図14] 網膜色素上皮裂孔における window defect
網膜色素上皮裂孔部では window defect を示す均一な強い過蛍光がみられる．色素上皮弁部はメラニン色素の重なりによって蛍光遮断（ブロック）による低蛍光を示している．

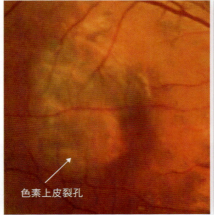
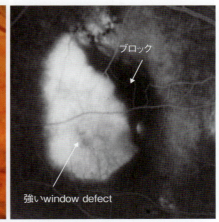

[図15] 加齢黄斑変性の前駆病変（網膜色素上皮異常）における window defect
網膜色素上皮異常部に一致して造影早期から顆粒状の過蛍光を示すが造影後期でも過蛍光の拡大はない．

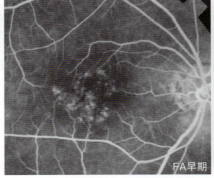
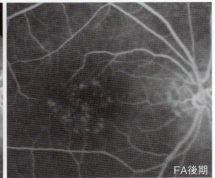

2）低蛍光

a．充盈遅延および欠損（filling delay, filling defect）

網膜/脈絡膜に循環障害がある部位で，不完全な血管閉塞がある部位では造影早期に色素の流入が遅れて低蛍光を生ずる（充盈遅延）．また血管の完全閉塞状態では造影全時期を通じて色素が流入せず低蛍光を生ずる（充盈欠損）．網膜では網膜動脈閉塞症（図16），糖尿病網膜症（図17）や網膜静脈閉塞症の毛細血管閉塞領域，脈絡膜での充盈欠損では脈絡膜動脈閉塞症（三角症候群）や脈絡膜萎縮をきたす疾患（コロイデレミアなど），毛細血管小葉単位の閉塞として急性後部多発性斑状色素上皮症 APMPPE などが典型的で，造影早期に低蛍光，後期に過蛍光を示す「蛍光の逆転現象」を示す（図18）．

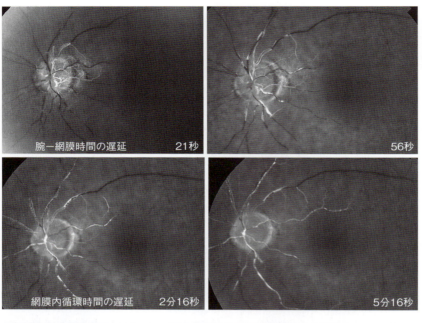

[図16] 網膜中心動脈閉塞症における網膜動脈の充盈遅延および充盈欠損
腕-網膜時間，網膜内循環時間の遅延と網膜動脈内への蛍光色素の著明な充盈遅延，欠損がみられる．網膜はそれによって低蛍光を示している．

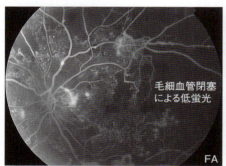

[図17] 増殖糖尿病網膜症における網膜毛細血管閉塞による低蛍光
網膜毛細血管閉塞部では広範囲に網膜は低蛍光を示している．

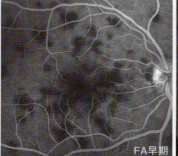

[図18] 急性後部多発性斑状網膜色素上皮症における脈絡膜への充盈遅延
造影早期に脈絡膜毛細血管板への蛍光色素の充盈遅延を示す低蛍光が斑状にみられ，後期にはその部が過蛍光となっている．脈絡膜血管の閉塞時に生じる，典型的な「蛍光の逆転現象」である．

b. 蛍光遮断（blocked fluorescence）

硝子体内，網膜前，網膜内，網膜下，脈絡膜内に，濃厚な混濁，血液，メラニン色素沈着など蛍光を遮断する物質がある場合にみられる低蛍光を指して蛍光遮断という．硝子体出血，網膜前出血（**図19**），網膜出血，網膜浮腫，網膜出血，網膜内色素沈着，網膜下出血（図14），網膜下色素沈着，網膜下脂質（硬性白斑）沈着，網膜下フィブリン，網膜色素上皮下出血，脈絡膜母斑や悪性黒色腫などで蛍光遮断がみられる．

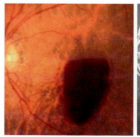 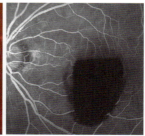

[図19] 網膜細動脈瘤破裂による網膜前出血で生じた蛍光遮断
動脈瘤破裂によって生じた網膜前出血による蛍光遮断によって，出血部は低蛍光を示している．網膜血管が隠蔽されていることによって出血が網膜前にあることがわかる．

3 アーチファクト

　FA ではアーチファクトとして自発蛍光 autofluorescence，偽蛍光 pseudo-fluorescence の問題がある．ともに蛍光色素を投与しない状態で過蛍光の状態を呈するものである．前者は眼底にそれ自体が蛍光を発する組織が存在する場合にみられるもので，後者は撮影時に用いる励起および濾過フィルターの問題によって，実際に蛍光は生じていないにもかかわらず生ずる過蛍光の状態をいう．自発蛍光を発する代表的なものとして視神経乳頭ドルーゼン，偽蛍光として強い網脈絡膜萎縮巣（透見できる強膜），大量の硬性白斑や強い線維性瘢痕などがある．蛍光造影による真の蛍光との鑑別には，蛍光造影前にフィルターを入れた状態で red free Photograph（無赤色眼底写真）を撮影しておけば鑑別できる．

文献
1) 湯澤美都子ほか：眼底血管造影実施基準（改訂版），日眼会誌 115：67-75，2011
2) JFC セールスプランホームページ：ハイデルベルグスペクトラリス（HRA+OCT）製品情報　https://www.jfcsp.co.jp/products/heidelberg/472

（髙橋寛二）

3) インドシアニングリーン蛍光眼底造影

I　検査の目的

1 検査対象

　インドシアニングリーン（indocyanine green：ICG）蛍光眼底造影検査（ICG angiography：IA）は，網膜色素上皮の透過性が良いためフルオレセイン蛍光造影 fluorescein angiography（FA）では検出に限界がある網膜色素上皮下の病変や脈絡膜血管の循環障害を検出できる．IA は，滲出型加齢黄斑変性 age-related macular degeneration（AMD）では，網膜色素上皮下の脈絡膜新生血管 choroidal neovasuculalization（CNV），ポリープ状脈絡膜血管症 polypoidal choroidal vasculopathy（PCV）のポリープ状病巣や異常血管網の検出や脈絡膜血管腫，脈絡膜悪性黒色腫，転移性脈絡膜腫瘍などの脈絡膜腫瘍，フォークト・小柳・原田病 Vogt-Koyanagi-Harada disease（VKH）の診断に用いられる．また，近年，肥厚した脈絡膜（pachychoroid）を伴う症例が多い中心性漿液性脈絡網膜症 central serous chorioretinopathy（CSC）や PCV などは，pachychoroid spectrum disease と提唱されているが[1]，その診断はただ単に異常に厚い脈絡膜ではなく，IA による脈絡膜血管透過性亢進や拡張した脈絡膜中大血管の存在などが重要となっている．FA よりも出血に伴う block（蛍光遮断）の影響が少ないため網膜に出血を伴う網膜細動脈瘤や網膜血管腫状増殖 retinal angiomatous proliferation（RAP）の診断に用いられる．

2 目標と限界

　目標は，上述した疾患の診断が可能となるようにより鮮明な画像を得ることである．限界は，厚い出血や硬性白斑など網膜にブロックをきたす所見があるとその下の病変の検出は困難となることである．

Ⅱ 検査法と検査機器

1 測定原理

ICGは，暗緑青色の色素で水溶性である．分子量は775でフルオレセインの約2倍で，血漿中では98％は血漿蛋白と結合しており血管外に漏出しにくい．ICGの最大吸収波長は，血漿蛋白と結合すると805nmで，励起されると835nmの波長をもつ蛍光を発する．近赤外領域であるために肉眼での透見は困難である．この800nm付近の波長は網膜色素上皮を透過しやすく脈絡膜血管からの蛍光が強く出るので，IAは網膜血管や網膜色素上皮の異常を検出しにくいが，FAでは検出に限界がある網膜色素上皮下の病変や脈絡膜の循環障害を検出できる．

2 機器の構造

撮影装置には眼底カメラ型と走査型レーザー検眼鏡 scanning laser ophthalmoscope（SLO）があり，造影時期や疾患によっては造影所見に違いある．SLOの機種はいくつかあるが，本稿で提示する画像はHeidelbelg社のHeidelbelg Retina Angiograph（HRA）で撮影した画像である．眼底カメラ型は網膜表面から深層までのすべての蛍光の重ね合わせの画像であるのに対して，SLOは，眼底にレーザー光を入射させ，眼底を高速に走査し，その反射光を検出器で処理して画像を構築する装置である．眼底カメラ型との大きな違いは，共焦点（confocal）方式をとっていることである．共焦点方式は，眼底からの反射光のうち散乱光を検出器の前の絞り（ピンホール）で遮断して直接光のみを捉え，焦点の合った部分以外の余分な反射光は除去されるのでより解像度の高い画像が得られる．SLOでは，早期から中期にかけて正常な網膜血管も鮮明に造影されるので，脈絡膜の病巣と網膜血管の位置関係の把握をしやすい．

Ⅲ 検査手順

1 検査の流れ

1）造影前

検査を予約する時点でIAの必要性とともにショックなどの副作用の説明を含めたインフォームドコンセントを行い，必ず検査の承諾を書式でとる．IAの副作用の頻度はFAと比較して多くはないが，過去にIAを行い，発疹を含め何らかのアレルギー反応が生じた既往がある場合，ヨードアレルギーの既往がある場合は禁忌である．投与前の皮内反応などの予備テストの有用性は不明である．IAは，FAと同時に行うことが多いので，造影前の注意点，造影時のショック対策については本稿では割愛するが，FA同様に眼底血管造影実施基準（改訂版）は，検査に携わるスタッフは必読すべきである[2]．

2）造影剤の準備

使用する造影剤は，2002年に製造承認された参天製薬株式会社のオフサログリーン静注用25mgである．使用30分前に25mg（成人）を必ず添付された注射用水2mlで完全に溶解し，気泡ができないように3mlの注射器につめる（生理食塩液等で溶解しないこと）．

3）造影剤注入前

留置針はサーフロー20ゲージあるいは22ゲージを用いる．血管確保は関節を避けて安定の良い前腕の静脈でとり，腕から外れないようにしっかり固定し，検査終了時に体調不良がないことを確認するまで抜かない．

2 機器の使い方と検査のコツと注意点

造影初期を撮影する眼にカメラのレンズを向け，フィルターを入れる前にピントを網膜血管に合わせたあと，レンズを脈絡膜側に少し押し出しておく．タイマーをセットして，三方活栓からオフサログリーン2mlを静注する．撮影中は瞬目をできるだけ我慢してもらい，可能ならば固視灯を対側眼で凝視してもらう．初期像の撮影が一番難しい．血管が造影されはじめたらすぐに網膜血管より少し奥のほうの脈絡膜血管に片方の手でピントを合わせ，もう片方の手で撮影光量を調節する．蛍光が少しでも早く確認できるように光量は強めに設定し，造影されはじめたらすぐに弱くする．光量が強すぎると画面が白くなり，病変が読影できない．ICGの蛍光は指数関数的に弱くなるので光量は撮影時間の経過とともに上げていく．

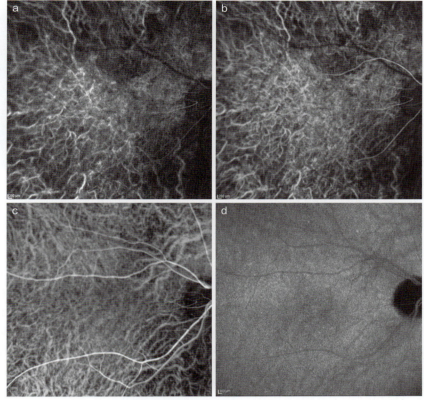

[図1] 正常所見
a（20秒）脈絡膜動脈相．後極部から周辺部に分枝する脈絡膜動脈が造影される．
b（21秒）脈絡膜動静脈相．脈絡膜静脈が造影され始めている．
c（24秒）脈絡膜静脈相．脈絡膜動脈の蛍光が減弱して脈絡膜静脈の蛍光が優位となっている．
d（15分）消退相．脈絡膜血管内のICGはほとんど消失し，均一なびまん性脈絡膜蛍光が認められ，網膜血管と脈絡膜血管は黒くシルエット様にみえる．

鮮明な初期像を得るために，ピントと光量に集中できるように動画で記録する．これは静止画で記録するためには静止画のスイッチを押す必要があり，ピントあるいは光量調節が甘くなってしまうためである．また，初期像は，数秒で画像が大きく変化するので，動画で記録したほうが得られる情報量が多い．30～40秒までは動画撮影，その後は静止画で5秒おき，1分後は，3分，5分，10分，15分と5分おきに撮影する．

IV　検査結果の読み方と解釈

1 正常所見

1) 脈絡膜動脈相（図1a）

後極部から周辺部に分枝する脈絡膜動脈が造影される時期．短後毛様動脈の支配領域である後極部が最も早く造影される．この時期に，鼻側と耳側の後毛様体動脈の支配領域の境界部が視神経乳頭を中心として垂直方向に走る流入遅延部（分水嶺；watershed zone）として観察されることがある．

2) 脈絡膜動静脈相（図1b）

脈絡膜動脈が造影されてから3～5秒後に脈絡膜静脈も造影される時期．脈絡膜蛍光が最も強くなる．

3) 脈絡膜静脈相（図1c）

脈絡膜動脈の蛍光が減弱して脈絡膜静脈の蛍光が優位となる時期．脈絡膜静脈はICG色素の静脈注射10～15分後まで観察できる．

4) 消退相（図1d）

ICG色素の静脈注射15～20分後の造影後期で脈絡膜血管内のICGはほとんど消失し，均一なびまん性脈絡膜蛍光が認められる時期．視神経乳頭は低蛍光を示し，黄斑部は中心窩領域に存在するキサントフィルのためblock（蛍光遮断）による軽度の低蛍光を示す．網膜血管と脈絡膜血管は黒くシルエット様にみえる．

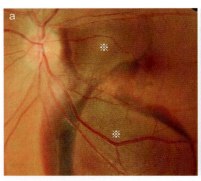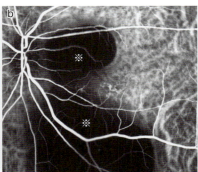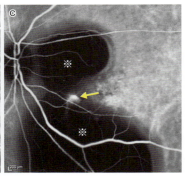

[図2] 出血によるblockの低蛍光（ポリープ状脈絡膜血管症に伴う出血性網膜色素上皮剥離）
a カラー眼底写真，b IA 早期（41 秒），c IA 後期（10 分）
後期にポリープ状病巣は過蛍光を示すが（矢印），その周囲は出血性網膜色素上皮剥離（※）に伴うblockで早期から後期まで低蛍光を示す．

2 異常所見とその解釈

異常所見は低蛍光と過蛍光に分けられる．また，CNV を含む脈絡膜血管の形態変化も異常所見となる．

1) 低蛍光

IA で正常よりも蛍光が暗い低蛍光は，組織や病変によるblock（蛍光遮断）とICGの充盈遅延，充盈欠損がある．

a. block（蛍光遮断）

blockは，原因となる病変により，それより下の蛍光が遮られ周囲よりも低蛍光となった状態である．原因となる物質や病変が網膜前，網膜内，網膜下，網膜色素上皮レベルのどのレベルのblockであるのか，カラー眼底写真，FA，光干渉断層計 optical coherence tomograph（OCT）の所見と併せて判断する．

① 物質によるblock

出血，硬性白斑，感覚網膜あるいは網膜色素上皮の下液，多量のメラニンなどの物質が原因になる場合がある．これらICGはフルオレセインに比べ出血を透過しやすいが，網膜前，網膜下，網膜色素上皮下の出血は厚いものが多く早期から後期まで低蛍光を示す（図2）．漿液性網膜色素上皮剥離では，加齢に伴って増加した脂質により親水性のICGがblockされることがあり，網膜色素上皮剥離の範囲の過蛍光が均一とならず一部低蛍光を示す不規則低蛍光のパターンと網膜色素上皮剥離に一致した範囲に早期から後期まで低蛍光を示す全低蛍光のパターンがある．メラニンの沈着によるblockは早期から後期まで低蛍光となる．脈絡膜母斑は，FA所見でみられるよりも低蛍光が鮮明で，範囲も広い（図3）．

② 病変組織によるblock

網膜レベルでは，厚みのある網膜上膜や有随神経線維，網膜色素上皮レベルでは，CNV，重層化した網膜色素上皮，脈絡膜腫瘍などの病変組織が低蛍光の原因になる場合がある．重層化した網膜色素上皮は，網膜色素上皮裂孔のときにみられるロールした網膜色素上皮が重なっている部位でみられる．CNVの活動性が低下した網膜色素上皮上CNV（type2 CNV）に網膜色素上皮の囲い込みが生じると低蛍光となることもある．脈絡膜内の病変組織がblockの原因となるものには脈絡膜悪性黒色腫や転移性脈絡膜腫瘍が挙げられる．脈絡膜悪性黒色腫は腫瘍のメラニン色素[3]，転移性脈絡膜腫瘍では腫瘍細胞によって脈絡膜血管がブロックされ低蛍光を示すことがある[4]．

b. 充盈遅延・充盈欠損

充盈遅延は造影剤の組織への流入が遅れて低蛍光を示すが，時間の経過で蛍光が確認できる状態である．FAと異なりIAは，脈絡膜動脈，脈絡毛細血管板，脈絡膜静脈を経時的に明瞭に観察できるので脈絡膜の循環障害を判定できる．充盈欠損は血管の閉塞や消失により，時間が経過しても造影剤の組織への流入が認められず持続する低蛍光となる状態である．脈絡毛細血管板の萎縮ある

3) インドシアニングリーン蛍光眼底造影

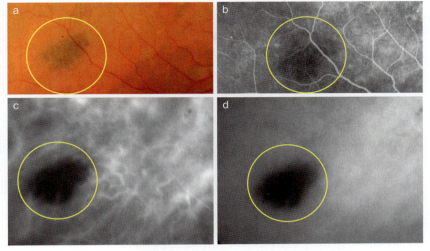

[図3] メラニンの沈着による block の低蛍光（脈絡膜母斑）
a 眼底写真．黒色の母斑を認める．
b FA 後期．母斑は淡い低蛍光を示す．
c IA 早期（27秒）．母斑は境界鮮明なメラニンの沈着による block を示す．
d IA 後期（27分）．早期で認めた低蛍光は持続している．

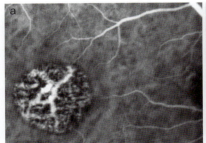 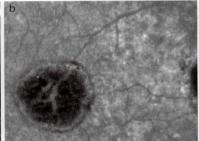 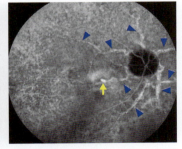

[図4] 脈絡毛細血管板の充盈欠損の低蛍光（萎縮型加齢黄斑変性）
a IA 早期（1分）．脈絡膜中大血管は明瞭に示すが，地図状萎縮の範囲は脈絡毛細血管板の萎縮による充盈欠損のため低蛍光を示す．
b IA 後期（15分）．周囲の脈絡毛細血管板の色素の漏出が強くなり，中央の低蛍光が明瞭となる．

[図5] staining を示す線条の過蛍光（網膜色素線条）
IA 後期（20分）．線条は明瞭な staining による過蛍光を示す（矢頭）．中心窩の過蛍光は CNV である（矢印）．

いは消失による充盈欠損による低蛍光は，時間の経過とともに周囲の脈絡毛細血管板の色素の漏出が強くなり，後期には他の部位よりも低蛍光が明瞭となる．また，その中の脈絡膜中大血管も明瞭に観察できる（図4）．

2) 過蛍光

IA は，FA では困難である網膜色素上皮より下の病変の検出に優れている．正常 IA 所見よりも蛍光が明るい過蛍光は，蛍光色素の貯留 pooling と組織染 staining，脈絡膜血管透過性亢進 choroidal vascular hyperpermeability：CVH）がある．

a．貯留 pooling

pooling は，蛍光色素が網膜内，網膜下，網膜色素上皮下などの組織の空間に貯留した状態で，造影早期から後期にかけて過蛍光の範囲が拡大したり，蛍光が増強したりするが，ICG は分子量が大きくさらに血漿蛋白と結合しているので血液網膜関門の異常部位を透過しにくく時間がかかるため，FA で認める pooling による過蛍光が IA では認めなかったり，弱く認めることもある．

b．組織染 staining

staining は，眼内の組織に蛍光色素が付着あるいは結合した状態で，造影早期では不明瞭で後期にかけて過蛍光として認める．時間の経過とと

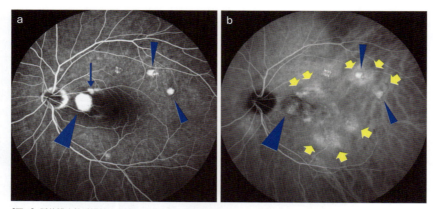

[図6] 脈絡膜血管透過性亢進（中心性漿液性脈絡網膜症）
a FA 後期（5分）．蛍光色素漏出点（細矢印）と多発する網膜色素上皮剥離は pooling による過蛍光を示す（矢頭）．
b IA 後期（8分）．FA で認める網膜色素上皮剥離は同様に過蛍光を示し（矢頭），その周囲とその部位以外に脈絡膜血管透過性亢進に伴う過蛍光を示す（太矢印）．

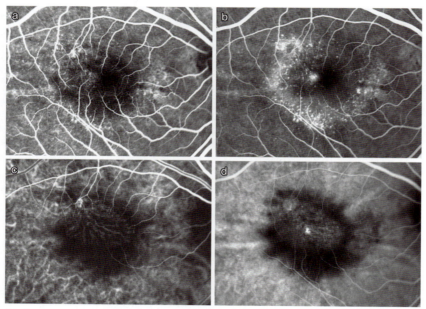

[図7] FA で検出されない網膜色素上皮下 CNV（滲出型加齢黄斑変性）
a FA 早期（44秒），b FA 後期（10分）．後期に CNV に伴う蛍光色素の漏出に伴う過蛍光となる occult CNV の所見を示し，CNV は不鮮明である．
c IA 早期（19秒）．起始部から扇状に広がる CNV の血管構造が確認できる．
d IA 後期（10分）．FA で検出できない網膜色素上皮下 CNV が確認できる．

に周囲の正常な範囲の蛍光色素が wash out され減弱してくると確認しやすくなる．障害された網膜色素上皮や Bruch 膜も staining を示す．網膜色素線条の線条は，Bruch 膜の脆弱，断裂の所見だが，IA で過蛍光を示すことがある（図5）[5]．

c．脈絡膜血管透過性亢進（CVH）
　pachychoroid spectrum disease である CSC にみられる造影後期の過蛍光は CVH の所見で[1]，

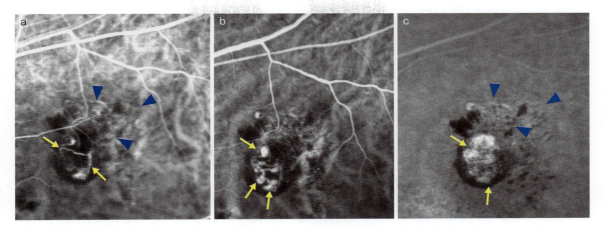

[図8] 脈絡膜血管の形態異常（ポリープ状脈絡膜血管症；PCV）
a IA 早期（17秒）．異常血管網（矢頭）とポリープ状病巣の内部（矢印）は脈絡膜血管の形態異常を示唆する血管を認める．
b IA 早期（23秒）．ポリープ状病巣の内部は瘤状の過蛍光を示す（矢印）．
c IA 後期（15分）．異常血管網は面状の過蛍光を示し（矢頭），ポリープ状病巣の内部は蛍光色素が貯留し過蛍光を示す（矢印）．

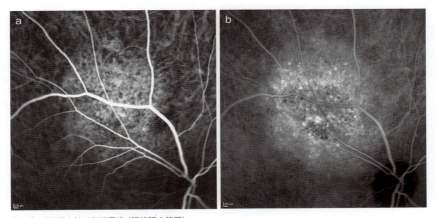

[図9] 脈絡膜血管の形態異常（脈絡膜血管腫）
a IA 早期（38秒）．腫瘍血管より周囲の脈絡膜血管と比べ過蛍光を呈する．
b IA 後期（10分）．腫瘍周囲は腫瘍血管からの漏出による過蛍光を呈するが，腫瘍中央部の蛍光は減弱して認める．

以前は異常脈絡膜組織染とされており，CSC では，FA の網膜色素上皮からの蛍光色素の漏出部位周囲にみられることが多いが，他の部位あるいは漿液性網膜剥離を発症していない対側眼でみられることもある（図6）[6]．

3) 形態異常

a. 脈絡膜血管

IA は，上述したように FA では困難である網膜色素上皮より下の脈絡膜血管の形態異常の検出に優れている．FA で検出が困難な網膜色素上皮下 CNV（type1CNV）は IA で鮮明に検出できる症例もあり（図7）．PCV では，異常血管網とポリープ状病巣の検出が可能で，IA のポリープ状病巣は PCV の診断基準の確実例の所見となる[7]．（図8）．また脈絡膜血管腫も腫瘍内の血管が造影される（図9）．

b. 網膜血管

通常，FA のほうが IA よりも網膜血管の形態異常を検出しやすいが，出血に覆われている網膜細動脈瘤などの網膜主幹血管の形態異常は，網膜動脈に連なる瘤状病変として IA のほうが検出しやすい場合がある．

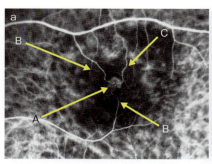 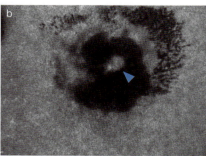

[図10] 網膜血管の形態異常（網膜血管腫状増殖；RAP）
a IA 早期（19秒）．網膜内新生血管（A）と網膜血管の吻合（2本の流入血管（B），1本の流出血管（C））が検出される．
b IA 後期（15分）．網膜内新生血管は過蛍光を示す（矢頭）．

　網膜の新生血管は，IA での検出は困難であるが，網膜血管も鮮明に撮影できる HRA では，RAP の網膜血管と吻合する新生血管を検出できる（図10）．

　また，糖尿病黄斑浮腫や傍中心窩毛細血管拡張症に認める毛細血管瘤は検眼鏡やカラー眼底写真，FA で確認するが，出血やフィブリン析出の程度が強い場合や FA で蛍光色素の漏出が強く，血管瘤が確認しにくい場合もあり，その場合は IA で確認する[8]．

文献
1) Cheung CMG, et al：Pachychoroid disease．Eye（Lond）33：14-33, 2019
2) 日本眼科学会眼底造影実施基準策定委員会：眼底血管造影実施基準（改訂版）．日眼会誌 115：67-75, 2011
3) 川村昭之：脈絡膜悪性腫瘍．インドシアニングリーン蛍光眼底アトラス，南山堂，東京，195-203, 1999
4) 奥芝詩子ほか：転移性脈絡膜悪性腫瘍．眼科診療プラクティス 54．ICG 造影所見の読み方，湯澤美都子編，文光堂，東京，38-39, 2000
5) Maddalena Q, et al：Indocyanine green videoangiography of angioid streaks．Am J Ophthalmol 119：136-142, 1995
6) Iida T, et al：Persistent and bilateral choroidal vascular abnormalities in central serous chorioretinopathy．Retina 19：508-512, 1999
7) 日本ポリープ状脈絡膜血管症研究会：ポリープ状脈絡膜血管症の診断基準．日眼会誌 109：417-427, 2005
8) Hirano Y, et al：Indocyanine green angiography-guided laser photocoagulation combined with sub-Tenon's capsule injection of triamcinolone acetonide for idiopathic macular telangiectasia．Br J Ophthalmol 94：600-605, 2010

〔森 隆三郎〕

4) 眼底自発蛍光撮影

I 検査の目的

1 検査対象

　眼底自発蛍光は主に網膜色素上皮細胞に由来することから網膜色素上皮に異常を生ずる疾患が検査の対象になる．網膜色素上皮はレチノイドサイクルを介して視物質の代謝に深くかかわっており，眼底自発蛍光は間接的に視細胞の機能も評価できる．臨床では網膜変性疾患，加齢黄斑変性，中心性漿液性脈絡網膜症などの滲出性病変，原田病や一過性多発白点消失症候群などの炎症性疾患が対象疾患となる．

2 目標と限界

　眼底自発蛍光検査は，網膜色素上皮細胞の自発蛍光を含めた過蛍光，低蛍光所見を明瞭に記録できる画像を撮影することが目標である．微細な所見は画像輝度により見え方が異なることがあるので，できるだけ同じ輝度の画像になるように心がけ撮影する．眼底自発蛍光は微弱であるため，前眼部，中間透光体混濁の影響を強く受ける．特に白内障の影響を強く受けるため，白内障眼の撮影は困難である．また特にデジタルカメラ型では，瞳孔径の影響も大きく，散瞳不良例では撮影が難しくなる．

II 検査法と検査機器

1 測定原理と測定範囲

　眼底自発蛍光を発する網膜色素上皮細胞は視細胞外節に接しており，レチノール代謝産物を含んだ外節円板を貪食している．貪食された外節円板中のレチノール代謝産物は，網膜色素上皮細胞内の酵素反応を経て，11-cis-レチナールとなり再度，視細胞外節で利用される．レチノイドサイクルの過程で，bis-retinoid と呼ばれる副生成物が生じ，網膜色素上皮細胞の中に蓄積し，自発蛍光の蛍光源となる（図1）．自発蛍光物質は10種類程度あるといわれており，物質ごとに多少異なる

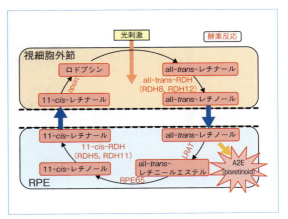

[図1] レチノイドサイクル模式図
RDH：レチノールデヒドロゲナーゼ，LRAT：lecithin retinol acyl-transferase，RPE 65：RPE-specific 65 kDa protein

蛍光波長を出している．実際に臨床機器に応用されている共焦点走査レーザー検眼鏡 scanning laser ophthalmoscope（SLO）では青色から緑色（488〜532 nm）の照射光が用いられ，デジタルカメラ型の器機では500 nm後半から600 nm前後（黄色から赤色）の照射光が用いられる（図2）．バリアフィルターとしてはこれらの波長より長波長側のフィルターが使用される．SLO型で488 nm前後の光源を用いている機種では，中心窩に存在する黄斑色素（ルテイン，ゼアキサンチン）に照射光，励起光ともにブロックされる．このことを利用し黄斑色素の動態を観察することも可能である．逆に，SLOで532 nm照射光を用いている機種や眼底カメラ型では黄斑色素の影響が少ないため，中心窩の網膜色素上皮を直接評価する目的に適している．

2 機器の構造

　現在市販されている眼底自発蛍光撮影機器はSLO型とデジタルカメラ型の2種類である．SLOでは，レーザービームを用い眼底を高速で走査することにより画像を作り出す．原理的には瞳孔をレーザービームが通過することができれば画像を得ることが可能で，散瞳が比較的悪い場合でも眼底自発蛍光を撮影することが可能である．また，受光部分ではピンホールを通して撮像することから，散乱光の影響が少なく，コントラスト

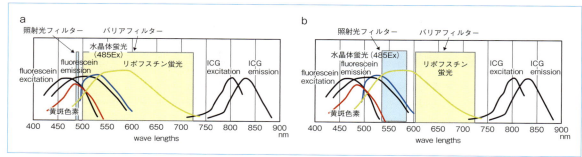

[図2] SLO型とデジタルカメラ型のフィルター特性
a SLO型，b デジタルカメラ型

が高い像が得られる（**図3**）．デジタルカメラ型では，瞳孔領全体を通過した照射光が蛍光物質を励起する．このため，小瞳孔では照射光量が不十分となり撮影が困難になる．また，水晶体が強い自発蛍光を発するため水晶体から出た自発蛍光の前方散乱が画像に影響し，SLOに比較し画像のコントラストは低い．

3 他の検査との関連

網膜色素上皮細胞の異常は，眼底写真では色素異常を呈し，フルオレセイン蛍光眼底造影では，初期から過蛍光で，後期まで蛍光強度の変化が乏しい，いわゆるwindow defectとなる．眼底自発蛍光では眼底写真に比較し，網膜色素上皮異常の範囲がより明瞭に観察できる．フルオレセイン蛍光眼底造影のwindow defectの範囲には，眼底自発蛍光で過蛍光または低蛍光を認める．これはwindow defectの範囲の網膜色素上皮の活性に違いがあり，自発蛍光の差になると考えられる．したがって，眼底自発蛍光の過蛍光，低蛍光の範囲を合わせた異常自発蛍光範囲は，window defectとほぼ一致する．

III 検査手順

1 検査の流れ

1) 散瞳

SLOでは比較的小瞳孔でも撮影は可能であるが，微弱な自発蛍光をとらえるため，強い照射光を用いるので十分に散瞳していたほうが良い．デジタルカメラ型の中には無散瞳でも撮影が可能な機種もあるが，画質は低下するので，可能であれ

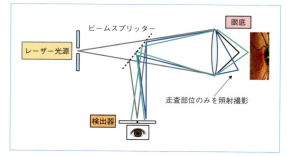

[図3] SLOによる眼底撮像の模式図

ば散瞳したほうが良い．

2) 撮影前観察

散瞳後に，角膜混濁や白内障がないかどうか，前眼部の異常を細隙灯顕微鏡で観察しておくとよい．また，硝子体混濁の有無についても，眼底検査またはカラー眼底写真撮影を行う際に確認する．SLOでは，赤外光を用いた観察を行い，写り具合を把握しておくとよい．

2 機器の使い方

SLOでは，まず赤外光観察で，ピントとフレームを合わせておく．あご台と撮影機器の上下動でモニター上に瞳孔中央がくるように，位置を調整し，ピントを調整する．ジョイスティックでカメラ部分を押し込み眼底の画像が写る位置に進め，再度，眼底にピントを合わせる．その後，自発蛍光モードに変更し，自発蛍光を撮影する．レーザー出力は固定されている機種が多く，画像輝度は主に受像側のゲイン調整により行う．周辺部の撮影では輝度が低下するので周辺部ではゲインをやや高めに設定する．撮影後は，より鮮明な

画像にするため，加算平均処理を行う．HRA2 (Heidelberg engineering社) などリアルタイムで加算平均処理ができる機種では，通常は加算平均処理モードに設定しておく．

デジタルカメラ型では，まずカラー眼底撮影モードで眼底が明瞭に撮影できる位置にカメラをセットした後，自発蛍光モードに切り替え撮影する．羞明が強い症例では，観察光光量を下げスプリット指標を利用して撮影すると被検者に対する負担も少ない．

3 検査のコツと注意点

SLO では，数十秒間の撮影の間，連続して眼球を照射しているので羞明感が強く，固視が不良となることが多い．これを避けるため，内部固視標，外部固視灯を利用する．内部固視標は，患者に気づかれないことがあるので内部に固視標があることを患者に説明し，固視を促す．羞明感が強く，対象眼での固視が難しい場合は，外部固視標を用い対側眼での固視を促す．加算平均処理により多少の固視ズレは問題がないが，あまり固視が悪いと，加算平均処理時に，本来は存在しない位置に，所見が写り込んだり，周辺部にボケが生じたりする（図4）．図4左は固視が良好な状態での加算平均画像である．白内障があるものの周辺部まで網膜血管は鮮明に描出されている．図4右は同一眼の固視不良状態での加算平均後の眼底自発蛍光像である．全体に画像はぼやけており，周辺部には輝度が低下し，網膜血管の輪郭もぼやけている．Optos (Optos社) では一度に200°の眼底自発蛍光撮影が可能であるが，睫毛が写り込むことがある．開瞼器を装着することで周辺部まで十分な撮影ができる．SLO では角膜表面の影響を強く受け，涙液層が乱れると画質が低下することがある．ドライアイの患者ではヒアルロン酸製剤の点眼薬をあらかじめ点眼しておくと画像が鮮明になる．

デジタルカメラ型では，水晶体混濁の影響が大きい．光路に混濁があると鮮明な画像が得られないので，あらかじめ前眼部を観察しておき，混濁がある位置を避けて撮影を行うと，鮮明な画像がえられる（図5）．図5は，水晶体後嚢下に部分

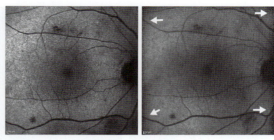

[図4] 固視の違いによる画像の違い（HRA像）

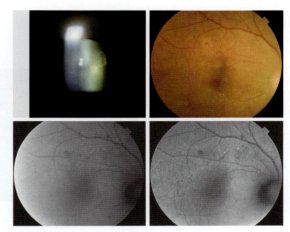

[図5] 白内障による自発蛍光の違い（デジタルカメラ）

的に混濁がある例である（図5左上）．眼底写真は，ほぼ問題なく撮影が可能である．画面の中心を瞳孔領中心に合わせて撮影すると，水晶体混濁により中心窩から下耳側にかけて画像がぼやけてしまう（図5左下）．画像の中心をやや下方にして撮影すると，中心窩を明瞭に撮影することができる（図5右下）．

IV 検査結果の読み方と解釈

1 正常眼底自発蛍光

自発蛍光を持たない網膜血管，視神経乳頭は暗く写る．488nm 前後の照射光を用いている SLOでは中心窩付近は黄斑色素の影響で暗く写る．SLO でも 532nm を用いている Optos やデジタルカメラ型では中心窩の輝度低下は少ない（図6）．デジタルカメラ型では視神経乳頭や網脈絡膜萎縮で強膜が透見できるような病巣は，やや明るく描出される（図7）．これは水晶体蛍光の前方散乱に

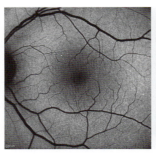
[図6] SLOによる正常眼の眼底自発蛍光

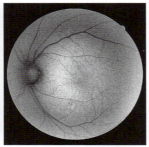
[図7] デジタルカメラによる正常眼の眼底自発蛍光

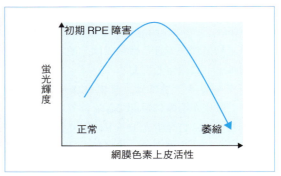
[図8] 網膜色素上皮活性と眼底自発蛍光輝度の概念図

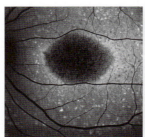
[図9] Stargardt病（眼底自発蛍光）

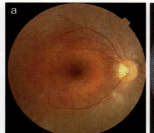
[図10] 網膜色素変性症
a カラー写真，b 眼底自発蛍光
眼底自発蛍光では，周辺の網膜色素上皮の変性を明瞭に捉えることができる．中心窩周囲には，特徴的なリング状過蛍光がみられる．

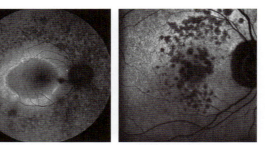
[図11] 萎縮型加齢黄斑変性（眼底自発蛍光）

よるもので本来の自発蛍光とは異なる（偽蛍光）．

2 異常所見とその解釈

眼底自発蛍光の異常所見の主な原因は，網膜色素上皮自体の障害と網膜下沈着物，視細胞障害である．網膜色素上皮障害が生ずると網膜色素上皮細胞内で自発蛍光物質の蓄積が起こり，眼底自発蛍光は過蛍光となる．さらに障害が進行し網膜色素上皮細胞が萎縮または死滅すると低蛍光になると考えられている（図8）．Stargardt病では，黄色斑に一致した過蛍光，低蛍光所見が見られる．錐体ジストロフィなどで中心窩網膜色素上皮細胞が変性すると中心窩がより低蛍光となる（図9）．網膜色素変性症では，周辺部から変性が進行するが，後極に残存した健常部位との境界に特徴的なリング状過蛍光が認められる（図10）．萎縮型加齢黄斑変性（図11）では色素上皮障害部位が低蛍光となる．病巣と健常部分の境界が明瞭に観察できるため，萎縮進行の評価に有用である．萎縮に対応する低蛍光領域の辺縁が過蛍光になっている症例では，萎縮の進行速度が速いといわれている．軟性ドルーゼンは淡い過蛍光または正常蛍光である．滲出型加齢黄斑変性では出血，浮腫，フィブリン，再生網膜色素上皮など病巣の構成により，過蛍光，低蛍光さまざまな変化が混在してみられる．出血，浮腫，フィブリンは低蛍光であり，再生網膜色素上皮は過蛍光のことが多い．網膜色素上皮裂孔では，裂孔部位は網膜色素上皮が欠損しているため低蛍光となる（図12）．ポリープ状脈絡膜血管症では，ポリープ状病巣はリング状過蛍光を示すことが多い．

漿液性網膜剥離などで，網膜色素上皮細胞による視細胞外節の貪食が途絶えると，視細胞外節内の異常代謝産物が網膜下に沈着する．この沈着物自体や沈着物を貪食したマクロファージや網膜色

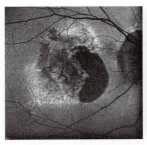
[図12] 網膜色素上皮裂孔（眼底自発蛍光）
欠損部が均質な低蛍光となっている．

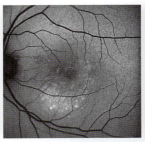
[図13] 中心性漿液性脈絡網膜症（眼底自発蛍光）

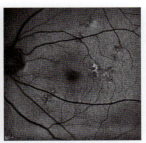
[図14] pachychoroid pigment epitheliopathy の眼底自発蛍光

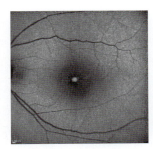
[図15] 特発性黄斑円孔（眼底自発蛍光）
円孔周囲には囊胞によると考えられる花弁状の過蛍光がみられる．

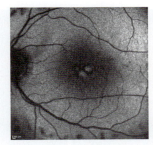
[図16] 囊胞様黄斑浮腫（眼底自発蛍光，網膜静脈閉塞症）

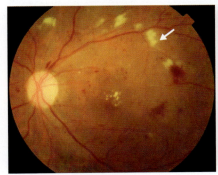
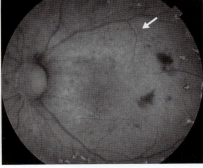
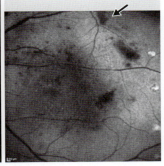
[図17] 軟性白斑（眼底自発蛍光）
デジタルカメラ型では蛍光の異常を認めない（中央）．SLO 型では軟性白斑は低蛍光（矢印）となっている（右）．

素上皮細胞が自発蛍光を発すると考えられている．中心性漿液性脈絡網膜症では，この網膜下沈着物による異常自発蛍光が観察される（図13）．近年，脈絡膜の肥厚を特徴とする pachychoroid 疾患の概念が提唱されている．pachychoroid 疾患においては，脈絡膜の滲出病変に伴う網膜色素上皮障害がみられる．眼底自発蛍光でも，中心性漿液性脈絡網膜症にみられる網膜色素上皮障害と同様の変化がみられ診断に有用である．滲出性病変がみられない症例は，pachychoroid pigment epitheliopathy と呼ばれる（図14）．

SLO では，黄斑円孔などで中心窩網膜が欠損すると過蛍光となる（図15）．これは，組織の消失により自発蛍光をブロックする黄斑色素が消失したためである．黄斑浮腫により囊胞腔が形成されると，黄斑色素が偏位するため自発蛍光の透過性が上昇し，過蛍光となる（図16）．自発蛍光を発しない網膜出血，軟性白斑，硬性白斑，網膜有髄線維は低蛍光となることが多い（図17）．

網膜下血腫は，急性期は低蛍光であるが，慢性

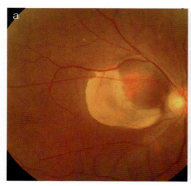 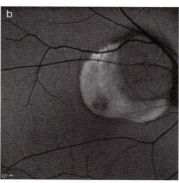

[図18] 黄斑下血腫
a カラー眼底写真
b 眼底自発蛍光
白色の網膜下血腫は過蛍光となる.

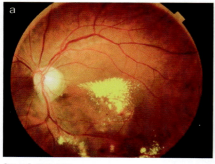 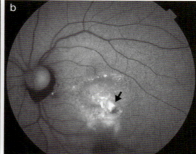 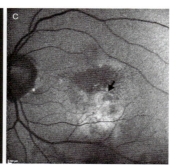

[図19] 硬性白斑
a カラー眼底写真
b 眼底自発蛍光（デジタルカメラ型）
c 眼底自発蛍光（SLO）

期に入り血腫自体が白色化してくると強い過蛍光を示すようになる（図18）.

3 アーチファクト

SLOでは，固視が不良であると加算平均処理により，アーチファクトが生ずることがある．

デジタルカメラ型では，水晶体の散乱光による所見を見誤らないように，注意が必要である．図19は硬性白斑のSLOとデジタルカメラ型の自発蛍光である．硬性白斑の大部分はいずれの機器でも低蛍光として描出されている．中心窩やや耳側の硬性白斑は，SLOでは低蛍光なのに対し，デジタルカメラ型では過蛍光となっている（矢印）．これは眼内の散乱蛍光による偽蛍光である．水晶体自発蛍光があるため，デジタルカメラ型で撮影すると有水晶体眼では眼底自発蛍光は輝度が高く描出される傾向があり，白内障手術前後で画像を比較するような場合は注意を要する．

おわりに

これまで網膜色素上皮の画像診断といえばフルオレセイン蛍光造影法が中心に用いられてきた．しかしフルオレセイン蛍光造影は，頻度は低いが重篤な合併症を引き起こすことがあり，最小限の使用にとどめるべきである．眼底自発蛍光検査の登場により，非侵襲的に網膜色素上皮機能の評価が可能となり，診断ばかりではなく，経過観察が非常に容易になった．眼底自発蛍光は微弱であるため，機種や撮影条件に影響を受けることがある．機種の特性を理解し，できるだけ統一した条件で撮影を行い，正確な診断，治療判断に役立てていただきたい．

（石龍鉄樹）

5）黄斑色素測定

I 検査の目的

　網膜の中央，直径1.5〜2.0mmの黄斑に存在する黄斑色素 macular pigment の量を測定する．黄斑色素はルテイン，ゼアキサンチン，メソゼアキサンチンの3種類のカロテノイドを成分とし，青色光吸収作用，活性酸素消去作用，抗炎症作用によって，網膜視細胞を光による酸化ストレスから守っている．また，網膜内の青色散乱光を抑制することで，コントラスト感度の向上とグレアの低減に役立っている．

　黄斑色素が網膜内のどの細胞に最も多く蓄積されるかは確定していないが，カロテノイドは脈絡膜毛細血管から網膜色素上皮細胞に取り込まれ，視細胞に輸送された後 Müller 細胞に貯まると考えられる．したがって，Müller 細胞の異常をきたす疾患で異常を示す．黄斑部毛細血管拡張症2型（type 2 macular telangiectasia）は Müller 細胞障害が主因とされ，中心窩耳側の黄斑色素が減少する．分層黄斑円孔で網膜表面に付着する lamellar hole associated epiretinal proliferation（LHEP）は黄斑色素を持つ．黄斑円孔では円孔部の色素が欠損するが，手術で Müller 細胞による円孔閉鎖を得ると色素が回復する．研究段階であるが，色素の多寡や分布状態と黄斑円孔や加齢黄斑変性発症との関係が検討されている．また，ルテイン・ゼアキサンチン含有サプリメントが加齢黄斑変性の予防に有効とされるが，サプリメントによって黄斑色素が増加するかどうかの研究にも使用される．黄斑色素と認知症の関係も調べられており，黄斑色素測定の臨床的有用性は今後の研究にかかっている．

1 検査対象
　黄斑部毛細血管拡張症2型，その他の黄斑疾患

2 目標と限界
　方法ごとに長所短所がある．異なる装置で得られた値をそのまま比較することはできない．

II 検査法と検査機器

　原理的に4種類の測定法[1]があるが，現在，臨床使用できるのは heterochromatic flicker photometry（HFP），眼底反射光測定法，眼底自発蛍光分光法である．4種類の測定法の特徴を**表1**に示す．測定値は測定光が黄斑色素でどの程度減弱したかを示す値，光学密度 optical density（吸光度）である．強度 I_0 の測定光が色素を透過し，出射光強度がIになったとする．両者には Lambert-Bear の法則（$I = I_0 e^{-ax}$，a は測定光に対する色素の吸収係数，x は色素の厚み）が成り立つ．光学密度は透過率（I/I_0）の常用対数に，吸収のある場合を正にするための負号をつけたもので，光学密度 = $-\log_{10}(I/I_0) = -\log_{10} e^{-ax}$ である．

[表1] 黄斑色素の測定法

	測定原理	長所	短所	商品名
心理物理学的方法（HFP）	自覚検査，黄斑色素で減弱する青色光と減弱しない緑色光の自覚的な差を利用する	散瞳不要 比較的安価	被検者の理解・協力を要する 検査時間が長い 再現性・精度がやや低い	黄斑色素スクリーナーMPS2（(株)エムイーテクニカ，現在発売終了） マクラメトリクスⅡ（Macular Metrics）
眼底反射光測定法（Fundus Reflectometry）	他覚検査，青色光の強膜反射光が黄斑色素で減弱する程度をみる	短時間 色素分布も測定可能	散瞳必要，散乱の影響を受ける 白内障の影響を受ける	VISCAM（カールツアイスメディテックジャパン，現在発売終了） RetCam3（Clarity Medical System）
眼底自発蛍光分光法（Fundus Autofluorescence Spectroscopy）	他覚検査，眼底自発蛍光が黄斑色素で減弱する程度をみる	短時間 色素分布も測定可能	散瞳必要 リポフスチン分布の不均一例には不適	SPECTRALIS OCT（Heidelberg Engineering，黄斑色素測定モジュールは非売品）
共鳴ラマン分光法（Resonance Raman Spectroscopy）	他覚検査，カロテノイド分子が発するラマン散乱光強度を測定	特異度が高い 短時間	散瞳必要 中間透光体混濁の影響を受ける	市販品なし

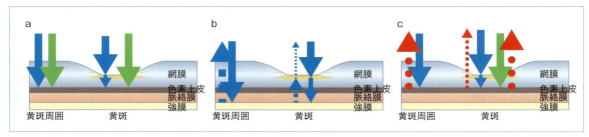

[図1] 各測定方法の原理
a heterochromatic flicker photometry. 黄斑では青色光は黄斑色素で吸収されて減弱し，緑色は減弱しない．黄斑色素の少ない黄斑周囲では青も減弱しない．
b fundus reflectometry. 青色光は黄斑色素で吸収されて励起光と反射光の双方が減弱する．黄斑周囲では減弱しない．
c fundus autofluorescence spectroscopy. 黄斑では青色励起光が黄斑色素で吸収されるので，色素のない黄斑周囲よりリポフスチン蛍光が減弱する．緑色励起光は黄斑色素に吸収されない．

■心理物理学的方法 heterochromatic flicker photometry（HFP）

1 測定原理

黄斑色素の最大吸収波長は 460 nm で，青色光を吸収するが緑色光は吸収しない（図1a）．まず，強い緑と弱い青を交互に点灯すると，青は黄斑色素で吸収されてさらに減弱するので容易に点滅を自覚する．徐々に青の強度を上げると，青と緑の自覚的強度が同じになり点滅を自覚しなくなる．これが等輝度点である．そのときの緑の出力から色素密度がわかる．色素の多い人ほど低出力の緑で等輝度になる[2]．

2 機器の構造

黄斑色素スクリーナー MPS2（㈱エムイーテクニカ）（図2）は中心窩から 8°離れた部位を色素ゼロの基準に設定し，中心窩から 0.5°（約 150 μm）離れた部位の色素密度を測定する．マクラメトリクスⅡは個人輸入で入手できる．中心窩から 7°離れた部位を基準として，中心窩から 0.25°，0.5°，1°，1.75°の色素密度を測定する．

3 感度と特異度

被検者の理解と反応が良ければ比較的再現性の高い値が得られる．高齢者ではむずかしく，筆者の経験では約 1/3 は不可能であった．散瞳は不要で非侵襲検査であるが，検査時間は比較的長い．視標がはっきり見えない場合や，出血など検査光を吸収する病変があれば測定できない．

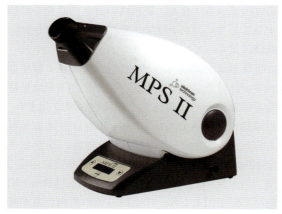

[図2] 黄斑色素スクリーナー MPS2
（㈱エムイーテクニカ）

■眼底反射光測定法（fundus reflectometry）

1 測定原理

青色光の強膜反射光は黄斑色素によって励起光と反射光の両方が減弱する（図1b）．黄斑の反射光強度を I_{min}，黄斑周囲の反射光強度を I_{max} とすると，$MPOD = -1/2 \log(I_{min}/I_{max})$ となる．

2 機器の構造

国内では VISCUM200，500（カールツァイスメディテックジャパン）が販売されていたが，現在は販売終了となった．未熟児，新生児には RetCam3 が使用できるが，解析ソフトは市販されていない．

3 感度と特異度

散乱の影響により測定値は実際よりもやや低値

になる．白内障の影響を受けやすい．測定は容易で，色素分布図を作成できる長所がある．

◾ 眼底自発蛍光分光法（fundus autofluorescence spectroscopy）

1 測定原理

黄斑では励起光が黄斑色素に吸収されるため，網膜色素上皮細胞のリポフスチンによる自発蛍光が低蛍光となる（図1c）．

2 機器の構造

SPECTRALIS OCT（Heidelberg Engineering）に色素測定モジュールを搭載できるが，現時点では非売品である．

3 感度と特異度

再現性と信頼性が証明されているが，リポフスチン分布が不均一であったり，自発蛍光に影響を与える病変がある眼では信頼性が下がる．

III 検査手順

◾ 心理物理学的方法（HFP）

1 検査の流れ

[黄斑色素スクリーナー MPS2]

被検眼で装置内の丸い視標を見る．検査開始とともに視標は明るい青色に光り，数秒後に視標がチラつく（点滅する）（図3a）．チラつきを感じたら被検者はすぐに応答ボタンを押す．これを約20回繰り返す．測定結果例を図4に示す．横軸は緑と青の割合で右ほど青が強い．縦軸は点滅周波数で下ほど低くゆっくり点滅する．緑と青の差が小さくなるとチラつきはわかりにくくなるので，周波数が自動的に下がる．青の出力を上げながら測定が続き，点滅を自覚しない等輝度点を見つける．

2 検査機器の使い方とコツ

中心0.5°の測定は比較的容易である．周辺8°の測定では，被検者は装置内の中央から横にずれた赤い固視点を見ながら，視野耳側にある視標のチラつきを感じた時点でボタンを押さなければならない（図3b）．しかし，固視不良やトロクスラー効果により周辺部の測定はむずかしい．トロクスラー効果とは，一点に集中するとその周囲の物が消える現象である．そこで，本装置にはあら

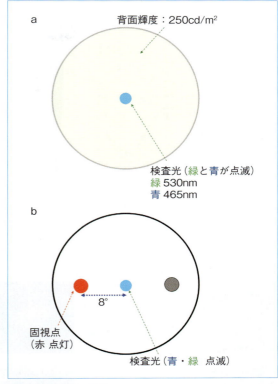

[図3] MPS2内部の視標
a 中心部検査用
b 右眼の周辺部検査用

かじめ健常者の周辺部データが設定されており，通常は，黄斑の測定のみで結果が得られる．この場合，上手な被検者では一眼の検査時間は約90秒である．ただし，既成データは主に欧米人の結果と思われ，そのまま日本人に当てはめてよいのかは若干疑問である．中間透光体混濁（白内障など）や着色眼内レンズ挿入眼には既成の周辺部データは使用できず，周辺部測定も行わねばならない．

等輝度点に近づくほどチラつきがわかりづらく判断に迷う場合がある．また，高齢者はチラつきを感じてからボタンを押すまでの反応が鈍い．うまくできない場合は始めからやり直す．被検者が集中できるように静かな環境が望ましい．トロクスラー効果を減らすには，赤い固視標の上端と下端を交互に見る，瞬間的に固視標から眼を離してすぐに戻す，瞬きをする，などの方法がある．

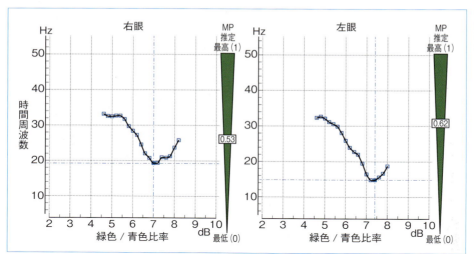

[図4] MPS2の測定結果例
曲線の最も低い点が等輝度点である．右眼のODは0.53，左眼は0.62．

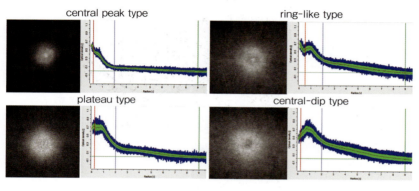

[図5] 眼底自発蛍光分光法で測定した黄斑色素の分布型
写真の白い部分が色素を表す．グラフは中心0°から9°までの同心円状の平均吸光度を示す．赤線が平均値，緑は標準偏差，青は最低値と差高値を示す．central peak type は中心窩にピークをもつ一峰性の山形を示す．ring-like type は中心窩とその周囲の二峰性ピークをもつ．plateau type はピークがなく丘状を呈する．centra-dip type は中心窩の色素が周囲より少ない．

IV 検査結果の読み方と解釈

1 正常値

正常値は確定していない．HFPによる欧米人の平均値は0.33，アジア人は0.43と報告[3]されている．光学密度が0.43なら入射光の約60%が黄斑色素でカットされることになる．異なる装置の測定値をそのまま比較してはいけない．

自発蛍光分光法では色素分布が画像化される．分布形態はさまざまだが，大きく4パターンに分類できる（図5）[4]．

2 異常値とその解釈

黄斑部毛細血管拡張症2型では，耳側の色素が欠損する．OD値0.3以下は低値といわれるが，測定値の臨床的意義については今後の研究を要する．

3 アーチファクト

HFPは被検者の理解度と反応に左右される．反射光測定法と自発蛍光分光法は正しく励起光が眼内に入っていない場合や，ピント不良では正しい測定値が得られない．ともに白内障の影響を受けると真の値より低値になる．

文献
1) Howells O, et al：Measuring macular pigment optical density in vivo：a review of techniques. Graefes Arch Clin Exp Ophthlmol 249：315-347, 2011
2) 尾花　明：黄斑色素スクリーナーMPS2（エムイーテクニカ）．眼科 59：275-280，2017
3) Howells O, et al：Macular pigment optical density in young adults of south Asian origin. Invest Ophthalmol Vis Sci 54：2711-2719, 2013
4) Obana A, et al：Spatial distribution of macular pigment estimated by autofluorescence imaging in elderly Japanese individuals. Jap J Ophthalmol 64：160-170, 2020

〈尾花　明〉

6) 走査レーザー検眼鏡（補償光学を含む）

I 検査の目的

1 検査対象

走査レーザー検眼鏡 scanning laser ophthalmoscope（SLO）に補償光学 adaptive optics（AO）技術を応用することにより，細胞レベルでの観察が可能となる[1]．現在は主に研究用として用いられており，種々の網膜疾患・緑内障・視神経疾患などで有用性が報告されている．

2 目標と限界

AO-SLO を用いた検査により，網膜神経線維束，網膜血管内の血球動態，網膜血管壁，視細胞（桿体・錐体）などが可視化される．生検のできない網膜を，virtual biopsy するような画像が得られ，組織学的研究が可能である．

網膜神経節細胞や双極細胞など，視細胞以外の細胞は観察できない．網膜毛細血管内の血流速度を算出することは可能であるが，大血管を流れる血球の速度は算出困難である．神経線維束として観察可能であるが，一つひとつの神経線維までは描出できない．

II 検査法と検査機器

1 測定原理

眼底カメラや SLO・OCT などの眼底イメージング機器では，眼球の外部から内部に光を照射し，眼球光学系を通して眼底を観察する装置である．そのため，眼球光学系，特に角膜と水晶体に存在する歪み（高次の収差）の影響を避けられず，面分解能が制限されていた．眼底イメージング機器に補償光学を導入すると，角膜や水晶体に存在する歪みの影響が除去され，鮮明な眼底像を得ることができる．補償光学システムによって理論上約 2.0 mm の面分解能が得られ，これまで観察が不可能であった視細胞を眼底イメージング機器で観察できるようになる．

2 機器の構造

補償光学は天文学分野への応用を目的として提案された概念である．補償光学システムは，光の歪みを計測する「波面センサー」，その歪みを補正する「波面補正素子」，波面センサーからの情報に基づき波面補正素子を制御する「制御装置」によって構成される．

III 検査手順

1 検査の流れ

通常の SLO 画像を撮影するように，広角の SLO 画像を見ながら眼底にフォーカスを合わせ，内部固視灯を用いて固視誘導を行う．アイトラッキングシステムにより，固視微動は追尾される．次に眼球光学系の収差の影響を除去すべく補償光学系を動作させ，高倍率の SLO 画像を動画で撮影する．

2 画像解析方法

得られた視細胞画像を用いて，視細胞密度の測定や，視細胞配列の解析を行うことができる．まず血管によるシャドウの少ない領域を選び，個々の視細胞の重心をソフトウェアにより自動検出する．眼軸長によるスキャン長補正を行ったのち，視細胞数/面積の計算により各部位における視細胞密度を算出することができる．また得られた各視細胞重心からの垂直二等分線を引くことにより，Voronoi 図（ある距離空間上の任意の位置に配置された複数個の点に対して，同一距離空間上の他の点がどの母点に近いかによって領域分けされた図）が得られ，視細胞配列の規則性を解析することができる（図 1）．一般に 1 つの視細胞は 6 つの視細胞に近接した配列をとっており，Voronoi 図の六角形の割合が多いほど配列が規則的であると考えられている．

3 検査のコツと注意点

補償光学は中間透光体の混濁の影響を受けやすい．白内障が中等度以上ある症例では撮影が困難である．眼内レンズ眼も CCC が小さいと高画質な画像を得られにくく，撮影前に症例の選択をすることが重要である．

Ⅳ 検査結果の読み方

1 正常結果

　現在 AO-SLO で捉えられている像として，網膜神経線維束・大血管および毛細血管内の血球動態・視細胞が挙げられる．

　正常眼における視細胞パノラマ像を図2に示す．黄斑部の組織学的所見では，中心窩においては小さな錐体細胞が密に配列しているのに対し，周辺では大きな錐体細胞の間を小さな杆体細胞が埋める構造をとる．AO-SLO により得られる錐体細胞モザイクにおいても，中心窩近傍では小さな錐体細胞が密に配列しているのに対し，中心窩からの距離が離れるに従って，個々の細胞が大きくなり，密度が低下することがわかる[2]．

　図3に示すのは正常眼における網膜神経線維束のパノラマ像である[3]．AO-SLO により個々の神経線維束が描出可能となり，既存の OCT 等で

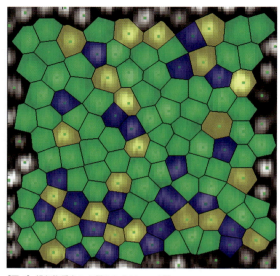

[図1] 視細胞重心から得られる Voronoi 図
各視細胞重心の垂直二等分線を引くことにより得られる．視細胞配列の解析に使用．緑は六角形，青は五角形，黄色は七角形を示す．緑で表される六角形の割合が高いほど配列に規則性があると考えられる．

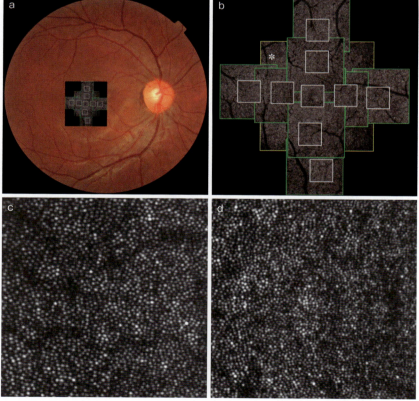

[図2] 正常眼視細胞像
AOSLO 画像および拡大像．個々の錐体細胞が解像され，中心窩近傍 (d) では細胞が小さく，視細胞密度も高いが，中心窩から離れるに従って細胞は大きくなり，密度も低下する (c)．
＊：中心窩
(文献2) より改変して転載)

は不可能な神経線維束幅の計測が可能となる．
　AO-SLO画像を動画で観察すると網膜毛細血管内を流れる赤血球・白血球・血漿の動態を解析することもできる．AO-SLOで観察される高輝度粒子の正体は，視細胞層に映った暗い血管の影のなかで順番に明るくなる視細胞群であり，このような現象の原因となるのは，その光学的特性を考えると毛細血管中を流れる白血球あるいは血漿の可能性が高い．

2 異常所見とその解釈

黄斑円孔術後における視細胞構造異常（**図4**）[4]

　近年手術機器・手技の進歩により，硝子体手術による黄斑円孔閉鎖率は高くなったが，円孔の閉鎖が必ずしも良好な視力回復をもたらすとは限らず，閉鎖後も比較暗点や変視症を自覚する場合が多い．

　特発性黄斑円孔症例を対象として，硝子体手術後6か月でAO-SLO・SD-OCT・マイクロペリメトリーの測定を行ったところ，全例で視細胞欠損所見が確認され，平均視細胞密度は正常眼に比

[図3] 網膜神経線維パノラマ画像
a 後極部の網膜神経線維束パノラマ像．
b aの白枠の拡大．個々の神経線維束が描出されている．
（文献3）より改変して転載）

[図4] 特発性黄斑円孔術後のAO-SLO画像
視細胞欠損像を認める（矢印）．
（文献4）より改変して転載）

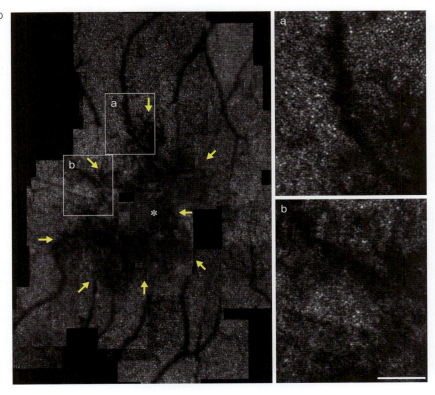

べ有意に低下していた．視細胞密度および視細胞欠損面積は，視力・網膜感度と相関を認め，術前のSD-OCTにおける視細胞外節欠損所見と関連していた．また症状の持続期間と視細胞欠損面積とは正の相関を認めた．黄斑円孔発生時に後部硝子体からの牽引が視細胞層に欠損をもたらし，持続期間が長くなれば視細胞障害が進み，術後も視細胞構造異常が残存するものと考えられる．

3 アーチファクト

視細胞像が写っていないからといって視細胞欠損であるとは必ずしも限らない．網膜血管や硬性白斑などの物質によるブロックでないか，他のイメージング所見と照らし合わせて解釈する必要がある．

文献
1) 大音壮太郎：補償光学適用走査型レーザー検眼鏡（AO-SLO），あたらしい眼科 30：199-210, 2013
2) Makiyama Y, et al：Cone Abnormalities in fundus albipunctatus associated with RDH5 Mutations assessed using adaptive optics scanning laser ophthalmoscopy, Am J Ophthalmol 157：558-57, 2014
3) Takayama K, et al：High-resolution imaging of the retinal nerve fiber layer in normal eyes using adaptive optics scanning laser ophthalmoscopy, PLoS ONE 7：e33158, 2012
4) Ooto S, et al：Photoreceptor damage and foveal sensitivity in surgically closed macular holes：an adaptive optics scanning laser ophthalmoscopy study, Am J Ophthalmol 154：174-186, 2012

〔大音壮太郎〕

20. 眼循環検査
21. 電気生理検査

1) レーザースペックルフローグラフィ

Ⅰ 検査の目的

レーザースペックルフローグラフィ laser speckle flowgraphy (LSFG) は，眼内循環を短時間で非侵襲的に再現性良く測定する眼底血流画像化装置の総称である．ある測定領域内の血管領域・組織領域を自動で分類し血流測定を行い，種々の方法で血流解析を行う機器である．

1 検査対象

新生児から高齢者まで幅広く検査可能であり，眼内循環の把握が有用であると考えられる疾患が対象となる．眼疾患のみならず，微小循環不全を伴うような全身疾患での眼血流測定の有用性も近年報告されている．

1) 緑内障

視神経乳頭血流測定による病期の推測，点眼加療・外科的加療前後の血流評価，上方視神経低形成との鑑別などに用いられる．図1に緑内障病期別のLSFGカラーマップを示す．緑内障進行に伴い，得られる血流評価値である mean blur rate (MBR) が低値となることが報告されている[1]．また，波形解析を行うと，正常眼圧緑内障患者では健常者と比較し血流波形のピークが遷延し平坦化することもいわれている[2]．

2) 視神経疾患

視神経乳頭血流測定による非動脈炎性虚血性視神経症と前部視神経の鑑別[3]．非動脈炎性虚血性視神経症では患眼は僚眼と比較しMBRが低下しているが，前部視神経炎では患眼のMBRは僚眼と比較し増加している．

3) 網膜疾患

糖尿病網膜症，加齢黄斑変性，網膜静脈分枝閉塞症 (図2a)，裂孔原性網膜剝離 (図2b)[4]，Vogt-小柳-原田病などの病態把握，外科的加療や抗 vascular endothelial growth factor (VEGF) 抗体加療前後の評価に用いられる．

4) 全身疾患

動脈硬化性変化の指標，内頸動脈閉塞症の治療前後の評価[5]，原発性アルドステロン症[6]など．

2 目標と限界

LSFGのレーザー光は二門照射により眼底に投影される．二門照射されたレーザー光が程よく重なり合い，ピントの合ったブレの少ない画像を撮影することが目標である．ピントがずれて測定された場合，カラーマップ上に黒い線のように表示される場合がある．

角膜混濁，白内障，硝子体混濁などの強い症例では，レーザー光が遮られ眼底に到達しないため解析が困難な場合がある．また，眼軸長の長い強度近視眼においてはレーザー光のピントが合わせにくい場合がある．

LSFGはスペックル現象を利用しており，開発当初は，レーザーの反射に関しては個人差もあり，血流量などの絶対値の算出は困難であると考えらえていた．そのため，同一個体の血流経過変化を評価するために使用され，例えば，初回測定時の値を100％とし，変化率で評価されることが多かった．しかしながら，現行のLSFGは検査の画角が広がり，画像トラッキングにより再現性が向上し，MBRの計算方法も工夫されてきた．さらに，視神経乳頭組織領域のMBRが血流の定量的評価法であるmicrosphere法や水素クリアランス法と相関することが報告されている[7,8]．さらに水素クリアランス法との比較においては，乳頭組織MBRは全身色素量の違いや視神経乳頭の病的状態にかかわらず，実際の血流値と高い相関関係にあり，個体間比較可能なパラメータであることが証明され[8]，MBRは個体間比較可能な値として位置づけられつつある．このことにより，LSFGによる血流検査は大きく発展した．

Ⅱ 検査法と検査機器

1 測定原理

赤血球などの散乱体にレーザー光を照射すると物体表面の凹凸により，レーザー光が反射散乱し，スペックルパターンと呼ばれる光強度のランダムな斑点模様が形成されることをスペックル現

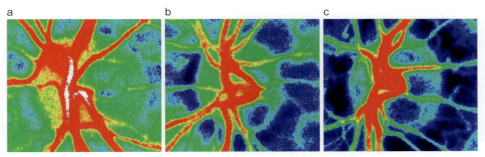

[図1] 緑内障の視神経乳頭LSFGカラーマップ
a 初期：視神経乳頭血流は比較的保たれている．
b 中期：視神経乳頭下方の組織血流低下を認める．脈絡膜血流も低下している．
c 後期：視神経乳頭組織血流が全体的に低下し，脈絡膜血流も全体的に低下している．

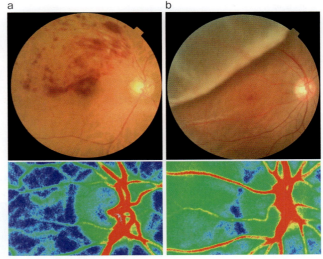

[図2] 網膜疾患代表例
a 網膜静脈分枝閉塞症．上方血管の閉塞を認める．LSFGカラーマップでは脈絡膜血流が低下している．
b 裂孔原性網膜剝離．上方の胞状剝離と黄斑剝離を認める．LSFGカラーマップでは視神経乳頭と網膜血管走行は明瞭であるが，剝離網膜が緑色で表示されている．
上：眼底写真，下：LSFGカラーマップ

象と呼ぶ．LSFGはこのスペックル現象を利用し，赤血球などの散乱体の移動に伴うスペックルパターンの時間平均と時間変動の相関を計算し，血流値MBRを算出する．LSFG-NAVIは波長830 nmのダイオードレーザーを眼底に照射し，750×360ピクセル，最大画角21°，毎秒30フレームの連続したスペックル画像を取り込み，得られた120枚のスペックル画像を平均化し，1枚のカラーマップとして表示する（図3）．

MBRの算出は，得られたカラーマップ上にラバーバンドと呼ばれる測定領域を設定することにより行う．また，一心拍におけるMBRの変化から血流波形を捉え，波形解析を行う．図4に波形解析のもととなるHeart Beat Mapを提示する．

2 機器の構造

LSFGはソフトケア有限会社により製造され，NIDEK社より販売されている．

LSFGの構成品は，眼撮影装置本体，測定ソフトウェア，解析ソフトウェア，3D-stage，ビデオキャプチャユニット，電動光学台，付属PCセットからなる（図5）．

現在のLSFG-NAVIは，顎台の連続駆動化，外部固視灯装備による測定環境が整っており，「non-mydriatic type」と呼ばれ，瞳孔径4 mm程度を確保できる症例であれば，散瞳薬を使用することなく無散瞳でも撮影可能な機器である．

3 感度と特異度

LSFGは再現性の高い血流測定装置である[9]．しかし，同年代の健常成人であっても，血圧など

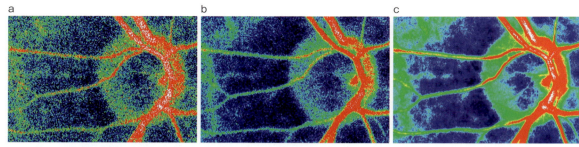

[図3] LSFG 各種カラーマップ
a Blood Flow Map, b Heart Beat Map, c Composite Map

の因子によって，得られるMBRは多少ばらつきをみせる．

血圧や喫煙などの影響を受けることもあり，測定開始前は5分ほど暗所で安静にすることや，測定前の喫煙は避けるなど，同一条件での測定が望ましい．また，緑内障治療薬点眼後や降圧薬の変更などの治療介入においても値が変化する可能性があるため，問診などの記載はしっかり記録しておく．

Ⅲ 検査手順

1 検査の流れ

必要に応じて散瞳薬トロピカミド（ミドリン®M）を点眼する．フェニレフリンは血管収縮作用があり，トロピカミド・フェニレフリン塩酸塩（ミドリン®P）は計測には向かない．LSFG検査直前の血圧・眼圧を測定しておく．暗所にて座位で5分ほど安静にする．固視灯を移動させながら測定したい部位が中央にくるように調整する．

測定ソフトウェアは測定ごとに心拍が検知できているか，固視不良はないかなどを自動解析し，緑，黄，赤の3色で判定する．3回，もしくは5回の緑判定にて1回の測定は終了となる．

専用の解析ソフトウェアを用いてMBR算出ならびに波形解析を行う．

2 検査機器の使い方とコツ

無理なく姿勢を維持できる高さか，機器・顎台の高さに気をつける．測定時間は4秒間であり，その間は瞬目を我慢すること，視線を保持することを検査開始前に説明しておく．

視線の誘導の際に，左右に大きく動いてしまう

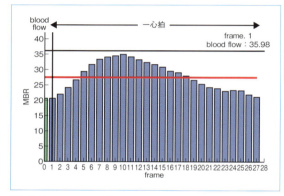

[図4] Heart Beat Map 例

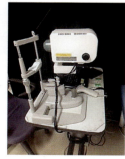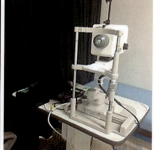

[図5] LSFG 外観図

被検者の場合は，「目の位置はそのままで視線をずらすように」などと声をかけると，視線の誘導がしやすい．

Ⅳ 検査結果の読み方と解釈

1 正常値

2021年現在のところ，MBRや波形解析の値に正常値は設定されていない．初回測定時に得られた値が基準値となる．ラバーバンド内は自動血管

描出機能にて血管領域，組織領域に分けてMBRを算出することが可能であり，ラバーバンド内全体のMBRを mean all（MA），血管領域を mean vessel（MV），組織領域を mean tissue（MT）として表示される．現在，日本緑内障学会の血流研究班が中心となって，正常眼データベースのデータ取得を行っている．

MBRのほかに，一心拍中の血流波形の形を解析する波形解析項目として波形の偏りを表す Skew，一心拍中の半値幅が占める割合を表す blowout time（BOT），一心拍中にどの程度血流が維持されているのかを表す blowout score（BOS），血流波形の上昇領域と下降領域の面積比を表す rising rate と falling rate，MBRの最大変化量を表す flow acceleration index（FAI），一心拍中の血流波形のピークに到達するまでの時間の割合である acceleration time index（ATI），MBRの最大値と最小値の差をMBR最大値で除した値である resistivity index（RI）がある．一般的に加齢とともに skew は高値，BOT や BOS は低値を示す．計算式のある解析項目については，表1に示した．

さらに網膜血管の血流測定に特化した，脈絡膜の影響を除いた網膜血管のMBRの積算である relative flow volume（RFV）という測定項目がある．このRFVはレーザードプラ血流計により得られる流速，血流量と相関することが報告されている[10]．

2 異常値とその解釈

同一測定日にもかかわらず得られた値が大きく異なる場合は，画像のずれなどがないか，心拍検知ができていたか，確認する．異なる測定日で値が大きく異なる場合は，眼科疾患のみならず，全身疾患の問診を再度行い，新規に診断され治療開始となった疾患はないか，治療薬の変更がなかったかなどを確認する．

3 アーチファクト

レーザー出力値を高くすると，画像のコントラストが低下し，MBRが高値となる場合がある．レーザー出力値は変更することなく，同じ出力値であることに注意する．

[表1] 波形解析項目と計算式

波形解析項目	計算式
BOT	半値幅／一心拍幅×100
BOS	(2−MBR変動幅*／平均値)／2×100
ATI	ピーク幅／一心拍幅
FAI	ΔMBR最大値
RI	MBR変動幅*／MBR最大値

＊：MBR：最大値−最小値

二門照射されたレーザーの重なりが悪い場合，カラーマップ上に黒線となって表示されてしまうため，測定開始前にレーザー光のピントをしっかり合わせるよう注意する．

文献

1) Aizawa N, et al：Correlation between structure/function and optic disc microcirculation in myopic glaucoma, measured with laser speckle flowgraphy. BMC Ophthalmol 14：113, 2014
2) Shiga Y, et al：Waveform analysis of ocular blood flow and the early detection of normal tension glaucoma. Invest Ophthalmol Vis Sci 54：7699-7706, 2013
3) Maekubo T, et al：Laser speckle flowgraphy for differentiating between non-arteritic ischemic optic neuropathy and anterior optic neuritis. Jpn J Ophthalmol 57：385-390, 2013
4) Aizawa N, et al：The relationship between laser speckle flowgraphy-measured optic disc microcirculation and postoperative visual recovery in rhegmatogenous retinal detachment. Acta Ophthalmol 93：e397-399, 2015
5) Omodaka S, et al：Usefulness of laser speckle flowgraphy for the assessment of ocular blood flow in extracranial-intracranial bypass. J Stroke Cerebrovasc Dis 23：e445-448, 2014
6) Kunikata H, et al：Relationship of ocular microcirculation, measured by laser speckle flowgraphy, and silent brain infarction in primary aldosteronism. PLoS One, 2015
7) Wang L, et al：Anterior and posterior optic nerve head blood flow in nonhuman primate experimental glaucoma model measured by laser specfkle imaging technique and microsphere method. Invest Ophthalmol Vis Sci 53：8303-8309, 2012
8) Aizawa N, et al：Laser speckle and hydrogen gas clearance measurements of optic nerve circulation in albino and pigmented rabbits with or without optic disc atrophy. Invest Ophthalmol Vis Sci 55：7991-7996, 2014
9) Aizawa N, et al：Reproducibility of retinal circulation measurements obtained using laser speckle flowgraphy-NAVI in patients with glaucoma. Clin Ophthalmol 5：1171-1176, 2011
10) Shiga Y, et al：Relative flow volume, a novel blood flow index in the human retina derived from laser speckle flowgraphy. Invest Ophthalmol Vis Sci 55：3899-3904, 2014

〈高橋成奈・中澤　徹〉

2）レーザードップラー眼底血流計

I 検査の目的

1 検査対象
網膜循環障害を疑う患者：糖尿病網膜症，網膜静脈閉塞症，網膜動脈閉塞症，眼虚血症候群．

2 目標と限界
蛍光眼底造影検査では検出できない軽度の網膜血流異常の定量化に適している．

限界としては，網膜大血管を1本ずつしか測定できず，網膜全体の血流量を測定するには時間がかかりすぎる．さらに中間透光体の混濁（白内障や硝子体出血）や患者の固視不良に大きく影響を受けるため，上記疾患の進行した病期における網膜循環の評価には適さない．眼内レンズ挿入眼では厳密な網膜血流の定量的評価はできない．

II 検査法と検査機器

1 検査原理・測定範囲
移動する物体が発生する波や受け取る波がその移動速度に比例した周波数変化を受ける現象がドップラ効果であるが，そこで発生する周波数変化はドップラシフトと呼ばれる．これを網膜血管に応用し，網膜血管内を流れる赤血球の移動速度（血流速度）を定量化するのがレーザードップラー速度法 laser doppler velocimetry（LDV）である．ただしこの前提として，血管内の血流がポアズイユの流れ（層流）であること，そして血球分布は一様であることが挙げられる．

2 機器の構造
レーザードップラー血流計には，照射光と2つの光電管（PMT）が内蔵されている．実際には，2つのPMTで捉えられるドップラーシフトの差から網膜血流速度の絶対値（単位：mm/sec）が求められる（図1）．これにさらに網膜血管径（単位：μm）を同時に測定することにより，最も重要なパラメータである網膜血流量（単位：μL/min）を求めることができる[1]．本邦で発売されていたキヤノン社製LDV（図2a）では血管の自動追従機能（オートトラッキング機能）が内蔵されていたため，安定した血流測定が可能であったが，欧米で使われていたLDV装置ではオートトラッキングがないため固視微動による信頼性の低下はかなり低かったと考えられる[2]．

3 感度と特異度
網膜血流速度，網膜血流量はいずれも相対値ではなく絶対値であるとされており，個人間の直接比較が可能な数字となる．ただし眼軸によりその値は変動するため，眼軸による補正が必要である．上述したように，中間透光体の混濁（白内障や硝子体出血）や患者の固視不良では測定が難しくなり，その感度・特異度には個体差が大きく影響する．

III 検査手順

1 検査の流れ
小瞳孔ではレーザー光が眼内に入らず，散瞳が必須である．眼循環測定には全身血圧や交感神経活動状態なども関与するため，散瞳後，適温に保たれた比較暗室で15分程度安静にすることが望ましい．可能であれば全身血圧をモニターしながら測定を行う．眼血流は時々刻々と変化する値であり，1回の測定で評価することは避けたい．通常3回，余裕があれば5回，同一部位で測定を行い，その平均値を採用する．なお，眼軸で測定値を補正する必要があるため，事前に眼軸測定を行っておく．また，眼循環評価で重要な眼灌流圧（＝全身血圧－眼圧）を算出するため，血圧に加えて眼圧も測定しておく．

2 機器の使い方
測定ボタンを半押しすると測定用レーザーが発信され，さらに押し込むと測定が始まる．1回の測定は約4秒かかる．

3 検査のコツと注意点
信頼性の高い測定のためには，患者の固視の誘導が重要である．また，測定中は瞬目を止めなければならず，あらかじめ点眼にて表面麻酔を行っておくと安定した測定ができる．本測定の前にドップラーシフトが音に変換されているため，で

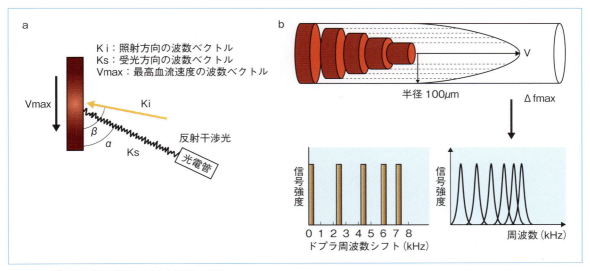

[図1] レーザードップラー速度法による血流測定の原理
a 照射方向と受光方向のずれからドップラシフトを測定する．
b 理想的な血流状態（層流）が保たれていると仮定し，最も高い周波数を有するドップラシフトから血管内を流れる赤血球の最高速度を算出する．

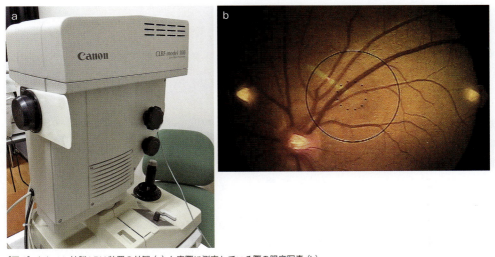

[図2] キヤノン社製LDV装置の外観（a）と実際に測定している際の眼底写真（b）
（喜田照代ほか：眼科検査ガイド，第1版 p617）

きるだけ高い音（＝高周波数）になるようにレーザー光を微調整する．

ポアズイユの流れ，すなわちきれいな層流が前提となっているため，分岐部や視神経乳頭近傍などは避け，血管の直線部分で測定を行うと安定した測定が可能となる（**図2b**）．

IV 検査結果の読み方

1 正常結果

正常では網膜動脈の血流波形がきれいに得られる．この波形は年齢によって変化することが知られている（**図3**）[3]．日本人の正常人の網膜動脈第一分枝の血流量はおおよそ10～15 μl/min である[4]．

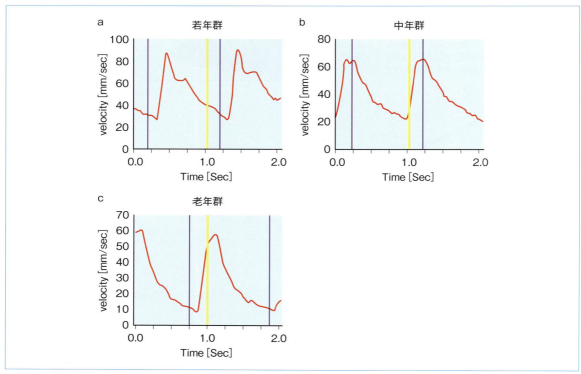

[図3] 正常人の加齢による網膜動脈血流速度波形の変化．若年から中年，老年となるに従って血流波形の立ち上がりが緩やかになっている．（文献3）より引用改変）

2 異常所見とその解釈

糖尿病網膜症では，網膜症なしの病期からすでに網膜動脈血流量は約20％程度低下している[5]．また，この網膜動脈血流低下には喫煙[6]や腎機能[7]も関与していることも報告されている．

3 アーチファクト

とにかく血流自体が全身からの変動を受け続ける値であるため，さまざまな因子によるアーチファクトが考えられる．全身血圧はもちろん，患者の緊張状態（特に初回検査），室温，食事の時間，喫煙の有無などの情報をきちんと把握しておく必要がある．なお，眼血流には日内変動もあるため，繰り返し測定するためには測定時刻などをできる限り同じ条件で測定することが望ましい．

文献

1) Yoshida A, et al：Reproducibility and clinical application of a newly developed stabilized retinal laser Doppler instrument. Am J Ophthalmol 135：356-361, 2003. doi：10.1016/s0002-9394（02）01949-9（2003）.
2) Guan K, et al：Variability and repeatability of retinal blood flow measurements using the Canon Laser Blood Flowmeter. Microvasc Res 65：145-151, 2003. doi：10.1016/s0026-2862（03）00007-4（2003）.
3) Nagaoka T, et al：Effect of aging on retinal circulation in normotensive healthy subjects. Exp Eye Res 89：887-891, 2009. doi：10.1016/j.exer.2009.07.019（2009）.
4) Nagaoka T, et al：Noninvasive evaluation of wall shear stress on retinal microcirculation in humans. Invest Ophthalmol Vis Sci 47：1113-1119, 2006. doi：10.1167/iovs.05-0218（2006）.
5) Nagaoka T, et al：Impaired retinal circulation in patients with type 2 diabetes mellitus：retinal laser Doppler velocimetry study. Invest Ophthalmol Vis Sci 51：6729-6734, 2010. doi：10.1167/iovs.10-5364（2010）.
6) Omae T, et al：Effects of Habitual Cigarette Smoking on Retinal Circulation in Patients With Type 2 Diabetes. Invest Ophthalmol Vis Sci 57：1345-1351, 2016. doi：10.1167/iovs.15-18813（2016）.
7) Nagaoka T, et al：Relationship between retinal blood flow and renal function in patients with type 2 diabetes and chronic kidney disease. Diabetes Care 36：957-961, 2013. doi：10.2337/dc12-0864（2013）.

〈長岡泰司〉

21 電気生理検査

1）網膜硝子体疾患の電気生理学的検査
① ERG（網膜電図）

Ⅰ 検査の目的

ERG は，光刺激によって網膜から発生する電位を角膜や皮膚に置いた電極から記録する検査法である．この検査により，網膜に広範囲な機能異常がないかを調べることができる．従来はコンタクトレンズ型電極を使用して記録する ERG 装置が一般的であった．しかし，最近では皮膚電極を下眼瞼の皮膚に貼って記録する ERG 装置が人気である．本稿では，現在日本で市販されている ERG 装置について説明する．

1 検査対象

1. 中間透光体の混濁により眼底が見えない場合．
2. 夜盲性疾患の診断と鑑別．
3. 昼盲性疾患の診断．
4. 網膜血行不全の評価として．
5. 乳幼児の網膜機能検査として．
6. その他，原因不明の視力障害や視野障害に対して．

2 目標と限界

ERG では網膜から発生する微弱な電気反応を増幅して記録する．そこで，電気的雑音（アーチファクト）が混入していない，安定した反応を記録することが目標である．

ERG の 2 つの限界を知っておくことは重要である．

（1）ERG の反応には神経節細胞より中枢の反応はほとんど含まれない（b 波の後にみられる陰性波である photopic negative response だけは別である）．

（2）ERG は網膜全体の反応を記録するものである．そのため，網膜の一部分（例えば黄斑部のみ）に重度の障害があっても，他の部位の機能がすべて正常であればほぼ正常な反応が得られる．

Ⅱ 検査法と検査機器

1 測定原理

患者の瞳孔を散瞳させた状態で，網膜全体に光刺激を与える．光刺激によって網膜の電位が変化するので，それを角膜あるいは皮膚に置いた電極を用いて記録する．この電極を関電極と呼ぶ．不関電極は額か耳に置くことが多い．関電極と不関電極の電位差が ERG として記録される．関電極から記録された ERG は微弱な応答であるので生体アンプによって増幅される．小さな波形を記録する場合には，複数の反応を記録してその平均波形を計算する手法（加算平均）が用いられる．

2 機器の構造

表 1 に現在日本で市販されている主な ERG 記録装置を示す．

LE-4000 は現在日本で最も普及している ERG

[表1] ERG 記録装置の一覧

	LE-4000	HE-2000	RETeval
販売	トーメーコーポレーション	トーメーコーポレーション	メイヨー
皮膚 ERG	皿電極	ERG シート電極	センサーストリップ
角膜電極による ERG	LED 電極	記録できない	記録できない
フラッシュ VEP	記録できる（フラッシュ発光装置を使用）	記録できない	記録できる（RETeval-C のオプション）
パターン VEP	記録できる（パターン刺激ディスプレイを使用）	記録できない	記録できない
光刺激の光源	白色 LED	白色 LED	3 色（赤，緑，青）LED 混合
電子カルテへの対応	対応可能	対応可能	PDF ファイル出力
特徴	オプションの刺激装置との組み合わせにより，角膜電極 ERG，皮膚電極 ERG，視覚誘発反応（フラッシュ VEP，パターン VEP），多局所網膜電位図（multifocal ERG）の測定が行える	皮膚電極 ERG を簡単に測定できる手持ち式 ERG 装置で，両眼の ERG を同時に記録できる　操作性に優れノイズの影響を受けにくく，シート電極は装着が容易	皮膚電極 ERG を簡単に測定できる手持ち式で単眼測定の ERG 装置　センサーストリップ（専用皮膚電極）は関電極，不関電極，接地電極が一体になっており，電極装着が非常に容易

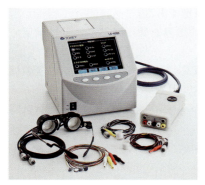
[図1] LE-4000（トーメーコーポレーション）の外観

[図2] HE-2000（トーメーコーポレーション）の外観

記録装置であり，角膜電極，皮膚電極のどちらでも記録できる（図1）．角膜電極の中に白色LEDが内蔵されており，これが刺激と記録の両方の役割をするのが特徴である．刺激装置を取り替えることで皮膚電極でも記録できる．

HE-2000は小型の手持ち式ERG装置で，粘着シート状の皮膚電極を使用して両眼からERGを同時に記録できる（図2）．

RETeval（レチバル）は小型の手持ち式ERG記録装置で，1枚のシール状皮膚電極を使用して簡単にERGが記録できる（図3）．

3 感度と特異度

ERGの振幅は個体間のばらつきが大きい．そこで，可能であれば片眼性の疾患であってもERGは両眼より記録するとよい．正常では左右眼における振幅の差はせいぜい15～20%以内である．これを超える振幅低下があれば異常なERGである可能性が高い．

検査する施設や装置によってもERGの振幅と潜時は変わるので，それぞれの施設でおおよその正常値（平均±2SD，あるいは95%信頼区間など）を決めておくとよい．

III 検査手順

1 検査の流れ

1) LE-4000で角膜電極を使う場合

患者を仰臥位に寝かせ，散瞳薬を点眼する．不関電極は前額部の中央に，接地電極は耳につける．いずれの部位も接着前にアルコール綿でよく

[図3] RETeval（メイヨー）の外観

拭いておく．続いて20分の暗順応を行う．暗順応後，ベノキシールを点眼して局所麻酔を行い，角膜電極の内側にスコピゾルを2～3滴落としてから角膜上へ装着する．電極は筒状で丈が高く不安定であるため，テープなどを使って角膜中央にやさしく固定するとよい（図4）．この操作は暗所の赤色光下で行う．通常は4つの応答を記録する．杆体応答→フラッシュ最大応答→（電極をはずして5～10分間明順応）→その後再び電極を装着して，錐体応答→30Hzフリッカ応答，の順番である．

2) LE-4000で皮膚電極を使う場合

LE-4000では，電極と刺激のコードを切り替えることによって皮膚電極でERGを記録するこ

とができる（図1）．刺激には円筒状のケースに白色LEDを組み込んだものを使用しており，これを視力検査用の眼鏡枠に取りつけて記録する．電極については，皿型の銀電極を両眼の下眼瞼部にテープでとめ，これを両眼の記録電極とする．実際の記録では，散瞳後に患者を仰臥位に寝かせ，皮膚電極を下眼瞼縁から5〜7mm下の位置に貼ってテープでとめた後（図5a）に20分の暗順応を行う．その後，眼鏡枠型の刺激装置を装着して記録開始ボタンを押す（図5b）．皮膚電極によるERGの振幅は低く，角膜電極によるERGの1/4〜1/5程度である．

3）HE-2000

皮膚電極専用のERG装置HE-2000では，粘着ゲルが塗布されたERGシート電極を両眼の下眼瞼部（関電極と不関電極）と目尻（接地電極）の3か所に貼り付ける．シート電極を皮膚に貼り付けた後，電極コードのクリップ部でシート電極を挟み，電極を装置と接続する．装置の小型ドーム部を患者の両眼に軽く押し当てて記録を開始する（図6）．光刺激は片眼ずつ交互に行われ，両眼のERGが記録される．測定中は装置のモニター部に表示される前眼部の映像と測定波形を確認する．座位でも仰臥位でも記録可能である．

4）RETeval

小型の皮膚ERG装置であるRETevalでは電極の装着が非常に簡単であり，下眼瞼付近に1枚の粘着シールを貼るのみである（図7a）．このシールの皮膚面には，関電極（＋），不関電極（−），接地電極に相当する3つの電極が含まれている．このシールを貼ったら，電極と装置をコードで接続し，患者の眼の前に小型のドームを軽く押し当てて，記録を開始する（図7b）．座位でも仰臥位でも記録可能である．

2 検査機器の使い方とコツ

LE-4000では，被検者の瞳孔が正面を向いていないと網膜へ達する光量が減弱してERGが低下してしまうことがある．ボタンを押す前に，「まっすぐ前を見てください」と話しかけるとよい．

皮膚電極でERGを記録する場合は，皮膚に皮脂が残っているとノイズがのりやすい．電極を装

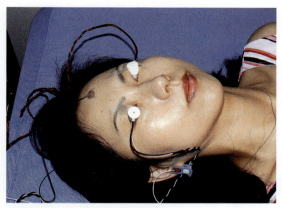

［図4］LE-4000の角膜電極を装着したところ

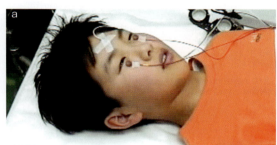

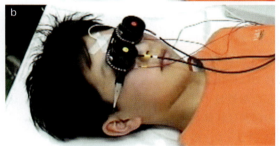

［図5］LE-4000の皮膚電極を使用したERG記録の様子
a 皿状の銀電極を両眼の下眼瞼の皮膚上に貼り，テープで固定する．
b その後に暗順応を行い，光刺激装置を組み込んだ眼鏡枠をのせてERG記録を開始する．

着する皮膚の部位はアルコール綿でよく拭いておくとよい．

IV 検査結果の読み方と解釈

1 正常値

図8にLE-4000で角膜電極を使用して正常者から記録したERG波形示す．

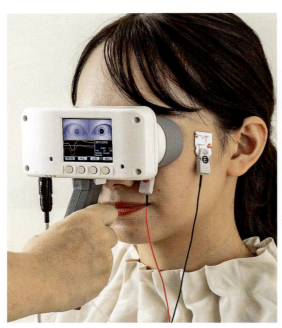

[図6] HE-2000の記録の様子
両眼同時にERGが記録できる.

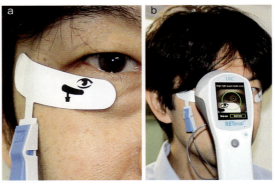

[図7] RETevalの記録の様子
a 電極は1枚の粘着テープのみであり，下眼瞼付近に貼る.
b このシールと装置をコードで接続し，患者の眼の前に小型のドームを軽く押し当てて記録を開始する.

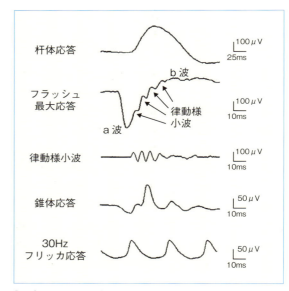

[図8] LE-4000で正常者から記録したERGの各応答

1) 杆体応答

20分以上の暗順応後に，弱い光刺激（0.01 cd-s/m² 程度）を用いて記録するERGである．通常4〜8回程度の反応を加算平均する．この記録条件では杆体系細胞の反応が記録できる．ゆっくりした陽性波（杆体b波）が記録される．この反応の起源は杆体ON型双極細胞である．

2) フラッシュ最大応答

暗順応後に，非常に強いフラッシュ刺激（10 cd-s/m² 程度）で記録する振幅の大きなERGである．この条件では錐体系細胞と杆体系細胞の両方が反応する．このERGでは，a波，b波，律動様小波の3つの成分が記録できる．a波の起源は視細胞，b波の起源は双極細胞，律動様小波の起源は網膜内網状層付近（アマクリン細胞など）と考えられている．

3) 律動様小波

上に述べたフラッシュ最大応答を記録する際に75Hzから300Hzの間の周波数の反応のみを抽出すると，律動様小波のみが記録できる．前述したように，律動様小波の起源は網膜内網状層付近（アマクリン細胞など）である．

4) 錐体応答

錐体の応答だけを記録するために背景光をつけて杆体を抑制し，その状態で光刺激（3 cd-s/m² 程度）して記録したERGである．通常4〜8回程度の反応を加算平均する．

5) 30HzフリッカERG

錐体の応答だけを記録するために，杆体が追従できないような速い点滅光刺激（30Hz付近）を

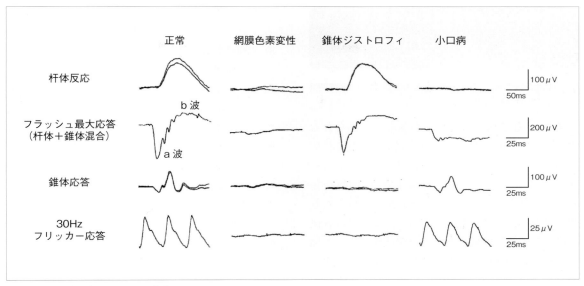

[図9] 種々の網膜疾患における ERG 波形

使用して記録した応答である．得られる応答はサイン波のような波形となる．

2 異常値とその解釈

律動様小波のみが選択的に減弱する疾患としては，糖尿病網膜症，網膜血行不全，高安病などがある．a波，b波，OP のすべての成分が減弱する疾患には，網膜剝離，ぶどう膜炎などがある．a波の振幅は正常であるがb波の振幅がa波のそれより小さくなる negative ERG（陰性型 ERG）を示す疾患には先天停在性夜盲，先天網膜分離症などがある．すべての成分が消失する non-recordable ERG（消失型）を示す疾患には，網膜色素変性，網膜全剝離，眼動脈閉塞，眼球癆などがある．

図9に，正常者，網膜色素変性，錐体ジストロフィ，小口病から記録した ERG の記録例を示す．網膜色素変性ではすべての成分が著しく減弱する．錐体ジストロフィでは錐体応答と 30 Hz フリッカ応答が減弱しているが，杆体応答は正常である．一方，小口病では錐体系機能は正常であるが杆体系機能は強い異常を示している．

3 アーチファクト

電気的雑音（アーチファクト）が混入していないかを常に注意するようにする．市販されているERG 記録装置ではノイズチェックができるので，ノイズが少ない状態になってから記録を開始するとよい．ノイズを減らす目的で，アースは正しいアース源からとるようにする．どうしてもノイズが除去できないときは専門家やメーカーに相談する．

文献
1) 三宅養三：ISCEV protocol とその問題点．眼紀 44：519-524, 1993
2) McCulloch DL, et al：ISCEV Standard for full-field clinical electroretinography (2015 update). Doc Ophthalmol 130：1-12, 2015
3) 山本修一ほか編：どうとる？ どう読む？ ERG．メジカルビュー社，東京，2015

（近藤峰生）

21 電気生理検査

1）網膜硝子体疾患の電気生理学的検査
② 局所 ERG

I 検査の目的

通常の ERG は，網膜全体を刺激して得られる電気応答である．明順応下で記録することで杆体系の反応を抑制し，錐体系に由来する電気応答を記録できる（錐体 ERG）．錐体 ERG は網膜全体からの錐体系の反応なので，黄斑機能を捉えたものではない．例えば図1aに示したように，黄斑部に脈絡膜新生血管があり黄斑機能が低下した加齢黄斑変性の症例では錐体 ERG は健常眼と比較してほとんど変わらない．また，眼底後極部が広範囲に萎縮した瘢痕期の加齢黄斑変性でも錐体 ERG の振幅はわずかに低下するだけである（図1b）．このように錐体 ERG では黄斑部の機能障害を捉えることはできない．

網膜全体に存在する錐体の数は 600 万個であり，中心窩の錐体密度は 15 万個/mm^2 に過ぎない．したがって，視力が黄斑病変のために著しく低下していても，網膜全体を刺激して得られる錐体 ERG はほぼ正常に保たれる．黄斑機能を ERG で評価するためには，当然のことながら黄斑部を選択的に刺激できるシステムが必要である．

1 対象疾患

局所 ERG が用いられる主な疾患として下記のものがあげられる．

1）眼底所見に乏しい眼底疾患

例えば acute zonal occult outer retinopathy（AZOOR），occult macular dystrophy（OMD）などの眼底所見に乏しい眼底疾患があげられる．これらの疾患では，光干渉断層計（OCT）で観察すると網膜外層の ellipsoid zone や interdigitation zone に異常がみられ，OCT と局所 ERG を合わせて診断すると確実である．

2）治療後の黄斑機能評価

黄斑円孔や網膜前膜などに対する黄斑手術後の黄斑機能の回復を評価できる．また加齢黄斑変性に対する抗 VEGF 療法後や光線力学療法後などの内科的な治療後の黄斑機能の回復を評価できる．

3）黄斑部の層別機能診断

黄斑局所 ERG の各成分を解析することで，黄斑部の送別機能診断が可能となる．この際に，通常の ERG の概念をそのまま黄斑局所 ERG に当てはめることができる．すなわち，a 波は主に視細胞，b 波は双極細胞，律動様小波（OPs）はアマクリン細胞および photopic negative response（PhNR）は網膜神経節細胞に由来している．したがって，それぞれの波形成分を解析し，黄斑各層の機能を層別に評価することができる．

4）視力低下の原因が不明な症例

黄斑局所 ERG の各成分が正常であれば，視力低下の原因病変は網膜ではなく視神経以降の視覚路に存在することになる．

2 目標と限界

固視が悪い症例でも赤外線眼底カメラで眼底を観察しながら黄斑部を刺激し，安定した ERG を記録することができる．多局所 ERG と異なって，眼底数ヵ所を同時に刺激することができない．したがって，眼底後極部の数ヵ所から記録する場合は，時間を要する．

白内障などの中間透光体の混濁が強く，眼底観察に支障をきたす症例では信頼できる局所 ERG の記録は困難である．

II 検査法と検査機器

1 測定原理

黄斑部を光刺激すれば，黄斑部からの応答が選択的に記録できるわけではない．刺激光は眼内の中間透光体によって散乱する．また網膜に当たった刺激光は眼底で反射して散乱光となる．この散乱光が黄斑部の周囲の網膜を刺激し，周囲網膜からの電気応答が混入する．つまり網膜応答の局所性が失われてしまう．

散乱光の影響を最小限にするために，三宅ら[1,2]は黄斑部とその周囲に背景光を与え明順応した．これによって，黄斑部周囲の網膜の閾値は上昇し，散乱光に反応しなくなり，光刺激した部位の網膜の電気応答を記録できる．刺激強度を強くし

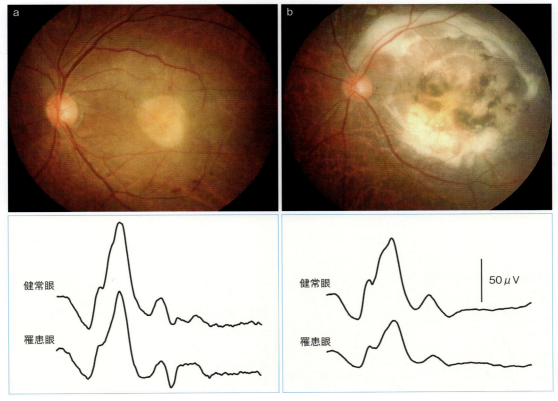

[図1] 加齢黄斑変性の全視野刺激で得られた錐体 ERG
a 黄斑部に限局した脈絡膜新生血管がみられるが，錐体 ERG は健常眼とほとんど変わらない．
b 眼底後極部に広範囲に広がる瘢痕化した脈絡膜新生血管がみられる．罹患眼の錐体 ERG の振幅は健常眼の約半分に低下している．

た場合は，散乱光の強度も増すため順応光を強める必要がある．刺激光と背景光の強度のバランスが大切である．

2 機器と構造

日本で市販されていた黄斑局所 ERG の記録システムは，三宅らが開発したシステムに基づいている．赤外線眼底カメラに光刺激システムが組み込まれており，眼底モニター眼底を観察しながらERG 記録ができる（図1a）．赤外線で眼底を観察するため，観察光が ERG に影響することはない．刺激のスポットサイズを 5°，10°および 15°の 3種類を選択することができる．刺激サイズを大きくすれば，得られる黄斑局所 ERG の振幅も大きくなる（図2b）．ジョイステックで刺激スポットを移動させることができるため（図2a），固視が多少移動しても黄斑部を追いかけて刺激すること

ができる．光源にダイオードを用いており，刺激時間の長さを変えることができる．

3 感度と特異度

検査に協力的な被検者であれば再現性の高い結果が得られる．個体差は大きいが，同じ個体での左右差は小さい．したがって，片眼性の疾患であれば，罹患眼と正常眼の ERG を比較することで異常を検出することができる．

III 検査手順

1 検査の流れ

被検者の検眼を散瞳後，点眼麻酔し専用のコンタクトレンズ電極を結膜嚢内に挿入する．接地電極は耳朶に装着する．顎台に頭部を載せてもらい，固視点を固視してもらう．眼底を赤外線カメラで観察し眼底にピントを合わせる．刺激光を黄

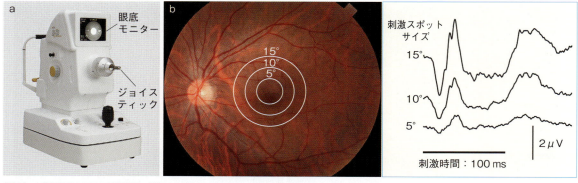

[図2] a 黄斑局所ERGの刺激装置の外観, b 直径5°, 10°および15°刺激のスポットサイズで得られた黄斑局所ERG

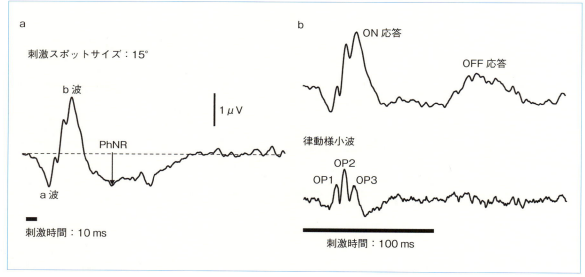

[図3] 短い刺激光 (a) および長い刺激光 (b) で得られた黄斑局所ERGの正常波形

斑部に照射しながら，アンプの記録開始ボタンを押す．

2 検査機器の使い方とコツ

ERG記録用のコンタクトレンズ電極は，眼底の透見に支障がなくノイズが少ないものを選ばなければならない．関電極と不関電極が一体となった双極型コンタクトレンズ電極をお勧めする．なぜなら，関電極と不関電極の導線が互いに離れていると，交流電源からのハムノイズがそれぞれの導線に混入する可能性があるからである．ハムノイズは微弱な電位を記録する黄斑局所ERGにとっては大敵である．双極型コンタクトレンズ電極では，互いの導線をより合わせているために，ハムノイズが入る可能性を減少できる．

実際記録されるERGの振幅は15°スポットを用いても3～5μV程度で微小な電位である．200～300回程度の加算平均することでノイズの少ない波形が得られる．5Hz（1秒間に5回）の刺激頻度で記録するので，記録時間は1分前後となる．

IV 検査結果の読み方と解釈

1 正常値

ERGの正常値は記録条件ならびに年齢によって変化するため，明確なカットオフ値は定められ

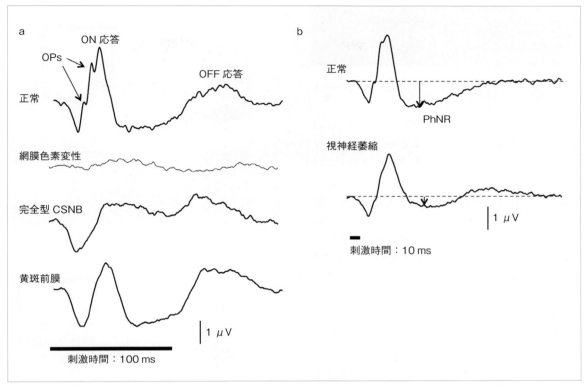

[図4] a 長い刺激光を用いて，正常者，網膜色素変性，完全型CSNBおよび黄斑前膜から記録した黄斑局所ERG，b 短い刺激光を用いて，正常者および視神経萎縮眼から記録した黄斑局所ERG

ていない．したがって，片眼性の疾患であれば正常な僚眼のERGと比較する．また下記に記載したように波形変化から異常か否か判断することになる．正常な波形は，全視野刺激で得られる錐体ERGの波形に類似している．すなわちa波およびb波ならびにb波の上行脚に律動様小波が記録できる．さらにb波の後方には網膜神経節細胞に由来するPhNRを記録することができる（**図3a**）．さらに長い刺激光（例えば100ms）を用いることでONとOFF応答を分離記録でき，それぞれON型およびOFF型の双極細胞の機能を反映している（**図3b**）．

2 異常値とその解釈

通常のERGとほぼ同じ概念で黄斑局所ERGの解析が行える．すなわち網膜色素変性のような視細胞変性では，視細胞および視細胞以降のすべてのニューロンからの電位が減弱するので，黄斑局所ERGの波形全体が小さくなる（**図4a**）．完全型先天停在性夜盲（完全型CSNB）では，錐体視細胞からON型双極細胞へのシグナル伝達が障害されているので，ON応答が選択的に低下する．黄斑前膜や糖尿病黄斑症などの網膜内層疾患では，アマクリン細胞の機能障害のために律動様小波（OPs）が低下する．さらに短い刺激時間（例えば10ms）で得られるPhNRは網膜神経節細胞が選択的に障害される視神経萎縮や緑内障などで低下する（**図4b**）．

このように，黄斑局所ERGでは波形変化から黄斑部の層別の機能診断が可能である．

文献
1) Miyake Y, et al：Subjective scotometry and recording of local electroretinogram and visual evoked response. System with television monitor of the fundus. Jpn J Ophthalmol 25：439-448, 1981
2) 三宅養三：黄斑部の他覚的機能検査 黄斑局所ERG．日眼会誌 92：1419-1449, 1988

（町田繁樹）

21 電気生理検査

1）網膜硝子体疾患の電気生理学的検査
③ 多局所ERG

I 検査の目的

多局所ERGは多数のERGによって後極部の網膜機能の空間分布を視覚化する検査で，視野障害，視力低下のある網膜の機能異常を検出する目的で使用する[1,2]．視野の障害部位に一致する反応低下があれば，視野障害の責任病巣が局所の網膜にあることがわかる．中心部の反応低下が観察されれば，視力低下が黄斑部網膜の機能障害によるものであることを示す．逆に視野障害，視力低下のある症例で，多局所ERGが正常であれば，網膜には原因がないことがわかる．

1 検査対象

網膜疾患は，網膜の構造が変化するので，検眼鏡や，各種蛍光眼底検査，光干渉断層計で診断される．多局所ERGは，網膜に機能障害がありながら，構造的変化が微細で，これらの検査では検出されにくい疾患を対象にしている．急性帯状潜在性網膜外層症 acute zonal occult outer retinopathy（AZOOR）[3]と，オカルト黄斑変性症 occult macular dystrophy（OMD，三宅病）[4]が該当する．

また多局所ERGは，構造変化が明瞭な網膜疾患においても，病態把握や進行，改善の程度を他覚的に評価する目的で使うことができる．

2 目標と限界

評価に耐える高品質の多局所ERGが記録できることが目標で，これが被検者によっては容易ではないことが限界である．多局所ERGは記録時間を通して，光刺激と網膜の対応（刺激網膜対応）が安定していることが求められる．刺激網膜対応は，被検者が刺激画面上の固視目標を凝視することに依存するため，眼振，羞明を伴う場合，視機能障害が大きく固視目標を視認できない場合に乏しくなる．角膜に隣接して電極を装用する，ERGに共通する電位採取方法も，小児などからの記録の障害になる．一般的なERGの記録では

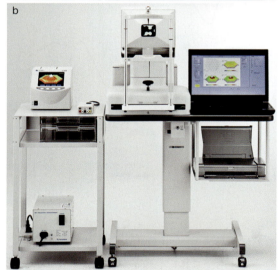

[図1] 多局所ERGの記録装置
a VERIS™（EDI Inc., CA, USA）2009年モデル（藤田医科大学病院）
b 多局所ERG記録装置LE-4100（（有）メイヨー，愛知）：左の卓上は，生体増幅器として利用する，視覚誘発反応測定装置LE-4000（（株）トーメーコーポレーション，愛知）

応用できる，全身麻酔下，鎮静下や就寝中の記録も難しいので，多局所ERGが記録できない症例は少なくない．

II 検査法と検査機器

多局所ERGの最初の記録装置 VERIS™（ベリス：EDI Inc., CA, USA）（図1a）は現在も世界的な標準である．同製品はしかし現在国内の代理店がなく新規の購入が難しくなっている．基本特許の失効により，同等の多局所ERGを記録する記

1）網膜硝子体疾患の電気生理学的検査

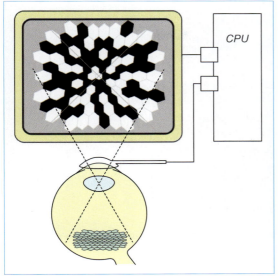

[図2] 多局所ERGの記録の概略
多局所ERGは，光刺激と網膜の対応（刺激網膜対応）が前提になっている．

録装置が発売されている．LE-4100（（有）メイヨー，愛知）（図1b）は各種のERGを記録できる視覚誘発反応測定装置LE-4000（（株）トーメーコーポレーション，愛知）に，多局所ERGを記録する機能を付加する製品である．

1 測定原理

被検者に呈示される刺激図形は多数の六角形（刺激エレメント）の集まりであり，それぞれが一定の頻度（ベースレート）で，発光するか，発光しない，擬ランダム刺激を行う（図2）．初期設定のベースレートは75Hzと高く，発光はちらつきのように知覚される．

発光の有無は，2進法の数列である刺激シーケンスが作成され，値が0なら発光，1なら発光しないと決まっている．電極から誘導した原信号と刺激シーケンスを相互参照（後述）すると，カーネル応答が得られる（図3）．カーネル応答は，当該刺激エレメントの発光の影響の平均であり，条件が適切であれば対応領域の局所ERGと見なせる．相互参照は，ベースレートに合わせて原信号をシフトして，発光した場合をすべて加算し，発光しなかった場合を減算していく莫大な加減算の

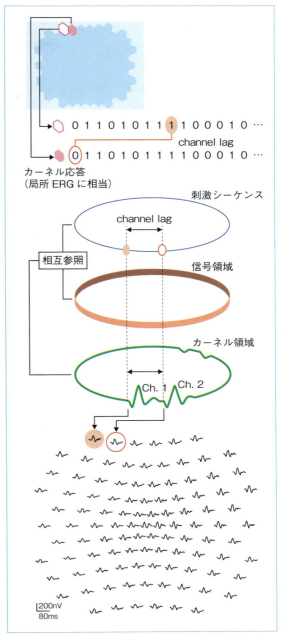

[図3] 多局所ERGの測定原理

反復である．記録の始点と終点を接合して信号を連続させ，巨大なデータ，信号領域が生成される．すべての刺激エレメントは，同一の刺激シーケンスを共有し，輪唱のようにchannel lagと呼ぶ間隔だけ異なるタイミングで，全く同じパター

ンの発光をしている（図3）．カーネル領域上には，channel lagを隔てて，隣の刺激エレメントの反応が現れる．多数領域の反応を同時記録する多局所ERGを実現したのは，この工夫である[5]．

刺激エレメントの数は61, 37, 19個が使われることが多い．多数の刺激エレメントで高品質の記録を行うには長い記録時間を要する[2]．

2 機器の構造

刺激図形を呈示する刺激モニタ，操作モニタ，電極の接続端子，生体増幅器を一般的なコンピュータと専用ソフトウエアで制御する構造である（図1, 2）．

3 感度と特異度

多局所ERGの減弱によって網膜の視細胞の機能障害を検出する感度は高いが，低品質の記録でも減弱が起こるため特異度は高くない．高品質の記録で，周囲よりも明瞭に減弱した部位を認めれば，特異度は高い．

III 検査手順

1 検査の流れ

被検者は散瞳し，コンタクトレンズ電極を装用，さらに屈折を矯正して刺激図形の中心を固視する．被検者によっては装用しにくく，また使い捨てにできないコンタクトレンズ電極に替えて，皮膚電極による記録も試みられている．2～7分間程度の記録時間を，瞬目を自制しやすい30秒間前後の記録セグメントに分割して順次記録する．記録中の信号をモニタする[2]．

2 検査機器の使い方とコツ

電極を適切に装用し，記録セグメントの30秒間，眼位の動揺や瞬目を抑制する．

眼位の動揺や瞬目は，刺激網膜対応を損なうだけでなく，雑音の最大の原因である．瞬目が，1回でもあれば記録の品質が下がるので，瞬目のない記録を目指す．僚眼を閉瞼させ，被検者自身の同側の手指を眼瞼に添えさせると，知覚トリックで被検査眼の瞬目頻度は大幅に減少する[2]．

IV 検査結果の読み方と解釈

多局所ERGには呈示法は3種類ある（図4）．

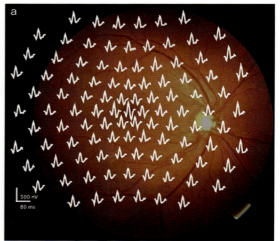

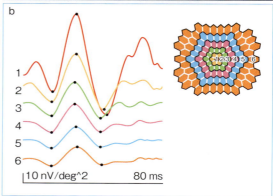

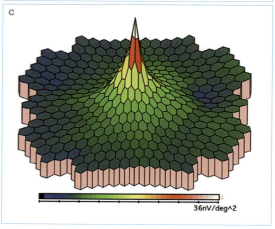

［図4］正常な多局所ERGと呈示法
a 全波形表示：刺激エレメント数103，視野配列，精密配置，記録条件（刺激強度2.67 cds/m^2，ベースレート75Hz，時間理論値7分16.9秒，band-pass10–300Hz，サンプリングレート1,200Hz），コンタクトレンズ電極 GoldLens™（Diagnosys LLC, MA, USA），ノイズ低減処理（アーチファクトリムーバル K1：0～80ms×1，空間平均17%×1），眼底写真は垂直に反転呈示
b グループ波形：ノイズ低減処理は全波形表示と同じ．
c 3Dプロット：刺激エレメント数103，高精細，視野配列，反応密度表示（0～80ms内積法，テンプレートはグループ波形と同じ），ノイズ低減処理は全波形表示と同じ．

全波形表示：すべての刺激エレメントに対応する局所 ERG 波形群を配列する．空間分布は刺激図形の大きさ，被検査眼との距離で変化するので，眼底像か刺激図形を添える．刺激エレメントの位置関係を再現して，波形が中心で密になる精密配置と，波形を等間隔に配置する均等配置がある．また視野と同様に被検者の視点で配列される視野配列と，眼底写真と直接比較できる網膜配列が選べる．視野配列を用いるのが一般的なので，多局所 ERG と眼底写真と比較する場合は全波形表示を視野配列，精密配置で呈示し，眼底写真は垂直に反転させる（図 4a）．

グループ波形：全波形表示の任意の領域の波形群をグループ化して，同一の時間軸で波形を比較するための呈示法である．必ずグループの設定を図示する．グループを構成する刺激エレメントの数によって振幅が偏るのを防ぐため，見かけ上の大きさである立体角で除した，反応密度 [V/deg^2] 表示が良く用いられる（図 4b）．

2D，3D プロット：全波形表示の波形を，単一の数値に変換してグラフにしたものが 2D，3D プロットである．3D プロットの俯角は変更でき，90°では平面化し 2D プロットになる．視野との比較に適している．波形を数値に変換する方式に多くの設定要素があり開示が求められる（図 4c）．

1 正常値

全波形表示で，形が揃った波形が得られる．反応が大きな中心部は，それを相殺するように刺激エレメントが小さくなっている（図 4a）ために，大きさもほぼ揃う．リングに設定したグループ波形では，中心部の反応密度が大きいことが強調される（図 4c）．反応密度の 3D プロットでは中心窩で突出し，視神経乳頭部で軽く陥凹した，ERG による視野の島が表れる．

2 異常値とその解釈（異常所見の読み方）

AZOOR の 1 例を示す（図 5）．症例の全波形表示，3D プロットは視神経乳頭周囲で反応が減弱し，動的視野と一致する．片眼性の病態では，健眼との比較も参考になる．

3 アーチファクト

反応密度による 3D プロットは，純粋なノイズのみであっても刺激エレメントが小さい中心部の反応を強調してしまう．単独で提示された 2D，3D プロットに診断的意義はない．全波形表示を添える．

文献
1) Sutter EE, et al：The field topography of ERG components in man-I The photopic luminance response. Vision Res 32：433-446, 1992
2) 山本修一ほか編：どうとる？どう読む？ERG，メジカルビュー社，東京，2015
3) Arai M, et al：Multifocal electroretinogram indicates visual field loss in acute zonal occult outer retinopathy. Am J Ophthalmol 126：466-469, 1998
4) Piao CH, et al：Multifocal electroretinogram in occult macular dystrophy. Invest Ophthalmol Vis Sci 41：513-517, 2000
5) 島田佳明ほか：多局所入力のメカニズムと諸問題―VERIS™ と RETIscan™―．眼紀 52：781-789, 2001

（島田佳明）

21. 電気生理検査

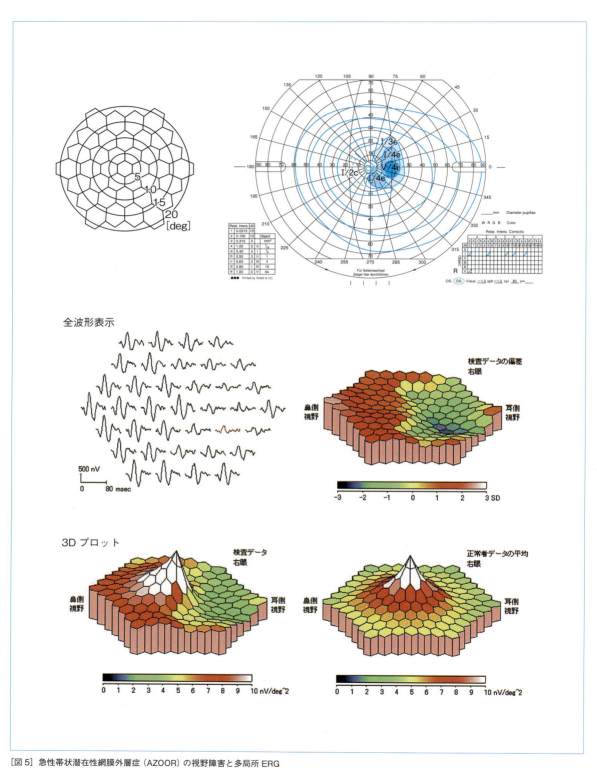

[図5] 急性帯状潜在性網膜外層症（AZOOR）の視野障害と多局所 ERG
全波形表示：刺激エレメント数 37，視野配列，均等配置，記録条件（刺激強度 2.67 cds/m², ベースレート 75 Hz, 時間理論値 3 分 38.4 秒，band-pass 10～300 Hz, サンプリングレート 1,200 Hz, コンタクトレンズ電極 FH 型（(有) メイヨー，愛知）
3D プロット：高精細，反応密度表示（0～80 ms 内積法，テンプレートは 4 リング）

21 電気生理検査

1）網膜硝子体疾患の電気生理学的検査
④ EOG（眼電位図）

I 検査の目的

網膜色素上皮の機能を評価する検査である．眼球は角膜側が後極側に対しプラスになるような静止電位が存在している．この電位は常在電位 standing potential と呼ばれており，そのほとんどは網膜色素上皮細胞に由来している．正常眼の常在電位は明暗刺激や薬物投与などで一定の変化を起こすことが知られており，この変化を記録するのが眼電位図 electrooculogram（EOG）である．

1 検査対象

広範囲な網膜色素上皮機能の障害が考えられる患者に本検査が行われる．しかし，網膜色素上皮が特異的に障害され EOG が診断に有用な疾患が少ないことや，検査に1時間近い時間を要することから一般臨床で使用される頻度は高くない．EOG の電位は，網膜色素上皮のベストロフィンという蛋白に制御される基底膜のイオンの透過性がかかわっているため，この蛋白の遺伝子（*BEST1*）異常による卵黄状黄斑ジストロフィ（Best 病）を代表とする疾患の診断に最も有用である．

2 目標と限界

暗順応による EOG 電位の低下と明順応による電位の増大を確認し，その比を求めることが検査の目標となる．本検査は検査時間が長く，随意の眼球運動による検査のため指示に従えない幼児や高齢者，中心視野のない患者，眼振を含む眼球運動障害のある患者では安定した記録は困難である．また，明暗の応答による EOG は網膜色素上皮だけでなく，視細胞などの神経網膜の機能も関与していることを知っておかなければならない．

II 検査法と検査機器

1 測定原理

眼球に存在する常存電位を記録するわけであるが，実際に被検者の眼球後面に電極を挿入して直

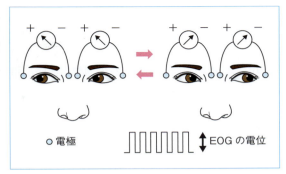

[図1] EOG 記録の原理

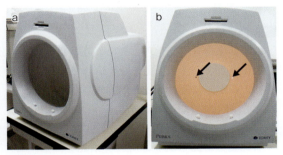

[図2] Ganzfeld ドーム
a 外観
b 固視灯が Ganzfeld ドーム内にある（矢印）．

接常存電位を測定することは不可能なので，実際には次のように間接的な方法で記録する．すなわち図1に示すように電極を両眼の内外眼角の皮膚上に平皿電極を装着し接地電極は耳朶におく．眼球は角膜側がプラスになっているので，眼球を外転させた場合は外眼角の電極が内眼角に設置された電極よりもプラスになる．逆に内転した場合は外眼角の電極が内眼角に設置された電極よりマイナスになる．眼球を水平方向に規則的に往復運動することによる電位変化が眼電位図である．通常，250〜1,000 μV 程度の電位が記録される．

2 機器の構造

明順応をするときの照度を一定にするため，Ganzfeld ドームと呼ばれる全視野の光刺激をできるドーム（図2）を用いて記録するのが望ましい．これは ERG を記録するためにも用いられる装置であるが，残念ながら現在，日本で薬事承認が下りている Ganzfeld ドームは販売されていない．本項では以前に販売されていた装置であるプ

667

リムス（販売メイヨー）による記録を説明する．この装置は，刺激様Ganzfeldドーム，生体アンプ，解析装置本体，プリンタからなる．このドームの中には赤の点滅による左右の固視指標が，眼球運動の角度が約30°になるように設置されている（図2b）．

3 感度と特異度

EOGの暗極小や明極大などの値そのものは個人差が非常に大きい．EOGの評価に値の比が用いられるのはこのためである．

Ⅲ 検査手順

1 検査の流れ

国際臨床視覚電気生理学会により推奨される方法が示されている[1]．検査は散瞳しても無散瞳でも行えるが，散瞳することが推奨されている．散瞳した場合には明順応に用いられるGanzfeldドームの背景光は$100cd/m^2$とし，無散瞳の場合は瞳孔径を計測し明順応時の背景光を調節する．実際の記録は，まず，被検者の両眼の内外眼角の皮膚をアルコール綿でよく拭き，皮膚上に電極を装着する（図1）．電極を装着した被検者を10分間ドームで明順応させるか，もしくは通常の明るさの部屋にて明順応する．検査の開始とともにドームの背景光を消し暗所で1分ごとに眼球を1Hzの間隔で10回程度水平方向往復運動させ電位変化を記録する．暗順応での検査は15分続ける．正常では8〜12分程度のところで最小値（暗極小：dark trough）をとる．暗順応後ドームの背景光をつけ明順応した状態でさらに15分同様に記録を続ける．正常者では明順応7〜14分で最大値に達する（明極大：light peak）．

2 検査機器の使い方とコツ

プリムスでは，時間計測や背景光の点灯と消灯，さらに毎分のEOGの計測（眼球運動の指示）がすべて自動に行われるため，大変便利である．検査の前に被検者に検査の内容を十分に説明しておくことが大切である．また，背景光を点灯すると眩しくて閉瞼してしまう被検者がいるが，この間もなるべく眼を開けているように指示する．

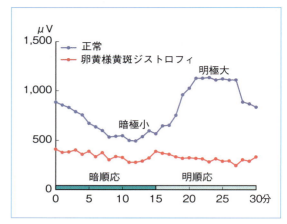

[図3] 正常者および卵黄様黄斑ジストロフィの患者から記録したEOG

Ⅳ 検査結果の読み方と解釈

1 正常値

EOGの電位そのものは個人差が大きいため，明順応下で電位が最大となる明極大の値と暗極小の値の比を評価に用いることが多い．この比はArden ratioやL/D比と呼ばれる．施設の機械によって正常の値は異なるが，この値は通常2以上とされる．EOGの振幅自体の評価としては暗順応下で電位が最小となる暗極小の値が参考になる．

2 異常値とその解釈

電位が記録した施設における正常値に比べて有意に小さい場合やArden ratioが1.5以下の場合は，網膜および網膜色素異常の機能異常を示している可能性がある．EOGが低下する疾患は網膜色素変性などの網膜疾患も挙げられるが，ほとんどの網膜疾患はより簡便なERGで評価できるためEOGの有用性はあまりない．ERGが正常でありEOGにて異常が認められる疾患は，卵黄様黄斑ジストロフィ（Best病）であろう．卵黄様黄斑ジストロフィは優性遺伝の両眼の黄斑異常をきたす疾患であるが，浸透率が低く眼底に特徴的な目玉焼き状の病変がみられない場合もあり，診断に苦慮することがある．そのような場合EOGの電位の低下とArden ratioの減弱により診断できる（図3）．また，最近報告されるようになった

BEST1 遺伝子異常による常染色体劣性タイプの autosomal Recessive Bestrophinopathy（ARB）は画像所見が多様で診断が難しいため，EOG が診断の決め手となる．

3 アーチファクト

異常な結果が出た場合には測定には体動の影響がなかったか，眼球運動を適切に行えていたかを検証する必要がある．基準電位が著しく低い場合に単純に Arden ratio を計算すると正常値になってしまうことがあるので注意を要する．このような誤解を防ぐため，結果を提示する際にはすべての時間経過を図3のようなグラフで示すことが望ましい．

文献
1) Marmor MF, et al：ISCEV standard for clinical electrooculography（2010 update）. Doc Ophthalmol 122：1-7, 2011

（上野真治）

2）神経眼科疾患の電気生理学的検査
① VEP（視覚誘発電位）

I 検査の目的

1 検査対象

VEP は視路障害の検出に有用であるため，主に脱髄性疾患，視神経炎，圧迫性視神経症，虚血性視神経症，弱視が対象となる．他覚的視力評価として，乳幼児の視機能評価，心因性視覚障害や詐病を疑う症例などにも有用である．

2 目標と限界

VEP は微細な電位の変化を捉える繊細な検査である．検査方法のコツを摑み（下記），ノイズやアーチファクトを最小限に抑え，より精度の高い検査結果が得られるように工夫する．結果の判定を行い，視力低下の原因が視路のどの部位にあるのかを明らかにする．

網膜や視神経の障害がかなり強い場合には，反応が非常に微弱で出ないこともあり鑑別が困難である．また，パターン刺激などを用いる場合は，モニターに映し出されている刺激を患者が固視しなければならず患者の検査への協力が必須となる．そのため，特に詐病などの症例では注意が必要である．

II 検査法と検査機器

1 測定原理

主な刺激として，パターン刺激とフラッシュ刺激がある．パターン刺激には，反転刺激と onset/offset 刺激があるが，通常，前者が使われている．また，刺激頻度によって Transient VEP と Steady State VEP に大別される．刺激の前後で独立した反応が得られる刺激頻度（刺激の反転が1秒間に通常4回以下）の時の VEP は Transient VEP，定常状態になる刺激頻度（刺激の反転が1秒間に通常8回以上）の時の VEP は Steady State VEP と呼ばれる．今回は最も使われている Transient パターン VEP の記録について述べる．

2 機器の構造

刺激装置と生体反応の記録装置から構成される．国内ではポータブルの一体型装置（トーメー，LE4000など）が広く使われている．

III 検査手順

1 検査の流れ

屈折異常があれば検眼鏡にて矯正する．矯正後，モニターのパターン表示がはっきり見えているかを患者に尋ね，ぼやけている場合は最も見やすい状態になるまで矯正を行う．その次に，電極を固定すべき位置の頭皮をアルコール綿や脱脂綿でよく拭く．脳波用電極ペーストを用い，電極と頭皮の間に空気が入らないように電極を固定する．固定位置は，国際10-20法によるOzまたは後頭結節の位置を導出用関電極（基準電極：＋）とし，Fzを不関電極（－）とする．接地電極（アース）は耳朶に置くとよい（図1）．

2 検査機器の使い方とコツ

検査開始の約30分前に，VEP検査装置の電源を入れておくと検査機器の状態が安定化し，より精度の高い結果が得られる．次に，患者が検査時に座る椅子の位置を確認し調整する．検査中は患者の視野角を常に一定に保つ必要があるため，刺激を映し出すモニターから患者の目までの距離が変わらないように工夫する．その距離は，検査機器（モニターの大きさ）によって決められているので，取扱説明書で確認するか，文献1）を参考に計算する（図1）．また，検査機器の設定条件については国際臨床視覚電気生理学会での標準化された記録条件に基づいて行う[2]．

IV 検査結果の読み方と解釈

1 正常値

VEP波形は個人差が大きく，患者の年齢にも左右される．刺激法の中では，パターン反転刺激が最も安定しており個人差が少ない反応が得られる（図2）．その基準となる反応は，パターンの反転から約75ms後に現れる陰性波（N75），約100ms後に現れる陽性波（P100），約135ms後に現れる陰性波（N135）である（図2）．特にP100

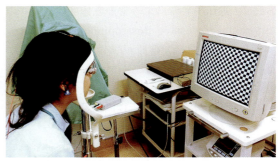

[図1] パターン刺激によるVEP検査の様子
視野角を常に一定に保つため患者とモニターの距離を取扱説明書で確認し調整する．検査開始前に電極がしっかり固定できているか確認する．

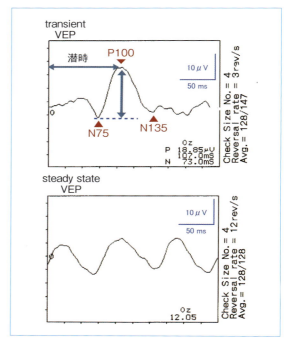

[図2] transient VEPとsteady state VEPの正常波形

が最も個体間のばらつきが少ないことから評価の基準となることが多い．P100の振幅は，先行するN75の底点からP100の頂点までを測定する．N75が不明瞭な場合は，基線を0として測定を行う．また頂点潜時は，パターンが切り替わったトリガーの部位から頂点までの時間を測定する．

正常値に関しては，刺激条件によっても異なるため個々の施設で判断しなければならない．一般に，頂点潜時は，個人差が少なく絶対値としての比較が可能である．一方，振幅は，個人差が大き

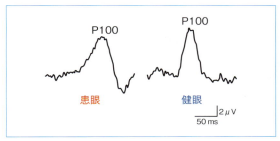

[図3] 片眼性視神経炎の症例．視力回復後のパターンVEP所見
振幅には差がないが，P100の頂点潜時は患眼で明らかに遅延している．

いため「同一個体では振幅の左右差は少ない」という特性をもとに反対眼の結果と比較することで正常か異常かの判断が可能となる．

2 異常値とその解釈

まず異常と判断する際に必要なのは，反応が出ているかどうかの評価である．視力が高度に低下している場合は，原因のいかんにかかわらず反応がみられなくなる．

1) non-recordable VEP

消失型，平坦型と呼ばれる波形で，視神経炎の急性期やその他の視神経疾患で視力が極端に低下している場合（0.1以下）にみられる[3]．

2) P100頂点潜時の延長

脱髄性疾患，特に多発性硬化症などでは，パターンVEPの潜時が極端に延長するため診断的価値が高い．視神経炎やそれ以外の視神経障害でも延長を認める（図3）．また，黄斑部障害による高度な視力低下（0.1以下）の場合でも延長するが，視神経炎ほど明らかではない．

3) 振幅低下

振幅には個人差や年齢の影響があるため，片眼性の疾患に限り振幅の患眼/健眼比が有用となる．片眼性の視神経障害や黄斑部疾患で左右差を認める．

文献
1) Brigell, M et al：Guidelines for calibration of stimulus and recording parameters used in clinical electrophysiology of vision. Documenta Ophthalmologica 107：187-193, 2003
2) Odom, JV et al：ISCEV standard for clinical visual evoked potentials (2016 update). Doc Ophthalmol 133：1-9, 2016
3) 松本惣一セルソほか：VEPと神経眼科．神経眼科 28：153-163, 2013

（松本惣一）

2) 神経眼科疾患の電気生理学的検査
② 眼球電位図（EOG），電気眼振図（ENG）

I 検査の目的

異常眼球運動の記録と解析のための古典的な手技である．

1 検査対象

異常眼球運動を有し，眼球運動刺激に対して協力の得られる症例．

2 目標と限界

異常眼球運動を記録し，その異常性を検討する．被検者の協力性への依存はもちろん，筋電図アーチファクトが不可避で，回旋運動の計測ができない．

II 測定法と検査機器

1 測定原理

眼球は角膜側が陽性，眼底側が陰性となる常在電位を有する．眼瞼皮膚に左右2つの電極を置き，眼球運動で電極に角膜が近づき，遠のくことで電位差が生じる．20～30°以下では，電位は眼球回転角にほぼ比例するため眼球運動を定量的に測定することができる．

2 計器の構造

眼球運動を惹起する視覚刺激と同期して電位記録を行う．視覚提示から眼球運動発現までの潜時や運動速度などの計算ソフトウェアが内蔵されている．

III 検査手順

1 検査の流れ

電極装着前に，酒精綿で皮脂をよく落とす．電極用ペーストを皮膚と電極で挟み込むようにして上からテープで固定する．

2 装置の使い方

検査施行前には必ずcalibrationが必要である．既知の角度（視角20～30°程度を用いる）での眼球運動を負荷し，その際に得られた電位を負荷し

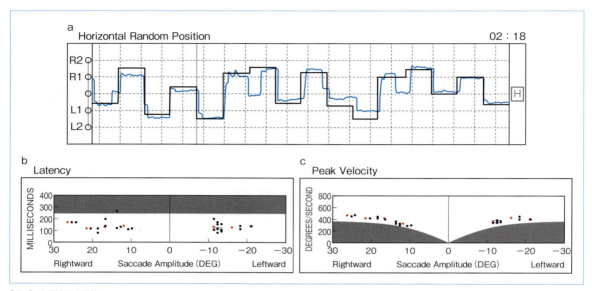

[図1] 衝動性眼球運動
a 視標（黒）と眼球の動き（青），b 潜時，c 最大速度

た視角と等しくなるように補正したのち測定を開始する．

3 検査のコツと注意点

眼球の常在電位は，暗所では低く，明所では高くなる傾向を持つ．照度による電位変化が生じるため検査室の照度条件を一定にする．

IV 検査結果の読み方と解釈

1 正常結果

正常な衝動性眼球運動波形（図1），追従性眼球運動波形（図2a）を示す．視標を正確にトレースしている．

2 異常所見とその解釈

異常例では，視標のトレースが正確になされない（図2b）．衝動性眼球運動では，潜時の延長や最大速度の低下で異常性を定量化する．追従性眼球運動では利得の低下（図2bではR，LともにGain＝0.30まで低下の記載）で定量化する．

3 アーチファクト

検査室の照度変化のみならず，電極自体の不具合，検者の衣類の静電気，機械類からの交流波混入，被検者の発汗などが，ノイズを混入させる．また，瞬目による筋電図の迷入は不可避なので，瞬目によるノイズは，その部分のデータを採用しないようにする．

（吉田正樹）

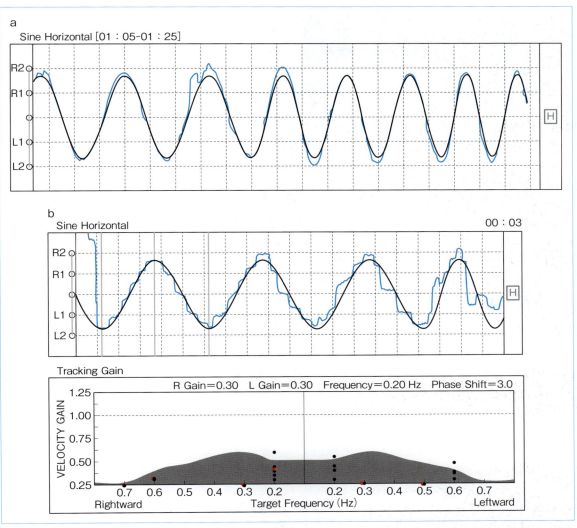

[図2] 追従性眼球運動
a 正常例，b 疾患例

2）神経眼科疾患の電気生理学的検査
③ EMG

Ⅰ　検査の目的

　EMG（筋電図）は横紋筋の随意的な収縮・弛緩運動に伴う活動電位の変化や末梢神経の電気刺激で誘発される支配筋の活動電位を記録し，末梢神経，神経筋接合部および支配筋の異常を生理学的に診断する．

1　検査対象

　他の検査法では診断が確定しない眼球・眼瞼運動障害，Duane症候群や動眼神経異常再生などの異常神経支配の診断に有用である．誘発筋電図は重症筋無力症（MG）における漸減現象（waning）の判定に，瞬目反射は三叉神経と顔面神経障害の鑑別に用いられる．

2　目標と限界

　外眼筋や上眼瞼挙筋は体表から記録できない深部にあるため針電極の刺入を必要とする．平成27年6月にA型ボツリヌス毒素注射用製剤（ボトックス®）の12歳以上の斜視症例への適応が承認されたが，注入には針電極を刺入し外眼筋を同定する必要がある．針電極の刺入や電気刺激は痛みを伴う侵襲の高い検査であり，小児や協力の得られない患者での実施は困難である．

Ⅱ　検査法と検査機器

1　測定原理

　筋の収縮に伴い発生する活動電位は数μV～数mVと微弱であり，針あるいは表面電極で導出し，生体アンプで増幅して記録する．モニタ上に提示される波形は縦軸が電位変化（振幅），横軸は時間経過であるが，同時にスピーカーからの音を聴取して判断する．

2　機器の構造

　針電極は絶縁された封入線（記録部）が外套針の内部に1～2本内蔵された同芯型電極が用いられる．筋電図の周波数成分は数Hz～数10KHzであり，この周波数帯域を増幅できる生体アンプに加え，電気刺激装置，解析・記録装置，波形モニタとスピーカーなどを内蔵した多目的用の誘発電位測定装置が一般に用いられる．ボトックス注入用として簡易型筋電計に注入針と針電極を一体化したものがセットで販売されている（日本光電製のニューロパックn1＋Technomed Europe社製のディスポ皮下注入電極，Natus Medical社製のクラヴィス＋ボジェクトニードル；図1）．

3　感度と特異度

　針筋電図は電極が外眼筋に確実に刺入されていれば有益な情報が得られる．誘発筋電図は刺激する支配神経の位置を一定に保ち，至適強度である最大上刺激（振幅が最大になる最大刺激電圧の120～130％）を用いて，表面電極は筋腹中央部で2～4cmの間隔で筋線維に平行に装着する．

Ⅲ　検査手順

1　検査の流れ[1]

　シールドマットを敷いたベッド上に仰臥させ，点眼麻酔後ディスポーザブル針電極を図2左で示した部位から目的の筋に刺入する．水平筋では結膜・Tenon嚢穿刺の際は眼球からやや遠ざけるように針を刺入し（step 1），刺入後は針先をやや眼球側に向けてゆっくり慎重に針を前進させる（step 2）．筋に到達するとザーという放電音が聴きとれるので，放電音が最大となるところで電極を固定する．目的の筋に刺入したかどうかはその筋の作用方向（外直筋であれば外転方向）に眼を向かせた時の放電音の増大と，モニタ上の干渉波の振幅増大で確認する．低頻度反復刺激は2～5Hzで支配神経を5回刺激し，1回目と5回目の筋活動電位（M波）の振幅を比較して減衰率を評価する．

2　検査機器の使い方とコツ

　侵襲を伴うため，十分なインフォームドコンセントを得ることと患者側の協力が不可欠である．針電極の刺入時に眼球穿孔を防ぐため眼球は固定せず，電極の割面を必ず眼球側に向けて刺入する（図2右）．刺入後は不用意に眼を動かさないよう，強く閉瞼しないように指示する．偶発的な眼窩内出血にも留意する必要がある．

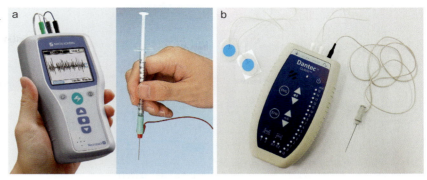

[図1]
a ニューロパック n1 とディスポ皮下注入電極
b クラヴィスとボジェクトニードル

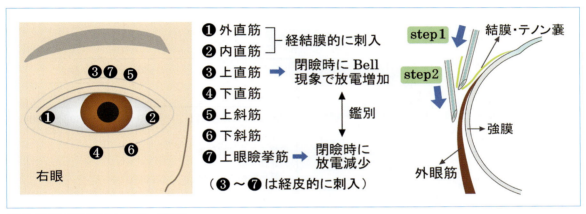

[図2] 針電極の刺入部位の内外直筋への刺入法

IV 検査結果の読み方と解釈

1 正常値

通常の記録では神経-筋単位 neuromuscular unit (NMU) の集合体である干渉波が振幅として観察される（図3）。瞬目反射は刺激後9～12ms で刺激と同側のみに出現するR1（第1波）と刺激後25～39ms で両側性に出現する多相性のR2（第2波）が出現する。

2 異常値とその解釈（異常所見の読み方）

神経原性麻痺では干渉波の減少や不明瞭化が，異常神経支配では本来の作用方向以外で放電が増加する．MGでは低頻度反復刺激で振幅減衰率が(8)～10%以上[2]となり，漸減現象（waning）を示す．瞬目反射[3]は三叉神経第一枝である眼窩上神経の電気刺激で誘発される眼輪筋筋電図を記録する．図4のように，求心路の三叉神経障害と遠心路の顔面神経障害を鑑別でき，顔面神経麻痺や脳幹の小梗塞，延髄外側病変の経過や治療効果判定に役立つ．潜時はR1が13ms以上，R2が41ms以上は延長と判定し，左右刺激の比較ではR1で1.5ms以上，R2で5～8ms以上の差は異常と判定する．片側顔面痙攣では刺激と同側の口輪筋に異常連合運動がみられ診断上有用である．

3 アーチファクト

交流雑音（ハム）や電気刺激に伴うノイズ混入を防ぐため被験者の接地（ボディアース）を確実に行うことが重要である．

文献
1) 新井田孝裕：検査総論—筋電図—．今日の眼疾患治療指針，第2版，医学書院，東京，737-738，2007
2) 新井田孝裕：EMG（筋電図）III-E-5，眼科学，第3版，文光堂，東京，987-988，2020
3) 新井田孝裕：眼瞼 ② 瞬目．神経眼科 29：204-212，2012

（新井田孝裕）

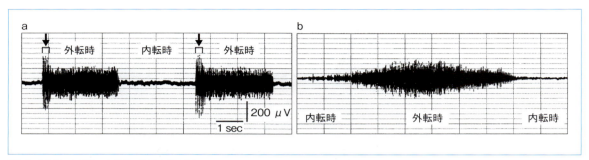

[図3] 外直筋から記録した実際の筋電図（干渉波）
a 衝動性眼球運動時の短時間に高頻度のバースト放電（↓）とそれに続く眼位保持のための持続的なトーニック放電．
b 滑動性追従運動の紡錘状のトーニック放電．
両者とも作用方向である外転時に放電が増大し，作用方向と反対の内転時には放電の抑制がみられる（Sherringtonの相反神経支配）．

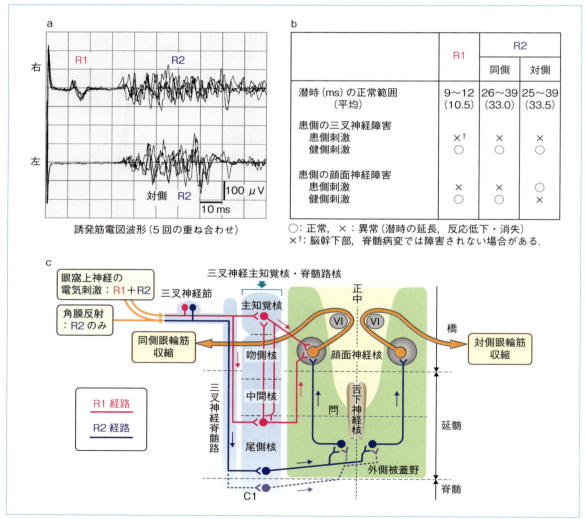

[図4] 瞬目反射と眼輪筋筋電図
a 右）眼窩上神経の電気刺激による眼輪筋筋電図波形
b 瞬目反射における潜時の正常範囲と病巣診断
c 瞬目反射の脳幹経路

22. 超音波・放射線・磁気共鳴画像検査

23. 検体検査

1）超音波検査（網膜硝子体）

I 検査の目的

1 検査対象

　光干渉断層計（OCT）は非侵襲，短時間かつ容易に後極部の網膜，脈絡膜，強膜の断面を画像化することが可能であるが，測定光が到達しない部位は測定できない．そのため，超音波を使用した超音波診断検査は日常診療において不可欠な検査の1つである．

　検査対象は

1) 角膜混濁や白内障や硝子体出血などの眼内を透見できない中間透光体混濁眼
2) 眼窩内，毛様体，脈絡膜，強膜などの直接観察ができない部位の観察
3) 繰り返し検査が必要な場合（放射線被曝を最小限にするため）
4) 動的な変化を捉えたい場合
5) 脈絡膜腫瘍の大きさと性状を捉える場合
6) 放射線検査で写らないプラスチックや木片やガラスなどの眼内異物の検出

が挙げられる．

2 目標と限界

　超音波は，周波数が高いほど解像度が向上するが減衰しやすいため透過性が低下する．一般的な超音波測定装置の周波数は5～20 MHz，解像度は300 μm程度となる．そのため，微細な構造を描出するのは難しいが，眼球後方や眼窩内の観察が可能となる．一方，超音波生体顕微鏡 ultrasound biomicroscopy（UBM）の周波数は50～60 MHz，解像度は50 μmと高く隅角や毛様体周囲を観察することができるが，それよりも深部を描出することはできない．一般眼科臨床では，眼軸長測定にAモード，断層検査にBモード，前眼部疾患にUBMが使用されている．

　以下Aモードについての詳細は別項に譲る．

Bモードおよび UBM
a. 目標

　① 眼内を直接観察できない場合

　瞳孔閉鎖，縮瞳，極端な狭隅角，中間透光体混濁眼での網膜剥離などの眼内異常の有無の評価

　② 直接観察できない，評価が難しい部位の場合

　外傷やアトピー性皮膚炎に伴う鋸状縁や毛様体の異常の有無の評価，眼内・眼窩内腫瘍の大きさや性状の評価

b. 限界

　網膜面に接する小さい異物の分離ができない場合がある．また気体やシリコーンオイル充填眼では境界面での反射が強くなり画像化は困難となる．UBMは，開瞼器もしくはアイカップを用いて強制的な開瞼下で検査を行うため，検査に対する十分なインフォームドコンセントが得られる被検者が対象となる．

II 検査法と検査機器

1 測定原理

　周波数が20 KHz以上の人間の可聴域を超えた周波数の音波のことを超音波と呼ぶ．「組織内の音速×組織の密度」を音響インピーダンスと呼び，異なる音響インピーダンスを持つ組織と組織の境界では反射波が発生する．音響インピーダンスの差が大きいほど反射波が大きくなる．超音波検査では，この反射波の強さを画像として表示する．軟部組織内では，超音波は水中の音速と同程度で一定の速度で通過するので，超音波が発振されてから反射波がプローブに到達するまでの時間は，距離に正比例する．そのため，超音波を発振されてから反射して戻ってくるまでの時間を計ると反射体までの距離を測定できる[1,2]．また，反射波の強さは組織密度を表し，組織密度が高い組織は強い反射波を生じ，Aモードでは高い振幅に，Bモードでは高い輝度になる．

1) Bモード（brightness mode）

　反射波の強弱を白黒の輝度として表示する方法で，プローブ位置からの二次元平面の画像が得られる．プローブを動かすことで任意の断面の画像

が動画として得られるため，組織の全体像や性状が捉えられる（**図1**）．

2）超音波生体顕微鏡 ultrasound biomicroscopy（UBM）

前房，隅角，毛様体，虹彩などの前眼部周辺の構造の評価に用いられる．網膜最周辺部剝離，毛様体剝離などでは，前眼部OCTよりも深部を観察できる．

3）超音波ドップラー ultrasonic doppler method

ドップラー効果を利用して血流の速度を計測し，Bモード画像上にカラー表示する．網膜中心動脈，網膜中心静脈，眼動脈，短後毛様動脈が描出可能である．

2 機器の構造（表1）

画像を表示するモニターと超音波を発振するプローブから構成される．UBMは，アイカップを瞼裂に装着しスコピゾル®で満たした後に液浸法で検査する機器とプローブの先端のバッグ内部に生理食塩水を満たしてから開瞼器で開瞼し検査する機器がある．各モードに合わせた周波数のプローブが設定されている．

3 感度と特異度

超音波検査は，測定波が物体に当たらなければ反射波が発生しないため，プローブの適切な向きや角度で検査が行われなければ画像化はできない．また，音響インピーダンス差が大きい空気や骨の後方の観察は難しい．

Bモード

正常な硝子体は完全な低輝度となるため，高輝度が硝子体内に認められた場合には異常と判断される．距離分解能の限界により網膜，脈絡膜，強膜を区別することはできない．また，後述する種々のアーチファクトを理解して画像を判断することが必要である．

III 検査手順

■Bモード，UBM

1 検査の流れ

検査手順

1）座位もしくは仰臥位で検査を行う（UBMは仰臥位）．

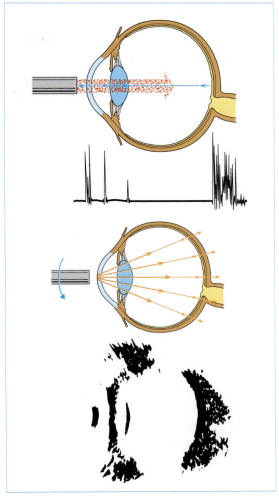

[図1] 上：Aモード，下：Bモードの測定原理
（Michels, RG：マイケルス網膜剝離，文光堂，333，1995より抜粋）

2）プローブ先端に検査用ジェルをつけ，両眼閉瞼の状態でプローブを密着して当てる．プローブの印の方向と画面上の印が合っているか確認をする．モニター画面中央に眼球像がくるようにプローブ位置を調整する．UBMでは，開瞼器か専用のアイカップを装着し，生理食塩水もしくは，スコピゾル®による液浸法を行う．

3）プローブを当てた状態を保ちながら，上下左右に眼球を動かすように指示する．

4）増幅感度を調節して病変の特徴を捉える．

5）検査終了後，被検者の眼瞼の検査用ジェルを拭き取るとともにプローブ先端のジェルも拭き

[表1] 眼科における各種超音波検査と検査機器

	Aモード	Bモード	UBM
目的部位	眼内	眼内，眼窩内	前眼部，毛様体，鋸状縁，網膜最周辺部
周波数	5～20 Hz	5～20 Hz	50～60 Hz
解像度	低い	低い（約300μm）	高い（50μm）
対象	白内障手術術前検査，眼軸長測定	1) 眼底が直接透見できない状態での眼内の評価，2) 眼窩・眼内腫瘍の形，性状，大きさの評価	前房・隅角・毛様体剥離・網膜最周辺部剥離の評価
対象疾患	白内障，小眼球症	眼内異物，硝子体出血，網膜剥離，眼内・眼窩内腫瘍	緑内障，アトピー性網膜剥離，外傷による網膜剥離

取りアルコールで清拭消毒する．

2 検査機器の使い方とコツ

　配置：モニター画面を見ながらプローブの位置調整する必要があるため被検者と機器が同一視野に入るように配置する．

　プローブの密着：検査用ジェルを十分につけてプローブを少し圧着することではっきりとして画像が出ることがある．

　プローブの方向：プローブの印の方向が眼球と画面上のどの方向にあたるのかを確認し，視神経を指標として異常所見の眼内での位置を把握する．また，動画で記録すると検査後に眼内の状態を再確認しやすい．

　増幅感度の調節：基本的には増幅感度は一定にしておくが，異物や石灰化病変では反射が強いため適宜増幅感度を下げて異常をはっきりと描出する．

IV 検査結果の読み方と解釈

Bモード

1) 正常値

　正常眼では，硝子体は完全な低輝度で表示される（図2）．網膜，脈絡膜，強膜は分離できず一体として高輝度となるが，視神経は周囲の脂肪組織よりも低輝度となる．

2) 異常値とその解釈

　①形態，②大きさ，③位置，④異常エコーの有無，に注意する．硝子体中の高輝度エコーは異常所見と解釈され，点状，膜状，塊状を示す．異常エコーが認められた場合には，輝度，形状，眼内での位置と可動性に注意する．主な疾患を示す．

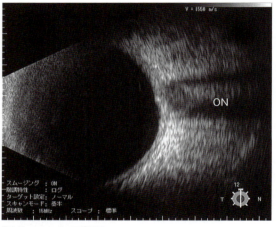

[図2] Bモードの正常所見
硝子体は，完全な低輝度となる．網膜，脈絡膜，強膜は区別できない．視神経は周囲よりも低輝度となる．ON：視神経

① 形態異常：後部ぶどう腫
② 大きさの異常：高度近視，小眼球
③ 位置の異常：水晶体脱臼，偏位，落下
④ 異常エコー像（表2）

a. 硝子体出血

　出血後早期には輝度は低いが，凝血を形成すると高輝度になる．後部硝子体皮質が肥厚すると高輝度の膜エコーが出現する（図3）．完全後部硝子体剥離眼では視神経乳頭と連続のない高輝度膜エコーが出現するが，視神経乳頭から剥離していない場合には網膜剥離との鑑別が重要になる（図3c）．網膜剥離の膜エコーは均一な厚さであるが，後部硝子体皮質の膜エコーは不均一で厚く，眼球運動に伴い慣性を伴う強い可動性を示し，輝度は網膜剥離よりも低く増幅感度を下げていくと網膜よりも早く低輝度になる．

[表2] Bモード異常エコー像

異常エコー形状		所見	可動性
点状	眼内異物	高輝度で音響陰影を示す．増幅感度を調節して位置，形態を確認	低い
	硝子体出血	初期は低～中輝度，凝血があると高輝度となる．出血の程度により線状を示したり，びまん性に広がる．後部硝子体剥離を伴うと膜エコーを生じる	高い
	硝子体混濁	中輝度がびまん性に広がる	高い
膜状	後部硝子体剥離	不均一な厚さで後極は厚く周辺部は薄い．硝子体出血などで肥厚すると高輝度を示す．網膜との接着の有無が重要である	高い
	裂孔原性網膜剥離	均一な高輝度エコーで全剥離症例では視神経乳頭に連続する．陳旧例では襞形成のある漏斗状を示す	早期は高いが陳旧例では低い
	牽引性網膜剥離	局所網膜剥離もしくは全網膜剥離を示す．増殖膜は写らないことが多い	低い
	脈絡膜剥離	高輝度のドーム状隆起が周辺部につながりが認められる．内部は低輝度を示す	低い
	網膜分離症	低輝度で限局的	低い
塊状	網膜下出血	中～高輝度で均一隆起を示す	早期は高い
	網膜芽細胞腫	高輝度で感度を下げても強い音響陰影を示す	ない
	脈絡膜悪性黒色腫	表面は高輝度で内部は低輝度でマッシュルーム型，choroidal excavation を示すことがある．小型の場合は内部は低輝度	ない
	転移性脈絡膜腫瘍	内部は中～高輝度で均一で表面は不整な例が多い	ない
	脈絡膜骨腫	高輝度で音響陰影を示す	ない

(澤田 惇：視能学，227 より改変)

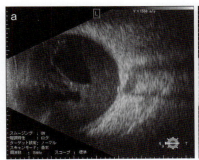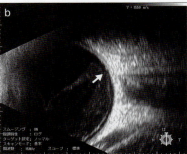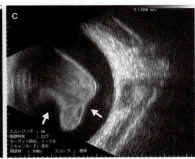

[図3] 硝子体出血
a 後部硝子体剥離のない硝子体出血の超音波像．出血により硝子体皮質は均一な中等度の輝度を示す．一方，後部硝子体皮質前ポケットは低輝度を示す．
b 一部癒着を残した不完全な後部硝子体剥離を伴う硝子体出血の超音波像．硝子体出血により後部硝子体膜は肥厚しており，後極に一部癒着が残る（矢印）．視神経乳頭との連続がないことで後部硝子体膜であることがわかる．眼球運動による強い可動性を示す．
c 完全な後部硝子体剥離を伴う硝子体出血眼の眼球運動直後の超音波像．眼球運動により慣性のある強い可動性を示す（矢印）．

b．網膜剥離

網膜剥離では剥離範囲に応じた膜エコーが認められ進行の程度により可動性が変化する．限局した網膜剥離では，後壁から剥離した膜エコーが部分的に確認され可動性は低い．網膜全剥離では，視神経乳頭に付着し漏斗状に尖った高輝度の膜エコーが認められる．増幅感度をゆっくり低下させても，輝度減弱が弱く高輝度が保たれる．発症早期は可動性が認められるが，陳旧例では可動性が極端に低下し増殖変化による網膜面の襞状の不整が認められることがある（図4）．進行した増殖硝子体網膜症では，網膜が硝子体中へ対称的に盛り上がる．一方，牽引性網膜剥離では網膜に付着した組織の牽引により網膜剥離が生じるため可動性はない．鋸状縁裂孔や毛様体剥離，網膜最周辺部剥離では，UBMで網膜最周辺部に剥離した膜エコーが認められる．

c．脈絡膜剥離

手術後や炎症性疾患や網膜剥離に伴う極度の低眼圧や脈絡膜循環不全がある場合に認められる．

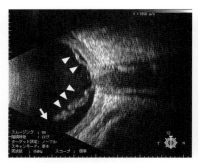 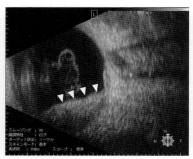 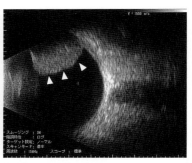

[図4] 網膜剥離の超音波像（網膜全剥離，増殖硝子体網膜症）
視神経乳頭に連続する剥離網膜の膜エコーが認められる．下方に網膜裂孔による膜エコーの不連続がある（矢印）．増殖性変化のため網膜面は不整で襞状である（矢頭）．可動性は少ない．

[図5] 加齢黄斑変性による網膜下出血の超音波像
下方に網膜下出血による網膜剥離の高輝度を認める（矢頭）．

[図6] 転移性腫瘍
上方に充実性で表面から内部まで高輝度の不整型の高輝度エコーを認める（矢頭）．

周辺部に隆起性の厚い高輝度膜エコーが認められる．内部は低輝度で可動性は低い．

d．網膜下出血

外傷や加齢黄斑変性による網膜下出血の後に，硝子体出血を生じることがある．網膜下出血による隆起した塊状の高輝度エコーが認められる．出血が凝血すると可動性がなくなる（図5）．

e．脈絡膜腫瘍

腫瘍の種類により内部の輝度が異なり，脈絡膜骨腫や網膜芽細胞腫では高輝度の反射を示し強い音響陰影が認められる．一方，悪性黒色腫では表面は高輝度で内部が低輝度で時にマッシュルーム型の形状を示す．転移性腫瘍では，充実性かつ不整型で内部は均一な高輝度を示すことが多い（図6）[4]．

3) アーチファクト[2,5,6]

超音波特有の物理的性質により発生する虚像で以下のものがある．

a．多重反射

2つの組織の境界面で超音波が何度も反射することで発生する．眼内レンズ，眼内異物，空気などの反射の強い組織に当たる場合に発生しやすく，反射体から尾を引くような像になる．プローブの投射方向を調整することで大きく変化する．

b．音響陰影

強い反射を生じる物質の後方には超音波は透過できず，後方に低輝度の無エコー領域が発生する．この領域を音響陰影（acoustic shadow）と呼ぶ．異物や骨組織や石灰化病変などで生じやすい．

c．増強効果

超音波減衰や反射の弱い軟部組織の後方では，輝度の高い領域が発生し増強効果（posterior echo enhancemnet）と呼ぶ．

文献

1) Michels, RG：Retinal detachment, The CV Mosby, St Louis, 368-372, 1990
2) Coleman, DJ：Ultrasonography of the Eye and Orbit, 2nd ed, Lippincott Williams & Wilkins, Philadelphia, 22-45, 2006
3) 澤田 惇：超音波検査．視能学，文光堂，東京，224-229, 2005
4) 古田 実：眼内腫瘍の診断方法．眼科診療プラクティス24．見た目が大事！眼腫瘍，文光堂，東京，156-160, 2008
5) 大島佑介：超音波検査．眼科検査ガイド，眼科診療プラクティス編集委員編，文光堂，東京，560-564, 2004
6) 澤田 惇：Aモード，Bモード．眼科診療プラクティス18．眼科診断機器とデータの読み方，司児一孝編，文光堂，東京，72-75, 1995

（松原　央）

2) 単純 X 線写真

はじめに

眼部の単純 X 線写真は，古くから多くの特殊撮影法が目的に応じて使用されてきた．しかし，その診断的意義は X 線 CT（CT）の普及により著しく低下した．救急診療をする施設では CT が設備されており，一般的な眼科医が眼部の単純 X 線写真を読影する機会はない．眼窩は複雑な骨形状で副鼻腔に囲まれていることから，投影的に撮影された 1 枚の写真上には多くの情報がありすぎて，読影にはトレーニングを要する．現在も通用する利点は，鳥瞰的観察，低被曝線量，短時間撮影，低コストであり，効率良い保険診療をするうえで，目的に合ったオーダーと読影ができることは重要なスキルである．

I 検査の目的

1 検査対象

現代では単純 X 線写真のみで確定診断することはなく，あくまでスクリーニング検査としての有用性がある．小児や閉所恐怖症などの例においても撮影可能であることが多い．主に，①外傷に伴う頭蓋骨，視神経管，眼窩，顔面骨の骨折，および金属異物の検出．②眼内，眼窩内，涙道，頭蓋内，副鼻腔の，特に石灰化陰影，骨の変形・欠損，混濁した貯留物などの検出に用いる．

2 目標と限界

すべての外傷や腫瘍性疾患において，概観を記録しておくことは無意味ではない．しかし，診断に際しては目的に合った撮影方法を選択することが，最大のポイントとなる．例えば表 1 に示すように，眼窩下壁や上顎洞病変の観察には Waters 法，視神経管の観察には視神経管撮影などである．飯沼ら[1]の報告によると，単純 X 線撮影での眼窩骨折存在検出率は熟練した医師であっても約 70％，部位の一致は 50％以下であり，診断には必ず CT が必要である．

II 検査法と検査機器

1 測定原理

X 線はレントゲン線と同義であり，X 線管で発生された波長 1pm～10nm の電磁波である．通常用いる X 線のエネルギーは 2～20keV であり，マンモグラフィーなどに用いる軟 X 線よりも高エネルギーで透過性が高い．一方向から X 線を照射して透過線をイメージング・プレート（デジタルフィルム）に投影するため，目標となる病変はプレート面に近い方がより鮮明となる．

2 機器の構造

高電圧をかけたフィラメントで電子線を発生させ加速し，陽極となるタングステンやモリブデンなどの金属に衝突させて X 線が生じる．組織を透過した X 線は，以前はフィルム，最近ではデジタル化に対応したイメージング・プレートに露光して画像化する．1 回の撮影で生じる被曝線量も，技術の向上で少なくなってきている．

3 感度と特異度

初診時は CT や MRI とのセットで見比べるのが標準的な使用法である．金属異物や石灰化病変の検出は感度・特異度ともに高いが，その他の病変は骨折も含めて確定診断や治療法の検討ができるレベルではない．あくまで概観の確認や，詳細のわかった病変の経過観察に用いる．

III 検査手順

1 検査の流れ

十分に問診をした後に眼科一般検査を行い，何を知りたいのか目的を設定し，適切な撮影方法を選択する（表 1）．単純 X 線写真は CT とは異なり，放射線科医による読影がなされないので，検査所見は必ず読影してカルテに記載する．

2 検査機器の使い方とコツ

再現性の高い画像を撮影するためには，顔面正中と orbitomeatal（OM）線を軸に撮影する．眼部打撲による眼窩骨折/外傷性視神経症が疑われる臨床所見がある場合には，Coldwell 法，Waters 法，および視神経管撮影を行う．上顎洞病変の際には Waters 法を用いる．視神経腫瘍を疑う際に

[表1] 主な単純X線撮影法と正常所見

	正面撮影/側面撮影	Coldwell法	Waters法	視神経管撮影Rhese法	涙道造影
目的部位	頭蓋骨，眼窩上縁，トルコ鞍，斜台，松果体など	前頭洞，篩骨洞，眼窩	上顎洞，頬骨，眼窩	視神経管	涙嚢，鼻涙管
撮影法	（図）	（図）	（図）	（図）	リピオドールを涙嚢内に注入して正面/側面撮影
正常所見	成人のトルコ鞍：前後径10.8±1.6mm，深さ8.2±1.1mm	眼窩内壁（前方），眼窩内壁（後方），篩骨上顎板，眼窩底（後方）	眼窩内壁（後方），眼窩内壁（前方），眼窩底（前方）	視神経管：眼窩の外下方1/4象限に投影 円形で直径6mm以下，左右差なし	涙嚢：造影剤貯留なく，咽頭まで造影．通過障害あれば平滑な内腔に造影剤貯留

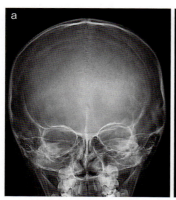
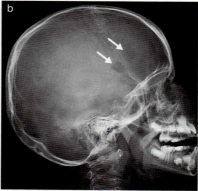
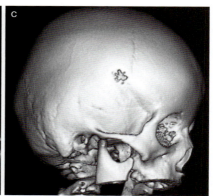

[図1] Langerhans細胞組織球症にみられたpunched out lesion（7歳男児）
a 正面像
b 側面像．多発するpunched out lesionが左側頭にある．
c CTの3次元再構成像．骨欠損がみられ，同部位の生検で診断が確定した．

は，視神経管撮影で視神経管の拡大がないかを観察する．下垂体腺腫を疑う場合には側面撮影を行い，トルコ鞍拡大の有無を観察する．涙道造影では，リピオドール®などの油性造影剤を用いて行うことが多く，単純写真撮影後に涙点から造影剤を注入し，眼周囲に付着した造影剤を拭き取ってから撮影する．

IV 検査結果の読み方と解釈

1 正常所見

眼窩周囲の骨構成は複雑であり，一方向からのみの撮影では骨陰影が重なることから，正面/側面/Waters法など複数の画像を撮影し，特に左右差に注意を払って観察する．

2 異常所見の読み方

1）頭蓋骨 punched out lesion（図1）

腫瘍細胞が頭蓋骨に浸潤して生じる骨菲薄陰影．多発性骨髄腫やLangerhans細胞組織球症，上皮性悪性腫瘍の転移などでみられる．実際にpunched outしているかどうかはCTで確認する．

2）金属異物（図2）

異物には金属，ガラス，樹脂，植物などがあるが，金属異物はX線検査が最も敏感である．特に散弾銃や爆発での外傷の場合，単純X線写真は異物のおおよその数と所在を確認するのに有用である．異物の眼内外の所在を見分けるための器具としてComberg コンタクトレンズを用いることがある．しかし，微細な異物は検出が困難であ

[図2] 右中心窩に刺さった鉄片異物（54歳男性）
a 正面像．右眼に異物があるはずであるが見えない．
b 拡大図．微細な金属異物が確認できる．
c 側面像．骨陰影と重なり，異物の陰影は判別不能．
d 眼窩単純CT水平断．金属異物が鮮明に検出される．

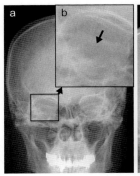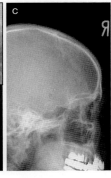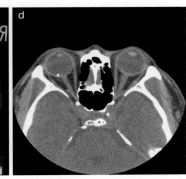

[図3] 右結膜下ガラス異物（19歳男性）
a 正面像．右眼部には異物の陰影はみられない．
b 顔面単純CT冠状断．右眼周囲に3つのガラス片が確認できる．

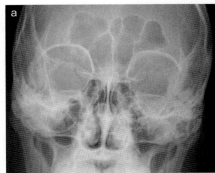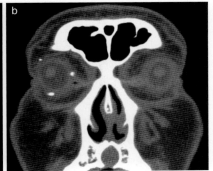

る．CTでは金属異物が強調されるため，発見しやすい．

3) ガラス異物（図3）

ガラス，樹脂，植物は単純X線写真で検出することは困難である．ガラスはX線透過性に優れるが，CTでは検出可能である．

4) 副鼻腔嚢胞

上顎洞病変，特に嚢胞による眼窩壁の変形は単純X線写真でも検出は可能である．骨の変形や副鼻腔透過性を左右で比較しながら読影する．

5) 涙道造影（図4）

涙道閉塞疾患に対して積極的に治療をするようになり，検査の重要性が増している．通過障害がなければ涙嚢拡張はなく，造影剤が鼻涙管-咽頭に流れる経路が確認できる．しかし，鼻涙管閉塞がある場合には涙嚢は拡張し，造影剤が嚢胞様に貯留する．内腔は平滑で鼻涙管入口部までの全域が均等に描出される．万が一，涙嚢腔の不整や描出不良がある場合には，占拠する病変の存在を疑う．

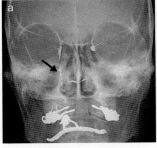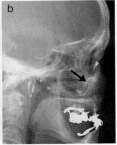

[図4] 左鼻涙管閉塞（90歳男性）
a 涙道像影正面像．右涙嚢は拡張なく鼻涙管内に造影剤が通じている（↑）．左涙嚢は上方1/3に造影剤が貯留するが，下方2/3は描出されない．高粘度の貯留物，涙石，腫瘤性病変などを考える必要がある．本例は涙石であった．
b 涙道像影側面像．右鼻涙管を通過した造影剤が咽頭まで流れてきているのが確認できる（↑）．

文献
1) 飯沼壽孝ほか：眼窩壁骨折におけるCTと普通X線撮影法による所見の比較検討．日耳鼻咽喉会報 96：175-181, 1993

（古田　実）

3) X線CT

I 検査の目的

1 検査対象

　CTはX線を用いた検査であることから，原理的には骨折，石灰化，金属異物の検出に最も効果的である．眼窩内軟部組織のコントラスト分解能はMRIには劣るものの，0.5 mm程度のスライス厚で高速・大量にデータを取得して撮影後に画像を再構成するため，加工の自由度が高く，かつ診断に耐えうる解像度が得られる．このため，外傷患者や体動の激しい患者での検査に利点があり，眼内を含めて直視下にない病変すべてが検査対象となる．

2 目標と限界

　CTで表現される濃淡のパラメータは，単純であることから感覚的にも違和感なく画像を読影することができる．しかしMRIのように病変の性質を画像化することはできない．例えば下直筋のみが肥厚している場合の鑑別には，炎症，線維化，うっ血，出血，腫瘍などの質的診断が必須となる．眼窩CTでは筋肥厚は観察可能であるが，造影を行ったとしても明確な質的鑑別は困難であり，MRIが必須である．また，原理的にCTにはコントラスト分解能を上げるために必要な高線量・高密度の撮影と，被曝線量増加のジレンマがある．最新機種では以前に比べると格段に被曝線量が減少しているが，術後状態の観察の際には撮影線量を低減する・経過観察にはMRIを用いる・放射線感受性の強い小児，特に網膜芽細胞腫症例にはCTを極力控える・妊娠の可能性はないか問診するといった配慮が必要である．造影CTに用いるヨード系造影剤で腎機能障害が生じることが知られており，「腎障害患者におけるヨード造影剤使用に関するガイドライン2012」に準拠して対応する．

II 検査法と検査機器

1 測定原理（図1）

　CTは患者周囲を対向するX線管と検出装置（ディテクタ）が回転することにより，X線が透過する際の「透過しやすさ」「吸収されやすさ」，すなわち体内の部位ごとのX線吸収係数の違いを計測して画像化する撮影法である．単一平面の1スライスごとに寝台の移動と停止を逐次繰り返しながら行う撮影法（シングルもしくはコンベンショナル・スキャン）と，連続回転するディテクタの中で連続的に寝台をスライドさせて螺旋状撮影する方法（ヘリカルもしくはスパイラル・スキャン）がある．ここ20年はディテクタが8から64列など多列化して，1回転のスキャンで撮影できる範囲が広くなるとともに，ヘリカル・スキャンを採用することにより検査時間が著しく短縮した．最新の機種では320列となり，シングル・スキャンでも1回転16 cmの範囲を0.3秒程度で撮影可能となった．造影剤を用いて同一部位を多数回撮影することにより3Dの動的撮影やデジタル・サブトラクション撮影など，時間軸を加えた4D撮影法が開発されている．残念ながら，4D撮影による被曝線量増加のため，現時点では眼部での臨床応用はしていない．

2 機器の構造

　回転するX線管とディテクタが収められたガントリと，スライド可能な寝台および機器のコントロール装置からなる．ガントリの内部では，大きな精密機器が1回転/0.3～0.5秒で高速回転する．

3 感度と特異度

　目的や疾患によって適切な検査を選択すれば必要十分である．

III 検査手順

1 検査の流れ

　院内でCTのオーダー入力をする場合，眼科領域の検査で用いる可能性がある撮影領域は，脳，下垂体，眼窩，副鼻腔，顔面，頸部などである．CT撮影時のポジショニングは2種類あり（図1），

脳の撮影には外眼角と外耳孔の中心を結ぶ眼窩外耳孔線 orbitomeatal line（OMライン），眼窩や副鼻腔の撮影には眼窩下縁と外耳孔上縁を結ぶ眼窩下縁外耳孔線 infraorbitomeatal line（IOMライン，Reid's base line：RBライン）が用いられる．外傷による異物や骨折を対象とした検査では単純CT，血管病変・腫瘍や炎症などでは造影CTを申し込む．どの部位の何を対象とした検査であるかを明確にすれば，放射線科医や技師のアドバイスを受けることができる．

2 検査機器の使い方とコツ

眼窩を含めた頭蓋全体を検査したい場合でも，眼窩の所見をOMラインで撮影した画像で評価してはいけない．見慣れない断面での診断は，解剖学的解釈を誤る可能性がある（図1）．単純CT，造影CTの他に，CT血管造影（動脈層の検査）やダイナミックCT（同じ部位を複数回高速スキャン）および各々の平面再構成画像と3D画像表示がある．

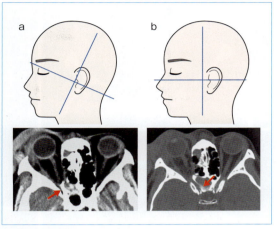

[図1] 撮影のポジショニング
a orbitomeatalライン（OMライン）：脳の撮影には外眼角と外耳孔の中心を結ぶ眼窩外耳孔線．上眼窩裂を視神経管と誤認注意（矢印）．脳を観察する条件での表示では，眼窩内軟部組織の観察不可．
b Reid'sベースライン（RBライン）：眼窩や副鼻腔の撮影には眼窩下縁と外耳孔上縁を結ぶ眼窩下縁外耳孔線．視神経管が全長にわたって観察可能．視神経管骨折あり（矢印）．眼窩内の脂肪と出血が判別可能である．

IV 検査結果の読み方と解釈

1 正常所見（図2）

CTは一度に大量のデータをサンプリングして，取得データのウインドウ幅とウインドウレベルを調整して画面表示している．通常は水平断，冠状断，視神経に沿った斜断面および3D像を再構成して，軟部組織や脳，骨組織が見やすくなる設定に逐次変更して観察する．空気，水，脂肪および木片異物は低吸収となる．血腫，血管，筋，神経，骨および金属異物は高吸収である．片側性疾患の場合には，左右比較しながら診断できるが，両側性病変の場合には，正常所見を熟知している必要がある．

2 異常所見の読み方

1) 眼窩骨折（図2）

チェックポイントは，頭蓋底・視神経管・内壁・下壁・内壁下壁接合部・頬骨の骨折，眼窩脂肪・外眼筋の変位や嵌頓，眼窩内気腫と血腫である．視力と眼球運動障害の直接原因が骨折であるならば，積極的に手術適応を検討する．

2) 眼部異物（図3）

植物や木片は低吸収となるので，皮膚創や眼所見に照らして画像読影する．金属やガラス異物は高吸収を示し，眼球内外と正確な位置を確認する．

3) 眼窩腫瘍（図4）

チェックポイントは，原発組織・隔壁の有無・視神経圧迫・骨変形，造影の性状と程度・流入血管の有無などである．小児と成人での眼窩腫瘍性病変の頻度を参考に診断を行う．

4) 最新のCTによる画像（図5）

左内頸動脈瘤の最新型の320列面検出器型CTによる脳血管造影．サブトラクションにより動脈相と静脈相を分離できる．

3 アーチファクト

撮影の高速化によって，眼球運動や体動によるブレは消失した．金属によるハレーションは高線量での撮影の際に強く生じるが，低線量での撮影が可能となってきており，ハレーションは軽減されてきた．CTのデータサンプリングは，立方体（ボクセル）単位の吸収値で行うため，眼窩内壁

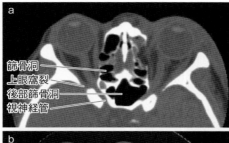
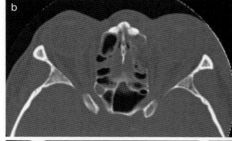
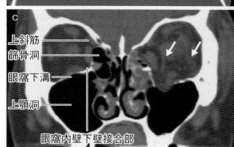
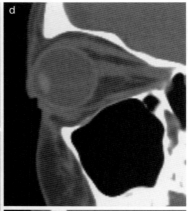
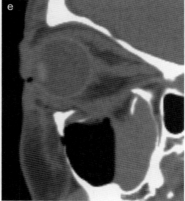

[図2] 眼窩CTの正常所見と骨折所見
左眼窩内壁下壁骨折の症例.
a 水平断 (軟部組織条件):右眼窩は正常. 左眼窩内壁に陥没骨折があり, 内直筋が変位.
b 水平断 (骨条件):視神経管骨折なし. 骨皮質と骨髄の観察可能.
c 冠状断:右眼窩は正常. 左眼窩内壁下壁に陥没骨折あり, 下壁は眼窩下溝が骨折. 内壁下壁接合部の変位なし. 変位が大きい場合の骨折再建術は高難易度. 軟部組織条件では, 眼窩脂肪隔膜の牽引が観察可能 (矢印).
d 右眼窩斜断面 (視神経に沿った断面):正常所見.
e 左眼窩斜断面 (視神経に沿った断面):下壁陥没骨折のため, 下直筋が大きく変位. 骨折縁では, 骨膜の損傷により出血や炎症が強く, 下直筋腹が接している場合には強い運動制限が残存. 仰臥位での撮影のため, 上顎洞出血は後壁側に貯留している.

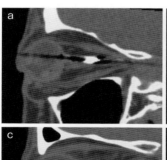
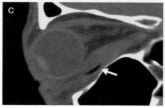
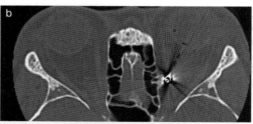

[図3] 眼窩金属異物と木片異物
a 草刈機による左眼窩金属異物. 左眼窩斜断面:眼所見とCT所見から, 角膜から黄斑部を貫く二重穿孔であり, 金属異物は視神経に沿った部位に局在. 眼内には出血性網膜剥離あり.
b aの水平断 (骨条件):直径5mmの鉄片異物によるハレーションあり.
c 2週間前に箸が刺さった既往がある症例. 右眼窩斜断面:下直筋の肥厚と細い低吸収部分 (矢印) あり. 周囲には高吸収の不整形腫瘤あり.
d cの冠状断:右下直筋は肥厚し, 楕円形の低吸収域あり. 下直筋と高吸収の異常組織の境界は特定不能. 手術で, 塗り箸摘出とその周囲に生じた膿瘍と肉芽切除.

などの空気と接した薄い構造物は, 出血や滲出に接している場合には健側よりも厚く描出され, 病変が強調される (partial volume effect).

(古田 実)

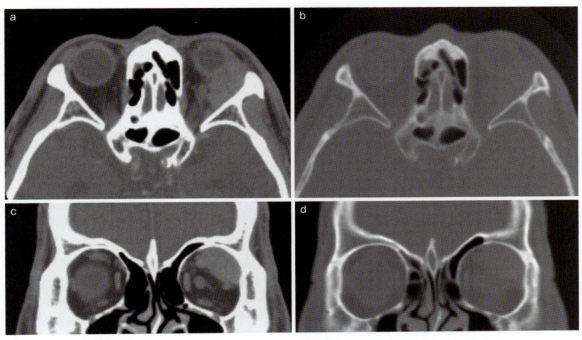

[図4] 涙腺腺様嚢胞癌
a 造影CT水平断：左涙腺部に隔壁のない辺縁不明瞭な腫瘤が上眼窩裂付近まで発育．造影効果に若干のムラあり，同心円状発育ではなく，骨壁に沿って発育している形態．
b 水平断（骨条件）：腫瘤に接する骨皮質に不整なし．骨変形や浸潤が疑われる場合には，必ず造影MRIを追加．骨病変がない場合も，悪性腫瘍の否定不可．
c 造影CT冠状断：涙腺腫瘤は上直筋と外直筋とに接し，画像上では分離不可．
d 冠状断（骨条件）：腫瘤に接する骨皮質に不整なし．

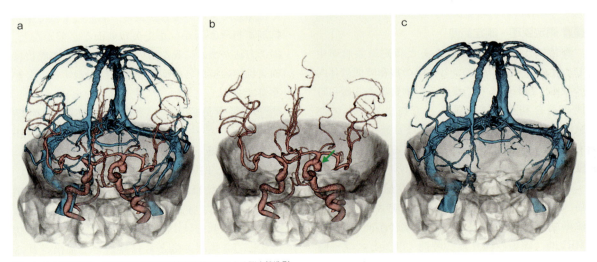

[図5] 左内頸動脈瘤．最新型の320列面検出器型CTによる脳血管造影
寝台を動かさず16cmの幅が1撮影約0.3秒で可能であるため，多数回撮影データのサブトラクションを精密に行うことができるようになった．
a 動-静脈相．
b 動脈相．内頸動脈瘤（矢印）．
c 静脈相．

4) MRI（眼窩）

I 検査の目的

1 検査対象

MRI（核磁気共鳴画像法）は骨以外の軟部組織の描出に優れるので，眼窩領域では，視神経炎，甲状腺眼症，血管病変や奇形，腫瘍などがその対象となる代表的な疾患である．

2 目標と限界

眼窩の炎症性病変の活動性の程度や範囲の評価，また腫瘍病変であればその種類の特定などが主な検査目標であり，その意義でCT検査に勝る．一方で，骨折など眼窩骨の異常や，急性期頭蓋内出血の評価など，むしろCTがより有用な病態もある．体内金属留置の既往や心臓ペースメーカー埋め込みでは禁忌となる場合があり（最近ではMRI対応心臓ペースメーカーもある）また閉所恐怖症では検査が困難である．乳幼児では鎮静が必要である．

II 検査法と検査機器

1 測定原理・測定範囲

物体に一定の磁場を与えると核磁気共鳴が生じ，その磁場の解除による共鳴の緩和時間は体内の臓器，物質によって異なる．物質による緩和時間の差を利用して画像として描出したものがMRIである．眼領域の検査では，通常は眼窩部あるいは頭部の測定範囲を選択する．

2 機器の構造と測定法

現在本邦で普及している多くのMRI機器の磁場強度は1.5テスラあるいは3.0テスラであり，磁場強度が高いほど画像の解像度が向上する．MRIは，磁場の繰り返し時間（TR）とエコー時間（TE）の設定により，T1強調画像とT2強調画像とに大別される．水はT1強調画像で低信号（黒）となり，T2強調画像では高信号（白）となる．脂肪はT1，T2強調画像ともに高信号で描出されるが，脂肪抑制法（CHESS法やSTIR法など）により選択的に脂肪を低信号化することで，T2強調画像における視神経炎（図1），視神経萎縮などが検出しやすくなる．また病変の性状や腫瘍の診断には，ガドリニウム造影剤を用いた検査も有用である．その他，拡散強調画像 diffusion weighted image（DWI）は頭蓋内病変の診断に有用であるが，眼窩ではアーチファクトが大きくなる．フレア法 fluid attenuated inversion recovery（FLAIR）は，多発性硬化症など頭蓋内の視路障害の検出に有用である．

III 検査手順

1 検査の流れ

MRI検査において，被検者のセッティングや撮影装置の操作は看護師や放射線技師などによって行われるため，眼科医が携わる手順のほとんどはそのオーダーである．まず考慮すべきは，MRI検査の禁忌となるような所見の有無である．心臓ペースメーカー埋め込み後や金属異物の外傷歴など検査の禁忌となる可能性のある事項の有無や，アーチファクトが大きく影響しそうな眼窩周囲の金属性プレート留置などの有無を問診にて確認する．小児では鎮静を要し，また閉所恐怖症の患者では撮影できない場合がある．病態によって脂肪抑制を行うか否か，また矢状断面が必要かなど，撮影方法が微妙に異なるので，オーダーの際には検査目的の疾患名や病態を詳細に記載することが重要である．

IV 検査結果の読み方

1 正常結果

硝子体はT1強調画像で低信号（黒）となり，T2強調画像では高信号（白）となる．水晶体は硝子体よりもT1強調画像で高信号（灰色），T2強調画像では低信号（黒）に描出される．眼窩脂肪はT1，T2強調画像ともに高信号で描出されるが，眼窩領域では選択的に脂肪を低信号化した脂肪抑制法がしばしば用いられ，特に視神経病変の評価に有用である．

2 異常所見とその解釈

眼科領域でMRI検査を行う意義は，細隙灯顕

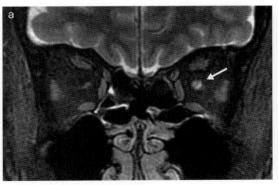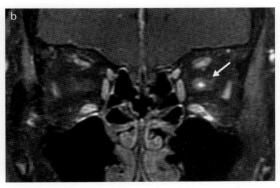

[図1] 左視神経炎（65歳女性）の冠状断MRI
T2強調脂肪抑制（a），またT1強調脂肪抑制＋造影（b）のMRIにおいて，腫脹した左視神経（矢印）が高信号に描出された．

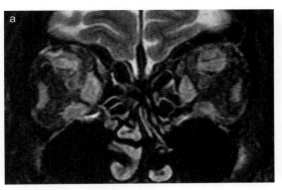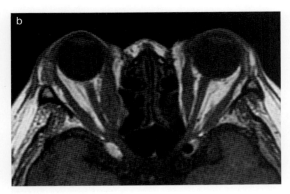

[図2] 甲状腺眼症（63歳男性）のMRI
T2強調脂肪抑制（a），またT1強調（b）のMRIにおいて，腫脹した外眼筋が描出された．

微鏡や眼底検査では得られない情報が必要な場合であり，代表的な疾患には視神経炎，甲状腺眼症，腫瘍性病変などがあげられる．視神経炎（図1）や視神経萎縮では，脂肪抑制法によるT2強調画像において高信号を呈する視神経の所見が有用である．甲状腺眼症（図2）においては，T2強調画像における外眼筋の信号の高低がその活動性の指標として用いられる．眼窩に生じる腫瘍は，MRIでの部位や形状に加えて，その発症年齢や病歴によりある程度診断を絞ることが可能である．眼球や眼付属器の形状に合わせて進展し骨の圧排や破壊を伴わない腫瘍はリンパ増殖性疾患であることが多い．頻度からはMALTリンパ腫やIgG4関連眼疾患（図3）が多いが，両者はしばしば鑑別が困難であり，病理による確定診断を要する．一方，眼球偏移や眼窩骨の圧排を伴うような

球状の腫瘍はリンパ増殖性疾患でないことが多く，頻度の高いものには，小児では皮様嚢腫（図4a），成人では海綿状血管腫や神経鞘腫（図4b）があげられる．癌は涙腺に好発し，ときに骨破壊を伴う．筋円錐内の視神経周囲に発症する腫瘍では，その治療方針を決める上で視神経との関係を把握することは重要である．例えば腫瘍が視神経を取り囲んで圧排するような視神経鞘髄膜腫の例（図5）では，MRI所見から視機能を温存しての手術療法は困難と判断され，放射線治療の選択により視機能が温存された．

3 アーチファクト

検査中の体動は画像にアーチファクトを作りやすい．特に眼球内病変の検査に際しては，検査中に眼球運動を極力控えるような指示が必要である．歯科治療での金属のかぶせものは周囲組織の

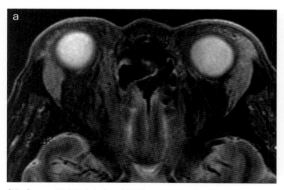
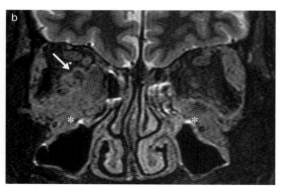

[図3] IgG4 関連眼疾患（71 歳男性）の T2 強調脂肪抑制 MRI
軸位断（a）では腫脹した両側涙腺（右＜左）が，また冠状断（b）では右視神経周囲腫瘤（矢印）ならびに三叉神経 2 枝（眼窩下神経）の腫大（＊）が描出された．

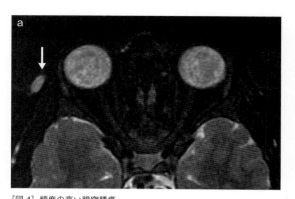
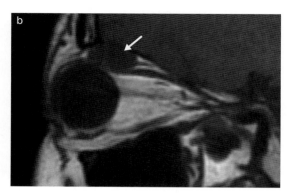

[図4] 頻度の高い眼窩腫瘍
a 皮様嚢腫（7 歳男児）の T2 強調脂肪抑制 MRI では高信号の内容が描出された．
b 神経鞘腫（54 歳女性）の T1 強調 MRI．三叉神経第 1 枝に沿って腫脹する腫瘤がみられた．

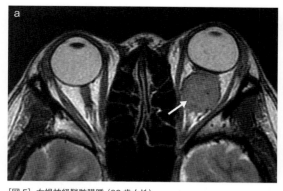
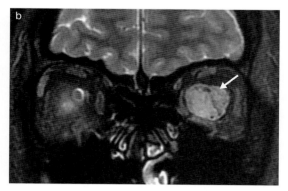

[図5] 左視神経鞘髄膜腫（33 歳女性）
T2 強調の軸位断（a）で描出される左眼球後方の腫瘤は，T2 強調脂肪抑制の冠状断（b）で視神経鞘髄膜腫と診断された．強度変調放射線治療（ノバリス）により腫瘤は軽度縮小し，矯正視力は 0.5 から 1.0 に改善した．

画像にアーチファクトを作る可能性があるが，通常では眼窩内病変の所見にまで影響することは少ない．頭蓋内病変の診断に有用な拡散強調画像（DWI）では，眼窩ではアーチファクトによるゆがみが大きくなる．

（高比良雅之）

5) MRI（頭蓋内），MRA

I 検査の目的

1 検査対象

頭部MRI（magnetic resonance imaging）は，原因不明の視力低下や視野障害，眼球運動障害などを見たとき脳病変の精査のために行う検査法であり，MRA（magnetic resonance angiography）は脳動脈瘤など脳血管障害が疑われる場合，MRIを用いて撮影する検査法である．

2 目標と限界

MRIは非侵襲的に頭蓋内を明瞭に描出できる有用な検査法であるが，心臓ペースメーカー装着者，体内に金属がある患者などは禁忌である（表1）．また，CTに比べ検査時間が長く，小児では睡眠薬や鎮静が必要な場合がある．さらに，造影剤を使用する場合，喘息やアレルギー歴，過去に造影剤副作用歴のある患者は禁忌であり，長期透析中の終末期腎障害患者や糸球体濾過量が30 ml/min/1.73 m^2 未満の慢性腎臓病患者および腎性全身性線維症患者では，造影MRIの代わりに他の検査法を代用すべきである．

II 検査法と検査機器

1 測定原理

MRIは人体に多く存在する水素原子からの信号を画像化している．静磁場の中で人体にラジオ波を照射すると，体内の水素原子が共鳴して整列する．さらに電波を切ると励起状態から元に戻る過程（緩和と呼ぶ）において，縦緩和（T1）と横緩和（T2）があり，組織のT1，T2の差を信号強度の差として表示した画像がそれぞれT1強調画像（T1-WI），T2強調画像（T2-WI）である．スピンエコー法においてエコー時間（time of echo：TE）と繰り返し時間（time of repetition：TR）の長さを調整することで各々の強調画像を得ることができる（図1）．

MRAとは磁気共鳴血管画像（MR angiogra-

[表1] MRI検査における注意事項

絶対的禁忌患者
　心臓ペースメーカー装着患者
　Parkinson病の深部脳電極刺激療法術後患者
　人工内耳埋め込み患者
相対的禁忌患者
　義歯装着患者（強く固定されているか，取り外しが可能な場合は可）
　脳動脈瘤や胸腹部の手術時にステンレス製のクリップが使用されている患者（チタン製は撮像可能）
要注意患者
　水頭症のシャントシステムに圧可変型バルブを使用している患者
検査室に誤って持ち込みやすい金属
　眼鏡，腕時計，ピアス，ネックレス，ヘアピン，鍵，磁気カード，携帯電話

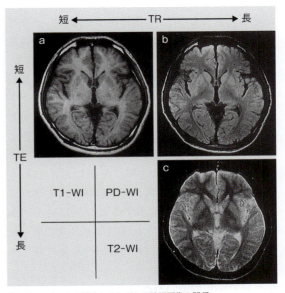

[図1] TRとTEの設定とそれぞれの強調画像の関係
a TE20/TR400で撮像したT1-WI，b TE20/TR2,000で撮像したPD-WI，c TE100/TR2,000で撮像したT2-WI

phy）の略でMRIを用いて動脈血管を描出する方法である．MRAには流入効果を利用したtime of flight（TOF）法と位相差を利用したphase contrast（PC）法があり表2に両者の比較を示す．両者ともに2D，3Dフーリエ変換法があるが，現在非造影の3D-TOF法が簡便で撮影時間も短く，空間分解能が高いことから脳ドックのスクリーニング検査などに広く利用されている．

2 機器の構造

現在の医療用MRI装置は，超電導型1.5Teslaまたは3.0Teslaの磁場装置が一般的であり，GE

横河メディカル，フィリップス，シーメンス，日立，東芝社製が主に使用されている．

3 感度と特異度

MRIは骨成分が無信号であるのでCTに比べて頭蓋内精査に優れている．また1.5Teslaに比べ3.0Teslaの磁場をもつ装置では，信号ノイズ比（signal to noise ratio：S/N）が優れているため撮影時間が短く明瞭な画像が描出される．

III 検査手順

1 検査の流れ

MRI検査が必要であると判断した場合，まず上述したようなMRIの禁忌例ではないことを確認する．またガドリニウム造影が必要な場合は造影剤が禁忌ではないことを確認し同意書を取る．検査室では金属のついていない衣服に着替え放射線技師の誘導に従って検査を行う．検査中ガントリーの中で大きな検査音がするので耳栓を用いたり，閉所恐怖症気味の患者などには気分が悪くなったり何か不都合があった場合のためのブザーを持たせることもある．撮影時間はおよそ15〜20分位が通常であるが，撮影範囲が広すぎたり多数のシーケンスを使用するとさらに長くかかる．MRAはガドリニウム製剤などの造影剤を使用する必要がなく，撮影時間は5〜6分で終了する．

2 検査機器の使い方とコツ

眼科でオーダー指示を出す場合，見たい部位が眼窩部か頭部かあるいは両方なのかを明確に記載する．撮影断面は水平断（軸位断，横断ともいう），冠状断，矢状断があり，最低2方向は撮影したほうが良い．特に海綿静脈洞や視交叉部では冠状断が最も見やすい撮影断面である（図2）．頭部撮影の場合，脳全体を水平断で撮影し（T2-WIがより良い）明らかな病変がないことを確認した上で，フォーカスを絞った画像検査をしていくと見落としがなく効率的な撮影が可能である．表3に眼科領域で利用されている代表的な撮影法を紹介する．

MRAは，高速グラジエントエコー法であるSPGR（GE横河メディカル社製ではSPGRだが，

[表2] MRAにおけるTOF法とPC法の比較

	TOF法	PC法
原理	流入効果を利用	位相差を利用
撮影時間	短い	長い
動脈描出	良好	不良
静脈描出	不良（太い血管であれば可能）	良好
定量性	無	有

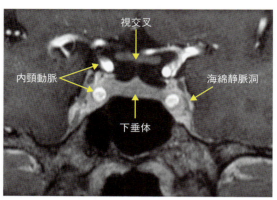

[図2] 視交叉，海綿静脈洞部の冠状断像
視交叉，海綿静脈洞，下垂体の位置関係が明確に描出されている．

[表3] MRIの代表的撮影法

スピンエコー（spin echo：SE）法
　T1強調画像（T1 weighted image：T1-WI）
　　水は低信号で描出され，CTとよく似た画像を呈し解剖学的な構造を捉えやすい
　T2強調画像（T2 weighted image：T2-WI）
　　水は高信号で描出され，病変の描出に有用である
　T2スター強調画像（T2*WI）
　　出血性病変の検出力が極めて高く，黒色で描出される
　プロトン密度強調画像（proton density weighted image：PDWI）
　　多発性硬化症や微小梗塞，血管周囲腔との鑑別に有用である
インバージョンリカバリー（inversion recovery：IR）法
　STIR（short tau inversion recovery）
　　脂肪抑制画像の一つで視神経炎など眼窩内炎症の描出に優れている
　FLAIR（fluid attenuated inversion recovery）
　　水の信号を抑制した手法で，脳梗塞や脱髄斑の描出に優れている
グラジエントフィールドエコー（gradient field echo：GRE）法
　SPGR（spoiled gradient recalled acquisition in the steady state）
　　（ただし，GE横河メディカル社製ではSPGRだが，シーメンス社製ではFLASH，フィリップス社製ではCE-FFE-T1と呼ぶ）
　　動脈血が高信号で表され，MRAの元画像である
　FIESTA-C（flow imaging employing in the steady state acquisition）
　　（ただし，GE横河メディカル社製ではFIESTA-Cだがシーメンス社製ではCISS，フィリップス社製ではBalanced FFEと呼ぶ）
　　髄液中の脳神経や血管の描出に優れている
エコープラナー（echo planar imaging：EPI）法
　拡散強調画像（diffusion weighted image：DWI）
　　水分子の拡散運動を画像化したもので，超急性期脳梗塞の描出に有用である

[表4] T1, T2における特異的な信号

- T1-WIで高信号を示すもの
  - 脂肪
  - 亜急性期出血（メトヘモグロビンによる影響）
  - 下垂体後葉（バソプレシンによる影響）
  - 高分子蛋白
  - 流速の遅い血流
  - メラニン
- T2-WIで低信号を示すもの
  - 急性期出血（デオキシヘモグロビンの影響）
  - 慢性期出血（ヘモジデリンの影響）
  - 石灰化
  - 骨
  - メラニン
  - 鉄
  - マンガン

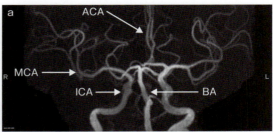
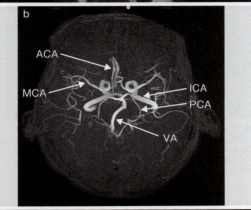
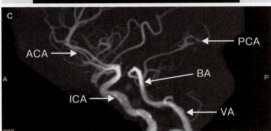

シーメンス社製ではFLASH，フィリップス社製ではCE-FFE-T1と呼ぶ）を撮影し，高信号で得られた動脈血管のみを抽出して得られる．

IV 検査結果の読み方と解釈

1 正常所見

MRIにおいて，水はT1-WIで低信号，T2-WIで高信号を示し，脂肪はT1，T2共に高信号を示す．大脳白質は灰白質に比べてT1-WIでは信号が高く，T2-WIでは信号が低い．一般的にT1-WIでは黒っぽい画像になることが多く，高信号になるものは特異的な信号といえる．一方，T2-WIでは横緩和の回復の長い水のような成分が強調される画像なので組織コントラストが高い画像になり，低信号を示すのは特異的なものである（表4）．

頭部MRAの3D-TOF法で撮影した正常画像を図3に示す．aは前方から，bは下方から，cは側方から見た断面である．眼動脈は頭蓋内の主幹動脈に比べて細いため正常でも明瞭に描出されないこともあるので読影には注意が必要である．

2 異常所見の読み方

1) 大脳病変

視神経炎の主な原因疾患である多発性硬化症にみられる脱髄斑は，FLAIRまたはT2-WIで高信号に描出され卵円形を呈するのが典型的である（図4a）．視神経周囲炎やTolosa-Hunt症候群の原因の1つである肥厚性脳硬膜炎では，硬膜の肥

[図3] 3D-TOF法で撮影した頭部MRAの正常画像
a 前方，b 下方，c 側面から見た断面
ACA：前大脳動脈，ICA：内頸動脈，MCA：中大脳動脈，BA：脳底動脈，VA：椎骨動脈，PCA：後大脳動脈

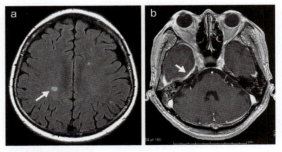

[図4] 大脳病変のMRI
a 多発性硬化症の脱髄斑．FLAIRにて大脳白質内に高信号を示している（矢印）．
b 慢性肥厚性脳硬膜炎．造影SPGRにて右中頭蓋窩の硬膜の造影肥厚を認める（矢印）．

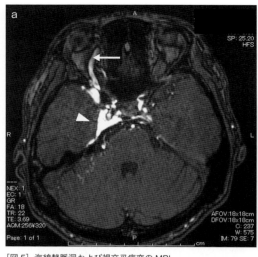
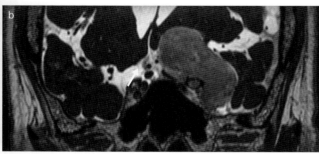

[図5] 海綿静脈洞および視交叉病変の MRI
a 頸動脈海綿静脈洞瘻．SPGR において拡張した右上眼静脈（矢印）の高信号所見（前方流出型）および海綿静脈洞から後方の下錐体静脈洞（矢頭）の高信号所見（後方流出型）を認める．
b 蝶形骨縁髄膜種によって左視交叉前部（矢印）が圧排されている．

厚と造影所見が特徴的である（**図 4b**）．頭蓋内圧亢進症を引き起こす脳静脈洞血栓症の診断には MR venography が有用である[1]．

2）海綿静脈洞および視交叉病変

頸動脈海綿静脈洞瘻（CCF）を疑ったときは MRA とその元画像である SPGR が有用である．SPGR では動脈血が高信号で描出されるため，前方流出型では拡張した上眼静脈の高信号所見を，後方流出型では海綿静脈洞後部から後方への高信号所見を認める（**図 5a**）．MRA では，漏出した動脈血が海綿静脈洞部に淡く描出される．視交叉部病変では下垂体腫瘍や髄膜種が多いが（**図 5b**），腫瘍の全てを MRI で鑑別できるわけではなく，やはり病理所見が最終診断となる．

3）脳幹〜くも膜下腔病変

動眼神経麻痺の場合，内頸動脈-後交通動脈分岐部動脈瘤がその原因となることもあるため即日画像検査が必要である．特に瞳孔障害型の急性動眼神経麻痺の場合は注意を要する．MRI 撮影時には，必ず MRA も撮影し慎重に画像診断することが望ましい（**図 6**）．さらに，動眼，滑車，外転神経の詳細を見るには，FIESTA-C や SPGR のような高速グラジエントエコー法が有用である．図 7 は左上斜筋ミオキミア例であるが，FIESTA

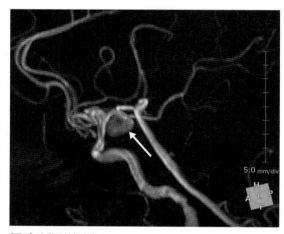

[図 6] 左動眼神経麻痺
MRA 左側面像にて内頸動脈-後交通動脈分岐部動脈瘤（矢印）が認められる．

水平断において左滑車神経と上小脳動脈が隣接しており，FIESTA と MRA の 3D fusion 画像では圧迫所見を認めた．

4）脳出血，脳梗塞病変

脳出血の場合は経時的なヘモグロビンの性状変化に応じて MRI 所見は変化する．超急性期では MRI の変化は少なく CT のほうが有用であるが，やがて出血が酸素を失い（デオキシヘモグロビン），蛋白変性が生じてくる（メトヘモグロビン）

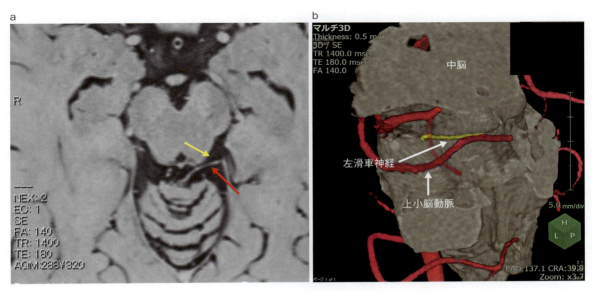

[図7] 左上斜筋ミオキミア
a FIESTA（反転画像）では中脳背側部で左滑車神経（黄矢印）と血管（赤矢印）が隣接している所見を認めた.
b さらにMRAとの3D fusion画像では，より明確に滑車神経を圧迫している所見を認めた.

とT1-WIで高信号，T2-WIで低信号を呈してくる．一方，慢性期ではヘモジデリンの形となりT1，T2ともに低信号を示す．脳梗塞病変はT1-WIで低信号，T2-WIで高信号を示すが，FLAIRでは陳旧性の梗塞が低信号，比較的新鮮な梗塞は高信号で表される．また，通常の撮影法では描出されない超急性期脳梗塞には拡散強調画像が有用であり高信号を示す（図8）.

3 アーチファクト

MRIでは，さまざまなアーチファクト（虚像）が発生し画像診断に苦慮することも少なくない．以下にMRIで発生するアーチファクトを列挙する．

1) モーションアーチファクト

MRIは動きに弱く，患者が撮影中に動くと画像がぶれて描出され，これをモーションアーチファクトと呼ぶ．モーションアーチファクトの防止にはコイルと頭部の隙間にクッションを入れて頭が動くのを防いだり，検査前に十分な説明を患者にすることも重要なことである．また脳脊髄液の流れ，拍動により生じるものはflow artifactといわれる（図9a）．

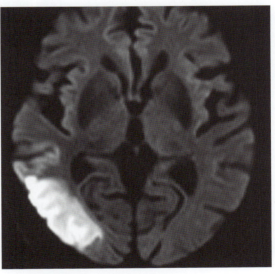

[図8] 急性期脳梗塞を示す拡散強調画像所見
右後頭葉梗塞例．病巣が右視放線領域に及んでおり，左同名半盲を示した.

2) 化学シフトアーチファクト（chemical shift artifact）

水と脂肪の共鳴周波数の違いにより生じるもので，高磁場ほど化学シフトの影響が大きくなる（図9b）．

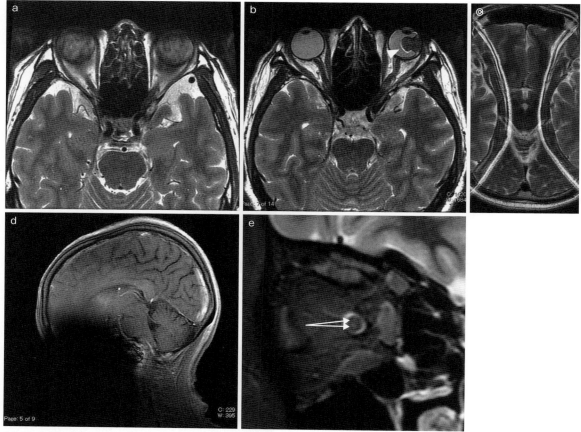

[図9] MRI撮影でみられるアーチファクト
a 眼球がぶれて描出（モーションアーチファクト）．
b 左脈絡膜悪性黒色腫の辺縁が高信号（矢頭）に描出（化学シフトアーチファクト）．
c 両側の大脳が折り重なっている（折り返しアーチファクト）．
d 入れ歯の影響で上顎周囲が無信号（磁化率アーチファクト）．
e 視神経内に2か所の高信号（矢印）に描出されている（打ち切りアーチファクト）．

3）折り返しアーチファクト（aliasing artifact）

撮像視野（FOV）の外側にある対象物がFOVに入り込む現象で，折り返し（aliasing）と呼ぶ（図9c）．FOVを被写体より広くすれば解決可能である．

4）磁化率アーチファクト（magnetic susceptibility artifact）

体内にある金属コイル，クリップ，ステントや患者が取り忘れた磁性体などで発生する（図9d）．

5）打ち切りアーチファクト（truncation artifact）

信号強度が大きく異なる部位で撮像画素数が少ないと出現するアーチファクトのことで，STIRまたはT2強調画像脂肪抑制併用で眼窩内視神経を冠状断撮影する場合，MRIの画素数や画素の形状さらに磁場方向によって1つまたは2つの円形高信号が視神経内に出現することがある（図9e）．

文献
1) Lee AG, et al：Magnetic resonance venography in idiopathic pseudotumor cerebri. J Neuro-Ophthalmol 20：12-13, 2000

（橋本雅人）

6) functional MRI, 拡散テンソル画像

I 検査の目的

1 検査対象

　機能的 MRI（Funcitional MRI：fMRI）・拡散強調 MRI（diffusion MRI：dMRI）は，非侵襲的に大脳視覚野の機能と白質構築の計測を可能にした．これまで fMRI・dMRI を用いた脳視覚野研究は，特に neuroscience の分野で多くの優れた研究成果が報告されてきたが，同様に眼疾患を有する患者においても視覚野の可塑性や安定性に関する研究に貢献してきた．

　しかし現状では，日常臨床で簡便に検査を施行することは困難である．それは，高機能 MRI 装置にて特殊なシークエンス・視覚刺激装置を使用して撮像したのち，特殊なソフトウェアによるデータ解析と解釈を要する複雑な過程を有するためである．しかし，網膜色素変性など網膜ジストロフィにおける iPS 細胞由来視細胞移植，網膜神経節細胞への遺伝子治療などの網膜再建治療が現実味を帯びてきた現在，今後 fMRI・dMRI による脳機能・構築計測が，治療による効果への客観的判定や，視覚機能・構築の質的評価に重要な役割をきたすことが期待されている．

2 検査の注意点

　MRI は高磁場で狭所における撮像であるため，体内に金属を埋め込んだ症例や，閉所恐怖症を有する被検者に対しては禁忌となる．

II 検査法と検査機器

1 測定原理・測定範囲（図1）

　fMRI・dMRI は，MRI の原理をさらに応用したものとなるため，熟知するためには MRI の原理を知る必要があるが，基本原理に関しては紙面の都合上省略する．

　組織における磁場不均一性の動的変化は，血液中のヘモグロビン（Hb）によるものがあり，1990年小川誠二らは，これを利用した blood oxygen

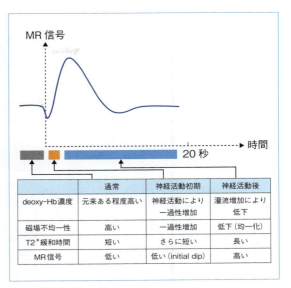

[図1] fMRI の原理
fMRI は，deoxy-Hb の常磁性による磁場不均一性の動的変化に伴う MR 信号変化を検出する（BOLD 効果）．

level dependent（BOLD）効果を発見し，fMRI に応用した[1]．酸素分子と結合した Hb（oxy-Hb）は反磁性であり，組織で酸素分子を離した deoxy-Hb は，常磁性を示す．この deoxy-Hb は組織の磁場不均一性をきたし，MR 信号値を低下させる．この常磁性 deoxy-Hb による MR 信号変化を BOLD 効果と呼ぶ．脳の局所的な神経活動によって，酸素消費量が増大し，deoxy-Hb が増加し，MR 信号減少（一時的で小さな変化：initial dip），血流量が増加し，deoxy-Hb が急速灌流され濃度減少により磁場均一化，MR 信号増大（神経活動後 1〜20 秒の大きな変化）といった動的な磁場変化を同じ組織内できたすことになり，この MR 信号変化を計測するのが fMRI である．視覚刺激を用いて fMRI 計測された，脳視覚野における視野マップの再現性を，網膜部位再現と呼ぶ．網膜部位再現を有するクラスターごとにそれぞれ独立した視覚野として分類され，現在 20 以上の視覚野が判明している（図2）[2]．それぞれクラスターに分類された視覚野は，階層的に視覚情報を処理しているといわれる．例えば hV4 は，色覚を特異的に処理しているなどの特徴を有している．

　一方で dMRI は，水分子が拡散する方向および速度を計測し，白質における線維束の走行や組

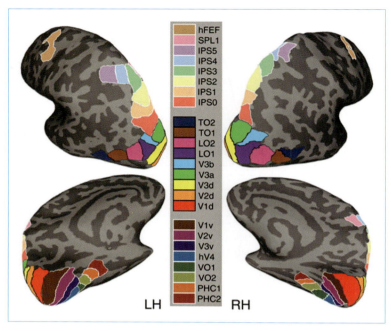

[図2] fMRI 計測による視覚野マップ
網膜部位再現を有するクラスターごとにそれぞれ独立した視覚野として分類され，現在20以上の視覚野が判明している．
(文献2) より許可を得て転載

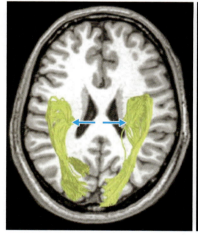 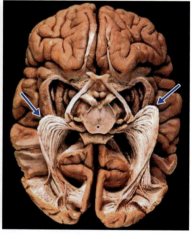

[図3] dMRI 計測による視放線トラクトグラフィ
左が水拡散の方向を順次追跡した streamline を得ることで作成された視放線．右は死後脳における視放線．両者の視放線が見事に一致している．
(文献3) より許可を得て転載

織特性を検査する手法である．線維束を三次元空間の中で再構築する手法をトラクトグラフィと呼び，任意の開始地点のボクセルから水拡散の方向を順次追跡し，streamline と呼ばれる三次元軌道を得ることが可能となる．トラクトグラフィは，このプロセスを繰り返すことで最終的には線維束全体の情報を得ることができる（図3）[3,4]．dMRI で用いられる指標として fractional anisotropy（FA）が挙げられるが，FA は水拡散の異方性を表現し，異方性の高い場合 FA は高くなる．FA は白質の組織特性を表す指標として群間比較研究などに用いられる．

2 利点と欠点

fMRI・dMRI の利点は，脳表・脳深部を問わず空間分解能が高いことである．また非侵襲的であるため疾患の進行もしくは回復を同一被検者で縦断的に計測，比較することが可能となる．両者の限界は，情報伝達の方向性を計測できないこと

が挙げられる．またfMRIの欠点としては，実際の神経活動に比較し遅い変化である血流変化を計測しているため，時間分解能が悪いところである．dMRIの限界としては，小さな角度で交差する線維どうしの弁別に限界があること，FA値など組織特性指標解釈には，さまざまな要素により規定されているため，特定の現象と一意に関連づけることができず解釈に留意する必要があること，が挙げられる．

Ⅲ 検査結果の読み方

fMRIでは，網膜部位再現性の評価，受容野サイズの評価，課題依存性反応の評価などを行うことができ，同一被検者の治療前後の継時的変化などを評価することが可能である．dMRIにおけるトラクトグラフィではFA値などの指標でコントロールとの比較を行い，白質構築評価を行う．

文献
1) Ogawa S, et al : Brain magnetic resonance imaging with contrast dependent on blood oxygenation. Proc Natl Acad Sci USA 87 : 9868-9872, 1990
2) Wang L, et al : Probabilistic Maps of Visual Topography in Human Cortex. Cereb. Cortex 25 : 3911-3931, 2015
3) Sherbondy AJ, et al : Identifying the human optic radiation using diffusion imaging and fiber tractography. J Vis : 8, 2008
4) 竹村浩昌ほか：散強調MRIを用いた視覚研究．VISION 27，61-72，2015

（増田洋一郎）

7) PET, ガリウムシンチグラフィ, SPECT

はじめに

本項で取り上げる検査は核医学検査と総称される画像診断手法である．RI（radio isotope，放射性同位元素）によって修飾した物質を体内に注入し，その局在を画像化する手法であるため，得られる画像は対象の代謝能を強く反映した画像となる．一方，一般に核医学検査は空間分解能は低く，CT/MRIを始めとした形態画像を組み合わせて用いることでその有用性が増す[1,2]．

PET

眼瞼腫脹を主訴に眼科を受診した患者のFDG-PET/CT画像を示す（図1）．

Ⅰ 検査の目的

1 検査対象

眼科に関連した対象疾患としては，形態診断のみでは評価の難しい脳血流障害，認知症，腫瘍性病変，てんかん，神経変性疾患などがあげられる．目的に応じて検査に用いるRI化合物を変えることで，さまざまな対象を描出することができる．

2 目標と限界

血流や代謝，神経受容体密度といった生体機能を画像化することができる．一方，核医学検査に共通する弱点として，空間分解能が低い点，RIを扱うための特別な施設が必要となり実施できる施設が限られる点がある．

Ⅱ 検査法と検査機器

1 測定原理・測定範囲

陽電子（ポジトロン）放出核種である^{11}C，^{13}N，^{15}O，^{18}Fなどを用いて水，酸素，ブドウ糖，アミノ酸などの代謝物質を標識し，患者に投与する．なかでもブドウ糖を^{18}Fにより修飾したFDG（fluoro-deoxy-glucose）を用いたFDG-PETは

22. 超音波・放射線・磁気共鳴画像検査

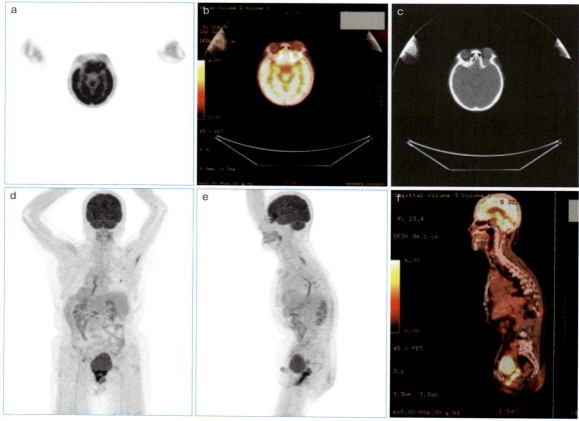

[図1] 左眼瞼腫脹を主訴に眼科を受診した患者のFDG-PET/CTの例
a PET軸位断像．左眼窩に集積がみられる．
b CTとの融合画像．PETにおけるRIの集積が，CT上でどの部位に相当するかが把握しやすい．
c CT画像．FDGの集積に一致して軟部組織濃度域がみられる．
d, e MIP像．全体の把握に優れる．眼窩のほか肺内や骨盤内に集積がみられる．
f 融合画像により子宮への集積が明らかとなった．子宮頸癌の骨転移・肺転移がPETにより明らかとなった症例であった．

これらのうちで最も普及しており，単にPETといえば多くの場合FDG-PETを意味する．

体内で放出された陽電子はごく短い飛程（数mm）を移動した後に電子（陰電子）と結合して対消滅する．この際，消滅放射線と呼ばれる511keVの電磁放射線が180°方向に2本放射される．この一対の消滅放射線は対向する2個の検出器に同時に計測（同時計数）され，これを同時計数回路によって測定することで消滅放射線が放出された位置を知ることができる．

撮像範囲は目的に応じて設定される．全身の撮像も可能であるため，悪性腫瘍の全身検索にも有用である．

2 機器の構造

一般的にはガントリーの周囲に検出器が輪状に並べられている．同時計数によりRIの位置を推定するため，ガンマカメラのようなコリメータは不要で，代わりに同時計数回路を有する．

形態画像と合わせて利用することでPET画像の有用性は増すため，CT装置と一体化したPET-CTと呼ばれる機器が普及している．これにより同一の体位で双方の検査を連続して行うことができ，高い精度で2つの画像を融合させることができる．

3 感度と特異度

標識した物質の組織への取り込み・停滞の多寡

を利用した検査であるので，生理的集積や排泄の影響を常に念頭に置く必要がある．また病変の体積が小さい場合にも偽陰性となりやすい．悪性腫瘍の検索においては標識物質の取り込み能が低下している場合や標識物質を代謝排泄してしまう対象についても偽陰性となりやすい．標識物質に対する代謝能が全身的に変化するような病態（FDG-PETにおける糖尿病など）がある場合，検査結果に影響が出ることがある．

III 検査手順

1 検査の流れ

標識物質を用いた検査であるため，検査前には食事制限が必要となることが多い．FDG-PETの場合には食事以外にも糖質摂取が制限される．来院後に標識物質を投与し，標識物質が体内に分布するまで待機する．FDG-PETの場合は約1時間の待機時間を要する．また，待機時間中の筋への集積を防ぐため，安静を保つ必要がある．

2 検査のコツと注意点

読影においては偽陽性・偽陰性の存在を念頭に置くことが必要である．検査技師や画像診断医にとって検査依頼時の依頼文は重要な情報源となるため，十分な臨床情報を記載することが望ましい．

IV 検査結果の読み方と解釈

1 正常結果

FDG-PETにおいては，脳，扁桃，鼻咽頭，喉頭，唾液腺，胸腺（若年），肺門部，心筋，肝，消化管，腎・尿路，運動後の筋肉，睾丸，生理中の子宮，卵巣，授乳中の乳腺，褐色脂肪などに生理的集積がみられることが多いので，その特性も踏まえて判断する．外眼筋にも生理的集積が認められることも多々経験する．

2 異常所見とその解釈

1）皮質盲

後頭葉の糖代謝低下を，同部のFDGの集積の低下として描出できる．

2）悪性腫瘍

FDGは悪性腫瘍に高率に集積するが，一部の腫瘍ではFDGの取り込みが低い場合や，代謝排泄してしまうことで明らかな集積を示さないことがある．またFDGの異常集積を見た際，腫瘍性か炎症性かの判別は必ずしも容易ではない．PET-CTでは同時にCTが撮像されており，これによる形態的な評価が有用である．

3 アーチファクト

CTにより吸収補正を行うPET/CTでは，歯冠などに起因する強いCTのアーチファクトがアーチファクトの原因となることがある．注射によりRIを投与した際には注射時の漏れや下着に付着した排泄物も異常集積として認められる．

ガリウムシンチグラフィ

I 検査の目的

1 検査対象

ガリウムシンチグラフィは，腫瘍シンチグラフィや炎症シンチグラフィとして用いられる．眼科領域にかかわる疾患としては，炎症性疾患の一つであるサルコイドーシスの診断にも用いられることがある（図2）．

2 目標と限界

腫瘍や炎症の広がりと局在を知るための全身検索のために用いられる．空間分解能が低く詳細な形態診断には適さないことや，集積を認めた場合にも，本シンチグラフィだけでは腫瘍性・炎症性の鑑別が困難である点などは当検査の限界といえる．またFDG-PETが普及した現在では，ガリウムシンチグラフィは，感度・特異度・所要時間が優れるFDG-PETにその役割の多くを取って代わられている．

II 検査法と検査機器

1 測定原理

^{67}Ga-citrate（クエン酸ガリウム）を用いる[3]．^{67}Gaは半減期約78時間の放射性同位体である[4]．経静脈的に投与された^{67}Ga-citrateは腫瘍・炎症に集積する．腫瘍に集積する機序は完全には解明されていないが，投与された^{67}Gaはトランスフェリンと結合して体内に存在し，腫瘍とはその

トランスフェリンを介して結合すると考えられている．放出されるガンマ線をシンチカメラで撮像することで，腫瘍や炎症の局在を画像化する．

2 機器の構造

撮像にはシンチカメラ（ガンマカメラ）を用いる．シンチカメラの主な構成要素は，目的の方向から入射するガンマ線だけを通過させるコリメータ，ガンマ線を光に変換するシンチレータ，光を電気パルスに変換する光電子倍増管である．

3 感度と特異度

悪性リンパ腫の診断において感度，特異度はそれぞれ80％，88％，感染の診断においてそれぞれ80％，100％とする報告[5]がある．サルコイドーシスの診断においては，肺外病変の正診率において ^{67}Ga シンチグラフィは FDG-PET に劣るとする報告[6]がある．RI製剤の投与から撮像までに長い時間を要する点においても FDG-PET に劣り，FDG-PET が撮像可能である状況では敢えてガリウムシンチグラフィを選択する理由は乏しい．地域の医療事情により FDG-PET の施行が困難な場合や，現在 FDG-PET の適応がない疾患に対しては実施されることがある．

III 検査手順

1 検査の流れ

クエン酸ガリウム製剤を経静脈的に投与する．集積とバックグラウンドの比率が高くなる投与後48時間から72時間後にシンチカメラにて撮像を行う．

2 検査のコツと注意点

消化管への生理的集積が腹部領域の異常集積をマスクしてしまうことがあるため，腹部領域の病変も評価したい場合には事前に下剤を投与することを検討する．MRI用の造影剤である Gd-DTPA との相互作用により， ^{67}Ga の骨への集積が増加したとする報告がみられるが[7]，影響はないとする報告もあり，一定の見解はない．そのため，造影MRIとガリウムシンチグラフィは，可能であれば別の日に実施する方が無難である．

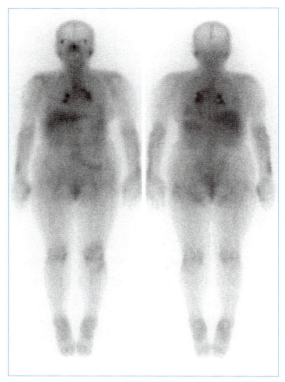

[図2] サルコイドーシスの症例（プラナー像）
眼窩，鼻腔，唾液腺（特に耳下腺），両側肺門リンパ節へのRIの集積がみられる．また，肝・脾への軽度の生理的集積がみられる．

IV 検査結果の読み方と解釈

1 正常結果

正常成人では投与された ^{67}Ga の24％が骨・骨髄，5％が肝，1％が脾に集積する．肝からの排泄経路である胆道・腸管も強く描出され，腹部領域の病変の診断の妨げとなることがある．他に涙腺，鼻腔，唾液腺，肺門，乳腺，外陰部などにも生理的集積を示す．

2 異常所見とその解釈

1) サルコイドーシス

「lambda sign（傍気管・両側肺門部リンパ節への集積）」「panda sign（涙腺・耳下腺・顎下腺への集積）」といった特徴的な集積のパターンが診断の手がかりとなる．血中ACE，sIL-2R，KL-6，リゾチームといったマーカーを併せて評価することで正診率の向上が期待できる[8]．

[図3] SPECTによる軸位断像（図2と同一症例）

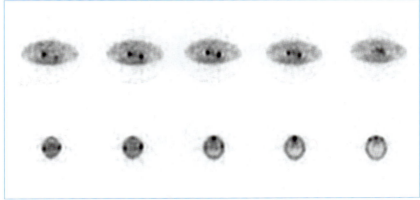

2) 悪性腫瘍
悪性リンパ腫を始めとした悪性腫瘍に高率に集積し，進展範囲・病期の診断に有用である．

3 アーチファクト
薬剤投与時の漏れや排泄物中のRIが異常集積として認められることがある．腹部領域の病変は消化管内の生理的集積にマスクされやすく注意が必要である．

SPECT

I 検査の目的

1 検査対象
SPECT（single photon emission computed tomography）は，CT（computed tomography）における画像再構築の技術をシンチグラフィに応用し，断層像を得る撮像方法である．先述のガリウムシンチを始め，脳血流シンチなどさまざまなシンチグラフィにおいてSPECTを撮像することができる（図3, 4）．

2 目標と限界
断層像が得られるためプラナー像（平面像）になかった3次元的な情報が加わり局在診断に有用である．脳血流シンチではCT/MRIといった形態的変化として捉えられないような虚血を描出することができ，診断に有用である．空間分解能は低く詳細な形態診断には向かない．

II 検査法と検査機器

1 測定原理・測定範囲
多方向から収集したデータに対し，コンピュータにより前処理，吸収・散乱補正，画像再構成といった画像処理を加えて断層像を得る．

2 機器の構造
シンチカメラがその心臓部である．プラナー像の撮像も可能な検出器を回転させて撮像を行う汎用型，リング状に検出器を配置したSPECT専用機がある．

3 感度と特異度
3次元的な情報が加わることによりプラナー像のみの場合と比較して診断能の向上が期待できる．

III 検査手順

1 検査の流れ
事前にRIにより標識された検査薬を投与する．検査の目的により用いるRIや撮像までの待機時間は異なる．例えば^{99m}Tc化合物を用いた脳血流シンチでは約5分後以降，^{99m}Tc-MDPを用いた骨シンチでは2〜4時間後，^{67}Ga-クエン酸を用いた腫瘍・炎症シンチグラムでは48〜72時間後の撮像開始となる．

文献
1) 久保敦司ほか編，核医学ノート，第5版，金原出版，東京，2012
2) Yanoff M, et al：Ophthalmology, 4th ed, Elsevier, Amster-

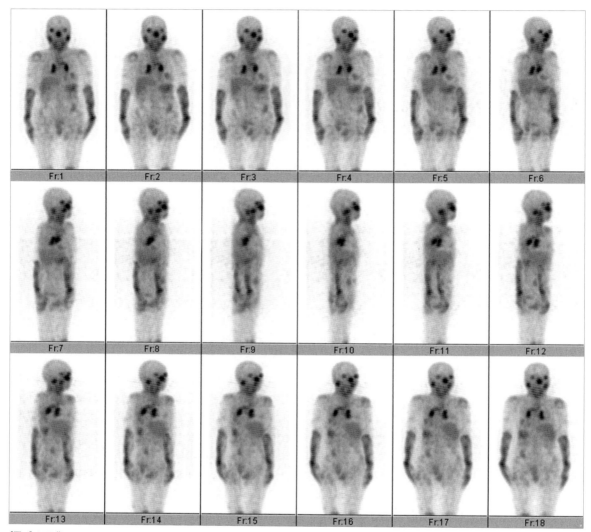

[図4] MIP像
プラナー像では不明であった奥行きの情報が得られる．MIP（maximum intensity projection，最大値投影法）像ではより明瞭に病変部を認識することができる．

dam 2013
3) クエン酸ガリウム（^{67}Ga）注 NMP 添付文書，日本メジフィジックス株式会社，2014
4) 日本メジフィジックス 医療関係者専用情報 http://www.nmp.co.jp/member/faq-p/01-06a.html
5) Al-Suqri B, et al：Gallium-67 scintigraphy in the era of positron emission tomography and computed tomography：Tertiary centre experience. Sultan Qaboos Univ Med J 15：e338-e343, 2015
6) Nishiyama Y, et al：Comparative evaluation of ^{18}F-FDG PET and ^{67}Ga scintigraphy in patients with sarcoidosis. J Nucl Med 47：1571-1576, 2006
7) Hattner RS, et al：Gallium-67/stable gadolinium antagonism：MRI contrast agent markedly alters the normal biodistribution of gallium-67. J Nucl Med 31：1844-1846, 1990
8) Miyoshi S, et al：Comparative evaluation of serum markers in pulmonary sarcoidosis. Chest 137：1391-1397, 2010

（西川　遼・佐々木良平）

23 検体検査

1) 感染性疾患に対する PCR 検査, 抗原検査, 抗体検査

I 検査の目的, 検査対象, 目標と限界

　感染性疾患に対する検査には主に PCR 検査, 抗原検査, 抗体検査がある. 検査対象は感染性が疑われる患者すべてである. 代表的な上記の3つの検査を用いると多くの感染性疾患でその感染の同定・否定が可能である. 一方でそれぞれの検査の利点・欠点がある, また検査の感度・特異度が異なりすべての感染症をリアルタイムで診断できるわけではない. 本項では3つの検査について, ウイルスを用いての検査の概要を総論的に解説する.

II 検査法, 原理, 検査の流れおよび感度

1 PCR 検査

　PCR 検査とは, 検査したいウイルスの遺伝子を専用の試薬(プライマーなど)を用いて目的の遺伝子を増幅させ検出させる検査方法である(図1). 新型コロナウイルス(以下, COVID-19)を例に挙げて説明する. 被検者の鼻や咽頭を拭って細胞・組織を採取し検査を行う. 感染してから発症する数日前より検出可能で, 主に体内にウイルスが検査時点で存在するかを調べるときに用いる(現在ウイルスの活動性が体内にあるかがわかる検査). COVID-19 PCR の感度は発症後10日以内ならば80%以上との報告もある[1]. ただ, 何の検体を採取したかや発症時期にウイルスが存在しなかった場合などは感染していた場合でも陰性となってしまう場合がある. そのため検査機関によってはウイルスを検出できなかったケースを「陰性」とはせず「検出せず」と表現することがある. このように一般的に PCR 検査では, 偽陰性(false negative)に注意する必要がある. 偽陰性とは, PCR 検査では陰性でも実はその感染症に罹患していることを意味する. 眼科臨床現場では, 複数の理由(眼局所検体量の少なさなど)でこの PCR 検査が最も使用されており, その感度・特異度も高い[2].

2 抗原検査

　検査したいウイルスの抗体を用いてウイルスが持つ特有の蛋白質(抗原)を検出する検査法である. PCR 検査に比べ検出率は劣るが, 手技が簡便で PCR よりも短時間で結果が出る. また特別な検査機器を必要としないことから迅速判断が必要な場合に用いられることが多い. 病院でインフルエンザ検査をするときはこの抗原検査を行っていることが多く, また, COVID-19 も最初のス

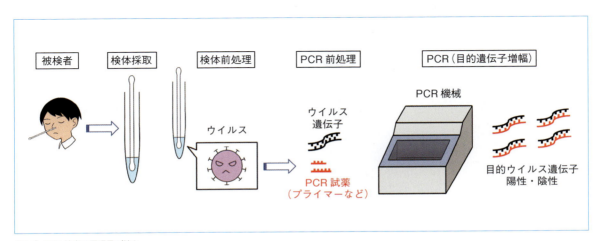

[図1] PCR 検査の原理及び流れ
PCR 検査は, 現在ウイルスの活動性が体内にあるかが分かる検査. 標的ウイルスの遺伝子を PCR 試薬を用いてその遺伝子を増幅させ検出させるもの. 被検者の鼻や咽頭を拭って細胞・組織を採取し検査を行う. 検体の前処理後に専用の PCR 試薬(プライマーやプローブ)に混ぜて PCR 機械にかける. 一般的には数時間で目的のウイルス遺伝子が検出されるが最新の物は60分前後で結果が判明するキットもある.

[表1] ウイルスのPCR検査，抗原検査，抗体検査の目的，検体，ターゲット，感度，検査場所（COVID-19の例）

	PCR検査	抗原検査	抗体検査
目的	現在感染しているか（ウイルスの体内の活動性の有無）		過去に感染していたか 抗体ができているか
検体	鼻腔咽頭拭い液，唾液	鼻腔咽頭拭い液，唾液	血液
ターゲット	ウイルス遺伝子	ウイルス蛋白質	ウイルスに対する抗体
感度	高い （少ないウイルス量で検出可能）	やや高い （一定以上のウイルス量が必要）	高い （ただ既感染の有無のみ）
検査実施場所	検査機関に搬送して実施 または病院内	検体採取場所	検査機関に搬送して実施 または病院内
所要時間	数時間	30分	約2〜3日

新型コロナウイルス（COVID-19）に関しては現在研究が進められており，記載の内容が必ずしも最新のものとは限らない．

クリーニング検査として導入している病院や施設（例：空港検疫）もある．眼科領域でもウイルスによっては抗原検査を行うことがあるが，感度・特異度の問題（＝信用性の問題）であまり使用されていないのが現状である．

3 抗体検査

過去にそのウイルスに感染していたかを調べる検査（既感染）である．ウイルスに感染すると体内の免疫細胞の1つ，B細胞が産生する蛋白質（免疫グロブリン＝抗体）が血液中に存在するかを調べる．体内に抗体ができるまでには時間がかかり，現在そのウイルスに感染している・いないことの検査に用いる意味では難しい．ウイルスに感染した場合だけでなく，ワクチンを打ったことによってできた抗体もこの検査で陽性となる．抗体検査の中でもIgMとIgGを検出するものがある．COVID-19感染でも，主に既感染を調べたり，ワクチン後に抗体が残っているかを調べたりの目的でこの抗体検査を行う．眼科領域ではこの抗体検査は，血液中の抗体を調べてもそれが眼局所の特異的な抗体を反映していない関係で参考程度にしかならずに実際はあまり行われていない．

表1にそれぞれの検査の目的，検体，標的物（ターゲット），感度，検査場所についてまとめた．PCR検査は，検出感度が高いこと，特異性が高いことから，ウイルスに限らず病原微生物の検出法としてゴールドスタンダードといえるだろう．

文献

1) Uwamino Y, et al：Accuracy and stability of saliva as a sample for reverse transcription PCR detection of SARS-CoV-2. J Clin Pathol 74：67-68, 2021
2) Sugita S, et al：Use of a comprehensive polymerase chain reaction system for diagnosis of ocular infectious diseases. Ophthalmology 120：1761-1768, 2013

（杉田　直）

23 検体検査

2）角結膜のPCR検査，免疫学的検査
① クラミジア・トラコマチス検査

I 検査の目的

1 検査対象

難治性の結膜炎症例，巨大濾胞を呈するクラミジア結膜炎が疑われる症例を対象とする（**図1**）．

2 目標と限界

本症検査の目標は，結膜擦過物や眼脂などを検体として結膜炎の原因がクラミジア・トラコマチス *Chlamydia trachomatis* の感染であるかを示すことである．クラミジア・トラコマチスの分離・培養は煩雑で，臨床現場で実用的な検出方法ではない．一般に用いられる同定方法としては，感染部位・検体からのクラミジア・トラコマチス抗原の検出やクラミジア・トラコマチス遺伝子の検出がある．現在の眼科臨床においてのクラミジア結膜炎の診断には結膜擦過物の塗抹鏡検あるいはポリメラーゼ連鎖反応 polymerase chain reaction（PCR）を用いるのが一般的である．結膜擦過物の塗抹鏡検は，ギムザ染色による鏡検で封入体（Prowazek小体）を観察することで診断するが，必ず見られるものではない．

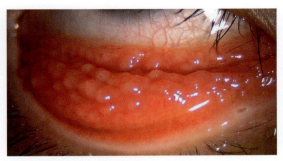

[図1] クラミジア結膜炎の巨大濾胞
結膜擦過物のPCRでクラミジア・トラコマチスDNAが検出され診断したクラミジア結膜炎の症例．下眼瞼結膜に堤防状の巨大濾胞を呈する．

II 検査法と検査機器

クラミジア・トラコマチス感染診断には，①血液検査でのクラミジア抗体の測定，②結膜擦過物の塗抹鏡検，③結膜擦過物からのクラミジア・トラコマチス抗原検出，④結膜擦過物からのクラミジア・トラコマチス遺伝子検出などが挙げられる．

1 測定原理・測定範囲

①抗体検査法：血液検査により抗体価（IgGまたはIgA抗体）をEIA（酵素免疫測定法）で測定可能である．EIA法は抗原または抗体をプレートに固着させて固定し，次いで検体を反応させ，形成された抗原抗体複合物に酵素標識抗体を加え，酵素による基質反応を発色させて吸光度を測定し，定量化する方法である．

②結膜擦過物の塗抹鏡検：結膜擦過物をスライドグラスに塗抹し，ギムザ染色にて観察する．クラミジアは特異な増殖環を有する細胞内寄生菌であり，感染性のある基本小体が上皮細胞に貪食され，感染後に基本小体を包み込むように細胞質に封入体が形成される．この上皮細胞内の封入体（Prowazek小体）を見つけることで，クラミジア感染が示唆される．

③結膜擦過物などの検体からクラミジア・トラコマチス抗原を抗原抗体反応で検出する方法である．EIA法が用いられ有用であったが，現在では外注検査の受託が中止されている．

④遺伝子検出法：結膜擦過物からクラミジア・トラコマチスに特異的な遺伝子を増幅して検出する方法（核酸増幅法）で，transcription mediated amplification（TMA）法，strand displacement amplification（SDA）法，リアルタイムPCR法などが用いられる[1]．それぞれの核酸増幅法の原理についての詳細は成書に譲るが，ターゲットのRNAやDNAを増幅してクラミジア遺伝子の有無を検出する．以前は臨床検査会社へ外注することが多かったが，近年では自施設で行う病院も増えている．また多種類の病原体の遺伝子を一度に検出できるPCR法も報告されている[2]．

2 感度と特異度

血清抗体価は感度・特異度ともに高いが，全身反応を見ており，局所での感染を確定するものではなく，参考所見である．

結膜擦過物の塗抹鏡検での封入体はクラミジア

結膜炎であっても観察できる頻度は必ずしも多くなく，感度という観点からは高くない．

PCR法は遺伝子を数百万から数千万倍に増幅させて検出する方法で，適切なプライマーやプローブを用いれば感度・特異度ともに非常に高い．

III 検査手順

1 検査の流れ

点眼麻酔後，スパーテルやスワブなどで結膜を擦過し，スライドグラスへ塗抹しギムザ染色を行う（図2）．PCRの場合は，外注検査へ依頼する場合は専用のスワブで擦過して専用の容器に検体を入れる．自施設で行う場合は，DNase・RNase freeのスワブやスパーテル，チューブを用いて行う．

2 検査のコツと注意点

PCR法は感度が高いために，コンタミネーションが問題となることがある．特に自施設で行う場合は適切な陰性・および陽性コントロールをおいて，すべての段階でコンタミが起きないように注意する．また感度・特異度の精度はプライマーやプローブの設計に左右される．

IV 検査の結果と読み方

1 正常結果

採血による抗体検査では未感染であればIgAおよびIgGともに陰性である．PCR法でも健常者ではクラミジア遺伝子は検出されない．

2 異常所見とその解釈

血清抗体価は，IgAは活動性および感染性の指標となるが，IgGは感染の既往を示している．ま

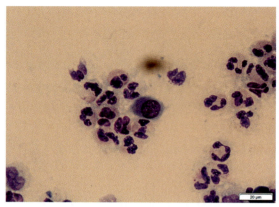

[図2] クラミジアの結膜炎の結膜擦過物のギムザ染色像
好中球が主体の炎症細胞浸潤と，結膜上皮細胞の細胞質に封入体がみられる．（群馬大学医学部眼科 戸所大輔先生のご厚意による）

た抗体が陽性であっても感染部位の特定はできない．IgAが陽性でIgGが陰性の場合は感染早期と考えられる．IgAが陰性でIgGが陽性の場合は，過去に感染があり活動性がない状態と考えられる．

PCR法は感度が高く死菌の残存したDNAも検出する可能性があり，治療後の効果判定に用いる時には注意が必要である．

3 アーチファクト

PCR法においては，検体に血液などの細胞成分が多く含まれると偽陰性を呈する．

文献
1) Yang JL, et al：Detection of Chlamydia trachomatis ocular infection in trachoma-endemic communities by rRNA amplification. Invest Ophthalmol Vis Sci 50：90-94, 2009
2) Nakano S, et al：Establishment of multiplex solid-phase strip PCR test for detection of 24 ocular infectious disease pathogens. Invest Ophthalmol Vis Sci 58：1553-1559, 2017

（福田　憲）

2) 角結膜のPCR検査，免疫学的検査

② アデノウイルス，AHCウイルス検査

I 検査の目的

1 検査対象

急性濾胞性結膜炎で，アデノウイルス（AdV）感染あるいはエンテロウイルス（EV）感染が疑われる症例が対象となる．

2 目標と限界

ウイルス性結膜炎は感染力が強く，学校では伝染のおそれがなくなるまで出席停止とする必要がある．成人でも仕事を控えるよう指導する必要があり，さらに院内感染を予防するためにも正確にかつ迅速に診断することが必要である．現在のPCR法に基づく検査法では，ウイルスDNAは1個でも増幅して検出するレベルまで向上している．一方，迅速診断法の感度は，後述するように100％には達していないので，臨床診断を併せ行う必要がある．

II 検査法と検査機器

現在わが国で行われているAdV検出の方法には種々のものがある．迅速診断法としては酵素免疫吸着法（ELISA）やイムノクロマト法が用いられ，詳細な解析には分離培養法，polymerase chain reaction（PCR）法がある．EVの検査法としては，分離培養法とPCR法はあるが，迅速診断法はない．

1 測定原理および感度，特異度

1) 酵素免疫吸着法（ELISA）

1992年にAdVのELISAキット（アデノクロン®）が初めて健康保険適用された．しかし操作が煩雑で，結果判定まで約70分を必要とするため，現在は臨床検査会社で受託して行われている状況である．感度は50〜60％．特異度はほぼ100％である．

2) イムノクロマト（IC）法

1997年に本法を用いたアデノチェック®が発売，保険適用されて以来，一般診療において最も広く用いられている迅速診断法であり，現在多数のキットが発売されている（表1）．メーカー間で若干の差があるが，AdV抗原が存在する場合はメンブレン上に2本のラインが出現し，存在しない場合は1本のみラインが出現する．陽性の場合5分程度でラインを確認できることが多いが，ウイルス量が少ない場合にはラインが確認できるまでやや時間がかかる．感度はおおむね80％程度，特異度は100％であり，陽性の場合はAdV結膜炎の診断となる[1]．検体はこれまで，綿棒で結膜を強く擦過した拭い液を用いていたが，最近シルマー法に使用される「ろ紙」を用い，結膜に約5秒間接触させるだけで，検体を得られるIC法迅速診断キットが開発され，患者の不快感を大きく軽減できるようになり，従来法と同等の感度が得られる．さらに判定を自動化した専用リーダーを用いたキットでは，銀増感法で発色線を拡大するデンシトメトリーにより，感度がさらに向上し市販されている（図1）．このIC法ではPCR法に対するAdVの感度が98％に達しており，診断精度が非常に高くなってきている[2]．

3) 分離培養法

ウイルスの分離培養法は利点としては高感度であること，ウイルス株を得ることができるため，その後中和試験により型を同定し，分離株を用いてさらに詳細な検討も可能である．特異度も100％と考えてよい．欠点としてはウイルス増殖までにかなりの時間を要し，増殖の遅い株では数週間かかること，保険適用外で実費を要することが挙げられる．Eagle's MEM培地などの一般的なウイルス分離用の培地に結膜擦過綿棒を浸して拭い液とした検体を採取する．数時間以内に培養検査を行える場合以外は−70℃以下の超低温フリーザーで凍結保存する．輸送の場合に融解を防ぐことは重要である．得られた検体液をHela，KB，A 549などの単層培養細胞に接種し，細胞変性効果（CPE）を観察する．AdVは増殖が遅いためCPEが確認されなくても数回は盲継代を行い，CPEの出現を確認していくことが必要である．CPEが観察されたらウイルスを回収し，型

[表1] アデノウイルスイムノクロマト法キットの諸製品（角結膜用）

製品名	販売元	発売	形態
アデノチェック®	参天製薬 大蔵製薬	1997年	プレート型
チェックAd	アルフレッサファーマ Meiji Seikaファルマ	2001年	プレート型
イムノカード ST®アデノウイルスⅡ	日東メディック 富士レビオ	2002年 (2008年)	スティック型
アデノテストAD®	シード	2002年	プレート型
キャピリア®アデノ アイ	わかもと タウンズ	2003年 (2009年)	プレート型
キャピリア®アデノ アイ Neo	わかもと タウンズ	(2011年)	プレート型
クイック チェイサー®Adeno	ミズホメディー，協和メディックス	2007年	プレート型
クイック チェイサー®Auto Adeno	ミズホメディー	(2013年)	デンシトメトリー
クイック チェイサー®Adeno眼*	日本点眼薬研究所	(2017年)	プレート型
クイックチェイサー®Auto Adeno眼**	日本点眼薬研究所	(2017年)	デンシトメトリー
イムノエース®アデノ	タウンズ 栄研化学	2008年	プレート型
クイックナビ™-アデノ	大塚製薬	2008年	プレート型
クイックナビ™-アデノ2	大塚製薬	(2020年)	プレート型
クリアビュー®アデノ	アボットダイアグノスティクス 三和化学	2010年	スティック型
BDベリター™ システム ADENO	日本ベクトンディッキンソン	2013年	デンシトメトリー
アルソニック®アデノ	アルフレッサファーマ	2015年	プレート型

主要なものを示す．いずれも保険点数189点に検体検査判断料144点を別に請求．（ ）は改訂時．同一品が富士フイルムより，それぞれ富士ドライケム IMMUNO AG カートリッジAdeno*，富士ドライケム IMMUNO AG カートリッジ Adeno OPH**として販売されている．

特異抗体で型の同定を行う．

4) PCR法

PCR法の原理についての詳細は成書に譲るが，段階的にDNA合成反応を繰り返して数百万倍に増幅させて検出する方法である．感度は分離培養法に勝り，適切なプライマーを用いた場合には特異性も100％である．AdVは通常ヒトの結膜には存在しないと考えられているため，ウイルスDNAが検出されればほぼ病因として特定できる．ただ，AdV結膜炎既往症例から10年後に涙液からAdV DNAが検出されるという報告[3]もあり，より正確な病因診断上は定量PCR法を行うのが望ましい[4]．EVはRNAウイルスであり，EV70とCA24vを同時に検出できるRT（reverse transcription）-PCR（polymerase chain reaction）法を用いた方法が行われる．RT-PCR法の特異度も100％であり，陽性例はEV感染と判断できる．EVのRT-PCR検査について，2パラメータ近隣結合法によってポリオウイルスなどピコルナウイルス全体をカバーするVP（viral protein）4

[図1] 銀増感法を併用したアデノウイルスイムノクロマト法の専用測定器（クイックチェイサー® Immuno Reader）
内部で銀増幅反応を行い，15分間で自動測定をする．右手前の扉を開けるとテストカートリッジ挿入部がある．この専用リーダーは他のウイルス（RSウイルス，インフルエンザウイルスなど）も測定できる汎用のものである．

領域をターゲットとするRT-PCR法を行えば，型鑑別から系統解析まで可能であり，近縁関係の解析から国際的な伝播経路の推測も行える[5]．

5) 血清学的検査

ウイルスに対する血清抗体価測定はウイルスに対する宿主であるヒトの反応を見るものであり，基本的には補助的な診断法である．感染初期と3

[表2] 血清ウイルス抗体価測定法の比較

測定法	目的	特徴
補体結合反応（CF）	抗原抗体反応による補体消費を測定	低感度，交差反応性
中和反応（NT）	中和抗体の存在を確認	型判定ができる，特異性高い，日数がかかる
蛍光抗体法（FA）	蛍光ラベル抗体と血清抗体，抗原の複合物を観察	高感度，免疫グロブリンの種類判別可（IgM，IgG，IgA など） 非特異的反応がある
酵素抗体法（EIA）	酵素標識抗体で血清抗体，抗原反応を検出	高感度，免疫グロブリンの種類判別可（IgM，IgG，IgA など）

CF：complement fixation, NT：neutralization test, FA：fluorescent assay, EIA：enzyme immunoassay

週間後など回復期の抗体価を測定し，4倍以上の上昇があった場合に，ウイルス感染があったと考えられる．検査法によっては非特異的な反応がみられ，症例によっては抗体価が上昇しない non-responder もあり，注意が必要である．各測定法の特徴については表2に示す．

III 検査手順

1 検査の流れ

ウイルス性結膜炎が疑われる症例では AdV による可能性が最も高いので，AdV に対する IC 法をまず試みる．IC 法が陽性の場合は AdV 結膜炎なので，前項を参考に診断を進める．確定診断は分離培養法である．AdV が否定された場合は EV に対する検査を進める．EV の培養に適した細胞は AdV とも共通のものである．しかし EV70 は分離されないので，実際には前述のように RT-PCR 法によるウイルス RNA の検出に進めていく．RT-PCR 法の採取用培地は細胞培養の場合と共通である．

2 検査のコツと注意点

IC 法には特別な機器は必要でなく，外来でも診察時間内に結果を得ることができる．発症から経過するほど陽性率は低下することと，感度は従来法では約80％なので，陰性でも AdV 感染を否定できないことに注意を要する．銀増感法による専用リーダーを用いたキットでは感度は100％に近くまで達しており，感度からすると迅速診断法の域を超えるレベルに至ってきた．分離培養法，PCR 法は，一般的な診療施設では行うことは難しく，地域の衛生研究所か臨床検査会社へ依頼する．衛生研究所では行政検査のため，結果を得るまでには相当日を要する．有料になるが，臨床検査会社に依頼したほうが確実かつ早期に病因ウイルスの種類を決定できる．

IV 検査結果の読み方

1 正常結果

通常 AdV および EV は結膜に常在しないと考えられるため，検査でこれらのウイルスが検出されればウイルス性結膜炎と診断できる．分離培養法，PCR 法では感度も100％に近いので，陰性であればウイルス性結膜炎をほぼ否定することができる．

2 異常所見とその解釈

IC 法は感度が約80％であるため，陰性でも患者には完全に感染を否定できない（偽陰性）旨を話し，感染拡大防止に努めるよう指導しなくてはならない．

3 アーチファクト

既往例では前述のような無症候性排出 AdV DNA もありうることを考慮する．

文献
1) Uchio E, et al：Rapid diagnosis of adenoviral conjunctivitis on conjunctival swabs by 10-minute immunochromatography. Ophthalmology 104：1291-1299, 1997
2) Migita H, et al：Evaluation of adenovirus amplified detection of immunochromatographic test using tears including conjunctival exudate in patients with adenoviral keratoconjunctivitis. Graefes Arch Clin Exp Ophthalmol 257：815-820, 2019
3) Kaye SB, et al：Evidence for persistence of adenovirus in the tear film a decade following conjunctivitis. J Med Virol 77：227-231, 2005
4) Watanabe M, et al：Detection of adenovirus DNA in clinical samples by SYBR Green real-time polymerase chain reaction assay. Pediatr Int 47：286-291, 2005
5) Ishiko H, et al：Molecular diagnosis of human enteroviruses by phylogeny-based classification by use of VP4 sequence. J Infect Dis 185：744-54, 2002

（内尾英一）

2）角結膜のPCR検査，免疫学的検査

③ 単純ヘルペスウイルス，水痘・帯状疱疹ウイルス検査

I 検査の目的

1 検査対象

角膜上皮障害や角膜混濁を呈する炎症性角膜疾患を対象とする．

2 目標と限界

本症検査の目標としては，上記角結膜疾患の原因が，症例の涙液，角膜擦過物，前房水，血液を検体として，単純ヘルペスウイルス herpes simplex virus（HSV）または水痘・帯状疱疹ウイルス varicella zoster virus（VZV）であるかを示すことである．同定方法としては，ウイルス分離培養[1]，蛍光抗体法[1]，免疫クロマトグラフィ[2]またはポリメラーゼ連鎖反応 polymerase chain reaction（PCR）[3]などがある．HSVに関しては，潜伏ウイルスが病因としてではなく眼表面に出現する shedding という現象が存在するので，ウイルス分離によりウイルスそのものを同定しないと確定診断はむずかしい．VZVについては，shedding は存在しないが，ウイルス分離はむずかしい．日常臨床における診断検査はPCRによることが多いが，PCRはDNAの存在を示しているだけで確定診断ではない．しかし，従来型PCRに比較して，定量が可能なリアルタイムPCRは精度の向上に加えて，臨床経過からの診断の妥当性も高まっているため，本症への応用が拡大している．補足的に，血清抗体値の測定がある．

II 検査法と検査機器

1 測定原理

HSVあるいはVZVを検出する検査には，ウイルス分離，蛍光抗体法，クロマトグラフィ，PCR，血清抗体法と大きく5つの方法がある（表1）．ウイルス分離は，検体をウイルスに感受性の高い培養細胞に接種して細胞内で増殖させて，生きたウイルスそのものを回収する方法である．

[表1] HSV，VZVの検出法

	長所	短所
ウイルス分離	確定診断できる 臨床分離ウイルス研究が可能	感度不良，日数要する 細胞の培養診断が必要
蛍光抗体法	簡便かつ迅速診断可能	蛍光顕微鏡が必要
PCR	迅速診断可能 微量検体から他の鑑別も行える	PCRシステム必要 条件で感度特異度異なる
クロマトグラフィ	外来で検査診断可能	HSVのみ 感度はPCRに劣る
血清抗体法	初感染かを判定可能 陰性なら除外診断可能	検査の意義が低い

蛍光抗体法あるいは免疫クロマトグラフィ法は，モノクローナル抗体を用いて抗原抗体反応により検体中のウイルス抗原蛋白の存在を検出する．蛍光抗体法は，組織学的にウイルス抗原を蛍光シグナルとして証明する．免疫クロマトグラフィ法はキット化されて，検体中のウイルス抗原がまず着色粒子と結合した抗体と結合，さらに判定部に固定された抗体に結合されることで可視化できる．固定層を検体が毛細管現象にて移動して通過する過程で抗原抗体反応を利用して，抗原の存在を同定検出する成分分析法である．PCRは検体中のウイルス特異的DNAを同定する方法で，検体をDNA2本鎖変性により1本鎖に（denaturation），各々の1本鎖にプライマーを付着（annealing），伸長反応（extension）のサイクルを繰り返し行い，微量の検体DNAを数百万倍に増幅して検出する分子生物学的手法である．血清抗体値は，ウイルスに対するホストの免疫反応を抗体量で測定する方法で間接的な方法である．

2 感度と特異度

HSVウイルス分離は，陽性であればウイルスそのものの同定で，角膜ヘルペス診断法（上皮型）における確定診断で，特異度100％であるが，感度は低い．結果を得るまでに時間を要する．VZVにおいても分離されれば，確定診断であるが，VZVウイルスが細胞と離れると不活化しやすいため角膜や結膜からの分離は非常にむずかしい．眼部帯状疱疹の皮疹内容物からのウイルス分離は参考となりうる．蛍光抗体法は，観察に蛍光顕微鏡が必要になるが，迅速に結果が得られて，

感度および特異度ともに高い．検体観察にあたっては，蛍光切片観察におけるさまざまなアーチファクトによって偽陽性と判定される可能性があり，検者の経験を必要とする．免疫クロマトグラフィ法は，HSV 感染において外来またはベッドサイドで行える唯一の方法である．特異度は100％であるが，感度は採取細胞が十分でないと高くないので，偽陰性があり，陰性であってもHSV 感染の否定にはならない．両方法ともに，十分量の病変部の適切な採取が重要で，大きな上皮型病変の場合は検体細胞採取が十分に行えるが，小さな上皮病変や実質型病変，内皮型病変，虹彩炎症例などでは細胞の採取が困難で蛍光抗体やクロマトグラフィの施行はできない．PCR は，プライマー配列や反応条件などで感度や特異度は異なるが，一般に，感度が鋭敏であるために，似た配列を増幅してしまう可能性があり，特異度がやや低い．血清抗体法は直接の検出でなく，ホスト免疫反応をみているのみなので，参考所見である．

III 検査手順

1 検査の流れ

1) ウイルス分離

ウイルスは細菌などと異なり，生体の中でしか生存できないため，ウイルス分離のためには検体を接種するための培養細胞を用意する必要がある．HSV に適した細胞種は，Vero 細胞（アフリカミドリザル腎細胞），VZV では Hel 細胞（ヒト胎児肺線維芽細胞）が使用される．検体を角膜や結膜から採取して，Eagle's MEM 培地などのウイルス分離用培地に浸して検体液とする．そのまま培養細胞上に接種すると感度が高くなるが，冷凍保存しておき，後日接種か，外部委託施設に送付することもできる．ウイルスが培養細胞に感染した場合の細胞変性効果 cytopathic effect（CPE）が出現していることを確認する．大学などの研究施設では行うことは可能であるが，一般臨床医には手技など手間で困難なことが多く，結果を得るまでに時間を要し，感度は悪いため，日常検査としては不向きである．

2) 蛍光抗体法

免疫染色は，抗原抗体反応を用いて組織および細胞の抗原を検出する方法である．角膜擦過物に対する組織染色を行う．HSV に対しては，ヘルペス（1・2）FA「生検」試薬（デンカ生研株式会社）など，VZV については VZV-FA「生検」試薬（デンカ生研株式会社）などのキットがヘルペス性角膜炎の診断に使用できる．角膜上皮擦過物をスライドに塗抹して，風乾およびアセトン固定の後，モノクローナル抗体試薬を滴下して 37℃ 15 分反応させる．封入後，蛍光顕微鏡観察を行う．帯状疱疹の場合，皮疹内容物も検体となりうる．

3) クロマトグラフィ

免疫クロマトグラフィ法は簡便なためキット化されており，単純ヘルペスウイルスに対しては，チェックメイトヘルペスアイ（わかもと製薬）が臨床使用されている．綿棒で回収した角膜上皮擦過物を検体抽出液に添加して抽出し，反応シートに滴下して 15～30℃にて 15 分反応させて，判定部を観察する．

4) PCR

従来型 PCR は，まず得られたサンプルからスピンカラムなどを用いて DNA を抽出し，抽出 DNA，プライマー，デオキシヌクレオシド 3 リン酸，バッファー，$MgCl_2$，DNA ポリメラーゼ，H_2O を混合する．検体を 94℃前後の高温に供し DNA 2 本鎖変性により 1 本鎖に（denaturation）して，次に反応温度を 55～60℃前後に下げて，それぞれの 1 本鎖にプライマーを付着させる（annealing）．再び温度を 72℃前後に上げて伸長反応（extension）を行う．このサイクルを 30～40 サイクルなどに設定し，試薬と DNA の入ったチューブを反応させる．結果の判定は，設定したエンドポイントにおける PCR 産物をアガロースゲルに電気泳動し，増幅産物が得られたかどうかを確認する．リアルタイム PCR は，PCR 増幅産物を経時的に測定して解析する定量的方法である．2 本鎖 DNA に特異的に挿入して蛍光を発する色素である SYBR green I を用いるインターカレーター法と配列特異的オリゴヌクレオチドに蛍

光物質を標識したプローブを用いる TaqMan 法がある．増幅された DNA 量に比例して得られる蛍光強度を検出することにより，初期鋳型 DNA を定量する．

5) 血清抗体法

間接的病因診断として，患者血清内の HSV あるいは VZV に対する抗体価を測定する．発症後 1 週以内の急性期および 2 週後の回復期の 2 回は 5 ml ほど採血してペア血清として抗体価を比較する．血清学的診断法には，赤血球凝集阻止反応（HI 法），中和反応（neutralization），補体結合反応（CF 法），蛍光抗体法（FA 法），酵素抗体法（ELISA 法）などがある．

2 検査のコツ

1) ウイルス分離

結膜からの擦過検体の採取には，点眼麻酔下にて結膜上皮を強く擦る．角膜上皮を回収する場合は，上皮欠損の辺縁の上皮を擦過する．涙液や前房水も検体にできるが，含まれている細胞が少ないので，感度はかなり低い．滅菌手袋着用で検体を MQA チップなどにつけて細胞に接種する．外部委託などの輸送の場合には，融解を防ぐことが重要である．

2) 蛍光抗体法

的確に病原体を含む位置の角膜採取が重要である．上皮病変に対しては，上皮欠損の部分ではなく，辺縁の上皮を擦過する．検体をスライドに多量に塗布するとアーチファクトが多くなってしまうため，適量塗布することが重要である．サンプルを乾燥させない状態で維持する．抗体染色後は蛍光の減衰を防ぐため，速やかに観察を行う．

3) クロマトグラフィ

ウイルス抗原を十分に得て検査精度を上げるために，角膜上皮細胞擦過を的確な病変部に対してしっかり行う．

4) PCR

SRL などの検査会社へサンプル輸送すると結果が得られるが，感度は高くない．自施設検査 PCR はすべての過程でコンタミネーションが起こらないように特に配慮する．DNA 収量が十分量必要である．プライマーやプローブの配列の選択で検査精度は決定する．陰性コントロールや陽性コントロールをきちんとおいて解析する．

IV 検査結果の読み方と解釈

1 陰性

1) ウイルス分離

ウイルス感染が成立すれば，通常 1 週間ほどで CPE が出現することを考えると 2 週間程度の培養期間で CPE が検出できなければ陰性と思われる．

2) 蛍光抗体法

採取サンプルに角膜細胞が存在しており，特異蛍光を認めなければ陰性である．

3) クロマトグラフィ

判定部 C にのみ赤紫色のラインがあり，S にはラインを認めない場合は陰性である．

4) PCR

従来型 PCR の場合は，PCR 産物を電気泳動に流して，所定の高さにバンドが確認できなければ陰性で，リアルタイム PCR では，増幅曲線の確認にて目的 PCR 産物が存在しなければ，陰性である．

5) 血清抗体法

HSV 抗体陰性あるいは VZV 抗体陰性の結果は，角膜炎の原因から HSV あるいは VZV を除外することができる．

2 陽性とその解釈

1) ウイルス分離（図 1）

採取検体を 37℃ で培養してウイルスが培養細胞に感染した場合，細胞に数日から 1 週間ほどで balooning などの特徴的な CPE が出現していることを倒立顕微鏡で観察する．CPE 確認後，中和法や蛍光抗体法によりウイルスを回収して，ウイルスの種類を同定し，ウイルス株として保存できる．ウイルス分離が陽性であれば HSV あるいは VZV ヘルペス性角膜炎が確定診断で，ヘルペス診断のゴールデン・スタンダードである．分離されたウイルスを用いて薬剤感受性，病原性，疫学調査に利用できる．

2) 蛍光抗体法（図 2）

蛍光顕微鏡下で，細胞全体または細胞核内を緑

色に染色された特異蛍光を示す HSV 感染細胞あるいは VZV 感染細胞を認めれば陽性と判断できる．

3）クロマトグラフィ

判定部 C と S の両方に赤紫色のラインが認められる場合は陽性である．モノクローナル抗体を利用して特異度は 100% であるが，感度は 60% 弱である．外来またはベッドサイドで利用できて，最も簡便な HSV 検査である．

4）PCR（図 3〜5）

従来型 PCR 結果の判定は，設定したエンドポイントにおける PCR 産物をアガロースゲルに電気泳動し，増幅産物の有無について確認する．リアルタイム PCR では，増幅された DNA 量に比例して得られる蛍光強度を検出することにより，初期鋳型 DNA を定量する．既知の初期鋳型コピー数から段階希釈したスタンダードサンプルにおける増幅曲線にて，閾値 PCR 産物量に達するサイクル数（Ct 値；threshold cycle）を算出して，初期鋳型量と Ct 値との直線関係を示す検量線を作成する．目的サンプルにおいても同様に Ct 値を算出して，検量線にあてはめることによって，目的サンプルの初期鋳型量絶対数を定量できる．つまり，DNA の増幅のスピードは元の鋳型の DNA 量を反映し，DNA 量が多いと早く増幅するため，その増幅スピードをもとに定量する．DNA の単位はコピー数/ml を用いる．コピー数はサンプル中に存在する目的遺伝子 DNA の数である．定量的リアルタイム PCR から正確な病変における DNA コピー数を把握できるので，病勢の評価，治療薬の種類・量などの決定，臨床経過における治療中のコピー数の変化などから治療終了のタイミングの決定といった治療モニタリングが可能になる．PCR 法ではあくまで DNA の存在が証明されるのみである．したがって，生きたウイルスの存在を証明しているわけではないので，その評価に注意を要する．高感度な検査ゆえに，残骸など少量の DNA が増幅されうるため，検査環境を整え，非特異的増幅やコンタミネーションに注意する必要がある．

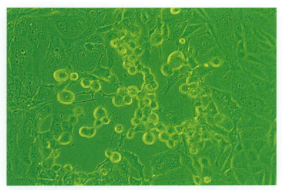

［図1］Vero 細胞に接種されたサンプル中の HSV によって惹起されてきた cytopathic effect (CPE)
（井上幸次：眼科検査ガイド，第 1 版，p400）

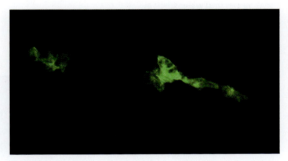

［図2］樹枝状角膜炎の辺縁上皮抗 HSV-1 の蛍光抗体で染色したもの
（井上幸次：眼科検査ガイド，第 1 版，p401）

5）血清抗体法

抗体は別名，免疫グロブリン immunoglobulin (Ig) で，5 つのサブクラスが存在して産生パターンは異なる．感染症においては，IgM は感染初期に産生されて 1 週前後をピークに減少して消失する．IgG は 5 週前後にピークに達して，長期に維持されるために，IgG だけでは，現在の感染か過去の感染既往か判断できない．抗体価の評価は上昇率が重要なので，発症後 1 週以内の急性期および 2 週後の回復期の 2 回は採血してペア血清として抗体価を比較する．ペア血清にて，CF 抗体値が 4 倍以上変化，その他の方法では 2 段階以上の抗体値の上昇を示していれば，目的微生物による感染と考えられる．発症 2 週後の血清で，IgG 抗体値が上昇せず IgM 抗体値が上昇していれば，初感染ヘルペスである．角膜ヘルペスの眼所見から考えられる場合に補助診断として重要である．

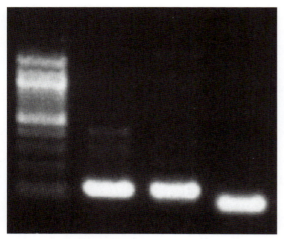

[図3] 従来型PCR産物の電気泳動
左レーン：モレキュラーマーカー．左から2レーン：HSV-1，3レーン：HSV-2，4レーン：VZVと各ウイルス配列特異的なバンドが認められる．

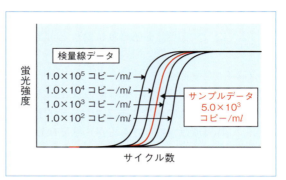

[図4] リアルタイムPCRによる検体DNA定量の原理
x軸はPCRサイクル数．y軸は蛍光強度でPCR産物量を示す．既知のDNA量（$1.0×10^2$，$1.0×10^3$，$1.0×10^4$，$1.0×10^5$）で検量線を作製（黒線）しておき，検査増幅曲線がどこに存在するかで，検体DNA量（赤線）を定量できる．図中サンプルは$1.0×10^3$，$1.0×10^4$の間に位置して，換算すると$5.0×10^3$コピー/サンプルであった．

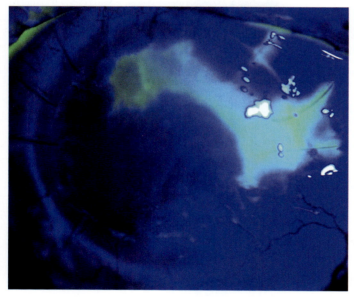

[図5] 上皮型HSV角膜炎に対するリアルタイムPCR診断
地図状角膜潰瘍を認めた症例で，角膜上皮擦過物に対するリアルタイムPCRにて，HSV1 DNA $6.3×10^5$コピー/サンプル検出された．

しかし，角膜ヘルペスは再発性疾患で，日本人で半数以上抗体保有があるので意義が少ない．再発病変の場合，抗体値に変化は乏しい．

3 アーチファクト

1) ウイルス分離

培養細胞が長期継代などで劣化している場合，細胞自体の形態変化で凝集が起こり丸くなるため，CPEに類似してみえることがある．その場合，細胞はCPEと逆に小さくなり，細胞自体に光沢もない．

2) 蛍光抗体法

ウイルス感染細胞以外に，汚れなどの細胞以外の成分や細胞の凝集塊などが非特異的シグナルとして緑色に見えることがある．検体を乾燥させすぎた場合も非特異的シグナルになりうる．これらは本来の採取細胞全体や核の形態をしていないの

で，慎重な判定が必要になる．この偽蛍光や偽発色の鑑別に陽性あるいは陰性対象サンプルの作成・観察が重要になる．

3）PCR

予想される PCR 産物の分子量でない非特異的産物が認められる場合はアーチファクトである．疑いがあれば，サザンブロッティングでの確認や PCR 産物のダイレクトシークエンスで目的配列か確認する．

文献
1) 日本眼感染症学会感染性角膜炎診療ガイドライン第2版作成委員会：感染性角膜炎診療ガイドライン第2版．日眼会誌 117：470-509, 2013
2) Inoue Y, et al：Multicenter clinical study of the herpes simplex virus immunochromatographic assay kit for the diagnosis of herpes epithelial keratitis. Br J Ophthalmol 97：1108-1112, 2013
3) Inoue T, et al：Utility of real-time PCR analysis for appropriate diagnosis for keratitis. Cornea suppl 1：S71-76, 2013

（井上智之）

3）角結膜の塗抹検査
① 角結膜スメア

I 検査の目的

1 検査対象

細菌，真菌，アカントアメーバによる角膜炎，細菌性結膜炎，クラミジア結膜炎，ウイルス性結膜炎，アレルギー性結膜炎，角結膜の新生物など．

2 目標と限界

臨床の場でスメア（塗抹標本）を作製することにより，起炎菌の推定，感染症と非感染症の鑑別，確定診断などを迅速に行うことを目標とする．起炎菌の同定はあくまでも培養検査であるが，培養検査は，細菌では最低2日，真菌は数週間かかる場合がある．そこで，スメア作製により，細菌と真菌の区別や球菌か桿菌かの区別などが，その場で判断されれば初期治療の方針が決まり有用である．限界としては，あくまでも形態学的な診断なので，菌種名まではわからないことである．また，病巣の表面をこする検査であるため，角膜深部にいる真菌を採取することは難しい．

II 検査法

1 検体の採取と塗抹

1）角膜疾患の場合

点眼麻酔後，角膜の病巣をスパーテルまたはゴルフ刀で擦過する．角膜潰瘍の場合，潰瘍底は壊死組織のことが多いので，正常部との境界である潰瘍の周辺部を擦過する（図1）．このとき，表面を優しくこするというより，しっかりゴシゴシと病巣部を削り取る感じで擦過することが肝要である．採取する量は多いほど検鏡時の情報が多くなるので，できるだけたくさん取るように心がける．角膜穿孔を起こしそうな例では強さの手加減が必要である．すなわち，擦過は角膜の触診を兼ねている．擦過物はスライドガラスに薄くのばすように塗抹する（図2）．スパーテルのみで擦過

物が採取しにくいときは，角膜鑷子を併用し，擦過物を採取しスライドガラスに塗抹する．また，採取中に瞬目してしまうと擦過物が流れてしまうので，開瞼の維持が困難な患者は仰臥位にし，開瞼器をかけ，顕微鏡下で擦過を行う．擦過物は塗抹検査と培養検査に提出する．

2）結膜疾患の場合

生理食塩水で湿らせた綿棒を下方の結膜嚢にできるだけ深く入れ，眼脂のみでなく上皮細胞も剥がすような気持ちで綿棒を回しながらサンプリングを行う．スパーテルを用いることもある．サンプリング後の綿棒は，速やかにスライドガラス上に回転させながら薄く塗抹する．

2 染色方法

染色はギムザ染色あるいはグラム染色を行う．ギムザ染色では，細菌，真菌，炎症細胞などがすべて紫色に染まり，スクリーニングとして有用である．一方，グラム染色を用いると，グラム陽性菌が青色，グラム陰性菌が赤色，真菌が青色に染まる．グラム染色は，細菌を分類する基準の１つであり重要である．

臨床の場で最も簡便で有用な方法は，15秒で染色が可能なギムザ染色の簡易版として知られるディフ・クイック®（Diff-Quick）染色（シスメックス株式会社）である（図3）．ディフ・クイック®染色の染色法と染色後のスライドガラスを図4，5に示す．ディフ・クイック®染色を用いると，細菌や真菌が濃い青色に染まる．アカントアメーバのシストは２重壁を持ち，染色されない（図6）．

［図1］角膜潰瘍の擦過
スパーテルまたはゴルフ刀で潰瘍の周辺部を強めに擦過する．

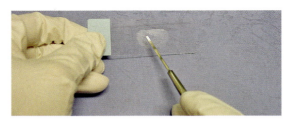

［図2］擦過物の塗抹方法
擦過物はスパーテルで薄くのばすようにスライドガラス上に塗抹する．

［図3］ディフ・クイック®染色のキット
固定液，染色液Ⅰ，染色液Ⅱからなる．

［図4］ディフ・クイック®染色の方法
a 乾燥させたスライドの上に固定液をディスポのスポイトで滴下し5秒間固定する．スライドについた余分の固定液はペーパータオルの上で振り切る．
b スライド上に染色液Ⅰを滴下し5秒間染色する．
c 余分の染色液Ⅰを振り払う．
d スライドの上に染色液Ⅱを滴下し5秒間染色する．
e 余分の染色液Ⅱは振り払う．この後，スライドを水洗し，乾燥後，鏡検する．

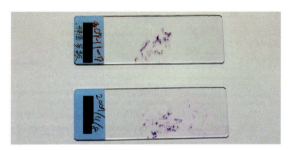

[図5] ディフ・クイック®染色したスライドガラス

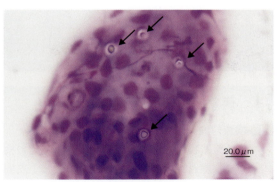

[図6] ディフ・クイック®染色した角膜上皮擦過標本
シート状の角膜上皮の中にアカントアメーバのシストが観察される（矢印）.

[図7] フェイバー G® というグラム染色のキット

[表1] フェイバー G® を用いたグラム染色の方法

1. 乾燥させたスライドの上にメタノールを滴下し30秒～1分間固定する
2. 染色液Aを滴下し，1分間染色する
3. 流水で水洗する．塗抹面に直接かけないように注意
4. 水をよく切り，脱色液を滴下し，染色液Aの青色が溶け出さなくなるまで，数回脱色する
5. 流水で水洗する．塗抹面に直接かけないように注意
6. 染色液B（サフラニンまたはフクシン）を滴下し，1分間染色する
7. 流水で水洗する．塗抹面に直接かけないように注意
8. 乾燥後鏡検

　グラム染色を行いたい場合，フェイバーG®（日水製薬株式会社）というキットが簡便である（図7）．このキットによるグラム染色の方法を表1に示す.

文献
1) 秦野　寛ほか：検査—細菌．眼感染症クリニック，医学書院，東京，167-170，2000
2) 塩田　洋ほか：微生物検査．眼科検査法ハンドブック，第4版，医学書院，東京，368-370，2005
3) 日本眼感染症学会感染性角膜炎診療ガイドライン第2版作成委員会：感染性角膜炎診療ガイドライン（第2版）．日眼会誌 117：467-509，2013
4) 小幡博人ほか：ディフ・クイック染色による塗抹検査が有用であった真菌性角膜潰瘍の3例．臨眼 59：1287-1291，2005

（小幡博人）

23 検体検査

3) 角結膜の塗抹検査
② 細菌検査

I 検査の目的

1 検査対象

対象は角結膜感染症の原因細菌である．その検体，つまり擦過物は眼表面からの分泌物と上皮細胞である．初めに，広範囲で複雑な眼感染症の診断をわかりやすく整理鳥瞰するために，まず筆者が便宜上用いているフレームである眼感染症の七五三を図1に示す．本項の分担はこの組み合わせのうちの部位（角膜・結膜）における病原体（細菌）を対象にした検査法（塗抹）を解説する．

2 目標と限界

塗抹検鏡の目標は細菌の存在確認と原因菌の推定である．時代の変遷とともに眼感染症の診断法も変貌し，特に塗抹検鏡では従来法の単染色だけでなく，免疫学（immunology）的な検査が開発され利用可能となっている．しかし，免疫学的手法も抗原を増やさず固定して染色や発光をさせている点で塗抹検鏡と同類である．

塗抹，培養，血液の3つの検査を刑事捜査に例えると，塗抹検査類（抗原を固定染色・発光）は現行犯逮捕，培養検査類（抗原を増殖・増幅）がアリバイ証明，血液検査は風聞や目撃者証言などにあたる．

II 検査法と検査機器

1 測定原理・測定範囲

測定原理は角結膜の細菌を含むと予想される擦過物をスライドグラスに塗抹して，それを幾多の染色法で染色して光学顕微鏡で検出する．測定範囲つまり拡大倍率は弱拡大200倍から強拡大1000倍までで，細菌はおよそ0.1μmからおよそ数μmまでのサイズのものが視認できる．

2 機器の構造

本検査の主要機器である顕微鏡は1682年にオランダのレーヴェンフックにより発明されて以来長い歴史がある．通常，接眼レンズと対物レンズ

[図1] 眼感染症の七五三

[図2] 塗抹と染色の備品

を備え，その倍率の積で対象物を拡大する構造である．その他，小物の必要備品を図2に示した．

3 感度と特異度

感度と特異度については検査の目的の項でも触れたが，塗抹検鏡と培養検査との比較で説明する．図3に示したように培養検査はどんな低濃度の菌液でもほぼ生育条件が合えば検出できるが，塗抹検鏡で得られる感度は10の5乗以上の高濃度からしか検出ができない．したがって，感度は培養のほうが遥かに高い．しかしこれは感染現場のどんな常在菌，つまり感染症と無縁の雑菌をも検出するため原因菌根拠としては特異性が低いことになる．半面，塗抹検鏡で有意に菌が検出されれば，その感染現場には10の5乗以上の濃度の細菌が存在することになり，ほぼ原因菌根拠となり得る．つまり培養検査は偽陽性，塗抹検鏡は偽陰性を注意する検査といえる．したがって，細菌感染の診断にあたっては，培養結果と塗抹検

[図3] 菌液の培養・塗抹の感度差

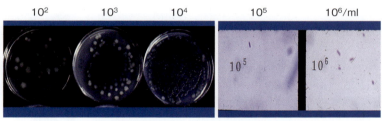

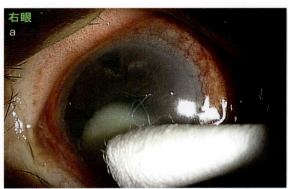

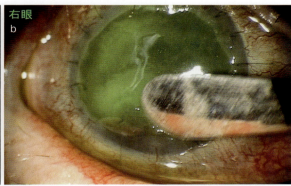

[図4] 角膜擦過
a 綿棒で角膜擦過
b スパーテルで角膜擦過

鏡を総合判断して診断をすることになる．

Ⅲ 検査手順

1 検査の流れ

1) 擦過・塗抹・固定（詳細は別項）

　擦過はスパーテルか綿棒などいずれでもよいが，角膜（図4）では潰瘍病巣の周辺先進部を，結膜では円蓋部を擦過する．擦過物はスパーテルの場合はスライドグラス上に引いて薄く延ばす．綿棒の場合は引かずに転がして転写する．スライドグラスはざっと風乾した後で，固定はギムザ染色，グラム染色とも，ざっと風乾し2分くらいメチルアルコールにつける（アルコール固定）．

2) 染色（詳細は別項）

a．ギムザ染色（ディフ・クイック®染色）

　本染色法は細菌感染，ウイルス感染，クラミジア感染，即時型アレルギーなどのすべての炎症を対象とした多目的スクリーニング染色法である．従来法の他，ディフ・クイック®染色（図2）を用いれば，15秒でギムザ染色とほぼ等価の染色が得られ簡便で眼科医が自らできる．

b．グラム染色

　細菌，真菌，およびアメーバ感染が疑われる場合に実施する．

　本染色法はグラム陽性菌を紫色に染め，背景とグラム陰性菌を赤色に染める．ゆえにグラム陽性菌の検出には優れているがグラム陰性菌の検出は困難である．本法では各種細胞成分の核や細胞質の染め分けがなく，炎症細胞や上皮細胞の区別が困難であるため，細菌，真菌，アメーバ感染を強く疑った場合以外はあまり有用とはいえない．

2 機器の使い方

　細菌だけに対象を絞るならば，主要な機器は一般の光学顕微鏡でよい．撮影装置は是非つけたい．真菌，アメーバもターゲットとする場合には，蛍光装置が望ましい．いずれも，検鏡の基本的な方法は，はじめ対物レンズを弱拡大の20倍〜60倍からサンプルをスキャンする．細菌らしきものが確認できた場所を真中心に据えて，対物強拡大100倍に切り替えて，最終的に対象を確認

する.

3 検査のコツと注意点

検鏡の最大のコツは対象微生物のサイズ認識である（図5）．これを意識しないと，誤認や「見れども見えず」が多発する.

Ⅳ 検査結果の読み方

1 正常結果

通常，炎症のない角結膜上皮を擦過検鏡すると，正常の上皮細胞が観察される．特に細胞構造を綺麗に染めるのはグラムではなくギムザ染色（ディフ・クイック染色®）である．ときに炎症細胞不在のquietな正常状態の上皮細胞を見知っておくことも大切である．そうすると，角化上皮やウイルス感染上皮がわかるようになる.

2 異常所見とその解釈

1）起炎菌の想定（図6）

細菌には無数の属や種が存在する．したがって，診断にあたっては，細菌性疑いとしても，何かしらの細菌（any bacteria）程度に考えがちである．しかし，少なくとも検鏡にあたっては，眼感染症の頻度の高い重要な起炎菌を想定して臨まないと，見れども見えずの徒労に終わる．特に臨床経過を知らずに検鏡する検査員と臨床像を熟知して考えながら見る眼科担当医に差が出る場面でもある.

図6に結膜炎，角膜炎の主要起炎菌6菌種（日本眼感染症学会指定6特定菌）を覚えやすく示した.

2）日本眼感染症学会指定6特定菌鏡検像の特徴

a. 肺炎レンサ球菌（図7）

肺炎レンサ球菌はグラム陽性双球菌であり，両端がやや尖っていて，lancet型といわれる．ブドウ球菌のような完全な球形ではない．この菌の特徴を見抜くと，その場で肺炎レンサ球菌という同定ができてしまう．したがって，同定結果を待つ必要はなく，菌種までの即日診断が下せる．塗抹が価値を発揮する特別な菌である.

b. 黄色ブドウ球菌（図8）

ブドウ球菌は，菌1つで見えることもあれば，2つで見えることも，また房状の塊として見える

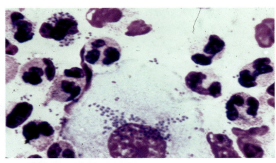

［図5］細菌 vs 炎症細胞のサイズ認識
細菌は1μm単位，炎症細胞の核は10μm単位

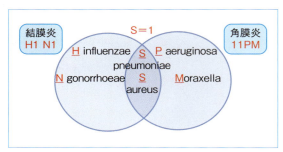

［図6］日本眼感染症学会6特定菌と角膜炎と結膜炎の重要起炎菌

こともありさまざまである．頻度的には2つ組で見られることが多い．菌一つひとつはほぼ完全な球形である.

c. インフルエンザ菌（図9）

グラム陰性の小桿菌であるが，きわめて染色性が低く眼脂など少ないサンプルで検出するのはきわめて困難である.

d. 淋菌（図10）

淋菌はグラム陰性の双球菌である．ソラマメ状で，彎曲した凹側同士が向き合っている．多くは多形核白血球に貪食されていたり，また本菌の大きな特徴である上皮細胞寄生性のため，しばしば上皮細胞表面にびっしり付着する.

e. 緑膿菌（図11）

緑膿菌はグラム陰性桿菌である．形状は大小不揃いで，あまり大きな桿菌ではない．他に，類似菌形の細菌も多く，これといって緑膿菌を強く疑い特定する特徴に乏しい.

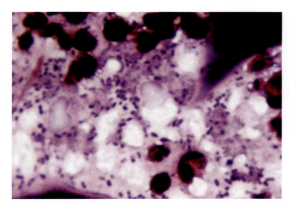

［図7］ S. pneumoniae（グラム染色）

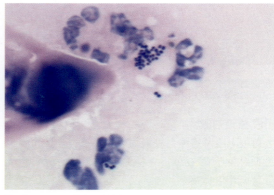

［図8］ S. aureus（グラム染色）

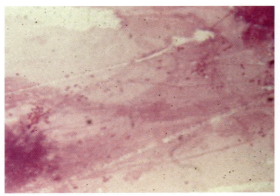

［図9］ H. influenzae（グラム染色）

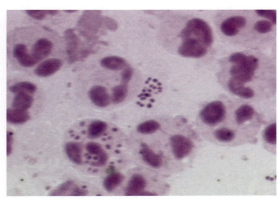

［図10］ N. gonorrhoeae（グラム染色）

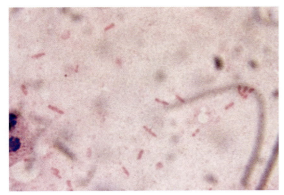

［図11］ P. aeruginosa（グラム染色）

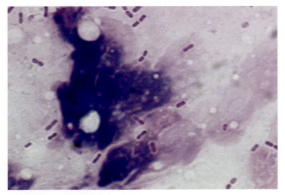

［図12］ Moraxella菌（グラム染色）

f. モラクセラ菌（図12）

　モラクセラ菌は，非常に大きい2つが対になった双桿菌である．おそらく馴染みある細菌の中で一番大きい．200倍の弱拡でも十分本菌と認知できる．

（秦野　寛）

23 検体検査

3) 角結膜の塗抹検査
③ アカントアメーバ検査

I 検査の目的

1 検査対象
角膜上皮障害や角膜混濁を呈する炎症性角膜疾患を対象とする．

2 目標と限界
本症検査の目標としては，本症を疑った症例の角膜擦過物を検体として，アカントアメーバの存在を示すことである．アカントアメーバは自然界に存在するが，眼表面組織には原則存在しないので，存在が示されると角膜炎病原体と考えられる．

II 検査法と検査機器

1 測定原理
検査には大きく分けて4つの方法がある（表1）．塗抹鏡検では大まかな病原体を推測でき，染色法にはグラム染色，ギムザ染色，ファンギフローラY染色がある[1,2]．培養検査は，培地上でのアカントアメーバの発育の確認で，アカントアメーバ臨床株の分離・同定ができる．ポリメラーゼ連鎖反応 polymerase chain reaction（PCR）は検体中のアカントアメーバ特異的 DNA を検出する[3]．共焦点レーザー顕微鏡検査は，非侵襲的に病巣内のアカントアメーバシストの形態を丸い高輝度構造物画像として検出する．

2 感度と特異度
塗抹標本染色検査は，短時間で結果が得られ，うまく感染細胞が採取できて経験豊かな検者がみれば非常によい方法である．グラム染色やギムザ染色は，感染・非感染を含んだあらゆる病態を対象とする多目的スクリーニング検査である．本症診断においては，炎症細胞がアーチファクトになり判定がむずかしい．ファンギフローラY染色は，バイオメイト社のファンギフローラYキットを用いて，アメーバシスト壁に含まれるキチンやセルロースなどの多糖類を特異的に染色し，グラムやギムザで非特異的シグナルとなる角膜組織は染色されず，アカントシストが染色される．染色キットと蛍光顕微鏡があれば，特異度，感度ともに高い．培養は結果を得るまでに時間を要するが，検体にうまく感染細胞が採取できていれば，特異度，感度ともに高い．PCRは，プライマー配列や反応条件などで感度や特異度は異なるが，一般に感度が鋭敏であるために，似た配列を増幅してしまう可能性があり，特異度がやや低い．共焦点レーザー顕微鏡検査は，単独では補助診断的な位置づけにとどまる．

III 検査手順

1 検査の流れ

1) 塗抹検鏡
角膜検体を塗布，固定後，グラム染色をファイバーGセット（日水製薬），ギムザ染色方法はディフクイック（国際試薬）を用いると簡便にでき，光学顕微鏡にて観察を行う．ファンギフローラY染色は染色キット（バイオメイト）にて染色して，蛍光顕微鏡にて観察を行う．

2) 培養
アメーバ分離用培地もしくは栄養素を含まない透明な培地を用意し，60℃で1時間熱処理した大腸菌を塗布し，表面を乾燥させる．培地の中央

[表1] アカントアメーバの検出法

		長所	短所
塗抹検鏡	グラム染色・ギムザ染色	簡便かつ迅速	判定に熟練を要する
	ファンギフローラY染色	簡便かつ迅速診断可能	蛍光顕微鏡が必要
分離培養		確定診断できる	結果が出るまで日数要する
PCR		迅速診断可能	PCRシステム必要
		微量検体から他の鑑別も行える	条件で感度，特異度異なる
レーザー生体共焦点顕微鏡		非侵襲的検査	レーザー生体共焦点顕微鏡必要
			結果判定に熟練を要する

3) 角結膜の塗抹検査

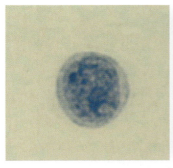

[図1] アカントアメーバシストのギムザ染色
角膜炎の病巣部擦過物をギムザ染色による塗抹標本鏡検にて，二重壁を有するアカントアメーバシストが検出．

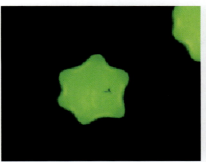

[図2] アカントアメーバシストのファンギフローラY染色
シストが特異的に蛍光染色される．

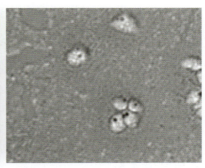

[図3] アカントアメーバの培養
アメーバ用培地に角膜擦過物を接種して，培地表面を上にして室温で数日培養すると，顕微鏡（200倍）で培地上にアカントアメーバを確認する．

に角膜擦過物を接種して，培地表面を上にして室温で培養する．培養数日後，顕微鏡下で培地上アメーバを確認する．

3) PCR

従来型PCRはDNAを抽出後，プライマーなどと混合して，検体DNAを変性，プライマー付着，伸長反応というサイクルを繰り返し反応させる．リアルタイムPCRは，PCR増幅産物を経時的に測定して定量的解析を行う．

4) 共焦点レーザー顕微鏡

高感度のHeidelberg RetinaTomograph II/Rostock Cornea Module（HRT II/RCM）（ハイデルベルグ社）などを用いて撮影する．

2 検査のコツ

1) 塗抹鏡検

的確に病原体を含む位置の角膜採取が重要である．検体をスライドに多量に塗布するとアーチファクトが多くなってしまうため，綿棒を転がすように塗布することが重要である．ファンギフローラY染色は，検体採取後綿棒を使用する場合は，アーチファクトを抑えるためダクロン綿棒を使用する．

2) 培養

採取検体をできる限り早く培地に塗布し，培養検査を施行するのが望ましい．検体の保存法や輸送法が不適切な場合には病原体が死滅し，培養法で検出できない．そのため培養するまでに長時間を要する場合は，検体を乾かさないようにするため輸送培地の使用も考慮する．

3) PCR

検査会社へサンプル輸送すると結果が得られるが，感度は高くない．自施設検査PCRはすべての過程でコンタミネーションが起こらないように特に配慮する．

IV 検査結果の読み方と解釈

1 陰性

1) 塗抹鏡検

採取サンプルに角膜細胞が存在しており，アカントアメーバシストを認めなければ陰性である．角膜細胞が存在しなければ，サンプル採取がうまく行われておらず，判定不能である．

2) 培養

十分な培養期間の後，培地上にコロニーを認めない場合は陰性である．

3) PCR

従来型PCRの場合は，PCR産物を電気泳動に流して，所定の高さにバンドが確認できない場合，リアルタイムPCRでは，増幅曲線の確認にて目的PCR産物が存在しなければ陰性である．

2 陽性とその解釈

1) 塗抹鏡検（図1，2）

塗抹標本の鏡検にて，サンプル内の角膜組織内に大きさが30～40μmのアカントアメーバ栄養体，シストは10～20μmのアカントアメーバシストを認めれば陽性である．ファンギフローラY

染色では，蛍光顕微鏡下でシストが蛍光色に染色される．

2) 培養（図3）

通常，菌一つあると培地上で1コロニー発育するため，培地上のコロニー数は菌量を反映している．アカントアメーバは眼表面において常在微生物ではないので，アメーバ培地上にアカントコロニーが存在すれば陽性である．

3) PCR（図4, 5）

従来型PCRは，設定したエンドポイントにおけるPCR産物を，電気泳動にて一定の高さに認めることである．リアルタイムPCRでは，増幅されたDNA量に比例して得られる蛍光強度を検出することにより，初期鋳型DNAを定量する．

4) 共焦点レーザー顕微鏡

コンフォーカルイメージにて，角膜組織中に，アカントアメーバシストと大きさや形態が近似している丸い高輝度の構造物として観察できる場合．

3 アーチファクト

1) 塗抹検鏡

グラム染色やギムザ染色では，炎症細胞がアーチファクトとしてアメーバシストに間違えられやすいため，判定がむずかしく注意が必要である．ファンギフローラY染色では真菌も染色される．また綿棒などの線維も染色されアーチファクトとなりうる．

2) 培養

培地が古くなったなどの理由からコンタミネーションが起こると非特異的な雑菌のコロニーがアーチファクトとなる．

3) PCR

予想されるPCR産物の分子量でない非特異的産物が認められる場合はアーチファクトである．

4) 共焦点レーザー顕微鏡

白血球などのほかの炎症細胞もアカントアメーバシストに類似した高輝度所見として観察されるために，判定には注意深い観察が要求される．

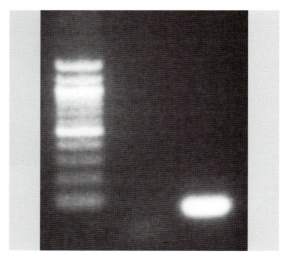

［図4］従来型PCR産物の電気泳動
左レーン：モレキュラーマーカー．中央レーン：陰性コントロール．
右レーン：アカントアメーバ配列特異的なバンドが認められる．

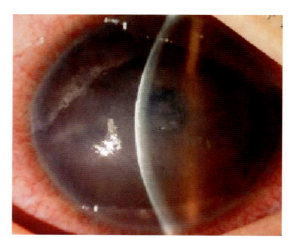

［図5］アカントアメーバ角膜炎症例
角膜上皮擦過物より，リアルタイムPCRにてアカントアメーバ特異的DNAが 5.1×10^5 コピー/サンプル検出された．

文献
1) 日本眼感染症学会感染性角膜炎診療ガイドライン第2版作成委員会：感染性角膜炎診療ガイドライン第2版．日眼会誌 117：470-509, 2013
2) Inoue T, et al：Utility of fungiflora Y stain in rapid diagnosis of Acanthamoeba keratitis. Br J Ophthalmol 83：632-633, 1998
3) 井上智之ほか：コンタクトレンズ装用者におけるアカントアメーバ角膜炎リアルタイムPCR診断の有用性．日コレ誌 53：83-87, 2011

（井上智之）

23 検体検査

3) 角結膜の塗抹検査
④ 真菌検査

I 検査の目的

1 検査対象

本項は「角結膜の塗抹検査」の一項目であり，培養については別項目（731頁）で述べられているが，この2つは密接に関連しているので，両者を含めた形でまとめさせていただく．検査対象は真菌性角膜炎が疑われる疾患である．

2 目標と限界

目標は起因菌となっている真菌の証明であり，塗抹検鏡にて酵母もしくは菌糸の所見を認めるか，真菌が培養で検出されることにある．ただ，真菌の場合，細菌よりも培養の陽性率は低いため，塗抹検査がより重要となる．ただ，塗抹検鏡では菌量が少ない場合や適切に採取できていない場合は検出できない一方で，真菌以外のものを真菌と判定してしまう可能性（偽陽性）もある．

II 検査法（表1）

1 グラム染色

角結膜スメアの項（719頁）を参照されたいが，真菌はグラム染色では陽性に染色される．

2 ファンギフローラ Y® 染色

ファンギフローラ Y® 染色液は蛍光抗体ではなく，β構造を有する糖鎖に染着するスチルベンジルスルホン酸系蛍光染料である．その性質のため，キチンとセルロースに高い親和性があり，真菌・アメーバの細胞壁を蛍光色に染色する．塗抹されたサンプルには上皮細胞や白血球などが混在しており，真菌だけを区別して検出するのは，特に初診者には困難であるが，この染色液を使用すると，真菌が緑色蛍光を発するので，発見・判定しやすくなる（図1）．

3 培養（図2）

角膜病巣から分離培養されれば，起因菌である可能性は非常に高い．ただ，感度は悪く，施設によって大きな差があるが，50%検出されれば及第

[表1] 前眼部検体検査における真菌検査法

	グラム染色	ファンギフローラ Y® 染色	培養	PCR
検査時間	短い	短い	非常に長い	状況次第
感度	×〜○（検者による）	○	△	○
特異度	×〜○（検者による）	○	○	×
必要度	必須	可能な施設では是非	必須	不要

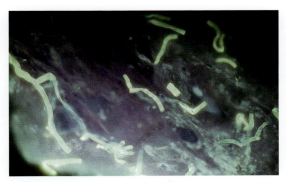

[図1] 図3の症例のファンギフローラ Y® 染色
緑色蛍光を示す菌糸が明瞭に観察できる．

[図2] 培養にて増殖したフザリウム

点といえる．結膜については正常者でもカンジダなどが分離されることがあるので，検査する意義はない．

4 polymerase chain reaction (PCR)

眼表面・皮膚には酵母菌などが少なからずいるため，PCRを行うと非常に高い頻度で陽性になる．また，菌種によっては，設定したプライマーで検出できないことがあるため，陰性でも真菌性を否定することができない．したがって現状では，PCRは真菌性角膜炎の診断にはあまり役に

III 検査手順

1 検査の流れ

まずは真菌性角膜炎の可能性を問診と所見から推測することが重要である．感染の機会が植物による外傷の場合，角膜移植後などでステロイド点眼を使用している場合，発症してから受診まで時間がかなり経過している場合は所見のいかんによらず，細菌とともに真菌も検査しておいたほうがよい．酵母菌による病巣は境界が鮮明なカラーボタン状で細菌と区別しにくいが，糸状菌による病巣はギザギザした羽毛状の境界を示し（hyphate ulcer）（図3），特徴的な所見があれば真菌検査は必須となる．

細隙灯顕微鏡写真を撮影して記録を残した後，患者をベッドに寝かせて開瞼器をかけた状態で，顕微鏡下で角膜病巣を擦過する．擦過したサンプルを塗抹検査と培養の両方に供する．

グラム染色はフェイバーG®染色などの簡易キットで行うとよい．

ファンギフローラY®染色はまずA液（変性ヘマトキシリン）でカウンターステインを行いかつ真菌以外の共染されやすい部分をマスクし，その後，B液（スチルベンジルスルホン酸系蛍光染料＋共染防止剤）を滴下する．観察には蛍光顕微鏡が必要である．

培養はSabouraud培地・ポテトデキストロース寒天培地などを用いる．真菌は細菌よりも増殖に時間を要し，至適温度が菌種によって異なるので，37℃と室温の2条件を設定し，少なくとも2週間の培養が必要である[1]．

2 検査のコツ

塗抹検査ではグラム染色とファンギフローラY®染色のために2枚のスライドグラスを用意する必要があるが，角膜炎ではサンプルが少ないので，それを行うと培養に回すサンプルが減ってしまう．そこで，1枚のスライドグラスでグラム染色とファンギフローラY®染色を行う方法がある[2]．これはファンギフローラY®染色のA液の代わりにグラム染色簡易キットを用いる方法で，

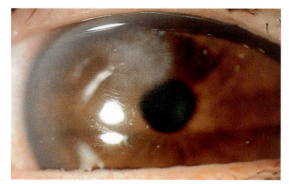

[図3] フザリウムによる真菌性角膜炎
角膜病巣の辺縁が不規則でギザギザした羽毛状の境界を示している（hyphate ulcer）．

特に難しい技術ではなく，大変有用である．

また，ファンギフローラY®染色を行ったスライドグラスの観察には蛍光顕微鏡が必要であるが，LEDフラッシュライトをあてると普通の光学顕微鏡でも観察が可能である．

培養の陽性率を高めるには，病巣擦過したものを輸送培地で検査室・検査施設に送るのではなく，直接培地に塗布するとよい．

IV 検査結果の読み方

塗抹検査において，真菌が少ないとグラム染色だけでは見つけにくく，また，逆に別のものを真菌と解釈してしまう危険があるが，ファンギフローラY®染色で緑色蛍光に染まり，菌糸あるいは酵母の形態をしていれば陽性と判断できる．ただし，ファンギフローラY®染色ではセルロースを含んだものは蛍光染色される．このため，塗抹スライドを作成する際に綿棒などセルロースを含んだ器具を使用してはいけない．

培養においては落下真菌などのコンタミネーションに注意が必要である．培地に塗布する際には蓋の開け閉めは手早く行う．

文献
1) 日本眼感染症学会感染性角膜炎診療ガイドライン第2版作成委員会：感染性角膜炎診療ガイドライン第2版．日眼会誌 117：470-509，2013
2) 宮崎 大ほか：感染性角膜炎におけるグラム・ファンギフローラY®二重染色の有用性．日眼会誌 117：351-356，2013

（井上幸次）

4) 角結膜の培養検査
（細菌・真菌・アメーバ）

[表1] 薬剤感受性検査の種類

①拡散法	②希釈法
・ディスク拡散法 ・Eテスト	・寒天平板希釈法 ・マクロ液体希釈法 ・ミクロ（微量）液体希釈法

I 検査の目的

1 検査対象

　角結膜の培養検査を行う対象は，角結膜の微生物による感染が疑われるものすべてである．

2 目標と限界

　培養検査は感染症診療の基本となる検査の1つである．起炎菌を1個でも採取することができれば，増殖させ検出することができる．また，菌を増殖させ薬剤感受性を調べることで，治療薬の有効性を判断でき，非常に重要な情報が得られる．近年，薬剤耐性菌が増えていることからも，感染症診療における必須の検査といえる．培養検査では，菌の生育条件が合わないと増殖しないという点に注意が必要である．例えば，嫌気性菌，淋菌，抗酸菌，モラクセラ菌などは特殊な培地や培養環境が必要となるため，標準培地での検査では陰性（偽陰性）になりやすい．培養検査では，常在菌が増殖し陽性（偽陽性）となる場合があるため，検出された菌が起炎菌かどうか判断することが重要である．前房水や硝子体中には，通常菌がいないため，培養検査で菌が検出された時点で異常所見と考えることができる．しかし，角結膜など外眼部には常在菌が生息している．したがって，常在菌が検出された場合には，その菌が必ずしも，起炎菌とはならず，臨床所見，菌量，塗抹検鏡での結果と併せて判断することが必要である．

II 検査法と検査機器

1 測定原理・測定範囲

　微生物は適当な環境下で増殖することができる．培養検査では，適当な栄養素を含んだ液体もしくは固形にした培地を用いる．培地に播種した微生物を培養装置で，適切な培養環境にして微生物を増殖させる．培養環境は好気培養，炭酸ガス培養，微好気培養，嫌気培養に分けられ，気体の濃度や温度を調整する．増殖した菌を調べることで，菌種を同定し，薬剤感受性検査を行うことが可能となる．菌種の同定は，性状成績（分離株の発育性と酸素との関連，発育集落の肉眼的所見，細菌のグラム染色性と形状など）から大まかに区分し，生理生化学的性状検査，簡易キット，自動分析装置や分子生物学的検査を用いて行う．薬剤感受性検査は表1に示す方法があり，ディスク拡散法と微量液体希釈法が多くの検査室で実施されている．最小発育阻止濃度（MIC）や阻止円直径を求めることで薬剤への感受性，耐性の有無を評価する．細菌では抗菌薬，真菌では抗真菌薬，アカントアメーバでは抗真菌薬，抗原虫薬，消毒薬に対しての感受性を評価する．細菌や真菌，アメーバのような寄生虫に至るまで，幅広い微生物を人工培地で増殖することができるが，ウイルス，リケッチア，クラミジア，トレポネーマ，マイコバクテリウムなどの微生物は生きた生物や細胞（組織培養，細胞培養）を用いないと増殖させることができない．

2 培地の種類

　培地にはさまざまなものがあり，眼科で使用する培地と目的菌の例を表2に示す．採取した検体をすぐに，培地に播種することが望ましいが，設備のない施設ではできないため，その場合スワブ輸送培地を用いる．当院で使用している細菌用の輸送培地は2つあり，綿棒の大きさが異なるため，検体量で分けている．眼脂や結膜嚢で比較的多く検体を採取できる場合は大きな綿棒（図1上）を，角膜や眼内液など微量な検体しか採取できない場合は小さな綿棒（図1下）を用いている．ちなみに，写真上段のスワブ輸送培地にはキャリーブレア培地が用いられており，下段は変法アミーズ培地が用いられている．輸送培地の欠点としては，培地の出し入れによる検体の希釈や，染色性

[表2] 培地の種類と目的菌種

培地	目的菌種
分離培地	
ヒツジ血液寒天培地	大部分の微生物（溶血性を判定できる）
チョコレート寒天培地	大部分の微生物，淋菌やヘモフィルスを含む
デソキシコレート寒天培地 マッコンキー寒天培地 BTB乳糖加寒天培地	グラム陰性桿菌（腸内細菌，ブドウ糖非発酵菌）
nalidixic acid cetrimide agar (NAC) 寒天培地	緑膿菌
ABHK寒天/BBE寒天培地 ブルセラHK寒天培地	嫌気性菌（嫌気培養）
セアー・マーチン寒天培地	淋菌
小川培地 Löwenstein-Jensen培地	非定型抗酸菌
サブロー・グルコース培地 ブレイン・ハート・インフュージョン培地 クロモアガーカンジダ培地	真菌
メチシリン耐性黄色ブドウ球菌(MRSA)スクリーン培地	MRSA
バンコマイシン添加エンテロコッコセル培地	バンコマイシン耐性腸球菌（VRE）
アメーバ分離用NN培地	アカントアメーバ
輸送培地	
スチュアート培地	大部分の微生物
キャリーブレア培地	大部分の微生物と病原腸内細菌
アミーズ培地	大部分の微生物と偏性嫌気性菌

が悪くなることが挙げられ，直接培地に塗布する場合と比較して検出率が下がる．

3 感度と特異度

細菌培養検査は，検査施設により結果に差が出る可能性がある．結膜からの細菌の検出率（45〜89％）や検出菌種（47〜186株）は施設により大きく異なることが報告されている[1]．感染性角膜炎の全国サーベイランスでは細菌培養による分離菌検出率は43.3％と報告[2]されており，自施設での検出率が同様の水準であれば全国平均といえる．真菌や，アカントアメーバの検出率は同程度かこれより低い場合が多い．ある程度網羅的に菌を培養するために，当院では通常，細菌培養ではヒツジ血液寒天培地，チョコレート寒天培地を基本とし，グラム陰性桿菌用の分離培地を追加している．嫌気培養ではABHK寒天/BBE寒天培地，真菌培養ではクロモアガーカンジダ培地を使用している．しかし，眼から採取できる検体量は少量であるため，複数の培地に播種できないことが多い．一般的な培養検査では血液寒天培地をまず使

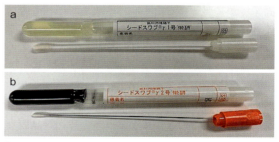

[図1] スワブ輸送培地
a シードスワブ1号®（栄研化学）
b シードスワブ2号®（栄研化学）

用し，グラム染色の形態により培地を追加していくことが多い．調べる菌に優先順位をつけることで，検出率が高くなる．嫌気性菌，淋菌，抗酸菌など，選択培地が必要となる微生物が疑わしい場合は，検査室に必ず伝える必要がある．また，すでに抗菌薬が投与されている場合も検出率が低下することが考えられ，最初に診療をする施設で，治療開始前に検体を採取することが望ましい．

4)角結膜の培養検査(細菌・真菌・アメーバ)

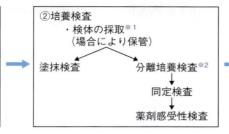

[図2] 培養検査の一般的な流れ

※1：検体採取時に組織の性状(融解具合)を確認する．検体をすぐに検査室に回せない場合は，4〜8℃の冷所(淋菌を疑う場合常温)で保存し，菌の増殖を防ぐ．
※2：分離培養検査を提出する際には，臨床所見や塗抹所見から疑われる菌名を検査室に伝えることが望ましい．

III 検査手順

1 検査の流れ

一般的な培養検査の流れを図2に示す．

当院での培養検査に要するおおよその日数を表3に示す．使用する培地や同定検査機器により，施設間で費やす日数は大きく異なるため，その都度検査室に確認するのが良い．

2 検査の仕方

1) 結膜から採取する場合

点眼麻酔(防腐剤フリーが望ましい)後，生食で湿らせた滅菌綿棒で結膜嚢の深いところを擦過する．結膜上皮が剥がれるように，綿棒を転がし採取するとよい．採取した検体を一部塗抹検体に回した後，直接培地に播種するか，輸送培地で保管する．

2) 角膜から採取する場合

点眼麻酔(防腐剤フリーが望ましい)後，開瞼器をかける．スパーテル(図3)，ゴルフ刀(図4)，円刃刀(図5)などで感染部の角膜を擦過する．擦過物は滅菌綿棒や鑷子を用いて採取する．採取した検体を一部塗抹検体に回した後，直接培地に播種するか，輸送培地で保管する．

採った検体を直接培地へ播種する時の方法を図6に示す．

診療所や夜間などで輸送培地をすぐに検査室に回せない場合は，一般的に4〜8℃の冷所で保存し，起炎菌以外の増殖を防ぐ．ただし，淋菌を疑う場合は常温での保管が必要である．

[表3] 当院における微生物の培養同定，薬剤感受性試験までに要するおおよその日数

微生物	培養同定	薬剤感受性
一般細菌	2〜4日	3〜6日
嫌気性菌	3〜9日	5〜11日
抗酸菌(液体培養)	1〜6週間[※1]	7週間
抗酸菌(固形培養)	1〜8週間[※1]	10〜12週間
放線菌	2〜4週間	3〜6週間
糸状菌	2〜6週間	3〜9週間[※2]
酵母様真菌(室温と35℃で培養)	2〜14日	4〜17日
アカントアメーバ	3〜10日	10〜24日

※1：迅速抗酸菌は1週間程度で培養可能，遺伝子検査や質量分析装置であれば2，3日以内には結果が出るが，菌の発育状態や形態学的検査で同定する場合数週間以上かかることもある．
※2：糸状菌の感受性検査は実施できる施設が少ない．

[図3] スパーテル

[図4] ゴルフ刀

[図5] 円刃刀

[図6] 培地への塗布と希釈

培地の上部に綿棒や白金耳で，採取した検体を塗布する．綿棒を左右に移動させ，下方へと塗り広げていくと検体は希釈され，細菌がまばらに付着する．

希釈の例

①上から下まで塗り広げ希釈する　　②培地途中までまず希釈し，上下を変えて，新しく上からまた塗布し希釈する　　③悪い例

3 検査のコツと注意点

　角膜から検体採取する場合は図7のように感染巣の辺縁や深部から採取するのが良い[3]．また，視力障害を避けるために，図8のように瞳孔領から離れた場所を擦過することが望ましい．真菌感染ではゴルフ刀などで強く擦過し，角膜実質から検体を採取することで検出率が上がる．ただし，組織融解や角膜潰瘍が進行していた場合，角膜深部を擦過すると角膜穿孔を起こす場合もあるため注意が必要である．また，CL使用者の感染では，CLやCL保存液の培養も起炎菌の検出に有効である．輸送培地を用いずに検体を直接培地に播種したほうが検出率は上がる．疑っている菌種を検査室に伝えることで，培地，培養条件，培養期間などを考慮してもらうことが重要である．

　検体採取の一般的注意事項は下記の通りである．

① 適切な時期に採取する
② 常在菌や消毒薬などの混入を防ぐ
③ 検体に適した採取容器を用いる
④ 患者の理解と協力を得る
⑤ 病的な部位から十分量を採取する
⑥ 適切に輸送・保存する

IV　検査結果の読み方

1 所見とその解釈

　当院での培養検査報告書の例を図9に示す．

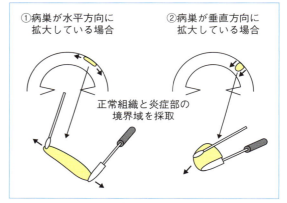

[図7] 検体採取の仕方
（文献3）より引用改変）

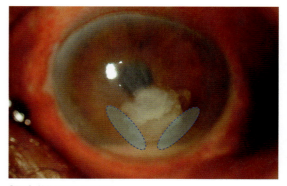

[図8] 検体採取をする部位
斜線部のような膿瘍の辺縁を擦過する．

　報告書では塗抹検鏡結果も記入されていることが多いため，塗抹検鏡で白血球貪食の様子が観察されていれば，起炎菌と考えられる．薬剤感受性

結果はS：感受性，I：中間，R：耐性と判定される．Rと判断された場合でも，点眼薬の濃度が感受性試験の薬剤濃度より高い場合，効果が得られることもあるため，臨床経過も含めて薬剤の変更・中止を判断する．

2 アーチファクト

培養検査のアーチファクトとしては起炎菌ではなく常在菌が培養されてしまうことが挙げられる．これを防ぐためには，皮膚などの常在菌が混入しないように検体採取にあたって注意することが必要である．また，検査員の中には皮膚常在菌が検出された場合，コンタミネーションと判断して，検査報告しない場合もあるため，あらかじめ確認しておく必要がある．塗抹検鏡と培養検査で異なる結果が得られた場合もコンタミネーションを疑わなくてはいけない．培養検査で検出された菌が常在菌であった場合，起炎菌かどうか判断するために，非感染眼の結膜からの培養検査を推奨すること[5]もあるが，本邦では1検体のみ（2014年から，血液培養のみ2セットの診療報酬が算定可能）しか，診療報酬は算定できないため，全例で行うことは難しい．検体を提出すれば，すべての微生物や薬剤感受性が検査されると思いがちであるが，培地の種類や，培養日数，薬剤感受性検査に用いる薬剤などは，経済的な理由で制限されていることが多い．培養検査の精度を上げるためには，医師が臨床面から起炎菌を推定し，検査室と連携を取ることが重要となる．

[図9] 微生物学的検査報告書の例

文献
1) 宮永 将ほか：5検査施設間での白内障術前結膜嚢培養結果の比較．臨眼 61：2143-2147, 2007
2) 感染性角膜炎全国サーベイランス・スタディグループ：感染性角膜炎全国サーベイランス―分離菌・患者背景・治療の現況．日眼会誌 110：961-971, 2006
3) 日本眼感染症学会感染性角膜炎診療ガイドライン第2版作成委員会：感染性角膜炎診療ガイドライン第2版．日眼会誌 117：467-509. 2013
4) Amy L. Leber, et al：Clinical Microbiology Procedures Handbook, 4th ed. ASM Press, New York, 2016

（伊藤　栄・妹尾　正）

23 検体検査

5) 前房水の検体検査

I 検査の目的

1 検査対象
ぶどう膜炎，眼内炎，眼内リンパ腫などが疑われ，原因診断または除外診断が必要な症例．

2 目標と限界
採取した前房水を，病態と鑑別対象の疾患に応じた検査に用いる．採取できる検体量は通常100μl前後と微量のため，検査項目を事前によく検討する必要がある．

II 検査法と検査機器

1 測定原理・測定範囲
感染性ぶどう膜炎を疑う症例の確定診断または除外診断を目的に，PCR法による遺伝子検査を行う．PCR法が診断に有用なものには，単純ヘルペスウイルス，水痘帯状疱疹ウイルス，サイトメガロウイルス（CMV），トキソプラズマ原虫などによる感染性ぶどう膜炎があり，いずれも主に片眼性の肉芽腫性ぶどう膜炎である．結核，梅毒などの陽性報告例は少ない．眼内炎を疑う場合は塗抹鏡検および培養またはPCRのいずれか，または両方を行う．腫瘍細胞の眼内浸潤を疑う場合は病理細胞診や，液性成分を用いたサイトカイン測定（インターロイキン（IL）-10/IL-6比）を行う．

2 機器の構造
網羅的PCRキットを用いることで，微量な検体から複数の候補病原体を一括して半定量することができる．最近ではDNA抽出を省略できる固相化網羅的PCRキット[1]も島津製作所より発売されている．

3 感度と特異度
PCRの技術的な検出感度，特異度はいずれもほぼ99％以上[1]であるが，実臨床上の感度特異度は検査対象として選定する疾患により異なる．悪性リンパ腫診断におけるIL-10/IL-6比の感度は82％，特異度は100％[2]と報告されているが，こ

[図1] ニプロディスポーザブル房水ピペット（上）と30ゲージ針（下）

れは主に硝子体検体における結果であり，前房水検体では測定に際して大幅な希釈が必要となるため結果が修飾されている可能性があることに留意すべきである．

III 検査手順

1 検査の流れ
前房水採取は外来でも可能であるが，十分な点眼麻酔の上で内眼手術に準じた眼表面洗浄の施行が必要である．手術様顕微鏡下での施行が推奨される．

2 検査のコツと注意点
有水晶体眼では，水晶体保護の観点から前房穿刺は未散瞳での施行がより安全である．30ゲージ針を用いて約100μlの前房水を採取するが，前房水採取用のマイクロピペット[3]（図1）を用いると容易かつ安全に採取できる．

IV 検査結果の読み方

1 異常所見とその解釈
培養検査やPCRの陽性結果は前房水中の病原微生物の存在を示唆するものとなる．IL-10/IL-6比が1を超える場合は眼内リンパ腫を，1以下の場合は炎症性疾患を疑う．

文献
1) Nakano S, et al：Multiplex solid-phase real-time polymerase chain reaction without DNA extraction：A rapid intraoperative diagnosis using microvolumes. Ophthalmology 128：729-739, 2020
2) Tanaka R, et al：More accurate diagnosis of vitreoretinal lymphoma using a combination of diagnostic test results：A prospective observational study. Ocul Immunol Inflamm 1：1-7, 2021
3) Kitazawa K, et al：Safety of anterior chamber paracentesis using a 30-gauge needle integrated with a specially designed disposable pipette. Br J Ophthalmol 101：548-550, 2017

（高瀬　博）

6) 硝子体の検体検査

I 検査の目的

1 検査対象

　眼内リンパ腫 intraocular lymphoma（IOL）など眼内の腫瘍性疾患が疑われる症例が対象となる．本項では IOL の診断のための硝子体検査について述べる．

　IOL はぶどう膜炎と類似した眼所見を呈する眼内に発生するまれなリンパ球系の悪性腫瘍で，ほとんど（約95％）はB細胞リンパ腫でT細胞リンパ腫はまれである．濃淡のあるオーロラ状の微塵様の硝子体混濁（91％）や多発性・癒合性の黄白色の網膜下浸潤病変（57％）を呈することが多い．悪性度は高く，無治療では脳中枢神経系へ高率で進展するため，早期に診断して血液内科と協力して治療・経過観察することが望ましい．

II 検査法と検査機器

1 検査の原理と方法

　IOL の診断は眼内液中の悪性リンパ腫細胞の証明が基本である．可能な限り硝子体混濁の強いときに硝子体生検を行う．硝子体混濁は乏しいが網膜下浸潤病巣を広範に認める場合には，網膜下生検を検討する．診断は，病理細胞診だけでは30～40％の偽陰性を生じるため，硝子体中の IL-10/IL-6 濃度比（>1），IgH 遺伝子再構成，フローサイトメトリー（FACS）によるB細胞系リンパ腫の表現形（γ鎖/λ鎖比の偏移など）の検査も同時に行う．

2 感度と特異度

　われわれは，IOL とその他のぶどう膜炎などの非 IOL 症例の硝子体生検の結果について，①病理細胞診（クラス4以上），②病理細胞診（クラス3以上），③IL-10/IL-6 濃度比（>1），④IgH 遺伝子再構成，⑤FACS でB細胞系リンパ腫の表現形，の各検査の陽性率を比較した[1]．その結果，各検査の IOL 群 vs 非 IOL 群それぞれの陽性

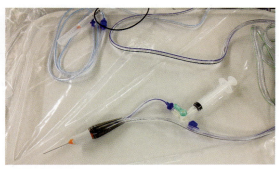

[図1] 硝子体生検での硝子体カッターと吸引シリンジの接続
硝子体カッターの吸引ラインの途中に三方活栓を取り付け，三方活栓のあいている部分に 5m*l*（または 10m*l*）のシリンジを接続する．

率は①55.4％ vs 0％，②83.9％ vs 5.1％，③82.1％ vs 0％，④73.2％ vs 15.4％，⑤62.5％ vs 2.6％と大きな差がみられた．また，IOL の診断基準を①を満たす，または②～⑤の4項目中2項目以上陽性とするのが最も診断率が高く，感度92.9％，特異度100％であった[1]．

III 検査手順

1 検査の流れ

　硝子体生検は硝子体カッター（25G でも可能）を挿入し，無灌流下で左手の綿棒で眼球を徐々に圧迫して眼圧を保ちながら，無希釈の硝子体液を 1m*l* 以上採取する．cut rate は低め（400～800rpm）にして硝子体カッターの吸引チューブに 5ml の disposable シリンジを装着し，手術助手がゆっくり引いて硝子体液を吸引する（図1）．吸引チューブ内の硝子体液も吸引して無希釈サンプルとする．続いて眼内灌流を開始して硝子体手術を継続する．カットレートは高め（2,500rpm）でも良い．手術終了後，排液カセットにたまった廃液（80～100m*l*）を希釈硝子体液サンプルとしてフローサトメトリー（FACS），遠心・沈殿・ホルマリン固定し，セルブロックとして免疫組織学的検査に用いる（図2）．

2 検査のコツと注意点

　硝子体生検により採取された細胞は時間経過とともに細胞死を起こすため，細胞診とフローサトメトリーへのサンプルの提出は迅速に行う．IL-10，IL-6 の濃度測定はサンプル量が少ない場合

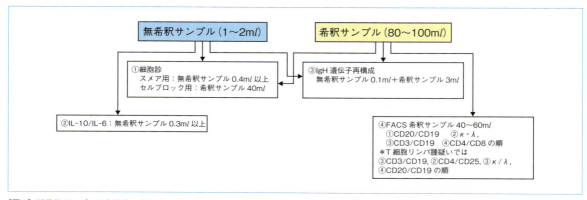

[図2] 硝子体サンプルの各検査への配分
無希釈サンプルは1～2mlしか採取できないため貴重である．IL-10/IL-6濃度比と細胞診（スメア）に優先して使用する．

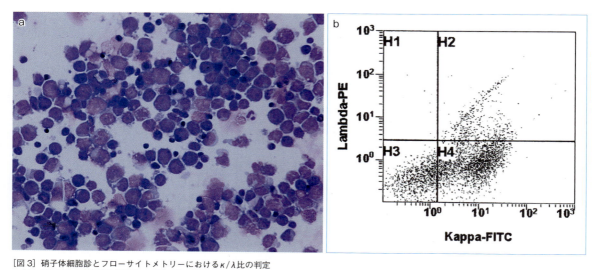

[図3] 硝子体細胞診とフローサイトメトリーにおけるκ/λ比の判定
a ギムザ染色による硝子体細胞診．大型で核の濃染がみられ細胞質が乏しい悪性リンパ腫細胞が観察される．
b 硝子体サンプルのフローサイトメトリーの結果．κ陽性細胞数（H4領域）がλ陽性細胞数（H1領域）に比べてはるかに多い（κ/λ比は100以上）．B細胞におけるκ・λの偏り（軽鎖制限）を示唆し，B細胞腫瘍が疑われる．

希釈せざるを得ないが，IL-10を優先して測定し，残余サンプルを希釈してIL-6を測定する．

Ⅳ 検査結果の読み方

細胞診・病理組織学的診断は病理診断医が行うが，Papanicolou分類でクラス1（正常所見）～クラス5（悪性細胞）の5段階で評価し，通常クラス4以上を陽性（悪性）と判定する（図3a）．その際，VRLの硝子体液中には，リンパ腫細胞のみならず炎症反応によって硝子体内に遊走する反応性リンパ球も多数混在することに注意する必要がある．IL-10/IL-6比は1を超える場合，IgH遺伝子再構成は再構成を認める場合，フローサトメトリーでは通常κ/λ比が3.0以上または0.5以下の場合に陽性と判定（図3b）し，それ以外は正常と判定する．これらの結果を合わせて「感度と特異度」の項で前述した診断基準に基づいてIOLを診断する．

文献
1) Tanaka R, et al：More accurate diagnosis of vitreoretinal lymphoma using a combination of diagnostic test results：A prospective observational study. Ocul Immunol Inflamm, 2021, in press.

（蕪城俊克）

23 検体検査

7）病理検査

Ⅰ 検査の目的

病理検査の目的は，確定診断のため，あるいは病態を知るということであり，手術で得られた検体は，原則として病理検査に提出することが大切である．

1 検査対象

眼科手術で得られる検体すべてが検査対象となるが，特に腫瘍が疑われる場合は確定診断のために病理検査は必須である．

1）眼瞼疾患

霰粒腫，母斑細胞母斑，脂漏性角化症，脂腺癌，基底細胞癌などの腫瘍性疾患．

2）結膜疾患

翼状片，結膜囊胞，母斑細胞性母斑，乳頭腫，MALTリンパ腫，上皮内癌，扁平上皮癌，悪性黒色腫などの腫瘍性疾患．

3）角膜疾患

角膜移植の対象となる水疱性角膜症，円錐角膜，角膜ジストロフィ，角膜潰瘍，角膜ヘルペスなど．角膜真菌症が疑われる場合，数 mm 大の角膜生検が診断に有用なことがある．

4）網膜・ぶどう膜疾患

眼球摘出の対象となる網膜芽細胞腫や悪性黒色腫などの眼内腫瘍，感染性眼内炎，眼球破裂など．硝子体手術の対象となる糖尿病網膜症，硝子体出血，ぶどう膜炎，増殖硝子体網膜症，黄斑円孔，黄斑前膜，感染性眼内炎，眼内悪性リンパ腫など．

5）眼窩疾患

涙腺に発生するMALTリンパ腫，反応性リンパ過形成，多形腺腫，腺様囊胞癌などの腫瘍性疾患．涙腺以外の軟部組織に発生する悪性リンパ腫，反応性リンパ過形成，海綿状血管腫，神経鞘腫などの腫瘍性疾患．眼窩腫瘍と鑑別を要するIgG4関連疾患，サルコイドーシス，真菌感染などの炎症性疾患．

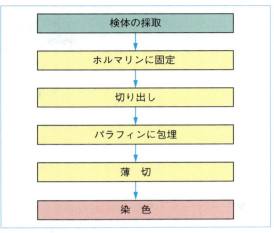

[図1] プレパラートができるまで
固定だけではなく，眼科医が切り出しまで行うほうが良い．

2 目標と限界

プレパラートで観察したい部位を標本にするための検体の取り扱い方を修得することが目標である．

眼科から提出される病理検体は小さいものが多く，眼科医の病理標本作製に関する知識が不足していると，病変部が適切なプレパラートにならずに，目的が達成できないことがある．

Ⅱ 検査法

プレパラートができるまでの工程は，① 検体の採取→② 固定→③ 切り出し→④ パラフィンに包埋→⑤ 薄切→⑥ 染色である（図1）．

1 検体の採取

検査目的のために切除された組織や手術で得られた組織が検体である．生検 biopsy とは，診断のために試験的に病変の一部あるいは全部を切除することをいう．生検は切除生検 excisional biopsyと切開生検 incisional biopsy に大別される（図2）．前者は，病変部全体を切除するものであり，後者は病変部の一部をくさび形などに切除するものである．

検体の大きさは大きいほうが良い．なぜなら，それだけ病理所見の情報が多くなるからである．検体が小さい場合，正確な病理診断がつかないことがあるため，最低でも米粒大以上はあった方が良い．

2 固定

固定とは，"生体を構成している物質，特に蛋白質を不溶化し，蛋白分解酵素を失活させ自己融解を防ぎ，組織の構造を良好に保つこと"である．固定液には多くの種類があるが，通常の病理診断には病院で用意されている10%ホルマリン溶液（ホルマリン原液：水＝1：9）で良い（図3）．得られた検体は速やかに固定する必要がある．固定はその後の標本の善し悪しを決めるので重要である．

3 切り出しとマーキング

標本として観察したい部位を露出するために，固定後の検体をナイフで切ることを"切り出し"という（図4）．通常，臨床医は検体を固定するだけであるが，眼科は小さい検体が多く，組織の方向性（オリエンテーション）が一般の病理医にはわかりにくいことから，眼科医が切り出しを行うか，病理検査室における切り出しの際に眼科医が立ち会うことが望ましい．また，検体に，糸をかけたり，外科用皮膚ペンなどで色をつけ，観察したい部位に印をつけることを"マーキング"という（図5）．以前は，マーキュロクロム（赤チン）を用いていたが，販売中止となった．病理専用のマーキングペンも市販されているが，HE（Hematoxylin and Eosin）染色のヘマトキシリンで代用できる．

4 パラフィン包埋と薄切

ここからの工程は眼科医の手から離れ，病理検査室で行われる．固定と切り出しが終了した組織は，自動パラフィン包埋装置を用いて組織にパラフィンを浸透させ，包埋する（図6）．パラフィンとはロウの一種である．パラフィンに包埋された組織は，ミクロトームを用いて通常4μmの厚さで薄切される．薄切された切片はスライドガラスの上に伸展後，乾燥させる．

5 染色

HE染色は病理診断の基本となるものである．PAS（Periodic acid Schiff）染色は眼病理では有益である．PAS染色は多糖類を染める染色法で，眼球では角結膜上皮の基底膜，結膜の杯細胞，Descemet膜，水晶体嚢，内境界膜，Bruch膜，

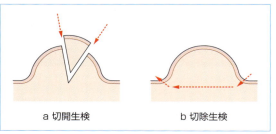

[図2] 生検
切開生検は病変に切開を入れて病変の一部を切除することであり，切除生検は病変部全体を切除することである．
(小幡博人：眼手術学1. 総論・眼窩, p177)

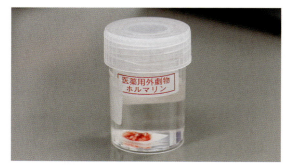

[図3] ホルマリン固定液
検体は速やかにホルマリンに固定する．

[図4] 検体の切り出し
切り出しとは観察したい面にナイフで割を入れる操作である．パラフィルム®を下にしいておくと良い．

血管の基底膜などが染まる．PAS染色により真菌やアメーバも染まる．

6 病理検査の申し込み用紙の書き方

病理の申し込み用紙には，臨床診断，病歴，臨床所見，手術・生検所見，検体の方向性，マーキングの位置，検索希望事項などを記載する．読む相手は病理医や検査技師である．重要な検体を扱う場合は，手術の前に病理医と十分な打ち合わせをしておくことが重要である．

[図5] 翼状片の切り出しとマーキング
a 頭部から体部にかけての標本を作製するために、矢印の部分で切り出しを行った.
b 切り出し後、割面にマーキング色素を塗布し、標本で観察したい部位を明らかにしておく.
(小幡博人：眼科学，第3版，p1519)

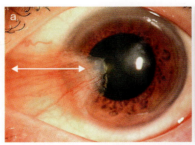
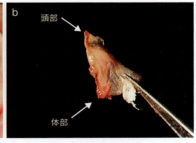

III 検査手順

実際の検体の取り扱い方の注意点について概説する．

1 眼瞼疾患

脂腺癌が霰粒腫と誤診されることが多く，疑わしい場合は必ず病理検査に提出することが大切である．霰粒腫の粥状物は M.Q.A や滅菌濾紙の上に回収してから固定すると良い（図7）．

眼瞼の悪性腫瘍では眼瞼がホームベース型に全層切除される．切除断端に腫瘍細胞が陽性かどうか病理診断を行う．まず，上下，内外側のオリエンテーションを把握する．眼瞼縁は切除断端ではないので，切除断端は4面あることになる．検体が大きい場合は，この4面の切り出しを行い，切除断端の検索を行うが，検体が小さい場合は，症例に応じて切り出し方法を工夫する（図8）．

2 結膜疾患

切除した結膜は柔らかく，鑷子で持ち上げると丸まってしまいオリエンテーションが不明となる．そのまま固定液に入れると，結膜が変形したまま固まってしまう．それを防止するため，結膜は固定の前に濾紙の上に伸展してから固定液に入れる（図9）．M.Q.A は固定液に入れるとスポンジ状に膨張し，検体が剝がれることが多いため，濾紙のほうが良い．

3 角膜疾患

角膜移植で得られた検体の切り出しは，通常，半分に割を入れて，両割面を標本にする．病変部が偏心している場合には，その部分を含むように切り出しを行う（図10）．

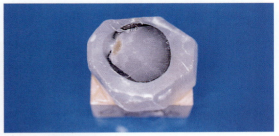

[図6] パラフィンブロック
固定された組織は，パラフィン（ろう）に包埋する．これをミクロトームで薄切する．

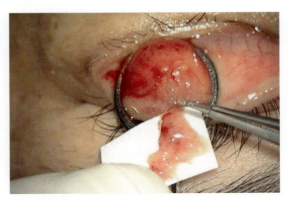

[図7] 霰粒腫の粥状物を濾紙に回収
霰粒腫の粥状物などばらける検体は濾紙にのせてから固定液に入れる．

4 網膜・ぶどう膜・硝子体

硝子体手術で得られる検体は，取り扱いが難しいので，貴重な症例は，術前に病理医と相談をしておくと良い．

1) 硝子体切除液の病理検査

硝子体手術で得られる硝子体切除液という液状検体を病理標本にしたい場合，固形組織のように扱うことはできない．液状検体を組織切片にしたい場合，セル・ブロックという方法がある．遠心

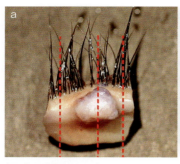

[図8] 眼瞼腫瘍の切り出し
a 眼瞼の切り出し方はいろいろあるが，点線のように切り出しを行う．
b 割面を並べたところ．赤い丸で囲まれた部分は腫瘍部分．

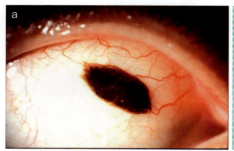

[図9] 結膜の検体は濾紙の上に伸展
a 結膜の母斑細胞母斑
b 切除した検体は固定液に入れる前に濾紙の上に伸展し変形を防ぐ．

機にかけ浮遊物を沈殿させペレットとする．上清を捨て，ホルマリン固定液を入れ，一晩固定する（図11）．このペレットが崩れなければ良いが，ペレットがバラバラになり損失しないように，アルギン酸ナトリウムや寒天などで固めてからパラフィンに包埋することがある．

2) 極小検体の病理検査

黄斑前膜や網膜生検のような硝子体手術で得られる検体はきわめて小さいため標本作製過程で紛失しやすい．これらの極小検体を肉眼で見やすくするために検体に色をつけると良い（図12）．黄斑前膜や増殖膜などはM.Q.Aや濾紙にのせたあと固定し，固定後にヘマトキシリンなどで染色しておく．

3) 眼球の固定

摘出された眼球は速やかに固定液に入れ，約5分間表面の固定を行う．その後，網膜など眼球内組織の固定を速やかに行うために次のいずれかの方法を行う．(1) 毛様体扁平部（角膜輪部より約

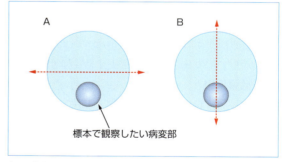

[図10] 角膜の切り出し
病変部をプレパラートでみるために，AではなくBのように切り出す．
（小幡博人：眼手術学1．総論・眼窩，p179）

3mm）に角膜輪部と平行にカミソリで5〜10mmの割を入れ，再度固定液に浸漬する（図13）．(2) 毛様体扁平部から細い注射針で固定液を硝子体内に注入してから，再度固定液に浸漬する．

4) 眼球の切り出し

半日〜一晩固定をしてから眼球に割を入れる．方向は症例により異なる．眼内腫瘍では，腫瘍の

[図11] 硝子体切除液の遠心
硝子体切除液を遠心して沈殿させペレットを作る.

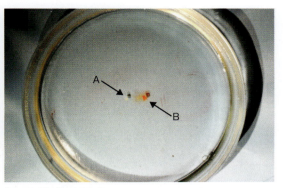

[図12] 極小検体の可視化
硝子体手術などで採取された極小検体は半透明で肉眼で認識しにくい (A). マーキュロクロム液で赤く染色し, 認識しやすくしておく (B).

割面が出るように, 切り出しの方向に注意しなければならない (図14). 最も観察したい眼内病変の切り出しは眼科医の情報なしに不可能である.

2分割時に水晶体が脱臼しないようにするために, まず視神経断端にカミソリを入れ眼球後方から眼球前方へ向かって割を入れていく. そして水晶体を切る際は角膜面を下にして一気に押し切りする.

5 眼窩疾患の病理検査

眼窩の腫瘍性疾患で頻度が高いのはリンパ増殖性疾患, 特に悪性リンパ腫である. 悪性リンパ腫が疑われ, 眼瞼から触診でしこりが触れる場合は, 皮膚切開, 眼窩隔膜を切開して, 腫瘍の切開生検を行う. 涙腺の多形腺腫が疑われる場合は, 切開生検は禁忌とされ, 全摘出を行う. 眼窩に悪性腫瘍が広がっている場合, 眼窩内容除去術を行うことがある. その場合, 上下, 鼻側, 耳側, 視神経断端, 角膜側などのオリエンテーションをつけておく.

IV 検査結果の読み方と解釈

完成したプレパラートの所見の読み方は, 本書の範疇を超えるので割愛するが, 当初は病理医に教えを請うのが一番良い. その前に, 正常の組織と病理総論を復習することは大切である.

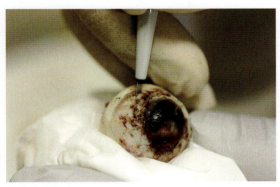

[図13] 眼球の固定
毛様体扁平部に切開を入れ, 眼球内への固定液の浸透を良くする.

[図14] 悪性黒色腫の摘出眼球
眼球の割面を作成する際, 方向に注意しなければならない. 観察したい部分が面に出るように割を入れる.

文献
1) 小幡博人: 手術に伴う病理検査. 眼科 53: 1275-1283, 2011
2) 小幡博人: 眼手術と病理検査. 眼手術学 1. 総論・眼窩, 大鹿哲郎ほか編, 文光堂, 東京, 175-182, 2014
3) 小幡博人: 病理学. 眼科学, 第3版, 大鹿哲郎ほか編, 文光堂, 東京, 1515-1524, 2020

(小幡博人)

24. 各種補助検査
25. 遺伝子検査
26. 在宅医療，オンライン診療に有用な検査機器，AI による検査
27. 感染症対策・消毒法

24 各種補助検査

1）ぶどう膜炎の補助検査
① 一般血液検査

I 検査の目的

1 検査の対象
　内因性ぶどう膜炎や一部の感染性ぶどう膜炎は全身疾患に伴う場合があるため，ぶどう膜炎患者に全身検査の一環として血液検査を行う．

2 目標と限界
　一般血液検査を初診時に行う目的として，①原因疾患の検索，②ぶどう膜炎症に伴う全身状態の把握，③治療の選択に際して参考になる，などがある．また，治療導入後に反復して行うことにより，④治療効果の判定，⑤薬剤の副作用チェックに役立つ．
　本項では原因検索のために行う検査項目について概説するが，一般血液検査だけでは，疾患の診断に結びつく結果が得られない場合が多い．

■ 末梢血液検査[1,2)]

1 白血球
　白血球数が高値（10,000/μl以上）の場合は感染症や自己免疫疾患を疑う．副腎皮質ステロイド剤投与中は高値となる．白血球分画（**表1**）や異型細胞の有無は確認しておく．

1）好中球
　好中球は末梢多核白血球の90％以上を占め，細菌の貪食や急性炎症の病態形成に重要な役割を果たす．好中球比率増多（60％以上）がBehçet病，関節リウマチ，膠原病，細菌感染でみられる．

2）リンパ球
　末梢リンパ球の約80％がT細胞で占められるため，リンパ球数は通常T細胞数に比例する．T細胞は胸腺由来のリンパ球で主に細胞性免疫を司るが，代表的なT細胞として，CD4$^+$（ヘルパーTリンパ球：helper T cell）とCD8$^+$（細胞傷害性Tリンパ球：cytotoxic T cell）がある．
　リンパ球比率増多（40％以上）では，ウイルス感染，結核，梅毒，悪性リンパ腫などを疑う．リンパ球比率減少（25％以下），特にCD4$^+$細胞数が

[表1] 白血球分画

	正常値
白血球	4,000〜8,000/μl
好中球	40〜71.9％
杆状核球	2〜13％
分葉核球	38〜58.9％
好酸球	0〜5％
好塩基球	0〜1％
単球	2〜10％
リンパ球	26〜46.6％
T細胞百分率	66〜89％
CD4$^+$	23〜52％
CD8$^+$	22〜54％
CD4$^+$/CD8$^+$比	0.4〜2.3
B細胞百分率	4〜13％

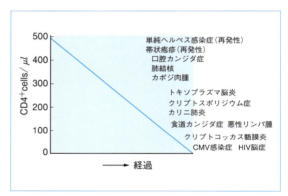

[図1] CD4$^+$細胞数と罹患しやすい疾患
（木村綾子・水木信久：眼科検査ガイド，第1版，p647）

減少していれば免疫不全状態を疑う．CD4$^+$細胞数は白血球数×リンパ球比率×CD4比率で求める．健常人では700/μl以上あるが，500/μlを下回るような免疫不全状態は，ヒト免疫不全ウイルス（HIV）感染を疑い，HIV抗体を調べる（次項②血清学的検査参照）．HIV抗体陽性の場合，HIV RNA定量を行うが，ウイルス量とCD4$^+$細胞数減少は相関する．**図1**にCD4$^+$細胞数減少に関連して発症しやすい感染症を示す．CD4$^+$細胞数が200/μl以下になると，さまざまな日和見感染や悪性腫瘍を伴った後天性免疫不全症候群（AIDS）を発症しやすくなる．50/μl以下になるとHIV網膜症，サイトメガロウイルス（CMV）網膜炎，進行性網膜外層壊死などの発症率が上がるといわれている．

[表2] 生化学検査の正常値と疾患

	正常値	上昇する疾患
ACE	7.0〜25.0U/l	サルコイドーシス，間質性肺炎など
リゾチーム	5.0〜10.2μg/ml	サルコイドーシスなど
sIL-2R	220〜530U/ml	悪性リンパ腫，成人T細胞白血病，固形癌，サルコイドーシス，結核，自己免疫疾患など
LDH	120〜245IU/l	LDH2，3優位：悪性リンパ腫，白血病など
BUN	9.0〜21.0mg/dl	TINU（間質性腎炎ぶどう膜炎症候群），多発血管炎性肉芽腫症（旧Wegener肉芽腫）など
Cr	0.2〜0.9mg/dl	TINU，多発血管炎性肉芽腫症など
β₂ミクログロブリン	血清0.8〜2.0mg/l	感染症，悪性腫瘍，種々の炎症性疾患など
	尿中排泄量30〜200μg/day	TINUなど
CRP	0.3以下	感染症，Behçet病，急性前部ぶどう膜炎，関節リウマチ，JIA，多発血管炎性肉芽腫症，種々の炎症性疾患など

3) 好酸球

好酸球はアレルギー反応時に増殖し，病巣局所に遊走する．好酸球比率増多（5%以上）が寄生虫感染やリンパ腫，皮膚疾患（乾癬など），多発血管炎性肉芽腫症（旧Wegener肉芽腫）でみられる．

4) 好塩基球

好塩基球はマスト細胞同様，IgE抗体を介したアレルギー疾患の重要なエフェクター細胞である．好塩基球比率増多（2%以上）は潰瘍性大腸炎でみられることがある．

5) 単球

単球は貪食能をもち，感染免疫の初期に重要な役割を果たし，マクロファージに分化する．単球比率増多（7%以上）はサルコイドーシスでみられることがある．

2 赤血球沈降速度（赤沈）

赤血球は負に帯電しており，電気的反発により凝集塊の形成が妨げられているが，炎症性疾患，感染症や悪性腫瘍により正電荷をもつ蛋白質（フィブリノーゲンや免疫グロブリン）が増加すると，赤血球の負の電荷が打ち消されて凝集が起こり，赤沈は亢進する．正常では10mm/h以下（男性）であり，炎症，悪性腫瘍，膠原病の活動性や進行の指標となる．感染症，関節リウマチ，若年性特発性関節炎 juvenile idiopathic arthritis（JIA），Behçet病，多発血管炎性肉芽腫症で亢進がみられることがある．

■生化学検査[1,2]（表2）

1 ACE（アンジオテンシン変換酵素）[3]

アンジオテンシン変換酵素（ACE）はサルコイドーシスに特異性の高いマーカーであり，サルコイドーシス診断基準の全身検査項目の1つである．サルコイドーシスではACEは類上皮細胞，単球，巨細胞から産生され，肉芽腫量を反映しているといわれている．活動性病変を有する場合や多臓器病変の場合に上昇するが，感度は50%程度である．その理由として，ACE遺伝子多型とACE活性の相関が知られており，低活性の遺伝子型では高値になりにくいからである．悪性リンパ腫ではACEは正常または低値を示す．

2 リゾチーム[3]

リゾチームは単球由来の酵素であり，単球や単球由来の細胞が破壊する疾患で増加する．サルコイドーシスでは類上皮細胞やマクロファージから産生され，活動性と相関している．血清ACE値とよく相関するが，ACEと異なり特異度は低い．サルコイドーシス診断基準の全身検査項目の1つであり，ACE阻害薬内服をしている場合にはリゾチームを測定するとよい．

3 可溶性インターロイキン-2 レセプター（sIL-2R）[3]

IL-2Rは，IL-2と特異的に結合するレセプターであり，2種類のサブユニットからなる蛋白であ

る．その一部が末梢血中に溶出し，可溶性の分子（sIL-2R）として存在する．血清 sIL-2R 値は T 細胞，B 細胞の活性化の消長を示すよい指標となる．造血器悪性腫瘍（成人 T 細胞白血病，悪性リンパ腫），固形癌，サルコイドーシス，結核，関節リウマチや膠原病などで上昇する．サルコイドーシスでは sIL-2R の産生細胞は，単球や肺胞マクロファージであり，サルコイドーシス診断基準の全身検査項目の 1 つとなっている．sIL-2R 高値を示すぶどう膜炎であれば，サルコイドーシス，眼内悪性リンパ腫，結核を疑う．

4 LDH

LDH は生体内において解糖系の最終段階に働く酵素であり，あらゆる組織に広く分布する．臓器・組織の障害で血中に出現するが，疾患特異性に乏しいため，アイソザイムをみる必要がある．アイソザイムの局在は比較的特異的であり，心筋には LDH1 が，肝臓には LDH5 が多量に存在し，赤血球には LDH13 が存在する．LDH 値が高値で（LDH2 と LDH3 が優位）かつ sIL-2R が高値を示せば，眼内悪性リンパ腫，白血病の眼内転移を疑う．

5 血糖値および HbA1c

急性前部ぶどう膜炎の症例で，空腹時血糖が 300〜400 mg/dl 以上，HbA1c が 10 % 以上，といった未治療またはコントロール不良な糖尿病があり，他疾患が否定できれば，糖尿病が原因と考える．糖尿病患者の約 1 % にぶどう膜炎が発症する．

6 尿素窒素（BUN），クレアチニン

尿素は蛋白（窒素）代謝の終末代謝産物として肝で生成され，腎から排出される．また，クレアチニンは筋肉細胞内のクレアチンの代謝産物であり，筋外に出て血液・腎を介して尿中に排出される．間質性腎炎ぶどう膜炎症候群 tubulointerstitial nephritis and uveitis syndrome（TINU）では BUN，クレアチニンが上昇する場合があるが，軽症の場合は正常値を示す[4]．多発血管炎性肉芽腫症でも両者の上昇がみられることがある．

7 β_2 ミクログロブリン（β_2-m）

β_2 ミクログロブリン（β_2-m）は，HLA 抗原クラス I の L 鎖として H 鎖と非共有結合し，特にリンパ球・単球の細胞表面には豊富に存在している．β_2-m は低分子量のため腎糸球体基底膜を容易に通過し，近位尿細管で大部分が吸収されるが，糸球体濾過値が低下すると，尿中へ排泄されなくなるために上昇する．免疫応答に重要な役割を果たし，炎症性疾患，膠原病，感染症，悪性リンパ腫などで上昇し，特異度は低い．

一方，近位尿細管障害では，β_2-m の尿中から血中への再吸収が障害されて尿中への排泄が増加する．近位尿細管障害が主である TINU の診断には，尿中 β_2-m と NAG の測定が大変有用である[4]．

8 C-reactive protein（CRP）

CRP とは，主に肝臓で作られる急性期反応物質であり，組織破壊や炎症が起こると増加する蛋白である．体内で炎症が起こると数時間で上昇し，1〜2 日程度でピークとなり，炎症の回復とともに速やかに減少する．感染症，Behçet 病，急性前部ぶどう膜炎，関節リウマチ，JIA，種々の炎症性疾患で上昇がみられることがある．

■免疫血清検査[1,2]（表 3）

1 リウマトイド因子 rheumatoid factor（RF）

リウマトイド因子（RF）は主に慢性関節リウマチ（RA）患者の血清中にみられる IgG の Fc 部分に対する抗体である．シェーグレン症候群や全身性エリテマトーデスなどの膠原病，JIA の一部で陽性になるほか，結核などの慢性感染症，サルコイドーシスでも陽性になることがある．通常 JIA では RF は陰性だが，関節リウマチに近い病態であるリウマトイド因子陽性多関節炎では陽性になることがある[5]．健康人の 5 % 程度が陽性であり，高齢者ではさらに陽性となる割合が高い．

2 抗核抗体 antinuclear antibody（ANA）

抗核抗体（ANA）とは，細胞の核内にある抗原物質と反応する自己抗体の総称である．ANA は JIA と，関節症状を合併しない chronic iridocyclitis in young girls（CIC）で陽性になることがある．JIA の型別の ANA 陽性率は，リウマトイド因子陽性多関節炎で約 40 %，少関節炎で約 30 %，リウマトイド因子陰性多関節炎で約

[表3] 免疫学的検査の正常値と疾患

	正常値	上昇する（陽性となる）疾患
リウマトイド因子	RF：15IU/m*l*以下 RAPA：40倍未満	関節リウマチ，種々の膠原病，JIAの一部など
抗核抗体（ANA）	40倍未満	種々の膠原病，関節リウマチ，JIA，CICなど
抗好中球細胞質抗体（ANCA）	PR3-ANCA：2.0IU/m*l*未満	多発血管炎性肉芽腫症など
血清補体価（CH50）	25〜48U/m*l*	関節リウマチ，感染症，サルコイドーシス，Behçet病などの炎症性疾患，悪腫腫瘍など
免疫グロブリン	IgG　870〜1,700mg/d*l*	感染症，関節リウマチ，種々の膠原病，リンパ増殖性疾患，多発性骨髄腫，IgG4関連疾患など
	IgE　173IU/m*l*以下	寄生虫疾患，アレルギー性疾患など

20％である．ANA陽性はJIA症例がぶどう膜炎（慢性虹彩毛様体炎）を発症するリスク因子であり，型別では少関節炎が最も合併しやすい．ぶどう膜炎合併例のANA陽性率は70〜80％と高率である[5]．

小児のぶどう膜炎で関節症状がないにもかかわらず，ANAが陽性の場合はCICを念頭におく．ANA陽性率はぶどう膜炎合併JIAと同様に高い．健康人の3〜5％が陽性であり，高齢者ではさらに陽性となる割合が高い．

3 抗好中球細胞質抗体 anti-neutrophil cytoplasmic antibody（ANCA）

抗好中球細胞質抗体（ANCA）はANCA関連血管炎の共通の疾患標識抗体であり，プロテイネース3に対する抗体（PR3-ANCA）とミエロペルオキシダーゼに対する抗体（MPO-ANCA）に大別される．強膜炎の原因となる多発血管炎性肉芽腫症でみられるANCAのサブタイプはPR3-ANCAであり，疾患特異性が高く，活動性の指標にもなる．欧米ではほとんどの症例がPR3-ANCA陽性であるが，本邦ではMPO-ANCA陽性例もみられる．一方，MPO-ANCA陽性を示す疾患として，顕微鏡的多発血管炎，好酸球性多発血管炎性肉芽腫症などがある．

4 血清補体価（CH50）

補体は血清中に存在し，特異的抗原抗体複合体に反応して種々の免疫現象を引き起こす蛋白性物質である．感染症，関節リウマチ，種々の膠原病，悪性腫瘍などで上昇するほか，炎症性疾患であるぶどう膜炎でも上昇がみられる．

5 免疫グロブリン

免疫グロブリンは抗原刺激を受けたBリンパ球系細胞が分化・成熟して産生する血漿蛋白成分である．IgGは感染症，種々の膠原病，関節リウマチ，炎症性疾患などさまざまな疾患で上昇する．一方，ステロイド薬や免疫抑制薬の投与，その他の免疫抑制状態では低下する．血清蛋白分画でγ分画の異常がみられた場合は，ほぼ免疫グロブリンの異常と考えてよい．サルコイドーシスではγ-グロブリンが増加することがあるが，感度は低い．IgG4関連疾患を疑った場合はIgG4（正常値：4.5〜117mg/d*l*）を測定する．

IgEはアレルギー疾患のほか，寄生虫疾患で上昇する可能性がある．

文献
1) 高久史麿監修：臨床検査データブック 2019-2020，医学書院，東京，2019
2) 石原麻美：ぶどう膜炎の全身検査所見．MB OCULI 5：17-23, 2013
3) 四十坊典晴ほか：類上皮細胞肉芽腫を証明したサルコイドーシス516例における各種検査所見の解析．日サ会誌 27：29-35, 2007
4) Hettinga YM, et al：The value of measuring urinary β_2-Microglobulin and serum creatinine for detecting tubulointerstitial nephritis and uveitis syndrome in young patients with uveitis. JAMA Ophthalmol 133：140-145, 2015
5) 大野重昭ほか：小児のぶどう膜炎 5. 若年女子の慢性虹彩毛様体炎．小児科 61：864-869, 2020

（石原麻美）

24 各種補助検査

1) ぶどう膜炎の補助検査
② 血清学的検査

[表1] 感染性ぶどう膜炎の診断に役立つ血清学的検査

結核	IGRA（QFT，T-SPOT）
猫ひっかき病	IFA法（抗Bartonella抗体）
梅毒	STS，TPHA
Lyme病	WB法（抗Borrelia抗体）
CMV網膜症	アンチゲネミア法
HTLV-1ぶどう膜炎	WB法，LIA法（抗HTLV-1抗体）
HIV/AIDS	CLIA法（HIV-1抗原，HIV-1/2抗体） NAT法（HIV-1 RNA）
眼トキソプラズマ症 （後天性）	EIA法，CLEIA法 （抗トキソプラズマ抗体IgM）
眼トキソカラ症	Toxocara CHECK
真菌性眼内炎	ファンギテックGテスト，βグルカンテスト （（1-3）-β-D グルカン）

I 検査の目的

1 検査対象

感染性ぶどう膜炎では，治療薬を選択するにあたり，原因となる病原体を同定する必要がある．本稿では特定の感染性ぶどう膜炎（細菌，ウイルス，原虫，真菌）における血清学的検査について概説する．

2 目標と限界

一部の感染性ぶどう膜炎では血清学的検査が役立つが（表1），確定診断や鑑別診断のための補助や強化のために行うといった意味合いが強い．病原体によっては高率に不顕性感染しているため，血清抗体はすでに陽性であり，血清抗体価の上昇が眼内の感染を反映しない場合も多いからである．また，偽陽性や偽陰性が出る場合もあり，それぞれの検査の特徴や限界を理解することが大切である．感染性ぶどう膜炎の確定診断には，前房水や硝子体液などの眼内液中の局所抗体測定や，病原体のゲノムの検出が必要である．

II 感染性ぶどう膜炎における血清学的検査

1 細菌

1) 結核菌（*Mycobacterium tuberculosis*）

【概要】

日本はかつて「結核中蔓延国」だったが，2019年の結核罹患率は人口10万対11.5人（日本人のみでは10.2人）と減少し，欧米の水準に年々近づいている．高齢結核患者は増加傾向にあり，80〜89歳が約3割を占める．後天性免疫不全症候群（AIDS）の日和見感染としてみられることもある．

【眼症状】

ぶどう膜炎の1％前後にみられる．肉芽腫性ぶどう膜炎，閉塞性網膜血管炎，脈絡膜結核腫，脈絡膜粟粒結核，強膜炎などを生じる．最も多いのは，結核菌の構成蛋白に対する免疫反応により生じると考えられている網膜血管炎であり，サルコイドーシスやBehçet病との鑑別が難しいことがある．

【検査法】

結核性ぶどう膜炎では，結核菌が培養，あるいは結核DNAが検出された確定診断例はほとんどないため，眼所見，臨床所見・症状，胸部画像検査，ツベルクリン反応（ツ反），喀痰（塗抹，培養）検査などによって包括的に診断される．しかし，日本人はBCG接種率が高いので，ツ反が陽性であっても，結核菌感染なのかBCG接種の影響なのか判断が難しかった．最近では，インターフェロンγ遊離試験 interferon-gamma release assay（IGRA）であるクオンティフェロンTBゴールドプラス（QFT-Plus）やT-スポット.TB（T-SPOT）で結核菌感染の有無が判定できるようになった[1]．これは，患者血清を2種類の結核菌特異抗原で刺激し，Tリンパ球から遊離したインターフェロンγ（IFN-γ）を測定する検査である．両検査の相違点は，QFTではT細胞が放出したIFN-γの量を測定しているのに対し，T-SPOTではIFN-γを放出したT細胞の数を測定していることである．

IGRAは活動性結核の診断の補助だけでなく，潜在的結核症の診断にも役立つ．結核菌に感染した場合に活動性結核を発症するリスクの高い症例に対し，IGRAが推奨されている．すなわち，ぶ

どう膜炎患者にステロイド薬，免疫抑制薬，生物学的製剤を投与する前にはIGRAを行い，結核感染の有無を調べることは必須である．

【検査結果の読み方と解釈】
1. 正常値

QFT-Plusでは，IFN放出量が0.35IU/ml未満で「陰性」．QFT-3G（従来）での判定保留がなくなった．T-SPOTでは，スポット数が6以上では「陽性」，5以下を「陰性」とするが，5～7の場合には結果の信頼性がやや低下するため「判定保留」とする．免疫不全状態の場合，両検査とも「判定不可」となることがある．

2. 異常値とその解釈

両検査とも，結核菌に感染していれば陽性となるが，ぶどう膜炎の原因となっているのか（現在の感染），過去の感染なのかの区別はつかず，この結果だけでは確定診断はできない．陰性の場合は結核性ぶどう膜炎を否定できる．免疫低下状態や免疫抑制薬を投与されている状態では，両検査とも感度が低下するが，T-SPOTの方が感度は良いといわれている．高齢者では若いころに結核蔓延期を過ごしているため，陽性率が高い．一方，小児は成人より低めに出る．結核菌特異抗原はBCGや，最も多い非結核性抗酸菌には存在しないので反応しないが，一部の抗酸菌では陽性となることがあるので注意が必要である．

2) バルトネラ菌 (Bartonella henselare)

【概要】

細胞内寄生性のグラム陰性桿菌である Bartonella henselare は猫ひっかき病（cat scratch disease）の原因菌である．人畜共通感染症であり，感染した猫による受傷後，発熱，数週～数か月続く有痛性リンパ節腫脹，倦怠感，頭痛など全身症状をきたすが，自然治癒傾向がある．眼症状はまれで，2～5％に発症するといわれている．全国の猫の8.8％が抗Bartonella抗体陽性という報告があり，猫ひっかき病の発症は小児に多い[2]．

【眼症状】

視神経発赤腫脹，星芒状白斑を伴う視神経網膜炎を呈する．ぶどう膜炎，網脈絡膜炎，網膜血管炎を併発する．

【検査法】

抗Bartonella抗体は間接蛍光抗体法 indirect fluorescent antibody method (IFA) や酵素抗体法 enzyme labeled antibody method (EIA) で測定する．血液やリンパ節生検材料のPCR法により，Bartonella-DNAを検出することもある．

【検査結果の読み方と解釈】
1. 正常値

IFA-IgGは256倍未満，IFA-IgMは20倍未満．PCR法ではBartonella-DNA陰性．

2. 異常値とその解釈

猫と接触歴のない健常人ではほぼ陰性であり，IFAは感度，特異度とも良好である．ただし，猫の飼育や受傷歴のある人や，患者の同居家族では10～20％程度が抗体陽性である．IgM抗体が上昇すれば本病と診断できる．IgGは長期間陽性を示す場合があり，既感染の可能性もあるため，ペア血清で4倍以上の抗体価上昇をみる．また，猫ひっかき病の原因菌として Bartonella clarridgeiae もあり，こちらの感染例では陽性とならないため注意が必要である．

2 スピロヘータ

1) 梅毒トレポネーマ (Treponema pallidum)

【概要】

感染経路としては経胎盤感染と，性行為や輸血による後天感染がある．性行為による若年の感染者は増加しており，最近は human immunodeficiency virus (HIV) 感染との合併例も多くみられる．HIV合併例では重症化，遷延化しやすく，神経梅毒の発症率も上昇する．

【眼症状】

ぶどう膜炎の1％前後にみられる．虹彩毛様体炎，網脈絡膜炎，視神経炎，網膜色素上皮炎，網膜血管炎など多彩な所見がみられ，特徴的な眼所見はない．ぶどう膜炎は梅毒第Ⅱ期に発症することが多く，バラ疹が同時にみられることがある．

【検査法】

梅毒血清反応には，カルジオリピン抗原を用いる非特異的検査法であるSTS (serologic test for syphilis) 法と，梅毒トレポネーマ抗原による特異的検査法がある．前者の検査としては，ガラス

板法，梅毒凝集法，カーボン法，緒方法などがあり，後者にはTPHAテスト（Treponema pallidum hemoagglutination test），FTA-ABSテスト（fluorescent treponemal antibody-absorption test），EIA法などがある．

【検査結果の読み方と解釈】
1. 正常値
非感染者では陰性．
2. 異常値とその解釈[3]（表2）

STSは感度が高く，感染後約4週間で陽性を示すため，スクリーニングに適している．しかし，生物学的偽陽性 biological false positive（BFP）反応を含め，20〜30％の偽陽性を生じる．BFPはSLEや慢性関節リウマチなどの自己免疫疾患，肝疾患，慢性感染症，妊娠，麻薬中毒などにより生じる．一方，トレポネーマ抗原を用いた方法は特異性が高いが，感染初期には陰性を示すことがある．実際の診断は，STSとTPHAを組み合わせて実施し，必要に応じてFTA-ABSを施行し診断する．FTA-ABS IgM（＋）ならば早期梅毒である可能性がある．STSのみ陽性であれば，感染初期またはBFPと考えられる．TPHAのみが陽性であれば，梅毒の既往が考えられる．STSとTPHAの両者が陽性であれば梅毒であり，STSで8倍以上，TPHAで1,280倍以上の高値を示せば活動性梅毒であると診断し，治療が必要である．両者が低値であれば，治療後梅毒か早期梅毒である．STSとTPHAの両者が陰性であれば感染していないと考えられる．

2）Lyme病ボレリア（Borrelia）

【概要】
Lyme病はマダニ（本邦ではシュルツマダニ）によって媒介される人畜共通のボレリア属スピロヘータによる感染症である．病原体であるボレリアは地域によって異なり，北米ではBorrelia（B.）burgdorferi，欧州ではB. burgdorferi, B. garinii, B. afzelii, B. bavariensis，本邦ではB. bavariensis, B. gariniiが主な病原体となっている．マダニは北海道，本州，四国，九州の山間部に生息する．ダニに咬まれた既往や遊走性紅斑があれば比較的診断は容易であるが，確定診断に

[表2] 梅毒血清反応

STS	TPHA	FTA-ABS	診断
＋	＋	必要ない	梅毒[*]
＋	－	＋	初期の梅毒
＋	－	－	生物学的偽陽性（BFP）
－	＋	＋	陳旧性梅毒または治療後梅毒非特異的反応
－	＋	－	TPHAでの疑陽性[**]
－	－	必要ない	梅毒ではない

[*] STS低値＜8，TPHA低値＜1,280では早期または治療後梅毒．両者が高値では活動性が高い
[**] その他のトレポネーマ感染，ハンセン病，伝染性単核症など

至らないことも多い．欧米では年間数万人の患者が発生しているが，本邦での患者報告数は少なく，そのほとんどが北海道からの報告例である[4]．皮膚症状，神経症状，循環器症状，眼症状，関節炎，筋炎などを生じる．

【眼症状】
ぶどう膜炎のほかに，視神経，角結膜，強膜にも炎症を生じることがある．

【検査法】
抗体価はELISA法により測定する．陽性例に対し，ウエスタンブロット法（Western blotting：WB）による二次スクリーニングを施行する．WBでは，細胞表層蛋白（Osp）抗原やボレリア膜蛋白質（BmpA）に対する抗体測定を行う[4]．

【検査結果の読み方と解釈】
1. 正常値
非感染者では陰性．
2. 異常値とその解釈

本邦では輸入例，国内例ともにみられるため，それぞれに適した血清診断用抗原を選択する必要がある．北米からの輸入例が疑われる場合には，コマーシャルラボを経由して米国の臨床検査ラボにて，欧州からの輸入例および国内例では，国立感染症研究所にて血清診断が行える．感染初期では抗体陽性にならないことがある．またレプトスピラ症との交差反応にも注意が必要である．

3 ウイルス

1）HSV（herpes simplex virus）

【概要】
HSVには，唾液を介して感染し口唇や顔面に

発症する1型（HSV-1）と，性行為を介して感染し外陰部に発症する2型（HSV-2）の2つの型がある．HSV-1とHSV-2はDNAレベルでは50%の相同性があり，共通の抗原を有する．成人では血清抗体陽性のことが多く，眼内のHSVの再活性化は血清抗体に反映しないため，眼内炎症時には，前房水や硝子体液などの眼内液を採取し，PCR法によるHSV-DNAの検出や抗体率（Q値；the antibody quotient）の算出が診断に必要である[5]．抗体率算出のためには，血清抗体価と血清IgGの測定を同日に行うことが必要である．

【眼症状】

角膜炎，角膜ぶどう膜炎，虹彩毛様体炎，急性網膜壊死 acute retinal necrosis（ARN）を生じる．AIDSなどの免疫不全状態では，進行性網膜外層壊死を生じやすい．

【検査法】

血清HSV抗体測定法としては，補体結合反応 complement fixation（CF），中和反応 neutralization test（NT），蛍光抗体法 fluorescent antibody method（FA），EIAによる方法がある．

眼内炎症の診断にはPCR法を用いた眼内液のHSV-DNAの直接検出法が用いられており，real time PCR法を用いた定量的検査が有用である．また，抗体率（Q値）は以下のように算出する．

抗体率＝（眼内液HSV抗体価÷眼内液中IgG量）÷（血清HSV抗体価÷血清中IgG量）

【検査結果の読み方と解釈】

1. 異常値とその解釈

FAとEIAではIgG抗体とIgM抗体が測定可能で，EIAは感度が高い．IgM抗体は初感染の指標とされているが，再感染でも短期間陽性になることがあるため注意が必要である．眼内液中のHSV-DNA陽性，抗体率（Q値）が6以上の場合にHSVを眼内炎症の起因ウイルスと判断する．

2) **VZV (*varicella-zoster virus*)**

【概要】

一般的に初感染は主に小児期の水痘であり，成人では再発による帯状疱疹がみられる．成人では血清抗体陽性のことが多く，眼内のVZVの再活性化は血清抗体に反映しない．

【眼症状】

HSV同様，角膜炎，角膜ぶどう膜炎，虹彩毛様体炎，ARNを生じる．AIDSなどの免疫不全状態では，進行性網膜外層壊死を生じやすい．

【検査法】

抗体測定法はHSVと同様であり，眼内炎症の診断には，眼内液のVZV-DNAをPCR法で検出し，抗体率（Q値）を算出する．

【検査結果の読み方と解釈】

1. 異常値とその解釈

水痘では，約1〜2か月後に抗体価はピークに達し，感染後1年で70%の人では抗体が検出されなくなる．よって，CF抗体価が4倍未満であっても，感染の既往は否定できない．

眼内液中のVZV-DNA陽性，抗体率（Q値）が6以上の場合，VZVを眼内炎症の起因ウイルスと判断する．

3) **CMV (*cytomegalovirus*)**

【概要】

CMVの感染経路としては，経胎盤や経産道による先天感染，日和見感染による後天感染がある．日本人の多くは不顕性感染をしているといわれており，AIDSなどの免疫能低下に伴い顕性化することがある．

【眼症状】

CMV網膜症はAIDSの合併症として，CD4数が$50/\mu l$以下になると発症しやすいといわれている．周辺部顆粒型，後極部血管炎型があり，HIV網膜症（微小循環障害）と区別がつきにくい症例もある．ART療法後に免疫能の回復とともに，すでに鎮静化していたCNV網膜炎罹患眼に硝子体炎症が出現する「免疫回復ぶどう膜炎 immune recovery uveitis（IRU）」として発症することも多い．未治療では進行するが，免疫能の改善に伴う自然治癒もある．

【検査法】

CMVの構造蛋白pp65に対するモノクローナル抗体を用い，末梢白血球のCMV抗原陽性細胞を染色して検出するアンチゲネミア法（間接酵素抗体法）が，CMV感染症の診断および治療効果判定に用いられている[6]．50,000個の細胞をカ

ウントし，抗原陽性細胞数で結果を示す半定量的方法である．

眼内炎症の診断には上記同様，PCR法による眼内液のウイルスDNA検出や抗体率（Q値）の算出を行う．

【検査結果の読み方と解釈】
1. 異常値とその解釈

不顕性感染者ではアンチゲネミアはみられないため，陽性は全身のCMV活性化の指標となる．この方法は感度・特異度ともに優れており，臨床症状の出現前に陽性になることから，早期診断に役立つ検査であるといえる．実際，CMV網膜炎の発症前にアンチゲネミア陽性になることが多い．しかし，CMV網膜炎の診断はできないため，眼内液中のCMV-DNA陽性，抗体率（Q値）が6以上の場合にCMV網膜症と診断する．

4) HTLV-1 (human T-cell lymphotropic virus type-1)

【概要】

HTLV-1はC型レトロウイルスであり，Tリンパ球へ感染し，宿主のDNAにウイルス情報が組み込まれて持続感染状態のキャリアとなる．九州南西部，沖縄，北海道の一部など特定の地域にはHTLV-Iキャリアが多い．経胎盤による母子感染の先天性と，輸血や性交渉による後天性のものに分類される．成人T細胞白血病 adult T cell lymphoma (ATL)，HAM (HTLV-1 associated myelopathy)，HU (HTLV-1 uveitis) の原因ウイルスとして知られている．HAMにHUは合併することがあるが，ATL患者にHUを発症することはないとされている．また，HTLV-Iキャリアは甲状腺機能亢進症を合併することが多いことが知られている[7]．

【眼症状】

HTLV-Iキャリアのごく一部が，肉芽腫性ぶどう膜炎，顆粒状硝子体混濁，網膜血管炎などを呈するHUとして発症する．HTLV-Iキャリアでは他のぶどう膜炎であっても，前房水にHTLV-I感染細胞が検出されるので，確定診断にはならない[7]．厳密には確定診断はできないが，抗HTLV-I抗体陽性の場合は，他疾患を否定した上でHUと診断する．

【検査法】

スクリーニング検査として，ゼラチン凝集法 particle agglutination (PA)，CLIA法，CLEIA法などを行い，陽性の場合のみWB法またはLIA法を確認検査として実施する．

【検査結果の読み方と解釈】
1. 正常値

スクリーニング検査：PA法では16倍未満が陰性，CLIA法，CLEIA法では陰性．

確認検査：WBまたはLIA法で陰性．

2. 異常値とその解釈

PA法は感度が高く，IgMも測定できるため，スクリーニング検査に向いている．しかし，偽陽性のことがあるため，確認検査を行う．さらに，抗体陽性がHUの診断と直結しないため，臨床症状や，場合によってはプロウイルスDNAの定量などで総合的に診断する必要がある．

5) HIV (human immunodeficiency virus)

【概要】

HIVはCD4$^+$Tリンパ球に感染し，AIDSの原因となるレトロウイルスである．感染経路としては，性行為（その多くが男性同性間）が80％以上であり，血液を介した感染や母児感染もある．HIV感染後2～8週間で血中にHIV抗体が産生されるが，自覚症状のないまま数年間の無症候期間に入る．CD4$^+$細胞数の減少とともに，原虫，ウイルス，真菌，細菌による日和見感染を発症しやすくなり（前項①一般血液検査参照），AIDSと診断される（表3）．HIV/AIDS患者数は，ここ数年減少している．

【眼症状】

ウイルスそのものによる循環障害であるHIV網膜症のほか，日和見感染によりさまざまな病原体による感染性ぶどう膜炎を起こす．特にCD4$^+$細胞数が50/μl以下でCMV網膜炎や，HSV・VZVによる急性網膜壊死，進行性網膜外層壊死の発生率が上昇するといわれている．全身症状に先行して眼症状が出現することもあり，眼科領域でも遭遇する機会が増えてきている．

【検査法】[8]

①スクリーニング検査：HIV-1抗原とHIV-1/2抗体を同時に測定（CLIA法）．

②確認検査：immune-chromatography（IC）法を利用した新規のHIV-1/2抗体確認検査法，核酸増幅検査法（NAT法）によりHIV-1 RNA定量．

【検査結果の読み方と解釈】

1. 正常値

スクリーニング検査：CLIA法では陰性．

確認検査：HIV-1/2抗体確認検査法では陰性．HIV-1 RNA定量検査では検出せず．

2. 異常値とその解釈

スクリーニング検査で陰性の場合，抗体ができるまでの検査陰性の期間（ウインドウ期間）である可能性があり，感染リスクがある場合は期間をあけて再検査する．CLIA法では抗原も同時に測定するため，その期間を短くすることができる．抗HIV抗体は，妊婦，他のウイルス感染症，免疫グロブリン製剤投与などで偽陽性になることがある．血中のHIV-1 RNA量は，病勢や治療効果の判定の指標となる．

4 原虫

1）トキソプラズマ原虫 (*Toxoplasma gandii*)

【概要】

トキソプラズマ感染症はネコを終宿主とした原虫によって生じる人畜共通感染症である．経胎盤感染による先天性感染と，ネコの糞便中に排出された嚢胞体の経口摂取や，嚢子を含んだブタやヒツジ肉の摂取による後天性感染がある．リンパ行性，血行性に全身に播種し，bradyzoiteの状態で潜伏感染する．本邦では約20％が不顕性感染をしているといわれている．最近は，AIDSの日和見感染としての発症もみられる．

【眼症状】

先天性感染では，網脈絡膜炎による特徴的な瘢痕萎縮病巣が，両眼の黄斑部にみられる．一方，後天性感染では限局性の網脈絡膜炎を示すが，瘢痕病変を伴わず，片眼性である．

【検査法】

間接ラテックス凝集反応（ILA），IFA，EIA，

[表3] AIDSの診断-AIDSでみられる日和見感染症

HIV感染症に下記の1つを合併した場合，AIDSと診断する
A. 真菌症（カンジダ症，クリプトコッカス症，ニューモシスティス肺炎など）
B. 原虫症（トキソプラズマ症など）
C. 細菌感染症（結核，非結核性抗酸菌症など）
D. ウイルス感染症（CMV，HSV，VZV，進行性多巣性白質脳症など）
E. 腫瘍（カポジ肉腫，非ホジキンリンパ腫など）
F. その他（HIV脳症，HIV消耗性症候群など）

CLEIA法などがある．また，PCR法による眼内液中のトキソプラズマDNAの検出も有用である．

【検査結果の読み方と解釈】

1. 正常値

EIA，CLEIA法ではIgM抗体は0.8未満，IgG抗体はEIAで6IU/m*l*未満，CLEIA法で7.5IU/m*l*未満が陰性．

2. 異常値とその解釈

IHAは感染の既往の推定に有用である．抗体価の陰性からの陽転化や，経時的抗体価の上昇でみる．特異的IgM抗体の上昇は，後天性感染の診断に役立つ．IFAやEIAではリウマチ因子や抗核抗体の存在で，また，ILAではHBs抗原が高陽性のとき偽陽性を示すことがあるので注意が必要である．

2）トキソカラ回虫 (*Toxocara canis/Toxocara cati*)

【概要】

トキソカラはイヌ回虫およびネコ回虫の幼虫移行症であり，ヒトへの感染経路として，小児の砂場での経口感染や，鶏や牛などの生肉摂取，ネコやイヌの飼育や接触などがある．病変部位により内臓移行型と眼移行型に分類される．

【眼症状】

主病巣の位置により，眼内炎型，後極部腫瘤型，周辺部腫瘤型の3型に分類されている．成人は周辺部腫瘤型が多く，頻度が最も高い．眼内炎型は小児に多い．

【検査法】

抗体価測定はスクリーニングに用いられる回虫の排泄分泌産物を抗原とした血清診断であるオクタロニー法，ELISA法のほか，迅速診断に使える

トキソカラチェック（Toxocara CHECK）がある[9].

【検査結果の読み方と解釈】

1. 正常値

非感染者では陰性.

2. 異常値とその解釈

虫体の直接証明は難しいため，血清抗体陽性と臨床症状とを合わせて診断することが望ましい．しかし，血清抗体検査では陰性を示すことも多いため，PCR法による眼内液中のトキソカラDNAの検出が必要になる場合がある．

5 真菌

1) カンジダ (*Candida albicans/Candida tropicalis*)

【概要】

真菌性眼内炎には，穿孔性外傷や眼内手術により眼内に真菌が感染する外因性のものと，全身の真菌感染症が血行性に移行し，眼内炎症を発症する内因性のものがある．IVH挿入，抗癌剤や免疫抑制剤投与，AIDS，糖尿病，感染症などにより免疫低下を生じた場合に，日和見感染として発症することが多い．

【眼症状】

真菌性眼内炎のうち，約80％がカンジダによる感染が原因とされ最多である．ほかに，アスペルギルスやフサリウムが原因となることもある．血行性に眼内に入り，網膜内に感染し，硝子体に到達するとfungus ballと呼ばれる羽毛状硝子体混濁を生じる．また，角膜潰瘍から角膜ぶどう膜炎を起こすことがある．

【検査法】

真菌症の確定診断には血液培養が行われるが，その陽性率は高くなく，早期診断には真菌の細胞壁由来の共通抗原である(1-3)-β-Dグルカン（BDG），アスペルギルスガラクトマンナン（GM）抗原などを用いた血清診断が行われる[10]．BDGやGMの測定断キットとしては，ファンギテックGテストMKⅡ，βグルカンテスト ワコー，Fungitell，プラテリアアスペルギルスがある．カンジダ抗原を用いた検査キットは感度が血液培養と変わらないため，普及率が低い．

【検査結果の読み方と解釈】

1. 正常値

ファンギテックGテストでは20 pg/ml，βグルカンテストでは11 pg/ml，Fungitellでは80 pg/ml，プラテリアアスペルギルスでは0.5 ng/mlがカットオフ値．

2. 異常値とその解釈

真菌性眼内炎の診断は，臨床所見に加え，血中や眼内液からのBGDの検出が有用である．BGD測定では原因真菌の同定はできないが，比較的感度が高く，定量もできる．

βグルカンテストは簡便であるが，感度の点でファンギテックGテストに劣ると報告されている．欧米ではFungitellが用いられている．

文献

1) 猪狩秀俊：IGRAsとその活用法．呼吸器内科 37：544-550，2020
2) 丸山総一：猫ひっかき病．モダンメディア 50：203-211，2003
3) 菅原道孝：梅毒．眼科プラクティス16．眼内炎症診療のこれから，岡田アナベルあやめ編，文光堂，東京，78-81，2007
4) Kimura K, et al：Prevalence of antibodies against *Borrelia* species in patients with unclassified uveitis in regions in which Lyme disease is endemic and nonendemic. Clin Diagn Lab Immunol 2 (1)：53-56, 1995
5) de Groot-Mijnes JD, et al：Polymerase chain reaction and Goldmann-Witmer coefficient analysis are complimentary for the diagnosis of infectious uveitis. Am J ophthalmol 141：313-318, 2006
6) Pannuti CS, et al：Cytomegalovirus antigenemia in acquired immunodeficiency syndrome patients with untreated cytomegalovirus retinitis. Am J Ophthalmol 122：847-852, 1996
7) 中尾久美子：HTLV-I関連ぶどう膜炎．専門医のための眼科診療クオリファイ，中山書店，東京，171-175，2012
8) 日本エイズ学会：診療におけるHIV-1/2感染症の診断ガイドライン2020版．https://jaids.jp/wpsystem/wp-content/uploads/2020/10/guidelines.pdf
9) Akao N, et al：Toxocariasis in Japan. Parasitol Int 56：87-93, 2007
10) 吉田稔：真菌症の血清診断．Med Mycol J 53：111-115，2013

（石原麻美）

24 各種補助検査

1）ぶどう膜炎の補助検査
③ 免疫学的検査

はじめに

ぶどう膜炎は非特異的な炎症所見を呈することも多く，鑑別のためのスクリーニング検査として，免疫学的検査が用いられる．ぶどう膜炎で利用される免疫学的検査の代表として，採血によるヒト白血球型抗原 human leukocyte antigen（HLA）検査，眼内液による抗体価・DNA-PCR検査，サイトカイン測定などが挙げられる．HLA検査の結果は疾患の遺伝的な起こりやすさを示唆しており，ぶどう膜炎の補助検査として有用である．眼内液の抗体価測定・DNA-PCR検査は，病原体による眼内炎症を証明できるため，ヘルペスウイルスを代表とした感染性ぶどう膜炎の確定診断に優れている．眼内液の検査方法は 23．検体検査 6）硝子体の検体検査（737頁）を参照されたい．本項では，HLA検査について概説する．

I 検査の目的

HLA検査は主として，臓器移植の際にレシピエントとドナーのHLA抗原を適合させることが必須条件であるため，臓器移植前に測定される（なお，角膜移植に関しては，眼の臓器特性上，免疫寛容があるためHLA検査を必要としない）．その他，血小板・白血球輸血に際しての適合試験としても必要な検査である．眼科領域におけるHLA検査の目的は，HLA抗原が特定の免疫疾患の疾患感受性と相関する点を利用し，対象症例の疾患感受性を調べることで，ぶどう膜炎の補助診断とすることである．

HLAはヒトの主要組織適合遺伝子複合体 major histocompatibility complex molecule（MHC）を指し，第6染色体に存在する自己と非自己を決める因子である．HLA型の種類は赤血球のABO型と比べるとはるかに多く，数万通り以上の多型性（個人差）が存在する．このなかで

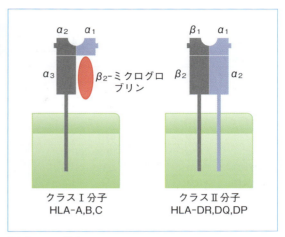

[図1] HLAの構造
クラスI分子は$\alpha_1 \sim \alpha_3$の3つの細胞外領域と細胞膜貫通領域，細胞内領域からなる重鎖とβ_2ミクログロブリンからなる．クラスII分子はα鎖とβ鎖からなり，それぞれ2つの細胞外領域および膜貫通領域，細胞内領域からなる．

主要なHLA分子は，クラスI：HLA-A，B，Cと，クラスII：HLA-DR，DQ，DPの6種類である（図1）．クラスI分子は細胞質由来の内因性抗原ペプチドに結合し，抗原ペプチドをキラーT細胞に提示し，感染細胞を除去する．クラスII分子はファゴサイトーシスやエンドサイトーシスによって細胞に取り込まれた細胞外蛋白質由来の外来性抗原ペプチドに結合し，抗原ペプチドをヘルパーT細胞に提示し，B細胞による抗体産生を補助する．クラスI抗原ではHLA-A，HLA-B，クラスII抗原ではHLA-DRのHLA検査が行われる．

HLAは個体によって非常に多様性に富み（多型性 polymorphic），多型性をもつ何種類ものHLAが遺伝子情報をもつため（多遺伝子性 polygenic），生体としてさまざまな抗原に対応できる．これらの多型性が抗体産生などの免疫応答能力，感染に対する抵抗性や感受性，自己免疫疾患やアレルギーに対する抵抗性や感受性に関連し，それぞれの個体のもつ疾患感受性に影響し病気のなりやすさが異なってくる．

1 検査対象

明確な診断基準を有する代表的な非感染性ぶどう膜炎であるサルコイドーシス，原田病，Behçet病でいずれもHLAの相関が判明している．その

[表1] ぶどう膜炎を起こす疾患と相関するHLA，オッズ比

疾患	関連を示すHLA型	ブロード抗原orスプリット抗原	患者集団中の頻度（%）	一般集団中の頻度（%）	オッズ比
Behçet病*	B51	B5	59.4	13.6	9.3
強直性脊椎炎	B27		83.3	0.5	1056.3
関節リウマチ	DR4		58.8	24.7	4.4
潰瘍性大腸炎	B52	B5	56.4	24.1	4.1
	DR2	DR15, DR16	59.3	24.4	4.5
Crohn病	DR4		40	24.7	2
SLE	B39	B16	16.7	3.1	6.3
	DR2	DR15, DR16	29.6	12.4	3
多発性硬化症	DR2	DR15, DR16	30.7	12.4	3.1
1型糖尿病	B54		44.1	14	4.8
	B61	B40, B60	39.6	22.7	2.2
	DR4		56.6	24.7	4

＊ Behçet病はA26との関連があるが，オッズ比の記載なし．
（文献4）より改変）

他，急性前部ぶどう膜炎（AAU），交感性眼炎，強直性脊椎炎，クローン病，潰瘍性大腸炎，関節リウマチ，若年性特発性関節炎など，全身疾患に伴うぶどう膜炎においてHLAの相関が知られている（表1，2）．すべてのぶどう膜炎症例に検査するわけではなく，これらの疾患が疑われる症例を対象に検査を行うことが基本である．

2 目標と限界

HLA検査により疾患感受性の高いぶどう膜炎原因疾患を特定し，治療方針を決める一助とする．ただし，本検査はあくまで補助診断材料であり，この検査のみで確定診断をすることはできないため，実際には眼所見，経過，その他の検査結果などから総合的に診断を行う必要がある．

また，本検査費用は健康保険の対象外となり，患者負担や大学病院の研究費などが充てられることとなる．検査時には上記限界や費用面を患者に説明した上で施行する必要がある．

II 検査法と検査機器

いずれも患者の血液を用いて検査され，眼科実臨床では外部委託注文するケースがほとんどである．以下のような測定法が存在する．費用も受託企業や測定方法・項目によりさまざまだが，一般的には数千円～数万円で検査可能である．

①血清学的検査：既知の抗血清とリンパ球上のHLA抗原との反応性によりHLA型を決定する

[表2] ぶどう膜炎を起こす疾患と相関するHLA，相対危険率

疾患	関連を示すHLA型	ブロード抗原orスプリット抗原	相対危険率
サルコイドーシス	DR5	DR11, DR12	1.9～3.7
	DR8		2.1～2.5
	DR11	DR5	5.9
	DR12	DR5	3.5
	DR14		3.4
	DR52		2.0～4.1
Vogt-小柳-原田病	DR4		125
	DR53		53.9
急性前部ぶどう膜炎	B27		144.7
Bird shot網脈絡膜症	A29	A19	125（白人）
Sjögren症候群	DR5	DR11, DR12	5.5

方法で，主にリンパ球細胞障害試験（LCT法）で行われる．現在ではほぼ使用されない．

②DNA型検査：DNAを用いてHLAの対立遺伝子（アレル）を決定する検査法で，PCR-SSP，PCR-SSO/rSSO，PCR-SBTなどが存在し，表3の如く分類される．

③NGS法：次世代シーケンサーnext generation sequencingを用いて塩基配列を解析し，HLA遺伝子型を決定する方法．

III 検査手順

1 検査の流れ

患者の採血を行う．HLA検査はHLA抗原型（血清対応型）タイピングと，HLA遺伝子型

[表3] HLAのDNA型検査法の種類

方法による分類	DNA量	処理能力	設備投資	ランニングコスト	原理
PCR-SSP	多	数件/日	数百万円	安価	PCRで増幅したDNAの塩基配列を明らかにする
PCR-SSO/rSSO	少	100件/日	一千万円	超安価	多型部位に相補的なオリゴヌクレオチドを用いて遺伝子型を判別する
PCR-SBT	少	数件/日	数千万円	高価	直接塩基配列情報を収集してアレルを特定する

PCR-SSP：polymerase chain reaction-sequence specific primers
PCR-SSO (rSSO)：polymerase chain reaction-sequence specific oligonucleotide
PCR-SBT：polymerase chain reaction-sequencing based typing

(DNA) タイピングがあり，ぶどう膜炎疾患の推定のみを目標とするならば，HLA検査は抗原型のみでよい．現時点でぶどう膜炎領域で参考になるのは，主にHLA-A, HLA-B, HLA-DRの3種類である．

2 検査のコツと注意点

発症眼（片眼性・両眼性），炎症の性状（肉芽腫性・非肉芽腫性），局在（前眼部〜後眼部）などから鑑別を絞り込むことで，検査前確率を上げてからHLA検査を検討するべきである．炎症の程度が軽度で全身加療の必要ない場合や，検査結果によって治療方針が変わらないと予想される場合は，本検査を行う意義は低い．

例えばAAUでは，HLA-B27が陽性でも陰性でも同様の症状をきたす上，AAU患者のHLA-B27陽性率は16.7％と高くない．また，予後も比較的良好であるため，AAUの治療目的にHLA検査を行う必要性は低い．ただし，HLA-B27陽性AAUは強直性脊椎炎，反応性関節炎，炎症性腸疾患などの全身疾患を合併するため，全身疾患の精査につながるきっかけとしては有用である．

IV 検査結果の読み方

結果は先述の如く簡便な抗原型と，より詳細なアレルが判定される遺伝子型タイピングがあり，それぞれのHLA結果は1患者ごとに2種ずつ表記される．遺伝子型タイピングでは，遺伝子座の後にアスタリスク（＊）がつけられ，HLAアレルを規定する数字の表記区域がコロン（：）により分けられ表記される．アスタリスク直後の数字が第1区域（HLA抗原型に対応するHLA特異性），コロン後の数字が第2区域（同一抗原内でアミノ酸配列が違うサブタイプ）である．実際には第3・第4区域が存在するが，臨床的に重要でないため，結果は第1・第2区域までで報告されることが多い．第1区域に示される数字がその患者の抗原型HLAを表している．

例1：抗原型（血清対応型）では「HLA-A2, HLA-A26」
　　　＝遺伝子型（DNA）タイピングで「A＊02：01」「A＊26：01」など

例2：抗原型（血清対応型）では「HLA-DR4」
　　　＝遺伝子型（DNA）タイピングでは「DRB1＊04：03」など

ただし，少数の例外も存在し，「抗原型でHLA-B61なのに遺伝子型でB＊40：02と書いている」など，抗原型の数字と遺伝子型で第1区域に表記された数字とが異なる場合がある．当初公認されたHLA-B40抗原（ブロード抗原）が，解析が進むことによりHLA-B60とHLA-B61に分類された（スプリット抗原）経緯があるためである．表1に記載した疾患については，報告された抗原型にスプリット抗原ないしブロード抗原がないかについても確認することが望ましい．

HLA検査は適応が限定的であるものの，鑑別困難なぶどう膜炎の診断時の一助として有用である．現在DNAタイピングにより日々新しいアレルの公認数が増加しており，今後の研究により，新たな疾患関連性を持つHLAが報告される可能性もあるため，今後の発展が期待される検査である．

文献
1) 小川公明：HLAの基礎知識1〜3　Major Histocompatibility Complex 2016
2) 水木信久編：基礎からわかるぶどう膜炎，金原出版，東京，2006
3) 竹内　大編：症例から学ぼう　ぶどう膜炎診療のストラテジー，三輪書店，東京，2020
4) 大谷文雄ほか編：移植・輸血検査学，講談社，東京，2004

（内　翔平・柳井亮二）

1)ぶどう膜炎の補助検査
④ 皮内反応

I 検査の目的

　皮内反応は，抗原となる物質を少量皮内に注射したときに，投与した場所の皮膚が発赤，水疱化，膨疹となり，ときには痛みやかゆみを伴ったりする．これは生体の細胞性免疫の基本的な検査方法であり，眼科領域ではツベルクリン反応（ツ反）がぶどう膜炎診断の補助検査として，日々外来にて用いられている．

　皮内反応には，大きく分けて2つの方法がある．1つは皮内反応1（I型アレルギー検査）であり，2つめは皮内反応2としてIV型アレルギー検査がある．眼科領域，特にぶどう膜領域においてはツベルクリン反応や水痘皮内反応などのIV型アレルギー検査が多用される．

II 検査法と原理

1 IV型アレルギー検査

　特異抗原に対する細胞性免疫の強度を検査するものである．遅延型過敏反応 delayed type hypersensitivity（DTH）によって起こる．T細胞やマクロファージが主体となったアレルギー反応である．抗体や補体は関与せず，抗原に対する感作リンパ球が活性し，感作リンパ球がインターフェロンγなどの炎症性サイトカインを産生/分泌する．その後炎症性サイトカインによって活性化したマクロファージが標的細胞を傷害することで局所の炎症反応を起こす．臨床においては，抗原液を前腕部屈側の中央からやや下部の皮膚に皮内注射して，24，48時間後に判定する．結核菌の抗原は purified protein derivative（PPD）が最もよく使用される抗原である．以前はヒト型結核菌を無蛋白合成液に保存し，適宜に希釈していたが雑多な成分が含まれていたので，現在は蛋白質以外の成分を含まない精製ツベルクリンを作製し，これを PPD とも呼んでいる．

2 実際の方法

　前腕部屈側の中央からやや下部の皮膚に対して，当院では 25 または 27G 針を用いて注射している（この部位は色素が少なく，反応がわかりやすい）．皮膚と針が平行になるようにして，皮膚に針先を刺入する．そのとき，皮膚をすくいあげるように針を進めて，薄皮1枚の下に刺入するようにイメージする．針のベベルがすべて皮膚に挿入され，薬液を注入する．その後刺入部位から穿刺と同じ軌道で針を抜去する．そのときに出血があっても放置するが，多い場合は，乾燥した滅菌ガーゼで吸い取るようにする．患者には，圧迫したり，揉んだりしないように伝える．投与日のお風呂やシャワーに関しては当院では中止していない．

III 判定法とその解釈

1 ツベルクリン反応（表1）

　結核菌感染の有無を確認する検査法の1つである．PPD（$0.05\,\mu g/0.1\,ml$）を前腕部屈側の中央からやや下部の皮膚に皮内注射する．48時間後に発赤・硬結・水疱形成の有無を確認する．陽性であるから結核菌に感染したかどうか判断が困難であり，結核以外の類似抗酸菌または BCG ワクチン接種の影響であるか，または Behçet 病，Sweet 病，壊疽性膿皮症のような針反応が陽性となる疾患もあり注意が必要である．しかし水疱や壊死を伴う強陽性の場合は結核感染を強く疑う必要がある．この場合，患者採血を用いて IFN-γ 陽性試験を行うことを勧める．

　陽性の場合：ツベルクリン反応検査において，程度にもよるが発赤・硬結・水疱などが現れるのは，一般的に結核菌の感染や BCG を摂取した場合であり，皮内に投与された結核菌抗原に対して免疫反応を起こした結果である．PPD を投与した部位に，それよりも前に結核菌や BCG に感作された T リンパ球と抗原物質である PPD との反応により，IV型アレルギー反応が誘導される．Behçet 病の場合は皮膚表現の1つである，非特異的な刺激に対する皮膚反応によって起こるものである（図1）．

[表1] ツベルクリン反応の判定基準

陰性	(−)	発赤の長径が9mm以下
弱陽性	(+)	発赤の長径が10mm以上，硬結を伴わない
中等度陽性	(++)	発赤の長径が10mm以上，硬結を伴う
強陽性	(+++)	発赤の長径が10mm以上，硬結を伴い，二重発赤や水疱，壊死を伴う

(明石智子ほか：眼科検査ガイド，第1版，p661)

[表2] VZV皮内テストと眼部帯状疱疹

	VZV皮内テスト	
眼部帯状疱疹 (ぶどう膜炎併発あり)	陰性	8例/12例 (66.7%) 劇症群 7例/8例 (88%) 軽症群 1例/4例 (25%)
眼部帯状疱疹 (ぶどう膜炎併発なし)	陽性	7例/7例 (100%)
zoster sine herpete	陰性	6例/6例 (100%)

(文献1)より引用)

[表3] VZV皮内テストとVZV-ARN

	VZV皮内テスト	
VZV−ARN病初期 (発症後約1週間以内)	陰性	14例/23例 (60.9%)
健常対照群	陽性	13例/13例 (100%)

(文献2)より引用)

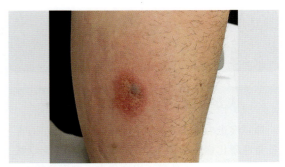

[図1] ツベルクリン反応強陽性(二重発赤・硬結・水疱形成などを認める)
患者は両眼の閉塞性血管炎(静脈炎を主体とする)を呈していた．T-spotも陽性となり，肺病変の有無を確認．肺病変は認めず肺外結核感染と診断し，抗結核薬治療を開始した．

陰性の場合：結核菌未感染を意味する．しかし，BCGを摂取している場合や既感染にもかかわらず陰性となることがある．これは細胞性免疫が機能していないアナジー状態が誘導されていると考えられる．アナジー状態は悪性リンパ腫，粟粒結核，ウイルス感染，免疫不全，副腎皮質ステロイド内服，免疫抑制薬使用によって陰性となる．またサルコイドーシスでも陰性となるが，何らかの原因でTリンパ球の機能低下，サプレッサーT細胞の活性化，Th1由来サイトカイン産生増加が誘導されていると考えられている．

2 水痘皮内反応 (表2, 3)

水痘抗原「ビケン」を0.1 ml皮内投与し，24時間後，24時間後に陰性の場合は48時間後に判読する．発赤・硬結(水疱が出現することがある)の直径が5mm以上なら陽性とするIV型アレルギー検査である．自然感染，あるいは乾燥弱毒水痘ワクチン接種により，細胞性免疫が成立している患者に投与した場合に陽性となる．二瓶らは，健康乳幼児に水痘抗原を皮内注射し，水痘既往が確実であった全員が陽性であったのに対して，4mm以下の反応を示した者は全員既感染ではないことが判明した．眼科領域に行われた研究において，毛塚ら[2]は眼部帯状疱疹に続発するぶどう膜炎症例またはvaricella zoster virus (VZV) acute retinal necrosis (ARN) 症例の初期では，水痘抗原に対する皮内反応が陰性になっているのに対し，コントロール群(発症していない群)では陽性となっていることを報告している．また皮疹を伴わない眼部帯状疱疹についても陰性となっていることが報告されている．しかし，ARNにおいて炎症寛解期には水痘抗原に対するアレルギー反応は正常状態に戻っていることが多い．このため水痘抗原に対する皮内反応はVZVによるぶどう膜炎の診断には重要であり，補助診断となることがあると考えられる．

IV その他の皮内反応

針反応：Behçet病，Sweet病，壊疽性膿皮症の針反応は皮膚に針を挿入する刺激に基づく過敏反応である．実際の針反応は採血時の刺入部で観察することが多い．Behçet病の陽性率は58%とのことであるので，非特異的ではあるが，補助診断に重要であると考えられる．

文献
1) Kezuka T, et al：A relationship between Varicella-Zoster virus-specific delayed hypersensitivity and Varicella-Zoster virus induced anterior uveitis. Arch Ophthalmol 120：1183-1188, 2002
2) Kezuka T, et al：Evidence for antigen-specific immune deviation in patients with acute retinal necrosis. Arch Ophthalmol 119：1044-1049, 2001

(丸山和一)

24 各種補助検査

1）ぶどう膜炎の補助検査
⑤ 腰椎穿刺

I 検査手順

神経疾患の1つの検査として髄液検査がある．多発性硬化症（MS）や中枢神経系悪性リンパ腫，感染性髄膜炎，くも膜下出血において髄液検査は診断の1つとして用いられることがある．検査する項目は，髄液圧・外観・性状・細胞数・総蛋白量・糖・Cl・IgGなどが一般的である．感染症を疑った場合は培養検査やpolymerase chain reaction（PCR）を施行して原因疾患を検索する（表1，2）．外来診療にて施行することがあるが，原則は施術後の合併症を避けるために入院にて施行したほうがよい．

1 施行前の注意事項

頭蓋内圧亢進症状では避ける．

診療にて医師（眼科医）が両眼の鬱血乳頭の確認を行う．また，頭部CTまたはMRIを施行し，頭蓋内に占拠性病変（腫瘍や出血など）・脳室拡大がないことを確認する．

禁忌
1. 頭蓋内圧亢進症状があり脳幹部圧迫症状がある場合
2. 頭蓋内占拠性病変（腫瘍・出血など）が確認された場合
3. 穿刺部位に感染兆候がみられた場合（皮膚・皮下組織などに）
4. 出血傾向のある場合（抗凝固療法治療中も含む）は採血検査を行い，血小板3万/mm³未満，プロトロンビン時間13.5未満，internal normalized ratio（INR）が1.3未満
5. 穿刺する部位の腰椎の高度な変形
6. 穿刺部位に一致した脊髄奇形・腫瘍など（これは患者への問診でしか判断できないが）を疑った場合
7. 患者と家族の同意が得られない場合　など

2 施行方法

体位：患者を側臥位にして（左側臥位がベ

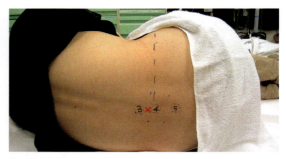

［図1］穿刺部位
（笠井健一郎ほか：眼科検査ガイド，第1版，p663）

ター），胸と膝をつけるように，できるだけ体を丸くしてもらう．これは検者から腰椎の棘突起がわかるようにして，しっかりと腰椎同士の間隔が広がるようにするためである．消毒は穿刺部位を中心に直径20cmをヨードで消毒し，その後穿刺前に，アルコールでヨードを拭き取ることが重要である．

穿刺部位：Jacoby line（左右の腸骨稜最上端を結ぶ線）が第4腰椎（L4）棘突起に相当する．この部位を目安にL3とL4の間またはL4とL5の間の正中部位を穿刺する（図1）．刺入した針は，患者の臍に向かって頭側に進めて，常にベッドと平行になるように維持する．

測定・採取：くも膜下腔に達したら（時々ポンという音がすることがある），まず髄液圧を測定する（延長チューブをつけて定規を使用して測定）．200mmCSF以上のときは明らかに異常なので，すぐに針を抜去する（脳ヘルニアを避けるため）．180から200までの間なら気をつけることが重要である．採取する場合，約1ml採取すると10mmCSF下がることが知られているので，採取は必要最低限にしておく．自然滴下が最も良いと考える．血清成分が何度も出現し，採取した髄液が透明でないなら血性髄液として診断し，くも膜下出血を起こす疾患（動脈瘤に破裂など）を疑い内科または外科に相談する．

穿刺後の注意：頭を低くして，検査後2時間は仰臥位を維持し，絶対安静とする．穿刺後24時間は入浴禁止（シャワーは可能）とする．約10％の頻度で腰椎穿刺後頭痛が生じることがある．

1) ぶどう膜炎の補助検査

[表1] 髄液検査項目

	髄液検査項目	正常値	異常値	疾患例	備考
1	髄液圧	70〜180mmH$_2$O（側臥位）	上昇（200以上）	頭蓋内占拠性病変，髄膜炎，脳炎，脳血管障害，頭部外傷，水頭症，など	
2	外観・性状	水様無色透明	キサントクロミー	陳旧性出血の溶血，高蛋白（200mg/dl以上），著明な黄疸，など	キサントクロミー：赤血球は髄液中では2〜10時間で溶血，Hbが遊離し黄色調になる 血性：新鮮血を示す 日光微塵：日光に透かして初めて混濁が確認できるもの
			血性	くも膜下出血（出血から2〜4週まで），など	
			日光微塵	200/mm^{2}の細胞数増多	
			混濁	400/mm^{2}以上の細胞数増多	
3	細胞	単核球（成熟Tリンパ球）5/mm^2（=15/3）以下	好中球増多（多形核球）	急性炎症（特に細菌性髄膜炎などの化膿性炎症），など	正常：赤血球はみられない 日本では「120/3」と表示することが多い「髄液1mm^{2}中に40個の細胞がある」という意 軽度増多：10〜50 中等度増多：50〜200 高度増多：200以上
			リンパ球増多（単核球）	慢性炎症，化膿性髄膜炎の回復期，髄膜炎（ウイルス性，結核性，真菌性など），髄膜癌症や悪性腫瘍の化学療法時，など	
			形質細胞増多	慢性炎症，悪性腫瘍の化学療法時，など	
			好酸球増多	寄生虫疾患，アレルギー疾患，など	
			単球増多	ウイルス性髄膜炎，など	
4	総蛋白量	30±15mg/dl	増加	炎症性疾患，出血性病変，腫瘍，髄液通過障害，穿刺時の血液混入，など	
5	糖	50〜75mg/dl 腰椎部：45〜80mg/dl，同時血糖の約1/2〜2/3	増加	糖尿病，など	髄液糖は血糖とほぼ並行して変動 髄液糖値は約2（〜4）時間程度血糖値に遅れる 常に血糖値を同時に測定し，比較することが重要 髄液糖値が必要な場合は，髄液採取前4時間は絶食
			正常	ウイルス性髄膜炎，など	
			減少	髄膜炎（細菌性，結核性，真菌性），悪性新生物，サルコイドーシス，低血糖，など	
6	Cl	120〜130mEq/l	増加	腎炎，尿毒症，心不全，脱水症状，など	髄膜炎などで蛋白量が増加していると，減少
			減少	すべての種類の髄膜炎，嘔吐，など（特に結核性では診断的意義が大きい）	
7	IgG	2.5±1.5mg/dl（髄液蛋白の15%以下）	増加	多発性硬化症，神経梅毒，SSPE，ウイルス性髄膜炎，結核性髄膜炎，など	IgG指数＝（髄液IgG/血清IgG）/（髄液alb/血清alb）
	IgG指数	<0.66	上昇		
8	オリゴクローナルIgGバンド oligoclonal bands of IgG (OCB)	陰性	陽性	MS（90%以上），神経梅毒（78%），視神経炎（38%），急性散在性脳脊髄炎（50%），神経サルコイドーシス（33%），神経Behçet病（25%），SSPE，細菌性髄膜炎，ウイルス性髄膜炎，Guillain-Barré症候群，など	電気泳動でγグロブリン分画に出現する多クローン性M蛋白様の数本のバンド 中枢神経系内の免疫グロブリン産生の指標 脱髄疾患の診断上重要
9	ミエリン塩基性蛋白 myelin basic protein (MBP)	陰性	上昇	MS（急性増悪期），脳血管障害（急性期），神経Behçet病（急性増悪期），髄膜炎，など	中枢神経ミエリン鞘に局在する特異蛋白 中枢神経系蛋白の約30〜40%を占める中枢神経のミエリンが破壊されると髄液中に増加 髄鞘崩壊の活動性の指標
			低下	MS（寛解期），など	

（笠井健一郎ほか：眼科検査ガイド，第1版，p665）

3 検査項目（表1）

1. 髄液圧：正常値は50〜180mmCSF（仰臥位）であり，200mmCSF以上なら上昇となり，頭蓋内占拠性病変，髄膜炎，脳炎，脳血管障害，頭部外傷，水頭症などの病態を示唆する．

2. 外観・性状：水様無色透明である．異常所見としてキサントクロミーであり，疾患としては陳旧性出血の溶血，高蛋白，著明な黄疸がある．血性の場合はくも膜下出血（2〜4週間までの出血），日光微塵（白色化）の場合は200/mm^{3}の細胞増多，混濁の場合は400/mm^{3}以上の細胞増多である．

3. 細胞：正常では単核球（成熟Tリンパ球）が5/mm^3（=15/3）以下である．好中球増多の場合は急性炎症，リンパ球増多の場合は慢性炎症，髄膜炎（ウイルス・無菌性・結核など），形質細胞増多の場合は，悪性腫瘍，好酸球増多は寄生虫・アレルギー疾患である．

4. IgG：正常値2.5±1.5mg/dlである．増加した場合は多発性硬化症，神経梅毒などがある．

[表2] 内眼炎を生じる疾患の髄液所見

疾患名	原田病 (VKH)	神経Behçet症候群	神経サルコイドーシス	桐沢型ぶどう膜炎(急性網膜壊死)(ARN)	多発性硬化症 (MS)	HTLV-1関連ぶどう膜炎(HAU)	亜急性硬化性全脳炎 (SSPE)
髄液圧 (正常：100±50mmH$_2$O)		●軽度上昇	●上昇 (約50%)		●異常なし		
細胞 (正常：単核球(成熟Tリンパ球)5/mm^{2}以下)	●増多 (CD4陽性Tリンパ球優位)→徐々に減少 ●ぶどう膜炎発症後3ヵ月以内の陽性率は80%以上	●中等度以下増多 (リンパ球優位：活動期はT細胞) ●好中球の比率が高い(急性増悪期,髄膜刺激症状の強い時) ●正常(ステロイド抵抗期)	●軽度増多 (リンパ球優位) (約50%)	●軽度増多	●正常(約7割) ●軽度増多 (CD4陽性Tリンパ球優位)(増悪期)(約3割) →正常化(症状寛解期)	●軽度増多 (分葉核リンパ球がみられることも)	
総蛋白量 (正常：30±15mg/dl)		●中等度以下(50〜100程度)の増加(急性増悪期)	●増加 (約50%)		●(大多数は100以下の)増加(3〜4割)		
IgG (正常：2.5±1.5mg/dl)		●増加(急性増悪期)		●増加	●増加(約1/2)	●増加	●extra IgGの発現
IgG指数 (正常：<0.66)		●上昇	●上昇		●上昇 (欧米では9割以上)		
その他の特徴的な項目	●確定診断に必須	●中枢神経内IgG産生率の上昇(急性増悪期,慢性進行型) ●IL-6の増加(慢性進行型) ●β$_2$-ミクログロブリン ・増加(急性増悪期) ・正常(ステロイド抵抗期) ●CD4/CD8比 ・上昇(急性増悪期) ・低下(ステロイド抵抗期,慢性進行型)	●ACEの増加 ●lysozymeの増加 ●β$_2$-ミクログロブリンの増加 ●CD4/CD8比の上昇 ●糖の減少(約50%)	●80%に髄液異常	●オリゴクローナルIgGバンド(OCB) ・陽性,欧米(90〜94%)＞日本(35〜46%) ・欧米に多い通常型MSは90%以上陽性 ・日本に多い視神経脊髄型MS11%陽性 ●ミエリン塩基性蛋白(MBP) ・増加(急性増悪期)(45〜100%) ・減少(寛解期) ・再発後5〜6週間は持続	●HTLV-1特異抗体の増加 ●ネオプテリンの増加	●麻疹ウイルス抗体価の上昇

(笠井健一郎ほか：眼科検査ガイド，第1版，p666)

IgG指数＝(髄液IgG/血清IgG)/(髄液Alb/血清Alb)であり，上昇する場合も多発性硬化症などの疾患が考えられる．

5．オリゴクローナルIgGバンド：正常は陰性である．多発性硬化症では約90%で陽性であり(視神経脊髄炎では陰性となる)，神経梅毒では78%で陽性である．急性散在性脳脊髄炎では50%の確率で陽性となる．

6．ミエリン塩基性蛋白：正常は陰性である．多発性硬化症・神経Behçet病の急性増悪期には上昇し，多発性硬化症の慢性期には低下する．

4 疾患ごとの特徴について (表2)

1．原田病(Vogt-Koyanagi-Harada(VKH))：髄液の上昇などはなく無菌性の髄膜炎を発症する．CD4陽性Tリンパ球が増加する．髄液内で単核球が5/mm^{2}と増加する場合は原田病を強く疑う．

2．多発性硬化症(MS)：髄液圧・細胞数はほぼ正常．蛋白量，IgGは増加する．オリゴクローナルIgGバンドは陽性(陽性率は欧米で高く(90%以上)，日本では40%ほど)，ミエリン塩基性蛋白は急性増悪期で上昇する．

3．神経Behçet症候群：髄液圧は軽度上昇する．細胞数も増加し，好中球の比率が高い．IgGやIL-6，β$_2$-ミクログロブリンが増加する．

4．神経サルコイドーシス：髄液圧は約50%で上昇する．ACEの増加，lysozymeの増加，β$_2$-ミクログロブリン，CD4/CD8比の上昇も認められる．

5 手技による合併症

頭痛，脳ヘルニア，感染，脊髄神経損傷．

文献
1) 笠井健一郎ほか：脊髄穿刺．眼科検査ガイド，第1版，眼科診療プラクティス編集委員編，文光堂，東京，663-666，2004

(丸山和一)

24 各種補助検査

1）ぶどう膜炎の補助検査
⑥ 結膜・皮膚生検

Ⅰ 検査の目的

1 検査の対象

外眼部，眼表面の腫瘍性病変の診断に用いられる．即ち，眼瞼皮膚，眼瞼結膜，眼球結膜，結膜円蓋部，涙丘に検眼鏡的に明らかな腫瘍性病変，隆起性病変がみられる症例が対象となる．眼瞼・結膜に発生するあらゆる良性・悪性腫瘍が対象となり，臨床診断が困難な症例も対象となる．

2 目標と限界

腫瘍の組織を採取し病理組織学的検査を行い，腫瘍性病変の確定診断を行う．しかし生検とはいえ，十分な組織量が採取されなかったり，適切に検体を扱うことができなければ，的確な病理組織診断が得られず，確定診断を行えない可能性がある．併せて，形態学的に異常所見がない症例にランダム生検を行うことは，眼瞼や結膜では認められない．

Ⅱ 検査法と検査器材

生検には切開生検 incisional biopsy と切除生検 excisional biopsy の2種類の概念がある[1]．切開生検は病変部の一部を摘出して確定診断を行い，残った病変の治療を検討する．切開生検は腫瘍の臨床診断が可能で，その病変の範囲が広い場合に行われ，結膜悪性リンパ腫（図1），結膜悪性黒色腫と結膜メラノーシス，結膜扁平上皮癌などの眼表面扁平上皮新生物（OSSN），眼瞼脂腺癌などが対象となる．臨床診断が困難である場合には，主病変の切開生検を行う．悪性腫瘍が疑われる際に，病変の広がりを確認するために，マップ生検と言われる病変周囲の眼瞼・結膜組織を数箇所採取し，おのおの別々に固定して，病理検査を行うことも可能である（図2）．他方，切除生検は病変部を一塊にして摘出して診断的治療を行う．臨床診断が良性腫瘍であれば，切除生検を検討する．OSSNや結節状の悪性黒色腫の診断が確定的であ

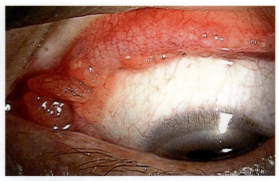

[図1] 結膜円蓋部生検が必須の一例
結膜円蓋部にサーモンピンク色を呈する腫瘍性病変がみられる．一見，粘膜関連リンパ組織（MALT）リンパ腫と思われるが，病理組織学的には濾胞性リンパ腫であった．

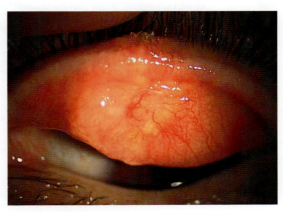

[図2] マップ生検を行った一例
上眼瞼結膜に広範囲に黄色病変がみられる．鼻側，耳側眼瞼結膜，円蓋部結膜から広範囲に生検を行い，脂腺癌の広範な浸潤であることが判明した．

れば，切開生検は必須ではなく，初回手術の際に腫瘍の全摘と再建を計画する．眼科用の手術顕微鏡を用いて術野を確保する．検査の際に，2％エピネフリン入りリドカインを約1ml，点眼用4％リドカインによる麻酔薬を用意する．ベンザルコニウム塩化物やポビドンヨードによる皮膚消毒，スプリング剪刀，チタン製眼科用マイクロ鑷子，眼瞼生検の場合にはそれらに加え15番フェザーメス，カストロビエッホ鑷子も必要となる．検体を固定するための10％パラフォルムアルデヒドも用意する．

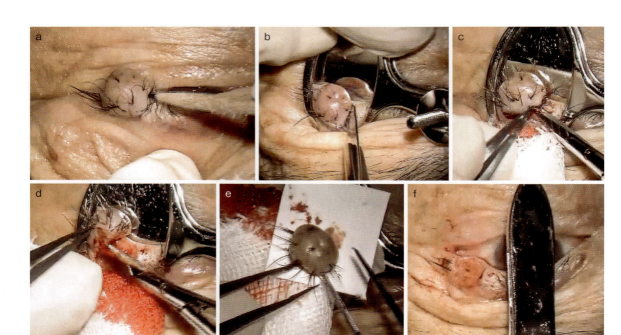

[図3] 眼瞼生検の実際
a ピオクタニンで切除予定線をマーキングする．
b 挟瞼器で眼瞼を制御し，腫瘤部が中央にくるように固定し，15番フェザーメスで切開する．
c 切開部をマイクロ鑷子で切開縁を把持し，スプリング剪刀で腫瘤の基部を切開する．
d スプリング剪刀で切除を進める．
e 腫瘤摘出後，ろ紙に腫瘤切除面を貼り付け，ホルマリン固定する．
f バイポーラで止血し，瞼裂幅に変わりがないか確認し，創部を露出したまま，タリビッド®眼軟膏を塗布して眼帯をして終了とする．

III 検査手順

1 検査の流れ

患者の自覚症状，現病歴を含む問診を行い，視診，細隙灯顕微鏡所見を詳細に収集する．腫瘤性病変の形状（結節状・びまん性など）を把握し，臨床診断を行う．臨床診断の基，切開生検あるいは切除生検を計画する．患者には腫瘤性病変に対して，切開生検を行うのか切除生検を行うのか，あらかじめ伝えておく．生検は外来の処置用ベッドや手術室にて，患者を仰臥位にして行う．

2 検査の実際

1）眼瞼生検（図3）

眼瞼に発生するさまざまな良性・悪性腫瘍が含まれる．局所麻酔にて浸潤麻酔を行い，眼瞼皮膚の消毒を行う．切除生検を行う腫瘤部を確認し，可能であればピオクタニンで切除予定線をマーキングする．挟瞼器で眼瞼を制御し，腫瘤部が中央にくるように固定する．腫瘤の大きさが大きい場合や，15番フェザーメスで切開し，切開部をマイクロ鑷子で切開縁を把持し，スプリング剪刀で腫瘤切除を進める．腫瘤摘出後，ろ紙に腫瘤切除面を貼り付け，ホルマリン固定する．この際，摘出した検体とろ紙が接着したことを確認した後，速やかにホルマリン固定を行う．バイポーラで止血し，創部を露出したまま，タリビッド®眼軟膏を塗布して眼帯をして終了とする．眼帯は翌日から外して問題ない．

2）円蓋部生検（図4）

円蓋部に発生する結膜乳頭腫に対する切除生検や悪性リンパ腫に対する切開生検が含まれる．点眼麻酔を十分に行い，局所麻酔薬にて円蓋部麻酔を行う．円蓋部腫瘍は開瞼器や挟瞼器を使用しても，十分な腫瘤切除の術野を確保できない可能性があるため，場合によっては助手に綿棒で下眼瞼を翻転させて術野を確保する．腫瘤周囲の円蓋部麻酔が入っている健常結膜を切開し，マイクロ鑷子で把持して腫瘤の切除を進める．この際，テノ

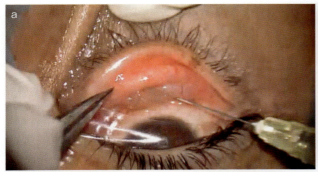
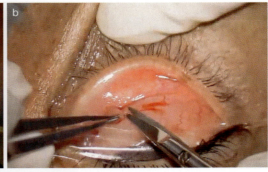
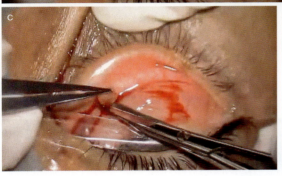

[図4] 円蓋部生検の実際
a 局所麻酔薬にて円蓋部麻酔を行う．
b 助手に綿棒で下眼瞼を翻転させて術野を確保する．
c 腫瘤周囲の円蓋部麻酔が入っている健常結膜を切開し，マイクロ鑷子で把持して腫瘤の切除を進める．

ン囊はなるべく切除しないように心がける．腫瘤を摘出し，ホルマリン固定を行う．なお，結膜悪性リンパ腫が疑われる場合には，同様にもう2～3か所切開生検を行い，未固定で滅菌したタッパやスピッツに検体を収集し，PCR法による免疫グロブリン遺伝子再構成検索やフローサイトメトリーによる細胞表面マーカーの検索へ提出する．術後は抗菌薬と低用量副腎皮質ステロイド薬点眼を使用する．

IV 検査結果の読み方

1 正常結果

病理組織診断にて，採取された組織は非腫瘍性粘膜や炎症細胞浸潤である．組織に異型上皮がみられない結果が得られることがある．術中所見と照らし合わせ，臨床的に病変と考えられる部が確かに採取されて，病理検査ができているのであれば，無治療あるいは副腎皮質ステロイド薬点眼や眼軟膏，消炎点眼薬などで経過観察する．

2 異常所見とその解釈

良性腫瘍による切除生検の場合には，腫瘍が全摘出されているのであれば治療は終了とし，断端に母斑細胞などの良性腫瘍細胞の残存がある場合には，将来的に再発する可能性があることを患者にお伝えする．悪性腫瘍の際には，臨床診断との相違を確認し，腫瘍の残存がある場合には追加切除や放射線照射などの追加治療を検討する．マップ生検の場合には，腫瘍の存在部を生検時の病理組織診断書を基に確認し，追加切除の範囲を検討する．

3 アーチファクト

採取された組織量が少ない場合や標本採取時の挫滅が強い場合，乾燥した場合には，臨床的に悪性腫瘍が疑われていたとしても，異型細胞が示唆されるが確定診断に至らず，判定不能の結果となることがある．この場合には，腫瘤の初回の切開生検と別の部位から腫瘍を再切除するか，慎重な経過観察を行う．後者の場合，明らかな腫瘍の所見の変化や再増大があれば，速やかに切開生検を再度行う．

文献
1) 小幡博人：病理組織検査の原則．臨眼 66：93-97，2012

（加瀬　諭）

24 各種補助検査

1）ぶどう膜炎の補助検査
⑦ 網膜・脈絡膜生検

I 検査の目的

1 検査の対象

ぶどう膜炎の鑑別診断，悪性腫瘍の確定診断もしくは除外診断のために眼内組織を採取してさまざまな検査を行う．特に感染症，網膜硝子体リンパ腫の診断には硝子体生検が一般的に用いられる[1]．臨床診断に確証が持てない場合には，脈絡膜悪性黒色腫その他の腫瘍性病変の細胞診や組織診断を行うことがある．図1に生検の例を示す．網膜芽細胞腫に対しての生検は一般的に禁忌である．

2 目標と限界

感染性ぶどう膜炎に対する硝子体生検は，病変の廓清の意味もあり治療の一環となる．しかし，悪性・良性の腫瘍に対しては，部分切除生検なのか，治癒も考慮に入れた全切除生検なのかをあらかじめ目的を明確にして対処する．特に悪性腫瘍に対しては，エビデンスのある根治的治療が優先されるため，針細胞診や部分切除生検にとどめるのが無難である．

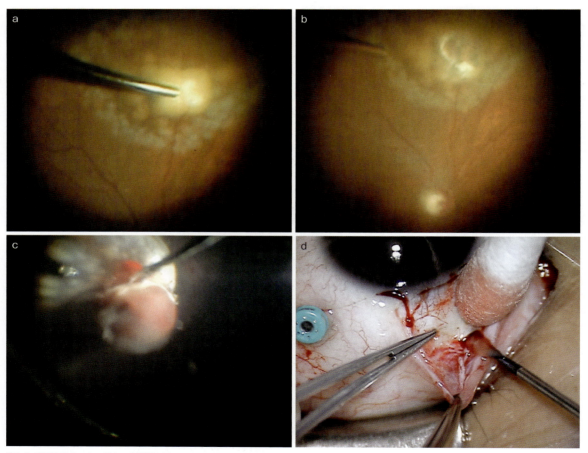

[図1] 硝子体手術による腫瘍の検体採取例
a, b 網膜硝子体リンパ腫の生検．硝子体混濁は少なく下方中間周辺部の網膜下病変．周囲をレーザー光凝固したのちに硝子体カッターで病変を吸引して細胞を採取した．空気置換して手術を終了した．
c, d 周辺部網膜腫瘍の生検．滲出性網膜剝離による視力低下がある鼻側周辺部腫瘍．臨床診断がつかず水晶体温存で部分切除生検し，毛様体扁平部から摘出した．

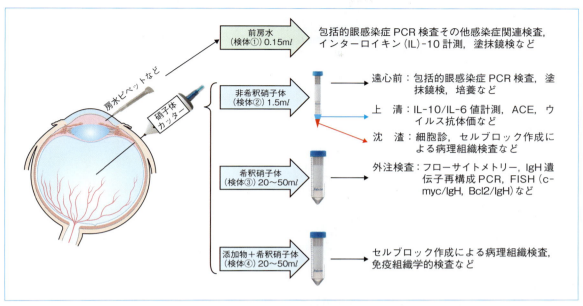

[図2] 感染性ぶどう膜炎，肉芽腫性ぶどう膜炎，網膜硝子体リンパ腫における検体の取り扱い方法（例）

II. 感染性ぶどう膜炎，肉芽腫性ぶどう膜炎，網膜硝子体リンパ腫を目的とした総合的診断方法

1 検査の概要

採取される検体は常に微量であり，臨床的にぶどう膜炎の原因を推定し，優先する検査を設定することで，診断率の向上と医療費節約にもつながる．

2 検体の採取方法と検査の種類

図2に例として，感染性ぶどう膜炎とサルコイドぶどう膜炎を除外診断しながら，網膜硝子体リンパ腫の診断を確定する検体の取り扱い手順を紹介する．実際には必要な検査を取捨選択する．

3 手技の実際

3ポート27Gもしくは25G硝子体手術システムで，水晶体再建術の併用も可能である．前房水（検体①）を採取し，水晶体再建術後に細胞成分の多い部分の非希釈硝子体切除を1,000CPM程度のカットレートで行い，1.0～1.5m*l*程度採取（検体②）する．このとき，カッターの吸引チューブの途中に内径2.2mmの50cmエクステンションチューブ（内腔約2m*l*）を三方活栓で接続して採取すると便利である．長時間過度の眼圧低下は危険であるため，眼球を陥入させながら行うとよい．エクステンションチューブを回収した後，灌流下に残りの細胞成分の多いところを低めのカットレートで切除する．可能であればトリアムシノロンやBBGを注入する前にあらかたの硝子体を郭清する．薬液を注入する前に排液バッグ内の硝子体+/-水晶体を18G針で採取（検体③）する．トリアムシノロンやBBG使用後，空気置換後に多くの細胞成分が採取できた場合には，別容器に採取（検体④）する．

4 診断時の留意点

眼科臨床所見が最も重要であり，眼所見を説明する検体検査結果があって診断に至る．感染症や腫瘍の診断は，PCR法が多用されるようになり，眼内検体採取の条件や時期，全身ステロイド投与の影響も少なくなり，以前よりは検出感度も向上して早期診断も可能となっている．網膜硝子体リンパ腫の診断基準は，確定されていないが，普及している基準[2]を表1に示す．

[表1] 眼内悪性リンパ腫の診断基準（例）

硝子体生検（または網膜下生検，前房穿刺）で採取した試料を用いる．
1. 病理診断（セルブロック）の免疫染色で眼内悪性リンパ腫と診断．
2. 以下の1）または2）のいずれかに該当する場合
　　1）細胞診でクラスⅣまたはⅤの場合
　　2）下記の①から④の4項目中2項目以上に該当する場合
　　　　① 細胞診クラスⅢ
　　　　② IL10/IL6＞1
　　　　③ IgH遺伝子再構成（PCR法）陽性
　　　　④ フローサイトメトリーで軽鎖免疫グロブリン
　　　　　　kappa/lambda比＞3または＜0.5

	感度	特異度
細胞診の悪性像	0.554	1.000
IL-10/IL-6＞1	0.821	1.000
IgH遺伝子再構成	0.732	0.846
フローサイトメトリー	0.625	0.974

1．または2.-1) or 2.-2) のいずれかを満たす場合，確定診断とする．
（文献2）より）

Ⅲ 網膜・脈絡膜腫瘍の経硝子体針生検と部分切除生検（治療的全切除生検以外）

1 検査の概要

　非侵襲的検査では診断が確定できない網脈絡膜腫瘍に行う．大きな網膜欠損が残る手技は，検査の趣旨に合わないので割愛する．針生検は細胞診が目的で，網膜・脈絡膜腫瘍に適応がある．近年は27G硝子体カッターで行うことも多く比較的容易である．部分切除生検は網膜・網膜色素上皮腫瘍に適応があるが，脈絡膜腫瘍には行わない．出血，難治性網膜剥離，腫瘍の播種などの危険性があるが，組織診断が可能であり得られる情報量が多い．

2 検体の採取方法と検査の種類

　病理部と連携を取りながら細胞診，病理組織検査，免疫組織学的検査などを行う．特に免疫組織学的検査は作成するスライド枚数が多くなるため，どの免疫染色が必要か事前に打ち合わせておくとよい．

3 手技の実際

　針生検は，双眼倒像鏡観察下に毛様体扁平部から27Gロング（1インチ）針を用いて腫瘍に直接刺入し吸引採取する．硝子体カッターを使う手技は3ポートシステムで，腫瘍に対するアプローチは硝子体や黄斑前膜などを除去した後に行う．吸引細胞診は27Gカッターで直接刺入し，高圧灌流/低回転数/高吸引圧設定で，吸引チューブ内の検体を採取する．部分切除は腫瘍周囲をレーザー光凝固し切除予定線をジアテルミー凝固し，シャンデリア照明とBSS高圧灌流下に硝子体カッターと水平剪刀を用いて行う．長時間高圧空気灌流は，血管の空気塞栓のリスクがある．検体の摘出は1〜2mm程度に広げた毛様体扁平部創か白内障手術切開創から行う．腫瘍切除部分は光凝固や冷凍凝固を入念に行う．術中に出血や網膜剥離が生じない際には，なるべくガスタンポナーデで手術を終了する．

4 診断時の留意点

　特に下方周辺部に位置する腫瘍は，腫瘍切除で生じた裂孔が難治性となりやすい．腫瘍の基底を残して隆起部分のみを削ぎ取るようなイメージで臨む．

文献
1) Kase S, et al：Diagnostic efficacy of cell block method for vitreoretinal lymphoma. Diagn Pathol. 2016 Mar 17；11：29. doi：10.1186/s13000-016-0479-1. PMID：26987877；PMCID：PMC4797249.
2) Tanaka R, et al：More Accurate Diagnosis of Vitreoretinal Lymphoma Using a Combination of Diagnostic Test Results：A Prospective Observational Study. Ocul Immunol Inflamm 1：1-7, 2021. doi：10.1080/09273948.2021.1873394. Epub ahead of print. PMID：33793360.

（古田　実）

24 各種補助検査

1）ぶどう膜炎の補助検査
⑧ 全身的検査

はじめに

ぶどう膜炎では全身所見を伴うことがあり，診断のための全身検査が必要となる．また，その結果は，その後のステロイド薬，免疫抑制薬投与などの治療方針決定の参考にもなる．ここでは眼科からオーダーする全身検査について述べる．

胸部X線検査

I 検査の目的と検査法

胸部X線検査は簡便で侵襲性も低く，ぶどう膜炎患者では小児や妊婦を除いてルーチンに行う検査である．特にサルコイドーシスや結核の診断の手がかりとなることが多い．

II 検査結果の読み方と解釈

1 サルコイドーシス

両側肺門リンパ節腫脹 bilateral hilar lymphadenopathy（BHL）が特徴的であるが（**図1**），他にも微細粒状影やすりガラス様陰影など多彩な像がみられる[1]．そのような所見がある場合，また，判断に迷う場合には胸部造影 computed tomography（CT）を撮影し，内科専門医にコンサルトする．

2 肺結核

上葉の肺尖部や背側の区域に好発する．浸潤影や線状結節影を呈し，それらが混在することも多い．半数程度で肺結核の特徴的所見の一つである空洞形成がみられる．リンパ節の腫脹はあまりみられない．

3 多発血管炎性肉芽腫症（旧Wegener肉芽腫症）

多発する結節・腫瘤や浸潤影，壊死性変化を反映する空洞形成が高頻度にみられる．

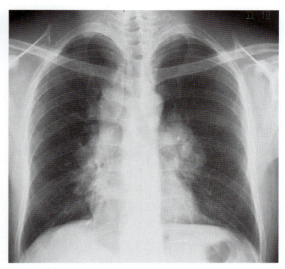

[図1] 胸部X線（サルコイドーシス）
両側の肺門リンパ節腫脹がみられる．

胸部CT検査

I 検査の目的と検査法

胸部X線検査に比べてより精細な病変を検出することができ，また造影剤を使用することによりその性状を類推することが可能である．

II 検査結果の読み方と解釈

1 サルコイドーシス

胸部造影CT検査を行うことにより，胸部X線検査でみられたBHLがサルコイドーシスに特徴的なものであるかどうかを判断することができる．また，胸部X線検査ではBHLがはっきりと捉えられなかった症例においても，明瞭なリンパ節腫脹を検出できることがある．サルコイドーシスにおける腫大リンパ節は境界明瞭，辺縁平滑で累々とした腫大で，一般的に造影後期では淡く均一に造影されることが多い（**図2**）．石灰化も多くみられる．肺野にも肉芽腫による小粒状・結節状陰影や，線維化病変が進行すると線状・索状影などの間質性肺炎像がみられる[1]．

2 肺結核

早期の活動性肺結核の特徴的所見として，末梢までの濃い陰影を伴う小葉中心性結節や分岐状構造物がみられる．重症例では早期病変に加え，空洞を伴った比較的辺縁明瞭な病変が広範囲に多発してみられることがある．これらの所見は上葉などの肺の上部にみられることが多い．

3 多発血管炎性肉芽腫症（旧 Wegener 肉芽腫症）

結節や腫瘤がみられ，胸膜に接した楔状の形態を呈することも多い．肺胞出血やすりガラス様陰影，気管支影の肥厚，リンパ節腫大，まれに胸水や無気肺といった非常に多彩な像を呈する[2]．

頭部 CT 検査

I 検査の目的と検査法

頭部 CT 検査により，頭蓋内や眼窩内の病変を確認することができる．後部強膜炎では後部強膜の肥厚およびその造影効果がみられる．また，頭蓋内占拠性病変がないことを確認するため，必ず腰椎穿刺施行前には頭部単純 CT を撮影する．

頭部 MRI 検査

I 検査の目的と検査法

眼内リンパ腫が疑われた際には，その後の治療方針を決めるためにも頭蓋内病変の有無の確認が重要となる．Behçet 病で発熱や神経症状がみられた際には，頭部 magnetic resonance imaging (MRI) の撮影，至急の神経内科へのコンサルトが必要となる．

II 検査結果の読み方と解釈

1 眼内リンパ腫

眼内リンパ腫は頭蓋内病変を高率に合併する．眼内，頭蓋内ともに原発となりうる．側脳室周囲や大脳基底核，小脳といった脳の深部に好発する．多発例も珍しくない．T1 強調画像で低信号，T2 強調画像で等～高信号を呈する．造影剤で均一に増強され，周囲には脳浮腫がみられる（図

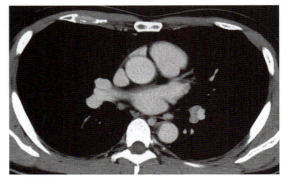

[図2] 胸部 CT（サルコイドーシス）
両側肺門部に境界明瞭で辺縁平滑なリンパ節腫大がみられる．

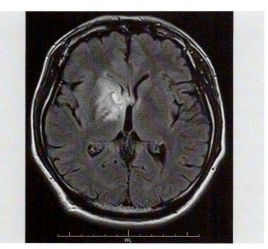

[図3] 頭部 MRI（眼内悪性リンパ腫）
右内包膝部を中心に造影剤で比較的均一に増強された領域がみられ，周囲に高信号域を示し，浮腫性変化も伴っている．

3）．原発が頭蓋内である場合と，他臓器からの転移の場合があるが，それらを区別することは難しい．

2 Behçet 病

神経 Behçet 病では，脳幹部および大脳基底核などに病変が好発し，神経線維に沿って移動したり，腫瘤様の病変を形成するなど，さまざまな像を呈する．急性期は T1 強調画像で等～低信号，T2 強調画像および fluid-attenuated inversion recovery (FLAIR) 画像で高信号を呈し，脳梗塞の画像に類似する．病変は単発性のこともあるが，多くは多発性である．多発性硬化症との鑑別

が重要であるが，その判断は難しい．

Ga シンチグラフィ

I 検査の目的と検査法

クエン酸ガリウム（^{67}Ga）は悪性腫瘍や炎症巣に集積するため，悪性腫瘍のみならずサルコイドーシスなどの炎症性疾患の診断にも利用される．悪性リンパ腫や悪性黒色腫など悪性腫瘍を疑う場合には転移の有無を確認する目的で，PET/CTとともに行うとよい．

一般的には ^{67}Ga を静注し，48〜72時間後に全身前後像を撮影する．炎症の評価には静注後6〜24時間ほどで評価することもある．鼻咽腔，耳下腺，涙腺，骨・骨髄，肺門リンパ節，肝臓，腸管，乳腺などへの生理的集積を考慮する．

II 検査結果の読み方と解釈

1 サルコイドーシス

生理的な肺門部への集積はあるが，著明な肺門リンパ節集積や，著明な肺野集積がみられる際には，診断の参考となる（図4）．また，心臓への異常集積がみられる場合には，心サルコイドーシスを強く疑う．Gaシンチグラフィは，診断感度は良好であるが特異度が低いのが欠点である[3]．

2 悪性リンパ腫

未分化であるほどよく集積し，悪性リンパ腫ではその病期診断に用いられる．異常集積があればその部位や範囲をCTやMRIで確認する．

PET/CT

I 検査の目的と検査法

陽電子放出断層撮影 positron emission tomography（PET）では放射性薬剤（ブドウ糖代謝の指標となる ^{18}F-FDG）を体内に取り込ませ，放出される放射線を特殊なカメラで撮影・画像化し，ブドウ糖代謝などの機能異常を検出する．腫瘍や炎症の部位や大きさ，悪性・良性の区別，転移の有無などの検索に有用であり，全身を一度で撮影

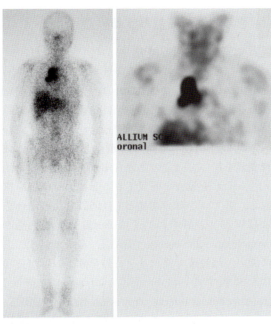

[図4] Ga シンチグラフィ（サルコイドーシス）
右肺門〜縦隔に Ga の著明な集積亢進部位がみられる．
（山根敬浩ほか：眼科検査ガイド，第1版，p679）

することが可能である．

PET/CTは，PETとCTを同時に撮影できる機器である．PETのみと比べ，臓器の形状を撮影するCTと組み合わせる分，より見やすく精度の高い画像が得られる．

II 検査結果の読み方と解釈

1 サルコイドーシス

FDGはサルコイドーシスの活動性病変に集積し，病変の分布や病勢を評価するのに有用と考えられ，GaシンチグラフィよりFDG-PET/CTは感度が高く臨床的な有用性が高いとされている[4]．

2 悪性リンパ腫，悪性黒色腫

悪性リンパ腫や悪性黒色腫はFDGが集積しやすい疾患の一つであり，PET/CTは活動性の評価，全身の広がり，病期診断など，非常に有用性が高い．

その他他科に依頼する検査

1 気管支鏡による検査

　サルコイドーシスの組織診断では，表在リンパ節を皮膚切開して取り出したり，気管支鏡で肺組織を採取し，顕微鏡で非乾酪性類上皮細胞肉芽腫を確認する（経気管支肺生検 transbronchial lung biopsy；TBLB）．組織診断が難しい場合は，気管支鏡を用いて大量の生理食塩水を気管支内に注入し，それを吸引・回収することにより細胞を採取し，Tリンパ球の増加とCD4/CD8比の増加を確認すると診断率は高くなる（気管支肺胞洗浄 bronchoalveolar lavage；BAL）．最近ではTBLBに加え，超音波で腫大リンパ節を確認しながら病変を穿刺する endobronchial ultrasound guided transbronchial needle aspiration biopsy（EBUS-TBNA）が行われ，診断率の向上に役立っている．

2 骨関節X線検査

　関節の病変を伴う強直性脊椎炎，関節リウマチ rheumatoid arthritis（RA），若年性特発性関節炎 juvenile idiopathic arthritis（JIA），Reiter 症候群，乾癬性関節炎などで骨関節X線検査を行う．また，ステロイド薬の長期全身投与による骨粗鬆症の有無およびその経過観察のために骨密度を測定することも必要である．

3 聴力検査

　Vogt-小柳-原田病（原田病）では，感音性難聴がみられることがあるため，耳鼻科にオージオグラムでの精査を依頼する．

4 腹部X線検査・内視鏡検査

　潰瘍性大腸炎やCrohn病などの炎症性腸疾患，Behçet 病では腸管病変を呈することがあるため，消化器科に腹部X線検査や内視鏡検査を依頼する．

5 皮膚科学的検査

　原田病では白斑，白毛や脱毛がみられるため，皮膚所見の有無に注意する．サルコイドーシスでは皮膚病変の病理診断により診断がつくことがあるため，その有無を確認し，必要であれば皮膚科へ精査を依頼する．Behçet 病では下腿に好発する結節性紅斑，全身の毛嚢炎様皮疹，皮下の血栓性静脈炎などの皮膚症状が，梅毒では多彩な症状の一つである梅毒疹が，乾癬では皮膚の紅斑，浸潤，鱗屑などがみられるため，それらの疾患を疑う場合は皮膚科にコンサルトする．

6 神経学的検査

　Behçet 病で発熱や神経症状がみられた際には，神経 Behçet 病も疑い速やかに神経内科へ精査を依頼する必要がある．また，原田病の診断のために腰椎穿刺を依頼することも多い．

おわりに

　ぶどう膜炎診断における補助検査のひとつとして，全身的検査の目的と検査法，検査結果の読み方と解釈などについて解説した．ぶどう膜炎では，その原因が炎症か感染かで治療方針が大きく異なるため，より早期の診断が必要である．また，炎症に対しステロイド薬を投与する場合でも，検査結果への影響を避けるため，その投与前に必要な検査を終わらせることが大事である．本項がぶどう膜炎診断の際の一助になれば幸いである．

文献

1) 藤本公則：サルコイドーシスの胸部画像診断．日サ会誌 33：31-34，2013
2) 木村正剛ほか：Wegener 肉芽腫症の胸部画像所見—CTによる経過観察を中心に—．日呼吸会誌 40：171-176，2002
3) Klech H, et al：Assessment of activity in sarcoidosis. sensitivity and specificity of [67]Gallium scintigraphy, serum ACE levels, chest roentgenography, and blood lymphocyte subpopulations. Chest 82：732-738, 1982
4) Braun JJ, et al：[18]F-FDG PET/CT in sarcoidosis management：review and report of 20 cases. Eur J Nucl Med Mol Imaging 35：1537-1543, 2008

〈水内一臣・南場研一〉

24 各種補助検査

2) アレルギー検査

I 検査の目的，対象

アレルギー性結膜疾患の主訴を有する患者を対象に，I型アレルギー反応を原因とする炎症が眼局所で起こっていることの証明と，アレルギーを起こしている原因アレルゲンを調べることを目的としている．アレルギー性結膜疾患診療ガイドラインの診断基準では，結膜でI型アレルギー反応が起きていることの証明を確定診断としている[1]．しかし，眼局所の検体は微量であり，他のアレルギー性疾患の診断ほど陽性所見を得るのは容易ではないことや，全身検査では，必ずしも眼局所のアレルギーを反映できるとは限らない，といった問題が残る．

II 検査手順

1 眼局所でのアレルギーの証明

1) 好酸球の検出：眼局所でのI型アレルギーの証明

結膜擦過塗抹標本を作製し，好酸球の染色を行い，検鏡する．検体採取は，仰臥位で，点眼麻酔後，上眼瞼結膜を翻転する．硝子棒で上眼瞼結膜をマッサージし，瞼結膜に貯留した分泌物をスパーテルや鑷子で採取し，プレパラートに薄く引きのばすように塗抹し自然乾燥させるか，メタノールで脱水する．

染色は，Hansel 染色または酸性 Giemsa 染色の簡易染色キットを用いると簡便である．エオジノステイン®（鳥居薬品）は，Hansel 染色の簡易染色キットで，約1分間で簡便に染色できる．塗抹標本を染色液で完全に覆い，30〜45秒間放置する．蒸留水を数滴添加し，さらに30秒間染色する．その後蒸留水で洗浄後，メタノールで洗浄する．光学的顕微鏡を用い100倍で検鏡し，2分葉核を有する赤色の好酸球を見つけ，200〜400倍で赤色の顆粒を確認する．ディフクイック®（シスメック国際試薬）は酸性 Giemsa 染色の簡易染色キットで，炎症細胞が染色されるが，好酸球は

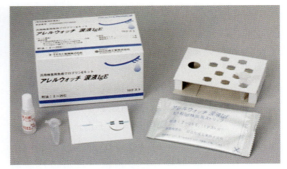

[図1] アレルウォッチ® 涙液 IgE キット

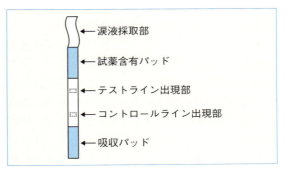

[図2] ヒト総 IgE 検出用ストリップ

赤紫色に観察できる．

結膜上皮や眼脂中には，通常，好酸球は存在しないことから，1視野に1つでも好酸球が確認できれば，アレルギー性結膜疾患の確定診断となる．しかし，臨床的に鑑別が難しい軽症から中等症の症例で，感度が低い[2]ことや，結膜擦過塗抹標本を作製し検鏡することは手間がかかるといった問題があり，日常診療では行いにくい．

2) 涙液中総 IgE 検査

涙液中での総 IgE 値の上昇を調べる検査である．涙液総 IgE は，イムノクロマト法を測定原理とする迅速検査キット（アレルウォッチ® 涙液 IgE，日立化成ダイアグノスティックス・システム/わかもと製薬）を用いて簡便に行うことができる．

キットには，ヒト総 IgE 検出用ストリップ，展開液，展開液用チューブなどがセットになっている（**図1**）．涙液採取，イムノクロマトの展開，判定の順に行う．検出用ストリップ（**図2**）の検体採取用の和紙（検体採取部）を下側結膜円蓋部

に当て，直接涙液を採取する．検体採取部は下眼瞼を軽く引き下げ，眼瞼の中央からやや鼻側に留置し，涙液がコントロールライン（青色着色帯）に達するまで採取する．涙液採取時間は約3分程度である．涙液がなかなか採取できない場合には，ゆっくり瞬目させる，下眼瞼をゆっくり下方に引くなど，涙液分泌を促す．また，涙液が短時間に大量に採取された場合には，反射性の涙液分泌により，涙液中総IgEが希釈されることがある．偽陰性を避けるためには，涙液採取がコントロールラインを越えてしまっても，3分程度は採取を続ける．

あらかじめ，ボトルに入った展開液2滴を展開用チューブに滴下しておく．検出用ストリップの涙液採取部分を展開用チューブに10分間浸漬する．涙液採取が過剰な場合や展開時間が短い場合に展開不良が起こりやすい．その場合には，展開時間を20分〜30分程度延長する．テストラインがコントロールラインと同等以上のピンク色に染まれば陽性（クラス2），コントロールラインより薄く染まれば弱陽性（クラス1），テストラインが出なければ陰性（クラス0）と判定し，コントロールラインが現れなければ試験不成立とし，再度試験を実施する．

健常対照者のほとんどで陰性を示し，特異度の高い検査法といえる[2]．

2 全身検査：原因アレルゲンの検査

原因アレルゲンの検索のために，血液検査として血清抗原特異的IgE抗体測定（*in vitro*検査）や，診断用アレルゲンエキスを用いた皮膚テスト（*in vivo*検査）が行われている（表1）．アレルゲンが明らかになれば，アレルゲン回避のためのセルフケアへのアドバイスに役立つ．これらの検査は全身のアレルゲンによる感作を反映しているが，結膜炎の原因がアレルギーかどうかは，アレルゲンの検索だけでは，明らかにはできない．

3 血液検査

1) 血清中抗原特異的 IgE 抗体検査

血清中の抗原特異的IgE抗体価の測定法には，種々の検査キットが市販されている（表2）．アレルゲンの項目別に検査する方法（単項目）と多

[表1] アレルゲン検査の特徴（血液検査と皮膚試験との比較）

検査名	疼痛	薬物使用	アナフィラキシー	評価時期
特異的IgE抗体検査	やや強い	制限なし	なし	数日後
スクラッチ/プリック	弱い	制限あり	かなりまれ	20分後
皮内テスト	やや強い	制限あり	まれ	20分後

項目を同時に検査する方法がある．前者は目的とする抗原が予測される場合に，後者はスクリーニングを目的とする場合に有用である．現在検査可能なアレルゲンは多数あり，目的とする抗原の種類により，検査法や測定するアレルゲンを選択する必要がある．アレルギーの発症時期に特徴があれば，季節ごとのアレルゲンや通年性のアレルゲンを組み合わせたオーダーセットを利用することもできる．

アレルギー性結膜炎患者で陽性率が高い抗原特異的IgE抗体は，ハウスダスト，スギ，カモガヤ，ネコ上皮などが挙げられている[3]．

迅速診断キットとして，イムノキャップラピッド（サーモフィッシャーダイアグノスティック）とイムノファストチェック J1/J2（LSIメディエンス）がある．イムノキャップラピッドはハウスダスト系として，ヤケヒョウヒダニ，ゴキブリ，ネコ，イヌ，花粉系としてスギ，カモガヤ，ブタクサ，ヨモギ，計8項目，イムノファストチェック J1 ではダニ，ネコ，スギ，J2 では，卵白，牛乳，小麦の各3項目が同時検査可能である．酵素免疫法を測定原理としたイムノクロマトを応用したキットである．

指先に針を刺し，少量の血液（全血 $2\,\mu l$）で短時間（20分）に結果が得られる．キットに血液を滴下し5分後に展開液を滴下し15分後に判定する．陽性を示すアレルゲンのところにピンク色の発色ラインが出てくる．測定結果は発色ラインの色の濃度でクラス 0/1〜4 に分類され，0/1 は陰性，2〜4 を陽性と判定する．

4 皮膚テスト（表3）

皮膚テストは，目的とするアレルゲンに対する抗体が体内に存在するかどうかを調べる *in vivo* 検査である．皮膚に投与された可溶性抗原と肥満細胞表面のIgE抗体との抗原抗体反応によって

[表2] 代表的な血清中抗原特異的IgE抗体測定法

検査名	測定原理	スコア	陽性	メーカー名
単項目測定法				
ImmunoCAP rapid	FEIA法	0〜6	2以上	サーモフィッシャーダイアグノスティックス
イムファストチェックJ1/J2	CLEIA法	0〜4	2以上	LSIメディエンス
イムナライズアラスタットIgE II（アラスタット3gAllergy）	CLEIA法	0〜6	2以上	シーメンス
多項目測定法				
MAST33/48	CLEIA法	0〜6	2以上	日立化成ダイアグノスティックス・シムズ
View39	FEIA法	0〜6	2以上	サーモフィッシャーダイアグノスティックス

CLEIA：chemiluminescent enzyme immunoassay（化学発光酵素免疫法），FEIA法：fluorescence enzyme immunoassay（フルオレセイン酵素免疫法）

肥満細胞から遊離された化学伝達物質が血管に作用して生じる膨疹と紅斑を指標として判定する．皮膚テストには，プリックテスト，スクラッチテスト，皮内テストがある．皮膚テストは抗ヒスタミン薬などアレルギー炎症に作用する薬剤の影響を受けるため，検査前には薬剤の使用を中止する必要がある．抗ヒスタミン薬，ステロイド（経口薬，注射薬）は24時間以上，その他の薬剤は12時間以上中止する．また，非特異的反応を除外するため，対照液を陰性コントロールとして同時に用いて反応を比較する必要がある．

1) プリックテスト・スクラッチテスト

前腕屈側面などの検査部位をアルコール綿，ヒビテン綿などで清拭し，プリックテストでは，アレルゲンエキスを滴下した後，プリックテスト検査用の針（プリックランセット，バイファケイテッドニードル）または細い注射針で静かにアレルゲンを刺すように皮膚表面に押し当てる．すばやくティッシュペーパーで拭く．複数のアレルゲンを検査する場合は，検査部位の間隔を2〜3cm離す．前腕中央は反応が出やすく，検査部位として好ましい．

スクラッチテストでは，プリックランセットまたはツベルクリン針で出血しない程度に皮膚に線状の傷をつける（約5mm）．スクラッチテスト用アレルゲンエキスを1滴滴下する．

2) 皮内テスト

皮内テスト用アレルゲンエキスを注射筒にとり，皮内針を用いて皮内に0.02m*l*注入する．注射液が正しく皮内に注射されると，直径約5mmの膨隆が現れる．多数のアレルゲンを調べる場合は，検査部位の間隔を4〜5cm以上離す．発赤径15mm以上を陽性とする．まれに，アナフィラキシーを誘発することがあるため，過敏が予想される患者では，はじめはスクラッチテストを行うのが望ましい．

[表3] 皮膚テストの判定基準

プリックテスト・スクラッチテスト
【対照】
　陽性コントロールに1％二塩化ヒスタミン，
　陰性コントロールに生理食塩水または市販のテスト用対照液を用いる．
15分後に判定する

膨疹の直径mm（最長径とその中点に垂直な径の平均値）を測定する．
紅斑は判定対象としていない．

陽性：スコア2＋以上

【スコア】
　ヒスタミン膨疹の2倍　4＋
　ヒスタミンと同等の膨疹　3＋
　ヒスタミンの1/2の膨疹　2＋
　1/2より小さく，生食より大きい膨疹　1＋
　生食と同等（−）

対照液が入手困難な場合は，3mm以上の反応を陽性と判定してもよい．

皮内テスト
【対照】生理食塩水
　判定は15分後に発赤径と膨疹径を測定する
陽性：発赤径20mm以上または膨疹径9mm以上

文献

1) アレルギー性結膜疾患診療ガイドライン編集委員会：アレルギー性結膜疾患診療ガイドライン（第3版）．日眼会誌 125：741-785, 2021
2) 庄司　純ほか：アレルギー性結膜疾患診断における自覚症状，他覚所見および涙液総IgE検査キットの有用性の検討．日眼会誌 116：485-493, 2012
3) 庄司　純ほか：アレルギー性結膜疾患症例における血清中アレルゲン特異的IgE抗体の測定—イムライズ2000の使用経験—．眼紀 56：420-425, 2005

（高村悦子）

24 各種補助検査

3) 疾患特異的抗体検査一覧

[表] 疾患特異的抗体検査一覧

	疾患名	特異抗体	疾患特異性	疾患活動性
リウマチ性疾患	膠原病一般	抗核抗体	高くない	—
	関節リウマチ	リウマトイド因子(RF)	高くない	相関する
		抗CCP抗体	高い	相関しない
	全身性エリテマトーデス	抗DNA抗体	高い	相関する
		抗Sm抗体	高い	相関しない
	混合性結合組織病(MCTD)	抗U1-RNP抗体	高い	相関しない
	抗リン脂質抗体症候群	抗β₂GPI抗体	高い	相関しない
		抗カルジオリピン抗体	高くない	相関しない
		ループスアンチコアグラント(LAC)	高くない	相関しない
	Sjögren症候群	抗SS-A抗体	高くない	相関しない
		抗SS-B抗体	高い	相関しない
	全身性強皮症	抗scl-70抗体	高い	相関しない
		抗セントロメア抗体	高い	相関しない
		抗RNAポリメラーゼIII抗体	高い	相関しない
	多発性筋炎・皮膚筋炎	抗ARS抗体	高い	—
		抗MDA5抗体	高い	相関する
		抗TIF-1γ抗体	高い	—
		抗Mi-2抗体	高い	—
	ANCA関連血管炎	MPO-ANCA	高い	相関する
		PR3-ANCA	高い	相関する
内分泌性疾患	バセドウ病	抗TSH受容体抗体TR-Ab(抗甲状腺刺激抗体TS-Abも含む)	高い	TSAbが眼症に相関する
	バセドウ病・橋本病	抗サイログロブリン抗体	高い	—
		抗甲状腺ペルオキシダーゼ抗体	高い	—
神経疾患	ギランバレー症候群	抗GM1抗体	高い	相関しない
	フィッシャー症候群	抗GQ1b抗体	高い	相関しない
	視神経脊髄炎スペクトラム障害(NMOSD)	抗アクアポリン4抗体	高い	再発と相関しない
	一部の視神経炎	抗MOG抗体	高い	再発と相関しない
	重症筋無力症	抗アセチルコリンレセプター抗体	高い	相関する
		抗MuSK抗体	高い	相関する
消化器疾患	原発性胆汁性胆管炎	抗ミトコンドリアM2抗体	高い	—
皮膚科疾患	天疱瘡	抗デスモグレイン1抗体	高い	—
	類天疱瘡	抗BP180抗体	高い	—
血液疾患	自己免疫性溶血性貧血(AIHA)	クームス試験	高い	—
	免疫性血小板減少症(ITP)	抗血小板抗体(PA-IgG, PB-IgG)	高い	—

(毛塚剛司)

文献
大村浩一郎:免疫・炎症性疾患における検査/血液検査. 自己抗体検査. 日医師会誌 149:S91-S94, 2020

25 遺伝子検査

遺伝子検査

I 検査の目的

遺伝子検査は，疾患の確定診断を主目的に行われるが，診断によって治療方針が左右される検査（診断目的）と研究目的で行われる検査に分けられる．遺伝子検査施行にあたって最も重要なことは，たとえ検査結果が陰性であっても疑った疾患を否定できるわけではないということである．

1 検査対象

医療現場では，大きく以下の3つの目的で行われている．

1) 病原体核酸検査

感染性の角結膜炎疾患，虹彩炎，網脈絡膜炎などを引き起こす病原体（ウイルスや細菌・真菌などの微生物）の核酸（DNA あるいは RNA）を検出・解析する検査である．新型コロナウイルス（SARS-CoV-2）検出もこれに該当する．

2) ヒト体細胞遺伝子検査

癌細胞内の遺伝子構造異常を検出する遺伝子検査で，疾患病変部・組織に限局し，病状とともに変化しうる遺伝子変化を明らかにする検査である．常染色体優性遺伝性の網膜芽細胞腫は，がん抑制遺伝子である *RB1* の変異（次世代へ遺伝する変異）に加え，*RB1* に体細胞変異が起こった際発症すると考えられている．体細胞変異は次世代に遺伝しない．

3) ヒト遺伝学的検査

単に遺伝学的検査と呼ばれる．単一遺伝子疾患（網膜色素変性を代表とする遺伝性網脈絡膜疾患，角膜ジストロフィ，遺伝性視神経症・緑内障など），母系遺伝をとる Leber 遺伝性視神経症，ミトコンドリア病，多因子疾患（緑内障，加齢黄斑変性など）の原因にかかわるヒトゲノムあるいはミトコンドリア内の生涯変化しない遺伝子の変化・変異（生殖・胚細胞変異）を調べる検査である．体細胞変異と異なり胚細胞由来遺伝子変異は，次世代（子）に遺伝する．最近，疾患原因となる遺伝子変異を病的バリアント pathogenic variants と呼ぶこともある．令和3年2月現在，遺伝学的検査はさまざまな遺伝性疾患で保険収載（D006-4）され，その大部分は外注検査可能である．先進医療として実施されていた角膜ジストロフィも保険収載（D006-20）された．眼疾患を合併し保険収載可能な代表的な全身疾患として，筋強直性ジストロフィ（処理が容易なもの 3,880点），網膜芽細胞腫（処理が複雑なもの 5,000点），マルファン症候群・脊髄小脳変性症（処理がきわめて複雑なもの 8,000点）などがある（表1）．一方，それ以外の遺伝性眼疾患に対しては保険収載されていない．令和2年度の診療報酬改定（https://www.mhlw.go.jp/content/12400000/000603751.pdf）後，保険収載されている遺伝性疾

[表1] 眼疾患を合併する遺伝性全身疾患（保険収載可能な疾患に限る）

疾患名	眼合併症	原因遺伝子	変異の検出方法	保険点数 実施施設（会社）
筋強直性ジストロフィ	白内障・網膜変性	*DMPK*	サザンブロット法	① LSI, SRL, BML
ライソゾーム病	角膜変性や網膜異常	さまざま	独自の検査パネル	① かずさ DNA
網膜芽細胞腫		*RB1*	FISH法	② SRL, BML
ホモシスチン尿症	水晶体偏位	*CBS, MAT1A*	独自の検査パネル	② かずさ DNA
副腎白質ジストロフィ	視神経萎縮	*ABCD1*	直接塩基配列決定法	② 岐阜大
マルファン症候群	水晶体偏位	*FBN1, TGFBR1, TGFBR2*	独自の検査法	③ かずさ DNA
エーラスダンロス症候群	網膜色素線条の合併は少ない	*COL5A1, COL5A2*	独自の検査法	③ かずさ DNA
脊髄小脳変性症1型	黄斑ジストロフィー	*ATXN1*	PCR法，フラグメント解析法	③ LSI, BML
脊髄小脳変性症7型	錐体ジストロフィー	*ATXN7*	PCR法	③ なし
アルポート症候群	円錐水晶体や黄斑異常	*COL4A5* など	独自の検査法	③ かずさ DNA

FISH：fluorescence in situ hybridization法
① 処理が容易なもの（3,880点），② 処理が複雑なもの（5,000点），③ 処理がきわめて複雑なもの（8,000点）
LSI メディエンス（LSI），エスアールエル（SRL），ビー・エム・エル（BML）

[表2] 角膜ジストロフィの遺伝子異常

病名	遺伝形式	原因遺伝子	疾患バリアント
Meesmann角膜ジストロフィ	AD	KRT3, KRT12	多数（ホットスポットあり）
顆粒状角膜ジストロフィ，Type I	AD	TGFBI	p.Arg555Trp
顆粒状角膜ジストロフィ，Type II（Avellino角膜ジストロフィ）	AD	TGFBI	p.Arg124His
Reis-Bücklers角膜ジストロフィ	AD	TGFBI	p.Arg124Leu
格子状角膜ジストロフィ，Type I	AD	TGFBI	p.Arg124Cys, p.Ala546Asn, p.Pro551Gln など多数
格子状角膜ジストロフィ，Type II	AD	GSN	p.Asp187Asn（家族性アミロイドーシスによる混濁）
格子状角膜ジストロフィ，Type IIIA	AD	TGFBI	p.Ser538Cys など多数
格子状角膜ジストロフィ，Type IV	AD	TGFBI	p.Leu527Arg
Thiel-Behnke角膜ジストロフィ	AD	TGFBI	p.Arg555Gln
Schnyder角膜ジストロフィ	AD	UBIAD1	多数
膠様滴状角膜ジストロフィ	AR	TACSTD2（M1S1）	多数，日本人ではp.Gln118Terが多い
斑状角膜ジストロフィ	AR	CHST6	多数
Fuchs角膜内皮ジストロフィ	AD	COL8A2, SLC4A11 など	多数
後部多形性角膜ジストロフィ	AD	VSX1, COL8A2, TCF8 など	多数
先天性遺伝性角膜内皮ジストロフィ	AR	SLC4A11	多数

AD：常染色体優性遺伝，AR：常染色体劣性遺伝

患に対する遺伝子検査実施可能な施設，検査会社（http://www.kentaikensa.jp/）は公表されている．

2 検査の同意説明

病原体核酸検査やヒト体細胞遺伝子検査を診断目的で行う場合，試料採取等各施設で定められた同意書，先進医療に関する同意書を用いる．一方，遺伝学的検査実施にあっては以下の点に留意する必要がある．

① 診断目的の場合，検査会社に外注し実施する．検査会社が提供する遺伝学的検査依頼書に必要事項を記入し，保険収載の有無にかかわらず，日本医学会の「医療における遺伝学的検査・診断に関するガイドライン」，日本衛生検査所協会の「遺伝学的検査受託に関する倫理指針」を遵守し，被検者よりインフォームド・コンセントを得て，必要に応じて遺伝カウンセリングを行う．保険収載されている遺伝学的検査実施後，厚生労働大臣が定める基準に適合する施設で遺伝カウンセリングを実施した場合，月1回に限り1,000点の加算が可能で，臨床遺伝学に精通した医師であれば，日本人類遺伝学会または日本遺伝カウンセリング学会が定める臨床遺伝専門医取得の有無にかかわらず算定可能である．

② 研究として実施する場合，「ヒトゲノム・遺伝子解析研究に関する倫理指針」を基に実施施設の倫理委員会に承認された上で行い，被検者が署名した同意書を電子カルテに保管する．令和2年の厚生労働省，文部科学省および経済産業省による合同会議において，「ヒトゲノム・遺伝子解析研究に関する倫理指針」および「人を対象とする医学系研究に関する倫理指針」が統合され，新たに「人を対象とする生命科学・医学系研究に関する倫理指針」が令和3年3月に制定された．

3 目標と限界

病原体核酸検査は，診断目的で行われることが多い．病原体が核酸検出された場合，その病原体による感染症の診断となるが，陰性であった場合，その病原体による感染症を否定できるわけではない．角膜ジストロフィは，遺伝子型と表現型が一致することが多い．すなわち，臨床診断された各種角膜ジストロフィは，大まかに原因遺伝子異常や遺伝子変異を推定することが可能である（表2）．一方，Leber先天盲・網膜色素変性や錐体ジストロフィなどの網脈絡膜変性疾患は，臨床診断できてもその原因遺伝子異常を突き止めることは困難であり，研究的要素が強い．近年，常染色体劣性遺伝の網膜色素変性の原因であるEYS遺伝子の2つの短縮型変異（p.Tyr2935Ter， p.Ser1653LysfsTer）や*RP1*遺伝子の挿入変異（*Alu*配列挿入）が日本人で頻度が高いことが明らかにされており，後者の重症度はきわめて高い．Leber遺伝性視神経症のミトコンドリア変異（m.3460G＞A, m.11778G＞A, m.14484T＞C）検索は，確定診断の目的で行われる．この3つの変異がLeber遺伝性視神経症の約95％をカバーしている．日本人における滲出型加齢黄斑変性では，*ARMS2*遺伝子のp.Ala69Ser多型が疾患感受性因子として知られている．

II 検査法と検査機器

1 測定原理・測定範囲

　眼感染症の原因として，ウイルス，細菌，真菌，寄生虫などの病原微生物が挙げられる．病原体核酸検査の検体としては，角結膜の感染症であれば角結膜ぬぐい液，虹彩炎・角膜内皮炎であれば前房水，急性網膜壊死などの網脈絡膜炎であれば前房水・硝子体液などを採取する．検体中に含まれる病原微生物から核酸（DNAやRNA）を抽出し，その核酸を鋳型として特異的プライマー対を用い，polymerase chain reaction（PCR）で増幅し，検出・定量を行う．現在，先進医療として難治性ウイルス，細菌・真菌眼感染疾患に対する包括的迅速PCR診断が実施されている．先進医療とは別に，LSIメディエンス社などに外注し，マルチプレックスリアルタイムPCR法による9種［単純ヘルペスウイルス1型（HSV-1），単純ヘルペスウイルス2型（HSV-2），水痘・帯状ヘルペスウイルス（VZV），EBウイルス（EBV），サイトメガロウイルス（CMV），ヒトヘルペスウイルス6型（HHV-6），HTLV-I，梅毒，トキソプラズマ］の病原微生物の検出が可能であり，当院でも実施している．マルチプレックスリアルタイムPCR法は，1回のPCR操作で上記9種類の反応を行い，検体中に含まれる核酸量を定量することも可能である．Ct（Cqとも呼ばれる）値の有無で陽性または陰性が判定される．Ct値は，PCR反応の蛍光シグナルが閾値（ベースラインシグナルに対して有意な増加が検出されるシグナルレベル）と交差するサイクル数を指し，Ct値が検出されない場合陰性と判定される．検体核酸量が多いほどCt値は低くなる．Leber遺伝性視神経症のミトコンドリア変異，角膜ジストロフィの変異検索や*ARMS2*遺伝子のp.Ala69Ser多型を決定する遺伝学的検査では，患者血液（唾液等も可）からゲノムDNAを抽出し，特異的プライマー対を用いたPCRによる増幅後，PCR産物の直接塩基配列決定法（Sanger法と呼ばれている）もしくはPCR産物の制限酵素断片長多型を調べることにより変異・多型を決定する．

2 機器の構造

　PCRを行うには，サーマルサイクラー，リアルタイムPCR装置，ピペットマン，滅菌チップ，エッペンドルフチューブ，PCR用マイクロチューブ，サンプル・試料，各種病原微生物に特異的なプライマー対，PCRキット，サンプル・試薬を保存する冷蔵庫・冷凍庫が必要である．PCR増幅後は，アガロースゲルなどを用いて電気泳動しバンドの有無を確認する．プライマーとは，標的とする塩基配列に相補的な配列をもつ20塩基程度の1本鎖オリゴヌクレオチドである．バンド確認後は，適宜，PCR産物を直接塩基配列決定や制限酵素断片長多型で解析する．リアルタイムPCR装置では，蛍光シグナル閾値およびCt値を算出し判定する．Leber遺伝性視神経症のミトコンドリア変異（m.3460G＞A, m.11778G＞A, m.14484T＞C）検索は外注可能である．また，角膜ジストロフィの変異検索や*ARMS2*遺伝子のp.Ala69Ser多型検索に関して，自施設でPCR・直接塩基配列決定まで行えない場合，実施施設に依頼する．遺伝性網脈絡膜変性疾患に対する遺伝子解析は研究目的で行われており，直接塩基配列決定法や次世代シークエンサーを用いた網羅的遺伝子解析を行っている施設に依頼する．

3 感度と特異度

　病原微生物検出に関するマルチプレックスリアルタイムPCR法は，高感度で特異的に検出する方法であり，Ct値が検出された場合，その病原微生物の存在を示し診断的価値が高いが，陰性であった場合，その病原微生物による感染症を否定できるわけではないことに留意すべきである．

Leber遺伝性視神経症では，ミトコンドリア変異が検出されれば診断が確定するが，陰性であった場合，他のミトコンドリア変異による可能性は否定できず診断を完全除外することはできない．角膜ジストロフィに関して，診断が確定すれば，過去に報告されている遺伝子変異が検出される可能性が高い．網脈絡膜変性疾患のなかで，一部の疾患は原因遺伝子が1〜2個程度であり，直接塩基配列決定法を行える施設であれば遺伝子診断は容易であるが，網膜色素変性や錐体ジストロフィは原因が多岐にわたり，次世代シークエンサーを用いた解析を行えても原因となる遺伝子変異を突き止められる確率は50％程である．

III 検査手順

1 検査の流れ

病原微生物による感染症診断の場合，角結膜ぬぐい液，前房水，硝子体液を採取し，エッペンドルフチューブなどに入れ冷蔵保存する．前房水採取に関して，房水ピペットを使用すると容易に50〜100μl採取できる．試料は解析まで冷蔵保存する．癌組織の場合，手術時に採取したものを冷蔵・冷凍保存する．最近ではパラフィンブロック・切片からもDNA・遺伝子解析可能な技術が進んでいる．遺伝学的検査では通常，末梢血を採取し冷蔵保存する．自施設で解析を行わない場合，冷凍保存し，外注先や共同研究施設に郵送する．自施設で行う場合，実験室で各種試料からDNAを抽出し，これをPCRの鋳型DNAとして保存する．あらかじめ必要なプライマー対の塩基配列を確認し注文しておく．各種PCRを行い，PCR産物の確認・同定，塩基配列決定などの作業を行い，結果を判定する．次世代シークエンサーの解析を行う場合，マクロジェン社などの外注先に，室温・冷蔵状態でエッペンドルフチューブに入れたDNAを郵送し，解析結果を評価する．研究目的で匿名化されたDNA試料を送付する場合，外注先と業務委託契約を交わすことが望ましい．

2 検査機器の使い方とコツ

自施設の実験室で解析を行う場合，チップ，エッペンドルフチューブ，PCR用マイクロチューブは滅菌かつDNA・RNAフリーのものを使用する．実験者の汗や唾液からのコンタミネーションを防ぐため実験中は手袋・マスクをして，話しながら実験しないことが重要である．プライマーの塩基配列は，過去の論文で報告されているものを参考にすると良い．通常のサーマルサイクラーやリアルタイムPCR装置の使用に関してはマニュアルを参考に，PCR条件は，幾つか実験を重ね，あらかじめ陽性コントロールによるPCRバンドが得られる条件を決定しておく必要がある．前述9種の病原微生物のマルチプレックスリアルタイムPCR用試薬キットは販売されている．マニュアルに従い，リアルタイムPCR装置の条件を設定する．

IV 検査結果の読み方と解釈

1 正常値

病原微生物検出に関するPCRで，陰性であってもその病原微生物による感染を否定できるわけではない．網膜色素変性や錐体ジストロフィでは，診断が確定しても遺伝子変異を見つけることができないことのほうが多く，遺伝子変異が見つからなかったとしても診断が変わることはない．

2 異常値とその解釈（異常所見の読み方）

病原微生物検出に関するPCR法で，陽性と出れば，その病原微生物の存在が確定する．自験例として，難治性虹彩炎症例から前房水を採取し，HSV-1に特異的プライマー対によるPCRを行い，アガロースゲル電気泳動しHSV-1が検出された例を示す（図1）．滲出型加齢黄斑変性に関して，Ala69を2つもつ人（Ala69のホモ）に比べて，Ser69を1つもつ人（Ser69のヘテロ）はオッズ比が約2，2つもつ人（Ser69のホモ）はオッズ比が5以上を示し，Ser69の人ではAla69に人に比べ滲出型加齢黄斑変性の発症リスクや両眼発症のリスクが上昇することが判明している．Leber遺伝性視神経症で主要3変異のいずれかが検出されれば診断は確定する．白内障や網膜変性を合併する筋緊張性ジストロフィは，*DMPK*遺伝子の3′非翻訳領域に存在するCTG反復配列の異常伸長に

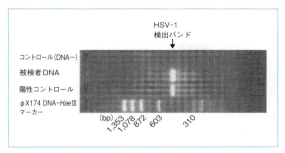

[図1]
前房水からDNAを抽出し，HSV-1に特異的プライマー対によるPCRを行い，アガロースゲル電気泳動しHSV-1が検出された例を示す．

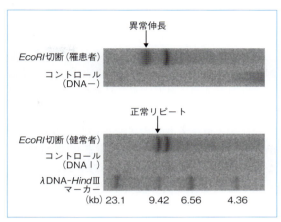

[図2]
筋緊張性ジストロフィの原因である*DMPK*遺伝子に相補的なプローブを用いたサザンブロットハイブリダイゼーションの結果を示す．罹患者では健常者と比較してCTG反復配列の異常伸長が検出されている．

[表3] 遺伝性網脈絡膜疾患（Leber先天盲，網膜色素変性，錐体ジストロフィを除く）の遺伝子異常

病名	遺伝形式	原因遺伝子	疾患バリアント
小口病	AR	*SAG*, *GRK1 (RHOK)*	多数，*SAG*の926delAが多い
白点状眼底	AR	*RDH5*, *RPE65*	多数，日本では*RDH5*がほとんど
先天停在性夜盲（完全型）	X-linked	*NYX*	多数
先天停在性夜盲（完全型）	AR	*GRP179*, *TRPM1*, *GRM6*, *LRIT3*	多数
先天停在性夜盲（不全型）	X-linked	*CACNA1F*	多数
先天停在性夜盲（不全型）	AR	*CABP4*, *CACNA2D4*	多数
先天停在性夜盲（完全型と不全型混在）	AR	*SLC24A1*	Phe538CysfsX23
優性遺伝性先天停在性夜盲	AD	*GNAT1*	Gly38Aspなど
杆体1色覚（全色盲）	AR	*CNGA3*, *CNGB3*, *GNAT2*, *PDE6C*, *PDE6H*, *ATF6*	多数
遅視症（bradyopsia）	AR	*RGS9*, *R9AP*	多数
Enhanced s-cone症候群	AR	*NR2E3*	多数（ミスセンス変異が多い）
脳回状脈絡膜萎縮	AR	*OAT*	多数
コロイデレミア	X-linked	*CHM*	多数（短縮型変異が多い）
クリスタリン網膜症	AR	*CYP4V2*	多数，エクソン7のskippingが多い
Stargardt病（黄色斑眼底）	AR	*ABCA4*	多数（短縮型変異の重症度が高い）
Best病（卵黄状黄斑ジストロフィ）	AD	*BEST1*	多数（ミスセンス変異が多い）
成人発症卵黄状黄斑ジストロフィ	AD	*RPPH2*, *IMPG1*, *IMPG2*	多数
中心性輪紋状脈絡膜ジストロフィ	AD	*PRPH2*	Arg172Trp, Arg172Glnが多い
オカルト黄斑ジストロフィ	AD	*RP1L1*	Arg45Trp, Ser1199Cysが多い
家族性ドルーゼン・常染色体優性ドルーゼン	AD	*EFEMP1*	Arg345Trp
若年網膜分離症	X-linked	*RS1*	多数（ミスセンス変異が多い）
家族性滲出性硝子体網膜症	AD, AR, X-linked	*FZD4*, *NDP*, *LRP5*, *TSPAN12*	多数

AD：常染色体優性遺伝，AR：常染色体劣性遺伝，X-linked：X連鎖性劣性遺伝

よって引き起こされ，異常伸長は，サザンブロットハイブリダイゼーション法で健常者と比較し検出される（**図2**）．遺伝性網脈絡膜疾患のなかで，幾つかの遺伝子解析をすることによって遺伝子診断できる場合がある[6]（**表3**）．直接塩基配列法によって*PRPH2*遺伝子変異が検出された中心性輪

紋状脈絡膜ジストロフィの例を示す（**図3**）．しかし，Leber 先天盲・網膜色素変性や錐体ジストロフィでは，変異を疑う変化を突き止めても真の原因かどうかの判定は容易でないことがある．遺伝子変異のタイプ，過去に疾患原因として報告されている遺伝子かどうか，変異が遺伝形式に矛盾していなか，遺伝子変化のアレル頻度 minor allele frequency（MAF）が高ければ疾患原因とはならない多型という可能性もあるからである．現在，遺伝子配列変化が真の変異かどうかを判定する際，米国遺伝医学ゲノム学会（ACMG）のガイドラインを参照に決定され，pathogenic，likely pathogenic，uncertain significance，likely benign，benign の5種類に分類される．pathogenic もしくは likely pathogenic と判定されれば，疾患原因の変異である可能性が高いといえる．

3 アーチファクト

自施設で PCR を行うにあたり，アーチファクトはつきものである．アーチファクトによる誤診・誤解釈を防ぐために，PCR を行う際は，得られたバンドの分子量を判定するための DNA マーカーに加え，必ず陽性コントロール（検体とは別に PCR がワークすることがわかっている手持ちの鋳型サンプル）と陰性コントロール（検体の代わりに検体と同量の滅菌水やバッファーを用いる）を加えることが肝要である（図1）．マルチプレックスリアルタイム PCR 用試薬キットにも内部（陽性）コントロール，陰性コントロールが含まれている．陽性コントロールによる PCR バンドが得られかつ陰性コントロールによる PCR バンドが出現しない条件が揃えば，検体からの PCR 結果を評価することができる．陽性コントロールで PCR 産物が得られない場合，PCR 条件を再検討する必要がある．陰性コントロールで PCR 産物が得られた場合，プライマーや各種試薬に検体や別の検体がコンタミネーションしている可能性があり，検体以外のすべてを取り替える必要がある．

採取した検体を検査会社に外注したり，共同研究施設に依頼する場合，返送された結果が，たとえ陰性であっても臨床診断が間違っているとは限

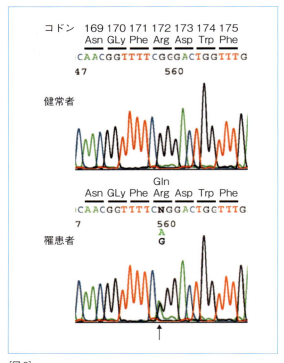

[図3]
直接塩基配列法によって *PRPH2* 遺伝子変異が検出された中心性輪紋状脈絡膜ジストロフィ症例を示す．罹患者では，コドン172の Arg が Gln 変化したヘテロ接合変異（p.Arg172Gln）が検出されている．

らないことを念頭に置くことが重要である．例えば，Leber 遺伝性視神経症で主要3変異が陰性であっても他の部位に変異がないとは限らない．急性網膜壊死を疑ってマルチプレックスリアルタイム PCR で HSV-1，HSV-2，VZV が陰性であっても疑った疾患の治療を継続しつつ，再度サンプルを調製して検査をすることがときに必要となる．

文献

1) 林　孝彰：視神経乳頭の先天異常．遺伝性視神経症　眼科 57：1123-1131, 2015
2) 中村　誠ほか：Leber 遺伝性視神経症認定基準．日眼会誌 119：339-346, 2015
3) 林　孝彰：遺伝子検査．眼科検査ガイド，第2版．文光堂，東京，754-757, 2016
4) 仲田勇夫ほか：加齢黄斑変性．あたらしい眼科 34：935-959, 2017
5) 堀田喜裕ほか：遺伝性網膜変性の遺伝子診断．あたらしい眼科 36：1373-1381, 2019
6) 中野聡子：眼感染症主要病原体・多項目迅速 PCR 検査「Direct Strip PCR」．あたらしい眼科 36：1383-1391, 2019

（林　孝彰）

26 在宅医療，オンライン診療に有用な検査機器，AIによる検査

1) 在宅医療

I 検査の目的

1 検査対象

在宅医療は，通院できない患者が生活する場へ赴いて行う診療であり，対象疾患は全眼科疾患となる．大抵の場合，検査機器も含め，診療に必要な機材を持参する．

診療の場は，自宅，介護施設，医療施設など多岐にわたり，種類も，患者/家族の依頼による往診，かかりつけ医の依頼等で始まる訪問診療，契約施設での定期診療，医療機関の依頼による対診などさまざまな場合がある．

2 目標と限界

対象患者により目標が異なる．これまで通院していた患者では経過観察の継続が主な目標となるが，初診の患者では，現状を把握し，緊急性や継続診療の必要性の有無についての判断が必要である．また，患者の全身状態によっては，視機能回復ではなく対症療法が主目的となる．

なお，在宅医療では，環境や機器の制約があり，検査精度には限界があるため，必要に応じて，自院への受診を促し検査内容を補完することも有用であり，患者や患者家族にも事前に説明しておく．

II 検査法と検査機器

在宅医療に有用なポータブル医療機器には，手持ち細隙灯顕微鏡，眼底鏡，手持ち眼圧計，手持ち眼底カメラ，手持ち屈折検査計，視野計などがある．ただし，通常の在宅医療は簡素な装備でも可能で，細隙灯，眼圧計，眼底鏡があれば，最低限の診療ができる．これらの機器は日常診療でも活用の場があり揃えておくとよい．

また，近見視力表，検眼レンズセット，抜毛用鑷子，フローレス®眼検査用試験紙，洗眼用生食などもあると便利であり，手袋，酒精綿，アルコール消毒用スプレーなど，感染予防対策用具も備えておく．

スマートフォンなどに装着できるオンライン診療用撮影機器も有用である．

在宅医療セットとして，必要な機材をまとめてケースや籠に準備しておくと便利である．

III 検査手順

1 検査の流れ

検査は，可能であればカーテンなどで外光を遮断し，椅子での座位で行うことが望ましいが，患者の体調によって，ベッド上でのギャッチアップ座位，または仰臥位の場合もある．

検査手順は通常診療と同じであるが，検査内容が多くなればなるほど，補助者を同行するほうが望ましい．また，散瞳を必要とする場合は，到着後すぐに散瞳剤の点眼をするなど時間的余裕が必要となる．

2 検査のコツと注意点

在宅医療は，さまざまな環境で行うので，通常診療よりさらに衛生管理に注意する．アルコール消毒が重要だが，手洗いは基本であり，自宅の場合も手洗い場を借りることが望ましい．

IV 検査結果と読み方

検査結果は，通常通りカルテに記載するが，それに加えて，家族や介護担当者，看護師，医師への情報提供が欠かせない．

検査結果を含めた病状の説明とともに，在宅医療を継続する必要があるのか，あるいは，医療施設への受診が必要なのかなど，今後の対応についても相談する．必要に応じて，かかりつけ医やケアマネージャーなどへの文書での情報提供を行う．

最後になるが，在宅医療での検査は，医療施設での検査より精度が劣ることは否めない．しかし，眼科在宅医療で最も重要なのは，検査ではなく専門医が「診る」ことである．検査での制約を理由に，眼科医が在宅医療を諦めるべきではないことは忘れてはならない．

（長屋祥子）

2) オンライン診療に有用な検査機器，AIによる検査

I 検査の目的

社会の高齢化により物理的，経済的理由から通院困難となる患者が増加したため，疾患の早期発見の阻害や，重篤化をきたすことが指摘されている．一方，若い世代に多いコンタクトレンズ装用者は，眼科診療機関を受診せずに，ネットなどで購入する例が多く，眼疾患の発症，増加に関与している．本来，医療は対面で行うことが原則とされ，医師法第20条（昭和23年法律第201号）により，無診察治療等は禁止されてきたが，情報通信技術の進歩により平成9年の厚生省健康政策局通知をもって情報通信機器を用いた診療の門戸が開放された．その後2回にわたり当該通知が改正され，平成17年に医療情報システムの安全管理に関するガイドラインが公表された．厚労省は平成30年に「オンライン診療の適切な実施に関する指針」を発表し，オンライン啓発活動を進めてきた．

遠隔地から医療・健康行為を行うケースは**表1**のように大別される．オンライン診療は医師と患者間で情報通信機器を用いて患者の診察と診断を行い，診断結果を患者に伝え，処方箋の発行等の診療行為をリアルタイムに行う行為である．本項ではオンライン診療に限定して説明し，研修を受けることを前提とする．

1 検査対象

特殊な場合を除き，状態が落ち着いている再診患者が対象となる．

2 オンライン診療施設基準

オンライン診療を行う施設については以下の条件を満たす必要がある．① 厚生労働省の定める情報通信機器を用いた診療に係る指針に沿って診療を行う体制を有する保健医療機関であること，② 緊急性のある場合に対面診療が可能であること，③ 1か月のオンライン診療の算定額が全診療報酬の1割以下，の条件を満たすこと．オンライン診療を行う医師は医療機関に属しておくことが求められる．オンライン診療を行う場所は，騒音が大きい，プライバシーを守ることが難しい，不適切な場所は避けるべきである．

オンライン診療は保険診療と自由診療で活用でき，自由診療の場合でも，厚労省のオンライン診療の指針が適用される．

3 オンライン診療開始に向けての手続き

オンライン診療行うためには厚生労働省の行う無料のオンライン研修（https://telemed-training.jp/entry）を受講し，演習問題に合格する必要がある．患者に対する告知としてホームページ（HP）等で，診療科，担当医とその顔写真，対応可能な時間帯，予約方法などの情報を提示しておくことが望ましい．

4 目標と限界

オンライン診療は基本的に対面診療を補うためのものであるが，現在想定されているオンライン

[表1] オンライン診療・オンライン受診勧奨・遠隔健康医療相談で実施可能な行為

	オンライン診療	オンライン受診勧奨	遠隔健康資料相談	遠隔健康医療相談
行為者	医師	医師	医師	医師以外
情報通信機器を用いた診察行為	○	○	×	×
行為のリアルタイム・同時性（視覚・聴覚情報を含む）	○（文字等のみは不可）	○（文字等のみは不可）	該当せず（必須ではない）	該当せず（必須ではない）
初診	×（例外あり）	○	該当せず	該当せず
処方	○	×	該当せず	該当せず
受診不要の指示・助言	該当せず	○	○	○
可能性のある疾患名の列挙	該当せず	該当せず	○	○
一般医薬品の使用助言	○	○	○	○
患者個人への医学的助言	○	○	○	×
特定の医療機関紹介	○	○	○	○

[表2] オンライン診療に関するさまざまな情報提供サイト一覧

■厚生労働省　オンライン診療に関するホームページ
https://www.mhlw.go.jp/stf/seisakunitsuite/bunya/kenkou_iryou/iryou/rinsyo/index_00010.html

■厚生労働省　オンライン診療の適切な実施に関する指針
https://www.mhlw.go.jp/content/000534254.pdf

■厚生労働省 基本診療料の施設基準等及びその届出に関する手続きの取扱いについて
https://kouseikyoku.mhlw.go.jp/kantoshinetsu/shinsei/shido_kansa/shitei_kijun/h30/documents/30kihontuuti.pdf

■厚生労働省「医科-医学管理等」1/18-2/18
https://www.mhlw.go.jp/file/05-Shingikai-12404000-Hokenkyoku-Iryouka/0000193524.pdf

■厚生労働省 オンライン診療研修・緊急避妊薬の処方に対する研修　申し込みURL
https://telemed-training.jp/entry

■厚生労働省「オンライン診療の適切な実施に関する指針」に関するQ＆A平成30年12月作成
https://www.mhlw.go.jp/content/10803000/000473058.pdf

■厚生労働省「オンライン診療研修・緊急避妊薬の処方に対する研修」オンライン診療研修実施概要
https://telemed-training.jp/entry

(厚生労働省平成30年3月オンライン診療の適切な実施に関する指針より改変)

診療は，眼科診療においては対面に比べ画像精度，検査に制限があり十分といえない．

5 検査法と検査機器

インターネットの通信環境，パソコン，タブレット，スマートフォンなどのデバイスが必要となる．さらに，予約管理，オンライン決済，ビデオ通話，記録，薬品の配送のためなど薬局との提携環境が整っていることも必要となる．

6 感度と特異度

オンライン診療機器と対面診療の診断精度についての厳格な比較はまだ十分に明らかではないが，診断能は対面に比べ低いと考えられる．

II　オンライン診療の実際

1 事前調査と予約

患者はHPなどで受診目的の医療機関の情報を確認し，電話，もしくはHPなどを用いて予約を行う．

2 診療法

a．医療機関側から受診者に連絡し，オンラインで診療を開始する．
b．診療開始前には，医師は患者に対して顔写真付きの身分証明書や医師免許証を提示する．
c．患者は被保険者証を提示し，受給資格の確認などの患者確認を行う．

3 診療後

領収書と明細書を受診者に送付する．医療機関を受診する必要があると判断された場合は，患者に医療機関受診を勧める．

投薬の場合，希望する薬局に処方箋を送付する．服薬指導はオンラインもしくは対面で行う．

オンライン診療には，独自の作業が必要のため，医師向けのさまざまなサービスが存在する．表2に情報提供サイトの一覧を示す．

III　検査結果の解釈

問診や画像にて，著変のないことを確認するが，悪化や異常の疑いがある場合は対面を勧める．

IV　オンライン診療の課題

オンライン診療の届け出をした医療機関は全体の1％程度に過ぎず，また届け出医療機関の半分以上はオンライン診療の実績がなく，オンライン診療機関でも患者はわずかであるが，保険適用が狭い，対象患者が少ない，費用対効果が悪いことなどが原因と考えられる．

V　眼科領域のオンライン診療の実際

現在のオンラインでは，高精度な画像情報を得

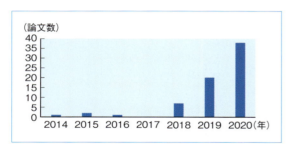

[図1] 遠隔診療のAIの活用状況

られないため，活用領域は保険診療としては白内障，緑内障，ドライアイなどの慢性疾患の対面診療の補足と処方追加，またコンタクトレンズ処方などが中心となっている．自由診療例ではセカンドオピニオン例が多い．

Ⅵ 眼科におけるオンライン診療の今後

眼科診療は画像が中心となるため，オンラインでの診療には適している．本邦でもさまざまなオンライン診療のための研究が行われて成果を挙げてきている．さらにオンラインで取り扱う画像はデジタル化されているため，人工知能（AI）との相性がよい．**図1**に眼科におけるAIの活用論文の現状を示す．海外ではオンラインで眼科検査機器を活用している事例や，AIを用いた新しい診療形態の提案などがなされている．オンライン診療には，既存の対面診療とのすみ分け，セキュリティ，責任問題，診療報酬などのさまざまな課題が山積しているが，新型コロナウイルス感染症のパンデミックを契機にオンライン診療の機運は高まっている．今後眼科オンライン診療がどうなるかは不明な点が多いが，将来的にはより高度なオンライン診療が始まるかもしれないため，その対応を検討しておくことが必要である．

（柏木賢治）

27 感染症対策・消毒法

感染症対策・消毒法

はじめに

診療では，患者から医療従事者，医療従事者から患者，医療従事者間の院内感染対策を講じる必要がある．考慮すべき微生物は，メチシリン耐性黄色ブドウ球菌（Methicillin resistant *Staphylococcus aureus*：MRSA）や医療現場の環境に定着する *Serratia* 属・*Pseudomonas* 属などの細菌，アデノウイルスや飛沫感染をきたすウイルスおよび空気感染をきたす結核である．微生物ごとにその感染様式や頻度が違うため分けて記載するが，アデノウイルスについては別項を参照されたい．

■ 細菌

I 検査の目的

1 検査対象

MRSA が起炎菌となりうる結膜炎，角膜炎，涙囊炎などの前眼部・外眼部感染性疾患患者や全医療従事者の眼脂，結膜囊拭い液，手指およびそれらが接触する可能性のある医療機器と医療現場の環境が対象となる．

2 目標と限界

感染性疾患では起炎菌を特定すること，無症候の医療従事者では，院内感染をきたす細菌の保菌の有無，および医療機器や診療現場の環境では，それらの細菌の定着の有無を確認することが目標である．無症候の医療従事者や医療機器の細菌培養をするのは，多くの患者で MRSA や環境由来と思われる細菌が分離され院内感染が疑われるときに限る．一般眼科診療所で無症候の医療従事者に実施する場合は本人の同意が必要であり，保険診療上も限界がある．総合病院では，院内感染対策部門の判断で実施する場合に限る．

II 検査法と検査機器

1 測定原理・測定範囲

感染性疾患では，眼脂，結膜囊拭い液などを，通常実施している方法で培養に提出する．無症候の医療従事者では，拭き取りスワブか手形培地（ハンドシャーレ）を用いた手指の培養でよい．医療機器や環境は，拭き取りスワブを利用するとよい．

2 感度と特異度

培養の感度は検体に存在する細菌量，培養条件によってまちまちである．感染性疾患から細菌が分離された場合，検体にその細菌が存在したことは確実だが，それが起炎菌であるかどうかは臨床所見から総合的に判断する必要がある．すなわち特異度を数値で表すことは難しい．他の薬剤で臨床所見が改善せず MRSA が分離された場合は，MRSA が起炎菌と判断でき特異度は高い．

無症候の医療従事者の検体や診療機器から MRSA が分離された場合，前者は無症候保菌者，後者は医療機器の汚染と判断でき特異度は高い．

環境からは何らかのグラム陰性桿菌が分離される可能性が高く，感度は高い．しかし，それが院内感染を引き起こすかどうかは別問題ゆえ，特異度の評価は困難である．

III 検査手順

1 検査の流れ

前眼部・外眼部の感染性疾患で，市販の抗菌点眼薬による治療で所見が改善しない場合，各種検体の培養を実施する．一般眼科診療所では，MRSA が分離される前眼部・外眼部感染性疾患の患者が続けて現れたら，患者と接する診療機器の拭き取り検体の培養を実施する．グラム陰性桿菌が眼科臨床検体から分離されることが続いたら，環境拭き取り検体の培養を実施する．

2 検査のコツと注意点

眼脂は，粘液膿性のものを採取する．涙囊分泌物は，涙管通水での逆流物を採取する．角膜擦過物は，病巣の辺縁をゴルフメスか 25 や 27 ゲージ針をフック状に加工したもので採取する．医療機器や環境は，患者の顎や額，手指が直接触れる箇所を意識的に拭き取る．

Ⅳ 検査結果の読み方

1 正常結果

感染性疾患，医療機器や環境の培養では，MRSA，*Acinetobacter* 属，*Citrobacter* 属，*Enterococcus* 属，*Pseudomonas* 属，*Serratia* 属が，患者検体と医療機器・環境の検体の双方から同時に分離されないことが正常であり，無症候の医療従事者では培養陰性となることが正常である．

2 異常所見とその解釈

患者検体と医療機器や環境の検体から同時期にMRSA，*Acinetobacter* 属，*Citrobacter* 属，*Enterococcus* 属，*Pseudomonas* 属，*Serratia* 属のどれかが分離された場合は院内感染の可能性を意識し，スタンダードプリコーション，および接触感染プリコーションを励行する．具体的には，医療従事者は手指衛生を徹底する．入院患者は，病状から可能であれば早期退院とする．早期退院が不可能で入院設備に余裕がある場合は，個室管理とする．入院中は，患者の院内移動を必要最小限にする．医療従事者は，患者と接する際にはディスポーザブルの手袋とガウンを着用する．患者の眼組織と接触する医療機器は，可能な限りディスポーザブル製品を使用する．患者退院後は，早急に患者が触れた環境や使用した診療機器の消毒を実施する．

3 消毒法

手指衛生は，流水による手洗いでも効果が得られる．常日頃から入念な手洗いをしておくべきだが，院内感染を疑う時期は，より入念に手洗いをする．手洗い後に，擦り込み式速乾性手指消毒薬を使用するとさらに良い．前述の細菌は，80%前後濃度の消毒用アルコールで死滅するため，診療機器で可能なものは消毒用アルコール綿での拭き取りをする．噴霧器での大量のアルコール噴霧は消毒効果にむらが生じることや，作業者の安全性の問題から望ましくない．眼科においては，患者が触った手すりや診察台のレバー，細隙灯顕微鏡や検査機器の額や顎が接触する部位などが相当する．アルコール使用不可，あるいは使用が望ましくない場合は，100ppm以上，汚れがひどい場合は200ppm以上の次亜塩素酸ナトリウム液に浸漬する．Goldmann眼圧計のチップや3ミラーなどが相当する．環境を完全に無菌化することは不可能だが，200ppm以上の次亜塩素酸ナトリウム液をかけ，その20秒後に拭き取る．次亜塩素酸ナトリウムは金属を腐食するため，金属製製品には使用できない．

■飛沫感染をきたすウイルスと結核

Ⅰ 検査の目的

1 検査対象

感冒様症状を有する患者や医療従事者，結核の診断がついた患者，および結核が疑わしい患者を診察する医療従事者が対象である．

2 目標と限界

飛沫感染をきたすウイルス性気道感染症の患者や医療従事者を早期に発見，診療現場から隔離し院内感染を予防すること，および院内での結核の蔓延予防が目標である．元来，眼科で診断をつけるべき病態ではなく，検査には鼻腔，咽頭拭い液や喀痰の採取が必要なため，眼科にとっては通常の診療範囲外の検査となる．詳細は，地元の保健所の指導を仰ぐ必要がある．総合病院では，呼吸器内科や感染対策部門と相談のもと実施する検査であり，眼科独自のルールで行うものではない．

Ⅱ 検査法と検査機器

1 測定原理・測定範囲

簡易型インフルエンザ抗原検出キットは，イムノクロマト法によるものでアデノウイルスのそれと同様であるため詳細は省く．2019年末から世界的pandemicで大きな問題となっている新型コロナウイルスでは，最も信頼性の高い検査は鼻腔か咽頭拭い液のpolymerase chain reaction（PCR）である．その測定原理は他項を参照されたい．手術前検査などで無症候感染者における検出目的の際には唾液が用いられることもある．抗原定性検査は，ウイルスを構成する蛋白質をウイルス特異的な抗体で検出する．2021年現在，ウイルス粒子中に含まれるnucleocapsidを検出す

るキットが多い．

結核は，胸部X線写真と喀痰の塗抹検鏡，結核菌培養，および血液の結核菌インターフェロンγ産生能結果で診断をする．

2 感度と特異度

インフルエンザ抗原検出キットの感度は，85〜95％といわれている．新型コロナウイルス感染症（COVID-19）患者の鼻腔・咽頭拭い液や唾液のPCRでは，検体の種類と採取量，患者の病状によってその偽陽性率が違う．抗原定性検査は迅速性で優れているが，PCRより感度も特異度も低いとされている．PCR，抗原定性検査とも，陽性であっても活きたウイルスを検出しているという保証はない．

結核菌インターフェロンγ産生能の感度は80％，特異度は95％程度である．活動性結核かどうかは，症状，画像診断，喀痰の塗抹検鏡，培養，PCRで呼吸器内科医が判断する．

III 検査手順

1 検査の流れ

COVID-19を疑う患者，あるいは他科で診断がついた患者のPCRをする場合は，personal protective equipment（PPE）を適切に装着して検体採取をする．インフルエンザは指定感染症5類ゆえ，患者隔離の必要はなく検査は不要である．受診患者や職員で2週間以上続く咳がある場合は結核を疑い，呼吸器内科を受診させる．

2 検査のコツと注意点

PPEの詳細はさまざまな媒体で情報が得られるが，総合病院では各施設のPPE物品備蓄状況に応じてマニュアルが規定されるので，それを遵守する．N95マスクは事前に装着テストをし，その密閉性を確認してから使用する．

IV 検査結果の読み方

1 正常結果

陰性であることが正常である．

2 異常所見とその解釈

医療従事者が陽性の場合，施設ごとの院内感染対策規約に基づき就労を制限する．COVID-19の場合は，一般眼科診療所では保健所の指示に従い就労制限や診療現場での対策を講じる．結核では，一般眼科診療所は保健所，総合病院では感染対策部門の指示に従う．

3 消毒法と感染対策法，その留意点

排菌量の多い結核患者で中心フリッカ測定，視野検査などをしなければならない場合，あるいは2週間以上続く咳と体重減少や血痰がある患者の診察時は，他の患者との動線を分ける．待機させる場合は，感染症専用個室で待機させる．専用個室がない場合は，他の患者との距離を空け，移動時の動線が重複しないように工夫する．検査時は，患者と検者双方がサージカルマスクをし，十分な換気をしながら実施する．N95マスクを着用することも妥当である．

COVID-19患者の診察時は，手指衛生とマスク着用，および換気に留意する．流水での手洗い，擦り込み式速乾性アルコール消毒剤での消毒をする．ただし，発熱や感冒様症状のない患者の通常の眼科診療時は，新型コロナウイルスpandemic時であっても，サージカルマスク着用と手指衛生，換気を徹底すれば，それ以上の防護策は必須ではない．PPE物品やさまざまな飛沫防護用品の使用は制限されるものではないが，個人の安心を追求するあまり，備蓄に余裕がないときにまで眼科診療のためにPPE用防護物品を占有することは慎まなければならない．

一般眼科診療所では，地域の保健所や，その地域の感染対策を担う中核病院の感染対策部門に相談し方策を探るのがよい．総合病院では，感染対策部門の指示に従う．共用の細隙灯顕微鏡に飛沫飛入防止用のシールドを装着する場合は，仮にそこに接触感染するウイルスが付着し，それを他の医師が使用して手指と接触すると，院内感染を助長する可能性があることを認識した上で使用しなければならない．すなわち，ディスポーザブル製品にして医師が交代するたびに新品に交換するか，そうでなければ医師交代のたびに消毒をしなければならない．

（江口　洋）

和文索引

あ

α角 153
アイスパックテスト 334
アイモ 262
赤ガラス試験 201
アカントアメーバ 726
アカントアメーバ角膜炎 375
悪性リンパ腫 704, 705
アコモレフ 2 130
アセチルコリン（Ach）受容体抗体 334
圧迫隅角検査 469
アデノウイルス 711, 789
アナフィラキシーショック 615
アノマロスコープ 230
アメーバ 723
暗極小 668
アンジオテンシン変換酵素 747
暗室うつむき試験 451
暗順応検査 210
アンチゲネミア法 753
暗点 240, 241

い

(1-3)-β-D グルカン 756
1 型色覚 222
I 型アレルギー反応 775
石原色覚検査表 212, 213, 216, 218
石原式近点計 126
位相差ハプロスコープ 205, 207
イソプタ 238
遺伝カウンセリング 780
遺伝子検査 779
遺伝子変異 779
イベント解析 302
イムノクロマト法 711
異名性 322

色収差 80
陰性γ角 191
陰性型 ERG 657
陰性残像検査 204
インターフェロメーター 343
インターフェロンγ遊離試験 750
インターロイキン-10 770
インドシアニングリーン蛍光眼底造影検査 600, 615, 623
院内感染 789
インフォームド・コンセント 780
インフルエンザ 791
インフルエンザ菌 724

う

ウイルス性結膜炎 711
ウイルス分離 715
鬱血乳頭 762
運動性融像 189
雲霧法 78

え

絵視標 15
遠隔医療アシスト 613
遠近両用・累進眼鏡 88, 95
円錐角膜 72, 121, 388
円錐角膜用レンズ 121
円柱度数 83
円柱レンズ 105
エンテロウイルス 711
遠点 125
遠方視力 437
遠用眼鏡 88, 90

お

黄色ブドウ球菌 724
黄斑円孔 517, 532, 643
黄斑回避 312
黄斑偽円孔 524

黄斑色素スクリーナー MPS2 638
黄斑ジストロフィ 530
黄斑部毛細血管拡張症 532, 581
黄斑部毛細血管拡張症 2 型 637, 640
オカルト黄斑変性症 662
置き型拡大鏡 45
オクルーダー 141
オートレフラクトメータ 52
オーバースキアスコピー 66
オルソケラトロジー 121
音響陰影 682
オンライン診療 786

か

γ角 153, 191
外境界膜 508
外傷性散瞳 413
回旋斜視 151
回旋偏位 149, 190
外転神経麻痺 165
外方回旋 191
外方回旋偏位 152
解剖的不等像視 206
角結膜上皮障害 364
角結膜の薬剤障害 460
拡散強調 MRI 699
拡散照明法（ディフューザー法） 360
核磁気共鳴画像法 690
学習効果 294
拡大率効果 562
角膜厚 400
角膜換算屈折率 378
角膜曲率半径 55, 377
角膜形状解析 384
角膜後面沈着物 460
角膜後面乱視 432
角膜ジストロフィ 376, 780
角膜生体力学特性 402
角膜前面乱視 432
角膜全乱視 432

索引

角膜知覚　399
角膜トポグラフィ　384
角膜内皮細胞密度　371
角膜反射法　175
角膜ヒステリシス　402, 444
角膜フーリエ解析　433
確率プロット図　319
仮性同色表　212
カバーテスト　140, 142
可溶性インターロイキン-2 レセプター　747
カラーコンタクトレンズ　123
加齢黄斑変性　212, 533, 539, 584, 781
眼圧測定　442
眼圧日内変動　447, 454
眼圧変動幅　449
眼位定性検査　140
眼位定量検査　144
感覚性融像　189
眼窩腫瘍　687
眼窩内異物　688
眼窩吹き抜け骨折　169
眼球運動検査　182
眼球電位図　671
眼球突出検査　157
眼鏡矯正の原理　88
眼鏡処方検査　89
眼瞼下垂　333
眼瞼痙攣　330
眼軸長　425, 427
感受性期間　100
間接型隅角検査法　467
間接照明法（虹彩反帰法）　362
完全型先天停在性夜盲（完全型 CSNB）　661
感染性ぶどう膜炎　769
杆体1色覚　222
杆体応答　654
眼底検査　487
眼底撮影　609
眼底自発蛍光　600, 631
眼底自発蛍光分光法　637, 639

眼底写真　594, 605
眼底チャート　487
眼底直視下視野計　272
眼底反射光測定法　637, 638
眼底モジュール　611
眼電位図　667
眼内循環　646
眼内リンパ腫　737, 772
眼内レンズ度数計算　421

き

9方向眼位　182
機能的 MRI　699
ギムザ染色　720, 723
逆瞳孔ブロック　460
求心性狭窄　309
急性帯状潜在性網膜外層症　662
狭隅角　463, 478
強主経線　82
共焦点レーザー顕微鏡　727
矯正視力検査　74
強膜圧迫法　486
強膜岬　470
強膜散乱法　369
強膜散乱法（スクレラルスキャッター法）　362
鏡面反射　370
鏡面反射法　361, 369
極度異常3色覚　235
筋緊張性ジストロフィ　782
近見視力検査　11
近見反応　408
近視進行予防　122
近点　125
筋電図　674
均等色度図　226
筋特異的受容体型チロシンキナーゼ（MuSK）抗体　334

く

隅角鏡　473

隅角形成不全　472
隅角結節　472
隅角後退　472
空間周波数　29
空間周波数特性　24
空間和　238
屈折誤差　421
クラミジア・トラコマチス　709
グラム染色　720, 723, 729
グレア　27
グレア・ハロー　436
グレースケール　248
クロスシリンダー法　82
グローバルインデックス　249
クロマトグラフィ　715

け

蛍光眼底造影撮影　474
蛍光抗体法　715
蛍光遮断　622, 626
蛍光貯留　618
経シナプス逆行性変性　570
ゲイズトラック　248
頸動脈海綿静脈洞瘻　696
血液-網膜関門　615
結核性ぶどう膜炎　750
血管密度解析　576
血清抗原特異的 IgE 抗体測定　776
血流測定　649
ケラトメーター　53, 377
牽引試験　167
検影法　63, 101
検眼鏡　483
顕性斜視角　187
原発閉塞隅角症　479

こ

抗 Bartonella 抗体　751
抗 GQ1b 抗体　778
抗 MOG 抗体　778

抗MuSK抗体　778
抗アクアポリン4抗体　778
抗アセチルコリンレセプター抗体　778
広角眼底撮影　599
抗核抗体　748
光学式眼軸長測定　427
光学的切片法　360
光学的不等像視　206
光学的補助具　42
光学モジュール　611
高空間周波数　26
抗原検査　707
広光束照明法　360
抗好中球細胞質抗体　749
交互点滅対光反射試験　407
虹彩付きカラーコンタクトレンズ　123
虹彩・隅角新生血管　473
交差法　608
好酸球の検出　775
高次収差　68
甲状腺眼症　169, 690
高速グラジエントエコー法　694
高速シャインプルーフカメラ　455
抗体検査　708
交代遮閉試験　140
交代プリズム遮閉試験　147
抗体率　753
後天色覚異常　212, 220, 222
後天性免疫不全症候群　746
光電素子眼球運動記録法　175
酵母菌　730
固視眼点滅法　191
固視感度　257
固視検査　155
固視点　246, 274
コルビス　455
コンタクトレンズ型電極　653
混同色線　225
コントラスト閾値　29
コントラスト感度　23, 27, 40, 435
コンフォーカルマイクロスコピー　374

細隙灯顕微鏡検査　358, 368, 460, 490
最小可読閾　2
最小錯乱円　82
最小視認閾　2
最小分離閾　2, 6
サイズ変調視野　256
最大読書速度　29
在宅医療　785
彩度　225
サーチコイル法　175
詐病　218
サルコイドーシス　703, 704, 771
酸性Giemsa染色　775
残像検査　204
散瞳試験　450

自覚的回旋偏位　149, 151
自覚的斜視角　188
視覚野　699
色覚検査　212, 223
色相　225
色弁別閾　227
視交叉疾患　567
視細胞　641
視細胞配列　641
視細胞密度　641
視索症候群　568
糸状菌　730
篩状板部分欠損　556
視神経　690, 691
視神経萎縮　527, 567
視神経管撮影　684
次世代シークエンサー　781
視線計測　182

視線追跡　318
自動視野計　243, 315
視認度　315, 316
字ひとつ視標　34
視標輝度　238
視標呈示間隔　257
縞視標　14
縞視標コントラスト感度　23
斜位近視　20
弱主経線　82
若年性網膜分離　535
遮光眼鏡　40, 88, 97
視野視標　320
視野進行判定　301
遮閉-非遮閉試験　140, 143
充盈欠損　626
充盈遅延　626
集光レンズ　484
周辺虹彩前癒着　472
周辺固視　156
周辺視野角度　48
羞明　40
縮瞳率　280
手動弁　10
瞬目検査　330
瞬目反射　675
漿液性網膜剝離　537, 634
常在電位　667
硝子体牽引　516
硝子体出血　680
硝子体生検　737, 768
省スペース視力表　21
小瞳孔　494
衝動性眼球運動　672
小児のロービジョン検査　41
上方視神経乳頭部分低形成　562
常用光源蛍光ランプD_{65}　228
シリコーンハイドロゲルレンズ　111
視力発達　15
心因性視覚障害　34, 218, 222
新型コロナウイルス感染症　791
真菌　723

索引

真菌性角膜炎　729
真菌性眼内炎　756
神経鞘　691
神経節細胞複合体　507
神経線維束欠損型視野　310
深視力　5
針電極　674
信頼係数　246
心理物理学的方法　638

す

3Dマルチビジョンテスター　207
髄液検査　762
水晶体亜脱臼　477
水晶体蛍光　633
錐体 ERG　658
錐体ジストロフィ　212, 780
水痘皮内反応　761
水痘・帯状疱疹ウイルス　714
水疱性角膜症　373
髄膜腫　691
スキアスコープ　63
スクラッチテスト　777
スケールルーペ　119
ステレオ写真　607
ステレオビューアー　608
ストリップメニスコメトリー　341
砂時計様萎縮　568
スペキュラー法　400
スペックル雑音　501
スポットビジョンスクリーナー　59, 101
スマートフォン　613
スメア　719

せ

正常視野　241
正常対応　189
正常等色　232
精神知覚散瞳　406

正切尺角膜反射法　145
生体共焦点顕微鏡　374
静的隅角検査　467
静的自動視野検査　316, 319
静的量的視野検査　243
正立虚像　491
生理的隅角血管　475
赤黄等色　232
赤外線透過フィルター　338
セグメンテーションエラー　562, 576
接眼式レンズメータ　104
赤血球沈降速度（赤沈）　747
接合部暗点　311
絶対性瞳孔強直　407
線維柱帯　470
前眼部 OCT　341, 475
前眼部蛍光造影検査　473
前眼部写真撮影　368
全距離視力　436, 437
前傾角　108
先天色覚異常　212
先天青黄色覚異常　220
先天赤緑色覚異常　220
潜伏眼振　20
潜伏斜視角　187
前房穿刺　736
前房内蛋白濃度　481

そ

相関色温度　228
双眼倒像鏡　485
走査レーザー検眼鏡　641
相対的瞳孔求心路障害　409
そり角　108

た

第1眼位　159
第1レイリー等色　232
対光-近見反応解離　407
対光反射　279, 407

対座法　325
第3眼位　159
帯状萎縮　568
代償性頭位異常　192
ダイナミックスキアスコピー　66
第2眼位　159
第2レイリー等色　232
他覚的視野計　279
他覚的斜視角　187
他覚的調節検査　129
多局所 ERG　662
多焦点眼内レンズ　435
多段カーブレンズ　121
脱神経過敏性獲得　411
多発性硬化症　690, 764
単眼性眼位検査　153
単眼注視野検査　170
単眼倒像鏡　483, 485
単純ヘルペスウイルス　714
単焦点球面レンズ　105

ち

注視野検査　170
中心暗点　268, 310
中心窩無血管域　578
中心固視　156
中心視力-中心 CFF 値解離現象　327
中心性漿液性脈絡網膜症　212, 534, 537, 551, 584
中心前房深度　477
中層毛細血管網　573, 589
超音波 A モード　425
超音波検査　678
超音波生体顕微鏡　475, 679
超音波ドップラー　679
頂間距離　77, 107, 246, 257
超広角 SLO　616
調節緊張　78
調節痙攣　127
調節視標　141
調節障害　14

和文索引

調節衰弱 127
調節性輻湊 102
調節麻痺下屈折検査 77
調節麻痺剤 101
調節力 125
蝶ネクタイ状萎縮 567
調和性網膜異常対応 194, 200
直接型隅角検査法 467
直接照明法 495
直像鏡 482
直流眼球運動記録 174

つ

追従性眼球運動 672
ツベルクリン反応 760

て

低空間周波数 26
低コントラスト視力 25
ディフ・クイック®染色 720, 723
滴状角膜 371
徹照法（レトロイルミネーション法） 362
デフォーカスカーブ 436
手持ち拡大鏡 44
手持ち眼底カメラ 611
電気眼振計 174
電気眼振図 671
電子電圧計 445
テンシロンテスト 334

と

等価屈折力 43
等価視距離 43
等感度曲線 238
瞳孔間距離 109
瞳孔間距離計 109
瞳孔緊張症 412
瞳孔径 404

瞳孔視野 279
瞳孔不同 404
瞳孔ブロック 476
等色 230
同時視 184, 185
同時プリズム遮閉試験 147
動的隅角検査 468
動的視野検査 238, 308
糖尿病網膜症 212
頭部 MRI 検査 772
同名四半盲 312
同名半盲 311, 570
同名半盲性暗点 312
同名半盲性傍中心暗点 322, 323
倒立実像 491
トキソカラ 755
トキソプラズマ 755
読書検査 40
読書視力 29
トータル偏差 248, 296, 320
トノグラフィー 465
トポグラファー 344
塗抹検鏡 722, 726
ドライアイ 337, 342
トリガーフィッシュシステム 452
ドルーゼン 543
トレンド解析 303

な

内頚動脈瘤 689
内部視標 417
内方回旋 191
内方回旋偏位 152

に

2型色覚 222
2色テスト 80
24-2 SITA-Faster 244
二重対応 194
日本色研 100 色相配列検査器

(ND-100) 225
乳頭周囲網膜神経線維層厚 554
乳頭出血 598

ね

猫ひっかき病 751

の

脳動脈瘤 161
嚢胞様変化 522
ノンコンタクトトノメーター 443

は

肺炎レンサ球菌 724
バイオメトリー 423
背景輝度 238
背景蛍光 617
背景照明法 496
培地 731
ハイディンガーのブラシ 204
梅毒血清反応 751
ハイドロゲルレンズ 111
培養検査 722, 731
背理性複視 200
パイロットキャップ 225
白内障 71
波形解析 646
パターン標準偏差（PSD） 249, 320
パターン偏差（PD） 249, 296, 319
波長掃引光源 504
ハードコンタクトレンズ 110
パノラマ造影写真 616
パノラマ超広角 OCTA 574
波面収差解析 68
波面センサー 68
原田病 212, 539, 552, 764
針生検 770
針反応 761

索　引

半側空間無視　326
半盲型視野障害　319
半盲性瞳孔強直　281

ひ

100 hue テスト　225
光干渉断層計　500, 507
光視標　141
非器質性（心因性）視野異常　313
非光学的補助具　42
皮質拡大率　323
皮質盲　703
微小斜視　198
非侵襲的涙液層破壊時間　343
ビズスコープ　155
鼻側階段欠損　240
ピット黄斑症候群　536
ひっぱり試験　167
ビデオ眼球運動記録法　180
ヒト白血球型抗原検査　757
皮内テスト　777
皮膚テスト　776
皮膚電極　653
病原体核酸検査　779
病理細胞診　737
病理組織学的検査　765

ふ

4D 撮影　686
ファンギフローラ Y 染色　729
ファンダスハプロスコープ　155
フィッティング検査　115
封入体　709
フェイバー G　721
フェニレフリン点眼　336
フォトケラト　381
負荷調節検査　129
輻湊過多　134
輻湊近点検査　133
輻湊痙攣　134
輻湊反応　407

輻湊不全　134
輻湊麻痺　134
不正乱視　68
不調和性網膜異常対応　194, 200
不同視　92
不等像視　92, 100, 206
ぶどう膜炎　479
プラチド円板　380
プラチドリング像　343
フラッシュ最大応答　654
プラトー虹彩　476
プリズム　146
プリズム眼鏡　88
プリズム遮閉試験　147
フリッカー融合頻度　326
プリックテスト　777
フルオレサイト静注　616
フルオレセイン蛍光眼底造影　615
フルオレセイン試験　364
フルオレセインパターン　115
フレア値　481
フローサイトメトリー　737
プロジェクションアーチファクト　576
プロービング　348
分光透過率曲線　97
分数視力　4
分離培養法　711

へ

平均細胞面積　371
平均偏差（MD）　249, 316
平衡法　608
閉塞隅角　475
平面視野計　324
変視症　268, 270
偏心固視　156
偏心視　275
偏心視領域　39
変分近似ベイズ線形回帰法　296, 306

ほ

放射状乳頭周囲毛細血管　588, 589
放射性同位元素　701
房水蛋白濃度　479
房水流出率　465
傍中心窩固視　156
訪問診療　785
母系遺伝　779
補償光学　641
補正レンズ　482
補装具　97
ポータブルオートレフラクト（ケラト）メータ　57
ポリープ状脈絡膜血管症　533, 545, 584
ポリメラーゼ連鎖反応　709
ホルマリン固定　766

ま

マイボグラフィー　337
マイボーム腺機能不全　337
マイヤー像　380
マップ生検　765
マップ表示　521
麻痺性散瞳　413

み

未熟児網膜症　609
水玉状視野　36
脈絡膜血管透過性亢進　627, 628
脈絡膜新生血管　544, 584
脈絡膜剥離　681
脈絡毛細血管板　573, 574
三宅病　662

む

無灌流領域　579

和文索引

むき眼位　187
無赤色眼底写真　597

明順応　417
明度　225
メチシリン耐性黄色ブドウ球菌　789
メニスコメトリー　341
メラノプシン　419
面屈折力　106

毛細血管瘤　578
盲点中心暗点　308
網膜異常対応　193, 194, 199
網膜感度　272, 274
網膜血流速度　650
網膜細動脈瘤　522, 540, 582
網膜色素上皮剝離　543
網膜色素変性　212, 530, 534, 780
網膜硝子体リンパ腫　768, 769
網膜静脈閉塞症　540
網膜神経節細胞層　558
網膜神経線維層欠損　597
網膜神経線維束　642
網膜深層毛細血管層　579
網膜正常対応　193, 199
網膜前膜　521, 524
網膜対応　184, 193
網膜対応欠如　194
網膜中心静脈閉塞症（CRVO）　580
網膜電図　653
網膜動脈血流速度波形　652
網膜動脈分枝閉塞症　529
網膜動脈閉塞　522
網膜剝離　537, 681
網膜分離症　541
網膜膨化　522
網膜下出血　682

毛様体帯　470
毛様体脈絡膜剝離　476
盲ろう　42
目標屈折度数　427
文字コントラスト感度　24
モーションアーチファクト　575
モラクセラ菌　725
森実式ドットカード　14

薬剤感受性検査　731
薬剤性散瞳　413

融像域　189
融像限界点　189
融像検査　189
融像性輻湊検査　134
融像幅　189
誘発筋電図　674

陽性γ角　191
陽性残像検査　204
陽電子放出断層撮影　773
ヨード造影剤　349
読み分け困難　5
読み分け困難現象　17

λ角　154
落屑物質　460
ラジアスゲージ　118
らせん状視野　36
卵黄状黄斑ジストロフィ　667
ランダムノイズ映像　287
ランタンテスト　223

リキッドレンズ　245
リサミングリーン染色　367
リゾチーム　747
立体視検査　189, 195
立体視力　195
律動様小波　656, 658
リバウンドトノメーター　445
リポフスチン　639
両眼開放 Esterman プログラム　48
両眼開放式定屈折近点計 D'ACOMO　126
両眼開放視認点数　48
両眼開放視力　20
両眼加重　79
両眼視機能　186, 195
両眼性滑車神経麻痺　192
両眼注視野検査　170
両眼中心視野角度　48
両耳側半盲　311
両側中心視野視認点数　48
両側肺門リンパ節腫脹　771
緑黄等色　232
緑内障のスクリーニング　287
緑内障半視野テスト　249, 319
緑膿菌　724
臨界文字サイズ　29
淋菌　724
臨床的κ角　153, 154, 191

る

涙道造影　349, 684
涙道内視鏡　352
涙道内視鏡直接プロービング　352
ルテイン　637

【れ】

励起フィルター　616
レーザー検眼鏡（SLO）　615
レーザーフレアメータ　480
レーシック　440
レチノイドサイクル　631

裂孔原性網膜剝離　535, 537
練習効果　229
レンズ打消し法　34
レンズ曲率　106
レンズ厚　107
レンズ交換　18
レンズ交換法　74
レンズの屈折力　106
レンズの清掃　596
レンズメジャー　106
レンズメータ　104

【ろ】

老視　12, 438
濾過胞　479
ローズベンガル染色　366
ロータリープリズム　134
六角細胞出現率　371
ロービジョンエイド　42

【わ】

ワーキングディスタンス　57

欧文索引

A

A 型斜視　161
A モード　680
abnormal retinal correspondence（ARC）　193
AC/A 比検査　136
ACE　747
acute zonal occult outer retinopathy（AZOOR）　529, 658, 662, 665
Adie 症候群　412
after-image test　204
AGIS スコア　304
AIDS　746
AIZE　262
alternate prism cover test（APCT）　147
Amsler Charts　268
aniseikonia　206
anomalous retinal correspondence（ARC）　199
anti-neutrophil cytoplasmic antibody（ANCA）　749
antinuclear antibody（ANA）　748
Applanation 1　455
Arden ratio　668
ARK-1 シリーズ/TONOREFⅢ　129

B

B モード　678, 680
background fluorescence　617
Badal 光学系　417
Bagolini 線条レンズ試験　200
Barrett True-K 式　440
Barrett Universal Ⅱ式　422, 424
Bebie curve　259
Berkeley Rudimentary Vision Test　34
Best 病　667
Bielschowsky head tilt test（BHTT）　172
bilateral hilar lymphadenopathy（BHL）　771
Bjerrum 領域　240
blocked fluorescence　622
blur point　189
BOLD 効果　699
Borrelia　752
Bracketing 法閾値測定　295
break point　189
brightness mode　678
Brown 症候群　169
Bruch's membrane opening（BMO）　556
bull's eye pattern　122
BUT　342

C

CASIA　391
CCF　696
CD4$^+$細胞数　746
central fixation　156
CGT2000　437
choriocapillaris　573
choroidal flush　617
choroidal vascular hyperpermeability（CVH）　627
CIE1931 xy 色度図　226
CIE 昼光　228
CIGTS スコア　304
CL チェッカー　119
Cluster Analysis　259
CMV　753
Cochet-Bonnet 角膜知覚計　399
Coldwell 法　684
Comberg コンタクトレンズ　684
confusion axis　225
Corrected Comparisons　259
Corrected Probabilities　259
cover-uncover test（CUT）　140, 143
COVID-19　791
critical fusion frequency（CFF）　326
critical print size（CPS）　29
CSC　628
CT 血管造影　687
Cyclophorometer　151

D

dark adaptation test　210
deep capillary plexus（DCP）　573, 589
Defect curve　259
disorganization of the retinal inner layers（DRIL）　524
dome shaped macula　546
double retinal correspondence　194
DSAEK　376
Duane 症候群　169
dynamic gonioscopy　468

E

eccentric fixation　156
EDOF　438
ellipsoid zone　508
EMG　674
en face OCT　550
ENG　671
enhanced depth imaging（EDI）　511
enhanced depth imaging（EDI）OCT　548
EOG　667, 671
equivalent viewing distance（EVD）　43

equivalent viewing power (EVP) 43
ERG 653
Esterman 視野 292
ETDRS 4
ETDRS チャート 7, 25
external limiting membrane (ELM) 508
extorsion 191

F

far gradient 法 136
Farnsworth Dichotomous D-15 テスト 225
Farnsworth-Munsell 100 hue テスト (FM-100) 225
FDT スクリーナー 283, 285, 291
filling-in phenomena 287
fluctuation of kinetic refraction-map (Fk-map) 129
fluorescein angiography (FA) 615
forced duction test (FDT) 167
Foucault の方法 53
foveal avascular zone (FAZ) 574, 578
foveal bulge 509
frequency doubling technology (FDT) 283
frequency of seeing curve 299
Full-field Stimulus Test (FST) 210
fusion 189

G

G プログラム 253
Ga シンチグラフィ 773
ganglion cell complex (GCC) 507, 557
Gaze track 295
Glare & Halo simulator 435
glaucoma hemifield test (GHT) 249
Goldmann 圧平眼圧計 442
Goldmann 視野計 (GP) 238, 308
gradient 法 136
GST 255
guided progression analysis (GPA) 302
guttata cornea 371

H

Haidinger's brush 204
Haller 層 550
Hansel 染色 775
harmonious ARC 194, 200
HE-2000 653
HE 染色 740
Heidergberg Spectralis 616
Hertel 眼球突出計 157
Hess 赤緑試験 163
Hess チャート 183
heterochromatic flicker photometry (HFP) 637
heterophoria 法 136
HfaFiles 304
high frequency component (HFC) 129
Highest Concavity 456
Hill RBF 式 422
hippus 406
Hirschberg 法 144, 145
HLA 遺伝子型 (DNA) タイピング 758
HLA 抗原型 (血清対応型) タイピング 758
Horner 症候群 412
HSV 752
hue 225
hue circle 225
human immunodeficiency virus (HIV) 754
human leukocyte antigen (HLA) 757
human T-cell lymphotropic virus type-1 (HTLV-1) 754
Humphrey 視野計 243
hyperfluorescence 617
hyphate ulcer 730

I

iCare HOME 446
ICG angiography (IA) 623
IgG4 関連眼疾患 691
IgH 遺伝子再構成 737
IL-10/IL-6 濃度比 737
immune recovery uveitis (IRU) 753
indentation gonioscopy 469
indocyanine green angiography (IA) 615
indocyanine green (ICG) 623
infraorbitomeatal line (IOM ライン) 687
interdigitation zone 509
interferon-gamma release assay (IGRA) 750
intermediate capillarzy plexus (ICP) 573, 589
intorsion 191
intra retinal microvascular abnormalities (IRMA) 580
IOL Master 700 428
isochromatic line 225

K

Knapp の法則 206
Kohlrausch の屈曲点 210
Krimsky 変法 146
Krimsky 法 145

L

L/D 比 668

Landolt 環　2
Landolt 環単一視標　15
Lang-Stereotest®　197
LE-4000　653
Leber 遺伝性視神経症　781
light-near dissociation　407
logMAR　3
Lyme 病ボレリア　752

M

M-cell 系　256
M-CHARTS　270
Müller 筋　336
MacAdam 偏差楕円　226
Maddox 杆　148
Maddox 杆正切尺法　148
Maddox 杆ダブルロッドテスト　149
Maddox 杆プリズム法　148
magnetic resonance angiography（MRA）　693
magnetic resonance imaging（MRI）　690, 693
magnificance effect　562
main sequence　177
major histocompatibility complex molecule（MHC）　757
MALT リンパ腫　691
Marcus Gunn 瞳孔　409
Mariotte 盲点　240, 310
Matrix　285
maximum reading speed（MRS）　29
MD スロープ　304
mean deviation（MD）　249, 296
Meesmann 角膜上皮ジストロフィ　376
Methicillin resistant *Staphylococcus aureus*（MRSA）　789
microvasculature dropout（MvD）　591

Mishima-Hedbys 法　400
MNREAD-J　29
monocular depth cue　198
motion contrast　570
MP-1　273
MP-3　273
Munsell 色票　226

N

NAVIS　304
near gradient 法　136
negative after-image test　204
negative ERG　657
neovascularization elsewhere（NVE）　580
New Aniseikonia Tests（Awaya）　207
NI-BUT　343
non-recordable ERG（消失型）　657
normal retinal correspondence（NRC）　193, 199

O

objective angle of strabismus（Obj.A）　187
occult macular dystrophy（OMD）　658, 662
Octopus600　254
Octopus 視野計　253
Ocular Response Analyzer　402
ON と OFF 応答　661
OPs　658
optical aniseikonia　206
optical coherence tomography angiography（OCTA）　515, 550, 570, 573, 578
optical coherence tomography（OCT）　500, 507, 511, 566
Optos　616
orbitomeatal line（OM ライン）　687

P

P-EOG　175
pachychoroid　585
pachychoroid neovasculopathy（PNV）　553
pachychoroid spectrum disease　628
Panel D-15 テスト　225
paracentral acute middle maculopathy（PAMM）　507, 581
paradoxical diplopia　200
parapapillary chorioretinal atrophy（PPA）　591
Parks の 3 ステップ法　172
pattern standard deviation（PSD）　249, 297, 320
PCR 検査　707
PCR 法　712, 736
PCV　629
Pentacam　384
perfusion density（PD）　574
personal protective equipment（PPE）　791
photopic negative response（PhNR）　658
pie-in-the-sky　312
pigmentfarbenanomale　232
PKS-1000　381
pleomorphism　371
Pola test　207, 208
Polar Graph　259
polymegathism　371
polymerase chain reaction（PCR）　709, 715, 727, 781, 790
pooling　618, 627
positive after-image test　204
positron emission tomography（PET）　773
power cross 法　63

索引

prefered retinal locus (PRL)　39
Probabilities　259
projection artifact　587
Prowazek 小体　709
Pulsar 視野　255
punched out lesion　684
pupillary unrest　406
Purkinje image　175
push up test　118

Q

Q 値　753

R

radial peripapillary capillaries (RPCs)　589
radio isotope (RI)　701
random dot 図形　196
Randot® preschool stereoacuity test　198
RB ライン　687
reading acuity (RA)　29
recovery point　189
red glass test　201
refractive surprise　440
Reid's base line　687
Reis-Bückler 角膜ジストロフィ　376
relative afferent pupillary defect (RAPD)　409
RelEYE　246
RetCam　609
RETeval　653
retinal correspondence　193
retinal ganglion cell displacement (RGC displacement)　557
RGB 分解　597
RPC　587
RT (reverse transcription)-PCR (polymerase chain reaction) 法　712

RTVue-XR Avanti　391

S

saccadic dysmetria　177
saccadic hypermetria　177
saccadic hypometria　178
Sanger 法　781
Sattler 層　550
Scheie 分類　470, 471
Scheimpflug　384
Scheiner の原理　52
Schiötz 眼圧計　465
Schirmer テスト　341
Schwalbe 線　469, 470
screen-comitance test　140
search-coil　175
Shaffer 分類　471
short-wavelength automated perimetry (SWAP)　276
signal strength (SS)　515
sIL-2R　747
simultaneous perception (SP)　185
simultaneous prism cover test (SPCT)　147
single prism cover test (PCT)　147
SITA-Faster　244
Sjögren 症候群　366
skeleton desity (SD)　574
SLO 型　631
Space Eikonometer　207
Spaeth 分類　471
SPECT　705
spectral-domain (SD) OCT　500, 547, 616
Spot Vision Screener (SVS)　59, 101
SPP 標準色覚検査表　212, 214, 217, 218
SRK/T 式　421, 424
standard Automated Perimetry

(SAP)　243
Stargardt 病　212
static gonioscopy　467
Stereo Fly test　197
subjective angle of strabismus (Subj.A)　188
superficial capillary plexus (SCP)　573, 589
superior segmental optic disc hypoplasia (SSOH)　562
suppression　193
Swedish interactive threshold algorithm (SITA)　315
swept-source (SS) OCT　504, 549
swinging flashlight test　407

T

Teller acuity cards (TAC)　15
TFOD　342
the antibody quotient　753
Thiel-Behnke 角膜ジストロフィ　376
time-domain (TD) OCT　500
tissue staining　618
TMS5　384
TNO test　197
TOP　255
total error score　225
TSNIT グラフ　554

U

ultrasonic doppler method　679
ultrasound biomicroscope (UBM)　475, 678, 679, 680
unharmonious ARC　194, 200
uveal effusion　542

V

V 型斜視　161

van Herick 法　463, 471
vessel density (VD)　574
vessel length density (VLD)
　574
video-oculography (VOG)　180
Visual Field Index (VFI)　249,
　250, 296, 320

VZV　753

WAM-5500　130
Waters 法　684
white on white (W on W)　276

Worth 4 灯試験　202

Zernike 多項式　68
ZEST　315
Zinn-Haller 動脈輪　588

検印省略

眼科検査ガイド

定価（本体 24,000円＋税）

2004年11月3日　第1版　第1刷発行
2016年9月28日　第2版　第1刷発行
2022年2月5日　第3版　第1刷発行
2023年2月19日　同　第2刷発行

監修者　根木　昭
編集者　飯田　知弘・近藤　峰生
　　　　中村　誠・山田　昌和
発行者　浅井　麻紀
発行所　株式会社　文光堂
　　　　〒113-0033　東京都文京区本郷7-2-7
　　　　TEL（03）3813-5478（営業）
　　　　　　（03）3813-5411（編集）

©根木　昭・飯田知弘・近藤峰生・中村　誠・山田昌和, 2022　印刷・製本：真興社

ISBN978-4-8306-5609-5　　　　　　　　　　　　　　Printed in Japan

・本書の複製権，翻訳権・翻案権，上映権，譲渡権，公衆送信権（送信可能化権を含む），二次的著作物の利用に関する原著作者の権利は，株式会社文光堂が保有します．
・本書を無断で複製する行為（コピー，スキャン，デジタルデータ化など）は，私的使用のための複製など著作権法上の限られた例外を除き禁じられています．大学，病院，企業などにおいて，業務上使用する目的で上記の行為を行うことは，使用範囲が内部に限られるものであっても私的使用には該当せず，違法です．また私的使用に該当する場合であっても，代行業者等の第三者に依頼して上記の行為を行うことは違法となります．
・JCOPY〈出版者著作権管理機構 委託出版物〉
本書を複製される場合は，そのつど事前に出版者著作権管理機構（電話03-5244-5088，FAX 03-5244-5089，e-mail：info@jcopy.or.jp）の許諾を得てください．